WESTAFRIKANISCHE STUDIEN

FRANKFURTER BEITRÄGE ZUR SPRACH- UND KULTURGESCHICHTE

HERAUSGEGEBEN VON HERRMANN JUNGRAITHMAYR, NORBERT CYFFER UND RAINER VOSSEN

unter Mitarbeit von Rudolf Leger und Anne Storch

Band 32

RÜDIGER KÖPPE VERLAG KÖLN
2007

Ronald P. Schaefer / Francis O. Egbokhare

A Dictionary of Emai

An Edoid Language of Nigeria

Including a Grammatical Sketch

RÜDIGER KÖPPE VERLAG KÖLN
2007

Bibliographic information published by the Deutsche Nationalbibliothek
Die Deutsche Bibliothek lists this publication in the Deutsche Nationalbibliografie; detailed bibliographic data is available in the Internet at http://dnb.d-nb.de.

ISBN 978-3-89645-468-3

© 2007
RÜDIGER KÖPPE VERLAG
P.O. Box 45 06 43
D - 50881 Cologne

www.koeppe.de

Production: DIP-Digital-Print, Witten / Germany

Gedruckt auf säurefreiem und alterungsbeständigem Papier.
∞ Printed on acid-free paper which falls within the guidelines of the ANSI to ensure permanence and durability.

CONTENTS

Acknowledgements   vi

Cultural and Linguistic Background   vii

Map   ix

Abbreviations   x

Orthography and Grammatical Sketch   1

References   31

Emai-English   33

English-Emai   456

ACKNOWLEDGEMENTS

This dictionary represents the first published lexical record of the Emai people of southern Nigeria. It reflects most directly linguistic fieldwork undertaken by the two authors at regular intervals from 1994 to 2004, although it also incorporates lexical material gathered since 1983. Since the second author is a native speaker of Emai, his lexical intuitions over a number of years serve as a filter for information obtained from other Emai speakers.

During 1981-85, the first author undertook initial field investigations of Emai linguistic structure. It was supported by the University of Benin, Benin City, Nigeria through its Department of Linguistics and African Languages chaired by Professor R.N. Agheyisi. A major outcome of this early fieldwork was an Emai orthography (Schaefer 1987).

Data collection leading to this dictionary was sanctioned by His Highness Chief J.A. Ogedegbe II, Traditional Ruler of the Emai clan, and was undertaken with assistance from the Ministry of Education in Owan Local Government Area. In particular, Mr. G.U. Otoikhian was instrumental in introducing the first author to the Emai community and enlisting its cooperation. Subsequent analysis of Emai linguistic patterns was facilitated by gracious assistance from Mr. P. O. Egbokhare at fieldwork sites and by Ann Haring-Pedrocchi and Renato Pedrocchi through generous transportation and material support. Others too numerous to mention assisted in arranging fieldwork or assembling data. The authors also wish to thank Professor Rich Rhodes of the University of California, Berkeley, for encouragement and timely advice on dictionary format. Lastly, we thank those at Southern Illinois University Edwardsville who provided subvention assistance: Professor Steve Hansen, Dean of Graduate Studies and Research, Professor Rudy Wilson, Assistant Provost for Cultural and Social Diversity, and Professor Kent Neely, Dean of the College of Arts and Sciences.

Formulation of the dictionary benefited from collaboration made possible by the generous assistance of several institutions. Summer research fellowships from Southern Illinois University Edwardsville, U.S.A. assisted the first author, while a sabbatical leave from the Department of Linguistics and African Languages at the University of Ibadan, Nigeria, and an Alexander von Humboldt Fellowship for study leave at the Institut für Afrikanistik und Äthiopistik at Universität Hamburg, Germany, assisted the second author. Finally, research leading directly to this dictionary was supported by Southern Illinois University Edwardsville through its Research Scholar Award and by the National Science Foundation (SBR-#9409552 and BNS-#9011338). We are grateful to each of these institutions, without of course ascribing to them any responsibility for our conclusions.

CULTURAL AND LINGUISTIC BACKGROUND

Emai is the language of approximately 30,000-40,000 members of the Emai clan in south central Nigeria. It is spoken in ten villages across roughly 250-square-kilometers on the plateau between the Edion and Owan rivers of present-day Edo State. Located at longitude 6° east of Greenwich Meridian and latitude 7° north of the equator, this area consists primarily of tree savanna, allowing for bush agriculture involving the harvesting of yam, maize, cassava, and beans among other crops. Serving as the principal political village of the Emai is Afuze. Other villages in the clan are Ojavun-New-Site, Uanhumi, Eteye, Okpokhunmi, Ojavun-Old-Site, Evbiame-Old-Site, Ogute, Evbiame-New-Site, Ovbionwu.

The Emai-speaking region is approximately 120 kilometers north of Benin City by road transport. It is connected in the south to Sabongida, the principal village of the related Ora people, in the east to Uzebba, the principal village of the related Iuleha clan, and in the north to Auchi, the principal village of the Edoid subgroup Yekhee.

As a linguistic entity, Emai is completely surrounded by Edoid speech varieties. Its genetic classification as a distinct linguistic unit within Edoid is of recent origin. Elugbe (1973) classified it as part of a dialect cluster incorporating adjacent Ora (30,000 speakers) and Iuleha (45,000 speakers), while Elugbe (1989) locates this cluster more specifically within the North Central Branch of Edoid. While a published word list supporting a cluster relationship among these dialects is not available, broader classificatory schemes have accepted the cluster interpretation, e.g. Hansford, Bendor-Samuel and Stanford (1976), Bendor-Samuel (1989) and Crozier and Blench (1992). Even Christian missionary activity in the area has not generated word lists, since neither the Bible nor a church hymnal is available in Emai.

Linguistic investigation of individual languages within the Edoid group is extremely limited. To date, no descriptive grammatical treatment, encompassing reference grammar, lexicon, and texts, has appeared for a single member of the 25 or so Edoid languages. Perhaps the most widely recognized contemporary analysis of the Edoid group is Elugbe's (1973) unpublished dissertation *A Comparative Edo Phonology* and its successor, *Comparative Edoid: Phonology and Lexicon* (Elugbe 1989).

Among Edoid languages, word lists of various kinds are available but dictionaries exist only for Bini. Word lists for genetic classification and comparative analysis of Edoid speech varieties are found in Thomas (1910), Wescott (1962), Thomas and Williamson (1967), Dunn (1968), Elimelech (1979), and Elugbe (1989). Dictionaries are only available for Bini, the numerically and culturally dominant language of the group since establishment of the influential Edo Kingdom in the 13th Century (Ryder 1969). Melzian (1937) provides a descriptive dictionary of Bini. A pedagogically oriented dictionary intended for use in primary and secondary schools is found in Agheyisi's (1986) *An Edo-English Dictionary*.

There is no previous dictionary of Emai or any of its cluster relations. Schaefer (1987) offers an initial lexicon in conjunction with an orthographic statement. It contains roughly 1500 entries with English equivalents but little illustration at the phrase or sentence level and little attention to subcategorization of major parts of speech. A major phonological study of Emai is found in Egbokhare (1990). A recent collaborative effort consists of Emai and English rendering of sample texts in *Oral Tradition Narratives of the Emai People, Part I and II* (Schaefer and Egbokhare 1999). Additional investigation has centered on Emai tonal and grammatical structure, leading to various papers by Schaefer and Egbokhare and the drafting of an Emai reference grammar.

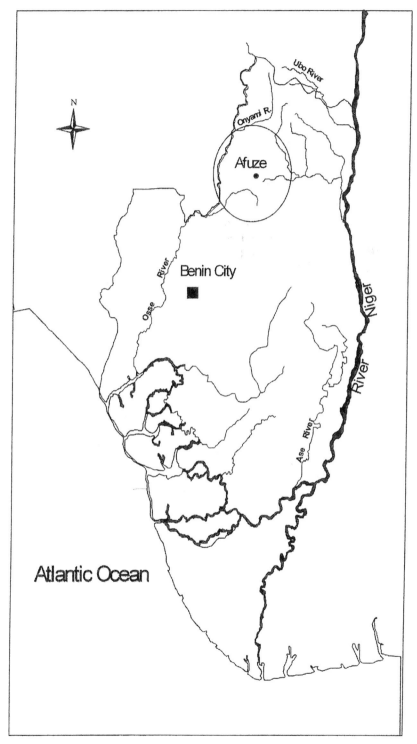

Figure 1: Emai-speaking Area around Afuze in Southern Nigeria

LIST OF ABBREVIATIONS

ABSI	Absolute Intensification	ideo	Ideophone
ADD	Additive	IG	Ingressive
adj	adjective	IND	Indicative Complement
ANT	Anterior	inter	interjection
ANTI	Anticipative	intr	intransitive
APP	Applicative	IQ	Indirect Question
ASS	Associative	L	Locative
AUG	Augmentative	lit.	literal interpretation
aux	auxiliary	LR	Locative Relator
C	Continuous	MAN	Manner
CER	Certaintive	n	noun
COL	Collective	NABI	Non-absolute
COM	Comitative	NEG	Negative
comp	complement	N	Negative Focus
compl tr	complex transitive	num pref	numeral prefix
CON	Conative	PA	Past Absolute
CONC	Concessive	part	particle
COND	Conditional Comp	PCT	Punctual
conj	conjunction	PERS	Perseverative
CORC	Correlative Conjunction	PF	Positive Focus
CS	Change of State	pl	plural
D	Displacement	POEV	Post-evaluative
DED	Deductive	postdet	postdeterminer
det	determiner	PMA	Proximal Manner
DIM	Diminutive	PR	Prohibitive
DIS	Disjunctive	PRED	Predictive
DMA	Distal Manner	predet	predeterminer
DQ	Direct Quote	pref	prefix
DS	Distributive	prep	preposition
DUB	Dubitative	PREV	Pre-evaluative
DUR	Durative	prev adv	preverbal adverb
EG	Egressive	pro	pronoun
EVAL	Evaluative	pstv adv	postverbal adverb
F	Factative	R	Relator
H	Habitual	RC	Recurrent
HOR	Hortative	RD	Right-Dislocation
HYP	Hypothetical	REC	Reciprocal
id	idiom	REFL	Reflexive

REP	Repetitive	SUB	Subsequent
RES	Resultative	SUBJ	Subjunctive
SA	Sentence Affirmation	suffix	suffix
SC	Subject Category	TER	Terminative
SEQ	Sequential	tr	transitive
sg	singular	v	verb
SN	Sentence Negation		

ORTHOGRAPHY AND GRAMMATICAL SKETCH

1. Introduction

Ten word classes or part-of-speech categories are employed in this dictionary. They include the four major word classes: noun, verb, adjective and adverb. The minor classes are preposition, conjunction, particle, determiner, ideophone, and interjection. Words and morphemes from these different classes are represented orthographically using the conventions outlined below.

2. Orthography

Emai has no written tradition except as introduced in an initial orthographic statement by Schaefer (1987) and utilized in the text collection of Schaefer and Egbokhare (1999). To maintain consistency in the discussion of linguistic issues in Emai, we follow the practice established by these earlier works, although a few changes regarding tone are noted below. In general, segment representations follow conventions for Nigerian languages set out in Williamson (1984) and adopted for Emai.

2.1. Vowel sounds and symbols

The Emai vowel system consists of 12 phonemic units, seven oral and five nasal. Oral vowels assume the orthographic shapes below on the left.

i	close, front, unrounded	*si*	'to pull'
e	half-close, front, unrounded	*ye*	'to move toward'
e̲	half-open, front, unrounded	*se̲*	'to be sufficient'
u	close, back, rounded	*khu*	'to chase'
o	half-close, back, rounded	*to*	'to ache'
o̲	half-open, back, rounded	*ho̲*	'to slaughter'
a	open, central, unrounded	*sa*	'to shoot'

Nasal vowels are designated by the letter 'n' following the corresponding oral vowel. No contrast between nasal and oral vowels exists at the half-close positions 'e' and 'o.'

in	nasal, close, front, unrounded	*sin*	'to deny'
e̲n	nasal, half-open, front, unrounded	*se̲n*	'to pierce'
un	nasal, close, back, rounded	*khun*	'to bundle'
o̲n	nasal, half-open, back, rounded	*ho̲n*	'to hear'
an	nasal, open, central, unrounded	*san*	'to leap'

The letter 'n' is not used to signal nasality when a vowel follows nasal consonants represented by 'm,' 'n,' 'nw,' or 'ny.' Double marking of nasality is thus avoided, as in neighboring Yoruba orthographic practice.

ma	'to mold'	*ne̲*	'to defecate'
nwu	'to take hold of'	*nye̲*	'to cook'

Sequences of identical and non-identical vowels occur within lexical items. Identical oral vowels are juxtaposed orthographically as double letters.

ii	*ósìí*	'stew'	uu	*yúú*	'thick'
ee	*yee*	'to speed, rush'	oo	*too*	'to burn'
e̲e̲	*he̲e̲*	'to praise'	o̲o̲	*ho̲o̲*	'to wash clothes'
aa	*maa*	'to fold cloth'			

Sequences of identical nasal vowels appear, although not at half-close positions.

iin	*iin*	'to tickle'	uun	*vuun*	'to uproot'
e̲e̲n	*he̲e̲n*	'to climb'	o̲o̲n	*órò̲ò̲n*	'guinea fowl'
aan	*taan*	'to open'			

Although one might wish to interpret these sequences as single long vowels, rather than as a sequence of two vowels, morphophonemic patterning reveals identical vowel sequences alternating with non-identical sequences.

ó̲ó̲khò̲	'fowl'	*é̲ó̲khò̲*	'fowls'

Non-identical vowel sequences within lexical items exhibit both oral and nasal character. Sequences of oral vowels occur frequently with an open member in second position.

ia	*ópìà*	'cutlass'	ua	*hua*	'to carry'
ea	*éèà*	'person'	oa	*óà*	'house'
ea	*kea*	'near'			

Sequences of a nasal character employ 'n' after the final vowel.

ein	*éìn* 'tortoise'	uin	*úìin* 'cold'
e̱in	*ìgè̱ìn* 'person's name'	oin	*oin* 'dika nut'
ain	*áìn* 'him/her'	o̱in	*ò̱ìnègbè* 'grief'

2.2. Consonant sounds and symbols

Emai consonant phonemes occur at eight places of articulation and reflect five manners of articulation. The alignment of these with voicing leads to 27 consonant phonemes. Orthographically represented by single- and double-letter symbols, consonant phonemes are illustrated below with their phonetic description and lexical illustration.

Stop sounds occur at four places of articulation: bilabial, alveolar, velar, and labiovelar.

p	voiceless, bilabial, stop	*pe̱e̱* 'to fill to the brim'
b	voiced, bilabial, stop	*be̱e̱* 'to start'
t	voiceless, alveolar, stop	*étè* 'hair'
d	voiced, alveolar, stop	*édó'* 'termite'
k	voiceless, velar, stop	*ka* 'to dry'
g	voiced, velar, stop	*ga* 'to worship'
kp	voiceless, labiovelar, stop	*kpa* 'to vomit'
gb	voiced, labiovelar, stop	*gba* 'to be big'

Fricatives appear at four places of articulation: labiodental, alveolar, palatal and velar.

f	voiceless, labiodental, fricative	*fan* 'to pluck'
v	voiced, labiodental, fricative	*van* 'to growl, bark'
s	voiceless, alveolar, fricative	*se̱* 'to be enough'
z	voiced, alveolar, fricative	*ze̱* 'to germinate'
sh	voiceless, palatal, fricative	*shasha* 'to scrape'
y	voiced, palatal, fricative	*yaya* 'to scavenge'
kh	voiceless, velar, fricative	*khaa* 'to carve'
gh	voiced, velar, fricative	*ghaa* 'to dry at a fire'

There are affricate sounds at only one place of articulation: alveopalatal.

ch voiceless, alveopalatal, affricate	*che* 'again'
j voiced, alveopalatal, affricate	*je̱* 'to laugh'

Approximants appear at five places of articulation: bilabial, labiovelar, alveolar, palatal, and glottal. They express allophonic relationships with nasal consonants at four places: bilabial, labiovelar, alveolar, and palatal. Alternation in three cases is conditioned by a nasal vowel ('vb' / 'm,' 'w' / 'nw,' and 'y' / 'ny') and in one case ('l' / 'n') by syntactic positioning (*li/ni* alternation of the positive focus particle).

vb voiced, bilabial, approximant	*vbe̱e̱* 'to lower'
m voiced, bilabial, nasal	*me̱e̱* 'to swagger'
w voiced, labiovelar, approximant	*we̱e̱* 'to spread'
nw voiced, labiovelar, nasal	*nwe̱* 'to ripen'
l voiced, alveolar, lateral	*laa* 'to be bitter'
n voiced, alveolar, nasal	*naa* 'to force'
y voiced, palatal, approximant	*yaa* 'to keep'
ny voiced, palatal, nasal	*nyaa* 'to pamper'

Two approximants fail to alternate with nasal consonants.

r voiced, alveolar, approximant	*raa* 'to steal'
h voiceless, glottal, approximant	*haa* 'to be quiet'

2.3. Tonal features

Emai is a terraced-level tone language showing high, low, and downstepped high. For some word classes, inherent tone values distinguish words that in all other aspects of sound shape are identical. Nouns, adjectives and postverbal adverbs in citation form express lexical meanings through tonal contrasts. On the other hand, the citation forms of verbs, auxiliary particles, and preverbal adverbs exhibit a general loss of tonal contrast. As with other Edoid languages (Elugbe 1989), Emai verbs, auxiliaries, and adverbial preverbs are assigned tone values reflecting inflectional properties of their grammatical constructions. In large part these values depend on the general mood categories indicative and subjunctive, which incorporate the auxiliary sub-categories tense/aspect (perfective and imperfective) and modality (deontic and epistemic).

Tone values distinguish some Emai words that have identical segments. Emai's high (H), down stepped-high (!H) and low (L) tones combine in various ways within otherwise identical lexical nouns, adjectives and postverbal adverbs. In orthographic practice, high tone is represented by an acute accent, low tone by a grave accent, and down stepped high by an acute accent immediately followed by a single quote.

ódòn	*ékpà*	*òkpá*	*óvbèè*
'husband'	'vomit'	'one'	'monkey'
òdón	*èkpà*	*òkpà*	*òvbéé'*
'loan interest'	'fist'	'rooster'	'trickery'

Various combinations of tone occur within lexical items. An initial high tone can be followed by a low tone, a high tone, or a down stepped high, the latter being one step lower than an immediately preceding high tone.

áwà [H L]	*ónòì* [H H L]	*éghó'* [H !H]
'dog'	'another'	'money'

Word-initial low tone can be followed by either a low tone or a high tone.

ìwè [L L]	*ùgín* [L H]
'house'	'basket'

Downdrift (↓)affects non-initial high tone, lowering the latter's pitch when preceded by a low tone.

ódùdú [H L ↓H]	*ikèké* [H L ↓H]
'shadow'	'bicycle'

3. Syllables, word classes and pronunciation

Major word classes or parts of speech tend to reflect contrasting syllable structures, although no absolute relation exists between category type and syllable character. All parts of speech are vowel final. Nouns are uniformly vowel-initial. Verbs tend to be consonant initial, with a few being vowel initial. Adjectives tend to be consonant initial, whereas adverbs are either vowel- or consonant initial. Of the minor categories, most are consonant initial, except auxiliaries conveying tense/aspect, negation or preverbs with subjunctive value. The preposition class is consonant initial.

In pronunciation, the syllabic character of word classes appearing in phrasal or clausal constructions is normally adjusted by two phonological processes: vowel elision and glide formation. These processes lead to a divergence between the orthographic practice of employing citation forms and normal-rate pronunciation and its phonetic rendering. Regardless of phonetic transformation through glide formation or phonetic loss through elision, orthographic practice retains vowel segments in all word classes.

Glide formation affects the close vowels [i] and [u] when they precede non-close vowels. It gives rise to the glide shapes 'y' and 'w,' respectively, as illustrated by the verbs *fi* and *ku* when followed by a noun phrase.

fi	*ópìà*	[fyópìà]		*kú*	*àmè̱* [kwàmè̱]
throw	cutlass			throw	water

Vowel elision at the clausal level omits a morpheme-final vowel when another vowel immediately follows. It differentially affects word classes, revealing complex interactions between phonological and syntactic parameters. The application of vowel elision is restricted across major syntactic constituents like subject/predicate and verb/adverb. In normal pronunciation of the sentence below, neither the final vowel of the subject noun *ókpósó* nor the initial vowel of the verb *é̱hé̱n* elide. Similarly, neither the final vowel of the direct object *ákhé* nor the initial vowel of the adverb *òdè̱* elide. However, the final vowel of the predeterminer *ólì* elides, as does the final vowel of the verb *é̱hé̱n*.

ólí ókpósó é̱hé̱n   ákhé òdè̱.   [ólókpósó é̱hánkhé òdè̱]
the   woman   prepared   pot   yesterday
'The woman prepared a pot yesterday.'

Vowels juxtaposed through the application of syntactic movement rules are not elided. The final vowel of a noun like *áwà* 'dog,' when topicalized, is not omitted relative to the initial vowel of a following word like *élì* 'the.'

ólí áwà, élí ímò̱hè khú   ó̱ì.   [óláwà élímò̱hè khú ó̱ì]
the   dog   the   men   chase   it
'As for the dog, the men chased it.'

Vowel elision in pronunciation reflects three phonetic patterns that become transparent most easily with transitive verb phrases. When a lexical direct object immediately follows a single-vowel verb, the final vowel of the verb is omitted, while the initial vowel of the direct object is retained. Orthographic representation retains both vowels nonetheless, as shown by comparison of orthographic and broad phonetic representations.

gbé	*áwà*	[gbáwà]		*dé̩*	*óràn*	[dóràn]
kill	dog			buy	wood	

Verbs defined by a single nasal vowel reflect a second pattern. In pronunciation, the vowel itself is omitted but its nasal quality is retained and assumed by the initial vowel of the ensuing noun phrase. Again, phonetic and orthographic representations diverge.

sé̩n	*áwà*	[sánwà]		*tó̩n*	*ímò̩hè*	[tínmò̩hè]
stab	dog			bury	men	

Still a third phonetic pattern is exhibited by verbs with a sequence of identical vowels (*ko̩o̩*). In pronunciation, the sequence shortens when a lexical direct object follows; it does not elide entirely. Comparison to a single vowel verb (*ko̩*) illustrates the contrast. Orthographic presentation of each verb is consistent with its citation form.

kó̩ó̩	*ébè*	[kó̩ébè]		*kó̩*	*émà*	[kémà]
read	book			plant	yam	

Lastly, final vowels within a verb do not elide when followed by a pronominal direct object.

sá	*ó̩ì*	[sáó̩ì]		*gbé*	*ó̩ì*	[gbéó̩ì]
fetch	it			kill	it	

Orthographic and broad phonetic representations exhibit varying degrees of congruency in the case of word formation. Since both vowel elision and glide formation are evident in the pronunciation of compounds and derivations, identification of compounded morpheme elements is oftentimes obscured by vowel omission. To maintain some level of morpheme transparency in orthographic practice, elided vowels in compounds and derivations are accounted for in two ways.

Derived word forms in pronunciation exhibit no major incongruency relative to orthographic practice. When a verb is derived from a noun by addition of a prefix, there is no vowel elision.

oo 'to think'   *kpa* 'to vomit'
àòó 'thought'   *èkpà* 'vomit'

Compound forms, however, pose potential problems for orthographic practice.
Vowels at word boundaries within compounds are subject to elision. When the
verb of a verb-noun compound is transitive (e.g. *ze̲* 'scrape,' *da* 'drink'), its
vowel is elided. Comparison of forms for 'barber' and 'drunkard' reveal how
only the sound shapes of prefix and noun are consistent across broad phonetic
form and orthographic practice.

ò̲zètò   [ò̲-ze̲-étò]   *òdènyò̲*   [ò̲-da-ényò̲]
'barber'   prefix-scrape-hair   'drunkard' prefix-drink-wine

Elision also affects nasal vowels in verb-noun compounds but not in the
manner evident in syntactic constructions. Whereas only the verb vowel is elided
in syntactic phrases, both the vowel and its nasal quality (e.g. *ke̲n* and *kpe̲n*) are
effaced in compounds.

ákèvà   [á-ke̲n-èvá]   *ókpòkhúnmí* [ó-kpe̲n-òkhùnmì]
'twin kernels' prefix-divide-two   'upward'   prefix-be next to-top

In other compounds, orthographic practice and broad phonetic rendering often
align. Non-nasal vowels elide and are not rendered in the orthography.

ákòísí̓   [àkò   òísí̓]   *ákùhìà*   [àkò   ùhàì]
'holster'   sheath gun   'quiver' sheath arrow

Elision is also evident in word formation involving reduplication, a process
often used to convey emphasis or intensification in Emai. Forms referring to
relationships of time and space involve reduplication of an entire root (e.g. *ésè̲*
'center of' and *édè̲* 'day'), with accompanying elision of the initial element's
morpheme-final vowel. Orthographic practice reflects the elided form.

ésè̲   *édè̲*
'center of'   'day'
ésè̲sé̲ [ésè̲-ésè̲]   *èdè̲dé̲* [édè̲-édè̲]
'direct center of'   'moments ago'

Pronunciation of compounds and derivations also reflects glide formation.
The final close vowels of the prefixes *úsù* and *úvbì* when preceding another

vowel assume a glide shape. Orthographic practice retains the corresponding vowel.

úsúémà	[úswémà]	*úvbìàfàn*	[úvbyàfàn]
tuber-yam		DIM-harp	
'tuber of yam'		'small harp'	

4. Clause structure

Major word classes convey Emai's basic clause structure. In simple clauses, grammatical relations are expressed through the arrangement Subject-Verb-Object (SVO). Declarative structures with transitive verbs show a subject noun phrase (*ólí ómọ̀hè*) followed by a verb (é) and its direct object (*ólí émàè*).

(1) *ólí ómọ̀hè é   ólí émàè.*
     the man   eat the food
     'The man has eaten the food.'

Polar interrogatives (yes/no questions) manifest the same word order as declaratives, although their rising intonation is contrastive.

(2) *ólí ómọ̀hè é   ólí émàè?*
     the man   eat the food
     'Has the man eaten the food?'

Information interrogatives (*wh*-questions) place a question word in clause-initial position as the focus of information.

(3) a. *óé' ọ́ é   ólí émàì?*
        who 3s eat the food
        'Who ate the food?'
     b. *émé' ólí ómọ̀hé éì?*
        what the man   eat-F
        'What did the man eat?'

Lastly, imperative constructions lack an overt grammatical subject in the singular but not in the plural.

(4)   *vbá   è   ọ̀lí   émàè.*
      you (pl) eat   the   food
      'Eat the food.'

5. Lexical entries

Information in lexical entries of this dictionary varies according to word class or part of speech. Overall, entries exhibit the following information order: Emai orthographic form, part of speech, English translational equivalent, and illustration. Illustration takes either a phrasal, clausal or in some cases a discourse-relevant form. As a general rule, minor categories play a role in subcategorizing major categories.

Minor categories include determiners, particles, conjunctions and prepositions. They do not uniformly retain their final vowels in pronunciation. Determiners assume two positions with respect to head nouns. Pre-determiners such as the definite determiner *ọ́lì* 'the' precede a noun. Post-determiners follow a noun and register the subclasses demonstrative, numeral, sortal, and quantifier, as illustrated by the quantifier *èrèmẹ́* 'all.' Pre-determiners lose their final vowel, while post-determiners exhibit no vowel elision.

(5)   *ọ́lí   ébè* [ọ́lébè]   *óá   èrèmẹ́* [óáèrèmẹ́]
      the   leaf   house all
      'the leaf'   'all the houses'

Particles occur in auxiliary and verbal phrases as well as clausal constructions. Elision does not uniformly affect them. Auxiliary particles reflect three subclasses, tense/aspect, modality (deontic and epistemic) and relative tense. Their vowels never elide, as shown by the certaintive particle *ma* of the epistemic subclass.

(6)   *ọ́lí   ọ́mọ̀hé má   dá   ọ́lí   ẹ́nyò.*   [ọ́lọ́mọ̀hé mádá ọ́lẹ́nyò]
      the   man   CER drink the   wine
      'The man surely drank the wine.'

Postverbal particles express particular types of meanings in construction with verbs. Four subclasses are evident, signaling event change, temporal viewpoint, physical position, and sentence complement type. Vowels generally elide or not according to subclass.

Postverbal event change particles express changes of state, location or possession in construction with intransitive or transitive verbs. In its prototypical usage, the change of state particle *a* designates a change in the material condition of an entity, designated either by the grammatical subject (*ólì ògò* 'the bush' 7a) of an intransitive verb or the grammatical direct object (*ólí ákhè* 'the pot' 7b) of a transitive verb. It never elides.

(7)   a. *ólì ògò tóó á.*
          the bush burn CS
          'The bush burned.'

      b. *ólí ómòhè gbé ólí ákhè á.*
          the man   break the pot CS
          'The man broke the pot.'

With some verb forms, the state change particle leads to English translation pairs with an antonymic character (e.g. *khuye* 'close' 8a but *khuye a* 'open' 8b).

(8)   a. *ólí ómòhè khúyé ólí úkhùèdè.*
          the man   close the door
          'The man closed the door.'

      b. *ólí ómòhè khúyé ólí úkhùèdè á.*
          the man   close the door   CS
          'The man opened the door.'

A change of location function is indicated by the particle *o* in conjunction with a locative complement marked by the preposition *vbi*. Elision does not affect it. Prototypically, the change of position affects the direct object of transitive verbs and leads to a range of constructions with translations incorporating the English verb *put*.

(9)   a. *ólí ómòhè nwú   úkpóran ó vbí úkpódè.*
          the man   take-hold stick   CL LOC road
          'The man put a stick onto the road.'
          'The man took hold of a stick, putting it onto the road.'
          'The man took hold of a stick and put it onto the road.'

      b. *ólí ómòhè lié   ìtùú   ó vbí ìtásà.*
          the man   collect mushroom CL LOC plate
          'The man put mushrooms onto the plate.'
          'The man collected mushrooms, putting them onto the plate.'
          'The man collected mushrooms and put them onto the plate.'

The postverbal applicative particle *li* requires a complement serving the semantic role recipient or benefactive. Its vowel elides. Prototypically, it specifies permanent possession change of a preceding direct object. *li* constructions can be minimally rendered with English *give*.

(10) a. *ólí ọ́mọ̀hè nwú   émà lí   ọ́lì òkpòsò.*
          the man take-hold yam APP the woman
          'The man gave yam to the woman.'
          'The man took hold of yam, giving it to the woman.'
          'The man took hold of yam and gave it to the woman.'
     b. *ólí ọ́mọ̀hè lié   ítùú   lí   ọ́lí ọ́vbèkhàn.*
          the man collect mushroom APP the youth
          'The man gave mushrooms to the youth.'
          'The man collected mushrooms, giving them to the youth.'
          'The man collected mushrooms and gave them to the youth.'

Change of possession which is more temporary in character is conveyed by the verb *ye* 'to move toward' in a verb series with many of the same verbs found in *li* constructions. Although one can often translate the former with English *give*, it is more often useful to employ *take*.

(11) a. *ólí ọ́mọ̀hè nwú   émà yé   ọ́lì òkpòsò.*
          the man take-hold yam move-to the woman
          'The man took yam to the woman.'
          'The man took hold of yam, taking it to the woman.'
          'The man took hold of yam and took it to the woman.'
     b. *ólí ọ́mọ̀hè lié   ítùú   yé   ọ́lí ọ́vbèkhàn.*
          the man collect mushroom move-to the youth
          'The man took mushrooms to the youth.'
          'The man collected mushrooms, taking them to the youth.'
          'The man collected mushrooms and took them to the youth.'

A second postverbal-particle subclass expresses temporal perspective. The particle *lee* specifies the temporal boundedness of an event relative to an expressed tense/aspect. In construction with continuous aspect, *lee* articulates event onset relative to moment of utterance (i.e. 3a 'already'), whereas with the perfective it demarcates event terminal point (i.e. 3b 'finished').

(12)   a. *ólí ómòhè ò ó è òlí émáé lèé.*
         the man   SC C eat the food TER
         'The man is already eating the food.'

      b. *ólí ómòhè é   ólí émàè léé.*
         the man eat the food TER
         'The man has finished eating the food.'

A third subclass of postverbal particles refers to physical position or proximity of one object relative to another. Three particles in this subclass accept noun phrase complements and another requires an explicit locative marked by *vbi*. Their vowels do not elide. The particles *nye, kee, kea* and *kpeen* establish various proximity relations with transitive and intransitive verbs.

(13)   a. *ólí óvbèkhàn téén àwè nyé   vbí ùhùnméhèé.*
         the youth   press feet against LOC anthill
         'The youth pressed his feet against the anthole.'

      b. *ímé mè sí   kéé èkìn.*
         farm my be-located near market
         'My farm is near the market.'

      c. *ólí ómòhè sí   ólì àkpótì kéá   ùdékèn.*
         the man   shift the box   near wall
         'The man moved the box near the wall.'

      d. *ólí ómòhè díá kpéén ólì òkpòsò.*
         the man   sit with the woman
         'The man sat with the woman.'

Another particle subclass designates sentence complements. Three mood values are reflected: indicative (*khi*), subjunctive (*li*) and conditional (*si*). Final vowels of these particles elide.

khi complements are indicative, the speaker assuming that the matrix clause subject is committed to their truth-value.

(14) *ólí ómòhè ééní   khí ólí óvbèkhàn gbé ólí ófè.*
     the man   know-F IND the youth   kill the rat
     'The man knew that the youth killed the rat.'

li complements signal subjunctives that convey a desiderative function. The speaker assumes the matrix subject is not committed to complement truth-value.

(15)   ọ́lí ọ́mọ̀hè ọ̀   ọ́   hòò   lí   ọ́lí   ọ́vbékhán   gbè   ọ̀lí   ọ́fè.
     the man   SC C want SUB the youth   kill   the rat
     'The man wants the youth to kill the rat.'

Sentence complements identified by *si* exhibit a conditional truth-value. The speaker assumes the matrix subject remains uncommitted to complement truth-value, although there is an inclination toward its being true.

(16)   ọ́lí ọ́mọ̀hè ọ̀   ọ́   mìàà   òjé   sí   ọ́lí   ọ́vbèkhàn   gbé   ọ́lí   ọ́fè.
     the man   SC C ask Oje COND the youth   kill the rat
     'The man is asking Oje whether the youth killed the rat.'

Sentence complements attached to verbs also take the form of indirect questions and direct quote. These are indicated, respectively, by an interrogative pronoun (e.g. *ébé* 'how') also found in information questions and by a 'say' verb (*ẹ*) in conjunction with the auxiliary particle (*rẹ*).

(17)   a.   ọ́lí ọ́mọ̀hè ẹ́ẹ́n   ébé   ọ́lì   òkpòsò   í   gbé   ọ́lí   ọ́fè.
        the man   know how the   woman MAN kill the rat
        'The man knew how the woman killed the rat.'
     b.   ọ́lí ọ́mọ̱hé rẹ́   ẹ́   ọ́í,   "ọ́lì   òkpòsò   gbé   ọ́lí   ọ́fè.".
        the man   SEQ say it   the woman kill the rat
        'The man then said, "The woman killed the rat.".'

Members of another particle subclass express discourse relations relative to clausal constituents. They include constituent focus and sentence focus, differentiated as affirmative and negative subtypes, right dislocation, and noun phrase modification. In each, the final vowel elides except for sentence focus *érí'* and its downstepped final vowel. Constituent focus particles are *li/ni* and *ki*.

(18)   a.   ọ́lí ọ́mọ̱hé nà   kí   ọ́   ríì   vbì   ìwè.
        the man   this NF 3s be LOC house
        'It wasn't this man who was in the house.'
     b.   ọ́lí ọ́mọ̱hé nà   lí   ọ́   ríì   vbì   ìwè.
        the man   this PF 3s be LOC house
        'It was this man who was in the house.'

Sentence focus markers are *érí'* and *ki*.

(19)   a. *érí' <u>ó</u>lí ókpósó dá <u>ó</u>lí <u>é</u>nyò̩.*
           SA   the woman drink the wine
           'Indeed, the woman drank the wine.'
      b. *kí <u>ó</u>lí ókpósó dá <u>ó</u>lí <u>é</u>nyò̩.*
           SN the woman drink the wine
           'It is not the case that the woman drank the wine.'

And the relator particle *li* designates relative clauses and adjective relations.

(20)   a. *ókpósó lí ójé záwó ó vbì iwè.*
           woman R Oje see   enter LOC house
           'The woman who Oje saw entered the house.'
      b. *ókpósó lì khùìé̩é̩*
           woman R slim
           'the slim woman'

The discourse relation topic has no morphosyntactic marker. It is signaled phonetically by an intonation downturn and orthographically by a comma.

(21)   *<u>ó</u>lí <u>ó</u>mò̩hè, <u>ó̩</u> rî̩ vbì iwè.*
      the man   3s be LOC house
      'As for the man, he is in the house.'

    Conjunction particles link a noun phrase to another noun phrase or link one clause to another. Noun phrase conjunctions designate an associative relation between nouns with *ìsì* (22a) establish a correlative relation between noun phrases with *khi* (22b), or register a comitative relation between noun phrases with *bí* (22c). Except for *bí* 'and,' vowels in each conjunction particle elide.

(22)   a. *íwé ìsì àlèkè*
           house ASS Aleke
           'the house of Aleke'
      b. *khì è̩kpé̩n khì àwá*
           CORC leopard CORC dog
           'both the leopard and the dog'
      c. *è̩kpè̩n bí áwà*
           leopard COM dog
           'a leopard and a dog'

Clause conjunction is registered by the disjunctive particle *dá* 'or' (23a) and the contrastive particle *ámàá* 'but' (23b). Only the vowel of the former elides.

(23) a. *ólí ómòhè hián ólí óràn dá ó ì   hìàn òlí óràn?*
          the man cut the wood DIS 3s NEG cut the wood
          'Did the man cut the wood or did he not cut the wood?'
      b. *ólí ómòhè dé   ólí émà àmáà ó ì   è òì.*
          the man buy the yam but he NEG eat it
          'The man bought the yam but he did not eat it.'

Emai's word class preposition exhibits one member. It consists of the locative form *vbi*. Its vowel elides.

(24) *vbí óà*
      LOC house
      'in a house'

As for the four major parts of speech, they are distinguished in the dictionary according to distinct parameters. Nouns register number and taxonomic level through post-determiners from the numeral or (*èvá* 'two') and sortal subclass (*élìyó* 'that kind'). They occur with both, one or the other particle, or neither.

(25) a. *óà   èvá*
          house two
          'two houses'
      b. *óá   élìyó*
          house that-kind
          'a house of that kind'

In some instances, nouns overtly register number through prefix alternation. Human and animate nouns often show a number contrast, while inanimate nouns do so less frequently (e.g. *ómòhè* 'man' and *ímòhè* 'men;' *éwè* 'goat' and *éwè* 'goats;' *ákhè* 'pot' and *ékhè* 'pots'). Prefix alternations do not lead to agreement patterns within noun phrases or across subject and predicate phrases.

Adjectives in Emai are specified as attributive, predicative or both. The relator particle *li* signals attributive functions (26a), whereas predicative functions are indicated by the copula *u* (26b).

(26)   a. *éánmí lì nyǫ́kǫ́n*
           meat R chunky
           'chunky meat'
     b. *ǫ́lí éánmí ú   nyǫ́kǫ́n.*
           the meat COP chunky
           'The meat is chunky.'

Adjectives also manifest semantic subtypes, as reflected in their possible correspondence to different information question types. For example, the stative adjective *jájághá* 'crisply dry' corresponds to a question formed with *ébé' i* (27a) while the extent adjective *húásá* 'light in weight' corresponds to a question formed with *ébé' i sę* (27b).

(27)   a. *ébé' ǫ́lí órán í   rîi?*
           how the tree MAN be
           'How is the tree?'
             jájághá   lí ǫ́ ù.
             crisply-dry PF 3s BE
             'It is crisply dry.'
     b. *ébé' ǫ́lí órán í   khùà   sé?*
           how the wood MAN be-heavy reach
           'How heavy is the wood?'
             húásá li ǫ́ ù.
             light   PF 3s BE
             'It is light.'

    Adverbs assume two primary positions, preverbal and postverbal. Preverbal adverbs reflect the subclasses aspectualizer, discourse evaluative, quantity, manner deictic, temporal, and subject attributive. Members from these classes do not correspond to information questions, and their vowels tend not to elide. *gbo* and *kpao* illustrate preverb syntactic position.

(28)   a. *ǫ́lí ókpósó gbó hián óràn.*
           the woman ADD cut   wood
           'The woman cut wood too.'
     b. *ǫ́lí ókpósó kpáó hián ǫ́lí óràn.*
           the woman initially cut   the wood
           'The woman initially cut the wood.'

Postverbal adverbs reflect subclasses revealed by their correspondence to various information question types, i.e. frequency, location, temporal, etc.

(29)   a.   *éghẹ́ ọ́lí ọ́vbékhán rẹ́   hían ọ́lí   óràn?*
            when the youth   SEQ cut   the   wood
            'When did the youth cut the wood?'
                 òdẹ̀   lí   ọ́   hián ọ̀ì.
                 yesterday PF 3s   cut   it
                 'It was yesterday that he cut it.'
       b.   *ébé ọ́lí údó   í   yé   òkhùnmì sẹ́?*
            how the stone MAN move-toward upward   extent
            'How far up did the stone go?'
                 léghéléghéléghé lí   ọ́   yé   òkhùnmì.
                 great-distance   PF 3s   move-toward upward
                 'It was at an extremely high level that it moved upward.'

Postverbal adverbs that fail to correspond to information questions tend to characterize the manner of an event with respect to sound or intensity. Often the latter convey meanings expressed by English verbs.

(30)   a.   *ọ́lí ọ́vbékhán fí   áléké úkpàsánmí gbìó.*
            the youth   hit   Aleke cane   with-a-crack
            'The youth hit Aleke with a cane with a crack.'
            'The youth cracked Aleke with a cane.'
       b.   *ọ́lí óghòhúnmí gbé ábọ̀   púpúpú.*
            the goose   beat wings by-flapping
            'The goose beat its wings in a flapping fashion.'
            'The goose flapped its wings.'

Emai verbs are highly combinatorial when measured against their English counterparts. To express English verb meanings, Emai verbs combine with adverbs, as shown immediately above, grammatical particles, referenced earlier, other verbs in series, and specific nouns serving as subjects or direct objects. Some verbs also appear as split constituents to convey meanings expressed by single English verbs. Verb entries in the dictionary reflect these combinations.

Emai verbs appear with nominal forms to convey various meanings articulated by English verbs. Some verbs appear with a particular subject noun to express a corresponding English verb (e.g. 'be afraid' from *ófẹ̀n nwu* 31a). Others appear with an obligatory direct object noun to express a corresponding English verb meaning (e.g. 'urinate' from *fẹna áàhìẹ̀n* 31b).

(31) a. *ófẹ̀n   ò   ó   nwù   ọ̀lí   óvbèkhàn.*
          fear   SC   C   catch   the   youth
          'The man is afraid.'

   b. *ọ̀lí   óvbèkhàn   fẹ́ná   áàhìẹ̀n.*
       the   youth   pass   urine
       'The youth urinated.'

One variant of the direct object strategy reveals a verb in collocation with a body-part noun (e.g. *daa éhọ̀n* 'listen').

(32) *ọ̀lí   óvbèkhàn   ò   ó   dàà   éhòn.*
      the   youth   SC   C   search-with   ear
      'The youth is listening.'

Emai verbs appear in intransitive, transitive or complex transitive constructions. Intransitive verbs in the perfective without accompanying preverbs often accept the factative (F) suffix (*ẹ́nghẹ́nì* 'be-tasty' 33b), while transitive verbs under a similar preverb condition do so only when their direct object complements are displaced leftward (*khúéèì* 'play' 33d).

(33) a. *ọ̀lí   ọ́gẹ́dẹ̀   gbó   ẹ́nghẹ́n.*
          the banana   ADD   be-tasty
          'The banana is tasty too.'

   b. *ọ̀lì   ògẹ̀dè   ẹ́nghẹ́nì.*
       the banana   be-tasty-F
       'The banana is tasty.'

   c. *ọ̀lí   ọ́mọ̀hè   khúéé   ìbè.*
       the man   play   drum
       'The man played a drum.'

   d. *ọ̀lí   íbé   nà   lí   ọ̀lí   ọ́mọ́hé   khúééì.*
       the drum   this   PF   the   man   play-F
       'It was this drum that the man played.'

Intransitive and transitive verbs identify locative complements with the preposition *vbi*.

(34) a. *ọ̀lí   ọ́mọ̀hè   ó   vbì   ìwè.*
          the man   enter   LOC   house
          'The man entered the house.'

b. *ọ́lí ọ́vékhán fí ọ́lí ókpósó vbí úhùnmì.*
the youth   hit the woman LOC head
'The youth hit the woman on the head.'

Complex transitive verbs exhibit two obligatory noun phrases as complement. The latter frequently differ in animacy, with the animate noun preceding the inanimate one.

(35)   *ọ́lí ọ́mọ̀hè míẹ́ẹ́   ọ́lí ókpósó úkpùn.*
the man   receive the woman cloth
'The man received a cloth from the woman.'

In addition to constructions where a single verb frames a clause, Emai relies on verbs with discontinuous constituents or a split verb complex. For a split verb, neither element occurs alone to convey the desired meaning. A split verb that is transitive for example positions its two elements on either side of a direct object, as illustrated by *mi dan* 'to swallow.'

(36)   *ọ́lí ọ́vbèkhàn mí   émà dán.*
the youth   swallow yam
'The youth swallowed yam.'

Verbs in series or in serial verb constructions typically incorporate two or more verbs in a matrix clause to express a single event. Verbs in Emai differ in their acceptance of these constructions. A verb is sometimes limited to serial constructions, never appearing as the sole verb of a clause. Often such dependent verbs convey meanings expressed by grammatical forms in English. This is the case with *kpayẹ, rẹ,* and *zẹ,* expressing substitutive, instrumental and causal relations, respectively.

(37)   a.   *ọ̀ kpáyé òlólò hián ọ́lí óràn.*
3s help   Ololo cut   the wood
'He cut the wood in lieu of Ololo.'

b.   *ọ̀ rẹ́ ọ́pìà   hián óràn.*
3s use cutlass cut   wood
'He used a cutlass to cut wood.'

c.   *ọ́lí ọ́mọ̀hè zẹ́   ọ́lí ọ́vbékhán hìàn ọ̀lí óràn.*
the man   allow the youth   cut   the wood
'The man allowed the youth to cut the wood.'

Verbs that occur in serial constructions may also appear as the sole verb of a clause. The verb *lee* 'to surpass' appears as a main verb and as a verb in series forming comparative constructions.

(38) a. *ólì ònwìmè lèé   óli àgbèdé.*
           the farmer surpass the blacksmith
           'The farmer surpassed the blacksmith.'
     b. *ólí ómòhè dá   ólí óvbèkhàn lèé.*
           the man   be-tall the youth   surpass
           'The man was taller than the youth.'

Emai has no generic verbs equivalent to English *give, take,* or *put*; a similar condition obtains for *throw, bring,* and *remove*. To capture event meanings isolated by these and other generic English verbs, Emai verbs (which otherwise stand alone as the main verb of a clause) form constructions with various postverbal particles or other verbs in series. Some verbs occur in construction with another verb expressing the manner of a motion event. The verb *o* 'to enter' appears not only as a main verb (39a) but also as a verb in series with manner verbs that are intransitive (*la* 'run' 39b) or transitive (*sua* 'push' 39c). In such cases, the grammatical subject of the construction serves as the understood or logical subject of each verb in series.

(39) a. *ólí ómòhè ó   vbì ìwè.*
           the man   enter LOC house
           'The man entered the house.'
     b. *ólí ómòhè lá ó   vbì ìwè.*
           the man   run enter LOC house
           'The man ran into the house.'
     c. *ólí ómòhè súá èkpètè ó   vbì ìwè.*
           the man   push stool   enter LOC house
           'The man pushed a stool into the house.'

Other verbs appear in series with a sense somewhat related to their meaning as main verbs. However, their occurrence in serial constructions reveals the loss of semantic properties evident in non-serial, matrix clause constructions. As a main verb, *re* manifests the sense 'to rise.'

(40) *ólí édà réì.*
     the river rise-F
     'The river has risen.'

In a verb series construction, *re* expresses a displacement (D) function reflecting a change in existence, i.e. an entity previously absent from the scene comes into the scene. The grammatical subject of such constructions does not typically occur as subject of main verb *re*.

(41)   *ọ́lí   údúkpù   zẹ́   ré.*
     the   coconut   grow   D
     'The coconut grew out / sprouted.'

A slightly different sense for *re* is evident in other constructions. As the sole verb of a clause and with a human noun subject (42a), *re* expresses the sense 'to arrive.' In series with a verb of object manipulation (42b), it conveys the construction sense 'to bring.'

(42)   a.   *ọ́lí   ọ́mọ̀hè   ré   ègùàì.*
        the man   arrive   court
        'The man arrived at court.'
     b.   *ọ́lí   ọ́mọ̀hè   nwú   ọ́lí   émà   ré.*
        the man   take-hold   the yam   arrive
        'The man brought the yam.'
        'The man took hold of the yam and brought it.'
        'The man took hold of the yam, bringing it.'

The intransitive verb complex *shoo vbi re* functions similarly to express events of removing. As the sole verb of a construction (43a), it expresses the sense 'to exit, to leave.' In construction with another verb, *shoo vbi re* expresses an event in which an object is removed some distance from another (43b); in its reduced form (*vbi re* 43c), it conveys simple removal, without assuming substantial distance between initial and terminal position.

(43)   a.   *ọ́lí   ọ́mọ̀hè   shọ́ọ́   vbí   úkpódẹ̀   ré.*
        the man   exit   LOC   road   D
        'The man exited / left the road.'
     b.   *ọ́lí   ọ́mọ̀hè   nwú   ọ́lí   úkpún   shọ́ọ́   vbí   úkpódẹ̀   ré.*
        the man   take-hold   the cloth   exit   LOC   road   D
        'The man removed the cloth way off the road.'
        'The man took hold of the cloth and removed it way off the road.'
        'The man took hold of the cloth, removing it way off the road.'

c. *ólí ómòhè nwú   ólí úkpún vbí   úkpódè̩ ré.*
   the man   take- hold the cloth   LOC road   D
   'The man removed the cloth from the road.'
   'The man took hold of the cloth and removed it from the road.'
   'The man took hold of the cloth, removing it from the road.'

Additional movement notions are expressed by verbs in series along with postverbal particles. As matrix verbs, *fi* and *ku* convey throwing events grounded to single or multiple/mass referents (44a-b), respectively. In construction with verbs such as *nwu* or *hua* and the change of state particle, each conveys a dispersive function lacking a specified endpoint (e.g. 'away' 44c-d).

(44) a. *ólí óvbèkhàn fì   úkpóràn.*
         the youth   throw stick
         'The man threw a stick.'

      b. *ólí ómò̩hè kú   íkhùè̩khùè̩.*
         the man   cast divining-seeds
         'The man cast divining seeds.'

      c. *ólí ómò̩hè nwú   ólí ópìà fì   à.*
         the man   take-hold the cutlass throw CS
         'The man tossed the cutlass away.'
         'The man took hold of the cutlass and tossed it away.'

      d. *ólí ómò̩hè húá   élí ópìà kú   à.*
         the man   take-hold the cutlasses throw CS
         'The man tossed the cutlasses away.'
         'The man took hold of the cutlasses and tossed them away.'

fi and *ku* also combine with the location change particle *o̩* and verbs of object manipulation (*nwu* and *hua*) to denote events with a specified endpoint.

(45) a. *ólí ómò̩hè nwú   ólí ópìà fì   ó̩ vbí úkpódè̩.*
         the man   take-hold the cutlass throw CL LOC road
         'The man tossed the cutlass onto the road.'
         'The man took hold of the cutlass and tossed it onto the road.'
         'The man took hold of the cutlass, tossing it onto the road.'

      b. *ólí ómò̩hè húá   élí ópìà kú   ó̩ vbí úkpódè̩.*
         the man   take-hold the cutlasses throw CL LOC road
         'The man tossed the cutlasses onto the road.'
         'The man took hold of the cutlasses and tossed them onto the road.'
         'The man took hold of the cutlasses, tossing them onto the road.'

Although the preceding serial verb constructions all designate single events, Emai verbs participate in serial constructions referring to a succession of distinct events. Either the grammatical subject (*ólì òkpòsò*) serves as the logical subject of both verbs (*dẹ* 'buy' and *e* 'eat' 46a), or the grammatical subject serves as logical subject of the first verb (*nwu* 46b), while a non-subject grammatical relation (the applicative particle *li*'s complement *ólí óvbèkhàn*) serves as logical subject of a subsequent verb (*e* 'eat').

(46)   a.   *ólì òkpòsò dẹ́ émà é.*
             the woman buy yam eat
             'The woman bought yam and ate it.'
       b.   *ólì òkpòsò nwú   émà lí   ólí óvbékhán è.*
             the woman take-hold yam APP the youth   eat
             'The woman gave yam to the youth to eat.'
             'The woman took hold of yam, giving it to the youth to eat.'

Lastly, since verb sense in Emai is sensitive to the inflectional categories tense/aspect, these are indicated in the dictionary entry for verbs in non-combinatorial constructions. The relevant categories are completive past (CPA), completive present (CPR), continuous (C) and habitual (H). Although their role in the articulation of tone is discussed in subsequent sections, verbs accept both imperfective and perfective tense/aspect, only imperfective (e.g. *bibi* 47a), or only perfective (e.g. *chẹn* 47b).

(47)   a.   *ólí óvbèkhàn ọ̀ ọ́ bìbí.*
             the youth   SC C   stagger
             'The youth is staggering.'
       b.   *ólí óvbèkhàn chẹ́n   ífì.*
             the youth   inspect traps
             'The youth inspected his traps.'

For still other verbs, tense/aspect and transitivity contrasts align with distinct English equivalents. The verb *bọ,* for example, requires imperfective tense/aspect as an intransitive verb with the sense 'to consult a diviner' (48a) but perfective tense/aspect as a transitive verb with the sense 'to choose' (48b).

(48)   a.   *ólí ọ́mọ̀hè ọ̀ ọ́ bọ́.*
             the man   SC C   divine
             'The man is divining/consulting a diviner.'

b. *ólí ómòhè bó   òlì óvbèkhàn.*
the man   choose the youth
'The man chose the youth.'

Sense distinctions of this kind are often revealed in the acceptability of imperative forms indicated in the dictionary. Intransitive *bo* with the sense 'to divine' only tolerates prohibitive constructions with *e* (49a), whereas *bo* with the sense 'to guess' in the imperative requires the ingressive aspectualizer particle *ya* (49b). Neither accepts the bare imperative (e.g. *bò*).

(49) a. *é   è   kè   bó.*
you PR ANT divine
'Don't divine.'
b. *yà   bó.*
IG   guess
'Start guessing.'

6. Tonal variation

Tonal configurations in Emai reveal the interaction of lexical tone values and grammatical features. Traditional heads of phrase such as nouns and verbs exhibit tonal variability controlled by the presence or absence of modifying constituents or of adjacent phrases. For purposes of illustration, we rely on noun phrases and simple transitive sentences to convey an initial impression of the nature of this variability, although a full accounting of principles underlying tonal melodies in Emai has yet to be undertaken.

Melodic patterns characterizing noun phrases show that lexical head inherent tone, modifier position, and modifier type interact to govern tonal distribution. Modifier position differentially affects head tone within a noun phrase. Prenominal modifiers induce no tonal change in the head noun, irrespective of the latter's tonal character. The definite determiner *ólì*, for instance, imposes no change in the lexical tone values of its head noun *émà* (H L) or *ùbèlè* (L L L).

(50) *ólí émà*   *ólì ùbèlè*
the yam   the gourd
'the yam'   'the gourd'

Tone of the head noun is differentially affected by modifier type in postnominal position. A numeral modifier (*èvá* 'two') induces no change in its accompanying head.

(51) *émà èvá*   *ùbèlè èvá*
     yam two   gourd two
     'two yams'   'two gourds'

Non-numeral modifiers (e.g. sortal *élìyọ́*) induce high tone spread in noun phrase heads manifesting a low sequence throughout (*ùbèlè*) or a low tone in the rightmost syllable (*émà*). Orthographically, tone spread is indicated by an acute accent over the appropriate vowel.

(52) *émá élìyọ́*   *úbélé élìyọ́*
     yam   that-kind   gourd that-kind
     'yam of that kind'   'gourd of that kind'

Head nouns with a high tone final syllable (*àkàsán*) restrict high tone spread absolutely, while those with a penultimate high tone (*ìtébù*) limit high spreading to the final syllable.

(53) *àkàsán élìyọ́*   *ìtébú élìyọ́*
     custard that-kind   table that-kind
     'custard of that kind'   'table of that kind'

Noun phrase direct object complements of transitive verbs exhibit tonal variability consistent with the governing verb's tonal character. When preceded by a low tone verb (*nwù*), noun phrase complements otherwise exhibiting a sequence of high tones at their left edge lower the leftmost high (*ùbélé élìyọ́*).

(54) *ọ́lí ọ́vbékhán ọ́ ọ̀ nwù   ùbélé élìyọ́.*
     the youth   SC H take-hold gourd that-kind
     'The youth carries a gourd of that kind.'

When preceded by a high tone verb (*nwú*), noun phrase complements with a high tone sequence show no high tone lowering (*úbélé élìyọ́*).

(55) *ọ́lí ọ́vbékhán nwú   úbélé élìyọ́.*
     the youth   take-hold gourd that-kind
     'The youth carried a gourd of that kind.'

Tonal variability of noun phrase heads is due not only to within-phrase modifying constituents but also to immediate juxtaposition to subsequent phrase boundaries. Noun phrases displaying low tone (*ùbèlè* 56a and *ìtébù* 56c) evince high tone spread when immediately preceding postverbal adverbs (*òdè* 'yesterday' 56b and 56d). High tone spreads across the noun phrase until the latter's leftmost boundary or a high tone within that boundary is met.

(56)   a. *ólí óvbékhán nwú   ùbèlè.*
           the youth   take-hold gourd
           'The youth carried a gourd.'

      b. *ólí óvbékhán nwú   úbélé òdè.*
           the youth   take-hold gourd yesterday
           'The youth carried a gourd yesterday.'

      c. *ólí óvbèkhàn í   ì   nwù   ìtébù.*
           the youth   SC NEG take-hold table
           'The youth did not carry a table.'

      d. *ólí óvbèkhàn í   ì   nwù   ìtébú òdè.*
           the youth   SC NEG take-hold table   yesterday
           'The youth did not carry a table yesterday.'

Tonal melodies realized on elements within an inflectional phrase consisting of auxiliaries and adverbial preverbs correlate in large measure with the mood categories indicative and subjunctive. Assuming these categories differ as to factivity (Lyons 1977), the indicative/subjunctive contrast correlates with the distribution of tones across the inflectional phrase. Transitive clauses incorporating monosyllabic auxiliary, preverb and verb forms illustrate these melodic patterns most clearly. Exceptions occur due to an element's multi-syllabic character, inherent low or high tone, or transitivity value.

Inflectional phrases in the indicative manifest strong and weak melodic patterns that in part correlate with the categories perfective and imperfective. For the strong perfective, a verb (*da* 3a) or a verb and its monosyllabic auxiliary (*re* 3b) or preverb (*gbo* 3c) exhibit high tone.

(57)   a. *ólí ómóhé dá   ényó   éliyó.*
           the man   drink wine that-kind
           'The man drank wine of that kind.'

      b. *ólí ómóhé ré   dá   ényó   éliyó.*
           the man   SEQ drink wine   that-kind
           'The man then drank wine of that kind.'

c. ọ́lí ọ̀mọ̀hé gbó   dá   ényọ́ élìyọ́.
   the man   ADD drink wine that-kind
   'The man drank wine of that kind too.'

Indicative inflectional phrases with multiple monosyllabic auxiliaries or preverbs, show high low alternating in the preverbal phrase (*re̱ gbo*), while high tone occurs on the verb (*da*).

(58) ọ́lí ọ̀mọ̀hé ré̱   gbò dá ényọ́ élìyọ́.
      the man   SEQ ADD drink wine that-kind
      'The man then drank wine of that kind too.'

Indicative's weak melodic pattern reveals a transitive verb with low tone and monosyllabic auxiliary or preverb elements alternating high and downstepped high. In the absence of auxiliaries or preverbs, inflectional phrases characterized by imperfective continuous (C) or habitual (H) and their subject agreement particle (SC) reveal a verb (*da*) with low tone.

(59) a. ọ́lí ọ̀mọ̀hè ọ̀ ọ́ dà   ènyọ́ élìyọ́.
         the man   SC C drink wine that-kind
         'The man is drinking wine of that kind.'
      b. ọ́lí ọ̀mọ̀hé ọ́   ọ̀ dà   ènyọ́ élìyọ́.
         the man   SC H drink wine that-kind
         'The man drinks wine of that kind.'

This same weak pattern is found in inflectional phrases incorporating the negative particle (NEG) and its subject agreement (SC) particle. The verb (*da*) again exhibits low tone.

(60) ọ́lí ọ̀mọ̀hè í   ì   dà   ènyọ́ élìyọ́.
      the man   SC NEG drink wine that-kind
      'The man did not drink wine of that kind.'

Addition of an auxiliary or preverb (*che*) results in high tone on the latter but a low tone tone on the verb (*da*).

(61) ọ́lí ọ̀mọ̀hè í   ì   ché dà   vbí   ényọ́ élìyọ́.
      the man   SC NEG REP drink LOC wine that-kind
      'The man did not drink from wine of that kind again.'

Multiple auxiliary or preverb elements (*che* and *gbo*) manifest a high followed by downstepped-high, while the verb (*da*) retains low tone.

(62) *ọ́lí ọ́mọ̀hè í   ì   ché gbọ́' dà   vbí   ényọ́ éliyọ́.*
     the man   SC NEG REP ADD drink LOC wine that-kind
     'The man did not again drink from wine of that kind too.'

In the subjunctive, strong and weak melodies also appear. The strong pattern allows verb tone in the inflectional phrase to vary in line with the tonal character of its immediately preceding element. Subjunctives include constructions for the imperative (63a), deontic modality (e.g. predictive *lọ́* 63b) and conative preverb (*ọ́ọ́'* 63c). The strong subjunctive melody, assuming non-deontic modality auxiliaries and preverbs are absent, requires low tone on the verb (*da*).

(63) a. *dà   ọ̀lí ényọ̀.*
         drink the wine
         'Drink the wine.'
      b. *ọ́lí ọ́mọ́hé lọ́   dà   ọ̀lí ényọ̀.*
         the man   PRED drink the wine
         'The man will drink the wine.'
      c. *ọ́lí ọ́mọ̀hè ọ́ọ́'   dà   ọ̀lí ényọ̀.*
         the man CON drink the wine
         'The man went to drink the wine.'

When a subjunctive inflectional phrase incorporates a single non-deontic modality auxiliary or preverb (*che*), the latter's tone is low, while verb tone is high (*da*).

(64) a. *ọ́lí ọ́mọ́hé lọ́   chè dá   vbí   ọ́lí ényọ́.*
         the man   PRED REP drink LOC the wine
         'The man will again drink from the wine.'
      b. *chè dá   vbí   ọ́lí ényọ́.*
         REP drink LOC the wine
         'Drink from the wine again.'

Multiple non-deontic auxiliaries or preverbs (*che gbo*) in strong subjunctive phrases lead to alternating low high on the non-deontic forms and high tone on the verb (*da*).

(65) a. *ólí ómọ́hé lọ́   chè gbó dá   vbí ólí ényọ́.*
      the man   PRED REP ADD drink LOC the wine
      'The man will again drink the wine too.'

   b. *chè gbó dá   vbí ólí ényọ́.*
      REP ADD drink LOC the wine
      'Drink from the wine again too.'

Subjunctive's weak tonal melody is found in prohibitive constructions. Absent any other auxiliary or preverb, the prohibitive (PR) particle *e* exhibits low tone and its verb (*da*) high tone.

(66) *é   è   dá   ọ́lí ényọ̀.*
      you PR drink the wine
      'Don't drink the wine.'

Inclusion of a single non-deontic auxiliary or preverb (*ke*) leads to low tone on the latter, while verb (*da*) tone remains high.

(67) *é   è   kè   dá   ọ́lí ényọ̀.*
      you PR ANT drink the wine
      'Don't now drink the wine.'

Multiple non-deontic auxiliaries or preverbs (*ke che*) after the prohibitive show alternating low high sequences up to the high tone of the verb (*da*).

(68) *é   è   kè   ché dá   vbí ọ́lí ényọ́.*
      you PR ANT REP drink LOC the wine
      'Don't now drink from the wine again.'

REFERENCES

Agheyisi, Rebecca N.
  1986.   *An Edo-English Dictionary*. Benin City: Ethiope Publishing.
Amayo, A.
  1976.   A generative phonology of Edo (Bini). Unpublished dissertation.
            University of Ibadan. Nigeria.
Bendor-Samuel, John. (ed.)
  1989.   *The Niger-Congo Languages*. New York: University Press of
            America.
Bradbury, Ray.
  1957.   *The Benin Kingdom and the Edo-speaking Peoples of South-
            western Nigeria*. London: International African Institute.
Bradbury, Ray.
  1973.   *Benin Studies*. London: Oxford University Press.
Dunn, Ernest.
  1968.   *An Introduction to Bini*. Michigan State University: African
            Studies Center.
Egbokhare, Francis O.
  1990.   A phonology of Emai. Unpublished dissertation. University of
            Ibadan. Nigeria.
Elimelech, Baruch.
  1979.   *A Tonal Grammar of Etsako*. Los Angeles: University of
            California Press.
Elugbe, Ben.
  1973.   A comparative Edo phonology. Unpublished dissertation.
            University of Ibadan. Nigeria.
Elugbe, Ben.
  1989.   *Comparative Edoid: Phonology and Lexicon*. Port Harcourt:
            University of Port Harcourt Press.
Hansford, K., J. Bendor-Samuel, and R. Stanford.
  1976.   *An Index of Nigerian Languages, Studies in Nigerian Languages,
            No. 5*. Ghana: Summer Institute of Linguistics.
Lyons, John.
  1977.   *Semantics* (2 vols.). Cambridge: Cambridge University Press.
Melzian, Hans.
  1937.   *A Concise Dictionary of the Bini Language of Southern Nigeria*.
            London: Kegan Paul.
Ogbomo, Onaiwu W.
  1994.   Constructing a precolonial Owan chronology and dating
            framework. *History in Africa* 21: 214-249.

Ryder, Allan.
    1969.   *Benin and the Europeans 1485-1897*. London: Longman.
Schaefer, Ronald P.
    1987.   *An Initial Lexicon and Orthography for Emai: An Edoid Language of Nigeria*. Bloomington: Indiana University Linguistics Club.
Schaefer, Ronald P. and Francis O. Egbokhare.
    1999.   *Oral Tradition Narratives of the Emai People. Part I and Part II*. Hamburg: LIT Press.
Thomas, Elaine and Kay Williamson.
    1968.   *Word lists of the Delta Edo*. Ibadan: Institute of African Studies. (Occasional publication No. 8).
Thomas, Northcote.
    1910.   *Anthropological Report on the Edo-speaking Peoples of Nigeria, Part II: Linguistics*. London: Harrison and Sons (reprinted 1969 Negro University Press).
Wescott, Roger.
    1962.   *A Bini Grammar, 3 volumes: 1 Phonology, 2 Morphology, 3 Lexemics*. Michigan State University: African Language and Area Center.
Williamson, Kay.
    1984.   *Practical Orthography in Nigeria*. Ibadan: Heinemann Education Books.

EMAI-ENGLISH

A

a *pstv part* change of state function [affects subject of intransitive verbs or direct object of transitive verbs] **ólí óvbèkhàn gbé ọ̱lí ákhè á.** The youth broke the pot. **ọ̱lí ákhè gbé á.** The pot broke.

a *pstv part* realization function [confirms speaker's intention is realized] **ọ̱lì òkpòsò kpé ọ̱lì ìtásà á.** The woman washed off the plate.

a *aux* imperfect aspect function [first and second person] **á** continuous aspect [requires high tone and low tone subject pronoun] **ì á dà ọ̀lí ényọ̀.** I am drinking the wine.; **à** habitual aspect [requires low tone and accompanying high tone subject pronoun] **í à dà ényọ̀.** I drink wine. cf. **o** imperfect function in third person.

á *pro* you [second person singular indirect object] **ọ̱lì òkpòsò nwú ọ̱lí émà ní á.** The woman gave the yam to you.

a *pro* one [singular indefinite subject] **à gbé élí éwè.** One killed the goats. The goats were killed.

a *pro* one [singular indefinite relative clause head] **á lí ọ̱ sẹ̱ì lí í khì ọ̀áìn.** That is where it ends. cf. **á lí ọ̱ rìì lí ọ̱ rìì, á lí ọ̱ rìì lí ọ̱ rìì.** Wherever it is is where it is.

aa *v intr* to leak (*CPR, *CPA, C, H) **ọ̱lì ìtásá ọ̱ ọ̀ àá.** The bowl leaks. cf. **aan** to seal a leak.

aa *v intr* to rot, decay, decompose (CPA, CPR, *C, *H) *aa a,* **ọ̱lí éànmì áá à.** The meat rotted.; *aa ku a,* **ọ̱lí éànmì áá kù á.** The meat rotted away.; *aa o* (CPA, CPR, C, H) **ọ̱lí éánmí lọ́ àà ọ́ vbí ògò.** The meat will decompose in the bush.

aa *a intr* to become spoiled (*CPA, CPR, *C, *H) **ọ̱lí ọ́mọ̱ áá à.** The child is spoiled.

aa *v tr* to castrate (CPA, CPR, C, H) **yán áá ọ̱lí úvbíúkọ̱.** They castrated the billy goat. **é è áá ọ̱lí úvbíúkọ̱.** Don't castrate the billy goat.; *kpaye aa,* **ọ̱ kpáyé òjè áá úvbíúkọ̱.** He castrated a billy goat in lieu of Oje.; *re aa,* **ọ̱ ré úvbíághàè áá úvbíúkọ̱.** He castrated billy goat with a knife.

àà bà *n* rubber, rubber pieces, latex, **áábá élìyọ́** rubber of that kind, **àà bà èvá** two rubber pieces, **úkpààbà** rubber seed. **òjè ọ̱ ọ́ sò àà bà.** Oje is tapping rubber.; ~ *n* domesticated rubber tree for latex, **áábá élìyọ́** rubber tree of that kind, **àà bà èvá** two rubber trees, **órán àà bà** rubber tree; ~ *n* sling of rubber, catapult. **ọ̱ ré àà bà gbé émìẹ̱mì.** He used a sling to kill a lizard.

áábórà *n* wild rubber tree, Funtumia elastica. **áábórà ọ́ọ̀.**

It's a wild rubber tree. cf. **ààbà** rubber, **óràn** tree.

áàhìèn *n* urine, **áàhíén ísì òjè** Oje's urine; **gbe áàhìèn a** *tr* to urinate (CPA, CPR, *C, *H) **òjè gbé áàhìèn á**. Oje urinated about. lit. Oje burst his urine. cf. **fena áàhìèn** to pass urine.

áàìn *pro* there [distal locative point within speaker's sight] **òjè rîi vbí áàìn**. Oje is there. cf. **àan** proximal locative point.

áàkhúé *n* type of tree producing inedible dika nut, **áàkhúé élìyó** dika nut tree of that kind, **íkpáàkhúé èvá** two dika nut trees; ~ *n* dika nut used in making ogbono soup, **áàkhúé élìyó** dika nut of that kind, **áàkhúé èvá** two dika nuts.

aan *v intr* to become sealed, plugged (*CPA, CPR, *C, *H) **ólì òò áánì**. The hole got sealed.; **aan** *tr* to seal, plug (CPA, CPR, C, H) **òjè áán ólì òò**. Oje sealed the hole. **àan ólì òò**. Seal the hole.; *kpaye aan*, **ò kpáyé òjè áán ólì òò**. He helped Oje seal the hole.; *re aan*, **ò ré údò áán ólì òò**. He used a stone to seal the hole He sealed the hole with a stone.; *hua aan* to seal, patch. **òjè húá èvò áán ólì òò**. Oje took thatch and sealed the hole.

àan *pro* here [proximal locative point] **òjè rîi vbí àan**. Oje is here. cf. **áàìn** distal point.

áànmì *n* female insect, **áànmì èvá** two female insects, **áénhíénmí lí áànmì** female cockroach.

áánmíshàn *n* female housefly, **áánmíshàn èvá** two female houseflies. cf. **áànmì** female insect, **íshàn** fly.

ab- *n pref* early point of temporal period, **ábénwáà** dusk, **ábódíánmì** early afternoon.

àbà *n* U-shaped iron pin used in traditional medicine, **ábá élìyó** U-shaped pin of that kind, **àbà èvá** two U-shaped pins.

ábàbàméhèé *n* flat piece of ant hill, **ábàbàméhèé élìyó** flat ant hill piece of that kind, **ábàbàméhèé èvá** two flat anthill pieces. cf. **ábàbàmì-** flat piece of, **éhèé** anthill.

ábàbàmì- *n pref* flat piece or surface of, **ábábámópìà** flat side of a cutlass blade, **ábàbàméhèé** flat piece of anthill. cf. **baba** to grope for.

ábàbè *n* diabolical, wicked character. **ò mòè ábàbè**. He is diabolical.; **fi ábàbè** *tr* to become diabolical (*CPA, CPR, C, H) **ólí ómóhé ó ò fi ábàbè**. The man becomes diabolical. lit. The man projects a diabolical character.

àbàsókò *n* forest shrub, Anchomanes difformis, Forest Anchomanes, **àbàsókò èvá** twoforest shrubs. **àbàsókò óò**. It's a forest shrub.

ábégàá *n* gutter to channel roof water run off, **ábégàá élìyó** gutter of that kind, **ábégàá èvá** two gutters. cf. **égàá** water channel.

ábénwáà *pstv adv* dusk, time immediately before evening darkness. **ó ló vàré ábénwáà**. He will come towards evening.; ~ *n* dusk. **ábénwáà óò**. It's dusk. cf. **énwáà** evening.

àbèbééghè *n* soft, immature cherry pit that is chewed by children, **àbèbééghè èvá** two cherry pits; ~ *n* thin, flatish stone for skipping on water, **àbèbééghè èvá** two flattish stones.

àbèé *n* handleless traditional medicine knife, pen knife, **ábèé élìyó** pen knife of that kind, **ábèé èvá** two pen knives. cf. **úkpábèé** knife incision.

àbìí *n* ceiling in a house or building, **àbìí élìyó** ceiling of that kind. cf. **àrùrù** ceiling of layered mud and wood supports.

ábò *n* divination, **ábó élìyó** divination of that kind, **ábò èvá** two divinations; **u ábò** *tr* to perform divination (*CPA, *CPR, C, H) **òjè óó' ù àbó vbì òkè**. Oje went to perform divination in Oke. **ò ú ábò yé òkè**. He took a divination to Oke. **óó' ù àbó vbì òkè**. Go to perform a divination in Oke. cf. **óbò** oraclist.

ábódíánmì *pstv adv* mid-point of afternoon, transition period between morning and afternoon. **ò váré ábódíánmì**. He came in the early afternoon. ~ *n* early afternoon. **ábódíánmì óò**. It's early afternoon. cf. **ódíánmì** afternoon.

ábò *n* arms of a human, forlegs of an animal, **ábò èvá** two arms. cf. **óbò** arm.

àbòkpá *n* identical, same. **àbòkpá óò**. They're identical. cf. **òkpá** one.

ábòsàn *n* condition of being without, condition of naught. **ábòsàn kí óò**. It isn't bareness. cf. **ábò** hands, **òsàn** bareness.

áché *pstv adv* even. **élí éràn dé gúóghó kù á áché**. Even the trees fell and broke into pieces. **égbà í ì gùà òí óbó áché**. The armlet didn't even fit on his hand. cf. **ákíé** even.

àdà *n* witches cove, meeting place of witches and wizards. **è rîì vbí àdà**. They are in the witches cove. **àdàlèélè** intersection of four paths where wizards and witches meet.

àdàîghòn *n* dirty and smoky calico cloth, **àdàííghón élìyó** calico of that kind, **àdàîghòn èvá** two calico pieces. cf. **da** to dry, **îghòn** smoke.

àdájó *n* judge [Yoruba] **àdájó óò**. It's a judge.

àdègbè, ìdègbè *n* adult, female member of extended family whether married or not, ìdègbè èvá two adult females; ~ *n* harlot, prostitute, female-divorcee, ìdègbè èvá two harlots. ìdègbè ríì vbí èkó. Prostitutes are in Lagos.; s̲e̲ àdègbè *tr* to be a prostitute, engage in prostitution (*CPA, *CPR, *C, H) ó̲lí ókpósó ó̲ ò̲ s̲è̲ àdègbè. The woman is a prostitute. lit. The woman moves as far as a prostitute.

àd̲é̲ *n* purchase, item bought in a market, àd̲é̲ élìyó purchase of that kind, àd̲é̲ èvá two purchases. ò̲ d̲é̲ àd̲é̲ He bought some items.; àd̲é̲ gbe to make purchases (*CPA, *CPR, *C, *H) àd̲é̲ ló̲ ghè gbé ò̲jè. Oje will make too many frivolous purchases. lit. The purchases will just overcome Oje. cf. d̲e̲ to buy.

àdì̲é̲ *n* blue dye cloth, adire cloth [Yoruba] àdì̲é̲ élìyó adire cloth of that kind, àdì̲é̲ èvá two adire cloth pieces.

àdò *n* millet plant, stem or grain. àdò ó̲ò̲. It's millet. cf. úvbìàdò small garden.

àdò̲gán *n* tripod, three-legged hearth, àdò̲gán élìyó tripod of that kind, àdò̲gán èvá two tripods.

àdùà *n* prayer; gbe àdùà *tr* to pray (CPA, CPR, C, H) ó̲ gbé àdùà.

He said his prayers. lit. He positioned his prayers.

ádùbádùí *n* young female lacking social graces and social etiquette. ádùbádùí ó̲ò̲. She's a country bumpkin.

àdùdú *n* small covered basket woven in spiral form from raffia for holding valuables, àdùdú élìyó raffia basket of that kind, àdùdú èvá two raffia baskets.

àé *n* bits of food. àé lí ó̲ ò̲ kpòkpò ó̲ì. It is bits of food that trouble him. cf. e to eat.

àébù *n* soft, sweet yam [usually fried and pounded] àébù èvá two sweet yams.

áédó' *n* spectacled fly catcher, Platysteira cyanea, áédó' èvá two spectacled fly catchers.

áègbé *n* West African hedgehog, áègbé élìyó hedgehog of that kind, áègbé èvá two hedge-hogs.

áékhò̲ónmì *n* shorter than normal raffia palm, áékhò̲ónmì èvá two short raffia palms.

àèré *n* remembrance, memoriam, memory of a deceased person, àèré ísì ò̲jè memory of Oje; ~ *n* remembrance ceremony, memorial associated with death. yàn á ù àèré ísì èrá íyàìn. They are doing their father's memorial funeral. cf. ee re to remember.

áèèn *n* sign, symbol, mark, omen, **áéén élìyó** that kind of sign, **áèèn èvá** two signs. cf. **een** to know.

áènáèén *n* social activity generating intrigues and causing community disharmony. **áènáèén ísì òí bún gbé.** His intrigues are excessive.; ~ *n* petty, pedantry, unnecessary exhibition of knowledge or intelligence. **áènáèén lí ó ò kpòkpò óì.** It is pettiness that he suffers from. He is petty. cf. **áèèn** symbol.

áènhìènmì *n* cockroach, **áénhíénmí élìyó** cockroach of that kind, **áènhìènmì èvá** two cockroaches, **ékéín ísì áènhìènmì** pupa stage of a cockroach.

àfàn *n* traditional harp with one string, **áfán élìyó** harp of that kind, **àfàn èvá** two harps.

àfèn *n* household, family. **àfèn í khènà.** It is my household that I am paranoid about.

áfiánmèràè *n* small long-legged reddish stork [inhabits swamps] **áfiánmèràè èvá** two red storks. cf. **áfiánmì** bird, **èràè** swamp.

áfiánmì, ífiánmì *n* bird, **áfiánmí élìyó** bird of that kind, **ífiánmì èvá** two birds; ~ *n* witch, wizard [euphemistic] **ífiánmì èvá** two witches; ~ *n* witchcraft. **áfiánmì óò.** It's witchcraft.

áfiánmóhèn *n* bird believed to possess divination powers expressed through its song, **áfiánmóhèn èvá** two magical birds. cf. **áfiánmì** bird, **óhèèn** traditional priest.

àfiùhùnmìshánvbègèìn *n* forward acrobatic flip of the body. **àfiùhùnmìshánvbègèìn óò.** It's a front flip. cf. **fi** to throw, **úhùnmì** head, **shan** to proceed, **vbi** LOC, **ègèìn** crotch.

áfúzé' *n* principal political village of Emai people. **òhí rîì vbí áfúzé'.** Ohi is in Afuze. cf. **àfèn** household, **úzé'** ax [for older generation].

àgá *n* chair, **àgá élìyó** chair of that kind, **àgá èvá** two chairs.

àgádà *n* traditional sword with round handle and curved tip, **àgádá élìyó** traditional sword of that kind, **àgádà èvá** two traditional swords.

àgàdà *n* junction. **àgàdà óò.** It's a junction.

ágádágòdò *n* key [door lock and key for older generation] **ágádágódó élìyó** key of that kind, **ágádágòdò èvá** two keys. cf. **àgàdà** junction, **ìkókóó** lock and key.

àgàdàlèvá *n* road or path junction. **è múzání vbì àgàdàlèvá.** They stopped at the road junction. **àgàdàlèvá óò.** It's a fork in the road. cf. **àgàdà** junction, **li** R, **èvá** two.

ágàdàmì *n* fork-shaped object, **ágádámí élìyó** fork shape of that kind, **ágàdàmì èvá** two fork shapes.; **sẹ ágàdàmì** *tr* to be fork-shaped (CPA, CPR, *C, H) **ólí óràn sẹ́ ágàdàmì.** The stick was fork-shaped. lit. The stick reached a fork-shape. cf. **àgàdà** junction, **émì** thing.

àgádórèè *n* heirloom passed from generation to generation, item of antiquity within a family, **àgádóréé élìyọ́** antiquity of that kind, **àgádórèè èvá** two antiquities. cf. **àgàdà** junction, **órèè** generation.

àgágá'n *n* iron wood tree, Coryantha pachyceras tree, **àgágá'n élìyọ́** iron-wood tree of that kind, **àgágá'n èvá** two ironwood trees; ~ *n* celebration in July marking achievements of the ancestors, **úkpé ísì àgágá'n**, agagan festival.

ágàgán *n* lumbar vertebrae at base of spinal column, **ágàgán ísì òjè** Oje's lumbar vertebrae.

àgàlà, àgálàgálá *n* moment [only in focus position] **àgàlà lí ójé rẹ́ ghè họ́n, ó shọ́ọ́ rè.** Just at the moment when Oje heard, he left. **àgàlà lí ójé rẹ́ khúáé óbọ̀, ó dé àhòì á.** The moment that Oje raised his hand, he disappeared. It was just at the moment that Oje raised his hand that he disappeared. **àgálàgálá lí ójé rẹ́ ghè họ́n, ó shọ́ọ́ rè.** Immediately when Oje heard, he left.

àgàn *n* woman physically unable to bear children, **àgàn èvá** two sterile women. **àgàn ọ́ọ̀.** She's a barren woman.

àgàzí *n* rainbow, **àgàzí èvá** two rainbows. **àgàzí ọ́ọ̀.** It's a rainbow.

ágèlè, ígèlè *n* young, pubescent male, **ígèlè èvá** two young men.

àgèlèbọ́sè *n* cartwheel side spin maneuver, **ku àgèlèbọ́sè** *tr* to perform cartwheel (CPA, CPR, C, *H) **yàn á kù àgèlèbọ́sè.** They are performing cartwheels. cf. **ágèlè** pubescent male, **ésè** center.

àgìdìgbó *n* hollowed out wooden drum. **àgìdìgbó ọ́ọ̀.** It's a wooden drum.

àgógó' *n* gong, metal bell, **àgógó' élìyọ́** gong of that kind, **àgógó' èvá** two gongs, **úvbìàgógó'** small bells on waist of traditional dancers.

àgòlò *n* tin container, **ágóló élìyọ́** tin container of that kind, **àgòlò èvá** two tin containers.

àgó *n* camp, hamlet, **àgó élìyọ́** camp of that kind, **àgó èvá** two camps.

àgùdùgbè *n* traditional candle of oil-palm sediment or palm nut waste, **ágúdúgbẹ́ élìyọ́** oil-palm candle of that kind, **àgùdùgbè èvá** two oil-palm candles; ~ *n* oil-palm-sediment fuel for cooking, **ágúdúgbẹ́ élìyọ́** oil-palm-sediment fuel of that kind, àgùdùgbè̀ èvá two pieces of oil-palm-sediment fuel.

ágbà *n* flat, rectangular, wooden bottomed basket woven from canes [for transporting cassava and other items] ágbá élìyọ́ cane basket of that kind, ágbà èvá two cane baskets, ágbá ísì ìbòbòdí cane basket for cassava.

ágbáàgbán *n* spatial relation designating the very edge of an object, ágbáàgbán ẹ́dà the very edge of the river, ágbáàgbán úkpódè̀ the shoulder of the road. cf. àgbàn chin.

àgbàdà *n* large, iron container with-out cover [bowl shaped for frying gari, meat and other foods] ágbádá élìyọ́ iron container of that kind, àgbàdà èvá two uncovered iron containers, úvbì-àgbàdà small iron container.

ágbádáèùn *n* robe or agbada worn by males, ágbádáéún élìyọ́ robe of that kind, ágbádáèùn èvá two robes. cf. èùn shirt.

àgbàn *n* lower jaw, chin, ágbán ísì òjè Oje's chin. cf. ívìàgbàn jawbone.

ágbè *n* conical-shaped, wooden top whipped into motion with a string attached to a stick, ágbé élìyọ́ conical top of that kind, ágbè èvá two conical tops.

àgbèdé *n* needle, àgbèdé élìyọ́ needle of that kind, àgbèdé èvá two needles, úkpàgbèdé tip of a needle, àgbèdé lì òkhúá big needle, àgbèdé lì kéré small needle.

àgbègbè *n* domain, neighborhood, territory, àgbègbè èvá two domains, ágbégbé ísì émàì Emai territory.

àgbèlé *pstv adv* deadness, end state marked by death. ọ́ gbé ọ́í àgbèlé. She killed him dead.

àgbélòjé *n* acrobatic dance heralding arrival of a chief. ọ́ ọ̀ gbè àgbélòjé. He dances agbeloje. cf. gbè dance, li APP, òjè chief.

àgbè̀dé *n* blacksmith, àgbè̀dé èvá two blacksmiths.

ágbìdìn *n* death moment. òjè rîì vbí ágbìdìn. Oje is at the point of death. cf. òjè ọ̀ ọ́ fì úù. Oje is at the throes of death. lit. Oje is sprouting death.

àgbìsí *n* type of weed, àgbìsí èvá two weeds of this type.

àgbó *n* brewed remedy for maladies like malaria, àgbó élìyọ́ herbal remedy of that kind, àgbó ísì íbà herbal remedy for malaria, àgbó ísì ìjè̀díjè̀dí herbal remedy for dysentery.

àgbò *n* traditional flute [from hollowed out reed sealed at one end with holes on either side] ágbó élìyọ́ flute of that kind, àgbò èvá two flutes.

àgbò *n* ram, ágbó élìyọ́ ram of that kind, àgbò èvá two rams, úvbìàgbò small ram. cf. óghòóghò female sheep.

àgbògbòràn *n* woodpecker, ágbó-gbórán élìyó woodpecker of that kind, àgbògbòràn èvá two woodpeckers. cf. óràn wood.

àgbòí *n* jackknife, single-edged shaving knife, àgbòí élìyó small jackknife of that kind, àgbòí èvá two jackknives, úvbìàgbòí small jack knife.

àgbòìàóvbólèsèn *n* ingratitude, repaying good with evil. àgbòìàóvbólèsèn í ì hùnmè. Ingratitude is not good. cf. gbe beat, óìà person, o CL, vbi LOC, ólèsèn goodness.

àgbòn *n* life, people, ágbón élìyó people of that kind, ágbón lì hùéhùé easy life; re àgbòn o vbi òtòì *tr* to die (CPA, CPR, *C, *H) ò ré àgbòn ó vbì òtòì. He died. lit. He put his life into the ground.; u àgbòn *tr* to enjoy life (*CPA, *CPR, C, *H) òjè ò ó ù àgbòn. Oje is enjoying life. lit. Oje is engaging his life. yà ú ágbón ísì èé. Get on with your life.

ágbúlúgbùlù, ígbúlúgbùlù *n* cart, vehicle for transporting items, truck, ágbúlúgbúlú élìyó cart of that kind, ígbúlúgbùlù èvá two carts. cf. gbulu to roll.

àgbùzà *n* handled fly swatter of cowhide strands, ágbúzá élìyó fly swatter of that kind, àgbùzà èvá two fly swatters.

agha *v intr* to stroll (*CPA, *CPR, C, H) òjè ò ó àghá. Oje is strolling.; *agha ye*, òjè ághá yé ókhúnmí òéé'. Oje strolled to the upper part of the township.

ághààkpà *n* type of tree with leaves and wood of medicinal value [bark burned for ashes to make a local melon stock] ághààkpà èvá two melon stock trees.

àghàbà *n* rascal, state of rascality or recklessness. àghàbà óò. He's a rascal.

ághàè *n* knife, ágháé élìyó knife of that kind, ághàè èvá two knives.

àghán *n* sickle-shaped blade for plucking palm fruit, àghán élìyó sickle blade of that kind, àghán èvá two sickle blades, úvbìàghán small sickle for carving a wooden tray.

àghèghèíghè *n* brightness illumination,. ólí úkín tá àghèghèíghè kú à. The moon cast its illumination all about.

àghòghò *n* skull, àghòghò èvá two skulls.

aha *v intr* to crush, smash (CPA, CPR, *C, *H) ólì èhèèn áháì. The fish got crushed.; *aha a*, ólì èhèèn áhá á. The fish got crushed up.; *aha ku a*, ólì èhèèn áhá kú à. The fish got crushed to bits.; aha *tr* to crush, smash (*CPA, *CPR, C, *H) òjè ò ó àhà ólì èhèèn. Oje is crushing the fish. **àhà ói.** Crush it.; *kpaye aha*, **ò ó kpàyè òjé àhà ólì èhèèn.** He is crushing the fish in lieu of Oje.; *re aha*, **ò ó rè ùdó àhà ólì èhèèn.** He is using a stone to crush the fish.; *aha a*, **òjè áhá ólì èhèèn á.** Oje crushed up the fish.; *aha ku a*, **òjè áhá ólì èhèèn kú à.** Oje crushed the fish into bits.; *aha ku o*, **ò áhá èhèèn kú ó vbì ìtébù.** He crushed fish all over the table. cf. **ahe** to crack.

áhàán *n* shrimp, **áhàán élìyó** shrimp of that kind, **áhàán èvá** two shrimp. cf. **ìdé** crayfish.

àhànmì *n* bronze bangle, **áhánmí élìyó** bronze bangle of that kind, **àhànmì èvá** two bronze bangles.

ahe *v intr* to crack (CPA, CPR, *C, *H) *ahe a*, **ólí ékéín óókhò áhé á.** The chicken eggs cracked.; *ahe ku o*, **ólí ékéín óókhò áhé kù ó vbí ááìn.** The chicken eggs cracked throughout.; **ahe** *tr* to crack (CPA, CPR, C, H) *ahe a*, **òjè áhé ólí ékéín óókhò á.** Oje cracked the chicken eggs. **àhè òlí ékéín óókhò á.** Crack the chicken eggs.; *re ahe a*, **ò ré údò áhé ìgíláàsì á.** He used a stone to crack the glass.; *fe ahe a* to be excessively rich (*CPA, CPR, *C, *H) **yàn fé àhè á.** They are excessively rich. lit. They were rich and got cracked. **ébé' ó í fè sé?** How rich are they? cf. **aha** to crush.

àhè *n* tree producing sap or gum, **áhé élìyó** sap tree of that kind, **àhè èvá** two sap trees; ~ *n* sap, gum for catching birds, **áhé ísì òjè** Oje's sap. **àhè óò.** It's sap.

áhè *n* gonorrhea [urinary tract disorder] **áhe óò.** It's gonorrhea.

áhèghèlè *n* beautiful, slim, fair lady. **áhèghèlè óò.** She's a beautiful lady.

áhìàn *n* grater for cassava or okra, **áhíán élìyó** grater of that kind, **áhìàn èvá** two graters.

áhìèén *n* mussel, oyster, **áhìèén élìyó** oysters of that kind, **áhìèén èvá** two oysters.

áhìènhìèn *n* star, **úkpáhíénhíén élìyó** star of that kind, **íkpáhìènhìèn èvá** two stars. **áhìènhìèn óò.** It's a star.

áhìnèéá *n* third part, **áhìnèéá ísì émà** a third of the yam. cf. **hian** to cut, **èéà** three.

áhìnèélè *n* quarter, **áhìnèélé ísì ókà** a fourth of the maize. cf. **hian** to cut, **èélè** four.

áhìnèvà *n* half, **áhínévá ísì émà** half of the yam, **áhínévá ísì òí** half of it. cf. **hian** to cut, **èvá** two.

áhìnìgbé *n* tithe, tenth part. **áhìnìgbé ísì òlí éghó' lí í khì ònà.** This is a tenth of the money. cf. **hian** to cut, **ìgbé** ten.

àhò *n* large hoe [used from standing position] **àhò èvá** two large hoes.

àhòì *n* empty, nothingness, naught, lack of substance, zero. **àhòì óò.** It's zero.; **de àhòì a** *tr* to vanish, disappear (CPA, CPR, *C, *H) **ólí ómòhè dé àhòì á.** The man vanished. lit. The man reached nothingness.; **fi àhòì** *tr* to become empty (CPA, CPR, *C, *H) **ólì ùgín fí àhòì.** The basket became empty. lit. The basket developed emptiness.

àhùghè *n* edible powder of fried groundnut and maize. **àhùghè óò.** It's groundnut and maize powder.

àìgùè *n* period of mourning for the dead. **ò rîì vbí àìgùè.** He is in mourning.

áí'khàán *n* everywhere, anywhere. **áí'khàán ó ò kpèghè kú à.** It shakes everywhere. lit. Everywhere shakes all over.

àìmìènghè *n* novel, mystery, unprecedented, awe inspiring, wonderment. **àìmìènghè óò.** It's a novelty. cf. **mie** to see.

àìmìtíkòò *n* condition of being uncountable. **àìmìtíkòò óò.** It's uncountable. cf. **i** NEG, **miti** able, **koo** to count.

áìn *pstdet* that, those, **ólí ómóhé áìn** that man, **élí ímóhé áìn** those men.

áìn *pro* third person singular indirect object. **òjè nwú ókà ní áìn.** Oje gave maize to her.

ájò *n* sieve of crisscrossed cane strips or palm leaves for cleaning gari, **ájó élìyó** sieve of that kind, **ájò èvá** two sieves.

àkàà *n* fried bean cake in a ball shape, **ákáá élìyó** bean cake of that type, **àkàà èvá** two bean cakes, **údùàkàà** big fried bean cake, **úkpàkàà òkpá** only one bean cake.

àkàbà *n* bell hung around a dog's neck, **àkàbà èvá** two dog bells, **úvbìàkàbà** small dog bell. **àkàbà óò.** It's a dog bell.

ákáéhòn *n* eardrum; **yi ákáéhòn** *tr* to be stubborn, disobedient, obstinate (CPA, *CPR, *C, *H) **ó yí ákáéhòn.** He is stubborn. lit. He pulled his eardrum. **ákáéhòn óò.** It's stubbornness.; ~ *n* eardrum tumor detrimental to hearing. **òhí mòè àkáéhòn.** Ohi has an eardrum tumor. cf. **ka** to dry, **éhòn** ear.

àkàkà *n* grasshopper, **ákáká élìyó** grasshopper of that kind, **àkàkà èvá** two grasshoppers.

ákákébè *n* green-colored grasshopper, **ákákébè èvá** two green-colored grasshoppers. cf. **àkàkà** grasshopper, **ébè** leaf.

ákákìhìèvbé *n* grasshopper with an offensive smell, **ákákìhìèvbé èvá** two smelly grasshoppers. cf. **àkàkà** grasshopper, **ìhìèvbé** Ihievbe village.

ákákòdùkú *n* type of grasshopper, **ákákòdùkú èvá** two grasshoppers of this type. cf. **àkàkà** grasshopper.

ákákòròòn *n* rainy season grasshopper, ákákòròòn èvá two rainy season grasshoppers. cf. àkàkà grasshopper, òròòn rainy season.

ákákòtù̩o̩ *n* grasshopper with an offensive smell, ákáòtù̩o̩ èvá two smelly grasshoppers. cf. àkàkà grasshopper, òtù̩o̩ Otuo village.

ákákó̩pìà *n* grasshopper with sickle-shaped tail, ákákó̩pìà èvá two sickle-shaped tail grasshoppers. cf. àkàkà grass-hopper, ó̩pìà cutlass.

àkàlà *n* large bird of prey, eagle [folklore holds that it carries away children] ákálá élìyó̩ that kind of eagle, àkàlà èvá two eagles, úvbìàkàlà small eagle.

àkàláàkà *n* somersault acrobatic movement; ku àkàláàkà *tr* to somersault, overturn, flip over (*CPA, CPR, *C, *H) òhí kú àkàláàkà. Ohi flipped over. ò̩ kú àkàlááká ísì èvá. He performed a somersault twice. ó̩lì ìmátò kú àkàláákà. The car somersaulted. The car flipped side over side. cf. àkàlà eagle.

àkàmù *n* pap, custard from maize, millet or guinea corn [powdered form added to hot water] àkàmù ó̩ò̩. It's maize pap.

àkán *n* seal, protective covering developed by snails during hibernation; fi àkán *tr* to seal for hibernation (CPA, CPR, *C,

*H) ó̩lì èbèsún fí àkán. The snail developed its seal. The snail has gone into hibernation.; fi àkán vbi *tr* to be sealed off from (*CPR, *CPA, *C, *H) ú ló̩ fi àkán vbí ó̩lí émáé ná éènà. You will definitely not partake of this food. lit. You will develop a seal on this food today.

àkànò̩ *n* underwear, undergarment, panty, ákánó̩ élìyó̩ under-garment of that kind, àkànò̩ èvá two undergarments.

àkàsán *n* solid pap, solidified maize-paste wrapped in leaves, àkàsán èvá two solid pap wraps, údùàkàsán large solid pap wraps, úsùàkàsán wrap or ball of solid pap.

ákèéà *n* triplet, entity with three parts. ákèéà ó̩ò̩. It's a triplet. cf. ke̩n to divide, èéà three.

ákèélè *n* fourths, entity with four parts. ákèélè ó̩ò̩. It's a quadruplet. cf. ke̩n to divide, éélé four.

ákèràìn *n* spark, cinders from a fire. ákèràìn ó̩ò̩. They're cin-ders. cf. àkò̩n tooth, èràìn fire.

àkèvá *n* doublets, twin parts, two part entity. àkèvá ó̩ò̩. It's a doublet. cf. ke̩n to divide, èvá two.

ákè̩té̩ *n* garbage dump, pit, ákè̩té̩ èvá two garbage pits.

ákíé̩ *pstv adv* even. è̩gbá í ì gùà ò̩í óbò̩ ákíé̩. The armlet didn't even accommodate his hand. **élí éràn dé gú**ọ́**ghọ́ kù á ákí**ẹ́. The trees even fell and broke into pieces. cf. **ách**ẹ́ even.

ákínì *n* tusk of an elephant. **ákínì** ọ́ọ̀. It's an elephant tusk. cf. **àk**ọ̀**n** tooth, **ínì** elephant.

àkítìkpá *n* type of locally woven cloth, **àkítìkpá èvá** two pieces of local cloth type.

ákìvìn *n* molar tooth, **ákìvìn èvá** two molar teeth. cf. **àk**ọ̀**n** tooth, **ìvìn** palm kernel.

àkọ̀ *n* sheath for a knife, **ákó élìy**ọ́ sheath of that kind, **àk**ọ̀ **èvá** two sheaths.

àkó *n* shale, greyish-colored clay [ground and mixed with salt and eaten by pregnant women] **àkó élìy**ọ́ shale of that kind, **àkó èvá** two pieces of shale, **údùàkó** lump of shale.

àkóbìsì *n* solitary forest tree with very hard wood, **àkóbìsì èvá** two hardwood trees; ~ *n* charm of solitary forest tree. **àkóbìsì** ọ́ọ̀. It's a hardwood tree charm.

ákòèghè *n* simultaneity, simultaneousness. **élí ívbékhán r**ẹ́ **ákòèghè dé** ọ̀**t**ọ̀**ì ré**. The youths reached the ground simultaneously. lit. The youths reached the ground with simultaneity. cf. **k**ẹ**n** to divide, ọ̀**èghè** equal.

ákògán *n* bat, **ákògán élìy**ọ́ bat of that kind, **ákògán èvá** two bats.

ákògùẹ̀ *n* water yam variety, **ákógú**ẹ́ **élìy**ọ́ water yam of that kind, **ákògù**ẹ̀ **èvá** two water yams, **úsúákògù**ẹ̀ tuber of water yam. cf. **úkúkúákògù**ẹ̀ small-sized water yam.

ákòísí' *n* holster, **ákòísí' élìy**ọ́ holster of that kind, **ákòísí' èvá** two holsters. cf. **àk**ọ̀ sheath, ọ̀**ísí'** gun.

àkòkòò *n* bogeyman, hobgoblin, invisible being scaring children, **àkòkòò èvá** two hobgoblins. **àkòkòò l**ọ́ ọ̀**ó nwù** ẹ́. The hobgoblin is about to catch you.

àkọ̀**n** *n* tooth, tusk, **ák**ọ́**n élìy**ọ́ tooth of that kind, **àk**ọ̀**n èvá** two teeth; **anm**ẹ **àk**ọ̀**n** *tr* to grind, gnash teeth (*CPA, *CPR, C, H) **àlèkè** ọ̀ **ó ànmè àk**ọ̀**n**. Aleke is gnashing her teeth. lit. Aleke is scraping her teeth.; **kpe àk**ọ̀**n** *tr* to brush teeth (CPA, CPR, C, H) ọ̀**jè** ọ̀ **ó kpè àk**ọ̀**n**. Oje is brushing his teeth. **yà kpé àk**ọ̀**n**. Start brushing your teeth.; *re kpe àk*ọ̀*n*, ọ̀ **r**ẹ́ **èm**ọ̀**ì kpé àk**ọ̀**n**. He used ashes to brush his teeth.; **ku àk**ọ̀**n shan** *tr* to clench teeth (*CPA, CPR, C, H) ọ̀**jè kú àk**ọ̀**n shán**. Oje clenched his teeth.; **s**ẹ **àk**ọ̀**n** *tr* to file teeth (CPA, CPR, *C, *H) **ójé s**ẹ́ **àk**ọ̀**n**. Oje filed his teeth. Oje is gap-toothed.

ákọ́**pìà** *n* sheath for a cutlass, **ák**ọ́**píá élìy**ọ́ cutlass sheath of that kind, **ákópìà èvá** two cutlass sheaths. cf. **àkò** sheath, **ópìà** cutlass.

ákòwé *n* scribe, educated person, secretary [Yoruba for civil servant] **ákòwé élìyó** scribe of that kind, **ákòwé èvá** two scribes, **ákòwé lì òkhúá** important civil servant, civil administrator of starture.

àkùèèlè *pstv adv* flawless manner. **ó kúéé óí àkùèèlè.** He cared for her flawlessly.

ákùhàì *n* quiver, sheath for arrows, **ákúháí élìyó** quiver of that kind, **ákùhàì èvá** two quivers. cf. **àkò** sheath, **ùhàì** arrow.

àkùrè *n* Akure people and language. **yàn zé úróó àkùrè.** They spoke Akure.

àkùyúókhó *n* back flip acrobatic maneuver. **àkùyúókhó óò.** It's a backflip. **òjè kú àkùyúókhó.** Oje performed a back flip. cf. **ku** to throw, **ye** to move to, **ùòkhò** back.

ákhàgbèdé *n* bellow, **ákhàgbèdé élìyó** bellow of that kind, **ákhàgbèdé èvá** two bellows. cf. **ákhè** pot, **àgbèdé** blacksmith.

àkhàìn *n* stinginess, stingy character. **ójé ó ò ù àkhàìn.** Oje acts in a stingy way. Oje is stingy.

ákhàmè *n* water pot, **ákhámé élìyó** water pot of that kind, **ákhàmè èvá** two water pots. cf. **ákhè** pot, **àmè** water.

àkhàrà *n* umbrella, **ákhárá élìyó** umbrella of that kind, **àkhàrà èvá** two umbrellas.

àkhárò *n* olive baboon, **ákháró élìyó** olive baboon of that kind, **àkháró èvá** two olive baboons.

ákhárómò *n* placenta, **ákhárómò èvá** two placentas. cf. **àkhàrà** umbrella, **ómò** child.

ákhè, ékhè *n* deep, ceramic pot for water [buried to rim to cool water] **ákhé élìyó** ceramic pot of that kind, **ákhè èvá** two ceramic pots. **úvóó ákhè** pot cover.

àkhìrìkpà *n* rattle made from small gourd with pebbles inside, **ákhíríkpá élìyó** rattle of that kind, **àkhìrìkpà èvá** two rattles.

àkhòkhò *n* gable, triangular sections on either end of a pitched roof, **ákhókhó élìyó** gable of that kind.

ákhò *pstv adv* tomorrow. **ólí ómóhé ló è òlí émáé ákhò.** The man will eat the food tomorrow. **éghè ólí ómóhé ló rè é ólí émàè?** When will the man eat the food?; ~ *n* tomorrow. **ákhò óò.** It's tomorrow.

àkhòì *n* occiput, occipital area of the skull, **ákhói élìyó** occipital area of that kind, **ákhói ísì òjè** Oje's occipital area.

ákhùàìgógó' *n* dung beetle, **ákhùàìgógó' élìyó** dung beetle of that kind, **ákhùàìgógó' èvá** two dung beetles.

àkhùèràn *n* thumb-sized larvae encased in sticks, **àkhùèràn èvá** two thumb-sized larvae. cf. **khuun** to bundle, **éràn** sticks.

ákpá' *n* baldness; **de ákpá'** *tr* to be bald (CPA, CPR, *C, *H) **ọ̀ dé ákpá'.** He is bald. lit. He reached baldness.

àkpà *n* fetus, being in embryo. **àkpà óọ̀.** It's a fetus.

àkpà *n* muscle cramp, tightening of muscles in the body, **ákpá élìyọ́** cramp of that kind; **àkpà nwu vbi** *tr* to have a cramp on (CPA, CPR, *C, H) **àkpà nwú mẹ́ vbì àwẹ̀.** I have a muscle cramp in my leg. lit. A cramp took hold of me in my leg. **àkpà nwú mẹ́ vbí áyè èvá.** I have a cramp in two places. cf. **àkpákpáí** cramp for older generation.

ákpá'ghàhá *n* striped kingfisher, **ákpá'ghàhá èvá** two striped kingfishers.

àkpàkómìzẹ̀ *n* brown hyena, **àkpàkómìzẹ̀ èvá** two brown hyenas.

àkpákpáì *n* spider, **àkpákpáí élìyọ́** spider of that kind, **àkpákpáì èvá** two spiders.

àkpàkpóghò *n* tree noted for regenerating stripped bark [hard outer shell of its fruit used to make slippers] **àkpàkpóghò èvá** two regenerating bark trees.

ákpèfẹ̀n *n* side of human or animal body, **ákpéfén ísì òlì òkpòsò** The woman's side. cf. **kpen** be next to, **èfẹ̀n** side of.

ákpẹ́'n *n* wild yam vine with one-inch thorns, **ákpẹ́'n èvá** two wild yam vines.

àkpíànkpíàn *n* hornbill, **àkpíàn- kpíán élìyọ́** hornbill of that kind, **àkpíànkpíàn èvá** two hornbills.

àkpó *n* path or track of an animal, maze, network, **àkpó élìyọ́** path of that kind, **àkpó èvá** two paths.

àkpòbọ́ *n* bypass, path behind a house. **ọ̀ ré ọ́ vbì àkpòbọ́.** He got on the backyard path. cf. **kpeen** to wedge, **óbọ̀** hand.

ákpòẹ́ghẹ̀ *n* common yellow-throated bulbul, Pycnonotus barbatus, **ákpòẹ́ghẹ̀ èvá** two common bulbuls.

àkpókà *n* bone, **àkpóká élìyọ́** bone of that kind, **àkpókà èvá** two bones.

àkpòkà *n* pincers, pliers, tweezers, **ákpóká élìyọ́** tweezer of that kind, **àkpòkà èvá** two tweezers.

ákpòlòkò *n* dried stock fish, **ákpólókó élìyọ́** dried stock fish of that kind, **ákpòlòkò èvá** two dried stock fish.

àkpótì *n* box, **àkpótí élìyọ́** box of that kind, **àkpótì èvá** two boxes, **àkpótí ísì óhìàn** leather box, **àkpótí ísì óìmì** coffin, **àkpótí ísì ùròò** radio.

ákpọ́zèéà *n* third position. **ọ̀ nwú ákpọ́zèéà.** She took third place. cf. **kpen** be next to, **ózèéà** third.

ákpọ́zèéhàn *n* sixth position. **ọ̀ nwú ákpọ́zèéhàn.** She took sixth place. cf. **kpen** be next to, **ózèéhàn** sixth.

ákpọ́zèélè *n* fourth position. ọ̀ nwú ákpọ́zèélè. She took fourth place. cf. kpẹn be next to, ọ́zèélè fourth.

ákpọ́zèvà *n* second in importance, deputy, second eldest, ákpọ́zévá ísì òjè Oje's deputy. ọ̀ nwú ákpọ́zèvà. He took second place (in an exam).; zẹ o vbi ákpọ́zèvà *tr* to deputize, elect to deputy position (CPA, CPR, *C, *H) à zẹ́ òhí ọ́ vbí ákpọ̀zèvà. Ohi was selected as deputy. lit. One elected Ohi into deputy position. élí édíọ̀n zẹ́ òhí ọ́ vbí ákpọ̀zèvà. The elders selected Ohi as deputy.; zẹ *shoo* vbi ákpọ̀zèvà re to remove from deputy position. à zẹ́ òhí shóọ́ vbí ákpọ̀zèvà ré. Ohi was removed from the deputyship. Ohi was transferred. cf. kpẹn be next to, ọ́zèvà second. cf. òkpàò first position.

ákpọ́zìíhìèn *n* fifth position. ọ̀ nwú ákpọ́zìíhìèn. She took fifth place. cf. kpẹn be next to, ọ́zìíhìèn fifth.

àláàgá *n* chairperson, president [Yoruba] àláàgá èvá two chairpersons.

àlàgbà *n* stick for plucking fruit from a tree, álágbá élíyọ́ plucking stick of that kind, àlàgbà èvá two plucking sticks.

álàlọ̀ *n* ringworm, álàlọ̀ èvá two ringworms. òhí mọ̀è álàlọ̀. Ohi has ringworm.

àlàsóà *n* cocoa farm weed [difficult to remove] álàsóà èvá two cocoa farm weeds.

àlèkè, ìlèkè *n* maiden, pubescent, unbetrothed female between 11 and 19 years [lifecycle stage terminated by marriage]àlèkè òkpá one maiden, úvbìàlèkè maiden of small stature.; sẹ àlèkè *tr* to be a pubescent female (*CPA, *CPR, C, H) ọ́lí óvbèkhàn ọ̀ ọ́ sẹ̀ àlèkè. The female youth is pubescent. lit. The youth is reaching female pubescence.

àlòèmì *n* morning dove, àlòè̩mì èvá two morning doves.

àlòmẹ̀hẹ̀n *n* sex mania, inordinate desire for sex. àlòmẹ̀hẹ̀n lí ọ́ ọ̀ kpòkpò ọ́ì. It's sex mania that he suffers from. cf. la to flow, ómẹ̀hẹ̀n sex.

álòógbà *n* African black shouldered kite, álòógbà èvá two African black kites.

àlòfò̩ *n* fan of raffia palm leaves [for cooling the body] álófọ́ élìyọ́ raffia leaf fan of that kind, àlòfò̩ èvá two raffia leaf fans. cf. la to flow, óòfò̩ sweat.

àlùbásà *n* onion [Hausa] àlùbásá élìyọ́ onion of that kind, àlùbásà èvá two onions, údùàlùbásà, ídùàlùbásà whole onion, úvbì-àlùbásà small onion.

àlùfá *n* Muslim cleric [Arabic] àlùfá èvá two clerics.

àmáà *conj* but [contrastive conjunction requiring clauses of contrasting polarity with second one being negative] òjè dẹ́ ọ́lí úkpùn àmáà ọ́ ì sò ọ́ì. Oje bought the cloth but he did not sew it.

àmágò *n* mango, àmágó élìyọ́ mango of that kind, àmágò èvá two mangos, úgúámágò, ígúámágò seed of mango, údùàmágò, ídùàmágò entire mango.

àmáí *pro* first person plural possessive, éwé ísì àmáí goats of ours.

ámàì *pro* first person plural indirect object. òhí nwú ọ́lí ọ́kà lí ámàì. Ohi gave the maize to us.

ámàkọ̀n *n* long-nosed mongoose [catches birds with its anus] ámàkọ̀n èvá two long-nosed mongoose.

ámàlíké' *n* scapula. ọ̀ só mḛ́ ízá vbí ámàlíké'. He hit me on my scapula. cf. íké' horn.

ámá'lòkí *n* giant forest squirrel [largest of the forest squirrels] ámá'lòkí èvá two giant forest squirrels, úvbíámá'lòkí small giant forest squirrel.

àmàmá *n* plan, school lesson, general strategy. àmàmá ísì ọ̀í lí í khì ọ̀áìn. That is his plan. lit. It is his plan that is that one. cf. mama to plan.

àmàmòrán *n* mushroom growing on dead tree trunks, àmàmòrán èvá two dead tree mushrooms. cf. óràn tree.

àmàsí *n* covenant, treaty, agreement, declaration, àmàsí èvá two covenants; ta àmàsí *tr* to agree to a treaty (CPA, CPR, *C, *H) è tá àmàsí. They agreed to a treaty. lit. They uttered a covenant.

ámégàá *n* rain water obtained from a channel. ámégàá ọ̀ọ̀. It's rainwater. cf. àmḛ water, égàá water channel.

ámḛ́ghó' *n* cowry shell [formerly monetary unit, today includes coined money] ámḛ́ghó' élìyọ́ cowry shell of that kind, ámḛ́ghó' èvá two cowry shells, ḛ́kpá ísì ámḛ́ghó' bag full of cowry shells. cf. àmḛ water, éghó' money.

ámévìḛ̀ *n* tears. ámévìḛ̀ ọ̀ọ̀. They're tears. cf. àmḛ water, évìḛ̀ crying.

àmḛ̀ *n* juice, water, rain, latex, liquid in general, úkpàmḛ̀, íkpàmḛ̀ drop of water, ámḛ́ ísì éànmì broth, juice from boiled meat, ámḛ́ lí ọ́ fọ́ì water that is cold, ámḛ́ lì ọ̀tòhíá hot water, ámḛ́ ísì ólòkún sea water, ámḛ́ ísì ìpọ́òmpù pipe-borne water; àmḛ̀ gbe *tr* to become drenched by rain water (CPA, CPR, *C, *H) ọ́lì àmḛ̀ gbé mḛ̀. I got drenched. lit. The water overcame me. àmḛ̀ gbé élí ímọ̀hḛ̀ dé ìwḛ̀. The men got drenched coming home.; nwu àmḛ̀ *tr* to prevent, hold up rain (*CPA, CPR, *C, H) ḛ́khḛ́ḛ́n òkè nwú àmḛ̀. The people of Oke stopped the rain. lit. The Oke people took hold of the rain.; si àmḛ̀ *tr* to make rain fall (*CPA, *CPR, C, H) ọ̀jè sí àmḛ̀. Oje made it rain. lit. Oje drew out the rain.

ámḛ́dà *n* stream water. ámḛ́dà ọ̀ọ̀. It's stream water. cf. àmḛ water, édà stream.

àmèmè *n* abrasive leaf of local shrub [for cleaning and shining rough surfaces] **àmèmè èvá** two sandpaper leaves.

àmìèhòn *n* belief, faith. **àmìèhòn óò.** It's faith. **àmìèhòn émì lí í kè khí óáìn?** What kind of faith is that anyway? cf. **mie̲** to experience, **éhòn** ear.

ámíkpídò *n* hail. **ámíkpídò óò.** It's hail. cf. **àmè̲** water, **íkpídò** piece of stone.

ámókò̲ *n* water potion for ascertaining identity of a witch. **ámókò̲ óò.** It's a water potion for witch identification. cf. **àmè̲** water, **ókò̲** mortar.

àmò̲mò̲tá *n* non-original, borrowed expression or saying. **àmò̲mò̲tá óò.** It's a borrowed saying. cf. **mo̲mo̲** to borrow, **ta** to speak.

àmó̲ó̲ghò greeting used on arrival of new born baby.

àmúgá' *n* scissors, **àmúgá' élìyó** scissors of that kind, **àmúgá' èvá** two pairs of scissors.

ámùhàì *n* well water. **ámùhàì óò.** It's well water. cf. **àmè̲** water, **ùhàì** well.

ànàmì *n* swallow, palm swift, **ánámí élìyó** swallow of that kind, **ànàmì èvá** two swallows.

ánámí lì òsímì *n* little African swift [type of swallow] **ánámí lì òsímì èvá** two little African swifts. cf. **ànàmì** swallow, **òsímì** regular.

ánámó̲bò *n* longtailed nightjar, **ánámó̲bó élìyó** longtailed nightjar of that kind, **ánámó̲bò èvá** two longtailed nightjars. cf. **ànàmì** swallow, **óbò** oraclist.

ánánà *n* this very place. **ólí ófè rìì vbí ánánà.** The rat is in this very place. cf. **ààn** here.

ángéèlì *n* angel, **ángéèlì èvá** two angels. **ángéèlì óò.** It's an angel.

ànìjén *n* dragon fly, **ánìjén élìyó** dragon fly of that kind, **ánìjén èvá** two dragon flies.

ànínì *n* farthing, currency unit of colonial era, **ànínì èvá** two farthings.

anma *v intr* to agree, consent (CPA, CPR, *C, *H) **ólí ómóhè ánmáì.** The man agreed.; *anma e,* **ò̲ ánmà é ólí émàè?** Did he agree to eat the food?; **anma gbe, ólí ómóhé ánmá gbé ólí ófè.** The man agreed and killed the rat.; **anma** *tr* to agree, consent. *anma khi,* **ólí ómóhé ánmáí khí ólí ókpósó gbé ólí ófè.** The man agreed that the woman killed the rat. **òjè ánmáí khì ìyò̲ìn lí yón gbé ólí ófè.** Oje agreed that it was he himself who killed the rat.; *anma li,* **ólí ómóhé ánmáì lí ólí ókpósó gbè ò̲lí ófè.** The man agreed that the woman should kill the rat. **ólí ómóhé ánmáì lí ó í gbè ò̲lí ófè.** The man agreed that she should kill the rat.

anme̲ *v tr* to scrape (*CPA, *CPR, C, H) **yàn á ànme̲ ètó ísì ò̲í.** They are scraping his hair.; *kpaye̲ anme̲,* **ó kpáyé òjè ánmé̲ ákó̲n ísì ò̲í.** She assisted Oje in scraping his teeth.; *re anme*, **ọ rẹ́ úvbíághàè ánmẹ́ étó ísì òjè**. He used a knife to scrape Oje's hair.; *anmẹ a*, **òjè ánmẹ́ ọ́í étò á**. Oje scraped off his hair. **ànmè ọ́í étò á**. Scrape off his hair.; *anme shoo vbi re*, **òjè ánmẹ́ èbà shọ́ọ́ vbì ìtébù ré**. Oje scraped eba away from the table.; *anme vbi re*, **òjè ánmẹ́ ẹ́bá vbì ìtébù ré**. Oje scraped eba from the table.

anmẹ àkọn *tr* to be emotionally distressed (*CPA, *CPR, C, H) **ọ́lì òkpòsò ọ̀ ọ́ ànmè àkọn**. The woman is distressed. lit. The woman is scraping her teeth.

anmẹ *v tr* to fry, roast using oil or sand (CPA, CPR, C, H) **òjè ánmẹ́ éànmì**. Oje fried meat. **òjè ánmẹ́ vbí ọ́lí éànmí**. Oje fried from the meat. **ànmè ọ́í**. Fry it.; *kpaye anme*, **ọ́ kpáyẹ́ òjè ánmẹ́ éànmí**. He fried meat in lieu of Oje.; *re anme*, **ọ̀ rẹ́ évbìì ánmẹ́ éànmì**. He used palm oil to fry meat.; *anmẹ li*, **òjè ánmẹ́ éànmì lí òhí**. Oje fried meat for Ohi.; *anmẹ re*, **ọ́ ánmẹ́ ọ́lí éànmì ré**. He fried meat and brought it. He brought fried meat.; *re anme e* to take, fry and eat (CPA, CPR, *C, *H) **ọ̀ rẹ́ éwè ánmẹ́ è**. He took a goat, fried and ate it.; *anme voon* to roast and fill. **ọ́ ánmẹ́ ọ́kà vóón èkpà**. He roasted maize and filled the bag. He filled the bag with roasted maize.

ánùmágàzí *n* scissor weed, grassland weed that restracts from vibration of natural forces [leaves close if uprooted] **ánùmágàzí èvá** two scissor weeds.

ánwèhèèn *n* fish hook and line, **ánwéhẹ́ẹ́n élìyọ́** fish hook of that kind, **ánwèhèèn èvá** two fish hooks. cf. **nwu** to catch, **èhèèn** fish.

ànwùvbẹ̀ọ́ *n* attraction, appeal. **ànwùvbẹ̀ọ́ í ì è vbì ọ̀**. There's no attraction. lit. Attraction is not in it. cf. **nwu** to catch, **vbi** LOC, **èò** eye.

ànyàì *n* albino, **ànyàì èvá** two albinos.

ànyàì *n* athlete's foot, foot fungus characterized by dried, cracking skin between the toes [treated with ashes] **ànyàì ọ́ọ̀**. It's athlete's foot.; **ànyàì nwu** to have athlete's foot (CPA, CPR, *C, *H) **ànyàì nwú ọ́í**. He has athlete's foot. **ànyàì nwú ọ́í vbì àwẹ̀**. He has a fungus on his feet. lit. Fungus took hold of him at his feet.

anye *v intr* to respond, reply, answer (CPA, CPR, C, *H) **òjè ányẹ́ì**. Oje responded.; *anye o* to intervene, interfere (CPA, CPR, *C, *H) **ọ́lí ọ́mọ́hé ányẹ́ ọ́ vbí ọ́lì èmòì**. The man intervened in the matter. **ọ́lí ọ́mọ́hé nà lí ọ́ ányẹ́ ọ́ vbí étá ísì èlí ívbékhán**. It was this man who interfered due to the youths talk.; **anye** *tr* to respond, answer, attend to. **òjè ányẹ́ mè**. Oje responded to me. **ọ́lí ọ́mòhè ányẹ́ ọ́lì òkpòsò**. The man answered the woman. **ànyè ọ́ì**. Attend to him.; *kpaye anye*, **ọ̀**

ọ́ kpàyẹ̀ òjé ànyẹ̀ ọ̀lí ọ́mọ̀hè. He is helping Oje attend to the man.

anyẹ vbi óbọ̀ *tr* to settle, bring to a resolution, discuss so as to settle (*CPA, *CPR, *C, *H) **vbá yà ányẹ́ ọ́í vbí óbọ̀.** Start to settle it. Start responding to the matter at hand. lit. Start settling it at hand. cf. **èànyẹ̀** reply.

àó *pro* one [cardinal numeral used in counting by the older generation] **àó, èvá...** one, two...; ~ *n* front. **òjè kpẹ́n àó lí àlèkè.** Oje is in front of Aleke. cf. **ọ̀kpá** one.

àò *n* bluish dye. **àò óò.** It's indigo dye.

àòkùgbé *n* mathematical process of adding or summing up. **émí àòkùgbé ọ́ ọ̀ mìàmẹ́.** Adding things is difficult. **àòkùgbé ọ́ ọ̀ mìàmẹ́.** Addition is difficult. **àòkùgbé óò.** It's addition. cf. **oo** to add, **ku gbe** to join together.

àòó *n* thought, idea, **àòó élìyọ́** thought of that kind. cf. **oo** to think.

áòókhì *n* chameleon, **áòókhí élìyọ́** chameleon of that kind, **áòókhì èvá** two chameleons.

áòọ̀ *n* spoon with holes for straining [formerly a short broom for straining cooking oil] **áòọ̀ èvá** two strainer spoons.

áràá *n* tumor, cyst, **áràá élìyọ́** cyst of that kind, **áràá èvá** two cysts.

àrààkhùà *n* professional robber, **àrààkhùà èvá** two professional robbers. cf. **raa** to rob, **khua** to be heavy.

árá'ghòhí *n* spotted palm civet [in folk tradition has male and female sex organs] **árá'ghòhí èvá** two spotted palm civets. cf. **ózùkókòzékùè** hermaphrodite.

àrègbèmíéfíó *n* recess, break time during school day. **à rîì vbí àrègbèmíéfíó.** They are in recess. cf. **re** use, **égbè** body, **miee** receive, **éfìòò** wind.

áréọ̀ *n* traditional idol with personal identity, deity attached to one's person, **áréọ́ élìyọ́** personal idol of that kind, **áréọ̀ èvá** two personal deities. cf. **re** to take, **éọ̀** fetish object.

àréọ̀nà *n* present existence, life as experienceed. **àréọ̀nà óò.** It's the present existence. cf. **re** to arrive, **ònà** this one.

àréọ́vbèé *n* reincarnation, life beyond present existence, state of existence after this life. **àréọ́vbèé óò.** It's reincarnation. **àréọ́vbèé lí í lọ́ kè yé ìsìkúù.** It is in the next life that I will thereafter go to school. cf. **re** to arrive, **óvbèé** another one.

àrè *n* sunbird, **àrè èvá** two sunbirds.

árẹ́ lì ìgbégbè *n* brightly colored sunbird with velvety texture, **árẹ́ lì ìgbégbè èvá** two brightly colored sunbirds.

àrẹ́họ̀ó *n* alternating genders in family birth order, interspersed female child between males or male between females. **àrẹ́họ̀ó óò.** It's alternate gender birth order. cf. **re** to take, **hoo** to put between [for older generation].

àrèkpàgbé *n* roof mat placed in overlapping layers over a layer of woven cane mats, **àrèkpàgbé èvá** two roof mats.

àrèmì *n* tooth-billed barbet, **àrèmì èvá** two tooth-billed barbets. cf. **àrè** sunbird.

árémí lí ó ò vbàè vbí ùdù *n* tooth-billed barbet that is red-breasted, **árémí lí ó ò vbàè vbí ùdù èvá** two red breasted tooth-billed barbets. cf. **àrèmì** tooth-billed barbet.

àrèòóvbémí *n* greed, covetousness, avariciousness. **àrèòóvbémí lí ó ò kpòkpò óì**. It is avariciousness that he suffers from. cf. **re** to put, **èò** eye, **o** CL, **vbi** LOC, **émì** thing.

àriàlúùsí *n* offense committed in earlier, previous life. **émíámí ísì àriàlúùsí óò**. It's an illness arising from wrongs done in an earlier life. cf. **riaa** to spoil, **li** R, **ùsí** previous life.

àríré'n *n* numbness of a body part; **àríré'n nwu vbi** to experience numbness (CPA, CPR, *C, *H) **àríré'n nwú mè**. I am numb. **àríré'n nwú mé vbì àwè**. I have numbness in my leg. lit. Numbness took hold of my leg.

árírísò *n* wart, mole on the skin [treated by cutting and drying with salt] **árírísó élìyó** wart of that kind, **árírísò èvá** two warts.

àròpíléè *n* airplane, **àròpíléé élìyó** airplane of that kind, **àròpíléè èvá** two airplanes.

àrùrú *n* rafters, ceiling of date-palm poles and woven palm fronds [above this is a layer of mud to prevent fire from falling through] **àrùrú élìyó** ceiling of that kind. cf. **àbìí** ceiling.

ásàásòn *pstv adv* nightly. **ójé ó ò várè ásàásòn**. Oje comes nightly. cf. **ásòn** night.

ásàgbèdé *n* blacksmith workshop, **ásàgbèdé élìyó** blacksmith workshop of that kind, **ásàgbèdé èvá** two blacksmith workshops. cf. **àsè** hut, **àgbèdé** blacksmith.

ásé' *n* acquittal, court victory, vindication in judicial proceeding; **e ásé'** *tr* to become acquitted, victorious (*CPA, CPR, *C, *H) **òjè é ásé'**. Oje was victorious. lit. Oje ate vindication.; **re ásé' li** *tr* to win a case in court (CPA, CPR, *C, *H) **à ré ásé' lí òjè**. Oje won the court case. lit. One assigned a court victory to Oje.

ásèràìn *n* vicinity or area around a fire. **shòò vbí ásèràìn ré**. Leave the vicinity of the fire. cf. **se** to reach, **èràìn** fire.

àsé *n* authority, authorization, permission. **òjè mòè àsé**. Oje has authority.; **re àsé li** *tr* to give authority to, authorize (CPA, CPR, *C, *H) **óbá' ré àsé ní áìn**. The Oba has given him authority. **ò ré àsé ní émè**. He has assigned permission to me. **à ré àsé lí òjè**. Oje was authorized. lit. One assigned authority to

Oje.; ~ *n* creative, metaphysical power or force causing events in this world, power of invocation or command to bring something into existence. ọ̀ mọ̀ɛ̀ àsɛ́. He has the power of invocation.; ~ *n* charm for invocation. ọ̀ mọ̀ɛ̀ àsɛ́. He owns the invocation charm.

àsὲ *n* hut, shed, shop, tent, workshop, ásɛ́ élìyọ́ hut of that kind, àsὲ èvá two huts.

àsὲgùὲ *n* pottage of cooked yam mixed with palm oil, ásɛ́gúɛ́ élìyọ́ pottage of that kind.

ásὲsɛ́ọ̀kpà *n* cockerel, immature cock, ásὲsɛ́ọ̀kpà èvá two cockerels. cf. sɛ DUR, sɛ to reach, ọ̀kpà cock.

àsí *n* snuff or other substance inhaled through the nose, àsí élìyọ́ snuff of that kind. ó ọ̀ sì àsí. He inhales snuff.

ásìbítò *n* hospital, ásìbító élìyọ́ hospital of that kind, ásìbítò èvá two hospitals.

àsígbè *n* bolt for locking a door, hasp and staple locking device, àsígbé élìyọ́ door bolt of that kind, àsígbè èvá two door bolts.

àsíkékèbè *n* type of yam, àsíkékèbè èvá two yams of this type.

àsísà *n* broom plant, Sida stipulata, àsísà èvá two broom plants, órán àsísà stalk of broom plant; ~ *n* broom from tree branches, canes or other tough fibers for sweeping, àsísá élìyọ́ plant-fiber broom of that kind, àsísà èvá two plant-fiber brooms.

ásíshásìshà *n* tough, elastic, edible mushroom [spreads and grows in clumps] ásíshásìshà èvá two elastic mushrooms; ~ *n* tough and rubbery item. ásíshásìshà óò. It's a rubbery item.

àsòfè *n* tree whose leaves serve as cough treatment [when mixed with ébóọ̀ and íchìíchọ̀ghọ̀] àsòfè èvá two cough-leaf trees, ébàsòfè leaf of cough-leaf tree.

ásókóó' *n* white yam species, ásókóó' èvá two white yams.

àsólógùn *n* finger piano, musical instrument with hollow resonator and operated with fingers, àsólógún élìyọ́ finger piano of that kind, àsólógùn èvá two finger pianos; ~ *n* type of dance; gbe àsólógùn to dance the àsólógùn (*CPA, *CPR, C, H) yàn á gbè àsólógùn. They are dancing the asologun.

àsọ́ọ́vbégbè *n* boastfulness, braggardness. àsòọ́vbégbè óò. It's boastfulness. cf. so to touch, ọ CL, vbi LOC, égbè body.

ásòn *n* night, darkness, ásọ́n ééná tonight, ásọ́n ákhò tomorrow night, ásọ́n òdὲ yesterday night. ásòn réì. Night arrived.

ásòúnù *n* skin condition where mouth corner cracks from vitamin and protein deficiency [beri-beri] ásòúnù óò. It's beri-beri. ásòúnù rîì áléké vbí únù. Aleke has beri-beri. lit. Beri-beri is on Aleke's mouth. cf. soo to tear, únù mouth. cf. àsùnù bead of saliva.

ásùkpékhàì *n* runt in a bushpig litter, **ásùkpékhàì èvá** two bushpig runts, **úvbíásùképkhàì** small bushpig runt.

ásùmúgó' *n* weed growing on fallow land, eupatorium odorantum [provides peppery, acidic base used on fresh wounds as a coagulant] **órán ásùmúgó'** stem or stalk of eupatorium weed. cf. **úgó'** bug.

àsún *n* type of fruit, **àsún èvá** two fruit pieces of this type; ~ *n* black dye extracted from asun fruit for body tatooing and tatoo powder. **àsún óò.** It's tattoo powder.; ~ *n* tatoo. **ò vín àsún.** He inscribed a tatoo.

àsùnù *n* bead of saliva around mouth noticeable after waking from sleep. **àsùnù rîì òjé vbí únù.** There is a saliva strip on Oje's mouth.; **nya àsùnù** to yawn (*CPA, *CPR, C, H) **òjè ò ó nyà àsùnù.** Oje is yawning. lit. Oje is ripping his saliva bead. cf. **sè** to reach, **únù** mouth. cf. **àsòúnù** beri-beri skin condition.

ásháshá'ì *n* dwarf crocodile [folk belief that reacts to slight noise rather than shout and that pregnant women eating it beget a deaf child] **ásháshá'ì èvá** two dwarf crocodiles, **úvbíásháshá'ì** small dwarf crocodile.

àshóràn *n* type of mushroom growing on trees, **àshóràn èvá** two tree mushrooms. **àshóràn óò.** It's a tree mushroom. cf. **óràn** wood.

àtà *n* truth. **àtà lí ójé ré gbé ólí ófè.** It is in truth the case that Oje killed the rat. **átá lì àtà** truly, **úkpàtà** iota of truth, **lí ékéín àtà** as a matter of fact, verily, verily; **àtáàtà** truly, sincerely. cf. **ta** to speak.

àtábà *n* tobacco, **àtábá élìyó** tobacco of that kind.

àtábéìmì *n* Indian hemp, marijuana, **àtábéímí élìyó** Indian hemp of that kind. **àtábéìmì óò.** It's Indian hemp. cf. **àtábà** tobacco, **éìmì** spirit world.

àtábékèé *n* native tobacco [wild vegetable placed in sauce prepared for pounded yam or eba, more pungent than Indian curry] **àtábékèé èvá** two native tobacco plugs. **àtábékèé óò.** It's native tobacco. **úkpàtábékèé** seed of native tobacco. cf. **àtábà** tobacco, **ékèé** frog.

átàlàkpà *n* lion, **átàlàkpà èvá** two lions, **óvbí átàlàkpà**, **ívbí átàlàkpà** lion cub.

átàlò *n* talkative one. **átàlò óò.** It's a talkative one. cf. **ta** to talk, **-lò** DS.

àtáródó *n* small, hot, roundish pepper [Yoruba] **àtáródó èvá** two roundish peppers.

àtè *n* retail trade, **áté ísì òjè** Oje's retail trade, **íkpàtè** retail items. **ò wáá íkpàtè ó vbì òtòì.** He displayed items for retail on the ground.

àtètè *n* circular tray woven from raffia palm leaves [for holding grains, beans or for displaying market wares] átẹ́tẹ́ élìyọ́ raffia tray of that kind, àtẹ̀tẹ̀ èvá two raffia trays; àtẹ̀tẹ̀ do èkìn ue incantation [negative constructions only] àtẹ̀tẹ̀ í yà dò èkín ùè. A raffia tray never gets lost in the market. lit. A raffia tray never trades in the market and gets lost.

àtìró *n* funnel, àtìró élìyó funnel of that kind, àtìró èvá two funnels.

átó' *n* grassland, savanna, átó' èvá two savanna areas. cf. úkátó' grassland. cf. úgbó' rain forest.

átùí *n* anus area of the body, úkpátùí anus proper [relative to buttocks].

àùèmìráá *n* excessiveness. àùèmìráá lí ọ́ gbé òjè. It is excessiveness that killed Oje. cf. u to do, émì thing, raa to pass.

àúgó' *n* clock, time piece, àúgó' élìyọ́ clock of that kind, àúgó' èvá two clocks, àúgó' ísì óbọ̀ wristwatch, àúgó' èvá two o'clock, àúgó' ìgbé ten o'clock; ~ *n* bell of a clock, àúgó' élìyọ́ bell of that kind, àúgó' èvá two bells, úvbìàúgó' small bell.

àúkhọ̀ọ̀ *n* ill-treated, disfavored, abused wife. àúkhọ̀ọ̀ óọ̀. It's a disfavored wife. cf. u to treat, khọ̀ọ̀ wickedly.

àúsá *n* Hausa-speaking people and language, àúsá èvá two Hausa people. ọ́ ì vbì àúsá. He is not Hausa. àúsá lí í khì òáìn. That one is Hausa. òjè zẹ́ úróó àúsá. Oje spoke Hausa.

àvàànùkpódẹ́ *n* cross road, àvàànùkpódẹ́ élìyọ́ cross road of that kind, àvàànùkpódẹ́ èvá two cross roads. cf. **vaan** to branch off, úkpódẹ̀ road.

ávàn *n* thunder. ávàn ọ́ọ̀. It's thunder.

àvbá *pro* your [second person plural possessive] éwé ísì àvbá goats of yours, àúgó' ísì àvbá your clocks.

ávbà *pro* you [second person plural indirect object] òjè nwú ọ́lí ọ́kà ní àvbà Oje gave the maize to you.

ávbáì *n* type of tree, ávbáì èvá two trees of this type.

ávbẹ́'ì, ívbẹ́'ì *n* yellow wagtail, village weaver bird, Plesiositagra cucullatus, ávbẹ́'í élìyọ́ weaver bird of that kind, ívbẹ́'ì èvá two weaver birds, ávbẹ́'í lí óbò male weaver bird [for older generation] ávbẹ́'í lí óbí'n male weaver bird [for current generation].

ávbíẹ́vbíéhòn *n* moth, ávbíẹ́vbíéhón élìyọ́ moth of that kind, ávbíẹ́vbíéhòn èvá two moths. cf. àvbìẹ̀vbìè butterfly, éhòn ear.

àvbìẹ̀vbìè *n* butterfly, ávbíẹ́vbíé élìyọ́ butterfly of that kind, àvbìẹ̀vbìè èvá two butterflies, úvbìàvbìẹ̀vbìè small butterfly.

ávbíẹ́vbíédà *n* flying fish, ávbíẹ́vbíédà èvá two flying fish. cf. àvbìẹ̀vbìè butterfly, ẹ́dà river.

ávbòhà *n* slap, ávbóhá élìyọ́ slap of that kind. ọ̀ sá òhí ávbòhà. He slapped Ohi.

áwà, éwà *n* dog, áwá élìyó dog of that kind, éwà èvá two dogs, úvbíáwà small dog, óvbí áwà, ívbí éwà puppy.

àwàà *n* taboo, culturally forbidden practice [includes insulting one's father or refusing to cook for one's husband] àwàà óò. It's a forbidden thing.; u àwàà *tr* to commit a taboo (CPA, CPR, *C, *H) àlèkè ú àwàà. Aleke committed a taboo. lit. Aleke engaged a taboo. é è kè ú àwàà. Don't commit a taboo anymore.; u àwàà *compl tr* to commit taboo act against. àlèkè ú ódón óí àwàà. Aleke committed a taboo against her husband. lit. Aleke engaged her husband with a taboo. é è kè ú ódón ó àwàà. Don't commit a taboo act against your husband anymore. cf. waa to forbid.

áwàédà *n* dogfish, Polypterus senegalus, áwàédà èvá two dogfish. cf. áwà dog, édà river.

àwàì *n* bush fowl, partridge, Francolinus bicalcaratus, àwàì èvá two partridges.

àwàlúùhòbò *n* hyena, àwàlúùhòbò èvá two hyenas. cf. áwà dog, li R, ùhòbò Urhobo people.

àwè *n* feet, legs, àwè èvá two legs, úkpàwè toe. cf. òè foot, leg.

àwè *n* fast, abstinance; nwu àwè to fast (*CPA, *CPR, C, H) yàn á nwù àwè. They are fasting. lit. They are taking hold of a fast. òjè nwú àwè íkpédè èéà. Oje fasted for three days.; gbe àwè to

fast. òjè ò ó gbè àwè. Oje is fasting. lit. Oje is making a fast.

áwèé *n* shrub with very pungent smell and bright seeds [for broom making] áwèé èvá two pungent shrubs.

áwó'bì *n* dunce, fool. áwó'bì óò. He's a dunce.

àyàmà *n* multi-talented individual, genius. àyàmà óò. He's a genius.

áyè *n* temporal era, áyé ísì óìbó era of the whiteman, áyé ísì ìvìkìtórìà era of Queen Victoria, áyé lì ìghéèghé era of generation's past; ~ *n* place, position, spot, space, vantage point, perspective, áyè èvá two perspectives, áyé ódàn different spot, áyé ósò some place. ò rîì vbí áyé ósò. He is somewhere. cf. áyùhì boundary. cf. áyòbè any delicate spot on the body.

áyéyéèyéè *inter* exclamation or shout heralding completed marriage ceremony.

àyèèn *n* flat, rough mat of palm frond strips [for drying cocoa beans or for shading a window] áyéén élìyó palm frond mat of that kind, àyèèn èvá two palm frond mats.

àyéyé' *n* plant with tiny leaves from the group Mimosaceae tetrapleura, àyéyé' èvá two tiny-leaf plants of this type.

àyìvbòré *n* mathematical process of subtraction. òhí gúé àyìvbòré. Ohi knew subtraction. cf. yi to pull, vbi LOC, o pro, re D.

áyò *n* ayo game played with seeds and a cupped board, áyó élìyó ayo game of that kind, áyò èvá two ayo games.

áyòbè *n* dangerous or delicate spot on the human body. áyòbè óò. It's a delicate spot. ólí údò fí ójé vbí áyòbè. The stone hit Oje on a delicate spot. cf. áyè position, òbè bad.

áyòghò *n* rattle-like, percussion instrument, serves as baby rattle [gourd with bits and pieces of gourd inside] áyóghó élìyó gourd rattle of that kind, áyòghò èvá two gourd rattles.

áyòkèlè *n* field wagon, trailer attached to car in colonial period, áyókélé élìyó field wagon of that kind, áyòkèlè èvá two field wagons.

áyòní *n* electric iron, áyóní élìyó electric iron of that kind, áyòní èvá two electric irons.

áyònú *n* scarlet breasted shrike or gonolek [with long and curved nest] áyònú èvá two gonoleks.

áyùhì *n* boundary identifying a property line. áyùhì óò. It's a boundary. cf. áyè place, ùhì border.

àzà *n* secret room in a house for keeping precious property, storage room, àzà èvá two secret rooms, úvbìàzà small secret room.

àzàgháàzà *pstv adv* maximally extensive manner. ólí ógó tóó á àzàgháàzà. The bush burned up

completely. ébé' ólí ógó í tòò sé? To what extent did the bush burn? How much of the bush pig burned?

ázánìsì *n* warthog, wild boar with large projecting teeth, ázánìsì èvá two warthogs, óvbí ázánìsì warthog piglet. cf. ìsì pig.

àzànómò *n* Yoruba people and language. àzànómò óò. She's Yoruba. cf. ómò child.

ázébéè *n* traditional wooden spoon for eating, ázébéé élìyó wooden spoon of that kind, ázébéè èvá two wooden spoons.

àzézé' *n* plant associated with traditional shrines, àzézé' èvá two shrine plants.

àzé *n* debt incurred for oraclist services [especially divination] ze àzé *tr* to pay an oraclist debt (*CPA, CPR, *C, *H) òjè zé àzé. Oje paid his debt. ólì òkpòsò zé àzé. The woman made a debt payment. cf. ze to pay. cf. ósà debt.

àzén *n* witch, wizard, àzén èvá two wizards.

àzèó *n* meaning, interpretation. émé' í khì àzèó ísì òí? What is its meaning? cf. ze to extract, èò eye.

àzèvbídì *n* fatality, fatal error. àzèvbídì óò. It's a fatality. cf. ze to extract, vbi LOC, ìdì grave.

àzígàn *n* pick ax or tool for breaking up ground, àzígán élìyó pick ax of that kind, àzígàn èvá two pick axes.

àzìgán *n* pig tick [infects legs of humans] àzìgán èvá two pig ticks.

àzìzà *n* whirlwind, eddy of wind or air [folk belief that contains a spiritual, mystical force capable of snatching human beings who then return as oraclists] àzìzà nwu *tr* to be snatched by a whirlwind (CPA, CPR, *C, *H) àzìzà nwú òhí. A whirlwind caught Ohi.

àzìzé *n* talented singer, dancer, musician, àzìzé èvá two talented singers.

àzùgbàn *n* latex weed [for extracting thorns from the body] àzùgbàn èvá two latex weeds.

B

ba *v intr* to stalk, spy, to glance at furtively (*CPA, *CPR, C, *H) àlèkè ọ̀ ó bà. Aleke is spying.; ba *tr* to stalk, spy on. òhí ọ̀ ó bà òjè. Ohi is stalking Oje. àlèkè ọ̀ ó bà òlí ómọ̀. Aleke is spying on the child. ọ̀ ó bá ìnì. He is spying on an elephant.; ba nwu to stalk, spy on and catch (CPA, CPR, *C, *H) ọ̀ bá òlí ómọ̀ nwú. He spied on the child and caught him.

ba *v tr* to plait (CPA, CPR, C, H) òlì òkpòsò bá ìhìàghà. The woman plaited her locks. bà ètó ísì òhí. Plait Ohi's hair.; *kpaye ba,* ọ̀ kpáyẹ́ àlèkè bá étò lí ọ́lì òkpòsò. She helped Aleke plait hair for the woman.; *re ba,* ọ̀ ré òú mè̱ bá étò. He used my

thread to plait hair.; *ba li,* ọ̀ bá étò lí àlèkè. She plaited hair for Aleke.; *ba o,* ọ̀ bá úkpòsùsù ọ́ vbí úhùnmì. She plaited a ball onto her head.

ba *v tr* to mend cloth with needle and thread (CPA, CPR, C, H) òjè bá ọ́lí úkpùn. Oje mended the cloth. bà ọ̀ì. Mend it.; *kpaye ba,* ọ̀ kpáyẹ́ òjè bá ọ́lì úkpùn. He helped Oje mend the cloth.; *re ba,* òjè ré àgbèdé lì ògbọ̀n bá ọ́lí úkpùn. Oje used a new needle to mend the cloth.

ba kun *v tr* to try in vain, without success (CPA, CPR, *C, *H) òjè bá ọ́lì ìsóòmù kún. Oje tried in vain to solve the arithmetic.; **ba kun** to perform an activity in vain or without success [indicates failure to achieve intention of event specified by preceding verb or an event understood in context] ọ́lí ọ́mọ̀hè gbé ọ́lí ẹ́wè bá kùn. The man tried to kill the goat but without success. òjè hóó ọ́lí úkpùn bá kùn. Oje washed the cloth without success. yàn kúéé éní ísì áfiánmì bá kùn. They thought about a name for the bird in vain. yán khẹ́ẹ́ ọ̀ì bá kùn. They waited for him in vain. ọ́lí ọ́mọ̀hè tá ẹ́mọ́í ọ́lì òkpòsò bá kùn. The man wooed the woman in vain. cf. **ba** to glance furtively.

baa *v intr* to add, join to; *de baa* (CPA, CPR, *C, *H) to participate in, join in, take part in. ọ́lí ọ́mọ́hé dé bàà. The man participated. lit. The man reached and added (himself).; **baa** *tr* to add, join to; *de baa* to be with, join with (CPA, CPR, *C, *H) **ólí ómòhè dé báá ólì ònwìmè.** The man joined the farmer. lit. The man reached and added to the farmer.; *de baa kẹn* to join and apportion. **ólì òkpòsò dé báá ònwìmè kẹ́n ògèdè.** The woman shared the plantain with the farmer. The woman joined the farmer to divide the plantain.; *de baa la* to join to run (CPA, CPR, C, H) **ólí ómòhè ọ̀ ó dé bàà èlí ívbékhán là.** The man is joining the youths to run. The man is running with the youths.; *de baa rẹ hian* to join to cut (CPA, CPR, *C, *H) **ólí ómòhè dé báá òlólò rẹ́ ághàè hián óràn.** The man joined Ololo to use the knife to cut wood.; *de baa sua* to join to push (CPA, CPR, C, H) **ólí ómòhè dé báá élí ívbèkhàn súá ìmátò.** The man joined the youths to push the car.

baa *v tr* to add, join to (CPA, CPR, C, H) *da baa,* **ó dá ólí ẹ́nyò báá émàè.** He drank wine with his food. He added wine to the food by drinking it.; *fi baa,* **ólí ómòhè fí èbà báá émà.** The man added eba to the pounded yam.; *gbe baa,* **ọ̀ ó gbé mé bàà èmí ísì èmẹ́.** He is beating me to acquire my property.; *hua*

baa, **ólí ómòhè húá élí émà báá élì ògèdè.** The man added the yams to the plantains.; *ku baa,* **ọ́ kú ìkpèshè báá ìẹ̀ẹ̀sì.** He added beans to the rice.; *nwu baa,* **ọ̀ nwú émà báá ògèdè.** He added yam to the plantain.; *roo baa,* **òjè róó óvbèé báá ọ̀ì.** Oje married another one in addition to her.; *zẹ baa,* **ó zẹ́ ímòhè èvá báá égbè.** He chose two men in addition to himself.; *zẹ baa,* **ólí ómòhè zẹ́ ókà báá ìkpèshè.** The man scooped maize and added it to the beans. The man added maize to the beans by scooping it.

baa ọ *tr* to insert, stick, pin (CPA, CPR, *C, *H) **ólí ómòhè báá óràn ọ́ vbì òtòì.** The man inserted a pole into the ground.; *kpaye baa ọ,* **ọ̀ kpáyé òjè báá ólí óràn ọ́ vbì òtòì.** He helped Oje pin the stick into the ground.

baba *v tr* to stalk, spy on with intensity (*CPA, *CPR, C, *H) **ódọ́n ọ̀ì ọ̀ ó bàbà ọ̀ì.** Her husband is spying on her. **ólì òlógbò ọ̀ ó bàbá ófè.** The cat is stalking a rat. **yà bábá ọ̀ì.** Get on with spying on her.; *baba nwu* to stalk with intensity, spy on and catch (CPA, CPR, *C, *H) **ọ̀ bábá ólí ómò nwú.** He spied on the child and caught him. **òjè bábá ólí íní nwú.** Oje stalked the elephant and caught it. cf. **ba** to stalk.

baba *v* to sense one's way; **rẹ óbọ̀ baba** *intr* to grope, use hands to sense one's way (*CPA, *CPR, C, *H) **òjè ọ̀ ọ́ rẹ̀ òbọ́ bàbá.** Oje is groping about with his hand.; **rẹ óbọ̀ baba** *tr* to grope for. **òjè ọ̀ ọ́ rẹ̀ òbọ́ bàbà àwẹ́ mẹ̀.** Oje is groping for my leg with his hands. **òjè ọ̀ ọ́ rẹ̀ òbọ́ bàbà ìtébù.** Oje is groping about on the table. **ọ̀ ọ́ rẹ̀ òbọ́ bàbà ùdékẹ̀n.** He is using his hands to grope for the wall. **rẹ̀ óbọ̀ bábá ùdékẹ̀n.** Grope for the wall with your hands. cf. **baba** to stalk.

baba égbè *tr* to be paranoid, overly guarded of self (*CPA, *CPR, *C, H) **ójé ọ́ ọ̀ bàbà égbè.** Oje is paranoid. lit. Oje spies on his body.

bághàghá *adj* excited, boisterous. **élí ívbékhán ú bághàghá.** The youths are excited.

báín *pstv adv* in a completely severed state. **ọ́ hían úríáí ísì èghíghá'n á báín.** He completely severed the tail off the monkey.

ban *v* *tr* to remove, take off clothing item (CPA, CPR, C, H) **ólí ómòhè bán ẹ̀ùn.** The man has removed his shirt. **bàn ọ́ì.** Remove it.; *ban fi ọ*, **ọ̀ bán ólí úkpùn fí ọ́ vbì òtọ̀ì.** She removed the cloth and dropped it onto the ground. She dropped the cloth onto the ground.; *ban*

ọ, **ólí ómòhè bán úkpùn ọ́ vbì òtọ̀ì.** The man put the cloth onto the ground.; *ban vbi re*, **òjè bán úkpún vbí égbè ré.** Oje removed his cloth from his body.

ban a *intr* to become naked, become stripped of clothing [of single individual] (CPA, CPR, *C, *H) **ólí ómòhè bán á.** The man has stripped. The man is naked; **ban a** *tr* to undress, disrobe, strip single individual. **ọ̀ bán ólì òkpòsò á.** He undressed the woman.

ban a *tr* to expose a body part (CPA, CPR, *C, *H) **ọ̀ bán égbè á.** He exposed his body (to the cold). **ólí ómòhè bán ùdù á.** The man exposed his chest. lit. The man exposed his heart.

banno *v* *tr* to dismantle (CPA, CPR, *C, *H) **ọ̀ bánnọ́ èfòkpá.** He dismantled a portion. **ọ̀ bánnọ́ èfòkpá vbí íwé ísì ọ̀í.** He dismantled a portion of his house.

banno *v* *tr* to remove, take off [of multiple clothing items] (CPA, CPR, C, H) **ọ̀ bánnọ́ élí íkpùn.** She removed the clothes.; *banno ku ọ*, **ólí ómòhè bánnọ́ íkpùn kú ọ́ vbì òtọ̀ì.** The man dropped his clothes all over the ground.

banno a *intr* to undress, strip, become naked [of multiple individuals] (CPA, CPR, *C,

*H) **élì ìkpòsò bánnó á**. The women undressed.; *banno a vbiee*, **è ló bànnò á vbíéé óbá'**. They are about to undress for the Oba.; **banno a** *tr* to undress, strip [of multiple individuals] **òjè bánnó élì ìkpòsò á**. Oje undressed the women.

bàtàbátá *pstv adv* excessive amount. **ó nyé ákhè vóón ótói bàtàbátá**. He prepared an excessive amount of food. **ó nyé émáé bàtàbátá**. He prepared food in an excessive amount.; ~ *adj* excessive, plentiful. **ólí émáé ú bàtàbátá**. The food is plentiful. The amount of food is more than enough.

bébébé *pstv adv* in a flitting fashion. **áléké láí bébébé**. Aleke ran at a flit. Aleke flitted away. cf. **bébèbèbè** flitting fashion.

bébèbèbè *pstv adv* flitting fashion. **ó láí bébèbèbè**. He ran at a flit. cf. **bébébé** flitting fashion.

bèkhé, bèkhébèkhé *pstv adv* wavering fashion. **ólí ákhè ményéí bèkhé**. The pot tilted in a wavering fashion. The pot wavered.; ~ *adj* wavered. **ólí ákhé ú bèkhé**. The pot wavered.

bèú *pstv adv* banging sound of a hitting activity. **ú hóní bèú**. You heard a banging sound. **ò nwú ákhè hián vbí ótói bèú**. He struck a pot on the ground with a banging sound. He banged the pot on the ground.

bèú *pstv adv* sound of loud bursting into tears. **ó ghé sán évìè á bèú**. She just burst into tears with a bang.

bébéghé *adj* oblong, flatish. **údó lì bébéghé** a flatish stone. **ólí údò ú bébéghé**. The stone is flatish [for skipping on water]. **ébé' ólí údó í rîi?** How is the stone?

bee *v intr* to start (CPA, CPR, C, *H) **yán béé vbí ódàn**. They started wrestling. **ólí ómòhè béé vbí émáé úèmí**. The man started eating food. **bèè vbí ólì òbìà**. Start working.; *za vbi bee*, **ó zá vbí édíòn béé**. He started from the Edion River.; **bee** *tr* to start (*CPA, CPR, *C, *H) *bee khi*, **ólí ómò béé khì ò ó khùòkhúó**. The baby started crawling. **ólì èràìn béé khì ò ó tó**. The fire started burning.

béè *comp* as, whereas. **òjè é óí khì ìyòìn lí yón móé ìmátò, béè ísì ìmíóó òì òò**. Oje said that it was he who owned a car, whereas it was his siblings.

ben *v tr* to pluck, break, snap (CPA, CPR, C, H) **ò bén ókà**. He plucked maize.

ben *v intr* to cut; *re émì ben* to take things to cut [only in negative constructions] **ó yà rè èmí bèn**. He never goes back on a threat. lit. He never takes things to cut (without cutting).; **ben** *tr* to cut (CPA, CPR, C, H) *kpaye ben*, **ò kpáyé àlèkè bén éhìèn ísì òí**.

He helped Aleke cut her fingernail.; *re ben*, **ò ó rè uvbíagháé bèn éhìén**. He is using a penknife to manicure his fingernail.; *ben a*, **ólì òkpòsò bén éhìén á**. The woman cut off her fingernail. **bèn ói á**. Chop it off.; *re ben a*, **ò ré údò bén óí éhìén á**. He used stone to chop off his fingernail.

benno *v tr* to cut, chop a quantity (CPA, CPR, C, H) **ò ó bènnò éràn**. He is chopping trees. **bènnò èlí éràn**. Chop the trees.; *kpaye benno*, **ò kpáyé òjè bénnó éràn**. He chopped wood in place of Oje.; *re benno*, **ò ó rè ùghámá bènnò éràn**. He is using an ax to chop wood.; *benno ku a*, **ólí ómòhè bénnó éràn kú à**. The man chopped wood to a rubble.; *benno ku o*, **ólí ómòhè bénnó éràn kú ó vbí úkpódè**. The man chopped wood all over the road.; *benno li*, **ò bénnó úkèlè lí élí ívbèkhàn**. He chopped morsels for the children.; *benno o*, **ò bénnó ísíéìn ó vbí ólì ìkpèshè**. He chopped pepper into the beans. cf. **ben** to cut,–**no** DS.

benno àkòn *compl tr* to bite (CPA, CPR, C, H) **ìnwàì ò ó bènnò òí àkòn**. Soldier ants are biting him. **ìnwàì ò ó bènnò òjé àkòn vbí óbò**. Soldier ants are biting Oje on the arm. **yà bénnó ójé àkòn**. Get on with biting Oje.

cf. **àkòn** tooth. cf. **hian àkòn** to bite.

benno éhìén *compl tr* to pinch (CPA, CPR, C, H) **ólì òkpòsò ò ó bènnò mé éhìén**. The woman is pinching me with her fingernails. **ólì òkpòsò ò ó bènnò òjé éhìén vbí óbò**. The woman is pinching Oje on the hand. **yà bénnó ójé éhìén**. Get on with pinching Oje. cf. **éhìén** fingernail. cf. **hian éhìén** to pinch.

bèún *pstv adv* springing, spritely fashion. **ólí úkpésúsú gbéí bèún**. The insect type danced in a spritely fashion. The insect sprung off.; ~ *adj* state of being sprite. **ólí úkpésúsú ú bèún**. The insect is sprite. The insect sprung off.

bi *v intr* to move aside (CPA, CPR, *C, *H) *bi vbi ùsì* to move aside for private discussion. **yàn bí vbì ùsì**. They had a private discussion.; **bi** *tr* to move aside; *bi ye*, **òjè bí ólí úkpùn yé èfòkpá**. Oje moved the cloth to one side. cf. **bilo** to shove.

bi égbè *tr* to move the body aside (CPA, CPR, *C, *H) **ò bí égbè**. He moved aside. He moved his body aside. **bì égbè**. Move aside.; *bi égbè li*, **òjè bí égbè lí òhí**. Oje moved aside for Ohi. Oje evaded Ohi. **è bí égbè lí égbè**. They moved (their bodies) aside for each other. cf. **bilo** to shove.

bi *prep* like [designates standard of comparison in simile constructions] ómóhé bí érá ọ̀ì í ì è vbí èdó. A man like his father does not exist in Edo. cf. élàbí like.

bí *conj* and [comitative function] mà bí òjè I and Oje. lit. we and Oje. ùúè bí ọ̀kpá twenty one. lit. twenty and one. élí ívbèkhàn bí ìmọ́ọ́ íyàìn. The youths and their friends. ẹ́wè bí òòkhọ̀ bí ẹmẹ̀lá bí èsí várè. A goat, a chicken, a cow and a horse came.

bí *conj* even though, in spite of, together with [concessive phrase function] àlèkè húá iwàwà bí éviè. Aleke carried pots even though she was crying. lit. Aleke carried pots with crying. àlèkè ọ̀ ó hìò bí èkéín vbí égbè. Aleke is weeding even though she is pregnant. Aleke is weeding in spite of the baby in her belly.

bi *comp* when, as [requires rẹ SEQ as clause auxiliary] bí ójé ọ́ ọ̀ rẹ́ hòò úkpùn, ọ́ ọ̀ sò íòò. When Oje washes clothes, he sings.

bia *v intr* to work, have a job (*CPA, *CPR, C, H) ọ́lí ómọ̀hè ọ̀ ọ́ bíá. The man is working.; *bia li*, ọ̀ bíá lí ọ́lì òkpòsò. He worked for the woman.; *bia ọ*, ọ́lí ómọ̀hè bíá ọ́ vbí émàè. The man worked for food.; *bia òbìà tr* to work, perform a job (CPA,

CPR, C, *H) ọ́lí ómọ̀hè bíá ọ́lì òbìà. The man performed the work. The man worked. ọ̀ bíá vbí ọ́lì òbìà. He did part of the work. bìà ọ́lì òbìà ọ̀. Do the job oh.; *kpaye bia òbìà*, ọ̀ kpáyẹ́ ọ́lì òkpòsò bíá ọ́lì òbìà. He helped the woman do the work.; *rẹ bia òbìà*, ọ̀ rẹ́ ìkhùnmì bíá ọ́lì òbìà. He used a charm to do the job.; *bia òbìà li*, ọ̀ bíá óbíá ọ́sò lí ọ́lì òkpòsò. He did some work for the woman.

bia li *intr* to perform surgery, operate on (CPA, CPR, C, H) òjè bíá lí òhí. Oje operated on Ohi. Oje did the work on Ohi.

bia vbi òbìà *tr* to accept as a patient [as a native doctor accepting a patient] (*CPA, *CPR, *C, *H) ọ́ lọ́ bìà òjé vbì òbìà. He will work on Oje. He will accept Oje as a patient. lit. He will work Oje on his job.

bia *aux* dubitative function. ọ́lí ómọ́hé bíá é ọ́lí émàè? Did the man really eat the food?

bìàkhárá *pstv adv* sudden, defiant fashion. ọ́ díáí bìàkhárá. He sat defiantly.

bìán, bìánbìán *pstv adv* flashing manner. ókhúnmí ghé hián íhìán bìán. The sky just flashed with lightning. Lightning just flashed across the sky.; ~ *adj* flashed. ókhúnmí ú bìán. The sky flashed. émé' ọ́ ú bìán? What flashed?

bibi *v intr* to stagger (*CPA, *CPR, C, H) ólí ómòhè ò ó bìbí. The man is staggering. The man is moving in a zig-zag fashion.; *bibi shan,* ò ó bìbí shán. He is staggering about.

bìbìbíbí *pstv adv* dazed, staggering fashion. ólí ómòhè ò ó shán bìbìbíbí. The man is staggering away. ólí óókhò ò ó ú bìbìbíbí. The chicken is acting staggered and dazed. cf. bibi to stagger.

bíí *pstv adv* tight fashion. ólí ómóhé khú óghòhúnmì nwú bíí. The man grabbed the goose tightly. The man grabbed the goose tightly. ú fí égbésíéín vbí únú bíí. You spit out alligator pepper in a tight wad.

bíí *pstv adv* suddenly. ásòn ré bíí. The night arrived suddenly.

bìkhírí *pstv adv* sudden, absolute fashion. ó vóó ólí ákhé bìkhírí. He covered the pot suddenly and completely. He clamped the pot shut.

bilo ye *intr* to move in a repeated fashion to (CPA, CPR, *C, *H) ò bíló yé èfòkpá. He moved to one side.; *bilo ye li,* òjè bíló yé èfòkpá lí òhí. Oje moved aside for Ohi. Oje moved to the side for Ohi.; bilo ye *tr* to move, shove to. ò bíló élí íkpùn yé èfòkpá. He moved the clothes to one side. He shoved the clothes to one side. bìlò íyàìn yé èfòkpá. Shove them to one

side.; *kpaye bilo ye,* ò kpáyé òjè bíló élí íkpùn yé èfòkpá. He helped Oje shove the clothes to one side.; *re bilo ye,* ò ré óbò bíló élí íkpùn yé èfòkpá. He used his hand to to shove the clothes to one side. cf. bi to move aside, –lo DS.

bin *v intr* to be dark in color [black, green, brown, blue] (CPA, *CPR, *C, H) ólí úkpún bínì. The cloth is dark.; *bin lee,* ólí úkpún áìn bín léé ísì èmé. That cloth is darker than mine.

bin *v intr* to be dark skinned (*CPA, *CPR, *C, H) ólí ómóhé ó ò bín. The man is dark skinned.; *bin ku a,* ólí ómòhè ò ó bín kù á. The man is getting dark skinned all over.; *bin o vbi o,* ólí ómòhè ò ó bín ò vbì ò. The man is getting darker-skinned.

bin *v intr* to be overcast (*CPA CPR *C *H) òkhùnmì bínì. The sky is overcast.

bin a *intr* to darken, become, turn dark (*CPA, CPR, *C, *H) ólì ìshé bín á. The nail darkened.; *ze bin a,* ólì òkpòsò zé ólì ìgóólú bìn á. The woman allowed the gold to darken.; bin a *tr* to darken, become dark. ólí ósà bín ólì ìgóòlù á. The soap darkened the gold.

bíózó *adj* spherical, almost conical, ísíéin lì bíózó spherically-shaped pepper. ólí ísíéìn ú

bíózó. The pepper is spherical. **íhúé ísì òjè ú bíózó**. The nose of Oje is spherical. **òjè ú íhúé bíózó**. Oje has a spherical nose. **ébé' ó í rîì?** In what state is it?

bóbóbó *pstv adv* scampering manner at a high rate of speed. **ólí ómóhé lá rèkháén óí bóbóbó**. The man ran after it at a scamper. **ò ó lá shàn bóbóbó**. He is running away at a scamper. He is scampering away. cf. **bóbòbòbò** scampering manner.

bóbòbòbò *pstv adv* scampering manner at a high rate of speed. **ò ó lá shàn bóbòbòbò**. He is scampering away. He is running away at a scamper. cf. **bóbóbó** scampering manner.

bóbóghó *adj* oblong, mudfish-head shape, **úhúnmí lì bóbóghó** an oblong head. **ólí úhúnmí ú bóbóghó**. The head is oblong. **ébé' ó í rîì?** How is it?

bobo *prev adv* promptly, quickly. **ólì òkpòsò bóbò béé vbí úèmí**. The woman promptly started eating. **ólí ómóhé bóbò é ólí émàè**. The man promptly ate the food.

bói *pstv adv* popping sound from a pulling activity. **ú hóní bói**. You heard a popping sound. **ójé yí ólí órán vbì òtòì ré bói**. Oje pulled the tree from the ground with a pop. Oje popped the tree out of the ground. cf. **pói** popping sound.

bòké *pstv adv* pecking sound made by a bird's beak. **ú hóní bòké**. You heard the pecking sound. **ólí óghòhúnmí só óí úkpá bòké**. The wild goose touched it with its beak in a pecking fashion. The wild goose pecked it with its beak.

bolo *v tr* to peel by pulling (CPA, CPR, C, H) **òjè bóló ólí ókà**. Oje peeled the maize. **ò bóló ólì ògèdè**. He peeled the plantain. **bòlò ólì ògèdè**. Peel the plantain.; *kpaye bolo*, **ò kpáyé òjè bóló ògèdè**. He helped Oje peel plantain.; *re bolo*, **ò ré éhìén bóló ólì ògèdè**. He used his fingernail to peel the plantain.; **òjè bóló ògèdè á**. Oje peeled off plantain.; *bolo fi o*, **òjè bóló ògèdè fí ó vbí úkpódè**. Oje peeled plantain, dropping it onto the road.; *bolo ku o*, **òjè bóló ògèdè kú ó vbí úkpódè**. Oje dropped plantain all over the road.; *bolo li*, **òjè bóló ògèdè lí òhí**. Oje gave plantain to Ohi. cf. **boo** to husk.

bolo égbè *tr* to bleach the skin (*CPA, *CPR, *C, H) **ójé ó ò bòlò égbè**. Oje bleaches his skin. lit. Oje peels his body.; *re bolo égbè*, **ó ré ósà bóló égbè**. He bleach his skin with soap.; *bolo égbè a*, **òjè bóló égbè á**. Oje bleached out his body.

bolo égbè a *tr* to bruise (CPA, CPR, *C, *H) **ò bóló égbè á**. He became bruised. He bruised himself. He bruised his body. lit. He peeled off his body.; **bolo égbè a** *compl tr* to bruise someone. **yán bóló ójé égbè á.** They bruised Oje. They bruised Oje's body. **yán bóló íyáín égbè á.** They bruised themselves.

bolo èmàì a *tr* to peel off a wound (CPA, CPR, *C, *H) **ò bóló èmàì á.** He peeled off a scab. **bòlò ólì èmàì á.** Peel the scab off.; **rę bolo èmàì a, ò ré éhìén bóló ólì èmàì á.** He used a fingernail to peel the scab off.

bolo èò a *tr* to open the eyes wide when fainting or passing out (CPA, CPR, C, *H) **ò bóló èò á.** He opened his eyes wide. lit. He peeled off his eyelids.

boo *v tr* to husk maize (CPA, CPR, C, H) **òjè bóó ókà.** Oje husked maize. **bòò óì.** Husk it.; **kpayę boo, ò kpáyę òjè bóó ólí ókà.** He helped Oje husk the maize.; **boo a, òjè bóó ólí ókà á.** Oje husked off the maize.; **boo ku o, ò bóó ókà kú ó vbí úkpódè.** He husked maize all over the road.; **boo li, òjè bóó ólí ókà lí òhí.** Oje husked the maize for Ohi. cf. **bolo** to peel.

bòó, bòóbòó *pstv adv* sudden, sharp thumping sound resulting from a contact activity. **ú hóní bòó.** You heard a thump. **ò fí óí émí bòó.** He hit him with something in a thumping

fashion. **élí ékhé gbóó á bòóbòó.** The pots broke in a thump.

bòó *pstv adv* sound of a sudden, loud burst of tears. **ú hóní bòó.** You heard a burst of tears. **ó sán évìè á vbí ááín bòó.** She broke into tears there with a loud burst.

bo *v intr* to divine, consult a diviner (*CPA, *CPR, C, H) **ólì òbò ò ó bó.** The oraclist is divining. **é è kè bó.** Don't divine anymore.; *bo li,* **ólí óbò bó ní áín.** The oraclist divined for him. **bò ní émè.** Divine for me.; **bo mie** to discover through divination (CPA, *CPR, *C, *H) **ólí ómóhé bó míé ólí ókpósódíòn.** The man discovered the woman as the source of his problems through divination. lit. The man divined and discovered the old woman.

bo *v tr* to choose, select (CPA, CPR, *C, *H) **ólí ómòhè bó ólì òkpòsò.** The man chose the woman. **òjè í ì bò ólí údìn.** Oje did not choose the palm tree. **bò ólì òkpòsò.** Choose the woman.

bo *v intr* to guess [imperative only] **yà bó.** Start guessing.; **bo** *tr* (CPA, CPR, *C, *H) **ólí ómòhè bó ólì òkpòsò.** The man guessed the woman.

búghábúghá *pstv adv* fluttering sound resulting from a beating activity. **ú hóní búghábúghá.**

You heard a flutter. **ésónkpún gbéí búghábúghá.** The rag fluttered. The rag beat in a fluttering fashion.; ~ *adj* fluttering sound. **ésónkpún ú búghábúghábúghá.** The rag fluttered.

búí *pstv adv* jerky, yanking fashion of a removing activity. **ó vbóó úkpíóón vbí égbé búí.** He yanked a fist full of feathers from the body. He uprooted a bunch of feathers from the body with a yank.

bume *v tr* to fling (CPA, CPR, *C, *H) *bume fi a,* **ò búmé úkpìhàì fí à.** He flung an arrow away. **ò búmé àgá fí à.** He flung a chair away. **bùmè ólì àgá fí à.** Fling the chair away.; *bume fi o,* **ò búmé àgá fí ó vbì ògò.** He flung a chair into the bush.; *bume ye,* **ò búmé àgá yé òhí.** He flung a chair toward Ohi. **ò búmé àgá yé ékéín ògò.** He flung a chair inside the bush.

bume *v tr* to dust, clean, shake (CPA, CPR, *C, *H) *re bume,* **ò ó rè èsókpún bùmè àgá.** He is using a rag to dust a chair.; *bume a,* **ólì òkpòsò búmé ólì ìtébù á.** The woman dusted off the table.; *kpaye bume a,* **ò kpáyé òjè búmé ólì àgá á.** He helped Oje dust off the chair. cf. **bume** to fling.

bùmèbúmé *adj* haggard, worn out. **ómóhé lì bùmèbúmé** the haggard man. **ólí ómòhè ú bùmèbúmé.** The man is haggard. **ébé' ólí ómóhé í rìì?** How is the man? In what condition is the man? cf. **bume** to fling.

bun *v intr* to be many, plentiful (CPA, CPR, *C, *H) **ívbíá ísì òí búnì.** His children are many. **éfé ísì òí búnì.** His wealth was plentiful.; *bun o vbi o,* **éfé ísì òí bún ó vbì ò.** His wealth increased.

bun vbi égbè *intr* to be bothered about many things (CPA, CPR, *C, *H) **úèèn bún ójé vbí égbè.** Oje is bothered about a lot of things. lit. The behavior is plentiful on Oje's body.

buu *v tr* to approach, move toward (CPA, CPR, *C, *H) **ólí ékhìì búú ólì òkpòsò.** The cripple approached the woman. **bùù ói.** Approach her.; *buu me re,* **ólí ómò búú mè ré.** The baby approached me. The baby came my way.; *shan buu,* **ò shán búú ólì òkpòsò.** He proceeded toward the woman. He walked toward the woman.; *la buu,* **ò lá búú òhí.** He ran toward Ohi.

CH

chan *v tr* to emit a liquid (CPA, CPR, C, H) **ólí ókà chán àmè.** The maize emitted its inner juices.; *chan ku a,* **ólí ókà ò ó chàn àmé kú à.** The maize is shooting its juices all over.; *chan ku o,* **ólí ókà ò ó chàn**

àmé̱ kú ò̱ vbí èràìn. The maize is shooting its juices all over the fire.

che *prev adv* again [repetitive function] ó̱lí ó̱mó̱hé ló̱ chè é vbí ó̱lí émáé. The man will again eat from the food.

che re *tr* to return to a place, arrive at a place again (CPA, CPR, *C, *H) ó̱lì ùdùkpù ché ré ókhúnmí é̱dà. The coconut came back to the surface of the river. The coconut again arrived at the surface of the water. cf. **che** REP, **re** to arrive.

che re àgbò̱n *tr* to become incarnate, take a human form (CPA, CPR, *C, *H) ò̱jè ché ré àgbò̱n. Oje became incarnate in this world. ójé ló̱ chè ré àgbò̱n. Oje will become incarnate. Oje will again arrive in the world. cf. **che** REP, **re** to arrive.

ché̱ché̱ché̱ *pstv adv* chirping sound [of a squirrel] ó̱ ò̱ jè ché̱ché̱ché̱. He laughs in a chirping fashion (in mocking fashion).

ché̱ché̱ché̱ *pstv adv* appropriate fashion. ó̱ ò̱ ù ò̱dó̱n ó̱í ché̱ché̱ché̱. She treats her husband appropriately.

che̱n *v tr* to inspect, check, look over (CPA, CPR, *C, *H) ò̱ chén àhè. He checked the sap. ò̱jè chén ó̱lí ífì. Oje inspected the trap. chèn ó̱ì. Inspect it.; *kpaye che̱n,* ò̱ kpáyé̱ ò̱jè chén ó̱lí ífì. He helped Oje inspect

the trap.; *che̱n lagaa,* ó̱ chén iwè lágàà. He went around the house checking. He checked around the house. cf. **chie̱n** to inspect.

ché̱zé̱ *adj* small, little [of inanimates] úkpórán lì ché̱zé̱ the small stick. ó̱lí úkpóràn ú ché̱zé̱. The stick is small. ébé' ó̱ í rî? How is it?

chian *v tr* to become transformed, changed from one form to another (CPA, CPR, C, H) ó̱lì ò̱kpò̱sò̱ chián ítùú. The woman became a mushroom. chìàn ó̱mò̱. Become a child.; *re chian,* ójé ló̱ rè̱ erá á chián ákpó̱zèvà. Oje will make your father become second in command.; *chian li,* ó̱lí úbélé chián ó̱mò̱ lí ó̱lì ò̱kpò̱sò̱. The gourd became a child for the woman.

chian ákhò̱ *tr* until tomorrow [greeting expression] (*CPA, CPR, *C, *H) ò̱ chián ákhò̱. Until (it has become) tomorrow.

chian ò̱híná' úkpègbé *tr* until this time next year [greeting expresssion] (*CPA, CPR, *C, *H) ò̱ chián ò̱híná' úkpègbé. Until (it has become) this time next year.

chie *v intr* to turn back, return to a starting point (CPA, CPR, *C, *H) ó̱lí ó̱mò̱hè chíéì. The man has turned back. chìè. Go back.; *se chie,* ààn lí ó̱ ló̱ sè̱ chíé. It is here that he will reach and return to.; *za chie*, **áfúzé' lí ó̩ zá chiè**. It was from Afuze that he turned back.; *chie re*, **ò̩ chíé rè**. He returned and came back.; *ghoo chie re* to look at carefully, scrutinize. **óbá' ghóó ó̩ì chíé rè**. The Oba looked at him up and down. lit. The Oba looked at him and returned.

chie òyà li *tr* to avenge a social slight for (CPA, CPR, *C, *H) **ò̩ chíé òyà ní é̩mè̩**. He avenged a social slight for me. lit. He turned back a social slight for me.

chie ùòkhò *tr* to stop following (CPA, CPR, *C, *H) **ò̩ chíé mé̩ ùòkhò**. He stopped following me. lit. He returned from my back. **chìè mé̩ ùòkhò**. Stop following me.; *la chie ùòkhò*, **ó̩ lá chíé mé̩ ùòkhò**. He stopped following me and returned. He ceased following me. lit. He ran and returned from my back.

chie̩n *v tr* to check, inspect (CPA, CPR, *C, *H) **òjè óó' chìè̩n ó̩lí ótìè̩n**. Oje went to check the cherry tree.; *chie̩n lagaa*, **òjè̩ chíé̩n ó̩lí ótìè̩n lágàà**. He inspected around the cherry tree. cf. **che̩n** to inspect.

chie̩n *v tr* to disturb, irritate through contact (CPA, CPR, C, H) **òhí chíé̩n ójé è̩mài**. Ohi irritated Oje's wounds. **é è̩ chíé̩n ójé è̩mài**. Don't irritate Oje's wounds.

chóón *pstv adv* quick zipping sound resulting from entering a hole. **ú hó̩ní khì ò̩ ó vbí óó chóón**. You heard that it entered the hole in a zip. You heard that it zipped into the hole. **ó ó vbí é̩ké̩ín ó̩lí ákhé áín chóón**. She entered inside that pot with a zip. She zipped into that pot.; ~ *adj* zipping sound resulting from a scurried activity. **ó ú chóón**. It zipped by.

D

da *v tr* to drink an alchoholic beverage [wine or spirits] (CPA, CPR, C, H) **ò̩ dá ó̩lí é̩nyò̩**. He drank the wine. **yà dá é̩nyò̩**. Start drinking wine. **ò̩ dá vbí ó̩lí é̩nyó**. He drank from the wine.; *re̩ da*, **ò̩ ré̩ úkó' dá é̩nyò̩**. He used a cup to drink wine.

da *v intr* to become high (CPA, CPR, *C, H) **ó̩lí órán dáì**. The tree is high. **údàmí òbè lí ó̩lí órán dáì**. It is excessive height that characterized the tree.; *da lee*, **órán ísì òhí dá lé̩é ísì òjè̩**. Ohi's tree is higher than Oje's.; *da o̩ vbi o̩*, **ó̩lí óràn ò̩ ó dá ò̩ vbì ò̩**. The tree is getting higher.

da *v intr* to become tall (CPA, CPR, *C, H) **òjè̩ dáì**. Oje is tall. **élí ívbékhán dálói**. The youths are each tall.; *da o̩ vbi o̩*, **ó̩lí ómò̩hè ò̩ ó dá ò̩ vbì ò̩**. The man is becoming taller.

dà *conj* or [disjunctive function only with contrasting polarity clauses] **òjè dé émà dà ó ì dè émà?** Did Oje buy yam or did he not buy yam? **dà òjè dé émà?** Or Oje bought yam? **dà òjè í ì dè émà?** Or Oje did not buy yam?

da *v tr* to halt, bar, stop, detain through obstruction (CPA, CPR, *C, *H) **da nye** *tr* to halt, hold up at. **ìsójà dá óì nyé vbí úkpódè.** Soldiers stopped him on the road.; *khuye da nye* to lock, close in someone. **ólí ómòhè khúyé úkhùèdè dá ólì òkpòsò nyé vbí ékóà.** The man locked the woman in the room. The man detained the woman in the room by closing the door.

da óbò nye *compl tr* to prevent, stop, halt, detain (CPA, CPR, *C, *H) **òjè dá áléké óbò nyé.** Oje detained Aleke. Oje prevented Aleke from leaving. lit. Oje stopped Aleke with his hand.

da óbò nye *compl tr* to terminate, fire (CPA, CPR, *C, *H) **ólí ómòhè dá ólí ókpósó óbò nyé vbì òbìà.** The man has terminated the woman. lit. The man stopped the woman with his hand at work.

daa *v tr* to position by; **nwu daa** to get positioned by (CPA, CPR, *C, *H) **ò nwú óràn dáá èràìn.** He put wood by the fire. **ò nwú údò dáá èràìn.** He put a stone by the fire.

daa àgbàn *tr* to search for a better view (*CPA, *CPR, C, H) **ólí ómòhè ò ó dàà àgbàn.** The man is searching for a better view. lit. The man is positioning his chin.

daa éhòn *tr* to listen (*CPA, *CPR, C, H) **ólí ómòhè ò ó dàà éhòn.** The man is listening. lit. The man is positioning his ear. **dàà éhòn.** Listen. **é è dáá ójé éhòn.** Ignore Oje.; *daa éhòn ye,* **òjè ò ó dàà èhón yè èmí lí má à tá.** Oje is listening to what we say. lit. Oje is positioning his ear for something that we discuss.

daa èò *tr* to look, watch (*CPA, *CPR, C, H) **òjè ò ó dàà èò.** Oje is watching. lit. Oje is positioning his face.; *daa éó ísì,* **ólí ómòhè ò ó dàà èò ísì òjè.** The man is looking for Oje. lit. The man is positioning his face for Oje.; *daa éó ísì ye,* **ólí ómóhé dáá éó ísì òjè yé ìwè.** The man searched for Oje on the way home. lit. The man positioned his face for Oje, moving toward the house.

daa muzan *intr* to stand upright (CPA, CPR, *C, *H) **ólí ómòhè dáá múzán.** The man stood upright. cf. **muzan** to wait.

daa *v tr* to harm, affect physically; **óbò daa** to be harmed, done in (CPA, CPR, *C, *H) **óbò dáá òjè.** Oje has been done in. Oje has been harmed. lit. The hand affected Oje.; *óbó ísì daa,* **óbó**

ísì òhí dáá òjè. Ohi has done in Oje. Ohi has harmed Oje. lit. The hand of Ohi has affected Oje.

daa vbi égbè *tr* to irritate, put into uneasy mental state (*CPA, *CPR, C, H) **úéén ísì òhí ọ̀ ọ́ dàà òjé vbí égbè.** Ohi's behavior is irritating Oje. lit. The behavior of Ohi is affecting Oje on his body. **émí ọ́ ọ̀ dàà ọ̀í vbí égbè.** He is easily unsettled over little things. lit. Things affect him on his body.

daan *v intr* to be healthy (*CPA, CPR, *C, *H) **ólí ọ́mọ̀hè dáánì.** The man is well.; **daan** *tr* to be physically healthy [only in negative constructions] **égbè í ì dààn òjè.** Oje's body is not well.

daan *v tr* to warm (CPA, CPR, C, H) **ólì òkpòsò ọ̀ ọ́ dààn òmì.** The woman is warming soup. **dààn ólì òmì.** Warm the soup.; *kpaye daan,* **ọ̀ kpáyé ólì òkpòsò dáán òmì.** She warmed soup in place of the woman. *re daan,* **ọ̀ rẹ́ úwáwá lì ògbọ̀n dáán òmì.** She used a new pot to warm soup.

daan a *intr* to melt, warm to the point of melting (CPA, CPR, *C, *H) **ọ́lì ìkándù dáán à.** The candle melted.; **daan a** *tr* to melt, warm until melted. **ọ̀ dáán ólì ìkándù á.** He melted the candle. **òó dààn ọ̀í á.** Go to

melt it.; *kpaye daan a,* **ọ̀ kpáyé òjè dáán ólì ìkándù á.** He helped Oje melt the candle.

dàbìdábí *pstv adv* staggering, disoriented manner. **ólí ọ́mọ̀hè ọ̀ ọ́ shán dàbìdábí.** The man is moving away at a stagger. **ébé' ọ́ ọ̀ í shán?** How does he move away?

dabọ *prev adv* deliberately [subject attributive function] **ólí ọ́mọ́hé dábọ̀ fí ólì èkpà fí à.** The man deliberately threw the bag away.

dada *v intr* to lose one's way, wander off a path, lose spatial orientation [implies mental confusion] (CPA, CPR, *C, *H) **ólí óvbèkhàn dádàì.** The youth lost his orientation. **é è dádá ò.** Don't miss your way, oh.

dagha *v intr* to disorient, become blurred, mixed (CPA, CPR, *C, *H) *dagha a,* **émí èrèmé dághá à.** Everything was blurred up.; *dagha o vbi èò,* **émí èrèmé dághá ó mẹ́ vbì èò.** Everything made my vision disoriented. Everything got blurred in my vision.

dáín *pstv adv* secure, tight, well-packed fashion. **àsí vóón ólí úbélé dáín.** Snuff filled the gourd tightly. **yán gbá ọ́í dáín.** They tied him tightly. **ébé' ọ́ í vóón sè?** How full is it?

dáín *pstv adv* absolutely dark condition. **àsòn sóí dáín.** The night is very dark. lit. Night touched tightly.

dame *v tr* to test (CPA, CPR, C, H) *dame fee ghoo*, **ólí ómòhè dámé òlì ìkpàkúté' féé ghòò.** The man tested the traps. **dàmè ólì ìkpàkúté' féé ghòò.** Test the trap. cf. **fee ghoo** to examine.

dame *v tr* to tempt (CPA, CPR, C, H) *dame fee ghoo*, **ólí ómòhè dámé ólì òkpòsò féé ghòò.** The man tempted the woman. **dàmè ólì òkpòsò féé ghòò.** Tempt the woman. cf. **fee ghoo** to examine.

dan *v intr* to swarm, fly about [of locusts, termites] (*CPA, *CPR, C, H) **édó' ò ó dàn vbí égbóà.** Termites are swarming in the backyard.

dan *v intr* to wrestle (*CPA, *CPR, C, H) **élí ívbèkhàn ò ó dán.** The youths are wrestling. **vbá yà dán.** Start wrestling.; *kpaye dan*, **òhí ò ó kpàyè òjé dán.** Ohi is wrestling with Oje.

dano *v intr* to cluck, wiggle about prior to laying an egg (*CPA, *CPR, C, H) **ólí óókhò ò ó dànò vbí égbóà.** The chicken is clucking in the backyard.

dano *v intr* to sense through vibration (*CPA, *CPR, C, *H) **àgbòn dano gbe** to sense life. **àgbòn ò ó dànó gbè òì.** He is sensing life around him. lit. The energy of life is vibrating and hitting him.; **dano o vbi íhùè** to

sense through smell. **ólí éànmì ò ó dànó ò vbí íhùè.** The smell of the meat is seeping into his nostrils. lit. The smell of meat is vibrating into his nose.

daye *a intr* to dissolve in a solution (CPA, CPR, *C, *H) **ólí úmèè dáyé á.** The salt dissolved.

daye *a intr* to become nullified, cut short (CPA, CPR, *C, *H) **ólì òsíé' dáyé à.** The entertainment got cut short.; **daye** *a tr* to cancel, nullify, cut short. **yàn dáyé ólì òsíé' á.** They cancelled the party.

daye *a intr* to become appeased, retracted, recalled (CPA, CPR, *C, *H) **ólí éò dáyé á.** The fetish got appeased. The curse got retracted.; **daye** *a tr* to appease, atone. **òjè dáyé ólí éò á.** Oje appeased the fetish. Oje retracted the curse.

de *v intr* to explode (CPA, CPR, *C, *H) **ólì òísí' déì.** The gun exploded.

de *v intr* to fail (CPA, CPR, *C, *H) **òjè déì.** Oje failed. **òjè déí vbí ólì ìdàmìghé.** Oje failed at the exam.

de *v intr* to fall, move in a downward direction (CPA, CPR, C, H) **ólí ómòhè déì.** The man fell. **ólì ògèdè déì.** The orange fell.; *de re*, **údúkpù dé ré.** A coconut fell down.; *za vbi de re*, **údúkpù zá vbì ùgín dé rè.** A coconut fell down from the basket.; *de fi a*, **údúkpù dé fì á.** A coconut fell away.; *de fi o̩*, **údúkpù dé fì ó̩ vbì ò̩tò̩ì.** A coconut fell onto the ground.; *delo̩ ku o̩* [of a plurality] **údúkpù déló̩ kù ó̩ vbì ò̩tò̩ì.** Coconuts fell all over the ground.; *de go̩n*, **ó̩lí óràn dé gó̩n.** The tree fell to a leaning position.; *de gbe*, **ó̩lí úkpóràn dé gbé ùdékè̩n.** The pole fell against the wall.; *de tee̩n nye̩*, **ó̩lí óràn dé té̩é̩n òjè nyé̩.** The tree fell on Oje.

de ku a *intr* to become useless, wasted [of a mass] (CPA, CPR, *C, *H) **éghó' èrèmé̩ dé kù á.** All the money got wasted. lit. All the money fell aside. **ó̩lì ìwè dé kù á.** The house collapsed. lit. The house fell aside.

de o *intr* to set, sink, descend [of a celestial body] (CPA, CPR, *C, *H) **ùkìn dé ó.** The moon has gone down. lit. The moon fell and entered.

de o̩ vbi o *intr* to fall, fit into place, work out (CPA, CPR, *C, *H) **ó̩lì òbìà dé ó̩ vbì ò̩.** The job has worked out. lit. The work has reached further.; *de o̩ vbi o̩ li*, **é̩mó̩í ágbó̩n ísì ò̩ì í dè ó̩ vbì ò̩ ní áìn.** His affairs should fall into place for him. lit. The affairs of his life should fall further for him.

de ughun a *intr* to get crushed (CPA, CPR, C, H) **ágbó̩n ó̩ ò̩**

dé ùghún á. People get crushed (by falling over themselves). lit. People fall and get crushed.

de *v tr* to concern, involve, confront (*CPA, CPR, *C, *H) **ò̩ dé mà bí è̩é̩.** It concerned you and me. lit. It reached we and you.

de *v tr* to discover (CPA, CPR, *C, *H) *de khi*, **ó̩lí ómòhè dé khí ó̩lì òkpòsò gbé ó̩lí ófè.** The man discovered that the woman killed the rat.

de *v tr* to reach a position (CPA, CPR, *C, *H) **òjè dé ókhúnmí ókò̩ó̩.** Oje reached the top of the hill.

de dije̩n *intr* to squat (CPA, CPR, *C, *H) **ó̩lí ó̩mò̩he dé díjé̩n.** The man reached a squat position. The man squatted.

de óbò̩ *tr* to make a mistake (CPA, *CPR, *C, *H) **ó̩ dé óbò̩.** He made a mistake. lit. He reached his hand. cf. **dobo̩** mistakenly.

de re *tr* to reach a position [relative to the speaker] (CPA, CPR, *C, *H) **ó̩lí ó̩mò̩hè dé áfúzé' rè.** The man reached Afuze.

de égbè re *compl tr* to reach the position of (CPA, CPR, *C, *H) **ó̩lí ó̩mò̩he dé mé égbè ré.** The man has reached me. lit. The man has reached my body.; *la de égbè re*, **ó̩lí ó̩mò̩hè lá dé mé égbè ré.** The man ran to me.; *re de égbè re*, **òyà ré̩ mè̩ dé wé̩ égbè ré.** I came to you because of my plight. lit. A plight made me reach your body.; *sua de égbè re*, **ólí ọ́mọ̀hè súá ìmátò dé mẹ́ égbè ré**. The man pushed the car to me.

de òtọ̀ì re *tr* to reach ground by moving downward (CPA, CPR, *C, *H) **ólí ọ́mọ̀hè dé òtọ̀ì ré**. The man reached the ground. The man climbed down (from a height).; *za vbi de òtọ̀ì re*, **ólí ọ́mọ̀hè zá vbí ókhúnmí óràn dé òtọ̀ì ré**. The man reached the ground from the top of the tree. The man climbed down from the top of the tree.

de a *tr* to become, reach a negative state or condition (CPA, CPR, *C, *H) *de àhòì a* to vanish, disappear. **òjè dé àhòì á**. Oje vanished. Oje became nothing.; *de àmẹ̀ a* to liquify. **ólì ìẹ́ẹ̀sì dé àmẹ̀ á**. The rice got overboiled.; *de ọ̀gòò a* to become pasty, decayed. **ólí émà dé ọ̀gòò á**. The yam became pasty. **ákọ́n ísì òjè dé ọ̀gòò á**. Oje's teeth became decayed.

dédédé *pstv adv* hurry-scurry manner of pacing. **yàn á lá shàn dédédé**. They are running scurrying about away. cf. **dédèdèdè** hurry-scurry manner.

dédèdèdè *pstv adv* hurry-scurry manner of pacing. **yàn á lá shàn dédèdèdè**. They are running at a scurrying pace. cf. **dédédé** hurry-scurry manner.

dee *v tr* to hang low (CPA, CPR, *C, *H) **ólì ìsì déé èviè**. The pig has a low-hanging scrotum. The pig's scrotum hung low.

déé èviè *tr* to be affected by elephantiasis of the scrutum (CPA, CPR, *C, *H) **òjè déé èviè**. Oje has elephantiasis of the scrutum. lit. Oje's scrotum hung low.

dee aan *tr* to rely, depend on; *dee égbè aan* to rely, depend on [only positive focus constructions] **mèmè lí ójé déé égbè áán**. It was on me that Oje relied. lit. It is I who Oje lowered his body on and sealed.; **dee ùdù aan** to rely, depend on, have faith in (CPA, CPR, *C, *H) **òhí déé ùdù áán òjè**. Ohi depended on Oje. **òjè lí í déé ùdù áán**. It is Oje I depended on. It is on Oje that I pin my hopes.

dee re *intr* to bend down, stoop (CPA, CPR, *C, *H) **ólì òkpòsò déé rè**. The woman stooped. **dèè ré**. Bend down.; *re dee re*, **ólì òkpòsò rẹ́ èwàìn déé rè**. The woman bent down cleverly.; *dee re li*, **ólì òkpòsò déé rè lí ólí ómò**. The woman bent down for the child.; **dee re** *tr* to lower body part. **òhí déé óbò ré**. Ohi lowered his hand. **òhí déé ójé óbò ré**. Ohi lowered Oje's hand.

dee èkùn re *tr* to give birth (CPA, CPR, *C, *H) **áléké ghé déé**

ẹ̀kùn ré. Aleke just gave birth. lit. Aleke just lowered her waist.

dee ẹ̀ò re *tr* to be observant [only negative constructions] **òjè í ì dèè ẹ̀ó rè.** Oje was not observant. lit. Oje did not lower his eyes.

dee úhùnmì re li *tr* to be humble, respectful toward (*CPA, *CPR, *C, H) **áléké ó ò dèè ùhúnmí rè lì èdíòn.** Aleke is respectful toward the elders. **yà déé úhùnmì ré lí édíòn.** Start being humble before the elders. lit. Get on with lowering your head for the elders.

dee únù re *tr* to tip by lowering an opening (CPA, CPR, *C, *H) **ólì òkpòsò déé ákhé únù ré.** The woman tipped the pot. **dèè àkhé únù ré.** Tip the pot.; *kpaye dee re,* **ò kpáyẹ́ òjè déé ólí ákhé únù ré.** He helped Oje tip the pot.

degbe *prev adv* carefully [subject attributive function] **ólí ómòhè ò ó dègbé è òlí émàè.** The man is carefully eating the food.

déídéí *pstv adv* regular, consistent fashion. **ó ò váré vbí íwé déídéí.** He comes home regularly. **ísí ékà lí ó ò váré vbí òsè?** How many times does he come per week?

déké *pstv adv* proportionately. **ò hián ólí éámí déké.** He cut the meat proportionately. **ébé' ó í**

hián ọ́ì? How did he cut it?; ~ *adj* proportional pieces, **éánmí lì déké** proportional bits of meat. **ólí éànmì ú déké.** The meat is in proportional pieces. **ébé' ó í rî?** How is it?

déké *pstv adv* temporally proportionate, quickly. **ólí ókhà sẹ́ vbí ááín déké.** The story has quickly come to its end. The story has quickly ended. lit. The story reached there quickly.

delọ *v tr* to stir, turnover (CPA, CPR, C, *H) **ólì òkpòsò déló ólì òmì.** The woman stirred the soup. **dèlò ólì òmì.** Stir the soup. cf. **de** to reach, -**lọ** DS.

delọ *v tr* to redo an activity (CPA, CPR, *C, *H) **delọ hoo** *tr* to rewash. **ólí ómòhè ló dèlò ólí úkpùn hóó.** The man is about to rewash the clothes.; **delọ ma** *tr* to recreate, bring again to the physical world [reflects power of a deity] **òìsèlèbùà déló àgbòn má.** God recreated the world. cf. **de** to reach, -**lọ** DS.

delọ *v tr* to change, displace (CPA, CPR, *C, *H) **ólí ómòhè déló ólì ògó.** The man changed the bottle. **dèlò ọ́ì.** Change it.; *kpaye delọ,* **ò kpáyẹ́ òjè déló ólì ògó.** He helped Oje change the bottle.; **fi égbè delọ égbè** to turn, return, turn back (CPA, CPR, C, H) **òjè fí égbè déló égbè.** Oje turned back. Oje headed back. **fi égbè déló égbè.** Turn back.; **fi égbè delọ égbè** to replace, displace. **òjè fí o̱gó egbè déló̱ égbè.** Oje put one bottle in place of another. **fì o̱gó égbè déló̱ égbè.** Replace the bottle with another. Put the bottle in place of another. cf. **de** to reach, **-lo̱** DS.

delo̱ ékȩ̀in *tr* to change the mind (*CPA, CPR, *C, *H) **òjè déló̱ ékȩ̀in.** Oje changed his mind. lit. Oje changed his belly.

delo̱ únù *tr* to change position on a topic for advantage (CPA, CPR, *C, *H) **óbá' déló̱ únù.** The Oba changed his position (to his own advantage). lit. The Oba changed his mouth.; **ta delo̱ únù** to go back on one's word [only in negative constructions] **óbá' í yà tá dèlò̱ únù.** The Oba never goes back on his word. The Oba never reverses his postion. lit. The Oba never spoke and changed his mouth. cf. **de** to reach, **-lo̱** DS.

de *v tr* to buy (CPA, CPR, C, H) **ólì òkpòsò dé úkpùn.** The woman bought cloth. **dè ó̱ì.** Buy it. **ólì òkpòsò dé vbí ólí úkpún.** The woman bought from the cloth.; *kpaye̱ de,* **ò̱ kpáyé̱ òjè dé òlógbò.** He helped Oje buy a cat.; *re̱ de,* **ò̱ ré̱ ȩ̀kpà òkpá dé òlógbò.** He used one hundred naira to buy a cat.; *de̱ li,* **ò̱ dé úkpùn lí òhí.** She bought cloth for Ohi.; *de̱ o̱,* **ólì òkpòsò dé émà ó̱ vbì ìwè.** The woman bought yam for the house.; *de*

re, **ò̱ dé̱ òlógbò ré.** He bought a cat, bringing it.; *de̱ vbi óbó̱ ísì,* **ólí ómò̱hè dé émá vbí óbó ísì ò̱nwìmè.** The man bought yam from the farmer.; *de̱ ye,* **ò̱ dé̱ émà yé ò̱nwìmè.** He bought yam for the farmer.; **de̱ raa re** *tr* to buy on credit (CPA, CPR, *C, H) **ólí ómò̱hè dé ólì ìmátò̱ ráá rè.** The man bought the car on credit. lit. The man bought the car and exceeded (his limit).

de *v compl tr* to buy for an amount (CPA, CPR, *C, *H) **ò̱ dé̱ émá ìnáírà ìgbé.** She bought yam for ten naira.

dè *pstv adv* dull thumping sound resulting from a jumping activity. **ú hó̱ní dè.** You heard a thump. **ó̱ nwú ó̱ì gbé ó̱ ó̱í vbí ésèsé̱ úhúnmí dè.** She hit it against the middle of his head with a thump. She thumped it against the middle of his head.

dé̱ *pstv adv* sudden, abrupt manner of dying. **ó̱ úí dé̱.** He died suddenly. He dropped dead.

dèdèhéérè *pstv adv* all the while, entire time, all-along. **ó̱ ì kpé váré dèdèhéérè.** He has not yet come all along. **éghè̱ yán ré rì vbí ááìn?** Since when have they been there?

déún *pstv adv* tight fashion. **ó̱ gbá ólí úkpún déún.** He tied the cloth tightly. cf. **dáín** tightly.

dì *pstv adv* booming sound resulting from a falling or

hitting activity. **ú h<u>ó</u>ní dì.** You heard a booming sound. **ó nwú óràn gbé vbí ót<u>ó</u>í dì.** He fell the tree on the ground with a boom.

dia *v intr* to be straight (CPA, CPR, *C, *H) **<u>ó</u>lí úháí díáì.** The arrow is straight.; **dia** *tr* to straighten. **òjè díá <u>ó</u>lì ùhàì.** Oje straightened the arrow. **dìà <u>ó</u>lì ùhàì.** Straighten the arrow.; *kpay<u>e</u> dia*, **<u>ò</u> kpáy<u>é</u> òjè díá <u>ó</u>lì ùhàì.** He helped Oje straighten the arrow.; *r<u>e</u> dia*, **<u>ò</u> r<u>é</u> óbò díá <u>ó</u>lì ùhàì.** He used his hand to straighten the arrow.

dia *v intr* to sit (CPA, CPR, *C, *H) **<u>ò</u> díá vbì àgá.** He sat in a chair. **dìà vbì àgá.** Sit in a chair.; *dia kh<u>ee</u>*, **mà díá kh<u>é</u>é íyàìn.** We sat waiting for them.; *dia kp<u>ee</u>n*, **<u>ó</u>lí <u>ó</u>m<u>ò</u>hè díá kp<u>é</u>én òhí.** The man sat with Ohi.; *r<u>e</u> dia* to take and sit. **òjè r<u>é</u> àgá díá.** Oje got seated in a chair. **<u>ò</u> r<u>é</u> àgá díá vbì ò<u>é</u>é'.** He got seated in a chair outside.

dia *v intr* to stay, live (CPA, *CPR, *C, H) **<u>ó</u>lí <u>ó</u>m<u>ó</u>hé díá vbí áfúz<u>é</u>'.** The man lived in Afuze. **dìà vbì iwè.** Stay at home; *dia k<u>éé</u>* to stay absolutely quiet. **òhí díá k<u>éé</u>.** Ohi stayed quietly. **òhí díá vbì ááìn k<u>éé</u>.** Ohi stayed quietly there.; *dia kp<u>ee</u>n* to stay with. **ójé díá kp<u>é</u>én òhí.** Oje stayed with Ohi.; *dia t<u>éé</u>* to stay a long time. **òhí díá t<u>éé</u>.** Ohi stayed long. **òhí díá vbì òkè**

t<u>éé</u>. Ohi stayed in Oke for a long time.

dianre *v intr* to come out (CPA, CPR, *C, *H) **<u>ó</u>lì òkpòsò díánré.** The woman came out.; *za vbi dianre*, **<u>ó</u>lì òkpòsò zá vbì iwè díánré.** The woman came out of the house.; *za vbi la dianre*, **<u>ó</u>lì òkpòsò zá vbì iwè lá díánré.** The woman ran out of the house.; *za vbi sua dianre*, **<u>ó</u>lì òkpòsò zá vbí <u>é</u>k<u>ó</u>à súá <u>è</u>kpètè díánré.** The woman has pushed the stool out of the room.; *fioo dianre*, **éfìòò fíóó <u>ó</u>lí ébè díánré.** Wind blew the paper out.; *fioo za vbi dianre*, **éfìòò fíóó <u>ó</u>lí ébè zá vbí <u>é</u>k<u>é</u>ín iwè díánré.** Wind blew the paper out of the house.

dianre *v intr* to come out [of stars] (*CPA, CPR, *C, *H) **íkpáá-hì<u>è</u>nhì<u>è</u>n díánré.** The stars came out.

dibo *v intr* to vote [Yoruba] (CPA, CPR, C, H) **òjè <u>óó</u>' dìbò.** Oje went to vote.

di<u>ee</u> *v tr* to abandon for, leave with (CPA, CPR, *C, *H) *fi di<u>ee</u>*, **<u>ò</u> fí iwè dí<u>é</u>é íyàìn.** He left the house to them out of exasperation. **òjè fí <u>ó</u>lí úkpùn dí<u>é</u>é òhí.** Oje left the cloth for Ohi. **òjè fí <u>ó</u>lí <u>ó</u>mò dí<u>é</u>é àl<u>è</u>kè.** Oje abandoned the child with Aleke.; *gbe di<u>ee</u>* [stronger sense of abandonment than fi] **òjè gbé <u>ó</u>lí émàè dí<u>é</u>é òhí.** Oje discarded the food, leaving it for Ohi.

díì *pstv adv* rumbling sound resulting from thunder. **ú hǫ́ní díì.** You heard a rumbling sound. **ókhúnmí sóí díì.** The sky thundered with a huge rumble. The sky rumbled with thunder.; ~ *adj* rumbling sound of thunder. **ókhúnmí ú díì.** The sky rumbled.

din *v intr* to be entangled, densely knotted, tied (CPA, CPR, *C, *H) **ólì ègùn dínì.** The thicket is entangled.; **din** *tr* to tie, form a knot (CPA, CPR, C, H) **ǫ́ dín úkpúì.** He tied a rope. **dìn ǫ́ì.** Tie it.; *kpaye din,* **ǫ̀ kpáyé òjè dín ólí úì.** He helped Oje tie the rope.; *re din,* **ǫ̀ rę́ èwàìn dín ólí úì.** He tied the rope smartly.; *din o,* **ólì òkpòsò dín úkpúì ǫ́ mę́ vbí óbǫ̀.** The woman tied a rope onto my arm.; *din nye vbi,* **ǫ̀ dín ólí ómǫ̀hè nyę́ vbí óràn.** He tied the man against the tree.; **re úfì din** to commit suicide by hanging (CPA, CPR, *C, *H) **òjè rę́ úfì dín.** Oje hanged himself. Oje committed suicide. lit. Oje got the noose tied.

din *v tr* to tie, tether an animal (CPA, CPR, C, H) **ǫ̀ dín ólí éwè.** He tethered the goat. **dìn ólí éwè.** Tether the goat.; *kpaye din,* **ǫ̀ kpáyé òjè dín ólí éwè.** He helped Oje tether the goat.; *re din,* **ǫ̀ rę́ ólí úì dín ólí éwè.** He used the rope to tether the goat.; *din ku gbe,* **ǫ̀ dín élí éwè**

kú gbè. He tied the goats together.; *din nwu,* **ǫ̀ dín ólí éwè nwú óràn.** He tethered the goat to the tree.; *nwu din* to get tethered (CPA, CPR, *C, *H) **ǫ̀ nwú ólí éwè dín.** He got the goat tethered.

din o vbi úkpódè *intr* to get onto the road (CPA, CPR, *C, *H) **ólì òkpòsò dín ǫ́ vbí úkpódè.** The woman got on the road. **yàn dín ǫ́ vbí úkpódę́ ísì òkè.** They got onto the road for Oke. **dìn ǫ́ vbí úkpódę́ áfúzé'.** Get on the Afuze road.

din óbǫ̀ o *tr* to grab, grasp with the hand (CPA, CPR, *C, *H) **ǫ̀ dín óbǫ̀ ǫ́ vbí úkpákǫ́n ísì òjè.** He grabbed onto Oje's tooth. lit. He tied his hand onto the tooth of Oje.

din únù o *tr* to latch onto, grasp with the mouth (CPA, CPR, *C, *H) **ólí ófóìbó dín únù ǫ́ vbì àkpótì.** The guinea pig latched onto the box with its mouth. lit. The guniea pig tied its mouth onto the box.

dion *v tr* to be senior to, older than (CPA, CPR, *C, *H) **òjè dión òhí.** Oje is senior to Ohi. cf. **ódíǫn** senior person.

do *v tr* to fire a pot (CPA, CPR, C, H) **yàn dó ólí ákhè.** They fired the pot. **dò òlí ákhè.** Fire the pot.; *kpaye do,* **ǫ̀ kpáyé òjè dó ólí ákhè.** He fire the pot in lieu of Oje.

do *v tr* to fortify against evil spirits, employ preventative charms for (CPA, CPR, *C, *H) **òjè dó óvbí <u>ò</u>ì**. Oje fortified his son with rituals. lit. Oje fired his son.

do *v intr* to agonize, writhe in physical pain (*CPA, *CPR, C, *H) **<u>ó</u>lì òkpòsò <u>ò</u> <u>ó</u> dò vbí <u>ékó</u>à**. The woman is writhing in pain in the room. cf. **do** to fire a pot.

do vbi <u>è</u>ò *intr* to suffer mental anguish (*CPA, *CPR, C, *H) **<u>ò</u> <u>ó</u> dò vbí <u>è</u>ò**. He is in mental agony. lit. He is writhing in the face. cf. **do** to fire a pot.

do *v intr* to do in quiet, in stealth (CPA, CPR, C, H) *do gaa* to surround in stealth. **yàn dó gáá òjè**. They surrounded Oje. **vbá dò gáá òjè**. Swoop down on Oje.; *do gue li h<u>o</u>n* to reveal secretly to. **<u>ò</u> dó gúé ìnyèmì ní áín h<u>ò</u>n**. He secretly revealed the matter to him.; *do roo* to take a wife in stealth. **ójé dó róó <u>ó</u>há <u>ò</u>ì**. Oje secretly took a wife.; *do vade* to come quietly. **<u>ó</u>lì òkpòsò dó vàdé**. The woman is coming in stealth.; *do vare* to come quietly. **<u>ó</u>lì òkpòsò dó vàré**. The woman came quietly.; *do vie* to cry secretly. **<u>ò</u> <u>ó</u> dò vié**. He is crying in secret.; *do tr* to do in quiet, in stealth; *do da* to steal to drink. **<u>ò</u> dó ójé <u>é</u>nyò dá**. He stole Oje's wine and drank it.;

do hua to steal multiple objects. **òjè dó élí éwè húá**. Oje stole the goats.; *do nwu* to steal a single object. **<u>ò</u> dó <u>ó</u>lí úkpùn nwú**. He stole the cloth; *óm<u>è</u>h<u>è</u>n do roo* to be overcome with sleep. **óm<u>é</u>h<u>é</u>n dó <u>ò</u>ì róó**. Sleep overtook him. lit. Sleep picked him up in stealth.

do èkìn *tr* to trade in the market (*CPA, *CPR, *C, H) **yán à dò èkín ísì ìgáàí**. They trade in gari. **yà dó èkìn**. Start trading.; *re èwàìn do èkìn*, **yán à rè èwáín dò èkin**. They work out ways to trade.; *do èkìn ye*, **yán à dò èkín ísì ìgáàí yè àfúzé'**. They trade gari in the Afuze market.; **do èkìn ue** to trade and become lost [only in negative constructions in proverbs] **àt<u>è</u>t<u>è</u> í yà dò èkín ùè**. A raffia tray never gets lost in the market. lit. A raffia tray never trades in the market and gets lost. cf. **do ó**ì to engage in thievery.

dob<u>o</u> *prev adv* emphatic reflexive function [accompanying pronoun must agree in person and number with grammatical subject] **<u>ó</u>lí <u>ó</u>mòhè dóbó <u>ò</u>ì hián <u>ó</u>lí óràn**. The man by himself cut the wood. cf. **de** to reach, **óbò** hand.

dob<u>o</u> *prev adv* mistakenly [subject attributive function] **<u>ó</u>lí <u>ó</u>m<u>ó</u>hé dób<u>ò</u> é <u>ó</u>lí émàè**. The man mistakenly ate the food. cf. **de** to reach, **óbò** hand.

doo *v intr* to fantasize, play in a fantasy world (*CPA, *CPR, C, H) ólí ómọ̀ ọ̀ ọ́ dòó. The child is fantasizing.; rẹ doo, ọ̀ ọ́ rè èkẹ́n dòó. He is playing with sand.

doo *v tr* to weave (CPA, CPR, C, H) ọ̀ dóó úgbà. He weaved roof mats. dòò úgbà. Weave roof mats.; kpaye doo, ọ̀ kpáyẹ́ òjè dóó úgbà. He helped Oje weave roof mats.; doo ku ọ, ọ̀ dóó úgbà kú ọ́ vbì òtọ̀ì. He weaved roof mats throughout the preceding time.; doo li, ọ̀ dóó úkpùn lí òhí. He weaved cloth for Ohi.; doo ọ, ọ̀ dóó úgbà ọ́ vbì òtọ̀ì. He weaved roof mats beforehand.

dolo *v tr* to turn over, turn up (CPA, CPR, C, H) ọ̀ dọ́ló ìgáàí. He turned over the gari. dòlò ọ́ì. Turn it over.; kpaye dolo, ọ̀ ọ́ kpàyè òjé dòlò ìgáàí. He is helping Oje turn over gari.; rẹ dolo, ọ̀ ré òkpàn dọ́ló ìgáàí. He used a calabash to turn over gari. cf. delo to stir, -lọ DS.

dolọ égùà re *tr* to till, turn up soil heaps for yam planting (CPA, CPR, C, *H) òjè dọ́ló égùà ré. Oje tilled the heaps. Oje turned up the soil for heaps. cf. -lọ DS. cf. delọ to stir.

dome *v tr* to insert, set up yam stakes (CPA, CPR, C, H) ólì ònwìmè dómé ìsèsè.The farmer staked his yams. dòmè ìsèsè. Set up your yam poles.; kpaye

dome, ọ̀ kpáyẹ́ òjè dómé ìsèsè. He helped Oje stake yams. He staked yams in place of Oje.; dome li, ọ́ dómé ìsè ní íyàìn. He set up a yam stake for them.

don *v intr* to trip, trigger, spring [of a trap] (CPA, CPR, *C, *H) ólì ìkpàkúté' dọ́nì. The trap tripped.; don a, ólì ìkpàkúté' dọ́n á. The trap got tripped off.; don a *tr* to trip, trigger, spring. ọ̀ dọ́n ìkpàkúté' á. He tripped a trap. dòn ọ́ì á. Trip it.; kpaye don a, ọ̀ kpáyẹ́ òjè dọ́n ólì ìkpàkúté' á. He helped Oje trip the trap.; re don a, ọ̀ ré óràn dọ́n ólì ìkpàkúté' á. He used a stick to trip the trap.

don *v intr* to fail to achieve (CPA, CPR, *C, *H) fi don *intr* to offend socially, err against; fi don vbi égbé ísì, ọ̀ fí dọ́n vbí égbé ísì èrá ọ́ì. He offended his father. He wronged his father.; fi don vbi ìkùtè, ọ̀ fí dọ́n vbì ìkùtè. He offended his deity.; fi don *tr* to miss through shooting. òjè fí ùhàì dọ́n. Oje missed with the arrow. Oje shot the arrow and missed. òjè fí ólí áfiánmì dọ́n. Oje missed the bird (with his shot). Oje shot and missed the bird. é è fí ọ́ì dọ́n ò. Don't miss it, oh.; fi don *tr* to perform incorrectly, fail a mental task. ọ̀ fí ólì ìsóòmù dọ́n. He failed the arithmetic test. é è fí ọ́ì dọ́n ó. Don't get it wrong, oh.

duda *prev adv* defiantly, with bravado [subject attributive function] ólí ọ̀mọ́hé dúdà é ọ́lí émàè. The man ate the food with defiance.

dúdúdú *pstv adv* absolute condition of darkness. ọ̀ bíní dúdúdú. It is extremely dark. ébé' ọ́ í rî? How is it?

dùdùhúélé *pstv adv* without a trace [only in negative constructions] ọ́ ì ké mìè ìyáín dùdùhúélé. He did not see them anymore at all.

dùé *pstv adv* rushing sound of air leaving the body. ú họ́ní dùé. You heard the rushing sound. ọ́ dúmẹ́ úvbíághàè ọ́ ọ́í vbí ẹ́kẹ́ín dùé. He stuck a knife into her belly making a rushing sound.

dùé *pstv adv* smashing sound resulting from a forceful hitting activity. ú họ́ní dùé. You heard a smashing sound. é gbá úgbà kú ọ́ vbí éfẹ́n dùé. They hit the fence all over her side with a smash. They smashed the fence all over her side.

due ábọ̀ *tr* to plead, beg [by rubbing the palms in a gesture of supplication, respect, or praise] (CPA, CPR, C, H) ọ̀ dúẹ́ ábọ̀. He pleaded. lit. He leveled his hands. yà dúẹ́ ábọ̀. Start pleading.; *due ábọ̀ li*, ọ́ dúẹ́ ábọ̀ ní áìn. He pleaded with him. cf. due to flatten.

due a *tr* to level, flatten out (CPA, CPR, C, H) ọ̀ dúẹ́ òtọ̀ì á. He

leveled out the soil. dùe ọ̀ì á. Level it out.; *kpaye due a*, ọ̀ kpáyẹ́ òjè dúẹ́ ọ́lì òtọ̀ì á. He helped Oje level out the soil.; *re due a*, ọ̀ rẹ́ óbọ̀ dúẹ́ òtọ̀ì á. He used his hand to level the soil.

duedue a *tr* to grade, smoothen (CPA, CPR, C, H) ọ̀ dúẹ́dúẹ́ òtọ̀ì á. He graded the soil very smooth.

dúẹ́n *pstv adv* entirely. yán bíá ọ́lì òbìà ráálẹ́ dúẹ́n. They worked far ahead. They made progress at their work. lit. They worked and moved ahead entirely.

dúgbèrèdúgbèrèdúgbèrè *pstv adv* drumming sound of beating activity. ú họ́ní dúgbèrè-dúgbèrèdúgbèrè. You heard the drumming sound. ọ́ khúéé íbé dúgbèrèdúgbèrèdúgbèrè. He beat a drum with a drumming sound.

dúgbú *adj* pod-shaped, ẹ́vbéé lì dúgbú the pod-shaped kola nut. ọ́lí ẹ́vbèè ú dúgbú. The kola nut is pod-shaped. ébé' ọ́ í rî? How is it?

dúgbú *adj* extremely short, stubby, órán lì dúgbú the stubby log. ọ́lí órán ú dúgbú. The log is stubby. ébé' ọ́ í rî? How is it?

dùí *pstv adv* thud-like sound resulting from a heavy object falling into water. ú họ́ní dùí. You heard a thud. ọ́lí údò dé fì ọ́ vbí ẹ́dá dùí. The stone fell into the river with a thud.

dúkú *adj* conically-shaped end point, **émáí lì dúkú** the conically-shaped wound. **ólì èmàì ú dúkú.** The wound is conically shaped. **ébé' ó í rîì?** How is it?

dume *v tr* to forge (CPA, CPR, C, H) **ò dúmé ògán.** He forged a spear. **dùmè ògán.** Forge a spear.; *kpaye dume,* **ò kpáyé òjè dúmé ògán.** He helped Oje forge a spear.; *re dume,* **ò ré ólí ótóòn dúmé ògán.** He used the iron to forge a spear.; *dume li,* **ò dúmé ògán lí òhí.** He forged a spear for Ohi.; *dume re,* **ò dúmé ògán ré.** He forged a spear and brought it.; *dume ye,* **ò dúmé ògán yé òhí.** He forged a spear and took it to Ohi.

dume *v tr* to pound (CPA, CPR, C, H) **ó dúmé íkhùòkhúó.** He pounded cocoyam. **dùmè émà.** Pound yam.; *kpaye dume,* **ò kpáyé òjè dúmé émà.** She helped Oje pound yam.; *re dume,* **ò ré úvbíókò dúmé émà.** She used a mortar to pound yam.; *dume li,* **ò dúmé émà ní áìn.** She pounded yam for him.; *dume re,* **ò dúmé émà ré.** She brought pounded yam.; *dume ye,* **ò dúmé émà yé íyàìn.** She took pounded yam to them.

dume *a tr* to beat severely into submission (CPA, CPR, *C, *H) **òjè dúmé ólí óvbèkhàn á.** Oje has beaten up the youth. lit. Oje pounded the youth.

dume *o tr* to stab, jab, thrust (CPA, CPR, *C, *H) **ó dúmé úvbí-ághàè ó óí vbí ékéìn.** He thrust a knife into her belly. He stabbed her belly with a knife. lit. He pounded a knife into her belly.

dúú *pstv adv* loud, noisy fashion of groaning. **ó ò sì ìrúán kú à dúú.** He groans away noisily. **ólí ómòhè méhéní dúú.** The man slept deeply.

dúú *pstv adv* heavy, thick smoking fashion. **ò ó gbè ìíghón kù à dúú.** He is smoking away very heavily. **ólì ìmátò gbé îìghòn kú á dúú.** The lorry smoked away heavily.

duu *prev adv* in fact [evaluative function for discourse information] **ólí ómóhé dúù gbé ólí ófè.** The man in fact killed the rat.

dúùdúùdúù *pstv adv* noisy, stomping fashion. **ò ó shàn dúùdúùdúù.** He is moving away noisily. He is proceeding noisily. cf. **dúú** noisy fashion of groaning.

E

e *pro* ones [plural relative clause head] **òjè záwó é lí yán à ràá ré.** Oje saw the ones that passed by. cf. **o** one.

e *pro* they [third person plural subject] **è gbé ólí ófè.** They killed the rat. The rat was killed. cf. **yan** they.

è *aux* don't [prohibitive function] é è gbé ó̱lí ófè̱. Don't kill the rat. cf. **i** NEG, **ki** NF, **ki** SN.

e *v intr* be located at [only in irrealis constructions] ó̱lí ó̱mò̱hè̱ í ì è vbí ìwè̱. The man is not in the house. éghó' í ì è vbí ááìn. The money is not there. cf. **ri** to be located at.

e o̱ vbi o̱ li *intr* to be suitable, appropriate that [requires subjunctive complement] (CPA, CPR, *C, *H) ó̱ é ó̱ vbì o̱ lí ó̱lí ókpósó gbè̱ o̱̱lí é̱nyè̱. It is appropriate that the woman should kill the snake.

e *v tr* to eat, consume (CPA, CPR, C, H) ò̱jè̱ é é̱ànmì. Oje ate meat. ò̱jè̱ é émà. Oje ate pounded yam. ò̱jè̱ é vbí ó̱lí émá. Oje ate from the pounded yam. è ó̱ì Eat it.; *kpaye̱ e*, o̱ kpáyé̱ ò̱jè̱ é ó̱lí émà. He ate the pounded yam in place of Oje.; *re e*, o̱ ré ósìì é émà. He used stew to eat pounded yam.; *e o̱*, ó̱lì òkpòsò é émàè̱ ó̱ vbí éghè̱. The woman ate food on time. lit. The woman ate food on account of time.

éáìn *pro* those, those ones [plural distal demonstrative function] éáìn é ó̱lí émà Those ones ate the yam. cf. ó̱áìn that one.

éáìn *pro* there [distal locative area, within visible range of speaker] o̱ rîì vbí éáìn. It is there. cf. èvbò̱ there yonder.

éàìn *n* nape of the neck, éáín ísì àlèkè neck of Aleke.

èàn *pro* here [proximal locative area] o̱ rîì vbí èàn. It is here. cf. éáìn there.

éánméàhè̱ *n* jackal, éánméàhè̱ èvá two jackals, óvbí éánméàhè̱ young of the jackal. cf. èànmì animal, é̱àhè̱ rheumatism [Ora].

éànmì *n* animal, éánmí é̱lìyó̱ animal of that kind, éànmì èvá two animals; ~ *n* meat, éánmí é̱lìyó̱ meat of that kind, éànmì èvá two (pieces of) meat, éánmí éwè̱ goat meat, éánmí ísì é̱wè̱ meat for a goat, úshó̱mí éànmì portion of meat.

éánmògò *n* wild, undomesticated animal, éámògò èvá two wild animals. cf. èànmì animal, ògò bush.

éánmòkhùnmì *n* monkey, aboreal animal, éánmòkhùnmì èvá two monkeys. cf. èànmì animal, òkhùnmì sky.

èànyè̱ *n* response, reply, éányé é̱lìyó̱ response of that kind.; **re** èànyè̱ *tr* to reply (CPA, CPR, C, *H) *re̱ èànyè̱ li*, òhí ré èànyè̱ lí ò̱jè̱. Ohi replied to Oje. Ohi provided a reply to Oje. à ré̱ èànyè̱ lí ò̱jè̱. Oje was given a reply. lit. One provided a reply to Oje.; *re èànyè̱ o*, o̱ ré èànyè̱ ó̱ vbí ó̱lí étà. He responded to the question. lit. He positioned a reply onto the question. ò̱jè̱ ré̱ èànyè̱ ó̱ vbì o̱. Oje responded. cf. **anye** to respond.

èáò̱ *n* castrated animal, èáò̱ èvá two castrated animals. cf. **aa** to castrate.

ébàà *inter* good for you!

èbàan *n* charm deflector [traditional medicine charm ensuring possessor unharmed by arrow or bullet] **èbàan óò**. It's a charm deflector.

ébàbò *n* divination process of an oracle, **ébábó élìyó** divination of that kind. cf. **bo** to consult an oracle. cf. **ábò** divination.

ébàé *n* mud platform or bench attached to house structure [for sitting] **ébàé élìyó** mud platform of that kind, **ébàé èvá** two mud benches.

ébè *n* leaf, **ébé élìyó** leaf of that kind, **ébè èvá** two leaves, **ébé àmágò** mango leaf; ~ *n* paper, book, court summons, **ébé élìyó** book of that kind, **ébè èvá** two books, **úkpébè, íkpébè** sheet or piece of paper; **nwu ébè ye** *tr* to serve a summons on, take a summons to (CPA, CPR, *C, *H) **òjè nwú ébè yé òhí**. Oje served a summons on Ohi. lit. Oje took a summons to Ohi. **à nwú ébè yé òjè**. A summons was served on Oje. **nwù ébè yé òhí**. Serve a summons on Ohi.; *nwu ólí ébè ye* to take the book to. **òjè nwú ólí ébè yé òhí**. Oje took the book to Ohi. **nwù òlí ébè yé òhí**. Take the book to Ohi; *kpaye nwu ólí ébè ye,* **ò kpáyé òjè nwú ólí ébè yé òhí**. He helped Oje take the book to Ohi.

ébé' *pro* where [requires following vowel] **ébé' ójé rìi?** Where is

Oje? **òjè yé ébé' áléké nyé émàè**. Oje went to where Aleke prepared food. **òjè yé ébèé?** Oje went where? cf. **ébí'** where [requires following consonant].

ébé' *pro* how [requires following vowel and accompanying manner preverb particle i] **ébé' ójé í hián ólí óràn?** How did Oje cut the wood? cf. **ébí'** how [requires following consonant].

èbèsún *n* giant African snail [edible] **èbèsún élìyó** giant land snail of that kind, **èbèsún èvá** two giant land snails.

ébíhìèò *n* leaves of Coccchorus otitorus vegetable for preparing soup [Yoruba ewedu] **ébíhìèò èvá** two Coccchorus otitorus vegetable leaves, **ébíhíéó érùè** long leafed variety of Coccchorus otitorus, **ébíhíéó úzó** short leafed variety of Coccchorus otitorus. cf. **ébè** leaf, **íhìèò** Coccchorus otitorus vegetable.

ébísómò *n* soft, velvety leaves of Urena lobata plant [for clean up of children after defecation] **ébísómò èvá** two Urena lobata leaves. cf. **ébè** leaf, **ìsòn** feces, **ómò** child.

ébívbómò *n* convulsion. **ébívbómò óò**. It's a convulsion. cf. **ómò** child.

ébòò *n* family relations, people of one's kith and kin, **ébóó élí ímòhè èvá** two relations of the men, **ébóó òhí** relations of Ohi, **ébóó èé** your relations. cf. **óìbó** whiteman.

ébóọ̀ *n* Braofilo weed [herbal remedy, antidote for poison] **ébóọ̀ èvá** two poison-antidote weeds.

ébúànmóókhọ̀ *n* pungent leaf of Ocium gratissimum [found in grassland, for preparing curry type of medicinal value for stomach ache] **ébúànmóókhò èvá** two curry leaves. **àlèkè ré ébúànmóókhò nyé òmì**. Aleke used curry leaf to prepare soup.; ~ *n* Ocium gratissimum plant, curry plant, **ébúànmóókhọ̀ èvá** two curry plants. cf. **ébè** leaf, **óókhò** chicken.

eche *v tr* to call, summon (*CPA, CPR, C, H) **yàn éché òhí**. They called Ohi.; *eche li*, **òjè éché òhí lí àlèkè**. Oje called Ohi for Aleke. **óó èchè òhí lí émè̩**. Go to call Ohi for me.; *eche re*, **òjè ló óó èchè òhí ré**. Oje is about to go to call Ohi to come.; *eche ye*, **òjè éché òhí yé àlèkè**. Oje called Ohi for Aleke.; **eche vbi ègùàì** to summon, call to palace court (*CPA, CPR, *C, *H) **òhí éché ójé vbì ègùàì**. Ohi summoned Oje to court. **á éché ójé vbì ègùàì**. Oje was summoned to court. **èchè òjé vbì ègùàì**. Summon Oje to court.; **eche vbi èzọ́n** to summon to a court of law, institute a case against (CPA, CPR, *C, *H) **òhí éché ójé vbì èzọ́n**. Ohi instituted a case against Oje. **á éché ójé vbì èzọ́n**. Oje has been summoned. One called Oje in the case. **èchè**

òjé vbì èzọ́n. Summon Oje to court.

eche *v compl tr* to call, refer to as (CPA, CPR, C, H) **ólí ómòhè̩ éché ólí ókpósó éwè**. The man referred to the woman as a goat. **yán à èchè òlí ómọ́ òhí**. They call the child Ohi. **yán à èchè òí óìà**. They call him ground squirrel.

èdàbù *n* dust, fine sand. **ò gbé èdàbù kú é mè̩**. He blew dust all over me.

édàn *pstdet* different kind of [plural contrastive sortal function] **íkpún édàn** different cloths. **íkpún édàn lí ó rîì vbí èkìn**. It is different cloths that were in the market. **ò húá íkpún édàn ré**. He brought the different cloths.; ~ *pro* different ones [plural sortal function] **òjè yé édàn**. Oje went to different places. cf. **ódàn** different kind of [singular].

èdè *n* deer, **èdè èvá** two deer.

édèbòó *n* tragedy, **èdèbòó élìyọ́** tragedy of that kind.

édèèdàn *pstdet* different kind of [emphatic plural contrastive sortal function] **íkpún édèèdàn lí ó rîì vbí èkìn**. It is different kind of clothes that were in the market. **ò húá íkpún édèèdàn ré**. He brought the different kinds of cloth. cf. **édàn** different kind of.

édè̩ *n* grey hair, **édé̩ élìyọ́** grey hair of that kind, **úkpédè̩, íkpédè̩** strand of grey hair, **íkpédè̩ èvá**

two strands of grey hair; **fi édè̩** *tr* to become grey-haired (*CPA, CPR, *C, *H) **ó̩lí ó̩mò̩hè̩ fí édè̩**. This man became grey. The man greyed. lit. The man sprouted grey hair.

èdí good morning greeting [used by males during morning hours] cf. **làóbà** good morning [used by females during the morning hours].

édíéìbó *n* pineapple, **édíéìbó èvá** two pineapples. cf. **édìn** palm fruit, **éìbó** white men.

édìn *n* oil palm tree. **ó̩lí áfiánmì ríì vbí ókhúnmí édìn**. The bird is on top of the oil palm tree. **órán édìn** palm fruit tree, **órán édìn èvá** two palm fruit trees; ~ *n* oil palm fruit, palm nut [source of palm oil] **édìn ó̩ò̩**. It's palm fruit. **úkpédìn, íkpédìn** palm nuts, **íkpédìn èvá** two palm nuts. cf. **úhínédìn** palm ridge [clump of palm fruit].

édíò̩n *n* elders. **ó̩ ò̩ khùèè èdíò̩n**. He insults elders. cf. **ódíò̩n** elder.

èdìò̩nlíìké *n* council of elders. cf. **édìò̩n** elders, li R, **íké'** horn.

èdìò̩nmá greeting for addressing very old person.

édó' *n* termite swarmers flying about at night [edible] **édó' èvá** two termite swarmers. cf. **ìèvbú** small termite.

èè greeting response from one who is greeted.

èé *inter* exclamation of surprise.

éé *pstv adv* high-pitched wringing sound resulting from hitting metal on metal. **ú hó̩ní éé**. You heard the wringing sound.; ~ *adj* high pitched wringing sound. **ókéké ú éé**. The roar of the crowd reverberated. The crowd is aroar.

éé' *pro* who plural [requires following vowel] **éé' ó̩lí óvbékhán gbéì?** Whom did the youth beat? cf. **éí'** who plural [requires following consonant].

èè *n* profit, gain, reward, **éé élìyó̩** profit of that kind, **úvbìèè** small profit.

ee *v intr* to be extremely agitated, anxious [results in hypertension] (*CPA, *CPR, C, H) **ó̩lí ó̩mò̩hè̩ ò̩ ó̩ èé**. The man is anxious. **é è kè éé**. Don't be agitated anymore.; **ee** *tr* to be extremely anxious, agitated about. **ó̩lí ó̩mò̩hè̩ ò̩ ó̩ èè òvbí ó̩ì**. The man is anxious about his child.

ee a *intr* to forget (CPA, CPR, *C, *H) **ó̩lí ó̩mò̩hè̩ éé á**. The man forgot. **é è kè éé á**. Don't forget anymore.; **ee a** *tr* to forget (CPA, CPR, *C, H) **ó̩lí ó̩mò̩hè̩ éé ó̩lì òkpòsò á**. The man forgot the woman. The man failed to show gratitude to the woman. **ó̩lí ó̩mò̩hè̩ éé ó̩lí ókhà á**. The man forgot the story. **ó̩lí ó̩mò̩hè̩ éé ó̩lí úkpùn á**. The man forgot the cloth. **é è éé ó̩lí ókhà á**. Don't forget the story.; *ee a khi*, **ó̩lí ó̩mò̩hè̩ éé á khí ó̩lì òkpòsò**

gbé ọ́lí ófè. The man forgot that the woman killed the rat.; *ee a IQ*, ọ́lí ómọ̀hè éé á ébé' ọ́lí ókpósó zá gbé ọ́lí ófè. The man forgot where the woman killed the rat. cf. **ee** to be anxious.

ee égbè a *tr* to lose concentration, be forgetful, absent-minded (CPA, CPR, *C, H) ọ̀ éé égbè á. He lost his concentration. lit. He forgot his body.

ee re *intr* to remember (*CPA, CPR, *C, *H) ọ́lí ómọ̀hè éé rè. The man remembered.; **ee re** *tr* to remember. ọ́lí ómọ̀hè éé ọ́lì ìnyèmì ré. The man remembered the issue. àlèkè éé ọ́lí úkpùn ré. Aleke remembered about the cloth. émí ékà ọ́lí ómọ́hé éé rè? How many things did the man remember?; *ee re khi*, ọ́lí ómọ̀hè éé ré khí ọ́lì òkpòsò gbé ọ́lí ófè. The man remembered that the woman killed the rat.; *ee re IQ*, ọ́lí ómọ̀hè éé ré ébé' ọ́lí ókpósó zá gbé ọ́lí ófè. The man remembered where the woman killed the rat. cf. **ee** to be anxious.

ee re *tr* to remind (*CPA, CPR, *C, *H) ọ́lí ómọ̀hè éé ọ́lì òkpòsò ré. The man has reminded the woman. èè ọ́lì òkpòsò ré. Remind the woman.; **ee re** *compl tr* to remind about. ọ́lí ómọ̀hè éé ọ́lì òkpòsò ré ínyẹ́mí lí é gbá gúé òdè. The man reminded the woman about the issue they together discussed yesterday. cf. **ee** to be anxious.

èéà *pstdet* three, ìkpòsò èéà three women; ~ *pro* three, èéá vbí íkpósó three of the women.

èééà *pstdet* threes, three-three each [distributive quantifying function] ìnáírà èééà three naira each. cf. **èéà** three.

èèéà *pstdet* all three, three in a group [collective quantifying function] ábọ́ èèéà all three arms; ~ *pro* all-three [collective quantifying function] èèéà ó vbì ìwe. All three entered the house. cf. **èéà** three.

èéhàn *pstdet* six, ívbèkhàn èéhàn six children; ~ *pro* six, èéhán vbí élí ívbékhán six of the children.

èèkhò *n* traditional garden egg, egg plant, éékhó élìyọ́ garden egg of that kind, éèkhò èvá two garden eggs, èvá vbí éékhó two of the garden eggs, údúéèkhò, ídúéèkhò whole garden egg, éékhó ísì àgírîìkì improved variety of garden egg [purple oval shape] íkpá ísì éèkhò garden egg seed.

èélè *pstdet* four, ímọ̀hè èélé four men; ~ *pro* four, èélé vbí élí ímọ́hé four from the men.

èéén *pstdet* eight, ívbèkhàn èéén eight youths; ~ *pro* eight, èéén vbí íyáín eight of them.

èfá *n* disgrace, loss of honor, of face, èfá élìyọ́ disgrace of that kind. úéén ísì èfá lí ọ́ ọ̀ èén. It is disgraceful behavior that he exhibits.

éfáfégbè *n* exoskeleton, body as a "shell" for the soul, **éfáfégbé élìyó** exoskeleton of that kind, **éfáfégbè èvá** two exoskeletons. **éfáfégbè óò**. It's an exoskeleton. cf. **éfàfà** membrane, **égbè** body.

éfè *n* rats. cf. **ófè** rat.

èfèn *n* side of, **éfén ísì òlí óvbèkhàn** side of the youth's body, **éfén ísì ìwè** side of the house, **éfén ísì àkpótì** side of the box; **moe èfèn ísì** *tr* to have a compulsion for (*CPA, CPR, *C, *H) **òjè mòè èfén ísì ókhòìn**. Oje has a compulsion for fighting. lit. He has a side for war.; **nwu se èfèn** to put, carry on the side (CPA, CPR, *C, H) **àlèkè nwú ómò sé èfèn**. Aleke put a child on her side. Aleke carried her child astraddle on her side. **nwù óì sé èfèn**. Put her on your side. lit. Get her split on your side.

éfìòò *n* wind, breeze, gale, storm, **éfíóó élìyó** wind of that kind; **miee éfìòò** *tr* to experience fresh air; **re égbè miee éfìòò** to take fresh air (*CPA, *CPR, C, *H) **ò ó rè ègbé mìèè éfìòò**. She is taking fresh air. She is taking advantage of the breeze. lit. She is seizing the breeze with her body. cf. **fioo** to blow.

èfòkpá *n* portion, part, side. **èfòkpá tóó à**. One part burned up. **ò bíló élí íkpùn yé èfòkpá**. He moved the clothes to one side. cf. **èfèn** side, **òkpá** one.

égàá *n* water channel for roof. **ò nwú ìtásà ó vbí égàá**. He put a bowl under the gutter. He took a bowl and put it at the gutter.

ègé *n* yellow root plant [folk belief that medicinal value in conjunction with hard liquor, spirits] **ègé èvá** two yellow root plants; ~ *n* yellow color. **ègé óò**. It's yellow. **ò ó vbáé bí ègé**. It is yellow. lit. It is warm-colored like the yellow root plant.

ègòò *n* tartar, tooth plaque, sediment or deposit on teeth. **ègòò óò**. It's tartar. **ègòò rîi òhí vbì àkòn**. Plaque exists on Ohi's teeth.

ègùà *n* heap of earth for growing tubers and other plants, **égúá ísì òjè** Oje's heaps; **gua ègùà** *tr* to heap (*CPA, CPR, C, *H) **ò ó gùà ègùà**. He is heaping. lit. He is heaping heaps. cf. **gua** to heap.

égbè *n* live body of a human or animal, **égbé ísì àlèkè** Aleke's body, **úké'légbè** trunk of the body, **ídúégbè** muscles; ~ *n* at side of, beside, near, **égbé óràn** beside the tree, **égbé édà** beside the river. **òjè rîi vbí égbé ìwè**. Oje is near the house. **àlèkè rîi vbí égbé édà**. Aleke is beside the river.

égbè *n* nonemphatic reflexive function [occurs with a following pronoun] **ò gbé égbé óì**. He killed himself. **yàn gbé égbé íyàìn**. They killed themselves. cf. **égbè** body.

égbè *pro* each other, one another [reciprocal function] **yàn gbé égbè**. They killed each other. **yàn fí égbé émì**. They hit each other with something. cf. **égbè** body.

égbéègbé *n* edge of, beside, very close to, nearest, adjacent to, **égbéègbé óràn** adjacent to the tree. **ò rîì vbí égbéègbé úkhùèdè**. It is by the side of the door. cf. **égbè** side.

égbéègbíá *pstv adv* very early morning. **ójé ló váré égbéègbíá**. He will come in the early morning. **ójé dá ényó égbéègbíá**. Oje drank wine in the early morning. **éghè ójé ré váré?** When did Oje come?; ~ *n* early morning. **égbéègbíà óò**. It's early morning. **égbéègbíà òdè óò**. It's the early morning of yesterday. **égbéègbíà éénà** early morning of today, **égbéègbíà ákhò** early morning of tomorrow. cf. **égbè** side of, **égbíà** morning.

égbésíéìn *n* alligator pepper, **égbésíéìn èvá** two alligator peppers, **úkpá ísì égbésíéìn** seed of alligator pepper. cf. **ísíéìn** pepper.

égbíà *pstv adv* morning. **émà lí ójé ó ò è ègbíà**. It is yam that Oje eats in the morning. **ó ló váré égbíà**. He will come in the morning. **éghè ójé ó ò ré è émà?** When does Oje eat yam?; ~ *n* morning. **égbíá óò**. It's morning. **égbíá rìírìì** extremely

early morning, **égbíá éénà** the morning of today, **égbíá ákhò** tomorrow morning, **égbíá òdè** yesterday morning.

égbóà *n* backyard. **ò yé égbóà**. They moved toward the backyard.

égbókhèé *n* back wall of a house [for storage of firewood] **ò rîì vbí égbókhèé**. It is at the back wall. cf. **égbè** side, **ókhèé** watch area.

égbòkpòsò *n* female sex organ [euphemism for vagina, rejects all modifiers] cf. **égbè** body, **òkpòsò** woman.

égbódíòn *n* old age, **égbódíón ísì òjè** Oje's old age. cf. **égbè** body, **ódíòn** elder.

ègbòèéà *pstdet* sixty, **élí ívbèkhàn ègbòèéà** sixty youths; ~ *pro* sixty, **ègbòèéá vbí élí ívbékhán** sixty of the youths. cf. **ègbòò-** twenty, **èéà** three.

ègbòèéà bí ìgbé *pstdet* seventy, **élì íkpòsò ègbòèéà bí ìgbé** seventy women; ~ *pro* seventy, **ègbòèéà bí ìgbé vbí élí íkpósó** seventy of the women.

ègbòèélè *pstdet* eighty, **éwè ègbòèélè** eighty goats; ~ *pro* eighty, **ègbòèélé vbí élí éwé** eighty of the goats. **ègbòèélè óò**. It's eighty. cf. **ègbòò-** twenty, **èélè** four.

ègbòèélè bí ìgbé *pstdet* ninety, **élí ímòhè ègbòèélè bí ìgbé** ninety men; ~ *pro* ninety, **ègbòèélè bí ìgbé vbí élí ímóhé** ninety of the men, ninety from the group of men. cf. **ègbòò-** twenty, **èélè** four.

ègbòèvá *pstdet* forty, **éwè ègbòèvá** forty goats; ~ *pro* forty, **ègbòèvá vbí élí éwé** forty of the goats. cf. **ègbòò-** twenty, **èvá** two.

ègbòèvá bí ìgbé *pstdet* fifty, **éwà ègbòèvá bí ìgbé** fifty dogs; ~ *pro* fifty, **ègbòèvá bí ìgbé vbí élí éwá** fifty of the dogs. cf. **ègbòò-** twenty, **èvá** two.

ègbòìgbé *pstdet* two hundred, **ìkpòsó ègbòìgbé** two hundred women; ~ *pro* two hundred, **ègbòìgbé vbí élí íkpósó** two hundred of the women. cf. **ègbòò-** twenty, **ìgbé** ten.

ègbòìíhìèn *pstdet* one hundred, **ìkpòsó ègbòìíhìèn** one hundred women, **ègbòìíhìèn bí ìgbé** one hundred ten, **ègbòèéhàn** one hundred twenty, **ègbòèéhàn bí ìgbé** one hundred thirty, **ègbòìíhíón** one hundred forty; ~ *pro* one hundred, **ègbòìíhíén vbí ólí íkpósó** one hundred of the women. cf. **ègbòò-** twenty, **ìíhìèn** five.

ègbòò- *num pref* score, grouping of twenty, **ègbòèélè** eighty. lit. four score. cf. **ògbòò-** a score [singular].

ègbúàn *n* giant, oversized being with human characteristics [folk belief that giants exist in the physical world] **ègbúàn èvá** two giants. **ègbúàn óò**. It's a giant.

éghàyò *n* new, favored wife [attribution for a new wife by friends and family of the groom] **éghàyò óò**. It's a new wife.

éghédé *pstv adv* extremely great height. **ó khúá úbélé éghó' yé ókhúnmí éghédé**. He raised the gourd of money upward at a great height.

éghémàè *n* food money, pocket money. **éghémàè óò**. It's pocket money. cf. **éghó'** money, **émàè** food.

éghó' *n* money, **éghó' élìyó** money of that kind, **áméghó'** cowry, coins [precolonial-era monetary unit] **éghó' ísì èkìn** money for the market, working capital; e **éghó'** *tr* to embezzle (CPA, CPR, *C, H) **ólí ómòhè é éghó'**. The man embezzled money. lit. The man consumed money.; **fi éghó'** *tr* to transfer money [as part of a ritual ceremony] (CPA, CPR, *C, *H) *fì éghó' li*, **òjè fí éghó' lí òhí**. Oje gave money to Ohi. lit. Oje spread money on Ohi's forehead.; *fì éghó' ye*, **òhí ló fì éghó' yé òjè**. Ohi will take money to the chief.; **gbe éghó'** to make, acquire money (CPA, CPR, *C, H) **ólí ómòhè gbé éghó'**. The man has made money. lit. The man has repositioned money.; *re gbe*, **ò ré ólì èkèn gbé éghó'**. He made money with sand.; *gbe éghó' o*, **ò gbé éghó' ó vbì òtòì**. He made money beforehand.; *gbe*

éghó o li, **ò gbé éghó' ó̩ vbì
ò̩tò̩ì lí ívbíá ó̩ì**. He made money
beforehand for his children.;
hian éghó' *compl tr* to levy a
cost against (CPA, CPR, *C,
*H) **à hían ójé éghó'**. Oje was
levied a cost. lit. One struck Oje
with money.; **khu éghó'** *tr* to
hustle for money (*CPA, CPR,
C, H) **ò̩jè ò̩ ó khù éghó'**. Oje is
hustling for money. lit. Oje is
chasing money.; **lo̩o éghó' a** *tr*
to spend money in a great
amount (CPA, CPR, C, H) **ò lóó
éghó' á**. He spent a lot of
money. lit. He stretched out his
money.; **nwu éghó' fi a** *tr* to
lose money (CPA, CPR, C, H)
ò̩ nwú éghó' fí à. He lost
money. lit. He dropped his
money aside. **é è nwú éghó' fí
à**. Don't lose your money.; **re
éghó' o vbi ò̩tò̩ì** *tr* to pay an
initial amount (CPA, CPR, C,
H) **ó̩ ré̩ éghó' ó̩ vbì ò̩tò̩ì**. He put
money down. He provided
money beforehand. He left
some money behind (for
something). lit. He provided
money onto the ground.; **zoo
éghó'** *tr* to contribute, donate,
distribute money (CPA, CPR,
C, *H) **è zó̩ó́ éghó'**. They
contributed money. lit. They
picked out money.; *zoo li*, **è zó̩ó́
éghó' lí ò̩hí**. They contributed
money for Ohi.; *zoo ye*, **è zó̩ó́
éghó' yé ò̩hí**. They took money
to Ohi.

èghònghòn *n* happiness, gladness,
joy. **èghò̩ghò̩n ó̩ò̩**. It's

happiness. cf. **ghonghon** to be
happy.

éghúhùnmì *n* levy, tax. **ò̩ zé̩
éghúhùnmì**. He paid his tax. cf.
éghó' money, **úhùnmì** head.

èhà *n* cheek, **éhá ísì àlèkè** Aleke's
cheek.

éhà *n* wives. cf. **ó̩hà** wife.

èhá *n* mashed yam mixed with oil
and salt [offered as sacrifice
food for tortoise] **èhá ó̩ò̩**. It's
mashed yam.

èhá *n* frame for a roof. **èhá ó̩ò̩**. It's
a roof frame.

éhánwà *n* type of mushroom,
éhánwà èvá two mushrooms of
this type.

éhè *n* space, position, spot. **ò̩ yé
éhè**. He went to a spot. **ò̩ díá
vbí éhé mè**. He sat in my
position. **éhé lì ò̩khúá lí ó̩ rîì**. It
is an important position that he
occupies.; **éhé èrèmé̩** every-
where, all over. **ò̩ rîì vbí éhé
èrèmé̩**. It is everywhere.; **nwu o
vbi éhè** *tr* to put in place of,
substitute (*CPA, CPR, *C,
*H) **à nwú àlèkè ó̩ vbí éhé ísì
ò̩jè**. Aleke was substituted for
Oje. lit. One put Aleke into the
position of Oje.; **re éhè li** to
provide space for *tr* (CPA,
CPR, *C, *H) **ólí óvbèkhàn ré̩
éhè lí ó̩lì òkpòsò**. The youth
provided space for the woman
(to sit). **ó̩lí ómò̩hè ré̩ éhè lí ò̩jè**.
The man provided space for Oje
(to leave). **à ré̩ éhè lí ójé vbí
ógúí òbìà**. Oje was given leave
from work. lit. One assigned a

space for Oje at his workplace. cf. **ékọ̀** place.

éhéèhọ́n *n* extreme edge of, **éhéèhọ́n ísì ẹ́dà** the very edge of the river, **éhéèhọ́n ísì úkpódè** the extreme edge of the road. cf. **éhọ̀n** ear.

éhèẹ́ *n* anthill, **éhèẹ́ élìyọ́** anthill of that kind, **éhèẹ́ èvá** two anthills.

èhèèn *n* fish, **éhéén élìyọ́** fish of that kind, **èhèèn èvá** two fish.

éhéén ísì átàlàkpà *n* Synodontis ocellifer fish, **éhéén ísì átàlàkpà èvá** two Synodontis ocellifer fish. cf. **èhèèn** fish, **átàlàkpà** lion.

éhéén ivbàbò *n* mudfish, sacrifice fish [hibernates in mud during dry season] **éhéén ivbàbò èvá** two mudfish. cf. **èhèèn** fish, **ivbàbò** sacrifice.

éhìà *n* hoof, paw of an animal [plural of **óhìà** for older generation] **éhíá élìyọ́** hoof of that kind, **éhìà èvá** two hooves, **éhíá ísì ẹ́wè** hoof of a goat; **kaka éhìà nwu òtọ̀ì** *tr* to dig into the ground with paws (*CPA, CPR, *C, *H) **ófélò- khúá káká éhìà nwú òtọ̀ì.** The giant rat dug its paws into the soil. lit. The giant rat stiffened its paws and caught the ground.

éhìàghóì *n* black scorpion, **éhìàghóì èvá** two black scorpions.

éhíámògèdè *n* banana or plantain peel, **éhíámógédé élìyọ́** banana peel of that kind, **éhíámògèdè**

èvá two banana peels. cf. **éhìànmì** peelings, **ògèdè** plantain.

éhìànmì *n* peeling, peel. **éhìànmì óò.** It's a peeling.

éhìén *n* toenail, fingernail, animal claw, **éhìén élìyọ́** claw of that kind, **éhìén èvá** two claws, **éhìén ísì átàlàkpà** claw of a lion, **éhìén ísì àlèkè** Aleke's fingernail.

éhìènkpèn *n* splintered fingernail. **éhìènkpèn óò.** It's a splintered fingernail. cf. **éhìén** fingernail, **èkpèn** leopard.

éhọ̀n *n* ear, entire ear, **éhọ́n èvèvá** both ears; **éhọ̀n la** *tr* to have an infected ear (*CPA, *CPR, C, H) **éhọ́n ísì òjè ọ̀ ọ́ lá.** Oje's ear is flowing (with pus).; **rẹ éhọ̀n o** *tr* to listen to (*CPA, *CPR, C, *H) **òjè ọ̀ ọ́ rẹ̀ éhọ́n ọ̀ vbí émí' vbá à tá.** Oje is listening to what you discuss. lit. Oje is putting put his ear onto what you say.; ~ *n* edge of, **éhọ́n ísì úkpódè** edge of road, **éhọ́n ísì úkpùn** edge of cloth. cf. **họn** to hear.

éhù *n* flesh of humans [not applicable to animals] **éhú ísì ólì òkpòsò** flesh of the woman.

éhùàn *n* intestines in general, **éhúán èrèmẹ́** all the intestines. cf. **ùghùghú** bowels. cf. **àbóòdí** small intestine.

èhúẹ́' *n* boiled yam [not applicable to pounded yam] **èhúẹ́' èvá** two boiled yams, **úkọ́mèhúẹ́'** piece of boiled yam.

éí' *pro* who, whom [requires following consonant] **éí' yán hián ólí óràn?** Who cut the wood? cf. **éé'** who [requires following vowel].

éìmì *n* traditional ancestral deity, ancestors, the dead, **éímí ísì àfúzé'** ancestral deity of Afuze; ~ *n* spirit world, world of the dead and unborn, **óíá láá éìmì** person from the spirit world.

èín *n* secret, information kept from another. **ò zé èín vbíéé mè.** He disclosed a secret to me.

éìn *n* tortoise, blocked carapace turtle [folk belief holds that it lives to be over 300 years old] **éìn èvá** two tortoises, **úvbíéìn** small tortoise.

èjèè *n* chieftancy position, principal position in social hierarchy; **e èjèè** *tr* to become a chief (CPA, CPR, *C, *H) **ò é èjèè.** He has become a chief. lit. He consumed chieftancy. **ójé é éjéé vbí áfúzé'.** Oje became a chief in Afuze.

èjò *n* bangle of lead [worn on legs during ceremonial occasions by young female initiates, measure of family affluence] **éjó élìyó** lead leg bangles of that kind, **èjò èvá** two lead leg bangles; ~ *n* jewelry. **èjò óò.** It's jewelry.

ékà *pro* how many, how much in number, amount or quantity. **ékà í khì ùdén?** How much is palm kernel oil? **ékà lí í khì ùdén?** How much is palm kernel oil? **émá ékà ólí ómóhé**

húá lì ònwìmè? How many yams did the man give to the farmer?

ékéèkén *adj* sandy. **ò ú èkéèkén.** It is sandy. **ébé' ó í rîì?** How is it? cf. **èkèn** sand.

ékévbìì *n* maize mixed with oil and boiled in wrap of leaves, **ékévbìì èvá** two maize wraps. cf. **èkò** molded wrap of ground maize, **évbìì** palm oil. cf. **ékòdèlò** maize meal mixed with oil and boiled until solidified.

ékèìn *n* egg, **ékéín élìyó** egg of that kind, **ékèìn èvá** two eggs, **ékéín ísì ìkpéèkpéyè** duck egg, **ékéín ísì ìkpéèkpéyè èvá** two duck eggs.

ékéín óròòn *n* guinea fowl egg, **ékéín óròòn èvá** two guinea fowl eggs. cf. **ékèìn** egg, **óròòn** guinea fowl.

ékéín óókhò *n* chicken egg, **ékéín óókhò èélé** three chicken eggs. **ékéín óókhò óò** It's a chicken egg.

èkèn *n* soil, sand in generic sense, **ékén élìyó** soil of that kind, **údùèkèn, ídùèkèn** lump or clump of soil, **ékén lì òvbàè** laterite, red soil, **ékén lí óbín** humus, dark soil, **ékén ísì édà** river sand, **úkpékèn òkpá** one grain of sand. **òjè ò ó gbè èkèn.** Oje is making sand blocks (for a building).

ékètè *n* tree with soft wood producing a white latex [easily eaten by weevils] **ékètè èvá** two white latex trees.

ékètè *n* sand pit, refuse dump, **ékètè éliyó** sand pit of that kind, **ékètè èvá** two sand pits.

ékìàn *n* disappearance, disappearing, **íkhúnmí ísì ékìàn** charm for disappearing. **ò mòè íkhúnmí ékìàn.** He has a disappearing charm.

ékìkpèshè *n* bean meal boiled in a wrap of leaves [eaten with vegetable sauce] **ékìkpèshè èvá** two boiled bean balls. cf. **èkò** molded wrap of ground beans, **ìkpèshè** beans.

èkìn *n* cloth or pad rolled and worn on head [for transporting objects] **ékín éliyó** head pad of that kind, **èkìn èvá** two head pads; **ku èkìn** *tr* to make a head pad (*CPA, CPR, C, *H) **ólì òkpòsò kú èkìn.** The woman formed a head pad.

èkìn *n* market place, place where goods are traded, **ékín éliyó** market place of that kind, **èkìn èvá** two market places, **ékín ísì évbìì** market for oil. **ó ò dò èkìn.** She trades. **ó ò dò èkín ísì úkpùn.** She trades in clothes. lit. She engages in trade for clothes.

ékìtì *ideo* sense impression of a running event. **ó ò lá. ékìtì. ékìtì.** He runs. Running. Running. **ó nwú órán ísì òí. ékìtì. ékìtì.** He carried his stick. Running. Running.

èkò *n* ground beans or fresh maize molded in leaf wrap with other ingredients [staple food of the Emai] **èkò èvá** two portions of ground maize, **úsùèkò, ísùèkò** ball of maize meal.

èkó *n* Lagos. **ólí ómòhè yé èkó.** The man went to Lagos.

ékòdèlò *n* maize or bean meal [served with viscous vegetable sauce consisting of garden egg, okra, and greens] **ékòdèlò èvá** two maize ball wraps. cf. **èkò** maize or bean meal wrap, **òdèlò** vegetable sauce.

ékóìbó *n* cake. **ékóìbó óò.** It's cake. cf. **èkò** maize or bean meal wrap, **óìbó** whiteman.

ékò *n* place, location, spot in a market, **ékò èvá** two places, **ékó ísì ìgáàí** market section for gari, **íkpékò** spots. cf. **éhè** spot.

ékókà *n* maize meal or paste boiled in a wrap of leaves until solidified, **ékókà èvá** two maize meal wraps. cf. **èkò** ground maize wrap, **ókà** maize.

ékù *n* corpse of an animal [never with name or noun for a living human being] **ékú óìmì** corpse of a dead human, **ékú óìmì èvá** two corpses, **ékú óókhò** corpse of a chicken, **ékú éwè** corpse of a goat.

ékùèè *n* meeting, conference. **è mòè ékùèè.** They have a meeting.; **le ékùèè** *tr* to convene, hold, attend a meeting (CPA, CPR, *C, H) **yàn lé ékúéé ísì òjè.** They convened a meeting about Oje. **ólí ómòhè lé ékùèè.** The man has attended a meeting. cf. **kuee** to meet.

ékùété' *n* laughing dove, ékùété' èvá two laughing doves.

ékùn *n* waist of the body, ékún ísì òjè Oje's waist.

ékhábì *n* squirrel nest of dried matter, ékhábí élìyó squirrel nest of that kind, ékhábì èvá two squirrel nests.

èkhàì *n* river sand of a fine grade[combined with cement to form construction blocks] ékháí élìyó river sand of that kind; ~ *n* gunpowder. èkhàì óò. It's gunpowder.

èkhàìn *n* worker termite, èkhàìn èvá two worker termites. cf. édó' termite.

ékhàkhà *predet* shavings, grains, crumbs, ékhákhá ìbúréèdì bread crumbs, ékhákhá úmèè grain of salt. ékhákhá úmèè óò. It's a grain of salt. cf. khakha to sieve.

ékhàyé *n* kindling, tinder for starting a fire, ékhàyé élìyó kindling of that kind.

èkhéé *pstv adv* round shape. yán híán ólí úgbégbáhé únù á èkhéé. They cut a round opening in the sap gourd. ébé' ó í hìàn óì? How did he cut it?; ~ *adj* round shape. úgbégbé lì èkhéé the round carved gourd. úgbégbè ú èkhéé. The carved gourd is round. ébé' ó í rìì? How is it?

èkhèèn *n* collective, band, party, association, group [of humans] ékhéén óì band of thieves,

ékhéén áfiánmì enclave of witches, ékhéén áfúzé' inhabitants of Afuze, ékhéén ógúóbíá ísì òjè association of Oje's colleagues, ékhéén òsíé' troop of entertainers. ékhéén òsíé' ísì áfúzé' óò. It is entertainers from the Afuze troop.

èkhèèn *n* passenger paying money to travel from one place to another, ékhéén élìyó passenger of that kind, èkhèèn èvá two passengers, ékhéén ísì òkè passenger for Oke.

ékhénòbìà *n* laborers, employees, group of, gang of workers. ékhénòbìà óò. It's a group of workers. cf. èkhèèn group, òbìà work.

èkhòì *n* parasite, maggot, nematode, larvae, worms, ékhóí élìyó parasite of that kind, èkhòì èvá two parasites, úvbìèkhòì small parasite.

èkhònmé *n* type of tree, èkhònmé èvá two trees of this type.

èkhúénmì *n* thanks, response of gratitude. cf. khuenme to thank.

èkpà *n* blow, hit, punch, fist, èkpá élìyó punch of that kind, èkpà èvá two blows. ò kókó èkpà. He has formed a fist. ò só ójé èkpà. He punched Oje with his fist.

ékpà *n* vomit, vomiting. ékpà óò. It's vomit.; ékpà hu *tr* to become nauseated (*CPA, *CPR, C, H) èkpà ò ó hù mè. I am getting nauseated. lit. Vomit is swelling up in me. cf. **kpa** to vomit.

èkpàá *n* levered snare trap with bait [akin to Western mouse trap] **èkpàá élìyó** snare trap of that kind, **èkpàá èvá** two snare traps.

èkpàtù *n* charm rendering one invulnerable to attack by machete, spear or knife. **ò mòè èkpàtù.** He has a machete-cut charm. **èkpàtù óò.** It's a spear-cut charm.

èkpèkpè *pstv adv* terrifically. **ó ò là úlàmí èkpèkpè.** He runs terrifically. lit. He runs running terrifically.; ~ *n* fantastic, ter-rific. **èkpèkpè óò.** It's terrific.

èkpén *n* respect, dignity, politeness, deference, **èkpén élìyó** respect of that kind, **óíá ísì èkpén** nobleman, person of respect. **ò mòè èkpén.** He is respectful. He has dignity.; **ku èkpén** *tr* to commit rape (*CPA, CPR, *C, *H) **ò kú èkpén.** He committed rape. lit. He removed respect.; **ku èkpén** *compl tr* to rape, defile. **ò kú áléké èkpén.** He defiled Aleke. lit. He removed respect from Aleke.; **nwu èkpén li** *tr* to show respect for (*CPA, *CPR, *C, H) **ólí óvbékhán ó ò nwù èkpén lì èdíòn.** The youth shows respect for his elders. The youth respected his elders. **ó yà nwù èkpén lì òjè.** He never showed respect for Oje.

ékpì *n* pinkish-colored scorpion, **ékpì èvá** two scorpions.

ékpìnì *n* half-penny [currency unit of colonial era] **ékpìnì èvá** two half pennies.

élàbí *prep* like, in the manner of [designates simile construction] **ómóhé élàbí mè í khà è mé ìyó.** I will not accept that from anyone. lit. A man like me will not talk to me that way. cf. **bi** like.

élìná *pstdet* these kinds [plural proximal sortal function for older generation] **úkpún élìná** cloth of these kinds, **íkpún élìná** cloths of these kinds; ~ *pro* these kinds of ones [plural proximal sortal function] **àlèkè dé élìná.** Aleke bought these kinds. **élìná rîì vbí ìwè.** These kinds are in the house. cf. **énìná** these kinds.

élìyó *pstdet* that kind [plural distal sortal function for older generation, general sortal function for current generation] **úkpún élìyó** cloth of that kind, **íkpún élìyó** cloths of those kinds, clothes of that kind. **àlèkè dé úkpún élìyó.** Aleke bought cloth of that kind. **àlèkè dé íkpún élìyó.** Aleke bought cloths of those kinds.; ~ *pro* that kind of one [plural distal sortal function for older generation, sortal function for current generation] **àlèkè dé élìyó.** Aleke bought that kind. Aleke bought that kind of one.

émà *n* yam [unprepared or pounded] émá élìyó yam of that kind, émà èvá two yams, émá lí á tóní yam that is roasted, émá lì ògbòn new yam, úsúémà, ísúémà tuber of yam, úkhún émà, íkhún émà bundle or bunch of yam, úshómí émà half a yam, úkpá ísì émà yam tail [as opposed to yam head where vine attached] úhúnmí ísì émà yam head [for planting].

émàè *n* food, meal, émáé élìyó food of that kind; hoo émàè *tr* to prepare food (*CPA, *CPR, C, *H) ò ó hòò émàè. He is preparing food (on somone's arrival). lit. He is searching for food.; re óbò gbe émàè *tr* to fumble about with food (CPA, CPR, C, *H) ò ó rè òbó gbè òlí émàè. He is fumbling about with the food. lit. He is repositioning the food with his hands.

émáénwáà *n* Holy Communion. émáénwáà óò. It's Holy Communion. cf. émàè food, énwáà evening.

émáédìhèn *n* food for the day. émáédìhèn óò. It's food for the day. cf. émàè food, édìhèèn same day.

émáì *n* Emai people and their language. émáì óò. He's Emai. áléké ó ò zè ùróó émáì. Aleke speaks the Emai language.

èmàzé *n* statue, figurine, effigy, èmàzé élìyó statue of that kind, èmàzé èvá two statues.

émé' *pro* what [requires following vowel] émé' ójé híánì? What did Oje cut? cf. émí' what [requires following consonant].

émé' o ze khi why [lit. what it cause that] émé' ó zéí khì òjè hián ólí óràn? Why did Oje cut the wood? lit. What caused Oje to cut the wood?

éméìmì *n* poisonous vine, creeper [inedible, resembles sweet potato] éméìmì èvá two pseudo-sweet potato creepers. cf. émà yam, éìmì spirit world.

émèdó *n* sweet potato, émèdó èvá two sweet potatoes, úvbíémèdó small sweet potato. cf. émà yam, èdó Bini people.

émèmè *n* madness, mentally disturbed state. émèmè óò. It's madness.; émèmè yaya o *intr* to have gone mad (*CPA, CPR, *C, *H) émèmè yáyá ó ójé vbí úhùnmì. Oje became entirely mad. lit. Madness scratched and entered Oje's head.; ze émèmè o vbi égbè *tr* to make mad, cause excitement in. ólí úkpùn zé émèmè ó ójé vbí égbè. The cloth made Oje mad. lit. The cloth scooped madness into Oje's body. ìmátó lí ògbòn zé émèmè ó ójé vbí égbè. The new car has gone to Oje's head. cf. meme to be mad.

émì *n* thing, something, émí élìyó thing of that kind, émì èvá two things, émí úvbìmì begging for things; re émì ben to go back on a threat [only in negative constructions] ọ́ yà rẹ̀ èmí bẹ̀n. He never went back on a threat. lit. He never took things to cut (without cutting).

émí lì ọ̀bè *n* morally bad thing, wrongdoing. **ẹ́mí lì ọ̀bè ọ́ọ̀.** It's wrongdoing. **ójé ọ́ ọ̀ ù èmí lì ọ̀bè.** Oje engages in morally wrong activities. cf. **èmì** thing, **ọ̀bè** bad.

émíámévbìì *n* jaundiced condition. **ọ́ ọ̀ khọ̀nmẹ̀ èmíámévbìì.** He is ill with jaundice. **ọ̀ mọ̀è èmíámévbìì.** He has jaundice. cf. **èmìàmì** sickness, **évbìì** palm oil.

èmìàmì *n* illness, disease, sickness [of humans or animals] **émíámí élìyọ́** illness of that kind; **èmìàmì nwu** *tr* to become ill (*CPA, CPR, *C, *H) **èmìàmì nwú ọ́ì.** She has taken ill. lit. Illness has taken hold of her.

émíámùdù *n* pains in the chest accompanying a heart condition. **émíámùdù lí ọ́ ọ̀ khọ̀nmé.** It is a heart condition that he suffers from. cf. **èmìàmì** illness, **ùdù** heart.

émíámúgbà *n* contagious, infectious disease requiring isolation of victim. **émíámúgbà ọ́ọ̀.** It's an infectious disease. cf. **èmìàmì** illness, **úgbà** fence.

èmìdí *n* cause, reason; **èmìdí khi** because of. **èmìdí khì òjè ọ̀ ọ́ sò íòò lí òhì ọ́ ọ̀ ré jé.** It is because Oje is singing that Ohi laughs. Ohi laughs because Oje is singing.

émíéìmì *n* abomination, taboo, forbidden behavior [violation of social norm such as sleeping with one's father's wife] **émíéìmì èvá** two abominations; **u émíéìmì** *tr* to commit an abomination (CPA, CPR, *C, H) **àlèkè ú émíéìmì.** Aleke committed an abomination. **é è kè ú émíéìmì.** Don't commit an abomination anymore. cf. **èmì** thing, **éìmì** spirit world.

émìíkhèmí *n* whatever. **émìíkhèmí lí ójé úì, ọ́ yà dè ọ̀ vbì ọ̀.** Whatever Oje did, it was never suitable. cf. **èmì** thing, **í** SC, **khi** be, **èmì** thing.

émìòbìà *n* tool, **émíóbíá élìyọ́** tool of that kind, **émìòbìà èvá** two tools. cf. **èmì** thing, **òbìà** work.

émíókhọ̀ìn *n* weapon, ammunition, **émíókhọ́ín élìyọ́** weapon of that kind, **émíókhọ̀ìn èvá** two weapons. cf. **èmì** thing, **ókhọ̀ìn** war.

émìòmì *n* ingredient, condiment. **émìòmì ọ́ọ̀.** It's a condiment. cf. **èmì** thing, **òmì** soup.

émíórèè *n* family heritage, heirloom, highly treasured items passed across generations. **émíórèè ọ́ọ̀.** It's a family heirloom. cf. **èmì** thing, **órèè** generation.

émìòsíé' *n* musical instrument. **émìòsíé' ọ́ọ̀.** It's a musical instrument. cf. **èmì** thing, **òsíé'** performance.

émíọ́mọ̀ *n* afterbirth, **émíọ́mọ̀ èvá** two of the pieces of afterbirth.

émíómò díànré. The afterbirth has come out. cf. émì thing, ómò child.

émírì *n* domestic animal. ó ò kùèè èmírì. He cares for domestic animals. cf. émì thing, írì tended creature [for older generation].

émíúkpè *n* items for festival making [cooking utensils and clothing] émíúkpé ísì òjè Oje's festival items. émíúkpè óò. It's a festival item. cf. émì thing, úkpè festival.

émívbómò *n* convulsion, contortion of the body. émívbómò óò. It's a convulsion. cf. émì thing, vbi happen to, ómò child.

émòròn *n* new yam, émòròn èvá two new yams. cf. émà yam, óròòn rainy season.

èmòì *n* ash. èmòì óò. It's ash.

émúènghén *n* yam with colored stripes, émúènghén èvá two striped yams. cf. émà yam, úènghén striped yam.

émúghó'ì *n* stale food. ò é émúghó'ì. He ate stale food. cf. émì thing, úghó'ì staleness.

ènà *pro* these, these ones [plural proximal demonstrative function] àlèkè ò ó hùà ènà. Aleke is carrying these ones. cf. ònà this one.

énánà *pro* these very things, these very ones [emphatic plural demonstrative function] òjè húá énánà. Oje carried these very ones. cf. ènà these ones.

ènì *n* name, éní élìyó name of that kind, ènì èvá two names, éní ísì ómò name for a child. è nwú ènì ní áìn. They gave a name to her.

èníkpèékè *n* pygmy. èníkpèékè óò. It's a pygmy.

énìná *pstdet* these kinds [plural proximal sortal function for older generation] úkpún énìná cloth of these kinds, íkpún énìná cloths of these kinds; ~ *pro* these kinds of ones [plural proximal sortal function for older generation] àlèkè dé énìná. Aleke bought these kinds. énìná rîì vbí ìwè. These kinds are in the house. cf. élìná these kinds.

ènítàn *n* lobster, prawns, shrimp, ènítàn èvá two shrimp.

énóì *pro* next ones, other ones [plural contrastive demonstrative function] ò ó záwò ènóì. He is seeing the other ones. cf. ónóì next one.

énwáà *pstv adv* evening. ójé é ólí émá énwáà. Oje ate the yam in the evening. éghè ójé ré é ólí émà? When did Oje eat the yam?; ~ *n* evening. énwáà óò. It's evening. énwááà éénà the evening of today, énwááà ákhò tomorrow evening, énwááà òdè yesterday evening.

ényè *n* breast, udder, ényé élìyó breast of that kind, ényè èvá two breasts, úkpá ísì ényè, íkpá ísì ényè nipple; fan úkpà vbi ényè *compl tr* to wean

(*CPA, CPR, *C, *H) ọ̀ fán ólí ómó úkpá vbí ényè. She weaned the child. lit. She plucked the child's beak from her breast.

èó *n* mischievous gossip. èó óò. It's mischievous gossip.; u èó *tr* to gossip in a mischievous fashion (*CPA, *CPR, *C, H) ólí ókpósó ó ọ̀ ù èó. The woman gossips. The woman engages in mischievous gossip.

èọ̀ *n* fetish object, talisman, object protecting one against forces in the universe, éọ́ élìyó fetish of that kind, èọ̀ èvá two fetishes. è rámé̱ èọ̀. They swore on a fetish.; ko éọ̀ *tr* to invoke a fetish (*CPA, *CPR, C, H) ọ̀ ó kò éọ̀. He is invoking a fetish. lit. He is planting a fetish object.; nwu éọ̀ o *tr* to protect with a fetish (CPA, CPR, *C, *H) ọ̀ nwú éọ̀ ó vbì iwè. He protected the house with a fetish. lit. He put a protective fetish onto the house. cf. ílè̱ vow.

èọ̀ *n* water buffalo, cape buffalo, èọ̀ èvá two water buffaloes, úvbìèọ̀ small water buffalo.

éọ̀n *n* honey. éọ̀n óò. It's honey. cf. úkpéọ̀n honeybee.

èrà *n* father, érá élìyó father of that kind, èrà èvá two fathers, èrà bí ìnyò father and mother, érá ólí ómòhè father of the man, érá á your father, érá mé̱ lí ódíọ̀n my grandfather, érérá mè̱ my paternal grandfather.

érábò̱ *n* forearm, érábò̱ èvá two forearms. cf. éràn trees, ábò̱ arms.

èràin *n* fire, éráín élìyó fire of that kind, èràin èvá two fires; fi èràin o *tr* to set ablaze (*CPA, CPR, *C, *H) ólí óvbèkhàn fí èràin ó vbì ògò. The youth set the bush ablaze. lit. The youth threw fire onto the bush.; gua èràin *tr* to gather, secure coals in a heap for a fire (CPA, CPR, C, H) òjè gùà èràin. Oje gathered a coal heap for a fire. gùà èràin. Gather a fire heap.; *kpaye̱ gua èràin*, ọ̀ kpáyé òjè gúá èràin. He helped Oje gather a fire heap.; *re̱ gua èràin*, ọ̀ ré ìsó̱bìlì gúá èràin. He used a shovel to gather a fire heap.; *gua èràin re*, ọ̀ gúá èràin ré. He took a fire heap and brought it.; hian èràin *tr* to spark, get ignited (*CPA, CPR, *C, *H) élí ébè hián èràin. The leaves sparked. lit. The leaves struck fire. ólì iwè hián èràin. The house ignited. lit. The house struck fire.; nwu èràin *tr* to catch fire, be ablaze. ólí úgbó' nwú èràin. The forest is ablaze. lit. The forest took hold of a fire.; nwu ábò̱ *tr* to spread, take off. ólì èràin nwú ábò̱. The fire has spread. lit. The fire has taken hold of its wings.; nwu àkò̱n *tr* to glow, ignite. ólì èràin nwú àkò̱n. The fire has started to burn. lit. The fire took hold of its teeth. ólí óràn nwú àkò̱n. The wood has ignited.; re̱ èràin o vbi ìkìtìbé *tr* to light a pipe (CPA, CPR, C, *H) òhí ré èràin ó vbì ìkìtìbé Ohi lit his pipe. lit. Ohi put fire onto his pipe.

éráínéìmì *n* chicken pox. éráín-éìmì óò. It's chicken pox. cf. èràin fire, éìmì spirit world.

èràkpá *n* paternal sibling, children of the same father, èràkpá ísì òjè Oje's paternal sibling. cf. èrà father, òkpá one.

éràn *n* trees, sticks, poles, firewood. cf. óràn   tree. cf. íkpéràn fruits.

éràwè *n* shin, leg below the knee, éráwé èvèvá both shins. cf. éràn trees, àwè legs.

érékpèn *n* firewood, érékpèn èvá two pieces of firewood. cf. éràn sticks, kpèèn to wedge.

èrèmé *pstdet* every, all [collective universal quantifying function] íkpósó èrèmé all the women; ~ *pro* all, everyone [collective universal quantifying function] èrèmé ó vbì iwè. Everyone entered the house.

érèrà *n* paternal grandfather, érérá mè my paternal grandfather. érérá óì rî vbì iwè. His paternal grandfather is in the house. cf. èrà father.

érí' *comp* indeed, it is the case that [sentence affirmation function] érí' ójé hián ólí óràn. Indeed, Oje cut the wood.

ériétòn *n* roasted yam, ériétón élìyó roasted yam of that kind,

ériétòn èvá two roasted yams. cf. èrìà boiled yam [Ora] ton to roast.

èrímí' *n* on behalf of. èrímí' mè lí ójé ré yé òkè. It was on my behalf that Oje went to Oke.

érìnyò *n* maternal grandfather, mother's father, érínyó òjè Oje's maternal grandfather. cf. èrà father, ìnyò mother.

èrònmò *n* prayer, invocation, wish list of a child, érónmó élìyó prayer of that kind; lie èrònmò *tr* to pray (*CPA, *CPR, C, H) ò ó lìè èrònmò. He is praying. lit. He is collecting his prayers. lìè èrònmò. Pray.; *lie èrònmò li*, ò líé èrònmò lí òjè. He prayed for Oje.

érùè *n* state or condition of incubation; o vbi érùè *intr* to incubate (*CPA, CPR, *C, *H) ólí óókhò ó vbí érùè. The chicken incubated. lit. The chicken entered incubation. ólí áfiánmì ó vbí érùè. The bird is in a state of incubation.

érùéè *n* shed, érùéé élìyó shed of that kind, érùéè èvá two sheds.

érùn *n* straw hat [requires úvbì for current generation] úvbíérún élìyó straw hat of that kind, úvbíérùn èvá two straw hats.

èsájèn *n* blood [used by older generation] èsájèn óò. It's blood. cf. èrèè blood.

ésàn *n* Esan [Ishan] people and their language. àlèkè zé úróó ésàn. Aleke spoke Esan.

èsè *n* jinx, hidden agenda, retribution, impediment, hidden factor. **èsè óò**. It's a jinx.

éséókhàè *n* manhood initiation ceremony and festival. **à á ù èséókhàè**. They are performing a manhood initiation ceremony.

ésèsé *n* midst, between, middle of, **ésèsé úhùnmì** middle of the head, **ésèsé ísì élí áréò** among the idols, **ésèsé ísì èlí ímòhè** among the men. **ò rîi vbí ésèsé**. She is in between. **ò rîi vbí ésèsé úkpódè**. It is in the middle of the road. cf. **ésè** center.

ésè *n* center of activity, center stage. **ò rîi vbí ésè**. She is center stage. **ò dé ésè ré**. He reached center stage (to dance not sit).

ésè *n* clump, lump of a pounded food item, **íkpésè** pieces or clumps of unrefined gari or maize. **ésè óò**. It's a clump.; **fi ésè** *tr* to develop clumps (CPA, CPR, *C, *H) **ólí émà fí ésè**. The pounded yam is full of clumps. The yam developed clumps.

èsèin *n* spittle, saliva, spit. **ò tú èsèin kú ó vbì òtòì**. He spat on the ground. lit. He spit spittle onto the ground.; **fi èsèin** *tr* to spit (CPA, CPR, C, H) **ólí ényè fí èsèin**. The snake spat. **òjè fí èsèin**. Oje spat. lit. Oje threw spittle.; **hughu èsèin** *tr* to rinse, squeeze saliva (*CPA, *CPR, C, H) **ò ó hùghù èsèin**. He is

rinsing out saliva. **ò ó hùghù èséín vbí únù**. He is rinsing saliva from his mouth. **é è kè húghú èsèin**. Don't rinse out saliva anymore.

ésèmì *predet* piece of, **ésémí úkpùn** piece of cloth, **ésémí éhèé** piece of anthill, **ésémí éhèé èvá** two broken pieces of anthill.

èsèsè *n* dew on the grass. **èsèsè óò**. It's dew. cf. **sésésé** absolutely clean.

ésèsèmì *n* state of being worn out; **de ésèsèmì** *tr* to be worn out (*CPA, CPR, *C, *H) **ólì ìtásà dé ésèsèmì**. The plate is no longer useable. The plate has worn out. lit. The plate reached a worn out stage.

ésì *conj* of [associative function for place or residence of] **íwé ésì òjè** house of Oje, **ésì àlèkè** Aleke's place. cf. **ísì** of, from.

ésò *pstdet* some, certain, a few [plural partitive quantifying function] **íkpósó ésò** some women; ~ *pro* certain ones, some [plural partitive quantifying function] **ésò rîi vbí ìwè**. Certain ones are in the house. cf. **ósò** certain one.

ésónkpùn *n* rag, **ésónkpún éliyó** rag of that kind, **ésónkpùn èvá** two rags. cf. **ésèmì** piece of, **úkpùn** cloth.

èsùn *n* devilish character, trickster deity, devil in Christian sense [possibly Yoruba] **èsùn óò**. It's the devil.

étà *n* word, question, spoken utterance, **étá élìyó** word of that kind, **étà èvá** two words, **étá ísì òghèè** indiscreet talk, words of flirtation, **étá lì òbè** offensive words, repugnant speech. cf. **ta** to say. cf. **àtà** truth.

étáàwè *n* sole of the foot, footprint, **étááwé ísì òjè** Oje's footprint. cf. **taan** to spread, **àwè** feet.

ètábèò *n* tree of Bohamia genus, **ètábèò èvá** two Bohamia trees.

étábò *n* palm of the hand, palmprint, **étábó ísì òjè** Oje's palm. cf. **taan** to spread, **ábò** hands.

étàìkpé *n* traditional sponge of bunched yam vine, **étàìkpé èvá** two yam-vine sponges.

étèyè *n* Emai village. **òjè rîì vbí étèyè.** Oje is in Eteye.

étìn *n* spirit, soul, life force from which power and strength are derived, **étín lì òfùàn** good spirit, Holy Spirit, **étín lì òbè** evil spirit; **étìn nwu** *tr* to be in a trance, be spellbound (*CPA, CPR, *C, *H) **étìn nwú òjè.** Oje is in a trance. lit. Spirit forces have taken hold of Oje.; ~ *n* breath; **fi étìn** *tr* to breathe (*CPA, *CPR, C, H) **òjè ò ó fì étìn.** Oje is breathing. lit. Oje is expelling his breath.; **fi étìn sé òtòì** to sigh (CPA, CPR, *C, *H) **ò fí étìn sé òtòì.** He sighed with relief. He threw a sigh of relief. He took a deep breath. lit. He expelled his breath to the ground.; **foo étìn a** *tr* to rest,

cool down, take a breath (CPA, CPR, C, *H) **òjè ò ó fòò ètín á.** Oje is resting. lit. Oje is cooling his breath. **fòò étìn á.** Rest.; **moe étìn** *tr* to be physically strong (CPA, CPR, *C, *H) **òjè mòè étìn.** Oje is strong. lit. Oje has breath.; ~ *n* vapor, gas. **étìn óò.** It's vapor.; **oho étìn a** *tr* to emit gas (CPA, CPR, *C, *H) **ò óhó étìn á.** It emitted gas.; **ze étìn** *tr* to steam, blow air or vapor (*CPA, *CPR, C, *H) **ólì ìèèsì ò ó zè étìn.** The rice is steaming. lit. The rice is blowing steam.; ~ *n* odor; **ze étìn ku a** to emit a strong odor (*CPA, CPR, C, *H) **ólì ìnàtírîì zé étìn kú à.** The latrine emitted a strong odor. lit. The latrine blew its odor all around.

étò *n* hair, **étó élìyó** hair of that kind, **étò ègèìn** pubic hair. **étò ègèìn óò.** It's pubic hair. **úkpétò, íkpétò** tuft of hair; **hian étò** *tr* to cut hair (CPA, CPR, *C, *H) **òjè hián étò.** Oje cut his own hair. **òjè hián òhí étò.** Oje cut Ohi's hair. **áléké hián étó vbí úhùnmì ísì òhí.** Aleke cut hair from the head of Ohi. **áléké hián òhí étó vbí úhùnmì.** Aleke cut Ohi's hair from his head.

étóbò *n* hair style of twisted hair strands, **étóbó élìyó** twisted strand hair style of that kind. cf. **étòú** hair style, **óbò** hand.

ètòké *n* firewood stump, piece of still-burning wood, **ètòké élìyó** firewood stump of that kind, ètòkẹ́ èvá two pieces of firewood stump.

étòú *n* hair style, hair plaiting done with thread, étòú élìyọ́ hair style of that kind. cf. étò hair, òú thread.

étòyìyà *n* black larvae of praying mantis, étòyìyà èvá two praying mantis larvae.

étòyìyà *n* guinea worm disease or infection. étòyìyà nwú ọ́í vbì àwẹ̀. He has guinea worm on his leg. Guinea worm has affected his leg. lit. Guinea worm took hold of him on his leg.

étòbè *n* bad talk, evil words. òjè tá étòbè. Oje spoke evil words. cf. étà talk, òbè bad.

étù *n* whitlow affliction of finger or toe [leads to swelling and production of pus] étù nwu *tr* to have whitlow (CPA, CPR, *C, *H) étù nwú ọ́í. He has whitlow. lit. Whitlow took hold of him. étù nwú ọ́í vbí óbò. He has whitlow on his hand.

étù *n* people [collective form only accepts numerals] étù èvá two people. cf. ótù person.

étùàgbàn *n* beard, étúágbán élìyọ́ beard of that kind. cf. étò hair, àgbàn chin.

èúfẹ̀ghè *n* beetle with capacity to become immobile [feigns death when touched] èúfẹ̀ghè èvá two feigning-death beetles.

èvá *pstdet* two [cardinal numeral] ìkpòsò èvá two women; ~ *pro*

two, èvá vbí élí íkpósó two of the women. òjè mòè èvá. Oje has two. cf. ọ́zèvà second one.

èvéévá *pstdet* two-two each [distributive quantifying function] ìnáírà èvéévá two naira each. cf. èvá two.

èvèvá *pstdet* both [collective quantifying function] ábọ́ èvèvá both arms; ~ *pro* both, all-two-of [collective quantifying function] èvèvá ó vbì ìwe. Both entered the house. cf. èvá two.

èvìè *n* scrotum. èvìè óò. It's a scrotum. úkpèvìè, íkpèvìè testicle.

évìè *n* tears, weeping, crying. ò rîì vbí évìè. She is crying.; gbe évìè a *tr* to burst into tears (CPA, CPR, *C, *H) élí ívbèkhàn gbé évìè á. The youths have burst into tears. lit. The youth's broke their tears.; gbe évìè *compl tr* to make burst into tears (*CPA, *CPR, C, H) òjè ọ̀ ọ́ gbè ọ̀lí ọ́vbékhán évìè. Oje is making the youth cry. lit. Oje is breaking the youth's tears. émé' ọ́lí ọ́mọ́hé ọ́ ọ̀ gbè ìvbékhán évìè ní? What is the man making the youths cry for?; roo évìè *tr* to burst into tears, start crying (*CPA, CPR, *C, *H) ọ̀ róó évìè. She burst into tears. lit. She sounded her tears.; san évìè a *tr* to burst out into tears (*CPA, CPR, *C, *H) àlèkè sán évìè á. Aleke burst into tears. cf. vie to cry.

évíé ísì ìkà *n* crocodile tears. **évíé ísì ìkà óò**. They're crocodile tears. cf. **évìè** tears, **ìkà** feigned condition.

évbàà *predet* association, entourage, group [collective form that requires human noun] **évbáá èdó** association of Edo, **évbáá òjè** associates of Oje, Oje's entourage.

èvbávbà *n* mosquito, **èvbávbà èvá** two mosquitoes.

èvbèè *n* proverb, parable, **évbéé élìyó** parable of that kind, **èvbèè èvá** two parables.

évbèé *pstdet* others [plural contrastive quantifying function] **ékpá évbèé** other bags; ~ *pro* other ones, somethings [plural contrastive quantifying function] **évbèé ó vbì ìwè**. Other ones entered the house. cf. **óvbèé** another.

évbìàmè *n* Emai village. **òjè rìì vbí évbìàmè**. Oje is in Evbiame.

évbíéànmì *n* animal fat. **évbíéànmì óò**. It's animal fat. cf. **évbìì** oil, **éànmì** animal.

évbíégbè *n* human fat. **évbíégbè óò**. It's human fat. cf. **évbìì** oil, **égbè** body.

évbíéwè *n* goat fat. **évbíéwè óò**. It's goat fat. cf. **évbìì** oil, **éwè** goat.

évbìì *n* cooking oil [includes palm oil but not groundnut oil] **évbíí élìyó** palm oil of that kind; **fi évbìì** *tr* to emit fat (*CPA, *CPR, C, *H) **ólí éànmì ò ó fi évbìì**. The meat is emitting fat.

The meat is shooting out oil. cf. **òróró** groundnut oil.

évbòhìè *n* dream, **évbóhíé élìyó** dream of that kind, **évbòhìè èvá** two dreams. cf. **vbohie** to dream.

èvbò *pro* there yonder [distal locative beyond visible range of speaker] **évbó kpèé** nethermost point, the most distant point. **àlèkè rìì vbí èvbò**. Aleke is there. cf. **èàn** here, **ààn** here.

èvbòò *n* fungus, skin affliction causing hair fall out and boils on the head [produces scaly skin akin to chronic dandruff] **èvbòò rìì òí vbí úhùnmì**. He has chronic dandruff. lit. Chronic dandruff is on his head.

évbúyúkátó' *n* type of mushroom in the grassland, **évbúyúkátó' èvá** two mushrooms of this type. cf. **úkátó'** grassland.

éwáà *n* traditional floor mat of river reeds serving as a mattress [modern mats of foam rubber] **éwáá élìyó** mat of that kind, **éwáá èvá** two mats, **éwáá ísì òrèléédé** mat of ancestors.

éwáì *n* creeper that causes itching, **éwáì èvá** two itching creepers.

éwáì *n* mucana bean, devil bean, **éwáì èvá** two mucana beans.

éwáùdókò *n* type of itch weed, **éwáùdókò èvá** two itch weeds. cf. **éwáì** itching creeper, **ùdókò** machete.

éwèlò *n* act of sweeping. **éwèlò lí ò rìì lí èdèdé**. It is sweeping that he has been doing all this while. cf. **welọ** to sweep.

eye *v tr* to tilt (CPA, CPR, *C, *H) *eye fi a*, <u>ò</u> éyé <u>ó</u>lí óràn fí à. He tilted the wood aside.; *eye fi <u>ọ</u>*, <u>ò</u> éyé <u>ó</u>lí óràn fí <u>ó</u> vbì òtòì. He tilted the wood onto the ground. **èyè <u>ọì</u> fí <u>ó</u> vbì òtòì**. Tilt it onto the ground.; *eye sh<u>oo</u> vbi re*, <u>ó</u> éyé úhùnmì sh<u>óó</u> vbí óràn ré. He tilted the wood way off his head.; *eye vbi re*, <u>ó</u> éyé úhúnmí vbí óràn ré. He tilted the wood off his head.

ézè *n* handle of a bladed instrument, **ézé élìy<u>ó</u>** handle of that kind, **ézè èvá** two handles, **ézé ísì <u>ó</u>pìà** cutlass handle.

ézé *n* heel. **ézé <u>óò</u>**. It's a heel.

ézéòè, ézéàwè *n* heel of foot, **ézéóé ísì òjè** Oje's heel, **ézéáw<u>é</u> ísì òjè** Oje's heels. cf. **ézè** handle, **ò<u>è</u>**, **àw<u>è</u>** leg.

èzù *n* indifference; **bi èzù gbe** *tr* to ignore [only in imperative constructions] **bì èzù gbé òjè**. Ignore Oje. lit. Move indifference against Oje.

E

e *pstv part* onto [only with ku or fi and human noun complement] **òjè kú àm<u>è</u> kú ẹ́ òhí**. Oje splashed water onto Ohi. **àm<u>è</u> kú kú ẹ́ òhí**. Water spilled onto Ohi.

ẹ *v tr* to say [obligatory SEQ particle, optional resumptive pronoun and extraposed complement] (CPA, *CPR, *C, *H)

ẹ khi, **ó**lí **ómóhé ré é khí ó**lì **òkpòsò gbé ó**lí **ófè**. The man said that the woman killed the rat. **ólí ómóhé ré é óí khí ólì òkpòsò gbé ólí ófè**. The man said that the woman killed the rat.; *ẹ li* to say, urge. **ólí ómóhé ré é lí ólí ókpósó gbè ò**lí **ófè**. The man urged the woman to kill the rat. The man said that the woman should kill the rat. **ólí ómóhé ré é óí lí ólí ókpósó gbè ò**lí **ófè**. The man urged the woman to kill the rat. The man said the woman should kill the rat.; *ẹ si* to ask, wonder whether. **ólí ómóhé ré é sí ólì òkpòsò gbé ófè**. The man wondered whether the woman killed the rat. The man asked whether the woman killed the rat. **ólí ómóhé ré é óí sí ólì òkpòsò gbé ólí ófè**. The man wondered whether the woman killed the rat. The man asked whether the woman killed the rat.; *ẹ IQ* to ask, wonder. **ólí ómóhé ré é ébé' ólí ókpósó í gbé ólí ófè**. The man wondered how the woman killed the rat.; *ẹ DQ* to say. **ólí ómóhé ré é óí, "ólì òkpòsò gbé ólí ófè."** The man then said it, "The woman killed the rat."

ẹ *v tr* to say [obligatory third person agreement particle and extraposed complement clause] (*CPA, CPR *C, *H) *ẹ khi*, **ólí ómòhè ò é óí khí ó**lì **òkpòsò gbé ó**lí **ófè**. The man said that the woman killed the rat.; *ẹ li* to say, urge. ólí ómòhè ò é óí lí ólí ókpósó gbè ọ̀lí ófè. The man said that the woman should kill the rat. The man urged the woman to kill the rat.; ẹ si to ask, wonder whether. ólí ómòhè ọ̀ é óí sí ólì òkpòsò gbé ófè. The man asked whether the woman killed a rat. The man wondered whether the woman killed a rat.; ẹ IQ to ask. ólí ómòhè ọ̀ é óí ébé' ólí ókpósó í gbé ọ́lí ófè. The man asked how the woman killed the rat. The man wondered how the woman killed the rat.

ẹ v compl tr to tell to [obligatory third person agreement particle] (CPA, CPR, *C, *H) ólí ómòhè ọ̀ é òhí gbè ọ̀lí ófè. The man told Ohi to kill the rat.; ẹ khi, ólí ómòhè ọ̀ é òhí khí ọ́lì òkpòsò gbé ọ̀lí ófè. The man told Ohi that the woman killed the rat.; ẹ li to tell, urge to. ólí ókpósó ọ́ é òhí lí ọ́ í gbè ọ̀lí ófè. The woman told Ohi that he should kill the rat. The woman urged Ohi to kill the rat.; ẹ si to ask whether. ólí ómòhè ọ̀ é òhí sí ọ́lì òkpòsò gbé ọ́lí ófè léé. The man asked Ohi whether the woman already killed the rat.

ẹ v compl tr to tell to [obligatory SEQ particle] (CPA, *CPR, *C, *H) ólí ómóhé ré é òhí gbè ọ̀lí ófè. The man told Ohi to kill the rat. ólí ókpósó ré é ólí ómóhé gbè ọ̀lí ófè. The woman then told the man to kill the rat. ólí ómóhé ré é òhí, "gbè ọ̀lí

ófè." The man told Ohi, "Kill the rat." ólí ómóhé ré é òhí, "ọ́lì òkpòsò gbé ọ́lí ófè." The man told Ohi, "The woman killed the rat."

ébèè n calamity, natural disaster, destructive natural force. ébèè rúánì. A natural disaster has happened.; zẹ ébèè tr to antagonize [only in negative constructions] í ì zẹ̀ ébéé ísì ọ̀íá ọ́sò. I have not antagonized anyone. lit. I have not expressed a calamity for some person.

èbèlè n waistline, ébẹ́lẹ́ ísì òjè Oje's waistline.

èbèn n traditional sword [Bini traditional sword with oblong shape] ébén élìyó oblong sword of that kind, èbèn èvá two oblong swords.

èbì n bile. èbì óò. It's bile. úkpèbì gall bladder.

èbò n shrine. èbò óò. It's a shrine. èbò khà fún gbè, ìùmì zẹ̀ óí vbì èò. When a shrine is too kind, weeds grow on it. cf. bo to divine.

èchà n reed buck, èchà èvá two reed bucks.

èchìè n pod-like melon, èchìè èvá two pod-like melons.

èchìè n type of charm, èchìè èvá two charms of this type.

édà n river, édà èvá two rivers, édá ísì òkè Oke river, úvbíédà stream.

èdà n affliction of females causing failure to produce offspring.

èdà óò. It's the female reproductive sickness.

ẹ́dèkìn *n* market day. ẹ́dèkìn óò. It's market day. cf. ẹ́dè day, èkìn market.

ẹ́dè *n* day, ólí ẹ́dè the day, úkpẹ́dè, íkpẹ́dè single day; nwu ẹ́dè ye *tr* to do early (CPA, *CPR, *C, H) àlèkè nwú ẹ́dè yé èkìn. Aleke went early to the market. lit. Aleke took hold of the day and moved toward the market.

èdèdé *pstv adv* moments ago, earlier, a while ago. ólí ókpósó é ólí émáé èdèdé. The woman ate the food moments ago. éghè ólí ómóhé rẹ́ é ólí émàè? When did the man eat the food?; ~ *n* èdèdé óò. It's a while ago. cf. ẹ́dè day.

ẹ́dèédè *pstv adv* daily, everyday. ólí ómóhé ó ò è èmáé ẹ́dèédè. The man eats food daily. ísí ékà lí ó ò è èmáé vbí úkpè? How often does he eat food in a year?; ~ *n* ẹ́dèédè óò. It's everyday. cf. ẹ́dè day.

ẹ́dèhì *n* day of death, day of fate. á ì èèn ẹ́dèhì. One's day of fate is not known.; ~ *n* ẹ́dèhì óò. It's the day of fate. cf. ẹ́dè day, èhì fate.

ẹ́dèíkhèdé *n* whenever, whichever day, anyday. ẹ́dèíkhèdé lí ójé várè, á ló gbè òlí éwè. On whichever day Oje comes, the goat will be killed. It is whenever Oje comes that we will kill the goat. cf. ẹ́dè day, í SC, khi cop, ẹ́dè day.

èdèlákhò *pstv adv* the very day of tomorrow [emphatic form of ákhò] ólí ókpósó ló nyè èmáé èdèlákhò. The woman will prepare food that very tomorrow.; ~ *n* èdèlákhò óò. It's that very tomorrow. cf. ẹ́dè day, li R, ákhò tomorrow.

èdèléènà *pstv adv* the very day of today [emphatic form of éèna] ólí ókpósó ló nyè èmáé èdèléènà. The woman will prepare food this very day.; ~ *n* èdèléènà óò. It's this very day. cf. ẹ́dè day, li R, éènà today.

èdèlòtíàkhó *pstv adv* the very day after tomorrow [emphatic form of òtíàkhò] ólí ókpósó ló nyè èmáé èdèlòtíàkhó. The woman will prepare food that very day after tomorrow.; ~ *n* èdèlòtíàkhó óò. It's the very day after tomorrow. cf. ẹ́dè day, li R, òtíàkhò day after tomorrow.

èdèlùsúmù *pstv adv* nine days from today [emphatic form of ùsúmú] ólí ókpósó ló nyè èmáé èdèlùsúmù. The woman will prepare food nine days from today.; ~ *n* èdèlùsúmù óò. It's nine days from today. cf. ẹ́dè day, li R, ùsúmù nine day interval.

èdìdé *n* gourd tray, large calabash, èdìdé élìyó gourd tray of that kind, èdìdé èvá two gourd trays.

ẹ́dìfètìán *n* day of rest, holiday. ẹ́dìfètìán óò. It's a day of rest. cf. ẹ́dè day, ìfètìán rest.

édìgbèhó *n* free day, day off from work. édìgbèhó óò. It's a day off from work. cf. édè day, ìgbèhó lazyness.

édìhèèn *n* same day. rè èmáé ísì édìhèèn ní ámàì. Give the food of the day to us. Give us our daily meal. cf. édè day, ìhèèn period of time [for older generation].

èdó *n* Bini people and their language. àlèkè ò ó zè ùróó èdó. Aleke is speaking Bini.; ~ *n* Benin City. àlèkè rîî vbì èdó. Aleke is in Benin City.

èdòláàkúré *n* Edo speaking people in Akure. èdòláàkúré óò. He is an Edo person of Akure origin. cf. èdó Edo, láá from, àkúré Akure.

édòkpá *n* certain day [frequent introduction in traditional oral narratives] édòkpá kéé óó' rè. After this day almost arrive. cf. édè day, òkpá one.

édòsè *n* Sunday. édòsè óò. It's Sunday. cf. édè day, òsè church.

édúkpè *n* festival day. édúkpè óò. It's a festival day. cf. édè day, úkpè festival.

è *pro* you [second person singular direct object] òjè záwó è. Oje saw you.

èé *pro* your [second person singular possessive, assimilates to final vowel of preceding noun] ékpá ísì èé your bag, óhá á your wife, ódón ó your husband.

èè *inter* yes. cf. hee yes.

ee *v compl tr* to entice, nudge, inveigle (CPA, CPR, *C, *H) òjè éé àlèkè díànré. Oje enticed Aleke out. èè óì díànré. Entice her out. ò éé óì gbé ófè. He enticed him into killing a rat. ó éé ólí óvbèkhàn húá éràn. He nudged the youth into carrying the wood. èè òlí óvbèkhàn khúéé ólì ìbè. Nudge the youth into playing the drum. òjè éé ólí éwè ó vbì ìwè. Oje enticed the goat into the house. èè óì ó vbì ìwè. Entice it into the house. ò éé ódón óì shóó vbì ìwè ré. She enticed her husband way out of the house.; *kpaye ee*, òhí kpáyé òjè éé ólí éwè ó vbì ìwè. Ohi enticed the goat into the house in lieu of Oje.; *re ee*, ò ré ókà éé ólí éwè ó vbì ìwè. He used maize to entice the goat into the house. ó ré égbè éé óhá óì shóó vbì ìwè ré. He used his body to entice his wife out of the house.

ee *v intr* to fret, worry; ee ku a to fret away, worry a lot (CPA, *CPR, C, *H) óbá' éé kù á. The Oba fretted away. The Oba was fraught with worry.

ee *v tr* to tire, make tired (*CPA, CPR, *C, *H) ólì òbìà éé mè. The work tired me. égbè éé ólí ómóhe. The man is tired. lit. His body tired the man. ísón úkpòlómì éé óì. Gathering feces tired him. ò éé ólí áwà. It tired the dog.

éé *pstv adv* effortlessly, with ease. **ò dín ó vbí úkpódé éé**. He got on the road with ease. **ó fé émóí éé**. He died just like that. lit. He slipped the matter out effortlessly.

ééáìn *pstv adv* some time ago [indefinite time in the past] **ó váré ééáìn**. He came some time ago. **ójé hían órán ééáìn**. Oje cut wood some time ago.

een *v intr* to scamper, crawl [of insects] (*CPA, *CPR, C, H) **émì ò ó èèn mé vbí égbè**. Something is crawling on my body.; *een raale*, **ólí édó' één ráálè**. The termites scampered away. **ólí édó' één ràálé**. The termites are scampering away.; *een shan*, **ólí édó' ò ó èèn shán**. The termites are scampering about.

een *v intr* to interact, perform affairs of life (*CPA, *CPR, C, H) **yán à èén**. They interact.; **een úèèn** *tr* to conduct, perform, interact about affairs. **yán à èèn ùéén ísì iyáín**. They interact about their affairs. **yà één úéén ísì èé**. Start conducting your affairs.; **een úèèn** *tr* to exhibit, manifest behavior (CPA, CPR, *C, H) **ò één úéén lì òbè**. She exhibited bad behavior. She behaved badly. **yàn één úéén lì èsèn**. They exhibited good behavior. **yà één úéén lì èsèn**. Start exhibiting good behavior.; *een úèèn ye*, **ólì òkpòsò één úéén lì**

òbè yé ólí ómòhè. The woman behaved badly toward the man.

een *v intr* to know (*CPA, CPR, *C, *H) **ì éénì**. I knew.; **een** *tr* to know well how to (CPA, CPR, *C, H) **ólí ókpósó ó ò èén dùmè émà**. The woman knows how to pound yam well. **ólì ògèdè í ì één èghén**. The plantain is not very tasty. lit. The plantain does not know how to be tasty. **ólí ókpósó ó ò één nyè émàè**. The woman knows how to cook food well. **ó ò één sò úkpùn**. She knows how to sew cloth well.; **een** *tr* to know well, have information about [rejects abstract nouns] (*CPA, CPR, *C, H) **ólí óvbèkhàn één òjè**. The youth knew Oje. **ólí óvbèkhàn één émì gbé**. The youth knew too many things. **ólí óvbèkhàn één áfúzé'**. The youth knew Afuze.; *een khi* to know that (CPA, CPR, *C, *H) **ólì òkpòsò ééní khí ólí ómòhè gbé ólí ófè**. The woman knew that the man killed the rat.; *een si* to know whether [only non-declaratives] **ólí ómòhè ééní sí ólì òkpòsò gbé ólí ófè?** Did the man know whether the woman killed the rat? **ólí ómòhè í ì èén sí ólì òkpòsò gbé ólí ófè**. The man did not know whether the woman killed the rat.; *een IQ* to know (CPA, CPR, *C, *H) **ólí ómòhè één ébé' ólí ókpósó í gbé ólí ófè**. The man knew how the woman killed the rat.

een émí lí ọ́há á lí éghàyò *tr* to engage a female in sexual intercourse for first time (CPA, CPR, *C, *H) ọ́ lọ́ èèn èmí lí ọ́há á lí éghàyò. He will have sex with his newest wife. lit. He will know something from his youngest wife.

éènà *pstv adv* today. ọ́ é ọ́lí émáé éènà. He ate the food today. éghè ọ́lí ọ́mọ́hé lọ́ rè é ọ́lí émàè? When will the man eat the food?; ~ *n* today. éènà ọ́ọ̀. It's today. égbíá éènà the morning of today, ódíámí éènà the afternoon of today, énwáá éènà the evening of today, ásọ́n éènà tonight, ùsúmú éènà nine days from today. éènà lí ọ́ ú ọ́í íkpẹ́dè èvá. It was two days ago from today that he did it.

éẹ́óvbèé *pstv adv* another time [indefinite temporal reference] é lọ́ bìà ọ̀lí óbíá éẹ́óvbèé. They will do the work some other time. cf. ẹ́lè period of time, ọ́vbèé another.

éèsè greeting, hello [greeting shared with Ora and Iuleha people].

èfè *n* wealth, riches, luxury, possessions, éfé élìyó wealth of that kind. èfòkpá one part or portion of wealth.

èfọ́ *n* leafy vegetables [excludes beans and maize] èfọ́ élìyọ́ leafy vegetable of that kind, èfọ́ èvá two leafy vegetables, úkhùn èfọ́ bunch of leafy vegetables.

ègéé' *n* large pot of wrought iron with three supports, ègéé' élìyó large wrought-iron pot of that kind, ègéé' èvá two large pots, úvbìègéé' small large pot.

égéègén *n* base of, underneath, beneath, égéègén óràn at the base of a tree, underneath a tree. cf. ègèìn under.

ègègèlúkpá' *n* farm path. ègègèlúkpá' èvá two paths.

ègèìn *n* crotch, égéín ísì òjè Oje's crotch; ~ *n* under, below, égéín ìtébù under the table. ọ́lí ófè rîì vbí égéín ìtébù. The rat is under the table. cf. égéègén underneath.

ègèlè *n* pubic region, égélé ísì òjè Oje's pubic region, úkpègèlè penis.

égénòbìà *n* place of employment or work, égénóbíá ísì òjè Oje's place of employment. cf. ègèìn under, òbìà work.

ègò *n* bowleggedness, égó ísì òjè Oje's bowleggedness; gbe ègò *tr* to become bowlegged (CPA, CPR, *C, H) ọ̀ gbé ègò. He became bowlegged. lit. He developed bowleggedness.

ègùàì *n* palace, meeting place of village council, égúáí élìyó palace of that kind, égúáí ísì íèjè council for chiefs.

ègúé *n* hoe, ègúé élìyó hoe of that kind, ègúé èvá two hoes, úkpá ísì ègúé tip for the hoe, úkpègúé hoe tip. úkpègúé gúóghọ́ à. The hoe tip broke.

ègúígbàn *n* hoe type particular to Ebira people, **ègúígbán élìyó** Ebira hoe of that kind, **ègúígbàn èvá** two Ebira hoes. cf. **ègúé** hoe, **ígbàn** thorn.

ègùlè *n* thicket [for older generation] **ègùlè óò**. It's a thicket. cf. **ègùn** thicket [for younger generation].

ègùn *n* thicket, thick bush where animals hide, **égún élìyó** thicket of that kind, **ègùn èvá** two thickets. cf. **ègùlè** thicket [for older generation].

ègúó' *n* large hoe requiring bowed body posture, **ègúó' èvá** two large hoes. cf. **ègúé** hoe, **úó'** chimpanzee.

ègbá *n* armlet, **ègbá élìyó** armlet of that kind, **ègbá èvá** two armlets.

egbe *v tr* to assume, suppose, expect (CPA, *CPR, *C, *H) *egbe khi*, **ólí ómóhé égbé khí ólì òkpòsò gbé ólí ófè**. The man assumed that the woman killed the rat. The man supposed the woman killed the rat. **ólí ómóhé égbé khì yòn gbé ólí ófè**. The man assumed that he (himself) killed the rat.

ègbé *n* society, union, association [Yoruba] **ègbé èvá** two unions. **ò rîì vbí ègbé ísì òsùsù**. He is in the cooperative society.

égbèén *pstdet* eight hundred, **ímòhè égbèén** eight hundred men; ~ *pro* eight hundred, **égbèén vbí élí ívbékhán** eight hundred of the youths.

égbèénègbòìgbé *pstdet* one thousand [traditionally uncountable number] **élì ìkpòsò égbèénègbòìgbé** one thousand women; ~ *pro* one thousand, **égbèénègbòìgbé vbí élí íkpósó** one thousand of the women.

ègbígbá'n *n* Diospyros monbutlensis plant exhibiting prominent thorns [represents household deity] **ègbígbá'n èvá** two household deity plants.

ègbòé *n* perimeter yam heaps in a plot of land [larger in size than those within, delimits traditional plots of 20 heaps by 20 heaps] **ègbòé óò**. They're perimeter yam heaps.

ègbó *n* boastfulness, boastful state, claim of extraordinary deeds, **ègbó élìyó** boastfulness of that kind; **de ègbó** *tr* to be boastful (*CPA, *CPR, C, H) **ò ó dè ègbó gbé**. He is too boastful. lit. He is reaching boastfulness too much.

éghè *pstv adv* time, **éghé lì ìghééghé** time in the past, **éghé lí ó ráá áìn** later on, afterwards, **ólí éghé áìn** at that time, **éghé ósò** sometimes, occasionally. **ó ò yè ìmé éghé ósò**. He goes to the farm sometimes. **éghé lì òù** time of occurrence. **í yì èghé lì òù?** Which indicates the time of occurrence. **éghé ísì àúgó' èvá** two o'clock; ~ *n* time, **éghé èrèmé** all the time, **éghé òkpá** one time. **ólí óvbèkhàn fóó éghè á**. The youth wasted time.

ìfètìán í ì m<u>òè</u> **éghè**. There's no appropriate time to rest. lit. Rest does not have time. **<u>ó</u> é émáé <u>ó</u> vbí éghè**. He ate food on (account of) time. **<u>ó</u> ì sé gbè èkpén vbí ólí éghè**. He still did not kill the leopard at the time. **ójé ó vbí <u>é</u>kóá vbí éghé ísì àúgó' èvá**. Oje entered the room at two o'clock.; **m<u>oe</u> éghè** *tr* to respect time [only in negative constructions] **úù í ì m<u>òè</u> éghè**. Death does not respect time. lit. Death does not have time. **èfè í ì m<u>òè</u> éghè** Riches are always welcome. lit. Riches do not have time.

éghé *n* the time that, when [relative clause head, requires R particle and marked melody subject] **<u>ó</u> ó vbí íwé éghé lí <u>ó</u> ré míé òhí**. He entered the house at the time when he saw Ohi. **òjè één éghé lí <u>ó</u>lí ókpósó r<u>é</u> vál<u>ó</u> ólí éwè**. Oje knew when the woman butchered the goat. cf. **<u>ó</u> ló ò vbí íwé éghé lí <u>ó</u> míé òhí**. He will enter the house if he sees Ohi.

éghè *pro* when [requires SEQ particle but optional PF particle] **éghè ólí ókpósó ré vál<u>ó</u> ólí éwè?** When did the woman butcher the goat? **éghè lí <u>ó</u>lí ókpósó ré vál<u>ó</u> ólí éwè?** When did the woman butcher the goat?

éghéáìn *pstv adv* at that time [indefinite temporal reference] **<u>ó</u> ò khù ìhúá éghéáìn**. He goes

hunting at that time. cf. **ólí éghé áìn** that very time [definite reference] cf. **éghè** time, **áìn** that.

èghèèbúlè *n* weakling, weak person. **èghèèbúlè óò**. He's a weakling.

èghèéghè *pstv adv* all the time, every time, frequently, always, often. **ólí ómóhé ó ò dà ènyó éghèèghè**. The man drinks wine all the time. **ísì ékà ólí ómóhé ó ò è émàè?** How often does the man eat food?; ~ *n* all the time. **éghèéghè óò**. It's all the time. cf. **éghè** time.

èghéènà *pstv adv* recently, just now. **ólí ómòhè gbé ékpén èghéènà**. The man has killed a leopard just now. **éghè ólí ómóhé ré gbé èkpèn?** When did the man kill a leopard?; ~*n* just now. **èghéènà óò**. It's just now. cf. **éghè** time, **éènà** today.

éghèíkhèghé *n* any time, whenever. **<u>ó</u> ò várè vbí áán éghèíkhéghè**. He comes here whenever (he wants to). cf. **éghè** time, **i** SC, **khi** be, **éghè** time.

eghen *v intr* to be pleasing, tasty, pleasant (CPA, CPR, *C, H) **ólì àmágò éghéní**. The mango is tasty.; *eghen lee*, **àmágó mè éghén léé ísì òjè**. My mango is more tasty than Oje's.; **eghen** *tr* to please, be pleasant to, like. **ólì òkpòsò éghén ólí ómòhè**. The woman pleased the man. **ólí úkpùn éghén ólí ómò**. The cloth pleased the child. The child liked the cloth. **úéén ìsì ọ̀jé ọ̣ ọ̣ ѐghѐn ọ̀lí ọ́mọ̀hѐ**. The behavior of Oje pleases the man.; *eghen li* to please that (CPA, CPR, *C, *H) **ọ̣ ẹ́ghẹ́n ọ́lí ọ́mọ̀hѐ lí ọ́ í ròò ọ́lì ọ̀kpòsò**. It pleased the man that he should marry the woman. It pleased the man to marry the woman.; **ẹ̀tà eghẹn vbi únù** to use language in an adroit, resourceful manner (*CPA, *CPR, *C, H) **ẹ́tá ọ́ ọ̣ ѐghѐn ọ̀lí ọ́mọ́hé vbí únù**. The man is a convincing speaker. lit. Words please the man at his mouth.; **ẹ́kẹ́ìn eghẹn** to be pleased (CPA, CPR, C, *H) **ẹ́kẹ́ìn ẹ́ghẹ́n ọ̀jѐ**. Oje was pleased. lit. Oje's belly pleased him. **ẹ́kẹ́ìn ọ̣ ọ́ ѐghѐn ọ̀jé khì ọ̣ ló yѐ ѐkó**. Oje is pleased that he is about to go to Lagos.; **eghẹn vbi ẹ́kẹ́ìn** to please (CPA, CPR, *C, H) **úéén ìsì ọ́jé ọ́ ọ̣ ѐghѐn ọ̀lí ọ́mọ́hé vbí ẹ́kẹ́ìn**. The behavior of Oje pleases the man. lit. Oje's behavior pleases the man in his belly. **ọ́lí ínyẹ́mí ẹ́ghẹ́n ọ́lí ọ́mọ́hé vbí ẹ́kẹ́ìn**. The matter pleased the man.; *inyѐmì eghẹn* to engage in, cause palaver (*CPA, *CPR, *C, H) **ínyẹ́mí ọ́ ọ̣ ѐghѐn ọ̀lí ọ́mọ̀hѐ**. The man likes making trouble. The man likes palaver. lit. Palaver pleases the man.

ẹ́ghẹ́ọ́bá' *n* era, rulership, kingdom, **ẹ́ghẹ́ọ́bá' ìsì ìjésù** Jesus' kingdom. cf. **ẹ́ghѐ** time, **ọ́bá'** ruler.

ѐghígháʼn *n* patas monkey [characterized by long tail and branch to branch jumping] **ѐghígháʼn ѐvá** two patas monkeys.

ѐghúghúʼ *n* reptile living in caves along river cliffs, **ѐghúghúʼ ѐvá** two reptiles.

ѐhàì *n* forehead, **ẹ́háí ìsì àlèkè** Aleke's forehead.

ѐhàì *n* fortune, luck. **ọ̣ húnmé ѐhàì**. He has good fortune. lit. He appeased his forehead. cf. **íhùnmѐhàì** good fortune. cf. **íkhòѐhàì** bad luck, ill-fortune.

ѐhѐì *n* yam heap, **ẹ́hẹ́í ẹ́lìyọ́** yam heap of that kind, **ѐhѐì ѐvá** two yam heaps.

ѐhѐìn *n* lie, myth, excuse, **ẹ́héín ẹ́lìyọ́** lie of that kind, **ẹ́héín lì ọ̀bѐ** bad lie; **manọ ѐhѐìn** *tr* to fabricate a lie (CPA, CPR, C, H) **ọ́jé ọ́ ọ̣ mànọ̀ ѐhѐìn**. Oje fabricates lies.; *manọ ѐhѐìn vbiee*, **ọ̀jѐ mánọ́ ѐhѐìn vbíéé ọ̀hí**. Oje fabricated lies for Ohi.; **moe ѐhѐìn** *tr* to tell lies (*CPA, *CPR, C, H) **ọ́jé ọ́ ọ̣ mòѐ ѐhѐìn**. Oje tells lies. lit. Oje possesses lies. **é ѐ kѐ mọ́é ѐhѐìn**. Don't tell lies anymore.; *moe ѐhѐìn vbiee*, **ọ̣ ọ́ mòѐ ẹ́héín vbìѐѐ ọ̀hí**. He is telling lies to Ohi.; **nwu ѐhѐìn vbaa** *tr* to tell lies against (CPA, CPR, C, H) **ọ̀hí nwú ѐhѐìn vbáá ọ̀jѐ**. Ohi lied against Oje. Ohi irritated Oje with lies. lit. Ohi took hold of lies and irritated Oje. **é ѐ nwú ѐhѐìn vbáá ọ̀jѐ**. Don't tell lies against Oje.

ehen *v tr* to build, consruct, make with wood (CPA, CPR, C, H) ólí ómòhè éhén àkpótì. The man built a box. ólí ómòhè éhén ígbàlàkà. The man made a ladder. èhèn àkpótì. Build a box.; *kpaye ehen,* ò kpáyé òjè éhén ígbàlàkà. He helped Oje make a ladder.; *re ehen,* ò ré ìbàbó éhén ígbàlàkà. He used bamboo to make a ladder.; *ehen li,* ólí ómòhè éhén àkpótì lì òjè. The man built a box for Oje.; *ehen ye,* ólí ómòhè éhén ígbàlàkà yé òjè. The man made a ladder for Oje.

ehen *v tr* to mend, repair, fix (CPA, CPR, C, H) ò éhén úvbíághàè. He repaired a knife. òjè éhén ólì ìmátò. Oje repaired the car. èhèn úvbíàghàè. Repair the knife.

ehen *v tr* to prepare charms (CPA, CPR, C, H) ó éhén élì ìkhùnmì. He prepared the charms. èhèn élì ìkhùnmì. Prepare the charms.; *ehen li,* òhí éhén ìkhùnmì lí òjè. Ohi prepared a charm for Oje.

ehen *v tr* to prepare food (CPA, CPR, C, H) ó éhén émàè. He prepared food. èhèn émàè. Prepare food.; *ehen li,* ò éhén émàè lí òjè. He prepared food for Oje.

ehen égbè *tr* to get ready, prepare [only in non-declaratives] òjè í ì èhèn égbè. Oje did not get ready. lit. Oje did not prepare himself. èhén égbè. Get ready.

éhéúkpè *n* first yam heap [formed after first seasonal rainfall] éhéúkpè óò. It's the first yam heap. cf. èhèì yam heap, úkpè year.

èhì *n* spirit, personal spirit, life force, fate, éhí mè my fate, éhí è your spirit. éhí óìà í yà èchè óìà. A person's spirit never calls one. cf. hi to schedule.

èhìò *n* farm work consisting of clearing grass or weeding. èhìò lí ó ò hìò vbí ímè. It is weeding that he does on the farm. cf. hio to weed.

èhìò *n* arrogance, pride. èhìò óò. It's arrogance. cf. hio to be arrogant.

èhò *n* laziness, idleness. èhò óò. It's laziness. èhò óò. He's lazy.; de èhò *tr* to be lazy, idle (CPA, *CPR, *C, *H) ólí ómóhé dé èhò. The man is lazy. lit. The man reached laziness. ólí ómòhè dé èhò gbé. The man is too lazy.; èhò gbe *tr* to become lazy, idle (*CPA, CPR, *C, *H) èhò gbé óì. He became lazy. lit. Laziness overcame him.

èjééjé *pstv adv* quickly, hastily. ò ó wèlò òtóí á èjééjé. She is sweeping the ground quickly.

èká *n* type of charm. èká óò. It's a type of charm.

èkáì *n* wire-mesh container for drying food, èkáí élìyó wire-mesh drying container of that kind, èkáì èvá two wire-mesh drying containers. cf. èsáì wire-mesh dryer.

èkán *n* rectangular, reddish glass beads, **èkán élìyó** reddish glass beads of that kind, **èkán èvá** two reddish glass beads.

ékèé *n* toad, **ékèé élìyó** toad of that kind, **ékèé èvá** two toads, **úvbíékèé** small toad, **ékèé lì ùsán** frog, **ékèé ísì ébè** green leaf frog.

ékéèkéín *n* the extreme bottom position, **ékéèkéín àkpótì** the very bottom of the box.

ékéìn *n* stomach, belly, **ékéín ísì ómò** the child's belly; **fì ékéín** *tr* to become voracious (*CPA, *CPR, *C, H) **ó ò fì èkéìn.** He is voracious. lit. He projects his belly.; **moe ékéìn** *tr* to be unforgiving, vindictive (CPA, CPR, *C, *H) **òjè mòè èkéìn ò.** Oje is vindictive, oh. **ólí ómòhè í ì mòè èkéìn.** The man is not vindictive. lit. The man does not have a belly.; **ékéìn ime** *tr* to be unforgiving, devious, wicked (CPA, *CPR, *C, *H) **ékéín ísì òlí ómòhè ímèì.** The man is a devious person who never forgets a wrong done to him. lit. The belly of the man is deep.; **ékéìn khuankhuan** *tr* to be constipated (*CPA, *CPR, C, *H) **ékéìn ò ó khùànkhúán mè.** I am constipated. lit. My belly is congesting me.; **ùdù gbe o vbi ékéìn** *intr* to be shocked (CPA, CPR, *C, *H) **ùdù gbé ó ójé vbí ékéìn.** Oje was frightened. lit. Oje's heart broke into his belly.; **~** *n* inside,

ékéín ìwè inside the house. **ò rìì vbí ékéín àkpótì.** It is inside the box.

ékéínòbè *n* wickedness. **ò mòè ékéínòbè.** He is wicked. lit. He possesses wickedness. cf. **ékéìn** belly, **òbè** bad.

ékékhérè *n* calamity, iniquity [degree of calamity worse than **ùzà**] **ékékhérè óò.** It's a calamity cf. **ùzà** havoc.

èkò *n* parcel, packet, wrap, **ékó élìyó** parcel of that kind, **èkò èvá** two parcels, **ékó ísì évbèè** parcel for kola nut; **gbalo èkò** *tr* to form a parcel (CPA, CPR, C, *H) **ò gbáló èkò.** He formed a parcel.

ékòó *n* bird nest, **ékòó élìyó** bird nest of that kind, **ékòó èvá** two bird nests, **ékòó ísì àkpíànkpíàn** nest of the hornbill. cf. **koo** to enclose.

ékóà *n* room, sleeping quarters in a house, **ékóá élìyó** room of that kind, **ékóá èvá** two rooms, **ékóá ísì òjè** Oje's room. cf. **óà** house.

èkóká'n *n* tragedy. **èkóká'n óò.** It's a tragedy.

ékòmì *n* edible seeds or grains of beans, berries, cow peas, maize, rice. **ékòmì óò.** They're seeds. cf. **íkpékòmì** plant seeds.

èkún *n* African pipetadenia, very large tree with greyish bark and small flat seeds in a pod [valued for its timber] **èkún èvá** two African pipetadenia trees.

ékhèdéà *pstv adv* day before
yesterday. ójé hián ólí órán
ékhèdéà. Oje cut the wood the
day before yesterday. éghè ójé
ré vàré? When did Oje come?

èkhíguàkpà *n* file snake, èkhí-
guàkpà èvá two file snakes.

ékhìì *n* cripple, paralyzed person,
ékhìì èvá two cripples,
úvbíékhìì small crippled person
[insult]; de ékhìì *tr* to be
crippled (CPA, CPR, *C, *H)
òjè dé ékhìì. Oje is crippled. lit.
Oje reached crippledness.; ku
ékhìì *tr* to become paralyzed.
òjè kú ékhìì. Oje became
paralyzed. lit. Oje developed
crippledness.

ékhìì *n* bush baby, Bosman's Potto,
ékhìì èvá two bush babies.

èkhòì *n* shame, ékhóí lì òkhúá a
great shame; èkhòì o *tr* to be
ashamed, disgraced (CPA,
CPR, C, H) èkhòì ó òì. He is
ashamed. lit. Shame entered
him.; re èkhòì o *tr* to disgrace,
make ashamed. òhí ré èkhòì ó
òjè. Ohi disgraced Oje. lit. Ohi
made shame enter Oje. ólí
úkpùn ò ó rè èkhóí ò òjè. The
cloth is making Oje ashamed.
úéén ísì òjè ò ó rè èkhóí ò òhí.
The behavior of Oje is making
Ohi ashamed.; la èkhòì *tr* to be
shy (*CPA, *CPR, C, H) ò ó là
èkhóí ísì òjè. He is shy in Oje's
presence. lit. He is flowing with
shame for Oje.

èkhù *n* obstruction arranged by
rodents preventing access to

their hole, ékhú élìyó rodent
obstruction of that kind, èkhù
èvá two rodent obstructions.

èkhùè *n* mouse, èkhùè èvá two
mice.

èkhúévbù *n* maladjusted person.
èkhúévbù óò. It's a malad-
justed person.

èkhùn *n* giant ground pangolin,
èkhùn èvá two giant ground
pangolins, úvbìèkhùn small
giant ground pangolin.

èkpà *n* bag, pocket, ékpá élìyó bag
of that kind, èkpà èvá two bags.

ékpé' *n* hawk, ékpé' élìyó hawk of
that kind, ékpé' èvá two hawks.

ékpéghó' *n* bag of money,
ékpéghó' élìyó money bag of
that kind, ékpéghó' èvá two
money bags. cf. ékpá ísì éghó'
bag for money.

èkpètè *n* traditional wooden throne,
stool, bench ékpété élìyó
traditional stool of that kind,
èkpètè èvá two traditional
stools.

èkpèìn *n* lymph glands; re èkpèìn
sa to make lymph glands swell
(*CPA, CPR, *C, *H) ólì èmàì
ré èkpèìn sá mè. The wound
has caused my lymph glands to
swell. lit. The wound made
lymph glands sting me.

èkpèn *n* leopard, èkpèn èvá two
leopards, úvbìèkpèn small
leopard, óvbì èkpèn leopard
cub.

èkpèrè *n* groin. ó fí ójé émí vbì
èkpèrè. He hit Oje with

something in the groin.; ~ *n* inside groin pocket in trousers, èkpéré élìyó groin pocket of that kind, èkpèrè èvá two groin pockets. ò nwú éghó' ó vbì èkpèrè. He put money in his groin pocket.

èkpìdòhó *n* sizeable jute sack [for game or gari] èkpìdòhó élìyó jute sack of that kind, èkpìdòhó èvá two jute sacks. cf. èkpà bag, ìdòhó jute.

èkpíjé'n *n* bag of charcoal, èkpíjé'n élìyó charcoal bag of that kind, èkpíjé'n èvá two full charcoal bags. èkpíjé'n óò. It's a charcoal bag. cf. èkpà bag, íjé'n charcoal. cf. èkpá ísì íjé'n bag for charcoal.

èkpóhìàn *n* leather bag, èkpóhíán élìyó leather bag of that kind, èkpóhìàn èvá two leather bags, èkpóhíán ísì òjè leather bag for Oje. cf. èkpà bag, óhìàn leather.

èkpómò *n* womb, èkpómò èvá two wombs. èkpómò óò. It's a womb. cf. èkpà bag, ómò child.

élà *predet* last, most recent [only with temporal nouns] élá égbíà the past morning, élá ódíámì the past afternoon, élá énwáá the past evening, élá èkhèdèà last day before yesterday, élá ásòn last night. ò váré élá ééáìn. He came some time ago (from the moment of utterance). cf. élèì time [for older generation]. cf. éléí làà úkpè time period from past year.

èlébé' *n* state of overcoming hardships on daily basis; fi èlébé' *tr* to strive (*CPA, *CPR, C, H) ò ó fi èlébé'. He is striving. lit. He is projecting his struggling.

élèlà *predet* last, most recent [emphatic form only with temporal nouns] élélá ásòn the past night, élélá òdè yesterday, the past yesterday. ò váré élélá òdè. He came this very yesterday. éghè ólí ókpósó ré vàré? When did the woman come? cf. élèì time [for older generation] làà from.

èlùbó *n* yam or plantain flour [Yoruba] èlùbó óò. It's yam flour.

èmàì *n* wound, sore, ulcer, infection, boil, cut, émáí élìyó wound of that kind, èmàì èvá two wounds. àlèkè mòè èmàì. Aleke has an ulcer.

émáùtùhí *n* boil swollen to a small tip [no pus] émáùtùhí élìyó boil of that kind, émáùtùhí èvá two boils; émáùtùhí nwu *tr* to have a boil (*CPA, CPR, *C, *H) émáùtùhí nwú óì. He has a boil. lit. The boil took hold of him.; émáùtùhí ze vbi *intr* to develop a boil on. émáùtùhí zé óí vbì àwè. He developed a boil on his leg. lit. A boil grew on his leg. cf. èmàì wound, ùtùhí swollen mushroom root.

èmé *pro* mine [first person singular possessive] ísì èmé mine. ólí úkpùn í ì vbì ísì èmé. The cloth is not mine. cf. mè my.

émè *pro* me [first person singular indirect object] òjè nwú ólí úkpùn ní émè. Oje gave the cloth to me.

émèlá, ímèlá *n* domesticated cow, émèlá élìyó cow of that kind, émèlá èvá two cows, úvbíémèlá small cow, óvbí émèlá calf.

émèlúgbó' *n* bush cow, émèlúgbó' èvá two bush cows. cf. émèlá cow, úgbó' rainforest.

émìémì *n* lizard [red-headed male and greenish female] émìémí élìyó lizard of that kind, émìémì èvá two lizards.

èmímá' *n* boil or swelling on the groin. èmímá' óò. It's a groin boil.; èmímá' nwu *tr* to have a groin boil (CPA, CPR, *C, *H) èmímá' nwú òì. He has a groin boil. lit. A groin boil took hold of him. cf. èmàì boil.

èmòì *n* matter of discussion, case, issue, affair, èmòì èvá two cases; fe èmòì éé *tr* to die with ease (CPA, CPR, *C, *H) ó fé émóí éé. He died just like that. lit. He slipped the matter out effortlessly.; gbe èmòì *tr* to be dead (CPA, CPR, *C, *H) òjè gbé èmòì. Oje is dead. lit. Oje killed his matter.; u èmòì *tr* to gossip, be meddlesome (*CPA, *CPR, *C, H) élí íkpósó ó ò ù èmòì. The women gossip. The women engage in gossip. é è kè ú èmòì. Don't gossip anymore.; ~ *n* social trouble. ó ò tò vbí èmòì. He is fond of trouble.; o

vbi èmòì *intr* to get in trouble (*CPA, CPR, *C, *H) òhí ó vbì èmòì. Ohi got into trouble. lit. Ohi entered trouble.; ~ *n* fault [only with negatives] ó ì è vbí émóí mè. It is not my fault.

èmù *n* sharpness of an instrument for cutting, émú ísì òlí ópìà the sharpness of the cutlass. òlí ópìà mòè èmù. The cutlass is sharp. lit. The cutlass possesses sharpness.

ènén greeting (usually emphatic).

ènhén *inter* of course [indicates message being received].

ènyáà *pstv adv* just now. òlí ómòhè ò ó è òlí émáé ènyáà. The man is eating the food just now. òlí ómòhè ló è òlí émáé ènyáà. The man is about to eat the food just now. òlí ómòhè óó' nwù òlí émà lí òlí ókpósó ènyáà. The man went to give the yam to the woman just now. í yì èghé lì òù? Which indicates its time of occurrence?; ~ *n* ènyáà óò. It's just now.

ényátó' *n* shrub with leaves for preparing a broth [treats cold affliction locally known as "coated tongue"] ényátó' èvá two coated-tongue leaf shrubs. cf. ényò wine, átó' grassland.

ényébè *n* emerald snake, relatively thin green snake, ényébè èvá two emerald snakes. cf. ényè snake, ébè leaf.

ényè *n* snake, viper, ényé élìyó snake of that kind, ényè èvá two vipers.

ényédà *n* eel, ényédà èvá two eels. cf. ényè snake, édà river.

ènyéènyáà *pstv adv* just now, right now [emphatic form] ò ó dà òlí ényó ènyéènyáà. He is drinking the wine just now. cf. ènyáà just now.

ényíkpìkó *n* raffia palm-wine. ényíkpìkó óò. It's raffia palm-wine. cf. ényò wine, íkpìkó raffia palm.

ényòìì *n* sweet blackberry syrup [from boiled and sifted íkpòìì seeds] ényòìì óò. It's sweet blackberry syrup. cf. ényò wine, òìì Vitex doniana tree.

ényò *n* wine, gin brewed in traditional fashion, fermented drink excluding spirits or whiskey, ényó élìyó wine of that kind; ényò dume a *tr* to be completely overtaken with wine (CPA, CPR, *C, *H) ényò dúmé ólí ómòhè á. The man is stone drunk. lit. Wine pounded the man down.; ényò gbe *tr* to be overcome by wine (CPA, CPR, *C, *H) ényò gbé òjè. Oje was dead drunk. lit. Wine overcame Oje.; ényò nwu *tr* to become drunk (*CPA, *CPR, C, H) ényò ò ó nwú òì. He is becoming drunk. lit. Wine is taking hold of him.

ényògèdè *n* plantain wine. ényògèdè óò. It's plantain wine. cf. ényò wine, ògèdè plantain.

ényókà *n* maize wine. ényókà óò. It's maize wine. cf. ényò wine, ókà maize.

ényúdìn *n* palm wine. ényúdìn óò. It's palm wine. cf. ényò wine, údìn oil palm.

èò *n* face, eye, èò èvá two faces, úkpèò, íkpèò eye, ómèò eyeball; ~ *n* outer surface, front, èò èvá two cloth surfaces, éó ísì úkpùn outer surface of cloth, front of a cloth.

èòkhàmíásòn *n* Cassia tora shrub, Senna obtusifolia, èòkhàmíásòn èvá two Cassia tora shrubs. cf. ásòn night.

èòmìèó *n* broad daylight, public view. òjè ò ó zè ìzóbó vbì èòmìèó. Oje is making a sacrifice in broad daylight. cf mie see, èò eye.

èrà *n* African civet cat, genet cat [prowls at night, irregularly spotted like leopard] èrà èvá two civet cats.

èràì *n* pond in forest, watering hole for animals, èràì èvá two ponds, úvbìèràì small pond.

èrèè *n* chalk, local limestone powder [positive cultural significance] èrèè èvá two pieces of chalk, údùèrèè, ídùèrèè lump of chalk, éréé lì òfùàn white chalk.; gbe èrèè to spread, apply chalk (CPA, CPR, *C, *H) òjè gbé èrèè. Oje spread chalk (on himself). lit. Oje positioned chalk. gbè èrèè. Apply chalk.; *gbe èrèè li*, òhí gbé èrèè lí òjè. Ohi spread chalk (on himself) for Oje.

èrèè *n* blood, éréé ísì òjè blood of Oje, úkpèrèè drop of blood.

èrèrè *n* soft spot on the head behind forehead, **éréré ísì ómò** child's soft spot.

èréèré *n* bloody. **èréèré óò**. It's bloody. **ólí ékén ú èréèré**. The sand is bloody. cf. **èrèè** blood.

érùè *n* deer, **érùè èvá** two deer.

èsáì *n* wire-mesh dryer, rack over a fire [for drying meat] **èsáí élìyó** wire-mesh dryer of that kind, **èsáì èvá** two wire-mesh dryers. cf. **èkáì** wire-mesh dryer.

ésè *n* favor, gratitude, act of kindness, **ésé élìyó** favor of that kind. **ésè èvá** two favors; **een ésè** *tr* to be grateful (CPA, CPR, *C, *H) **òjè één ésè**. Oje is grateful. lit. Oje exhibited gratitude.; **gbe o vbi ésè** *tr* to repay with disfavor (CPA, CPR, *C, *H) **ò gbé mè ó vbí ésè**. He repaid me with ingratitude. lit. He beat me in exchange for a favor.; **khueme ésè** *tr* to express, show with gratitude (*CPA, *CPR, C, H) **ójé ó ò khùèmè ésè**. Oje expresses his gratitude. lit. Oje thanks with gratitude.; **u ésè** *tr* to do a favor (CPA, CPR, *C, *H) **òjè ú ésè**. Oje did a favor.; **u ésè li, òjè ú ésè ní émè**. Oje did a favor for me.; **u ésè** *compl tr* to engage, do a favor. **òjè ú mé ésè**. Oje engaged me with a favor. Oje did me a favor.

éséòghòdàn *n* unreciprocated, unappreciated act of kindness. **éséòghòdàn óò**. It's unappreciated kindness. **ójé ú**

éséòghòdàn. Oje did a foolish favor. Oje did a foolish turn. cf. **ésè** favor, **òghòdàn** misfit.

éséòhén *n* grace, favor with no obligation, **éséòhén ísì ìjésù** grace of Jesus. cf. **ésè** favor, **òhén** divine gift.

èsí *n* horse, **èsí élìyó** horse of that kind, **èsí èvá** two horses.

ésìrá *n* Piper gumensee creeping vine [with leaves or greens for soup] **ésìrá óò**. It's Piper gumensee vine. **ébésìrá** Piper gumensee leaf, **ómí ébésìrá** soup from Piper gumensee leaves, **íkpésìrá** seeds of Piper gumensee for soup or traditional medicine.

èsòn *n* poverty, destitution, misery, suffering associated with extreme poverty, **ésón élìyó** poverty of that kind. **èsòn óò**. It's poverty.; **èsòn gbe** *tr* to become poverty stricken (*CPA, *CPR, *C, H) **èsòn gbé óì**. He became poor. lit. Poverty overcame him.; **fi èsòn o** *tr* to become impoverished (CPA, CPR, *C, *H) **è fí èsòn ó vbí égbè dé ìmátò**. They became even more impoverished and bought a car. lit. They projected poverty onto their bodies and bought a car.; **mie èsòn** *tr* to suffer, be destitute (*CPA, CPR, C, H) **òjè ò ó mìè èsòn**. Oje is suffering. Oje is experiencing destitution.; **mie èsòn** *compl tr* to make suffer, torment (CPA, *CPR, C, H) **òhí** ò ó mìè òjé èsòn. Ohi is making Oje suffer.

èsòn *n* hiss [a severe insult] kpe èsòn *tr* to hiss, utter a hiss [folklore holds an Oba never hisses] (CPA, CPR, *C, *H) òjè kpé èsòn. Oje uttered a hiss. é è kè kpé èsòn. Don't hiss anymore.; *kpe èsòn a*, ó kpé èsòn á. He uttered a drawn out hiss.; *kpe èsòn ku a*, ó kpé èsòn kú à. He hissed all around.

éshàì *n* climbing plant with melon-like fruit, éshàì èvá two melon-fruit climbing plants.

ètè *n* sore, ulcer [includes diseased area under the skin] été élìyó sore of that kind, ètè èvá two sores, úkpètè visible portion of a wound.

ètèkùn *n* bow [from bow and arrow] étékún élìyó bow of that kind, ètèkùn èvá two bows.

ètín *n* hare, ètín èvá two hares.

étórè *n* chronic, persistent ulcer, sore, boil, wound, étórè èvá two chronic wounds. étórè óò. It's a chronic wound. cf. ètè ulcer, órèè generation.

ètú *n* dwarf, dwarfness, stunted-ness, ètú èvá two dwarfs. ètú óò. It's a dwarf; de ètú *tr* to be a dwarf (CPA, CPR, *C, *H) ò dé ètú. He is a dwarf. lit. He reached dwarfness.

èùn *n* dress, shirt, blouse, clothing item worn over neck, éún élìyó shirt of that kind, èùn èvá two shirts, úvbìèùn shirt.

èùnmì *n* bronze, éúnmí élìyó bronze of that kind. èùnmì èvá two pieces of bronze.

èúvbò *n* smooth-backed turtle found in ponds [folklore treats as female tortoise] èúvbò èvá two turtles.

èvò *n* guinea grass, thatch material for roofing, èvò èvá two blades of thatch, úkpèvò blade of thatch.

évbèè *n* kola nut, évbéé élìyó kola nut of that kind, évbèè èvá two kola nuts, úkpévbèè, íkpévbèè lobe of kola.

évbéòhén *n* multi-lobed kola nut [presented to guests as sign of hospitality and good will] évbéòhén èvá two traditional kola nuts. cf. évbèè kola nut, òhén divine gift.

évbìè *n* loneliness, solitude, eerie state of longing; de évbìè *tr* to be lonely (CPA, CPR, *C, *H) úkpódé édà dé évbìè. The river road was lonely. lit. The river road reached loneliness. èvbò dé évbìè. It is lonely there. lit. There-yonder reached loneli-ness.; évbìè fi *tr* to become lonely, deserted (*CPA, CPR, *C, *H) évbìè fí vbí ímè. Loneliness pervaded the farm. lit. Loneliness dropped on the farm.; fi évbìè *tr* to become lonely, isolated, deserted, eerie (*CPA, CPR, *C, H) ímè fí évbìè. The farm became eerie. úkpódé édà fí évbìè. The river road became lonely. lit. The river road projected loneliness.; **évbìè gbe** *tr* to long for [only with **ló**] **évbíé ísì òjè ló gbè mè**. I am longing for Oje. lit. Longing for Oje is about to overcome me.; **évbìè nwu** *tr* to become lonely (*CPA, CPR, *C, *H) **évbìè nwú òjè**. Oje became lonely. lit. Loneliness took hold of Oje. **évbìèvbíé nwú òjè**. Oje is very lonely. cf. **vbie** to be lonely.

èvbòò *n* village, town, community, **évbóó élìyó** community of that kind, **èvbòò èvá** two villages, **úvbìèvbòò** small village.

èvbóòvbókhàn *n* Pigmy-like people, **èvbóòvbókhàn èvá** two Pigmy-like persons. cf. **èvbòò** village, **óvbèkhàn** youth.

èwàìn *n* idea, wisdom, sensibleness. **úkpèwàìn, íkpèwàìn** bit of wisdom. **òjè mòè èwàìn**. Oje is wise. Oje is sensible. lit. Oje possesses wisdom. **òdóòdé í yà móé èwàìn**. Everyone should use his head. lit. Each one should start possessing his senses. **òjè ré èwàìn ré**. Oje brought some ideas. **èwàìn rìì vbí émí lí ú táì**. There is wisdom in what you said. Wisdom exists in what you said.; **fì èwàìn** *tr* to exhibit, utilize sense, intelligence [only negative constructions] **ófíúdú lí ó ì fì èwàìn**. It is a common laborer who does not use his intelligence. lit. It is a common laborer who does not project

wisdom.; **èwàìn gbe** *tr* to be cheeky, become a smart aleck (*CPA, CPR, *C, *H) **èwàìn gbé é**. You are cheeky. You are a smart aleck. lit. Ideas overcame you.; **rè èwàìn o** *tr* to be prudent [only in non-declarative constructions] **ó ì rè èwáín ò vbí ényó údàmí**. He was not prudent about his drinking. lit. He did not assign sense onto his wine drinking. **òjè í ì rè èwáín ò vbí íká'lábéràn**. Oje was not prudent about being in the branches. **rè èwàìn ó vbì ò**. Be prudent. Be careful.

éwè, éwè *n* goat, **éwé élìyó** goat of that kind, **éwè èvá** two goats, **éwé ísì àúsá** Hausa goat, **ínyéwè** she-goat, mother goat, **úlékéwè, ílékéwè** mature female goat not yet pregnant.

èzón *n* case in traditional court, statement of position in a litigation, **èzón élìyó** case of that kind, **èzón èvá** two cases. **ò mòè èzón vbì ìkóòtù**. He has a case in court.; **gue èzón** *tr* to present, state a case (*CPA, CPR, *C, *H) **òjè gué èzón**. Oje stated his case.; *gue èzón li,* **à gué èzón ní íyàìn**. They settled the matter between them. They reconciled. lit. One pre-sented a case for them.; **nwu èzón so** *tr* to accuse, confront. **òhí nwú èzón só òjè**. Ohi confronted Oje with an accusation. Ohi accused Oje. lit. Ohi made the case touch Oje.; **o vbi èzón** *intr* to become entangled in litigation. **ọ̀ ó vbì ẹ̀zọ́n.** He got entangled in litigation. lit. He entered the case.; **rẹ ẹ̀zọ́n ọ vbi ọ̀tọ̀ì** *tr* to initiate, state a case. **ọ̀jè rẹ́ ẹ̀zọ́n ọ́ vbì ọ̀tọ̀ì.** Oje stated his case. lit. Oje put his case onto the ground. **rẹ̀ ẹ̀zọ́n ọ́ vbì ọ̀tọ̀ì.** State your case.

F

faa *v intr* to lose face, be demeaned, disgraced, defamed, ridiculed (CPA, CPR, *C, *H) **ọ̀jè fááì.** Oje was disgraced.; **faa a** *tr* to demean, disgrace, ridicule, cause to lose face. **ọ̀hí fáá ọ̀jè á.** Ohi disgraced Oje. **é è fáá ọ́ì á.** Don't cause him to lose face.

fáà *pstv adv* whistling sound resulting from a light object rushing through the air. **ú họ́ní fáà.** You heard a whistling sound. **ọ́lí úháí ráá ré fáà.** The arrow passed by in a whistle.; ~ *adj* whistling sound of a light object rushing through the air. **ùhàì ú fáà.** An arrow whistled by. cf. **váà** whistling sound of a heavy object.

faan *v intr* to become free of, emancipated from, rescued from (CPA, CPR, *C, *H) **ọ̀jè fáání vbí óbọ́ ísì ọ̀hí.** Oje got rescued from Ohi. **ọ̀jè fáání vbí ọ́lì ìnyẹ̀mì.** Oje is free of the matter.; **faan** *tr* to liberate, rescue, free from. **ọ̀jè fáán ọ̀hí.** Oje liberated Ohi. **ọ̀ fáán ọ́lí óvbékhán vbí óbọ́ ísì ìsọ́jà.** He

rescued the youth from the soldier.; *miee faan* to free, rescue, deliver, save by seizing. **ọ̀ míẹ́ẹ́ ọ́lí óvbèkhàn fáán.** He rescued the youth by seizing him. **ọ̀jè lí ọ́ míẹ́ẹ́ mẹ́ fáán vbí óbọ́ ísì ọ̀hí.** It was Oje who seized me and rescued me from Ohi. **mìẹ̀ẹ̀ mẹ̀ fáán.** Rescue me.; *miee faan* to redeem. **ọ̀hí míẹ́ẹ́ ọ̀jè fáán.** Ohi redeemed Oje.; *ni faan* to get rescued, get free by surviving. **ọ̀jè ní fáán.** Oje survived and was free. Oje got rescued.; *u ni faan* to excuse after a sneeze (*CPA, CPR, *C, *H) **ù ní fáán.** You are excused. lit. You are saved.

fan *v tr* to pluck, reap, harvest by striking with an instrument (CPA, CPR, C, H) **ọ̀jè fán ísíẹ́nì.** Oje plucked pepper. **fàn àmágò.** Pluck a mango.; *kpaye fan*, **ọ̀ kpáyẹ́ ọ̀jè fán àmágò.** He helped Oje pluck a mango.; *re fan*, **ọ̀ rẹ́ ọ́pìà fán àmágò.** He used a cutlass to pluck a mango.; *fan li*, **ọ̀ fán àmágò ní áìn.** He plucked a mango for him.; *fan re*, **ọ̀ fán àmágò ré.** He plucked a mango and brought it.; **nwu fan** to stub (CPA, CPR, *C, *H) **ọ̀ nwú úkpàwẹ̀ fán.** He stubbed his toe. He got his toe stubbed.

fan a *intr* to rip apart, rip open, tear open, snap apart (CPA, CPR, *C, *H) **ọ́lí úì yà fán à.** The rope almost snapped apart.; **fan a** *tr* to rip apart, rip open, snap apart. **ọ̀jè fán ọ́lí úì á.** Oje

ripped apart the rope. **òjè fán**
ẹ́kpá vbì ùrùn á. Oje ripped
open the bag at its neck.

fan únù a *tr* to rip, tear, snap apart
an opening (CPA, CPR, *C,
*H) **ólí ẹ́kpá fán únù à.** The
bag ripped open. lit. The bag
snapped its opening. **òjè fán**
ẹ́kpá únù á. Oje ripped apart
the bag's opening. Oje ripped
open the bag.

fan únù a *tr* to burst into tears
(CPA, CPR, *C, *H) **ọ́ fán únù**
á. He burst into tears. lit. He
ripped open his mouth.

fan zẹ *v tr* to move across, move
from end to end, cross (CPA,
CPR, *C, *H) **ólì òkpòsò fán**
ólí ẹ́dà zẹ́. The woman crossed
the river.; *la fan zẹ,* **ólí ófè lá**
fán úkpódè zẹ́. The rat ran
across the road.

fáò *pstv adv* zinging sound
resulting from a light object
moving through the air. **ú họ́ní**
fáò. You heard a zinging sound.
ọ́ fí úháí fáò. He shot an arrow
with a zing. He zinged an arrow
through the air.; ~ *adj* zinging
sound. **ólí úháí ú fáò.** The
arrow zinged by. cf. **váò**
zinging sound of a heavy
object.

faya ku a *intr* to become worn out
(CPA, CPR, *C, *H) **ólí úkpùn**
fáyá kù á. The cloth became
worn out.; *wee faya ku a* to get
worn out by wearing. **ò wéé ólí**
úkpùn fáyá kù á. He got the
cloth worn out.; **faya ku a** *tr* to

wear out. **òjè fáyá ọ́lí úkpùn**
kú à. Oje wore out the cloth.

fayẹ *tr* to detach (CPA, CPR, *C,
*H) *fayẹ a,* **òjè fáyẹ́ údú ísì òhí**
á. Oje detached Ohi's heart.;
fayẹ shoo vbi re, **ọ̀ fáyẹ́ údú ísì**
òí shóó vbí ẹ́kẹ̀ìn ré. She
removed his heart away from
his belly.; *fayẹ vbi re,* **ọ̀ fáyẹ́**
údú ísì ọí vbí ẹ́kẹ̀ìn ré. She
detached his heart from his
belly.

fe *v intr* to become rich, wealthy,
prosperous (CPA, CPR, *C,
*H) **ólí óvbíóímì féì.** The
orphan became wealthy.; *rẹ fe,*
yàn rẹ́ ábàbè fé. They used
wickedness to become rich.; *ze*
fe, **òghèè í ì zẹ̀ òjé fè.** Flirting
didn't allow Oje to become
rich.; *fe ku a,* **ólí ọ́mòhè fé kù**
á. The man is really rich.; *fe lee,*
ólí ọ́mòhè fé léé òjè. The man
is richer than Oje.; *fe ọ,* **yàn fé**
ọ́ vbì ọ̀. They became richer.; **fe**
ahe a to be excessively rich
(CPA, CPR, *C, *H) **yàn fé**
áhé á. They are excessively
rich. lit. They were rich and got
crushed.

fe *v tr* to slide, slip from (CPA,
CPR, *C, *H) **ólì ùwàwà fé ólí**
óvbékhán vbí óbò. The pot
slipped from the youth's hand.;
fe vbi de re, **ólì ùwàwà fé ọí vbí**
óbò dé rè. The pot slipped from
his hand and fell.

fe *v tr* to slip out from (*CPA,
CPR, *C, *H) **èmòì fé òjè.** The
matter slipped from Oje. **èmòì**

fé ójé vbí únù. The matter slipped from Oje's mouth.; **fe** *tr* to let slip out. òjè fé èmòì. Oje let the matter slip.

féé *adj* gentle, weak [only with èràìn] éráín féé lí ó ò gbè ókhònmì. It is a weak fire that kills a sick person.

fee ghoo *v intr* to try, attempt. *u fee ghoo* to feign death (*CPA, *CPR, *C, *H) ólí ómóhé ló ù féé ghòò. The man will feign death. lit. The man will die and try.; **fee ghoo** *tr* to examine, inspect, consider, experiment with, try to look at (CPA, CPR, C, *H) ólí ómòhè féé ólí émà ghóó. The man has examined the yam. ólí ómòhè féé ólí óvbèkhàn ghóó. The man has examined the youth. òjè óó' fèè óì ghóó. Oje went to inspect it. fèè ólí émà ghòò. Examine the yam.; *kpaye fee ghoo*, ò kpáyé mè féé úókhó ìmátò ghóó. He helped me examine the back of the car.; *fee ghoo si* examine whether. òjè í fèè ùwàwà ghóó sì òmì kóó rè. Oje should examine the pot to determine whether any soup remains.; **dame fee ghoo** to test (CPA, CPR, *C, *H) ólí ómòhè dámé ólì ìkpàkúté' féé ghòò. The man tested the trap.; **dame fee ghoo** to tempt (CPA, CPR, *C, *H) ólí ómòhè dámé ólì òkpòsò féé ghòò. The man tempted the woman. cf. **ghoo** to look.

fee ghoo *tr* to taste (CPA, CPR, *C, *H) òhí féé òmì ghóó. Ohi tasted the soup.; *re fee únù ghoo*, ì ré òmì féé únù ghóó. I tasted the soup. lit. I used soup to test my mouth. cf. **ghoo** to look.

féféghé *adj* very fine and light, úkpún lì féféghé fine cloth. ólí úkpùn ú féféghé. The cloth is very fine. ébé' ó í rîì? How is it?

féléfélé *pstv adv* extremely low and close fashion. ókhá sí kéé égbé ótóí féléfélé. The cotton tree drew very near to the ground. ébé' ó í sì kéé òtòì sé? How close is it to the ground?

féléfélé *adj* very thin, fine texture, velveteen smooth. úkpún lì féléfélé very fine cloth. ólí úkpùn ú féléfélé. The cloth is fine. ébé' ó í rîì? How is it? cf. fólófóló velvety texture, fúléfúlé woolly texture, fúyéfúyé silky texture.

fena *v tr* to excrete body fluids, pass body waste (CPA, CPR, C, H) ò féná ìsòn. He passed feces. ò féná áàhìèn. He urinated. fènà ìsòn. Pass feces.; *fena a*, ò féná ìsòn á. He passed his feces out. He took a real shit.; *fena fi o*, ó féná ìsòn fí ó vbì ààn. He excreted feces here.; *fena ku a*, ólí óvbèkhàn féná áàhìèn kú à. The youth passed his urine all over.; *fena ku o*, ólí óvbèkhàn féná áàhìèn kú ó vbì òò. The youth passed his urine all over the pit.; *fẹna o*, **ólí áwà fẹ́ná áàhìèn ọ́ mẹ́ vbì òẹ̀.** The dog urinated on my leg. cf. **nẹ** to pass bodily fluid [Ora].

fi *v intr* to blow [of wind] (CPA, *CPR, C, H) **òkhùàkhùà ọ̀ ọ́ fì.** The harmattan winds are blowing. **úíín ọ́ ọ̀ fì vbí èkó.** The cold blows in Lagos. cf. **fioo** to blow.

fi *v tr* to blow an instrument (CPA, CPR, C, H) **ọ́ fí àgbò.** He blew a flute. **fì àgbò.** Blow a flute.; *fi li*, **ọ́ fí àgbò lí ọ́lì òkpòsò.** He blew a flute for the woman.

fi íhùè *tr* to speak with excessive nasal quality (*CPA, *CPR, *C, H) **ójé ọ́ ọ̀ fì íhùè.** Oje speaks with a nasal twang. lit. Oje blows through his nose.

fi úkpà *tr* to whistle (CPA, CPR, C, H) **òjè fí úkpà.** Oje whistled. lit. Oje blew through his beak. **yà fí úkpà.** Start whistling.; *fi úkpà eche* to call by whistling. **ọ̀ fí úkpà éché òjè.** He called Oje by whistling. He whistled and called Oje.

fi ùrùn *tr* to scream, shout (CPA, CPR, *C, *H) **òjè fí ùrùn.** Oje shouted. lit. Oje blew his voice.

fi *v tr* to smoke (CPA, CPR, C, H) **ójé ọ́ ọ̀ fì ìsìgá.** Oje smokes cigarettes.

fi ọ *tr* to initiate, start (CPA, CPR, *C, *H) *fi èràìn ọ*, **ọ́lí óvbèkhàn fí èràìn ọ́ vbì ògò.** The youth set the bush ablaze.

lit. The man put fire onto the bush.; *fi íòò ọ vbi únù*, **ọ́lì òkpòsò fí íòò ọ́ vbí únù.** The woman started a song. The woman began singing. **òjè fí íòò ọ́ vbí únù.** Oje started to sing.; *fi ògògókhò ọ vbi únù*, **òjè fí ògògókhò ọ́ vbí únù.** Oje raised an alarm. lit. Oje put an alarm into his mouth.

fi *v tr* to position with a tight fit; *fi* to lock (CPA, CPR, C, H) **ọ̀ fí úkhùèdè.** He locked a door. **fì úkhùèdè.** Lock the door; *fi vbi*, **ọ́ fí ìkọ́kóó vbí úkhùèdè.** He locked the door with a key. lit. He locked a key in the door.; *kpaye fi*, **ọ̀ kpáyẹ́ ọ̀ì fí úkhùèdè.** He helped her lock the door.; *re fi*, **ọ̀ rẹ́ ìkọ́kóó fí úkhùèdè.** He used a key to lock the door.; *fi ọ*, **ọ̀ fí ìkọ́kóó ọ́ vbí úkhùèdè.** He inserted a key into the door.

fi *v* to sprout, project; **égbè fi** *intr* to sprout rash or welts on body (*CPA, CPR, *C, *H) **égbé ísì òjè fìì.** Oje has a rash. Oje's body is covered with a rash. lit. The body of Oje shot out.; **égbè fi ìkẹ́kèẹ́n** *tr* to be covered with droplets (*CPA, CPR, C, H) **égbé mẹ̀ fí ìkẹ́kèẹ́n.** My body is beaded with water. lit. My body has shot out droplets.; **ófì fi vbi égbè** *tr* to be covered with yaws (*CPA, CPR, *C, *H) **ófì fí ọ́í vbí égbè.** Yaws covered his body. lit. Yaws sprouted for him on his body. cf. **filo re** to sprout.

fi o̱ *tr* to spread a liquid or mass onto (CPA, CPR, *C, *H) **yán fí àhè ó̱ vbí égbé é̱dà.** They spread sap onto the riverbank.

fi o̱ *tr* to erect, construct, put up (CPA, CPR, *C, *H) **yán fí àse̱ ó̱ vbí ímè.** They erected a hut on the farm.

fi o̱ *tr* to put on a tight-fitting item of clothing or apparel (CPA, CPR, C, H) **ólí ómò̱hè fí úvbìèrùn ó̱ vbí úhùnmì.** The man put a hat on his head. **ólì òkpòsò fí úkpìhìákpá' ó̱ vbí óbò̱.** The woman put a ring on her hand.

fi o̱ *tr* to insert, stick into (CPA, CPR, C, H) **ó̱ fí àghán ó̱ vbí órán édìn.** He stuck a sickle into the palm tree.; *fìlo o̱,* **àgbò̱n fíló ìkìtìbé̱ ó̱ vbí íhùè.** People inserted pipes into their noses.

fi òè̱ o̱ *tr* to step, insert one's foot into (CPA, CPR, *C, *H) **òjè fí òè̱ ó̱ vbì òò̱.** Oje stepped into a hole. lit. Oje dropped his foot into a hole.; *ze̱ òè̱ fi o̱* to drop into. **òjè zé̱ òè̱ fí ó̱ vbì òò̱.** Oje took a step into a hole. lit. Oje released his foot and dropped (it) into a hole.

fi *v tr* to shoot, propel (CPA, CPR, C, H) **ò̱ fí òìsí'.** He shot a gun. **fì è̱tè̱kùn.** Shoot the arrow.; *fi de re,* **ò̱ fí è̱tè̱kùn dé égbóá ísì óbá' ré.** He shot an arrow to the backyard of the Oba.; *fi fi a,* **òjè fí è̱tè̱kùn fí à.** Oje shot away an arrow.

fi *v tr* to throw, propel a countable object (CPA, CPR, C, H) **ólì òkpòsò fí úkpóràn.** The woman threw a stick.; *kpaye fi ye,* **ò̱ kpáyé òjè fí ó̱lí ópìà yé òkhùnmì.** He helped Oje throw the cutlass to the sky.; *fi fi a,* **ò̱ fí ó̱lí ópìà fí à.** He threw the cutlass away.; *fi fi e,* **ó̱lí ómò̱hè fí èkhò̱ì fí é òhí.** The man threw a worm onto Ohi.; *fi fi o,* **ó̱lí ómò̱hè fí éànmì fí ó̱ vbì òkpàn.** The man threw meat into the gourd.; *fi gbe,* **ólì òkpòsò fí úkpóràn gbé ùdékè̱n.** The woman threw a stick against the wall.; *fi re,* **ó̱lí ómò̱hè fí ùgbòfì ré.** The man threw an orange in the speaker's direction.; *fi ye,* **ó̱lí ómò̱hè fí úkpóràn yé òhí.** The man threw the stick to Ohi.; *fìlo* to throw one by one. **ó̱lí ómò̱hè ò̱ ó fìlò ídò.** The man is throwing stones one after the other.; *fìlo gbe,* **ó̱lí óvbèkhàn ò̱ ó fìlò ìdó gbè ùdékè̱n.** The youth is throwing stones against the wall.; *fìlo ku a,* **ò̱ fíló élí éràn kú à.** He threw the pieces of wood aside.; *fìlo égbè vbi òtò̱ì* to thrust the body repeatedly on the ground (*CPA, *CPR, C, H) **ò̱ ó fìlò égbé vbì òtò̱ì.** He is throwing himself repeatedly onto the ground. cf. **-lo** DS. cf. **fìlo** to struggle. cf. **ku** to throw, propel a mass.

fi *v tr* to leave, move ahead of, move away from (*CPA, CPR, *C, *H) *fi a,* **òhí fí òjè á.** Ohi left Oje behind. **fì ói á.** Leave him behind.; *fi o,* **ólì òkpòsò fí ólí úkpùn ó vbì ìwè.** The woman left the cloth at home. **òjè fí àgá ó vbì ìwè.** Oje left the chair at home. **òhí fí òjè ó vbì ìwè.** Ohi left Oje to take care of the house. **ólì òkpòsò fí òì ó vbì àgbòn.** The woman left him in the world.; **u fi o** to die and leave (CPA, CPR, *C, *H) **ólì òkpòsò ú fí òì ó vbì àgbòn.** The woman died and left him in the world.

fi *v intr* to drop, dangle (*CPA, *CPR, C, H) **áwé ísì òì ò ó fì léghéléghé.** His legs are dangling out. His legs are dangling in an outstretched fashion.

fi ábò *tr* to move empty handed; *fi ábò vare* to come empty handed (CPA, CPR, *C, *H) **òjè fí ábò váré vbì ìwè.** Oje came home empty-handed. lit. Oje dropped his hands and came home.; *fi ábò vbi* to leave empty handed, get nothing from. **ójé fí ábó vbí ólí éànmì.** Oje left without the meat. Oje left the meat behind. lit. Oje dropped his hands at the meat.; *fi ábò ye,* **òjè fí ábò yé ìwè.** Oje went home empty-handed. cf. **filo ábò** to steal.

fi ékùn *tr* to gyrate the hips (*CPA, *CPR, C, *H) **àlèkè ò ó fì ékùn.** Aleke is gyrating her hips. lit. Aleke is dropping her waist.

fi ékèìn *tr* to be gluttonous, voracious (*CPA, *CPR, *C,

H) **ójé ó ò fì ékèìn.** Oje is gluttonous. lit. Oje drops his belly.

fi èò vbi égbè a *tr* to lose sight of, cease attending to (CPA, CPR, *C, *H) **òjè fí òhí éó vbí égbè á.** Oje ceased paying attention to Ohi. lit. Oje dropped his eyes from Ohi's body. **ó yà fì òjé éó vbí égbé à.** He never left Oje out of his sight.

fi óbò *tr* to deliver harsh punishment (*CPA, *CPR, *C, H) **ójé ó ò fì óbò.** Oje is harsh. lit. Oje drops his hand.

fi òè *tr* to limp, walk with a permanent limp (*CPA, *CPR, *C, H) **ójé ó ò fì òè.** Oje walks with a limp. Oje limps. lit. Oje drops his leg.

fi ùdù *tr* to labor (*CPA, *CPR, *C, H) **ójé ó ò fì ùdù.** Oje works hard. lit. Oje drops his heart.

fi únù li *tr* to curse, cast a spell on (CPA, CPR, *C, *H) **òjè fí únù lí óvbí óì.** Oje cast a spell on his child. lit. Oje dropped his mouth for his child. **fì únù ní áìn.** Curse him.

fi a *intr* to lose; **nwu fì a** (CPA, CPR, *C, *H) **àlèkè nwú éghó' fí à.** Aleke lost her money. lit. Aleke dropped her money aside.

fi a *tr* to divorce a man (CPA, CPR, *C, *H) **àlèkè fí ódón óì á.** Aleke divorced her husband. lit. Aleke dropped her husband.

fi h<u>oo</u> *tr* to mix up (CPA, CPR, *C, *H) òjè fí élì ìs<u>è</u>s<u>è</u> h<u>óó</u>. Oje mixed up the stakes. òjè fí íbàtà h<u>óó</u>. Oje put his shoe on the wrong foot. òjè fí élí íkpùn h<u>óó</u>. Oje mixed up the clothes (from different loads). cf. hogh<u>o</u> to shake loose.

fi vbi *v intr* to hit (CPA, CPR, C, H) <u>ó</u>lí úsú<u>ó</u>kà fí vbí ót<u>ó</u>í gbì. The maize ear hit the ground with a smack.; fi vbi *tr* to hit. <u>ó</u>lì òkpòsò fí úkpórán vbì ùdék<u>è</u>n. The woman hit a stick on the wall.

fi *v compl tr* to hit, flog with (CPA, CPR, C, H) òhí fí <u>ó</u>lí ókpósó úkpóràn. Ohi hit the woman with a stick. fì <u>ò</u>lí <u>é</u>khíí úkpóràn. Hit the cripple with a stick. fì <u>ò</u>lí <u>é</u>khíí úkpóràn vbì ùòkhò. Hit the cripple with a stick on the back.; kpaye fi, <u>ò</u> kpáy<u>é</u> òjè fí <u>ó</u>lí <u>é</u>khíí úkpóràn. He hit the cripple with a stick in lieu of Oje.

fi èkpà *compl tr* to punch, hit with a fist (CPA, CPR, C, H) <u>ò</u> fí <u>ó</u>lí <u>ó</u>m<u>ó</u>hé èkpà. He punched the man. He hit the man with his fist. fì <u>ò</u>í èkpà. Punch him. cf. èkpà fist.

fie *v tr* to clear, shape, trim (CPA, CPR, C, H) <u>ò</u> fíé <u>ó</u>lí úkpódè. He cleared the path. fìè <u>ò</u>lí úkpódè. Clear the path.; kpaye fie, <u>ò</u> kpáy<u>é</u> òjè fíé <u>ó</u>lí úkpódè. He helped Oje clear the path.; re fie, <u>ò</u> ré <u>ó</u>pìà fíé <u>ó</u>lí úkpódè. He used a cutlass to clear the path.; fie de, <u>ó</u>lí <u>ó</u>m<u>ò</u>hè fíé úkpódè dé òéé' èìmì. The man cleared the road to the outskirts of the spirit world.

fí<u>é</u>kpé *adj* saggy, <u>é</u>k<u>é</u>ín lì fí<u>é</u>kpé the saggy belly. <u>ó</u>lí <u>é</u>k<u>é</u>ìn ú fí<u>é</u>kpé. The belly is saggy. <u>é</u>k<u>é</u>ín ísì òjè ú fí<u>é</u>kpé. The belly of Oje is saggy. ójé ú <u>é</u>k<u>é</u>ín fí<u>é</u>kpé. Oje has a saggy belly. ébé' <u>ó</u> í rñ? How is it?

fíín *pstv adv* high pitched, sizzling sound. ú à h<u>ò</u>n fíín. You hear a sizzling sound. <u>ó</u>ká ísì <u>ò</u>í <u>ó</u> ò tìn fíín. His maize bubbles in a sizzling fashion. His maize sizzles. ébé' <u>ó</u> <u>ò</u> í ù? How is it doing?

filo *v intr* to strive, struggle (*CPA, *CPR, C, H) ójé <u>ó</u> <u>ò</u> fíló. Oje struggles to survive. <u>ó</u>lí <u>ó</u>ókhò <u>ò</u> ó fíló. The chicken is at the throes of death.; filo <u>o</u>, yán à fíló <u>ò</u> vbí <u>é</u>m<u>ó</u>í óbíá ísì òjè. They struggle over the work issue for Oje. cf. fi to leave.

filo re *tr* to sprout, emit (CPA, CPR, C, *H) <u>ó</u>lí <u>ó</u>kà fíló íké' ré. The maize sprouted shoots. <u>ó</u>lí éànmì fíló évbìì ré. The meat emitted fat. cf. fi to project.

filo áb<u>ò</u> *tr* to steal (*CPA, *CPR, *C, *H) ójé <u>ó</u> <u>ò</u> fílò áb<u>ò</u>. Oje steals. lit. Oje dangles his hands.

fiofio *v tr* to suck in the mouth (CPA, CPR, C, H) òjè fíófíó ìshúgà. Oje sucked sugar. fìòfìò <u>ó</u>ì. Suck it.

fíoo *v intr* to be radiant (*CPA, *CPR, C, H) ólí ómò ò ó fíóó. The child is radiant.

fíoo *v intr* to blow [of wind] (*CPA, *CPR, C, H) éfìòò ò ó fíóó. The wind is blowing.; fíoo *tr* to blow; *fíoo fi a*, éfìòò fíóó ébè fí à. The wind blew a leaf away.; *fíoo fi o̩*, éfìòò fíóó ébè fí ó̩ vbí ókhúnmí ùhàì. The wind blew a leaf on the top of the well.; *fíoo ku a*, éfìòò fíóó élí ébè kú à. The wind blew the leaves away.; *fíoo ku o̩*, éfìòò fíóó élí ébè kú ó̩ vbí ókhúnmí ùhàì. The wind blew the leaves all over the top of the well.; *fíoo raa re*, éfìòò fíóó ébé ráá ùhàì ré. The wind blew a leaf past the well. cf. fi to blow.

fíoo *v tr* to steam with herbs (*CPA, *CPR, C, *H) òjè ò ó fìòò égbè. Oje is steaming his body.

fíóó *pstv adv* straight ahead, straight forward fashion. ólí úkpíghòn ò ó yè òkhúnmí fíóó. The smoke is proceeding straight up. ò ó shàn fíóó. He is walking uprightly. ójé ó ò ghòò fíóó. Oje stares fixedly [as if lost in thought]. ójé ó ò ghé ghòò ìyáín fíóó. Oje just looks at them with a blank gaze. He just stares straight ahead.

fíókpó *adj* lumpy, plumpy. ólí ókà ú fíókpó. The maize is plumpy. óká lì fíókpó plumpy maize. ébé' ólí óká í rìì? How is the maize?

foo *v intr* to heal (*CPA, CPR, C, H) ígúábó̩ ísì ò̩lí ó̩ókhò fóóì. The wings of the chicken healed. émáí ísì ò̩lí ó̩mò̩hè fóóì. The wound of the man healed.

foo *v intr* to become depleted, exhausted, used up (*CPA, CPR, *C, *H) ó̩lì àmè fóóì. The water is used up. The water is depleted. ó̩lí émà fóóì. The yam is exhausted. ébè fóóí vbì ò̩gò̩. Leaves were exhausted in the bush.

foo *v intr* to become consumed, completely finished (*CPA, CPR, *C, *H) ó̩lì ò̩mì fóóì. The soup was finished. The soup was consumed.; foo *tr* to consume lavishly, beyond the norm (*CPA, *CPR, C, H) òhí ó̩ ò̩ fòò ò̩mì. Ohi consumes soup lavishly.

foo *v intr* to perish, get eliminated, destroyed, finished off, wiped out (*CPA, CPR, *C, *H) ébóó òjè fóóì. Oje's relations perished. ìbò̩bò̩dí ísì òjè fóóì. Oje's cassava got destroyed.; foo *tr* to eliminate, destroy, finish off, wipe out. è fóó ébóó òjè. They eliminated Oje's relations. ìgbèò̩khò̩ fóó mé éókhò̩. Cocksidosis destroyed all my chickens. ólí ívàn fóó ójé ìbò̩bò̩dí. The grass cutter destroyed Oje's cassava.

foo *v intr* to get completed, finished [of an activity] (*CPA, CPR, *C, *H) ó̩lì òbìà fóóì. The work got finished.; foo *tr* to finish, complete an activity. **ólí ómòhè fóó ólì òbìà.** The man finished the work. **òó fòò ólì òbìà.** Go to finish the work.; *foo vbi èò,* **ómèhèn fóó ólí ómóhé vbì èò.** The man is fully awake. lit. Sleep is finished in the man's eyes. **ényò fóó ólí ómóhé vbì èò.** The man is sober. lit. Wine is finished in the man's eyes.

foo *v intr* to become resolved, brought to an end, concluded [of a matter] (*CPA, CPR, *C, *H) **ólì ìnyèmì fóóì.** The matter got resolved.; **foo** *tr* to resolve, bring to an end, finish. **òhí fóó ólì ìnyèmì.** Ohi resolved the matter.; *kpaye foo vbi,* **ò kpáyé íyàìn fóó ólí ínyémí vbí óbò.** He helped them resolve the matter at hand.; *foo vbi ékèìn,* **ólì ìnyèmì fóó mé vbí ékèìn.** The matter no longer makes me bitter. lit. The matter is resolved in my belly.

foo a *intr* to become wasted (*CPA, CPR, *C, *H) **ólì ìsánó fóó à.** The matches were wasted.; **foo a** *tr* to waste (CPA, CPR, C, H) **ólí ómòhè fóó ìsánó á.** The man wasted the matches.; *foo éghè a* to waste time (*CPA, CPR, C, H) **òjè ò ó fòò èghé á.** Oje is wasting time. cf. **fu a** to waste.

foo a *intr* to cool down (CPA, CPR, C, *H) **ólì òmì fóó à.** The soup cooled down.; **foo a** *tr* to cool down. **ò fóó ólì òmì á.** He cooled down the soup. **fòò ólì**

àmè á. Cool down the water.; *foo a li,* **ò ó fòò ólì ámé á lì òlì ómò.** He is cooling down the water for the child.

fo *v intr* to become cool (CPA, CPR, C, H) **ámé ísì ìfííjí ó ò fó.** Refrigerator water is cool.; *fo lee,* **ámé mè fó léé ísì òjè.** My water is cooler than Oje's.; *ze fo,* **ólí ómòhè zé ólí ámé fò.** The man allowed the water to cool.

folo *v tr* to peel with an instrument (CPA, CPR, C, H) **òjè fóló ólí émà.** Oje peeled the yam. **fòlò òlì émà.** Peel the yam.; *kpaye folo,* **ò kpáyé òjè fóló émà.** He helped Oje peel yam.; *re folo,* **ò ré ópìà fóló émà.** He used a cutlass to peel yam.; *folo a,* **òjè fóló ólí émà á.** Oje peeled up the yam. cf. **-lo** DS. cf. **bolo** to peel.

fólófóló *pstv adv* outstretched, limp and supple fashion. **ólí úkpùn ò ó sì fólófóló.** The cloth is dragging along in an out-stretched fashion. cf. **fóó** limp fashion.

foo *v intr* to irritate, annoy, irk (*CPA, *CPR, C, H) **ísíéín ó ò fòó.** Pepper irritates. **ísíéín ó ò fòò vbì èò.** Pepper irritates the eye.; **foo** *tr* to irritate. **ólí ìsìèìn ò ó fòò òjè.** The pepper is irritating Oje.

foo *v tr* to fan (*CPA, *CPR, C, H) **òhí ò ó fòò òjé éhòn.** Ohi is fanning Oje. lit. Ohi is fanning sweat from Oje's ear.

fóó *pstv adv* limp, supple, flowing, loose-fitting fashion [of cloth] **ólí úkpùn ò ó sì fóó.** The cloth is dragging along in a limp fashion. **yàn só ósótói fóó.** They sewed a flowing ankle-length gown.; ~ *adj* limp and flowing, supple. **ìgàdáísí lì fóó** limp trousers. **ìgàdáísí ú fóó.** The trousers are limp. **ébé' ó í rîì?** How is it? cf. **fólófóló** outstretched fashion.

fu *v intr* to perish, waste (CPA, CPR, C, H) *fu a,* **ìbòbòdí fú á.** The cassava got wasted. **òjè fú á.** Oje became wasted [term of insult].; *fu o,* **ìbòbòdí fú ó vbí ímè.** The cassava wasted on the farm.; **fu o** to become weak (*CPA, *CPR, *C, *H) **ù ló fù ó vbí íwé ísì èé.** You are losing yourself at home. lit. You are about to waste away on account of your house.; **fu a** *tr* to waste (CPA, CPR, C, H) **ò fú éghó' á vbí ívíóímí ísì èrá òì.** Oje wasted money on his father's funeral. **é è fú éghó' ísì èé à.** Don't waste your money.; *kpaye fu a,* **òhí kpáyé òjè fú éghó' ísì òí á.** Ohi helped Oje waste his money.

fuan *v intr* to be white (*CPA, *CPR, C, H) **ólí úkpùn ò ó fùán.** The cloth is white.; *fuan ku a,* **ólí úkpùn ò ó fùán kú à.** The cloth is white all over.

fuan *v intr* to be clean, clear, neat (CPA, CPR, *C, *H) **ólí úkpùn fúánì.** The cloth is clean. **ò hóó**

ólí úkpùn fúán. He washed the cloth clean.

fúán *pstv adv* in a clear state. **òjè záwó óí fúán.** Oje saw it clearly.

fuen égbè re *tr* to slow down, move slowly (*CPA, *CPR, *C, H) **ójé ó ò fùèn ègbé ré.** Oje moves slowly. Oje slows his body down; **fuen égbè re** gently, slowly, carefully (CPA, CPR, *C, H) **ó ò fùèn ègbé ré tà étà.** He speaks slowly. **ó fúén égbè ré kpóón ókòò.** He slowly descended the hill.

fùléfùlé *adj* woolly, dense, **étó lì fùléfùlé** woolly hair. **étó ísì òjè ú fùléfùlé.** Oje's hair is woolly. **ójé ú étó fùléfùlé.** Oje has woolly hair. **ébé' ó í rîì?** How is it?

fun *v intr* to be kind (CPA, *CPR, *C, *H) **ójé fúnì.** Oje is kind.; *fun lee,* **ólí ómòhè fún léé òjè.** The man is kinder than Oje.

fun *v intr* to be shady (CPA, CPR, *C, H) **ááín fúnì.** That place is shady. It is shady there. **ááin fúní vbí égbè.** That place is shady (for me).; **fun** *tr* to shade; *fun vbi égbè,* **ólì ìwè fún ójé vbí égbè.** The house shaded Oje. lit. The house shaded Oje at his body. **ááín fún ójé vbí égbè.** Oje was shaded there.

fun *v intr* to be comfortable (CPA, CPR, *C, H) **ááín fúnì.** That place is comfortable. It is comfortable there. **ááin fúní vbí égbè.** That place is comfortable (for me).; **fun** *tr* to be at ease, in comfort. *fun vbi égbè,* **ólì iwè fún ójé vbí égbè.** The house comforted Oje. Oje was at ease in the house. lit. The house shaded Oje's body. **ááín fún ójé vbí égbè.** Oje was comfortable there.; *fun vbi égbè* to be acceptable to (CPA, CPR, *C, *H) **úéén ísì òjé fún ólí ókpósó vbí égbè.** The behavior of Oje is acceptable to the woman. lit. The behavior of Oje shaded the woman at her body. **ólí évbóó nà í ì fùn vbá vbí égbè.** This village is not acceptable to you.

fun re *intr* to be at peace (CPA, CPR, *C, H) **óà fún ré.** My house is peaceful.; **fun re** *tr* to be at peace, free of discomfort. **égbè fún ólì òkpòsò ré.** The woman is at peace. lit. The body is shaded for the woman. **ólì awè fún ólì òkpòsò ré.** The woman is free from pain in her leg.

funo *v* to extinguish, quench; **funo a** *intr* to get blown out, quenched, extinguished (CPA, CPR, *C, *H) **ólí éráín fúnó à.** The fire got blown out.; **funo a** *tr* to blow out, quench, extinguish. **òjè fúnó èràìn á.** Oje extinguished the fire. **fùnò ùrùkpà á.** Put out the lantern.; *kpaye funo a,* **ò kpáyé òjè fúnó èràìn á.** He helped Oje extinguish the fire. He extinguished the fire for Oje.

fùyéfùyé *adj* fine in texture, light, thin, tender. **ólí úkpùn ú fùyéfùyé.** The cloth is fine. **úkpún lì fùyéfùyé** fine cloth. **ébé' ó í rfì?** How is it?

G

ga *v tr* to serve obediently (*CPA, *CPR, C, H) **ójé ó ò gà èrá ólì.** Oje obeys his father. **òhí zémì gá óbá'.** Ohi served the Oba a great deal. **yà gá érá à.** Start serving your father.

ga *v tr* to worship, pay homage to (*CPA, *CPR, C, H) **ójé ó ò gà òìsèlébùá.** Oje worships God. **yà gá òìsèlébùá.** Get on with worshipping God.; *re ga,* **ò ré émì gá òìsèlébùá.** He used something to worship God.

ga ze *tr* to meet, encounter, pace up to (CPA, CPR, *C, *H) **ólí ómòhè gá ólì òkpòsò zé.** The man has met the woman. **yán gá íkàkéànmì zé vbì ògò.** They encountered a carcass in the bush. **ólí ómóhé gá ólí émà zè.** The man paced up to the yam. **òó gà ìwówó' é zé.** Go to meet your peers. **òó gà ólí émà zè.** Go up to the yam.; *ga ze khi* to discover, realize that. **ólí ómòhè gázé khí ólí òkpòsò gbé ólí ófè.** The man discovered that the woman killed the rat.; *nwu ga ze* to take to meet. **í ló nwù é gá ìwówó' é zé.** I will take you to meet your peers.

gaa *v tr* to collect (CPA, CPR, C, H) **òjè ò ó gàà àmè.** Oje is collecting water. **yà gáá àmè.**

Start collecting water.; *kpaye gaa*, **ò ó kpàyè òjé gàà àmè.** He is helping Oje collect water.; *re gaa*, **òjè ò ó rè ìtásá gàà àmè.** Oje is using a bowl to collect water.; *gaa o*, **òjè gáá àmè ó vbì ògbèdí.** Oje collected water in the barrel.; *nwu gaa* to collect with (CPA, CPR, *C, *H) **òjè nwú ìbókéètì gáá àmè.** Oje collected water with a bucket. Oje got a bucket and collected water.

gaa *v tr* to encircle; *gbe gaa* to hover, be positioned around (*CPA, *CPR, C, *H) **élí ívbèkhàn ò ó gbé gàà òlí émàè.** The youths are milling around the food. **ùghú ò ó gbé gàà òlí íkákéànmì.** Vultures are are hovering around the carcass.; *ku gaa* to throw around, cover by throwing around (CPA, CPR, *C, *H) **ó kú ólí úkpùn gáá ólí ókpósó égbè.** He threw the cloth around the woman's body. He covered the woman's body with a cloth. **òjè kú ólí úkpùn gáá égbè.** Oje covered himself with the cloth. Oje covered his body with a cloth.; *mehen gaa* to sleep around [implies adultery] (*CPA, *CPR, *C, H) **óhá á ó ò mèhén gàà é.** Your wife sleeps around. lit. Your wife sleeps around you.; *re gaa* to put around (CPA, CPR, *C, *H) **òhí ré ólí úkpùn gáá ójé égbè.** Ohi put the cloth around Oje's body. **òjè ré ólí úkpùn gáá**

égbè. Oje put the cloth around his body.; *so gaa* to mill around by touching. **yàn só gáá òjè.** They milled around Oje. cf. **lagaa** to encircle.

gaa nwu *tr* to grab, hold onto (CPA, CPR, *C, *H) **òlì òkpòsò gáá úkpún ísì òjè nwú.** The woman grabbed the cloth of Oje. The woman took hold of Oje's cloth. **òlì òkpòsò gáá òjé úkpùn nwú.** The woman grabbed Oje by the cloth. **gàà ùkpún ísì òí nwú.** Hold onto her cloth.

gábé *pstv adv* prominently bulging condition. **ékéín ísì òí yí ré gábé.** His belly pushed out in a prominent bulge. His belly bulged out.; ~ *adj* prominent bulge. **ékéín lì gábé** the prominently extended belly. **ékéín ísì òjé ú gábé.** Oje's belly bulged out. **ójé ú ékéín gábé.** Oje has a prominently distended belly. **ebé' ó í rîì?** How is it? cf. **gébé** less prominent bulging.

gádá *pstv adv* arrogant, swaggering fashion of a braggart. **ólí ómóhè ó ò shàn gádá.** The man swaggers away. **ébé' ó ò í shán?** How does he move?

gádá *pstv adv* wide fashion. **ò táán únú ísì òí á gádá.** He opened his mouth wide. He spread his mouth widely. **ébé' únú ísì òí í tààn á sé?** To what extent is his mouth spread open?; ~ *adj* wide open. **únú ísì òí ú gádá.** Its mouth is wide open.

gaga *v tr* to support, prop, brace; *re gaga* to support with (CPA, CPR, *C, *H) **ò ré óràn gágá ólí úkhùèdè**. He used wood to brace the door. He used wood to prop the door shut. **ò ré óbò gágá ói**. He supported it with his hand. **rè óràn gágá ólí úkhùèdè**. Use a pole to prop the door.; *re gaga ye*, **òjè ré óbò gágá òhí yé ékóà**. Oje used his hand to prop up Ohi on the way to the room. cf. **ghagha** to manage to support.

ganọ *v intr* to become entangled (CPA, CPR, *C, *H) *ku ganọ*, **élí ívbìì kú gánọ́**. The vines got entangled.; **ganọ** *tr* to move around; *fi ganọ* to entangle, grab. **ólí úí fí gánọ́ ójé àwè**. The rope entangled Oje's legs.; *fi óbò/ábò ganọ* to grab, embrace. **yàn fí ábò gánọ́ égbè**. They threw their arms around each other. They embraced each other with their arms. **ólí ómòhè fí óbò gánọ́ ójé ùrùn**. The man thrust his arm around Oje's neck.; *fi òè/àwè ganọ* to grasp. **ólí ómòhè fí òè gánọ́ óràn édìn**. The man positioned his foot and grasped the palm tree. The man grasped the palm tree with his foot.; *ku ganọ* to grab. **ó kú gánọ́ ólí údò**. He grabbed the rock.; *ku ábò/àwè ganọ* to grab, embrace. **ó kú ábò gánọ́ ólí údò**. He grabbed the rock with his hands. He threw his arms around the rock. **òjè kú ábò gánọ́ ólí óvbèkhàn**.

Oje embraced the youth with his arms.; cf. **gaa** to encircle, -**nọ** DS.

gányá, gányágányá, gányágányágányá *pstv adv* sluggishly bowed over, awkward, cramped manner. **ò ó shàn gányágányágányá**. He is moving away sluggishly. He is moving away in a crab-like fashion. **ó síọ́ gányágányá-gányá**. It slithered sluggishly. **ébé' ó ò í shán?** How does he walk?

gárákéé *pstv adv* quick-paced, intimidating and arrogant manner. **ójé ọ́ ọ̀ ù gárákéé**. Oje acts arrogantly. Oje paces about in an intimidating fashion. **ólí óvbékhán áín ú gárákéé yé èàn**. That youth paced here and there.

gébé *pstv adv* prominent bulging condition. **ékẹ́ín ísì ọ̀ì yí ré gébé**. His belly pushed out in a prominent bulge. His belly bulged out.; ~ *adj* prominent bulge. **ékẹ́ín lì gébé** the prominently extended belly. **ékẹ́ín ísì ọ̀ì ú gébé**. His belly bulged out. **ó ú ékẹ́ín gébé**. He has a prominently distended belly. **ébé' ó í rîì?** How is it? cf. **gábé** more prominent bulging fashion.

gèdè *pstv adv* sound resulting from a canon explosion and its echo. **ú họ́ní gèdè**. You heard the sound of a canon echo.; ~ *adj* sound of a canon echo. **ó ú gèdè**. It echoed.

gèì *pstv adv* banging sound resulting from an exploding gun. **ú họ́ní gèì**. You heard the banging of a gun. **ọ́ fí òísí' gèì**. He shot the gun with a bang.; ~ *adj* exploding sound of a gun, bang of an explosion. **ọ́lì òísí' ú gèì**. The gun exploded with a bang. The gun banged.

gérèdèdèdè *pstv adv* break-neck, stampeding pace. **ọ́ ọ̀ khù ìyáín shàn gérèdèdèdè**. She chased them about at a break-neck pace.

geen *v tr* to branch, split; *geen ábọ̀* to assume a forked shape (CPA, CPR, C, H) **ọ́lí óràn géén ábọ̀**. The tree forked. The tree branch split off. lit. The tree split its branches.

génẹ́ *adj* curved, bent-over posture, **ọ́mọ́hé lì génẹ́** the bent over man. **ọ́lí ọ́mòhè ú génẹ́ bí òkhòì**. The man is curved like a worm. **ébé' ọ́ í rîì?** How is he?

gídí, gídígídí *pstv adv* comprehensive, complete fashion. **yán à vìè̩ òímí gídígídí**. They really mourn the dead body.

go *v intr* to wail, grieve (*CPA, *CPR, C, H) **élì àgbòn ọ̀ ọ́ gó**. The people are grieving.; *go de égbè re*, **yán gó dé ọ́lí ókpósó égbè ré**. They wailed for the woman. **yán rẹ́ úhúnmí ísì ófè̩ gó dé ọ́lí ókpósó égbè ré**. They used the head of a rat to grieve for the woman.; *go ku a*, **ójé ọ́ ọ̀ gó kù á**. Oje wails away. cf. **ga** to worship.

góghó *pstv adv* extreme condition of being tall and strong. **ójé dáí góghó**. Oje is extremely tall and well built. **ébé' ójé í dá sè̩?** How tall is Oje?; ~ *adj* extremely tall and strong, **ọ́mọ́hé lì góghó** the extremely tall and well built man. **ọ́lí ọ́mọ́hé ú góghó**. The man is extremely tall and well built. **ébé' ọ́ í rîì?** What is his condition?

gó *pstv adv* sound resulting from forceful, jabbing contact. **ú họ́ní gọ́**. You heard a jabbing sound. **ọ́ só ọ́lí ékpén úkpá vbí ótọ́í gọ́**. He jabbed the tip of the tail into the ground.

góbọ́ *adj* hulky, broad-shouldered physique, **ọ́mọ́hé lì góbọ́** a hulky man. **ọ́lí ọ́mòhè ú góbọ́**. The man is a broad-shouldered hulk. **ébé' ọ́ í rîì?** What is his condition?

gódọ́ *pstv adv* extremely hot condition. **ọ́lí ótóòn ọ̀ ọ́ nyọ̀ gódọ́**. The iron is glowing hot.

golo *v intr* to parade (*CPA, *CPR, C, H) **yàn á gòlò vbí òéé'**. They are parading in the township.; *re golo*, **ójé ọ́ ọ̀ rè ùhúnmí óímí gòlọ́**. Oje parades with the head of a corpse.; *golo shan vbi*, **yàn á gòlọ́ shàn vbí òkhùnmì**. They are parading to the upper part of the village. cf. **go** to wail.

gọn *v intr* to become crooked, oblique (CPA, CPR, *C, *H) **ọ́lí órán gọ́nì**. The stick is crooked.; *gon lee*, **úkpórán mè gón léé ísì òjè**. My stick is more crooked than Oje's.; *ze gon*, **íhùà zé áwé ísì òlí ómóhé gòn**. The load allowed the leg of the man to become bent.

gon *v intr* to lean, assume a leaned position; *nwu gon* to lean by taking hold of (CPA, CPR, *C, *H) **òjè nwú óràn gón vbí ùdékèn**. Oje leaned the pole against the wall. **nwù òlí óràn gón**. Lean the pole.; *kpaye nwu gon*, **ò kpáyé òjè nwú ólí óràn gón vbí égbókhèé**. He helped Oje lean the wood against the back wall.; *re égbè gon* to lean on. **òjè ré égbè gón vbí óràn**. Oje leaned on the wood with his body.; *roo gon* to lean by picking out. **ò róó úkpóràn gón**. He leaned the stick. **ròò òlí úkpóràn gón vbí égbókhèè**. Lean the stick against the back wall.

gón *pstdet* exactly, very same, in particular [emphatic intensifying function] **ójé gón lí égbé ísì òí** Oje himself, **ójé lí égbé ísì òí gón** Oje his very self, the very same Oje.; ~ *pstv adv* exact, precise fashion [only in information questions] **émé' ó ré óì tá gón?** What did he use it to mean exactly? What did he specifically use it to mean?

gònyògónyó *adj* very crooked, meandering. **òlí úkpóràn ú gònyògónyó**. The stick is crooked. **òlí úkpódè ú gònyò-**

gònyò̱. The road meanders. **úkpórán lì gònyògónyó** crooked stick. **ébé' ó í rìí?** How is it? cf. **gon** to be crooked.

gua *v intr* to heap, make heaps of earth (*CPA, *CPR, C, H) **òjè ò ó gúá**. Oje is heaping. **yà gúá**. Start heaping.; *kpaye gua*, **ò ó kpàyè òhí gúá**. He is helping Ohi heap.; *re gua*, **ò ó rè ègúé mé gúá**. He is heaping with my hoe.; *gua buu de* to heap, approach and reach, **è gúá bùù òkpósó dé**. They heaped coming toward the woman.; *gua buu vade* to heap, approach and come. **è gúá bùù òkpósó vádé**. They are heaping toward the woman.; *gua raale*, **yán gúá ràlé**. They heaped ahead.; *gua vade*, **òjè gùà vádé**. Oje is heaping and coming forward.; **gua** *v tr* to heap, mound a pile of earth for planting yams (CPA, CPR, *C, *H) **ò gúá émà**. He planted yam. **ò gúá úkpéhéí lí ó kpén ùòkhò**. He heaped the last yam ridge. **gùà íkpèhèì èvá**. Heap two ridges.; *kpaye gua*, **ò kpáyé òjè gúá íkpèhèì èvá**. He helped Oje heap two ridges.; *re gua*, **ò ré ègúé mè gúá èhèì èvá**. He used my hoe to heap two ridges.; *gua li*, **òjè gúá íkpèhèì èvá ní émè**. Oje heaped two ridges for me.

gua égùà *tr* to heap, prepare heaps (*CPA, CPR, C, *H) **òlí ómòhè ò ó gùà òlí égùà**. The man is preparing the heaps. The man is heaping. cf. **égùà** heap.

gua *v tr* to accommodate, fit (CPA, CPR, *C, H) ọ́lì ìwè gúá ébóó ọ́í èrèmẹ́. The house accommodated all his relations. ọ́lì ẹ̀gbá gúá ójé óbọ̀. The armlet fit Oje's arm.

gùàgúgùàgú *pstv adv* slow, whooshing sound resulting from the beating of a bird's wings. ú họ́ní gùàgúgùàgú. You heard a whoosh. ọ́lí áfiánmí gbéí gùàgúgùàgú. The bird beat (its wings) with a whoosh.; ~ *adj* whooshing sound of a bird's wings. ọ́lí áfiánmì ú gùàgúgùàgú. The bird whooshed by. The bird made a whooshing sound.

gùàghó *pstv adv* jerky fashion. ọ́ shóọ́ ré gùàghó. He jerked up. He arose in a jerk. ú míẹ́í khì ọ̀ shóọ́ ré gùàghó. You sensed he jerked up.; ~ *adj* jerked up state. ọ̀ ú gùàghó. He jerked up.

gúáhí *pstv adv* lurching fashion. ọ́ shóọ́ rè gúáhí. He arose in a lurch. He lurched up.; ~ *adj* lurched up. ọ̀ ú gúáhí. He lurched up.

gúáhí *pstv adv* crumpled state. ọ̀ dé fì ọ́ vbí ótọ́í gúáhí. He fell on the ground in a crumpled state. He crumpled onto the ground.; ~ *adj* crumpled. ọ́ ú vbí ótọ́í gúáhí. He crumpled on the ground. ọ́ ú gúáhí vbì òtòì. He crumpled on the ground. cf. gúákpá crumpled position.

gùàkó *pstv adv* clashing sound resulting from forceful contact.

ú họ́ní gùàkó. You heard a clash. ọ́ dé khúún ọ́í gùàkó. He clashed into her. He embraced her with a clash.; ~ *adj* sound of a forceful, clashing contact. yàn ú gùàkó. They clashed.

gúákpá *pstv adv* limp, crumpled position. ọ́lì ẹ̀kpẹ̀n déí vbí ótọ́í gúákpá. The leopard fell on the ground in a crumpled state. The leopard crumpled up on the ground.; ~ *adj* limp, crumpled position. ọ́ ú gúákpá vbì òtọ̀ì. He crumpled on the ground. ọ́ ú vbí ótọ́í gúákpá. He crumpled on the ground. cf. gúáhí crumpled.

gúákpá *adj* gaunt condition. ójé ú gúákpá. Oje is gaunt.

gùán *pstv adv* poking sensation of a blunt object. ú míẹ́í gùán. You experienced a poke. ọ̀ sẹ́n ọ́í gùán. He stabbed him with a poke. He poked him.

gue li hon *intr* to inform (CPA, CPR, *C, *H) ọ́lì òkpòsò gúé lí ọ́lí ómọ́hé hòn. The woman informed the man.; **gue li hon** *tr* inform, reveal to, tell to. ọ́lì òkpòsò gúé ìnyèmì lí ọ́lí ómọ́hé hòn. The woman informed the man about the matter.; *gue li hon khi,* ọ́lí ómọ́hé gúé lí òhí hón khí ọ́lì òkpòsò gbé ọ́lí ófè. The man revealed to Ohi that the woman killed the rat.; *gue li hon li,* ọ́lí ómọ́hé gúé lí ọ́lí ókpósó họ́n lí ọ́ í gbè ọ̀lí ófè. The man told the woman that she should kill the rat.; *gue li hon IQ,* **ólí ómóhé gúé lí òhí hón ébé' ólí ókpósó í gbé ólí ófè.** The man informed Ohi how the woman killed the rat.

gue re *intr* to speak, tell, narrate [only in non-declaratives] **gùè ré.** Speak [it's your turn].

gue èmòì *tr* to discuss a matter (*CPA, *CPR, C, H) **yàn á gùè èmóí úróó óìbó.** They are discussing the matter of the English language.

gue èzón *tr* to narrate a case, point of dispute (CPA, CPR, C, H) **òjè ò ó gùè èzón.** Oje is narrating the case.; *kpaye gue èzón,* **ò kpáyé òjè gúé ólì èzón.** He helped Oje adjudicate the case. He settled the case in Oje's stead. **òhí ò ó kpàyè òjé gùè èzón.** Ohi is having a discussion of the case with Oje.; *gue èzón li,* **à gúé èzón ní íyàìn.** The matter was settled between them. lit. One presented a case for them.; *gue èzón o vbi òtòì,* **òjè gúé èzón ó vbì òtòì.** Oje narrated his case beforehand.; *gue èzón shan,* **yà gúé èzón ísì èé shán.** Start narrating your case.; *gue èzón vbiee,* **òjè gúé èzón vbíéé òhí.** Oje narrated his case to Ohi.

gue ìnyèmì *tr* to speak, verbalize (CPA, CPR, *C, *H) **òjè gúé ìnyèmì.** Oje has spoken.

gue ìnyèmì *tr* to relate, present information, engage in conversation (CPA, CPR, C, *H) **ólì**

òkpòsò **ò ó gùè ìnyèmì.** The woman is relating information.; *kpaye gue ìnyèmì,* **ò kpáyé òjè gúé ínyémí ósò.** He discussed a certain matter with Oje.; *gue vbiee,* **ólí ókpósó gúé ìnyèmì vbíéé ólí ómòhè.** The woman related information to the man. **ò gúé ínyémí ósó vbíéé émè.** He disclosed a certain matter to me.

gue ìnyèmì *tr* to gossip (*CPA, *CPR, *C, H) **ólí ókpósó ó ò gùè ìnyèmì.** The woman gossips. lit. The woman relates information.

gue ìnyèmì *tr* to adjudicate the matter (CPA, CPR, *C, *H) **yàn gúé ólì ìnyèmì.** They argued the matter. **yà gúé óì.** Start adjudicating it.; *gue ìnyèmì li,* **yàn gúé ólì ìnyèmì ní íyàìn.** They have adjudicated the matter for them.; *gue ìnyèmì o égbé vbi únù,* **yàn gúé ólì ìnyèmì ó égbé vbí únù.** They argued for their respective positions. lit. They presented the matter onto each other's mouth.; *gue ìnyèmì ba kun,* **yàn gúé ólì ìnyèmì bá kùn.** They could not resolve the matter. They adjudicated the matter in vain.

gue únù èvá o vbi òtòì *tr* to be inconsistent (CPA, CPR, *C, *H) **ò gúé únù èvá ó vbì òtòì.** He was inconsistent. lit. He presented two mouths onto the ground.

gue *v tr* to crush, pound with mortar and pestle (CPA, CPR, C, H) **ò̱ gúé ó̱lí ó̱kà.** He crushed the maize. **gùè ò̱lí ó̱kà.** Crush the maize.; *kpaye̱ gue,* **ò̱ kpáyé̱ ò̱jè gúé ó̱lí ó̱ka.** He crushed the maize in place of Oje.

gue *v tr* to nibble (CPA, CPR, C, H) **ívàn gúé ó̱kà.** The grass cutter nibbled maize.; *gue ku a,* **ívàn gúé ó̱kà kú à.** The grass cutter nibbled away the maize.; *gue ku o̱,* **ívàn gúé ó̱kà kú ó̱ vbí úkpódè̱.** The grass cutter nibbled maize all over the road.; *gue o̱,* **ívàn gúé ó̱kà ó̱ vbì ò̱tò̱ì.** The grass cutter nibbled maize onto the ground.

gue *prev adv* unexpectedly soon, before the expected time. **ó̱lí ó̱mò̱hè̱ gúe é ó̱lí émàè̱ lé̱é̱.** It was unexpected that the man finished eating the food. **ò̱ gúè vàré.** He came unexpectedly.

gueghe *v tr* to slice, mince, cut in fine slices (CPA, CPR, C, H) **ò̱ gúéghé ó̱lì èfó̱.** He sliced the vegetables. **gùèghè ó̱lì èfó̱.** Slice the vegetables.; *kpaye̱ gueghe,* **ò̱ kpáyé̱ ò̱jè gúéghé ó̱lì èfó̱.** He helped Oje slice the vegetables.; *re̱ gueghe,* **ò̱ ré úvbíágháé lì ò̱gbò̱n gúéghé èfó̱.** He used a new knife to slice vegetables.; *gueghe ku a,* **ó̱ gúéghé ó̱lí émá áìn kú à.** He sliced that yam plant aside.; *gueghe ku o̱,* **ó̱ gúéghé ó̱lí émà kú ó̱ vbì ìtébù.** He sliced the yam all over the table.

gùèké *pstv adv* sudden cessation. **é múzání gùèké.** They stopped suddenly.; ~ *adj* sudden cessation. **íyáín ú gùèké.** They suddenly ceased.

gue̱ *v tr* to know how, know a skill (CPA, CPR, *C, *H) **ò̱ gúé émáì.** He knew Emai. **ò̱ gúé ó̱gúé lí á à ré̱ vbì émì.** He knew how to beg. lit. He knew the skill that one uses to beg.

gue̱ ébè̱ *tr* to be intelligent (CPA, CPR, *C, *H) **ò̱ gúé ébè̱.** He is intelligent. lit. He knew a book.

gue̱ èwàìn *tr* to be wise (CPA, *CPR, *C, *H) **ó̱jé gúé èwàìn.** Oje is wise. lit. Oje knew wisdom.

gue̱gue̱ *v intr* to be fastidious about household functions (*CPA, *CPR, C, H) **ó̱ ò̱ gùègúé.** She performs household functions well. **ò̱ ó̱ gùègúé gbé.** She is too dutiful.

gúéghé *pstv adv* jerking fashion. **ò̱jè níááí gúéghé.** Oje startled up with a jerk. Oje jerked up in amazement.

gue̱n re *intr* to bend up (CPA, CPR, *C, *H) **ó̱lí óràn gúé̱n rè.** The stick bent up.; **gue̱n re** *tr* to bend up (CPA, CPR, C, H) **ò̱jè gúé̱n ó̱lí óràn ré.** Oje bent up the stick. **gùèn ó̱ì ré.** Bend it up.; *kpaye̱ gue̱n re,* **ò̱ kpáyé̱ ò̱jè gúé̱n ó̱lí óràn ré.** He helped Oje bend up the stick.; *re̱ gue̱n re,* **ò̱ ré ègúé gúé̱n ó̱lí óràn ré.** He bent the stick up with a hoe.; *nwu gue̱n re* to get bent up

(CPA, CPR, *C, *H) ọ̀ nwú ọ́lí ọ́ràn gúẹ́n ré. He got the stick bent up. cf. **guọghọ** to break.

guiẹn *v intr* to be malicious; *kpaye guiẹn* to be malicious with, toward (*CPA, *CPR, C, H) ọ̀ ọ́ kpàyẹ̀ mẹ́ gùiẹ́n. She is malicious toward me.

gùòghó *pstv adv* crashing sound resulting from a contact activity. ú họ́ní gùòghó. You heard a crashing sound. ọ́ fí ákhé ísì èkán fí ọ́ vbí éán gùòghó. He threw the pot of beads onto here in a crash. He crashed the pot of beads here.; ~ *adj* sound of a crash. ọ́lí ọ́mọ́hé ú vbí ọ́tọ́í gùòghó. The man crashed on the ground. cf. **gùòó** crashing sound.

gùòó *pstv adv* crashing sound resulting from a contact activity. ú họ́ní gùòó. You heard a crashing sound. ọ́lí ọ́mọ́hé déí gùòó. The man fell in a crash. The man crashed.; ~ *adj* crashing sound. ọ́lí ákhé ú gùòó. The pot crashed. cf. **gùòghó** crashing sound.

gúọ́ *pstv adv* slumped condition of dumping activity. é kú ọ̀ì ọ́ vbì ọ́tọ́í gúọ́. They dumped him on the ground in a slump.; ~ *adj* slumped. ọ́lí ọ́mọ́hé ú gúọ́. The man is slumped down. The man slumped down.

gúọ́ *pstv adv* jingling sound resulting from divining seeds hitting the ground one after the other. ú họ́ní gúọ́. You heard a

jingling. ọ́ kú íkhùèkhúẹ́ ísì ọ́í gúọ́. He cast his divining seeds with a jingle.

guọ *v intr* to shiver, shudder from fright or cold (*CPA, *CPR, C, H) élì ìkpòsò ọ̀ ọ́ gúọ́. The women are shivering. é è kè gúọ́. Don't shiver anymore.; *guọ ku a*, yán à gúọ́ kù á. They shiver throughout.

guọguọ *v intr* to shrivel (*CPA, *CPR, C, H) ébé ísì ọ̀lí ọ́ràn gúọ́gúọ́ì. The leaves of the tree shriveled.; *guọguọ ku a*, élí ébè gúọ́gúọ́ kù á. The leaves shrivelled to bits. The leaves wasted away.; **guọguọ** *tr* to shrivel (CPA, CPR, *C, *H) èràìn gúọ́gúọ́ ọ́lí ébè. Fire shriveled the leaf. ọ́lí ọ́ràn gúọ́gúọ́ ébè. The leaves of the tree shriveled. lit. The tree shrivelled its leaves.; *guọguọ ku a*, èràìn gúọ́gúọ́ élí ébè kú à. Fire shriveled the leaves to pieces.; *re èkpà guọguọ* to pummel, beat to a pulp. ọ̀ ré èkpà gúọ́gúọ́ ọ́lí ọ́vbèkhàn. He punched the youth silly. lit. He used a punch to shrivel the youth. ré èkpà gúọ́gúọ́ òjè. Beat Oje to a pulp. cf. **guọ** to shiver.

guọghọ *v intr* to break (CPA, CPR, C, *H) ọ́lí úkpóràn gúọ́ghọ́ì. The stick broke.; *guọghọ a*, ọ́lí úkpóràn gúọ́ghọ́ à gbègbèì. The stick broke off totally.; *guọghọ ku a*, àgágá'n gúọ́ghọ́ kù á. The agagan tree broke into pieces. élí éràn dé gùòghò kú à. The trees fell and broke into pieces.; **guogho** *tr* to break (CPA, CPR, *C, *H) **òjè gúóghó àwè̩.** Oje broke his legs.; *kpaye guogho a,* **ò̩ kpáyé òjè gúóghó úkpàsánmì á.** He helped Oje break the cane.; *re guogho a,* **ò̩ ré àwè̩ gúóghó úkpàsánmì á.** He used his foot to break the cane.; *guogho a,* **òjè gúóghó úkpàsánmì á.** Oje broke the cane.; *guogho ku o,* **ò̩ gúóghó úkpàsánmì kú ó̩ vbí úkpódè̩.** He broke the cane all over the road.; *guogho o,* **ò̩ gúóghó úkpàsánmì ó̩ vbì èvá.** He broke the cane into two.

gúó̩mí *pstv adv* sudden, back and forth fashion. **ó̩lì àgbè̩dé̩ sí ó̩í vbí éán gúó̩mí.** The blacksmith drew him here with a jerk. The blacksmith jerked him here.

gùú *pstv adv* whooshing sound of air rushing from the body after a stabbing. **ú hó̩ní gùú.** You heard a whooshing sound. **ó̩ gbé àgádà ó̩ ó̩í vbí ékéín gùú.** He thrust a sword into her belly with a whoosh.

GB

gba *v intr* to become big, large (CPA, CPR, *C, H) **ó̩lí ímé gbáì.** The farm is big. **élí émá gbáló̩ì.** The yams are each big.; *ze gba,* **ó̩lí ó̩mòhè̩ zé ó̩lí émá gbà.** The man has allowed the yam to become big.

gba *v intr* to become fat, plump, overweight (CPA, *CPR, *C, H) **ó̩lí ó̩mó̩hé gbáì.** The man is

fat.; *gba o vbi o,* **ó̩lí éwè̩ ò̩ ó̩ gbá ò̩ vbì ò̩.** The goat is getting fatter.

gba *prev adv* together [collective performance or existence function] (CPA, CPR, *C, H) **élí ímó̩hé gbá é ó̩lí émàè̩.** The men together ate the food. **élí ímó̩hé gbá rì vbì ìwè̩.** The men are together in the house. cf. **gba** to bind.

gba *v tr* to tether, tie, bind (CPA, CPR, C, H) **ó̩lí ó̩mòhè̩ gbá ó̩lí éwè̩.** The man has tethered the goat. **ó̩lí ó̩mòhè̩ gbá ó̩lí óvbèkhàn.** The man has tied the youth. **gbà ò̩lí éwè̩.** Tether the goat.; *gba nwu* to tie, bind to (CPA, CPR, *C, *H) **yàn gbá ó̩lí óvbèkhàn nwú óràn.** They have tied the youth to a tree.

gba *v tr* to tie, bind on the body and its extremities (CPA, CPR, C, H) **ó̩lì òkpòsò gbá ò̩gbèlè̩.** The woman tied the baby sash. **gbà ìsávbè̩é̩.** Tie the ankle string.; *gba li,* **ó̩lì òkpòsò gbá ò̩gbè̩lè̩ lí òjè.** The woman tied the baby sash for Oje.; *gba o,* **ó̩lì òkpòsò gbá ìsávbè̩é̩ ó̩ vbì àwè̩.** The woman tied the dika nut string onto her feet.; *nwu gba* to get tied (CPA, CPR, *C, *H) **ó̩lì òkpòsò nwú ó̩lì ò̩gbèlè̩ gbá.** the woman got the baby sash tied.; *nwu gba li,* **ó̩lì òkpòsò nwú ó̩lì ò̩gbè̩lè̩ gbá lí òjè.** The woman got the baby sash tied on herself for Oje. The woman tied the baby sash on for Oje.

gba *v compl tr* to bind with (CPA, CPR, *C, *H) è gbá ólí ómóhé ìì. They bound the man with ropes. They tied the man with ropes. gbà òlí ómóhé ìì. Bind the man with ropes.

gba ékéín óhánmí ísì *compl tr* to fast, endure hunger for (CPA, CPR, *C, *H) ójé gbá ékéín óhánmí ísì ólì ìmátò. Oje endured hunger in order to buy a car. lit. Oje tied his belly with hunger for a car.

gbaan *v intr* to melt (CPA, CPR, C, H) ólí évbìì gbáánì. The oil has melted.; **gbaan** *tr* to melt by heating(*CPA, *CPR, C, H) òjè ò ó gbààn évbìì. Oje is heating the oil.

gbaan *v intr* to wind; *gbaan a* to unwind (CPA, CPR, *C, *H) ólì òú gbáán à. The thread unwound.; *gbaan de re*, ólí úkpán gbáán dé òtòì ré. The ball of thread unwound all the way to the ground.; *gbaan vare*, ólì òú gbáán váré vbì òtòì. The thread unwound coming down to the ground.; **gbaan** *tr* to wind (*CPA, *CPR, C, H) òjè ò ó gbààn òú. Oje is winding thread. yà gbáán ólì òú. Start winding the thread.; *kpaye gbaan*, ò kpáyé òjè gbáán òú. He helped Oje wind the thread.; *gbaan a*, ò gbáán òú à. He unwound the thread.; *gbaan o*, ò gbáán ólì òú ó vbí úkókàsí. He wound the thread into a tin snuff container.

gbaan re *tr* to initiate, start a process (*CPA, *CPR, C, *H) yán gbáán ómóó únwùmí ré. They initiated their friendship. yán gbáán óká úkòmí ré. They started maize planting.; *gbaan re khi* to initiate, bring into vogue (CPA, CPR, *C, *H) òdíhìn lí ó gbáán óì ré khì à ló yà é émà. It was Odihin who initiated the practice of eating yam.

gbàán *pstv adv* intense, forceful smacking sound resulting from a hitting activity. ú hóní gbáán. You heard a smacking sound. ó fí óbó vbí úhúnmí gbáán. He hit his hand on his own head with a smack. He smacked his head with his hand. cf. **gbàángándán** intense cracking sound.

gbàán *pstv adv* intense cracking sound. ú hóní gbáán. You heard a loud cracking sound. òísókhúnmí sáhíènmí gbáán. The thunder screamed with a crack. The thunder cracked.; ~ *adj* cracking sound of thunder. ókhúnmí ú gbáán. The sky cracked with a loud thunder bolt. The sky screached with a thunder bolt. cf. **gbàángándán** intense cracking sound.

gbàán *pstv adv* intense shouting sound. ó éché óhá óí gbáán. He called his wife by shouting. He shouted for his wife. cf. **gbàángándán** intense scolding sound.

gbàángándán *pstv adv* intense cracking sound. **ú hóní gbàángándán.** You heard a crackingly loud sound.; ~ *adj* cracking sound of thunder. **ókhúnmí ú gbàángándán.** The sky made a cracking thunder sound. The sky thundered. cf. **gbàán** intense cracking sound.

gbàángándán *pstv adv* intense scolding sound. **ó sáhíén óí gbàángándán.** She scolded him intensely. cf. **gbàán** intense shouting sound.

gbagan *v tr* to obstruct a passage (CPA, CPR, *C, *H) *de gbagan,* **ólí óràn dé gbágán úkpódè.** The tree fell and obstructed the way. The tree obstructed the way by falling.; *nwu gbagan,* **ò nwú óràn gbágán úkpódè.** He set wood to obstruct the path. He obstructed the path with wood. **é è nwú óràn gbágán úkpódè.** Don't obstruct the way with wood.

gbàgó *pstv adv* sudden, twisting movement of a fetus. **ú míéí gbàgó.** You sensed the twisting fetus. **ébé' ékéín ísì àlèkè í ù?** How did Aleke's belly act?; ~ *adj* sudden twist. **ékéín ísì òí ú gbàgó.** Her belly did a sudden twist. Her belly twisted suddenly.

gbágbágbá *pstv adv* slapping sound resulting from a knocking or hitting activity. **ú hóní gbágbágbá.** You heard

the slapping sound. **ò só óbó vbí úkhúédé gbágbágbá.** He knocked on the door with a slap. He slapped his hand on the door.

gbáín, gbáíngbáín *pstv adv* very extreme condition of proximity or tightness. **ó kókó éó gbáíngbáín.** He tightened his eyes. He closed his eyes tightly. **ò khúyé úkhúédé gbáíngbáín.** He tightened the door. He closed the door tightly. **ásón ré gbáíngbáín.** The darkest point of the night arrived. **ó héén ókhúnmí ólí órán áìn só gbáín.** He climbed to the very extreme top of that tree.

gbáká *adj* irregularly shaped. **évbíé lì gbáká** the irregularly shaped testicle. **ólì èvbìè ú gbáká.** The testicle is irregularly shaped. **évbíé ísì òjè ú gbáká.** Oje's testicles are irregularly shaped. **ójé ú évbíé gbáká.** Oje has an irregularly shaped testicle. **ébé' ó í rîî?** How is it's condition?

gbalo *v tr* to wear a cloth ensemble, dress up, tie on an article of clothing (CPA, CPR, C, H) **ólì òkpòsò gbáló íkpùn.** The woman dressed up. The woman tied on articles of clothing. **ólì òkpòsò gbáló úhùnmì.** The woman has put on her headtie. lit. The woman has tied up her head. **ólì òkpòsò gbáló ìsávbèé.** The woman tied on the dika nut anklets.; *gbalo li,* **ólì òkpòsò gbáló úhùnmì lí àlèkè.** The woman has wrapped Aleke's head for her. cf. **gba** to tie, **-l<u>o</u>** DS.

gbal<u>o</u> *v tr* to wrap, dress a wound (CPA, CPR, *C, H) <u>ò</u> gbál<u>ó</u> <u>é</u>máí lí <u>ó</u> rì vbí ób<u>ó</u> mè. He dressed the wound on my arm. **gbàl<u>ò</u> ól**ì èmàì. Dress the wound. cf. **gba** to tie, **-l<u>o</u>** DS.

gbáyá *pstv adv* flat out position. <u>ó</u> déí gbáyá. He fell flat out. yán míé <u>ó</u>í vbí ót<u>ó</u>í gbáyá. They saw him flat out on the ground.; ~ *adj* flat out. <u>ó</u> ú vbí ót<u>ó</u>í gbáyá. He was on the ground flat out. <u>ó</u> ú gbáyá vbì òt<u>ò</u>ì. He was flat out on the ground.

gbe *v intr* to dance (*CPA, *CPR, C, H) òjè <u>ò</u> <u>ó</u> gbé. Oje is dancing. yà gbé. Start dancing.; *kpaye gbe*, <u>ò</u> <u>ó</u> kpày<u>è</u> òjé gbé. He is dancing with Oje.; *re gbe*, <u>ò</u> <u>ó</u> rè <u>ò</u>lí ókpósó gbé. He is taking the woman to dance. He is dancing with the woman.; *gbe vbiee*, òjè <u>ò</u> <u>ó</u> gbé vbìèè <u>ò</u>há <u>ó</u>ì. Oje is dancing for his wife.; **gbe** *tr* to dance. òjè <u>ò</u> <u>ó</u> gbè ìókó. Oje is dancing the hunter's dance. yà gbé ìókó. Start dancing the hunter's dance.; *kpaye gbe*, <u>ò</u> <u>ó</u> kpày<u>è</u> òjé gbè ìókó. He is dancing the hunter's dance with Oje.; *gbe vbiee*, òjè <u>ò</u> <u>ó</u> gbè ìókó vbìèè <u>ò</u>há <u>ó</u>ì. Oje is dancing the hunter's dance for his wife.

gbe *v intr* to become blunt, dull (*CPA, CPR, *C, *H) <u>ó</u>lí ópìà gbéì. The cutlass is dull.; *ze*

gbe, <u>ó</u>lí <u>ó</u>m<u>ò</u>hè z<u>é</u> <u>ó</u>lí <u>ó</u>píá gbè. The man allowed the cutlass to get dull.

gbe únù *tr* to become blunt on the edge (CPA, CPR, *C, *H) <u>ó</u>lí <u>ó</u>pìà gbé únù. The edge of the cutlass became blunt.; **gbe únù** *compl tr* to blunt, dull an edge. òjè gbé <u>ó</u>lí ópíá únù. Oje blunted the edge of the cutlass.

gbe únù *tr* to be stunned, puzzled (CPA, CPR, *C, *H) <u>ú</u>één ísì òjè gbé únù. Oje's behavior is puzzling. lit. Oje's behavior blunted his mouth.; **gbe únù** *compl tr* to stun, puzzle. <u>ú</u>één ísì òjè gbé m<u>é</u> únù. Oje's behavior puzzled me. lit. Oje's behavior blunted my mouth.

gbe únù o vbi égbè *tr* to insult [reserved for an older person speaking about younger] (*CPA, CPR, *C, *H) <u>ò</u> gbé únù <u>ó</u> m<u>é</u> vbí égbè. He insulted me. lit. He put a blunt edge onto my body.

gbe *v tr* to pluck by gathering (CPA, CPR, C, H) òjè gbé òlàà. Oje gathered bitter leaf. Oje plucked bitter leaf. **gbè òlàà**. Pluck bitter leaf.; *kpaye gbe*, <u>ó</u> kpáyé òjè gbé òlàà. He helped Oje pluck bitter leaf.; *gbe li*, <u>ò</u> gbé òlàà ní ém<u>è</u>. He plucked bitter leaf for me.; *gbe re*, <u>ò</u> gbé òlàà ré. He plucked and brought bitter leaf.; *gbe ye*, <u>ò</u> gbé òlàà yé ínyó <u>ó</u>ì. He plucked bitter leaf and took it to his mother.; *gbe hua* to pluck and carry (CPA, CPR, *C, *H) ọ̀ gbé ébè húá. He plucked leaves and carried them.; rẹ óbọ̀ gbe to pick at with hands (CPA, CPR, *C, *H) òjè rẹ́ óbọ̀ gbé ólí émàè. Oje picked at the food. Oje ate only a bit of food by picking at it. lit. Oje used his hands to pluck the food.

gbe èvò tr to cut thatch, pluck by cutting (CPA, CPR, C, H) ọ̀ gbé èvò. He cut thatch. yà gbé èvò. Start cutting thatch.; kpaye gbe èvò, ọ̀ kpáyé òjè gbé èvò. He helped Oje cut thatch.; rẹ gbe èvò, ọ̀ ré ólí ópìà gbé èvò. He used the cutlass to cut thatch.; gbe èvò li, ọ̀ gbé èvò lí ínyọ́ ọ̀ì. He cut thatch for his mother.; gbe èvò re, ọ̀ gbé èvò ré. He brought thatch.; gbe èvò ye, ọ̀ gbé èvò yé ìwè. He cut thatch and took it home.

gbe ìùmì tr to weed, pluck, eliminate weeds (*CPA, *CPR, C, H) ọ̀ ó gbè ìùmì. He is plucking weeds.

gbe èhèèn tr to catch, pluck fish (CPA, CPR, C, H) òjè gbé èhèèn. Oje caught a fish. é è kè gbé éhéén vbí áàìn. Don't catch fish there anymore.; rẹ gbe èhèèn, ọ̀ rẹ́ óbọ̀ gbé èhèèn. He used his hand to catch fish.; gbe èhèèn li, òjè gbé èhèèn lí òhí. Oje caught fish for Ohi.; gbe èhèèn o, òjè gbé èhèèn ó vbì ìtásà. Oje caught fish and put them into the basin. cf. nwu to catch.

gbe v intr to hit against (CPA, CPR, *C, *H) nwu gbe vbi, ọ̀ nwú àwè gbé vbì ùdékèn. He hit his leg against the wall. He hit the wall with his leg. ó nwú ólì òkpòsò gbé vbì ìbéèdì. He slammed the woman against the bed. ọ̀ nwú óràn gbé vbì òtọ̀ì. He slammed wood on the ground. ọ̀ nwú émà gbé vbì èràìn. He put yam in the fire to roast. é è nwú ólí óràn gbé vbí úkhùèdè. Don't slam the wood against the door.

gbe v tr to hit, make contact, against (CPA, CPR, *C, *H) de gbe, ólí úkpóràn dé gbé ùdékèn. The stick has fallen against the wall. The stick fell and hit the wall. The stick hit the wall after falling.; fi gbe, ólì òkpòsò fí úkpóràn gbé ùdékèn. The woman threw a stick and hit the wall. The woman threw a stick against the wall.; filo gbe, ọ̀ ó filò ìdó gbè ùdékèn. He is throwing stones against the wall.; gbe gbe, ọ̀ gbé ìbóòlù gbé mè. He has kicked the ball and hit me.; gbulu gbe, ólì òkpòsò gbúlú ókọ̀ gbé ìmátò. The woman rolled the mortar against the car.; nwu gbe, ọ̀ nwú údò gbé údò. He hit one stone against another. He hit one stone with another. ọ̀ nwú óràn gbé òjè. He made the stick hit Oje (unintentionally). He hit Oje with a stick. ọ̀ nwú óbọ̀ gbé mè. He hit his hand against me (unintentionally).;

san gbe, ìvìn sán gbé òjè. A palm kernel nut sprang against Oje. A palm kernel nut cracked and hit Oje. ọ̀ sán ìvìn gbé òjè. He cracked a palm kernel nut and hit Oje. He hit Oje with a palm kernel nut after cracking it.; *sannọ gbe* (CPA, *CPR, C, *H) ẹ́kèé ọ̀ ó sànnọ́ gbè ùdékèn. Frogs are leaping against the wall. Frogs are hitting the wall by leaping.

gbe *v tr* to hit, make contact while kicking; **rẹ òè/àwè gbe** to kick (CPA, CPR, *C, *H) ọ́lí ọ́vbèkhàn rẹ́ òè gbé ìbóòlù. The youth kicked the ball. The youth used his leg to kick the ball. The youth hit the ball with his leg.; *rẹ òè/àwè gbe ye*, ọ̀ rẹ́ àwè gbé údò yé òhí. He kicked the stone to Ohi.

gbe *v tr* to hit, make contact while pecking; **rẹ úkpà gbe** to peck (CPA, CPR, *C, *H) ọ́lì àgbògbòràn rẹ́ úkpà gbé óràn. The woodpecker used its beak to peck the tree.

gbe *v tr* to play, beat a percussion instrument (CPA, CPR, C, H) ọ̀ gbé ọ́lì ìbè. He beat the drum. He played the drum. gbè ọ́lì ìbè. Play the drum.

gbe ábọ̀ *tr* to clap hands, applaud (*CPA, *CPR, C, H) òjè ọ̀ ó gbè ábọ̀. Oje is clapping his hands. gbè ábọ̀. Clap your hands.; *gbe ábọ̀ li*, ẹ́lí ívbèkhàn ọ̀ ó gbè àbọ́ lì òjè. The youths are clapping for Oje.; *gbe ábọ̀ ọ*

vbi ọ, yán gbé ábọ̀ ó vbì ọ̀. They clapped further. They clapped on account of it.

gbe *v intr* to beat, pulsate (*CPA, *CPR, C, H) údú ísì òjè ọ̀ ó gbé. Oje's heart is pulsating.

gbe *v tr* to beat, overcome, physically abuse (CPA, CPR, C, H) òjè ọ̀ ó gbè ọ́lí ọ́vbèkhàn. Oje is beating the youth. òhí gbé òjè. Ohi beat Oje. yà gbé ọ́lí ọ́vbèkhàn. Start beating the youth.; *rẹ gbe*, ọ̀ rẹ́ úkpóràn gbé ọ́lí ọ́mòhè. He used a stick to beat the man.; *gbe li*, òjè ọ̀ ó gbè ọ́lí ọ́vbékhán lì òhá ọ́ì. Oje is beating the youth for his wife.; *gbe ọ*, òjè ọ̀ ó gbè ọ̀lí ọ́vbékhán ọ̀ vbí ẹ́mói éànmì. Oje is beating the youth on account of the meat.; *gbe gbe*, ọ́lí ọ́mòhè gbé ọ́lí ọ́vbèkhàn gbé. The man beat the youth too much.; **gbe miee** to beat out of (CPA, CPR, *C, *H) òjè gbé òhí míẹ́é ọ́í éghó'. Oje beat Ohi and seized money from him. Oje seized money from Ohi by beating him.; **gbe u** to beat so as to die (CPA, CPR, *C, H) ọ̀ gbé ọ́lí ọ́mòhè ú. He beat the man to death.

gbe *v tr* to defeat, overcome, beat in a game (CPA, CPR, *C, H) mà gbé élí ívbékhán vbì ìlùdó. We defeated the youths at ludo.; *rẹ únù gbe* to criticize, berate, reproach (*CPA, CPR, *C, *H) òjè rẹ́ únù gbé òhí. Oje berated

Ohi. lit. Oje used his mouth to defeat Ohi.

gbe e *tr* to cheat (CPA, CPR, *C, *H) ò̱jè̱ gbé òhí é. Oje cheated Ohi. lit. Oje defeated Ohi and consumed him.; *gbe te̱e̱ e* to exploit. ò̱hí gbé ò̱jè té̱é̱ è. Ohi exploited Oje. lit. Ohi beat Oje for a long time and consumed him.

gbe *v tr* to kill, beat severely with the intention to kill (CPA, CPR, *C, *H) ó̱jé gbé ó̱lí ó̱vbè̱khàn. Oje killed the youth. Oje beat the youth. ó̱jé gbé égbé ó̱ì. Oje killed himself. ó̱kpó̱kpó̱ ló̱ gbè ò̱hí. Worry will kill Ohi. gbè ò̱lí ó̱vbèkhàn. Kill the youth. Beat the youth.; *kpaye̱ gbe,* ò̱ kpáyé̱ mè gbé ó̱lí é̱wè. He helped me kill the goat.; *re̱ gbe,* ó̱ ré̱ àà̱bà gbé é̱mì̱é̱mì. He used a slingshot to kill the lizard.; *gbe a* [only with the indefinite subject pronoun] à gbé ó̱lí ó̱vbèkhàn á. The youth was executed.; *gbe fi a,* ó̱lí ó̱mò̱hè̱ gbé ó̱há ó̱ì fí à. The man killed off his wife. ó̱lí ó̱mò̱hè̱ ré̱ údò gbé ó̱lí ó̱vbèkhàn fí à. The man used a stone to kill off the youth.; *gbe àgbèlé* to kill dead [irreversible] ò̱ gbé ó̱í àgbèlé. He killed him dead. He beat him to death.; *gbe anme̱ e* to kill, fry and then eat. ò̱ gbé úvbí̱é̱wè ánmé̱ è. He killed a small goat, fried it and ate it.; *gbe ba kun* to try unsuccessfully to kill, beat severely without

killing. ò̱jè gbé ó̱lí é̱wè bá kùn. Oje tried in vain to kill the goat. cf. **gboo** to kill a plurality.

gbe *v intr* to remain, arrive for a time, be positioned for a time period (CPA, CPR, *C, *H) *gbe o̱,* ó̱ khà gbé ó̱ vbì ùgò. He would have remained in Ugo (and perished). ó̱lí úkpùn gbé ó̱ vbí áá̱ìn. The cloth remained here.; **gbe** *tr* to remain, be positioned for a time period. ó̱lí úkpùn gbé úkpè ò̱kpá. The cloth remained for one year. ó̱lí úkpún ké gbé úkpè ò̱kpá vbí óbò̱ mè̱. The cloth thereafter remained in my hand for one year.

gbe ku *intr* to reposition a liquid by spilling, get spilled (CPA, CPR, *C, *H) *gbe ku a,* ó̱lì àmè̱ gbé kù á. The water got spilled all over. The water spilled aside.; **gbe ku** *tr* to spill, reposition a liquid. *gbe ku a,* ó̱lí ó̱mò̱hè̱ gbé àmè̱ kú à. The man spilled the water aside. The man spilled water all over. ò̱ gbé évbì̱ì kú à. He spilled palm oil all over.; *gbe ku o̱,* ò̱ gbé évbì̱ì kú ó̱ mé̱ vbì è̱hàì. He spilled palm oil all over my forehead.

gbe o̱ *intr* to get repositioned by spreading (CPA, CPR, C, *H) ó̱lí úkpùn gbé ó̱ vbí áá̱ìn. The cloth got spread there.; **gbe o̱** *tr* to reposition by spreading (CPA, CPR, *C, *H) ò̱ gbé òì ó̱ vbí égbè. He spread pomade onto his body. ó̱ gbé érán ísì àgágá'n ó̩ vbì òtò̩ì. He spread agagan wood on the ground. òjè gbé ósà ó̩ vbí úhùnmì. Oje lathered his head with soap. Oje spread soap on his head.

gbe <u>o</u> vbi <u>é</u>ké̩ìn *intr* to become freightened (CPA, CPR, *C, *H) ùdù gbé ó̩ ójé vbí é̩ké̩ìn. Oje was frightened. lit. Oje's heart got repositioned into his belly.; gbe <u>o</u> vbi é̩ké̩ìn *tr* to freighten. ó̩lì ìnyè̩mì gbé ùdù ó̩ ójé vbí é̩ké̩ìn. The matter has frightened Oje. lit. The matter repositioned its heart into Oje's belly.

gbe *v tr* to mix up, reposition a mass (CPA, CPR, C, H) òjè gbé àsè̩gùè. Oje mixed yam pottage. òjè ò̩ ó̩ gbè èkèn. Oje is mixing sand (with water for bricks). yà gbé èkè̩n. Start preparing the sand.; *kpaye gbe*, ó̩ kpáyé̩ òjè gbé èkè̩n. He helped Oje mix sand (for bricks).

gbe *v tr* to fell, reposition from vertical plane (CPA, CPR, C, H) òjè gbé ó̩lí óràn. Oje fell the tree. élí íní gbé éràn. The elephant fell trees. gbè èlí éràn. Fell the trees.; *kpaye gbe*, élí íní kpáyé̩ òjè gbé éràn. The elephant helped Oje fell trees.; *re gbe*, ò̩ ré ópìà gbé ògèdè. He used a cutlass to fell plantain.; *gbe ku a*, ò̩ gbé éràn kú à. He fell trees all over.; *gbe ku <u>o</u>*, élí íní gbé éràn kú ó̩ vbì òtò̩ì. The elephant fell trees all over the ground.; *fi gbe* to fell, bring

down from upright position (CPA, CPR, *C, *H) òjè fí ó̩lí óràn gbé. Oje got the tree down. fì ói gbé Bring it down.; *kpaye fi gbe*, ò̩ kpáyé̩ òjè fí ó̩lí óràn gbé. He helped Oje bring down the tree.; *re fi gbe*, ò̩ ré ópìà fí óràn gbé. He used a cutlass to get the tree brought down.; *fi gbe* to bring down a person. ò̩ fí ó̩lì òkpòsò̩ gbé. He brought the woman down. ó̩ fí ó̩lí óvbèkhàn gbé. He brought down the youth. ó̩lí úì fí òjè gbé. The rope tripped Oje. The rope brought Oje down. fì òjè gbé. Fell Oje. Bring Oje down.; *fi gbe li*, ó̩ fí òjè gbé lí òhí. He fell Oje for Ohi.; *fi gbe li* to demean, to disgrace (*CPA, CPR, *C, *H) ò̩ fí òjè gbé lí ìwówó' ói. He demeaned Oje before his peers. lit: He fell Oje for his peers.; *filo gbe* to fell, bring down a plurality (CPA, CPR, *C, *H) ó̩ fíló íyàìn gbé. He downed them.

gbe *v tr* to accumulate through repositioning; gbe òtò̩ì gbe òkhùnmì to accumulate every-where (CPA, *CPR, *C, *H) émáé gbé òtò̩ì gbé òkhùnmì. Food accumulated everywhere. lit. Food got repositioned on the ground and repositioned in the sky. cf. ku gbe to close.

gbe ínwà *tr* to become dirty, accumulate through reposition-ing dirt (CPA, CPR, *C, *H) ó̩lí úkpùn gbé ínwà. The cloth accumulated dirt. The cloth got dirty. **ò̩jè gbé ínwà**. Oje became filthy. Oje accumulated dirt.; **gbe ínwà** *compl tr* to accumulate on (CPA, CPR, C, H) **ò̩jè gbé ó̩lí úkpún ínwà**. Oje accumulated dirt on the cloth. Oje made the cloth dirty.

gbe *v tr* to infest, accumulate in by mixing or repositioning (*CPA, CPR, *C, *H) **èkhò̩ì gbé ó̩lí éékhò̩**. Worms infested the garden egg. **ó̩lí éékhò̩ gbé èkhò̩ì**. The garden egg was infested with worms.

gbe éhò̩n *tr* to listen (CPA, CPR, *C, *H) **ò̩jè gbé éhó̩n kpékpékpé**. Oje listened attentively. lit. Oje repositioned his ear attentively.

gbe è̩ò̩ *tr* to blink (CPA, CPR, *C, *H) **ó̩lí ó̩mò̩hè gbé è̩ò̩**. The man blinked. lit. The man repositioned his eye.

gbe è̩ò̩ kaoghoo *tr* to look after, take care of by watching over [only in non-declarative constructions] **yà gbé è̩ò̩ káòghóó ó̩ì**. Start taking care of it. lit. Get on with repositioning your eye and watching it.; *gbe è̩ò̩ kaowo/kaoghoo khe̩e* to keep an eye on [only in non-declarative constructions] **gbè è̩ò̩ káòwó ó̩ì khéé mè̩**. Keep an eye on it for me. lit. Reposition your eye and look after it and wait for me. **ò̩jè lí ó̩ gbé è̩ò̩ káòghóó ó̩ì khéé íyàìn**. It is Oje who took care of it in their absence. It is Oje who looked after it.

gbe è̩ò̩ raa re *tr* to ignore, overlook (CPA, CPR, *C, *H) **ò̩jè gbé è̩ò̩ ráá úéén ísì òhí ré**. Oje overlooked Ohi's behavior. lit. Oje repositioned his eye beyond Ohi's behavior. **gbè è̩ò̩ ráá òhí ré**. Ignore Ohi. Overlook Ohi. Overlook Ohi's behavior.

gbe o̩ *tr* to thrust into, position with force (CPA, CPR, *C, *H) **ó̩lí ó̩mò̩hè gbé àgádà ó̩ ó̩í vbí éké̩in**. The man thrust a sword into her belly.; *gbe úbì o̩*, **ò̩ gbé úbì ó̩ áléké vbì è̩ò̩**. He slapped Aleke's face. lit. He positioned a slap onto Aleke's face.

gbe ábò̩ o̩ vbi èmò̩i *tr* to enter a judicial matter (CPA, CPR, *C, *H) **ò̩jè gbé ábò̩ ó̩ vbì èmò̩ì**. Oje has got into the matter. lit. Oje positioned his hands into the matter.

gbe ábò̩ o̩ vbi è̩zón *tr* to become deeply involved in a case (CPA, CPR, *C, *H) **àlèkè gbé ábò̩ ó̩ vbì è̩zó̩n**. Aleke got entangled in a case. lit. Aleke positioned her hands into the case.

gbe ábò̩ o̩ vbi ùdù *tr* to be in a state of grief (CPA, CPR, *C, *H) **ó̩ gbé ábò̩ ó̩ vbì ùdù**. She is in a state of grief. lit. She positioned her hands onto her heart.

gbe ábò̩ o̩ vbi úhùnmì *tr* to be in a state of shock (CPA, CPR, *C, *H) **ó̩ gbé ábò̩ ó̩ vbí úhùnmì**. She is in a state of shock. lit. She positioned her hands onto her head.

gbe àwὲ o *tr* to step into (CPA, CPR, *C, *H) **ὸ gbé àwὲ ó vbì isὸn.** He stepped into the feces. lit. He positioned his feet into the feces.

gbe óbὸ o *tr* to steal, take without permission (CPA, CPR, *C, *H) **ó gbé óbὸ ó vbí ólì ìgáàí.** He took gari without permission. lit. He positioned his hand into the gari.

gbe óbò o vbi òkpòkpò *tr* to get into serious trouble (CPA, CPR, *C, *H) **ὸ gbé óbὸ ó vbì ókpókpó lì òkhúá.** He got into serious trouble. lit. He positioned his hand into big trouble.

gbe *v intr* to break (CPA, CPR, *C, *H) *gbe a,* **ólí ákhè gbé á.** The pot broke up.; **gbe** *tr* to break. *gbe a,* **ólì òkpòsò gbé ólí ákhè á.** The woman broke up the pot. **gbè ólì àkpókà á.** Break the bone.; *kpaye gbe a,* **ὸ kpáyé òjè gbé ólì àkpókà á.** He helped Oje break the bone.; *re gbe a,* **ὸ ré údò gbé ólì àkpókà á.** He used a stone to break the bone.; *gbe o,* **ὸ gbé ólí ákhè ó vbí údò.** He broke the pot onto the stone. cf. **gboo** to break multiple items.

gbe ὲhàì a *tr* to come into good fortune (*CPA, CPR, *C, *H) **òjè gbé ὲhàì á.** Oje has come into good fortune. lit. Oje broke his forehead.

gbe íhùè a *tr* to be fortunate, lucky (*CPA, CPR, *C, *H) **òjè gbé íhùè á.** Oje is fortunate. lit. Oje broke his nose.

gbe *pstv part* very, too much [intensification function] (*CPA, CPR, C, *H) **ὸ gbé ólí óvbèkhàn gbé.** He beat the youth too much. **ὸ dá ényò gbé.** He drank too much wine. **òjè húnmé ὲhàì gbé.** Oje is very lucky. cf. **gbe** to beat, repeatedly make contact.

gbèdègbédé *pstv adv* extreme condition of being large. **úbélàsí gbáí gbèdègbédé.** The snuff gourd is extremely large. **ébé' ó í gbá sé?** How large is it? What is the extent of its size?; ~ *adj* extremely large size. **úbélàsí ú gbèdègbédé.** The snuff gourd is extremely large. **úbélàsí lì gbèdègbédé** the extremely large snuff gourd. **ébé' ó í rìì?** How is it? What is its condition?

gbégbégbé *pstv adv* intense smacking sound resulting from hitting a drum. **ú hóní gbégbégbé.** You heard intense drumming. **é fí óbó vbí íbé gbégbégbé.** They hit their hand on the drum intensely. They smacked their hand on the drum.; ~ *adj* intense drumming sound. **ólí íbé ú gbégbégbé.** The drum vibrated intensely. The drum smacked.

gbègbéí *pstdet* entirely, entire quantity [only with universal quantifier] **éwé èrèmé gbègbéí** all the goats entirely.

gbéí *pstv adv* completely, entirely. **ó vbóó ólí óókhó gbéí.** She plucked the chicken completely.

gbélélé *pstv adv* dinging sound resulting from hitting activity. **ú hóní gbélélé.** You heard a dinging sound. **ò fí àgógó' gbélélé.** He hit a gong making a dinging sound. He dinged the gong. **ébé' ó ò í ròó?** How does it sound?; ~ *adj* dinging sound of vibrating gong or sickle. **ólì àgógó' ú gbélélé.** The gong dinged. The gong made a dinging sound.

gbéréré *pstv adv* thumping sound of very tight congo drum. **ú hóní gbéréré.** You heard a thumping sound. **è fí óbó vbí íbé gbéréré.** They hit their hand on the drum with a thump. They thumped with their hand on the drum. **ébé' ó ò í ròó?** How does it sound?; ~ *adj* thumping sound of a very tight congo drum. **ólí íbé ú gbéréré.** The drum thumped. The drum made a thumping sound.

gbèú *pstv adv* thunk sound resulting from an arrow hitting its target. **ú hóní gbèú.** You heard a thunk.

gbè *pstv adv* thumping sound resulting from fall of an object. **ú hóní gbè.** You heard a thump. **ólí órán dé fì ó vbí ótói gbè.** The tree fell onto the ground with a thump.; ~ *adj* thumping sound. **ólí órán ú gbè.** The tree made a thumping sound.

gbèdéé *pstv adv* mentally settled, absolutely relaxed state. **ó díá gbèdéé.** He sat down extremely relaxed. **ó dé ìwè ré gbèdéé.** He reached home in a settled state.

gbèdéé *pstv adv* absolutely clear state. **édé óó' kùán gbédéé.** The day started to clear up completely. cf. **gbélézé** completely clear fashion.

gbègbèghé *adj* flat, **ìtásá lì gbègbèghé** the flat plate.

gbégbéyé *pstv adv* flipping fashion. **ólí ómóhé dé vbí ótói gbégbéyé.** The man fell on the ground in a flip. The man flipped on the ground.

gbélézé *pstv adv* completely clear fashion. **ó ò miè ùyé gbélézé.** He sees his way clearly. cf. **gbèdéé** absolutely clear state.

gbì *pstv adv* smacking sound resulting from a compact object hitting the ground. **ú hóní gbì.** You heard a smacking sound. **ú hóní vbí ótói gbì.** You heard a smack on the ground. **ólí úsúóká fí vbí ótói gbì.** The ear of maize hit on the ground with a smack. The ear of maize smacked on the ground.

gbìdì *pstv adv* bing-bang sound resulting from each end of a stick alternately hitting the ground. **ú hóní gbìdì.** You heard bing-bang. **ólí úkpórán fí vbí ótói gbìdì.** The stick hit on the ground with a bing-bang.; ~ *adj* sound of an echo. **ówéwé ú gbìdì.** A canon echoed.

gbígbígbí *pstv adv* intensely overheated condition. **égbé ísì òjè ọ̀ ọ́ tòhìà gbígbígbí.** Oje's temperature is very high.

gbíghí *pstv adv* vigorous shaking fashion. **ọ́lí áfiánmí kpéghéí gbíghí.** The bird shook all over. The bird shook vigorously.

gbîírí *pstv adv* shooing sound of a vigorous, sudden disengagement. **ú họ́ní gbîírí.** You heard a shooing sound. **óvbí ọ́í tíhóí gbîírí.** His son sneezed with a vigorous sound. **ọ́lí áwá láí gbîírì.** The dog ran off with a shooing sound.; ~ *adj* sound of a sudden disengagement or escape. **ọ́lí áwá ú gbîírì.** The dog made a shooing sound. The dog shooed off. cf. **gbíóló** sound of a take off.

gbîírìrì *pstv adv* screaching sound resulting from skin or muscle peeling away. **ú họ́ní gbîírìrì.** You heard a screaching sound. **ọ́ kpáán ọ́í óhíán gbîírìrì.** She peeled his skin with a screaching sound.

gbíkí *adj* short and heavy, stocky, stout [of humans] **ọ́lí ómọ́hé ú gbíkí.** The man is stocky. **ómọ́hé lì gbíkí** the stocky man. **ébé' ọ́ í rîî?** How is he?

gbìó *pstv adv* cracking sound resulting from a hitting activity. **ú họ́ní gbìó.** You heard a cracking sound. **ú họ́ní vbí ákhé gbìó.** You heard a cracking sound on the pot. **ọ́ fí ọ́í úkpàsánmí gbìó.** He cracked

her with a cane. **ọ́ fí úkpàsánmí vbí ákhé gbìó.** He cracked a cane on a pot. cf. **kpìó** cracking sound of a hitting activity.

gbíólò *pstv adv* zipping sound resulting from quick take off. **ú họ́ní gbíólò.** You heard a zipping sound. **ọ́lí áwá váí gbíólò.** The dog escaped with a zip; ~ *adj* zipping sound of a sudden take off. **ọ́lí áwá ú gbíólò.** The dog zipped off. cf. **gbíórò** with a zip.

gbíórò *pstv adv* zipping sound resulting from a departing object. **ú họ́ní gbíórò.** You heard a zipping sound. **ọ́lí áwá láí gbíórò.** The dog ran off with a zip.; ~ *adj* zipping sound of a departing object. **ọ́lí áwá ú gbíórò.** The dog zipped off. cf. **gbíólò** with a zip.

gbìọ́n *pstv adv* gulping sound resulting from swallowing food. **ú họ́ní gbíọ́n.** You heard a gulping sound. **ọ́ mí ọ̀í dáán gbìọ́n.** He swallowed it with a gulp. cf. **kpìọ́n** louder gulping sound.

gbírígbírí *pstv adv* jerking fashion. **ọ́lí áwà ọ̀ ọ́ sùmè ègbé gbírígbírí.** The dog was struggling to get away with a jerk. The dog was jerking its body back and forth.

gbo *prev adv* too, also [additive function] **ọ́ gbó é ọ́lí émàè.** He ate the food, too.; ~ *prev adv* really [emphatic or intensifier function, precedes each preverb] <u>ó</u>lí <u>ó</u>m<u>ó</u>hé gbó íy<u>ó</u> gbó dégbè gbó dób<u>ó</u> <u>ò</u>ì gbó é <u>ó</u>lí émàè. The man really carefully ate the food that way by himself. <u>ó</u>lí <u>ó</u>m<u>ó</u>hé zá gbó íy<u>ó</u> dégbè dób<u>ó</u> <u>ò</u>ì é <u>ó</u>lí émàè. As a result the man that way carefully ate the food by himself too.

gbó, **gbógbógbó** *pstv adv* thud sound resulting from an object hitting dry wood. ú h<u>ó</u>ní gbó. You heard a thud. <u>ó</u>lí áfiánmì nwú úkpà <u>ó</u> vbí órán gbó. The bird put its beak into a tree with a thud. <u>ó</u> fí àghán vbí órán gbógbógbó. He hit a sickle in a tree with a thud. He smacked a sickle in the tree.; ~ *adj* sound of a thud. <u>ó</u>lí órán ú gbó. The tree made a thud. cf. **gbí** smacking sound of a compact object. cf. **gbágbágbá** pounding sound of hitting.

gbogo *v tr* to bang about (*CPA, *CPR, C, *H) ófè <u>ò</u> <u>ó</u> gbògò èmí vbí ék<u>ó</u>à. A rat is banging things about in the room. cf. **gbó** sound of a thud.

gbòì *pstv adv* snapping sound resulting from a plucking activity. ú h<u>ó</u>ní gbòì. You heard a snapping sound. <u>ó</u> nyá ús<u>ú</u><u>ó</u>ká vbí órán gbòì. He plucked an ear of maize from the stalk with a snap. He snapped an ear of maize from the stalk.; ~ *adj* sound of a snap. <u>ó</u>lí úkpórán ú gbòì. The stick snapped.

gbóló, **gbólógbóló**, **gbólógbóló-gbóló** *pstv adv* resounding echo resulting from a hitting activity. ú h<u>ó</u>ní vbí órán gbóló. You heard in a tree an echo. <u>ó</u> <u>ò</u> fì àghán vbí órán gbólógbóló-gbóló. He hits a sickle on the tree with a resounding echo.

gbóó *pstdet* entire, whole [only with time nominals modified by a numeral modifier] úkp<u>é</u>d<u>è</u> òkpá gbóó one whole day, íkp<u>é</u>d<u>è</u> èvá gbóó two whole days.

gboo *v intr* to rub, reposition a mass (CPA, CPR, C, H) r<u>é</u> gboo, òjè r<u>é</u> évbìì gbóó. Oje rubbed (his body) with oil. r<u>è</u> évbìì gbóó. Rub (yourself) with oil.; **gboo** *tr* to rub; r<u>é</u> gboo, <u>ò</u> r<u>é</u> évbìì gbóó òhí égbè. He used oil to rub Ohi's body. <u>ò</u> r<u>é</u> èrèè gbóó úkpàsánmì. He used chalk to rub the cane. àlèkè r<u>é</u> émì gbóó únù. Aleke rubbed lipstick on her mouth. lit. Aleke rubbed her mouth with something. r<u>è</u> évbìì gbóó úhùnmì. Rub your head with oil. Rub oil on your head.; *f<u>e</u>na gboo* to get feces rubbed on (CPA, CPR, *C, *H) òjè f<u>é</u>ná ìs<u>ò</u>n gbóó. Oje got feces rubbed on himself. Oje passed feces and rubbed it (on himself). cf. **gbe** to rub.

gboo vbi égbè *intr* to forbear, exhibit forbearance (*CPA, CPR, *C, *H) <u>ò</u> r<u>é</u> <u>ò</u>ì gbóó vbí égbè. He took the insult. lit. He used it to rub on his body. **rè ói gbóó vbí égbè**. Bear it. lit. Rub your body with it.

gboo *v tr* to kill [of plurality] (CPA, CPR, *C, H) **édà gbóó íyàìn**. The river killed them. **òjè gbóó élí ívbèkhàn**. Oje killed the youths.; *re gboo,* **ólí ómóhè ré údò gbóó ívbèkhàn**. The man used a stone to kill youths.; *gboo ku a,* **ólí ómòhè ré údò gbóó ívbèkhàn kú à**. The man used a stone to kill off youths. The man took a stone and killed off the youths.; *gboo ku o,* **òjè gbóó élí ívbèkhàn kú ó vbí úkpódè**. Oje killed the youths all over the road.

gboo *v intr* to break [of mass or plurality] (CPA, CPR, *C, *H) *gboo ku a,* **élì àkpókà gbóó kù á**. The bones broke into smithereens. **ólì ìghàn gbóó kù á**. The net broke up.; **gboo** *tr* to break [of mass or plurality] **òjè gbóó ìvìn**. Oje broke palm kernels.; *gboo ku a,* **ólí átàlàkpà gbóó ìghàn kú à**. The lion broke a net into pieces. **òjè gbóó ékhè kú à**. Oje broke pots into pieces.; *kpaye gboo ku a,* **ò kpáyé òjè gbóó élì àkpókà kú à**. He helped Oje break the bones into pieces.; *re gboo ku a,* **ólì òkpòsò ré údò gbóó ékhè kú à**. The woman used a stone to break pots into pieces.; *gboo ku o,* **ólí ómòhè gbóó ògó kú ó vbí úkpódè**. The man broke bottles all over the road.; *gboo e* to break and eat. **ò gbóó ìvìn é**.

He broke palm kernels and ate them.

gbòó *pstv adv* intensely loud splat resulting from a hitting activity. **ú hóní gbòó**. You heard a loud splat. **ó fí úkpórán vbí édá gbòò**. He hit a stick on the river with a loud splat.

gbóó *pstv adv* clearly, without obstruction. **úkpódágbón ísì èé vúyé á gbóó**. Your life opened up clearly before you. Your destiny opened up clearly. Your destiny is clear. **ólí ínyémí ló vùyè á gbóó**. The issues will become clear. The issues will open up clearly.; ~ *adj* clear state with no obstacles. **ólí úkpódé ú gbóó**. The road is entirely open.

gbogho *v intr* to become loose, oversized (CPA, CPR, *C, *H) **ólì ìgàdáísí gbóghói**. The pants were loose. **ólì ìgàdáísí gbóghóí vbí ékùn**. The trousers were loose at the waist.; **gbogho** *tr* to loosen, become oversized on (CPA, CPR, C, H) **ólì ìgàdáísí ò ó gbòghò òjè**. The pants are loose on Oje. The pants became loose for Oje. **ólì ìgàdáísí ò ó gbòghò òjé vbì ékùn**. The pants are loose on Oje's waist.

gbóndón *pstv adv* extreme condition of viscosity. **ólì òmì ò ó sùn gbóndón**. The soup is extremely viscous.

gbóó *pstv adv* extreme condition of length. **yàn só ìgàdáísí gbóó**.

They sewed his pants long. **ìgàdáísí ísì ọ̀í réré gbọ́ọ́.** His pants are extremely long.; ~ *adj* extreme length condition. **ìgàdáísí ísì ọ̀í ú gbọ́ọ́.** His pants are extremely long. **ìgàdáísí lì gbọ́ọ́** extremely long pants. **ébé' ọ́ í rîì?** How is it?

gboon *v intr* to take root after being transplanted (*CPA, CPR, *C, *H) **ọ́lì ọ̀gèdè gbọ́ọ́nì.** The plantain has been transplanted. The plantain has taken root.; **gboon** *tr* to transplant, insert stem or sucker in soil (CPA, CPR, C, H) **ọ̀ gbọ́ọ́n ọ́lì ọ̀gèdè.** He transplanted the plantain suckers. **gbọ̀ọ̀n ọ́lì ọ̀gèdè.** Transplant the plantain.; *kpaye gboon,* **ọ̀ kpáyẹ́ ọ̀jè gbọ́ọ́n ọ́lì ọ̀gèdè.** He helped Oje transplant plantain.; *gboon o,* **ọ̀ gbọ́ọ́n ọ̀gèdè ọ́ vbí égbóà.** He transplanted plantain in the backyard.

gbudu *prev adv* unbelievable manner of occurrence, really [subject attributive function] **ọ́lí ọ́mọ̀hè gbúdù zé ọ́lí óà.** The man has built the house unbelievably well. **ọ́lí ọ́mọ̀hè gbúdù é ọ́lí émàè.** The man has eaten an unbelievable amount of food. **ọ́lí ọ́gédẹ́ gbúdù énghèn.** The plantain is unbelievably sweet. cf. **gba** to become big, **ùdù** heart.

gbudu *prev adv* daring, courageous to the extreme [subject attributive function] **ọ́lí ọ́mọ̀hè gbúdù**

é **ọ́lì émàè.** The man has courageously eaten the food. cf. **gba** to become big, **ùdù** heart.

gbúdú *pstv adv* condition of extreme squirming and wiggling. **òhí ọ̀ ọ́ dò gbúdú.** Ohi is restless. **ọ́lì ọ̀kpòsò ọ̀ ọ́ dò gbúdú.** The woman is squirming extensively (in labor pain). The woman is writhing extensively (in labor pain).

gbùdú *pstv adv* deep, wide state. **ọ́ gúáló òò á gbùdú.** He dug out a hole deeply. **ọ́ tọ́n òò gbùdú.** He dug a hole deep and wide.;~ *adj* deep and wide state, **óó lì gbùdú** the deep and wide hole. **ọ́lí óó ú gbùdú.** The hole is deep and wide. **ébé' ọ́ í rîì?** How is it?

gbúgúdú *adj* flat, **ìtásá lì gbúgúdú** the flat plate. **ọ́lì ìtásá ú gbúgúdú.** The plate is flat. **ébé' ọ́ í rîì?** How is it?

gbúkú *pstv adv* state of protrusion resulting from swelling. **éháí ísì ọ̀jè yí ré gbúkú.** Oje's forehead protruded to a point.; ~ *adj* pointed. **éháí ísì ọ̀jè ú gbúkú.** Oje's forehead is pointed. **ọ́jé ú éháí gbúkú.** Oje has a pointed forehead. **ébé' ọ́ í rîì?** How is it? cf. **gbókó** conically shaped.

gbulu *v intr* to roll (*CPA, *CPR, C, *H) **ọ́lì ùgbòfì ọ̀ ọ́ gbùlú.** The orange is rolling.; *gbulu o,* **ọ́lì ùgbòfì gbúlú ọ́ vbí ékọ́à.** The orange rolled into the room.; *gbulu shoo re,* **ọ́lì ùgbòfì gbúlú shọ́ọ́ vbí ékọ́à ré.** The orange rolled way out of the room.; **gbulu** *tr* to roll (CPA, CPR, C, H) **òjè ọ̀ ọ́ gbùlù ọ̀lí íkèkẹ́.** Oje is rolling the bicycle. **gbùlù ọ̀ì.** Roll it.; *kpaye gbulu,* **ọ̀ kpáyẹ́ òjè gbúlú ọ̀lí íkèkẹ́.** He helped Oje roll the bicycle.; *re égbè gbulu,* **òjè ọ̀ ọ́ rẹ̀ ègbé gbùlù èkẹ̀n.** Oje is rolling in the sand with his body.; *gbulu raa re,* **òjè gbúlú ọ̀lí íkèkẹ́ ráá ìwè ré.** Oje rolled the bicycle past the house.; *gbulu re,* **ọ́ gbúlú ọ̀lí íkèkẹ́ ré.** He rolled the bicycle and brought it.; *gbulu shoo vbi re,* **ọ̀ gbúlú ọ̀lí íkèkẹ́ shọ́ọ́ vbí úkpódè ré.** He rolled the bicycle way off the road.; *gbulu vbi re,* **ọ̀ gbúlú ọ̀lí íkèkẹ́ vbí úkpòdè ré.** He rolled the bicycle off the road.; *gbulu ye,* **ọ̀ gbúlú ọ̀lí íkèkẹ́ yé áfúzé'.** He rolled the bicycle to Afuze.; *re ìkhùnmì gbulu àhè* to roll sap with a charm. **ọ̀ rẹ́ ọ̀lì ìkhùnmì gbúlú àhè.** He rolled sap with the charm. lit. He used the charm to roll sap.

GH

gha *v intr* to be apportioned, distributed evenly, equitably with respect to amount (CPA, CPR, *C, *H) **ọ̀lí émà gháì.** The yam was apportioned. **élí ívbèkhàn gháì.** The children were distributed.; *gha li* to be well-proportioned in physical shape. **égbé ghá lí ọ̀lì òkpòsò.** The body of the woman is shapely. The woman is well-

proportioned.; **so gha** *intr* to join together, mend, weld [of elements previously disjoined] **ọ̀lì àgá só ghá.** The chair got put together.; **so gha** *tr* to reapportion by joining, mending, molding. **òjè só ọ̀lì àgá ghá.** Oje glued the chair together. lit. Oje reapportioned the chair. **òjè só élí ótòòn ghá.** Oje forged the irons together. **sò ọ̀ì ghá.** Weld it together.; *kpaye so gha,* **ọ̀ kpáyẹ́ òjè só ọ̀lì àgá ghá.** He helped Oje put the chair together.

gha *v compl tr* to be apportioned, distributed completely among (CPA, CPR, *C, *H) **ọ̀lí émàè ghá élí ímọ́hé àbọ̀.** The food was distributed among the men. lit. The food was apportioned to the men's hand.

gha *v intr* to have mental faculties in tact [only in negative constructions] **úhúnmí ísì ọ̀ì í ì ghà.** His mental capacities have become extremely diminished. lit. His head is not apportioned properly.

gha *v intr* to be financially well off (CPA, *CPR, *C, *H) **ábọ̀ bí àwẹ́ ghá ní íyàìn.** They are financially well off. lit. Hands and legs are well apportioned for them.

ghaa *v tr* to bask in, dry by means of (*CPA, *CPR, C, H) **òjè ọ̀ ọ́ ghàà èràìn.** Oje is drying at the fire. **òjè ọ̀ ọ́ ghàà òvòn.** Oje is basking in all the sunshine. **yà**

gháá èràìn. Start drying at the fire. cf. ka to dry.

ghae v tr to adjudicate, pass judgment on, settle dispute, assign blame to (CPA, CPR, C, H) ò gháé ólì èmòì. He settled the matter. ò gháé ólì èzón. He settled the case. ghàè óì. Settle it.; ghae li, òjè gháé ólì èmòì ní íyàìn. Oje settled the matter for them.; ze ghae to allow to settle (CPA, CPR, *C, *H) yán zé óí ghàè ólì èmòì. They allowed him to settle the matter. cf. gha to be apportioned.

ghae v tr to entertain (*CPA, *CPR, C, H) òjè ò ó ghàè èlí ívbèkhàn. Oje is entertaining the youths. yà gháé íré'. Start entertaining your visitors.; kpaye ghae, ò ó kpàyè òjé ghàè íré'. He is helping Oje entertain visitors.; re ghae, ò ré ényò gháé íré'. He entertained visitors with wine.

ghaen v intr to be expensive, costly, scarce (CPA, CPR, *C, H) ólí éhéén gháénì. The fish is expensive. ékéín óókhó ó ò ghàén. A chicken egg is costly.; ghaen lee, ékéín óókhò gháén léé ékéín ìkpékpèyè. A chicken egg is more costly than a duck egg.; ghaen o vbi o, ìgbégbé ó ò ghàén ò vbí ó úkpùúkpè. Velvet gets costlier each year.; ze ghaen, òkhùàkhùà í ì zè ìkpéshé ghàèn úkpèénà. Harmattan prevented beans from being expensive this

season. lit. Harmattan did not allow beans to be expensive this season.

ghagha v tr to prop up, physically support (*CPA, *CPR, C, H) ójé ó ò ghàghà ègbé ísì òí. Oje just manages to move around [when chronically ill]. lit. Oje props up his own body.; re ghagha, òjè ré égbè ghághá óì. Oje used his body to support her.; ghagha o, òjè ghághá íkèké ó vbí áàìn. Oje propped up the bicycle there.; ghagha ye, òjè ghághá ólì ìmátò yé ìwè. Oje managed to get the car home. ghàghà óì yé ìwè. Get it home.

ghaye v intr to split, separate (CPA, CPR, *C, *H) ghaye a, ólí évbèè gháyé á. The kola nut split open.; ghaye o, ólí évbèè gháyé ó vbì èvá. The kola nut split into two.; ghaye tr to split open, split up. ghaye a, ò gháyé ólí évbèè á. He split the kola nut open. ghàyè óì á. Split it open.; kpaye ghaye a, ò kpáyé òjè gháyé ólí évbèè á. He helped Oje split open the kola nut.; ghaye a li, ò gháyé ólí évbèè á lí íré'. He split open the kola nut for visitors.; ghaye o, ò gháyé ólí évbèè ó vbì èvá. He split the kola nut into two. ò gháyé ólí évbèè ó vbì ìtásà. He split the kola nut onto a plate.

ghaye a intr to become clear (CPA, CPR, *C, *H) ólí úkpódè gháyé á. The way became clear. lit. The way split open.

ghe *prev adv* just [specifies diminished temporal relation between event time and another temporal reference point, punctual function] ólí ómóhé ghé híán ólí óràn. The man just cut the wood.

ghé, ghéghèghé *pstv adv* ever, forever and ever [only with negative particle] ólí ómòhè í ì sé gbè òfé ghè. The man still did not ever kill a rat. ísì ékà ólí ómóhé sé gbé ófè? How often did the man yet kill a rat?

ghéé *pstv adv* darting, spinning fashion. ólí ómóhé láí ghéé. The man darted off. The man spun off. The man ran off in a darting fashion. ójé lá ó vbí íwé ghéé. Oje ran into the house at a dart. Oje darted into the house.; ~ *adj* dart off. ólí ómóhé ú ghéé. The man darted off.

ghégégé *pstv adv* extreme condition of height. ó khúáé óì yé ókhúnmí ghégégé. He raised it upward to a great height.

ghèè, ghèéghèè *pstv adv* dilly-dally, undirected fashion. ò ó shàn ghèé. He is moving along in a dilly dally fashion. He is dilly-dallying.

ghee *v intr* to be promiscuous (*CPA, *CPR, *C, H) ólí ómóhé ó ò ghèè. The man is promiscuous. ólí ókpósó ó ò ghèè. The woman is promiscuous. ò ó ghèé gbé. She is too promiscuous. é è kè ghéé. Don't

be promiscuous anymore.; *ghee lee*, ólí ómòhè ghéé léé áwà. The man is more promiscuous than a dog [term of insult].; *ghee u* to be extremely promiscuous (*CPA, CPR, *C, *H) ò ghéé ù. She is promiscuous to the extreme. lit. She was promiscuous to the point of dying. cf. **gheghe** to be precariously positioned.

ghèèghéé *pstv adv* frivolous fashion of speech. ólì òkpòsò ò ó ròò vbí únú ghèèghéé. The woman is speaking frivolously. ébé' ólí ókpósó ó ò í ú? How does the woman act?

gheghe *v intr* to become precariously positioned (CPA, CPR, *C, *H) ólí óràn ghéghéì. The tree got positioned precariously.; **gheghe** *tr* to set in a delicate, precarious position. òjè ghéghé óì. Oje positioned it precariously.; *gheghe li*, òhí ghéghé ólì àgá lí ójé ré díà. Ohi precariously set up the chair for Oje to sit in.; *gheghe o*, ò ghéghé ólì ìtásà ó vbì òtòì. He positioned the plate precariously onto the ground.; *hian gheghe* to get precariously positioned by cutting. òjè híán óí ghéghé. Oje cut it nearly completely through. Oje got it cut precariously. Oje cut it so that it was precariously positioned.

ghéghéghé *pstv adv* precariously high condition. ó gbé érán ísì àgágá'n ó vbí ótóí ghéghéghé.

He precariously stacked agagan trees high on the ground. **élí íkpún dáí vbí ót<u>ó</u>í ghéghéghé.** The clothes are precariously high on the ground. **<u>ó</u>lí émá v<u>óó</u>n ìtásá ghéghéghé.** The yam filled the plate to the brim. **ébé' élí íkpún í bùn s<u>é</u>?** How extensive are the clothes?; ~ *adj* precariously high. **élí íkpún ú ghéghéghé.** The clothes are (piled) precariously high.

ghéghéghé *pstv adv* extremely close, nearly touching condition **<u>ó</u> sí k<u>é</u>á <u>ó</u>í ghéghéghé.** He drew very, very close to him. **ébé' <u>ó</u> í sì k<u>é</u>á <u>ó</u>ì s<u>é</u>?** How near did he draw to him?

ghéghéghé *pstv adv* sorrowful state evoking pity. **<u>ó</u>lí <u>ó</u>móhé áín <u>ó</u> <u>ò</u> gó kù à ghéghéghé.** That man wails away in an extremely sorrowful fashion.

ghìrìgùóó *pstv adv* thumping sound resulting from contact of two objects. **ú h<u>ó</u>ní ghìrìgùóó.** You heard a thump. **óvb<u>é</u>' ó vbí ék<u>é</u>ín <u>ó</u>í ghìrìgùóó.** The puff adder entered his belly with a thump.; ~ *adj* thumping sound. **<u>ó</u>lí óràn ú ghìrìgùóó.** The tree made a thump.

ghìrìghìrì *pstv adv* sound of dirt sloshing through the air. **ú h<u>ó</u>ní ghìrìghìrì.** You heard the sound of sloshing dirt. **yán t<u>ó</u>nn<u>ó</u> ítíhíán údìn kú á ghìrìghìrì.** They dug the base of the palm tree away in a sloshing fashion.; ~ *adj* sloshing sound of dirt

flying through the air. **<u>ó</u>lí áwá ú ghìrìghìrì.** The dog made a sloshing sound.

ghìrìrì *pstv adv* screaching sound of a tearing mass. **ú h<u>ó</u>ní ghìrìrì.** You heard the screaching sound. **<u>ó</u> r<u>é</u> éhìèn kpán <u>ó</u>í ógògómùòkhò yé ót<u>ó</u>í ghìrìrì.** She used her nails to peel his spinal tract to the ground with a screach.

ghóghóghó *pstv adv* intentionally [only with ghoo] **<u>ó</u> ghóó ghóghóghó gbé <u>ó</u>lì ìtásà á.** He intentionally broke the plate. lit. He looked intently and broke the plate. **<u>ó</u> ghóó ghóghóghó fí ójé úkpóràn.** He intentionally hit Oje with a stick.

ghóíghóí *pstv adv* bright, glistening fashion. **ùkìn <u>ò</u> <u>ó</u> jìn ghóíghóí.** The moon is shining in a glistening way. The moon is glistening.

ghoo *v tr* to watch, look at, observe, be visually engaged in (CPA, CPR, C, H) **<u>ó</u>lí <u>ó</u>móhé ghóó ìt<u>è</u>lìvíshón òd<u>è</u>.** The man watched television yesterday. **<u>ó</u> ghóó úgbèá ísì òvbíóìmí.** He watched the killing of the orphan. **òjè <u>ò</u> <u>ó</u> ghòò òhí.** Oje is looking at Ohi. **<u>ó</u>lí áwà <u>ò</u> <u>ó</u> ghòò <u>ó</u>lì òkpòsò.** The dog is looking at the woman. **<u>ó</u>lí <u>ó</u>mòhè <u>ò</u> <u>ó</u> ghòò úghè.** The man is watching a scene. **<u>ò</u> ghóó òt<u>ò</u>ì bí òkhùnmì.** He watched all over. lit. He watched the ground and the sky.

yà ghóó ìtèlìvíshòn. Start watching television. ò̱ó ghóó úghè. Go to watch the scene. ghòò ólì òkpòsò. Look at the woman.; *ghoo li*, ò̱ ghóó ùòkhò ní émè̱. He watched the back for me.; *fee ghoo* to inspect, examine. ó fé̱é ólí ékén áìn ghóó. He inspected that sand.; *fee émì ghoo* to examine, consult an oracle. òjè ló̱ fè̱è émì ghóó. Oje is about to consult. lit. Oje is about to examine something.; *fee émì ghoo li*, ò̱ ló̱ fè̱è émì ghóó ní à. He is about to consult for you.

ghoo *v tr* to treat with traditional medicine [only in constructions that are non-affirmative] òjè í ì mìtí ghòò òhí. Oje was not able to treat Ohi.; *ghoo ni* to cure, treat until cured (CPA, CPR, *C, *H) òjè ghóó àlèkè ní. Oje cured Aleke. Oje treated Aleke until she survived.; *ghoo toto* to treat until strong. ólí ómò̱hè ghóó ólì òkpòsò tótó. The man treated the woman until she was strong.

ghòòghóó *inter* Hey look! [exclamatory function].

gho̱ngho̱n *v intr* to rejoice, be happy (*CPA, *CPR, C, *H) ólí ómò̱hè ò̱ ó ghò̱nghó̱n. The man is happy.; *ghonghon ku a*, ólí ómò̱hè ò̱ ó ghò̱nghó̱n kù á. The man is happy all over.

H

ha *v intr* to lose weight, become emaciated, lean (CPA, CPR,

*C, *H) òjè háì. Oje has lost weight. lit. Oje got squeezed together; *ha o̱ vbì o̱*, òjè há ò̱ vbì ò̱. Oje was further emaciated.

ha o *intr* to sink (CPA, CPR, *C, *H) òtò̱ì há ó. The ground sunk. lit. The ground squeezed and entered. òtò̱ì há ó vbí ísáó ìsì òjè. The ground sunk in front of Oje.; *ha o tr* to swallow, suck up. òtò̱ì há òjè ó. The ground swallowed up Oje. lit. The ground pressed Oje down.

ha *v tr* to squeeze, press, push together with force (CPA, CPR, C, H) ò̱ há mé̱ àwè̱. He squeezed my legs. ò̱ há ólí ómó̱hé ùrùn. He squeezed the man's neck. ójé há ólí éánmí hùén. Oje squeezed the meat suddenly. hà ò̱í ùrùn. Squeeze his neck. é è̱ há mé̱ àwè̱. Don't squeeze my legs.; *re ha*, ò̱ ré̱ àgá há mé̱ àwè̱. He pressed my legs together with a chair. ò̱ ré̱ úkhùè̱dè há ólí ómó̱hé óbò̱. He used a door to squeeze the man's hand.

ha òò o̱ *tr* to puncture, poke, press a hole into (CPA, CPR, C, H) òjè há òò ó vbì ìbó̱ólù. Oje punctured a hole in the ball. hà òò ó vbí ólì ìtásà. Puncture a hole in the plate.; *kpaye ha òò o̱*, ò̱ kpáyé òjè há òò ó vbí ólì ìtásà. He helped Oje puncture a hole in the plate.; *re ha òò o̱*, ò̱ ré̱ ópìà há òò ó vbí ólì ìtásà. He used a cutlass to puncture a hole in the plate.

ha òú o̱ vbi àgbèdé *tr* to squeeze thread into a needle, thread a needle (CPA, CPR, C, H) **òjè há òú ó̱ vbì àgbèdé.** Oje put thread into the needle. Oje squeezed thread into the needle. **hà òú ó̱ vbì àgbèdé.** Thread the needle.; *kpaye̱ ha òú o̱,* **ò̱ kpáyé̱ òjè há òú ó̱ vbì àgbèdé.** He helped Oje thread the needle.

haa *v tr* to stack, place in racks for preservation (CPA, CPR, C, H) **òjè háá émà.** Oje stacked yam. **hàà ò̱lí émà.** Stack the yam.; *kpaye̱ haa,* **ò̱ kpáyé̱ òjè háá émá ísì ò̱í.** She helped Oje stack his yam.; *re̱ haa,* **ò̱ ré̱ úkpúì háá émà.** He used rope to stack yam.

haa *v tr* to tie yam vines to poles (CPA, CPR, *C, *H) **ò̱ háá émà.** He tied yam vines (to poles). **hàà ò̱lí émà.** Tie the yam vines.

haa *a intr* to remain silent, quiet down (CPA, CPR, *C, *H) **ó̱lí ókpósó háá à.** The woman was quiet. **é è háá á.** Don't be quiet.; **haa** *a tr* to maintain quiet or silence toward [by implication to ignore] **ó̱lì òkpòsò háá ó̱dó̱n ó̱ì á.** The woman maintained silence toward her husband. **hàà ó̱ì á.** Ignore her.

haan *v tr* to choke (CPA, CPR, *C, *H) **ísíé̱ìn háán òjè.** Pepper choked Oje.; *fì àko̱n haan àko̱n bia òbìà* to make an effort to perform an activity. **ó̱ fí àko̱n háán àko̱n bíá ó̱lí òbìà.** He

made an effort to do the work. lit. He did the work by clenching his teeth.

haan *v intr* to be harmonious (CPA, CPR, *C, *H) **é̱vbóó máí ké hààn.** Our village was harmonious thereafter.

hae *v tr* to pay, exchange an amount (CPA, CPR, *C, *H) **òhí háé̱ ó̱lí éghó'.** Ohi repaid the money. **ó̱lì òkpòsò háé̱ ìnáírà èvá.** The woman paid two naira.; *hae li,* **ó̱lì òkpòsò háé̱ ìnáírà èvá lí ó̱lí ó̱mò̱hè.** The woman paid two naira to the man. **ó ló̱ hàè ìnáírà èvá ísì ògèdè̱ lí òhí.** He will pay two naira for plantain to Ohi.; *hae o̱,* **ó̱lí ó̱mò̱hè háé̱ ìnáírà èvá ó̱ vbì ògèdè̱.** The man paid two naira (in exchange) for the bananas.

hae ósà *tr* to pay a debt (CPA, CPR, C, H) **ò̱ háé̱ ósà.** He paid his debt. **ò̱ ó́ hàè òsá ísì òhí.** He is paying a debt for (on behalf of) Ohi. **ò̱ háé̱ vbí ó̱lí ósá.** He paid from the debt. **hàè ósà.** Pay the debt.; *kpaye̱ hae ósà,* **ò̱ kpáyé̱ òjè háé̱ ósà.** He helped Oje pay a debt.; *hae ósà li,* **ò̱ háé̱ ósà ní áìn.** He paid a debt to her.

hae ósà *compl tr* to pay a debt or amount to (CPA, CPR, *C, *H) **ó̱lì òkpòsò háé̱ ó̱lí ó̱mó̱hé ósà.** The woman paid the man a debt. **hàè ò̱í ósà.** Pay her the debt.

hágbìó *pstv adv* swooshing sound resulting from a cutlass swing.

ú hóní hágbìó. You heard
swooshing.

hákpèén *ideo* sense impression of
cracking nuts. ú míéí hákpèén.
You sensed the nuts cracking. ó
ò vàlò ìhiángúé é. ú míéí
hákpèén. He splits groundnuts
and eats them. You sensed nut
cracking.

hama *v intr* to conceive, be preg-
nant (*CPA, *CPR, C, H) ólí
ókpósó ó ò hàmá. The woman
is pregnant. ólí ékpén ó ò
hàmá. The leopard is pregnant.

hano *v tr* to sift, select, sort, pick
through (CPA, CPR, C, *H) ò
hánó ólì ìkpèshè. He picked
through the beans. ò ó hànò
èmí ísì òí. He is sorting through
his things. ò hánó émí ísì òí vbí
ékóà. He picked through his
things in the room. hàno òì.
Pick it through.; *kpaye hano*, ò
kpáyé òjè hánó ìkpèshè. He
helped Oje pick through beans.;
re hano, ò ré óbò hánó élí
éràn. He used his hand to pick
through the wood.; *hano ye*, ólí
ómòhè hánó àkpókà yé áyé
ódàn. The man picked through
the bones and took them to a
different place.; *hano shoo vbi
re*, ò hánó íkpún ísì òí shóó vbì
ò ré. He removed his clothes
from it. He removed his clothes
far away from it by picking
through them.; *hano vbi re*, ò
hánó íkpún ísì òí vbì ò ré. He
picked through his clothes from
among them.

hano émàè *tr* to be fastidious,
finicky about food (*CPA,
*CPR, *C, H) ójé ó ò hànò
émàè. Oje is a finicky eater. lit.
Oje picks through his food.

háún, háúnháún *pstv adv* extreme
physical or temporal distance. ó
fí údò fí á háún. He threw the
stone away at a distance. ó díón
ójé háún. He is much older
than Oje.

hee *v intr* to hide; *nwu hee* to take
hold of and hide (CPA, CPR, C,
H) ò nwú ólì ògó héé. He hid
the bottle. nwù òí héé. Hide it.;
kpaye nwu hee, ò kpáyé òjè
nwú ólì ògó héé. He helped Oje
hide the bottle.; *nwu hee li*, ò
nwú ólì ògó héé lí òhí. He hid
the bottle from Ohi.; *re hee* to
conceal, hide (*CPA, *CPR, C,
H) òjè ò ó rè èmíámí hèé. Oje
is concealing his illness. Oje is
hiding his illness. é è kè ré émì
héé. Don't conceal things any-
more.; *re hee li*, òjè ò ó rè
èmíámí hèé lì òhí. Oje is
concealing his illness from Ohi.
ò ré ólì ìnyèmì héé lí érá òì. He
concealed the matter from his
father.; *roo hee* to pick up and
hide (CPA, CPR, *C, *H) ò róó
ólì ògó héé. He picked up the
bottle and hid it.; *roo hee li*, ò
róó ólì ògó héé lí òhí. He hid
the bottle from Ohi.; *zoo hee* to
pick out and hide. ò zóó ólì ògó
héé. He picked out the bottle
and hid it. He hid the bottle
after picking it out.; *zoo hee li*,
ò zóó ólì ògó héé lí òhí. He hid

the bottle from Ohi. He picked out the bottle, hiding it from Ohi. cf. **la hee** to hide.

hee *v tr* to load up items on the head for transport (*CPA, CPR, C, H) **òjè héé òhí**. Oje loaded up Ohi. Oje helped Ohi load his head. **hèè òhí**. Load Ohi's head.; *nwu hee* to get loaded on the head by taking hold of (CPA, CPR, *C, *H) **òjè nwú íhùà héé òhí**. Oje loaded Ohi down with a load. Oje put a load on Ohi's head. **nwù íhùà hèè òhí**. Put a load on Ohi's head.

hèè *inter* yes.

hee *v tr* to praise, flatter insincerely (*CPA, *CPR, C, H) **òjè ò ó hèè òhí**. Oje is praising Ohi insincerely. **ólí ómòhè ò ó hèè ólì òkpòsò**. The man is flattering the woman. **é è kè héé òì**. Don't flatter him anymore.

hee *v intr* to ooze, leak out slowly (*CPA, *CPR, C, H) *hee dianre*, **àmè ò ó hèè dìánré**. Water is oozing out.; *hee re*, **àmè ò ó hèé ré**. Water is oozing out.

hee *a intr* to evaporate, weaken, go flat (CPA, CPR, *C, *H) **ólí ényò héé à**. The wine has gone flat. **ólì àmè héé á**. The water evaporated.

hee *a intr* to dissipate, ease up (*CPA, CPR, C, *H) **ókhòìn héé à**. The fighting dissipated. The battle subsided.

heen *v intr* to swell (CPA, CPR, *C, *H) **égbé ísì òí héénì**. His body swelled.

heen *v intr* to ascend, rise [of moon] (*CPA, CPR, C, *H) **ùkìn héénì**. The moon rose.

heen *v tr* to move upward, ascend (CPA, CPR, C, H) **ólí ómòhè héén ólí ókòó**. The man ascended the hill.; *la heen*, **ólí ómòhè lá héén ólí ókòó**. The man run up the hill.; *sua heen*, **ólí ómòhè súá èkpètè héén ólí ókòó**. The man pushed a stool up the hill.

heen *v tr* to climb (CPA, CPR, C, H) **ólí óvbèkhàn héén óràn**. The youth climbed the tree. **òjè héén ùdékèn**. Oje climbed a wall. **hèèn ólì ùdékèn**. Climb the wall.; *heen so* to climb to the end (CPA, CPR, *C, *H) **ò héén ólí údìn só**. He climbed to the top of the oil palm tree.; *nwu heen* to get climbed up (CPA, CPR, *C, *H) **òjè nwú ùdékèn héén**. Oje got up to the top of the wall.

heen *v intr* to raise, mount; **re heen** to put on a fire, get raised over the fire (CPA, CPR, *C, *H) **òjè ré úbùén héén**. Oje got maize mounted (over a fire). Oje got pounded maize over a fire. **ò ré ákhè héén**. He put a pot on the fire for cooking. **rè úbùén héén**. Put pounded maize on the fire.

heen *v tr* to ride, mount and ride (CPA, CPR, C, H) **ólí**

óvbèkhàn héén ọ́lí íkèké. The youth rode the bicycle. òjè héén ọ́lì èsí. Oje rode the horse. hèèn ọ́lí èsí. Mount the horse.; *heen ye*, ọ̀ héén èsí yé áfúzé'. He rode a horse to Afuze.

héghẹ́ *adj* light in weight. ọ́lí úkpùn ú héghẹ́. The cloth is light. úkpórán lì héghẹ́ the light stick. ébé' ọ́ í khùà sẹ́? How heavy is it? What is the extent of its weight?

hẹna *v intr* to stop, cease, desist from, relinquish (*CPA, CPR, *C, *H) ókhọ̀ìn hénàì. The war ceased. òjè hénáí vbí ẹnyọ́ údàmí. Oje ceased drinking wine. Oje stopped drinking wine. hènà vbí ẹnyọ́ údàmí. Desist from drinking wine.

hi *v intr* to be destined for, predestined for [only in positive focus constructions] ímé únwùmí lí ọ́ rẹ́ hì. It was farming that he was destined for. émí lí ọ́íá rẹ́ hí lí ọ́ ọ̀ ù vbí àgbòn. It is something for which a person is destined that he does in life.; **hi** *tr* to schedule, arrange, determine time for an event (CPA, CPR, *C, *H) ọ́ lọ́ hì ókhọ̀ìn. He will schedule the war.; *hi li*, òhí hí ẹ́dè lí òjè. Ohi arranged a day for Oje. Ohi identified a day for Oje.; *hi ọ*, yàn hí ókhọ̀ìn ọ́ vbì èdèlùsúmù. They have scheduled the fight for nine days from today. They put the fight at nine days from today.

ójé ísì òkò hí ókhọ̀ìn ọ́ vbì ùsúmú ẹ́ẹnà. The Oje of Oko scheduled the war for nine days from today. hì ọ̀lí ókhọ̀ìn ọ́ vbì èdèlùsúmù. Schedule the war for the ninth day.

hiaa égbè *tr* to endure pain (*CPA, *CPR, C, H) òjè ọ̀ ọ́ hìàà égbè. Oje is enduring pain. lit. Oje is straightening his body. hìàà égbè. Endure it.

hiaa étò *tr* to comb, straighten, stretch out hair (CPA, CPR, C, H) òjè híáá étò. Oje combed his hair. hìàà étò. Comb your hair.; *kpayẹ hiaa*, òhí kpáyẹ́ òjè híáá étò. Ohi combed Oje's hair.; ọ̀ kpáyẹ́ òjè híáá étó ísì òhí. He helped Oje comb Ohi's hair.; *re hiaa*, ọ̀ rẹ́ òyìyà híáá étò. He used a traditional comb to comb his hair.; *hiaa ku o*, òhí híáá étò kú ọ́ vbì àgá. Ohi combed hair all over the chair.

hiahia *v tr* to scratch, scrape (*CPA, *CPR, C, H) òjè ọ̀ ọ́ hìàhìà ìtàkpà. Oje is scratching his scabies. hìàhìà ọ́lì ìtàkpà. Scratch your scabies.; *kpayẹ hiahia*, òhí ọ̀ ọ́ kpàyè òjé hìàhìà ìtàkpá ísì ọ̀í. Ohi is helping Oje scratch his scabies. Ohi scratched the scabies in lieu of Oje.; *re hiahia*, ọ̀ ọ́ rè òrán hìàhìà égbè. He is using a stick to scratch his body.; *hiahia ku a*, ọ̀ híáhíá ìtàkpà kú à. He scratched his scabies all over.; *hiahia ku o*, ọ̀ híáhíá ìtàkpà kú ọ́ vbì ìbéèdì. He scratched his scabies all over the bed.

híáìjì *pstv adv* loud thud sound resulting from a heavy object falling through leaves and contacting the ground. **ú họ́ní híáìjì.** You heard a loud thud. **ú míẹ́í híáìjì.** You sensed a loud thud.; ~ *adj* sound of a loud thud. **ọ́lí úhínédín ú híáìjì.** The palm ridge made a loud thud. **ọ́lí úhínédín ú vbí ótọ́í híáìjì.** The palm ridge hit the ground with a loud thud. **ọ́lí úhínédín ú híáìjí vbì òtọ̀ì.** The palm ridge made a loud thud on the ground.

hian *v intr* to cut, sever inanimate object (CPA, CPR, *C, *H) *hian a,* **ọ́lí úì hián á.** The rope got cut off.; *hian o,* **ọ́lí úì hián ọ́ vbì òdẹ̀ èvá.** The rope got cut into two parts. **ọ́lí ẹ́dà hián ọ́ vbì èvá.** The river separated into two.; **hian** *tr* to cut, sever (CPA, CPR, C, H) **ọ̀ hián ọ́lí úì.** He severed the rope. **òjè hián vbí ọ́lí úí.** Oje cut from the rope. **ọ̀ hián óràn.** He cut wood. **hìàn ọ̀lí úí.** Cut the rope.; *kpaye hian,* **ọ̀ kpáyẹ́ òjè hián ọ́lí úì.** He helped Oje cut the rope.; *re hian,* **ọ̀ ré úvbíághàè hián ọ́lí úì.** He used a knife to cut the rope.; *hian a,* **ọ̀ hián ọ́lí úì á.** He cut the rope off.; *hian ku a,* **yán hián ọ́lí úgbó' kú à.** They cut the forest away.; *hian ku o,* **yán hián ọ́lí úgbó' kú ọ́ vbì òtọ̀ì.** They cut the forest all the way to the ground.; *hian li,* **ọ̀ hián ọ́lí úì lí òhí.** He cut the rope for Ohi.;

hian *o,* **ọ́lí ọ́mọ̀hè hián ọ́lí úkpùn ọ́ vbì èvá.** The man cut the cloth into two.; *hian re,* **ọ̀ hián ọ́lí úì ré.** He cut the rope and brought it.; *hian ye,* **ọ̀ hián émà yé òjè.** He cut yam and took it to Oje.; *hian vbi,* **òjè hián vbí ọ́lí éánmí.** Oje cut from the meat. **hián vbí ọ́lí émá.** Cut from the yam. **ọ̀ hián vbí ọ́lí émá lí òjè.** He cut from the yam for Oje. **ọ̀ hián vbí ọ́lí émá ọ́ vbì ìtásà.** He cut from the yam onto the plate. **ọ̀ hián vbí ọ́lí émá ré.** He cut from the yam and brought it. **ọ̀ hián vbí émá yé òjè.** He cut from the yam and took it to Oje.

hian *v intr* to cut an animate object; *hian a* to cut off (CPA, CPR, *C, *H) **ọ́lì òẹ̀ hián á.** The foot got cut off.; *hian fi a,* **ọ́lì òẹ̀ hián fi á.** The foot got cut away.; **hian** *tr* to cut. **ọ́lì òkpòsò hián òẹ̀.** The woman cut her foot. **òhí hián òjè.** Ohi cut Oje. **ọ̀ hián úhúnmí ísì ọ̀lí ọ́mọ̀hè.** He cut the head of the man. **ọ̀ hián ọ́lí ọ́mọ́hé úhùnmì.** He cut the man's head. **ọ̀ hián ọ́lí ọ́mọ́hé úhúnmí vbí ékùn.** He cut the man's head from his waist.; *hian a,* **ọ́lì òkpòsò hián òẹ̀ á.** The woman cut her foot off. **élí ímọ̀hè hián ọ́lí ókpósó úhùnmì á.** The men cut off the woman's head.; *hian fi a,* **ọ́lí óvbèkhàn hián òẹ̀ fí à.** The youth cut his foot away.

hian ẹ́dè *tr* to set a day (*CPA, CPR, *C, *H) **è hián ẹ́dẹ́ lí é lọ́**

lè ókhòìn. They set a day to go
to war. lit. They cut a day when
they will depart for war.; *hian
édè li*, à **hián édè lí òjè.** They
set a date for Oje. cf. **hi** to
schedule.

hian *v intr* to strike, hit (CPA,
CPR, *C, *H) *re égbè hian vbi*,
ò ré égbè hián vbì òtòì. He
struck his body on the ground.;
hian *tr* to strike, hit; *hian égbè
vbi*, **ò hián égbé vbì òtòì.** He
struck his body on the ground
(as a result of bad news).; *hian
ku o*, **ò hián úkpàsánmì kú ó
vbí úkpódè.** He struck his cane
all over the road.; *hian o*, **òhí
hián úkpàsánmì ó òjè vbì
ùòkhò.** Ohi struck his whip
onto Oje's back.

hian o vbí égbè *intr* to exaggerate
the worth of (*CPA, *CPR, *C,
H) **ójé ó ò hián ò vbí égbè.** Oje
exaggerates his own worth. lit.
Oje strikes onto his body.

hian ávbòhà o *tr* to slap (CPA,
CPR, *C, *H) **ò hián ávbòhà ó
ólí ómóhé vbì èò.** He slapped
the man's face. lit. He struck a
slap onto the man's face.

hian èkpà o *tr* to punch into (CPA,
CPR, *C, *H) **ó hián èkpà ó ólí
ómóhé vbì èfèn.** He struck a
punch into the man's side. He
punched the man in the side.

hian *v compl tr* to cut, strike with
(CPA, CPR, *C, *H) **ò hián ólí
ómóhé ópìà.** He cut the man
with a cutlass. He struck the
man with a cutlass.

hian *v compl tr* to fine an amount
(CPA, CPR, *C, *H) **òhí hián
ójé éghó'.** Ohi fined Oje the
money. **à hián ójé èkpà òkpá.**
Oje was fined one bag of
money. lit. One struck Oje with
one bag (of money).

hian àkòn *compl tr* to bite (CPA,
CPR, C, H) **ó hián ólí ókpósó
àkòn.** He bit the woman. lit. He
struck the woman with his
teeth. **ò hián ólí ómóhé ákón
vbí óbò.** He bit the man on the
arm. **hìàn òjé àkòn.** Bite Oje.

hian éhìén *compl tr* to pinch (CPA,
CPR, C, H) **ólì òkpòsò hián ójé
éhìén.** The woman pinched Oje.
lit. The woman struck Oje with
her fingernails. **ólì òkpòsò hián
ójé éhìén vbí óbò.** The woman
pinched Oje on the arm with her
fingernails. **hìàn òjé éhìèn.**
Pinch Oje.

hian *v tr* to ignite, strike a
combustable object (CPA, CPR,
C, H) **òjè hián ìsánó.** Oje
struck a match.; *hian ku a*, **òjè ò
ó hìàn ìsánó kú à.** Oje is
wasting matches (striking them
needlessly).

hian o vbi èò *intr* to reflect into the
eyes (*CPA, *CPR, C, H) **ólì
ùghèbè ò ó hián ò vbí èò.** The
mirror is reflecting into your
eye. lit. The mirror is striking
into your eye.

hian àkèràin ku a *tr* to be
effective at divination (*CPA,
CPR, *C, *H) **ébábó ísì èé hián
àkèràìn kú à.** Your divination

was effective. Your divination came true. lit. Your divination ignited cinders all over.

hian è̩ò̩ *tr* to be stingy, selfish (CPA, *CPR, *C, *H) ó̩lí ó̩mò̩hè̩ hián è̩ò̩. The man is stingy. lit. The man's eye ignited.

hian *v tr* to fry fruit or vegetable (CPA, CPR, C, H) ò̩ ó̩ hìàn ò̩gè̩dè̩. She is frying plantain. hìàn ò̩gè̩dè̩. Fry plantain.; *kpaye̩ hian*, ò̩ kpáyé̩ ò̩jè hián ò̩gè̩dè̩. He helped Oje fry plantain.; *re̩ hian*, ò̩ ré̩ údè̩n hián ò̩gè̩dè̩. He used palm oil to fry plantain.; *hian li*, ò̩ hián ò̩gè̩dè̩ lí òhí. He fried plantain for Ohi. cf. **anme̩** to fry meat.

hí̩é̩é̩ *pstv adv* extremely silent, quiet, unnoticed. ó̩lí ó̩kpó̩só̩ rá̩á̩lé̩ hí̩é̩é̩. The woman left quietly. ò̩jè ò̩ ó̩ shàn hí̩é̩é̩. Oje is proceeding quietly.; ~ *hí̩é̩é̩ adj* quiet, silent. ó̩lí ó̩mó̩ áín ú hí̩é̩é̩. That child is extremely quiet. cf. **hí̩í̩** absolute stillness.

hí̩í̩, hí̩hí̩hí̩ *pstv adv* condition of absolute or maximum stillness. ú hó̩ní hí̩í̩. You heard the stillness. é̩lí ívbékhán há̩á̩ á hí̩í̩. The youths were absolutely quiet.; ~ *adj* state of absolute silence, quiet, stillness. á̩á̩ìn ú hí̩í̩. There was absolute stillness. é̩lí é̩ràn ú hí̩í̩. The trees were absolutely quiet. cf. **hí̩é̩é̩** extremely silent.

hio *v intr* to weed, clear of weeds (*CPA, *CPR, C, H) ò̩jè ò̩ ó̩

hío. Oje is weeding. Oje is clearing. yà hío. Get on with weeding.; *kpaye̩ hio*, ò̩ ó̩ kpàyè̩ ò̩jé hío. He is helping Oje weed.; *re̩ hio*, ò̩ ó̩ rè̩ ò̩píá mé̩ hío. He is using my cutlass to clear.; **hio è̩hìò̩** *tr* to weed, clear weeds (CPA, CPR, C, *H) ò̩jè ò̩ ó̩ hìò̩ ó̩lì è̩hìò̩. Oje is clearing the weeds. ò̩ó̩ hìò̩ ó̩lì è̩hìò̩. Go to clear the weeds.; *kpaye̩ hio è̩hìò̩*, ò̩ ó̩ kpàyè̩ ò̩jé hìò̩ ó̩lì è̩hìò̩. He is helping Oje clear the weeds.; *re̩ hio è̩hìò̩*, ò̩ ó̩ rè̩ ò̩píá mé̩ hìò̩ ó̩lì è̩hìò̩. He is using my cutlass to clear the weeds.

hio ímè̩ *tr* to clear a farm of weeds and underbrush (CPA, CPR, C, *H) é hío ó̩lí ímè̩. They cleared the farm. hìò̩ ò̩lí ímè̩. Clear the farm.; *kpaye̩ hio*, ò̩ kpáyé̩ ò̩jè hío ó̩lí ímè̩. e helped Oje clear the farm.; *re̩ hio*, ò̩ ré̩ ó̩píá mè̩ hío ó̩lí ímè̩. He used my cutlass to clear the farm.

hio *v intr* to be proud, arrogant, haughty (*CPA, *CPR, *C, H) ó̩jé ó̩ ò̩ hío. Oje is haughty. é è kè hío. Don't be haughty anymore.; *hio lee*, ó̩lí ó̩mò̩hè̩ hío lé̩é̩ ìtò̩ló̩tò̩ló̩. The man is prouder than a turkey.

hìò̩é̩é̩ *pstv adv* absolute degree of completeness. yán bé̩nnó̩ íshàkò̩n kú á hìò̩é̩é̩. They chopped away the bark completely. é rá̩á̩lé̩ hìò̩é̩é̩. They have all gone. ívbékhán ékà ó̩ kó̩ó̩ rè? How many youths remained?

hiọn *v intr* to snore (*CPA, *CPR, C, H) ọ́lí ọ́mọ̀hè ọ̀ ọ́ híọ́n. The man is snoring. é è kè híọ́n. Don't snore anymore.; hiọn *tr* to snore. ọ́lí ọ́mọ̀hè ọ̀ ọ́ hìọ̀n ìhìọ̀n. The man is snoring.

hòéè *inter* my goodness!

hóghó *adj* hollow, soft and fragile [of trees] ọ́lí óràn ú hóghó. The tree is hollow. órán lì hóghó the hollow tree. ébé' ọ́ í rîì? How is it?

hoo *v tr* to search, look for (*CPA, *CPR, C, H) ọ́lí ọ́mọ̀hè ọ̀ ọ́ hòò ọ̀lí émà. The man is searching for the yam. ọ́lí áwà ọ̀ ọ́ hòò ọ̀lí ófè. The dog is searching for the rat. yà hóó ọ̀lí ákhè. Start searching for the pot.; *kpaye hoo*, ọ̀ ọ́ kpàyè ọ̀jé hòò ọ̀lí ákhè. He is helping Oje search for the pot.; *re hoo*, ọ̀ ọ́ rè ùrúkpá mẹ́ hòò ákhè. He is using my lantern to search for the pot.; *hoo li*, ọ́lí ókpósó lọ́ hòò émà lí ọ́lì ònwìmè. The woman will search for yam for the farmer.; *hoo re*, ọ̀ lọ́ ọ́ọ́ hòò émà ré. He is about to go to search for yam to bring.; *hoo ba kun* to search in vain (CPA, CPR, *C, *H) ọ́ hóó ọ́lí ákhè bá kùn. He searched for the pot in vain.; *hoo de* to search for and buy (*CPA, CPR, *C, *H) ọ̀jè ọ́ọ́' hòò úkòójè dẹ́. Oje went to search for a ceramic cup to buy.; *hoo mie* to search and find (CPA, CPR, *C, *H) ọ̀ hóó ọ́lí ákhè míẹ́. He searched

for the pot and found it. He found the pot after searching for it.; *hoo shan* to search about for (*CPA, *CPR, C, H) ọ̀jè ọ̀ ọ́ hòò ìjóóbú shàn. Oje is looking about for a job. Oje is moving about looking for a job. yà hóó ìjóòbù shán. Start looking about for a job.

hoo ẹ́ghè *tr* to look for time [only in subjunctive constructions] ọ̀jè í hòò ẹ́ghè. Oje should search for the time. Oje should find time.

hoo èò *tr* to be nosey, excessively inquisitive (*CPA, *CPR, *C, H) ójé ọ́ ọ̀ hòò èò. Oje is nosey. Oje is overly inquisitive. lit. Oje searches with his eyes. é è kè hóó èò. Don't be nosey anymore. cf. íhùèò excessive curiosity.

hoo ìnyèmì *tr* to make trouble, cause palaver (*CPA, *CPR, C, H) ọ́lí ọ́mọ́hé ọ́ ọ̀ hòò ìnyèmì. The man goes about making trouble. The man is troublesome. lit. The man searches for issues. é è kè hóó ìnyèmì. Don't be troublesome anymore.

hoo ìnyèmì *compl tr* to invite trouble from (*CPA, *CPR, C, H) ọ́lí ọ́mọ̀hè ọ̀ ọ́ hòò ọ̀lí ókpósó ìnyèmì. The man is inviting trouble from the woman. lit. The man is searching the woman's issues. é è kè hóó ọ́lí ókpósó ìnyèmì. Don't trouble the woman hereafter.

hoo *v tr* to make dizzy, faint (*CPA, *CPR, C, *H) óhòó ọ̀ ó hòò mè̩. I am dizzy. lit. Dizziness is searching for me.

hóó *pstv adv* dithered or dizzied condition. ó̩ ọ̀ shàn hóó. He moves about in a tizzy. ó̩ shán hóó dé ésì èrá ọ̩̀ì ré. He proceeded dizzily to his father's place. ébé' ọ̩́ í shàn? How did he proceed? cf. **hoo** to make dizzy.

hoo *v tr* to want; *hoo khi* [only in negative constructions] ó̩lí ó̩mọ̀hè̩ í ì hòó khì ọ̀ ló̩ yè̩ àfúzé'. The man did not want to go to Afuze.; *hoo li* (*CPA, *CPR, C, H) ó̩lí ó̩mọ̀hè̩ ọ̀ ó hòò lí ó̩lí ókpósó dà é̩nyọ̀. The man wants the woman to drink wine. òjè ọ̀ ó̩ hòò lí ó̩ dà é̩nyọ̀. Oje wants her to drink wine. òjè ọ̀ ó̩ hòò lí yó̩n chè gbé ófè̩. Oje wants to kill rats again.

hóó *pstv adv* whistling condition of boiling. àmè̩ ọ̀ ó̩ tìn hóó. Water is whistling. Water is boiling with a whistle.

hóó *adj* empty, íwé lì hòò the empty house. ó̩lì ìwè ú hóó. The house is empty.

ho *v intr* to lay [resulting in an egg] (CPA, CPR, C, H) ó̩lí óókhò ọ̀ ó̩ hó. The hen is laying.; *ho o,* ó̩lí óókhò hó ó̩ vbì ùgín. The hen lay into the basket. élí íshàn hó ó̩ vbí ébè. The fly lay on the leaf.; *ho tr* to lay an egg (CPA, CPR, C*, *H) ó̩lí óókhò hó̩ úkpéké̩ìn òkpá. The hen

laid only one egg.; *ho o,* ó̩lí óókhò̩ hó̩ úkpéké̩ìn ó̩ vbì ùgín. The hen laid an egg into the basket. cf. **hogho** to shake loose, slide loose.

ho ùrùn *compl tr* to slaughter, slit the throat of (CPA, CPR, *C, *H) òjè hó é̩mèlá ùrùn. Oje slit the cow's throat. hò̩ ọ̩́í ùrùn. Slit its throat.; *kpaye ho ùrùn,* ọ̀ kpáyé̩ òjè hó̩ ó̩lí é̩mèlá ùrùn. He helped Oje slaughter the cow.; *re ho ùrùn,* ọ̀ ré úvbíágháé mè̩ hó é̩mèlá ùrùn. He used my knife to slaughter the cow. cf. **hogho** to slide.

hóbó̩ *adj* plump physique, ó̩mó̩hé lì hó̩bó̩ the plump man. ó̩lí ó̩mó̩hé ú hó̩bó̩. The man is plump. ébé' ó̩ í rî? How is he?

hogho *v intr* to shake loose, loosen (*CPA, CPR, *C, *H) ó̩lí órán hóghó̩ì. The pole loosened. ó̩lí ónwèé hóghó̩ì. The cough phlegm shook loose.; *hogho tr* to loosen by shaking (CPA, CPR, C, H) òjè ọ̀ ó̩ hòghò̩ ò̩lí órán. Oje is shaking the pole loose. yà hóghó̩ ó̩ì. Start loosening it.; *kpaye hogho,* òhí ọ̀ ó̩ kpàyè̩ òjé hòghò̩ ò̩lí órán. Ohi is helping Oje loosen the pole. cf. **ho** to lay an egg.

hòghòhóghó̩ *adj* shaky. ó̩lí íkè̩ké̩ ú hòghòhóghó̩. The bicycle is shaky. íkè̩ké̩ lì hòghòhóghó̩ the shaky bicycle. ébé' ó̩ í rî? How is it? cf. **hogho** to shake loose.

hon *v intr* to hear; *ta li hon* to say to (CPA, CPR, C, *H) òjè tá étà lí ọ́lí ókpósó họ̀n. Oje said something to the woman. lit. Oje spoke words to the woman to hear.; **hon** *tr* to hear (CPA, CPR, C, H) *họn khi*, ọ́lí ọ́mọ́hé họ́ní khí ọ́lí ókpòsò gbé ọ́lí ófè. The man heard that the woman killed the rat.; *họn IQ*, ọ́lí ọ́mọ́hé họ́n ébé' ọ́lí ókpósó í gbé ọ́lí ófè. The man heard how the woman killed the rat.

hon *v tr* to sense or perceive auditory or olfactory sensations (*CPA, *CPR, *C, H) *họn éhọ̀n* to sense with the ear. ọ́lí ọ́mọ́hé ọ́ ọ̀ họn éhọ̀n. The man hears. The man's ear is sensitive.; *họn íhùè* to sense with the nose. ọ́lí ọ́mọ́hé ọ́ ọ̀ họ̀n íhùè. The man's nose is sensitive.

hon émì *tr* to be obedient (*CPA, *CPR, *C, H) ọ́lí ọ́mọ́hé ọ́ ọ̀ họ̀n émì. The man is obedient. lit. The man hears things.

hon íkhùèè *compl tr* to sense the sound of, hear news about (*CPA, *CPR, C, H) ọ́lí ọ́mọ̀hè ọ̀ ọ́ họ̀n ìkhúéé ọ́lí ọ́vbèkhàn. The man is hearing the youth. **yán à họ̀n ìkhúéé òjè.** They heard news about Oje.; *họn íkhúéé égbè* to feel, sense contractions (*CPA, *CPR, C, *H) ọ́lì òkpòsò ọ̀ ọ́ họ̀n ìkhúéé égbè. The woman is feeling contractions. lit. The woman is sensing the sound of her body.; *họn íkhúéé vbi éhé èrèmé* to have fame spread (*CPA, *CPR, *C, H) á à họ̀n ìkhúéé ọ́í vbí éhé èrèmé̲. His fame is known in every place. News about him is everywhere. lit. One senses the sound of him in all places.

hon ùròò *tr* to understand a language (*CPA, *CPR, *C, H) ọ́ ọ̀ họ̀n ùróó émáì. He understands Emai. lit. He hears the language of the Emai. **yán à họ̀n ùróó égbè.** They understand each other.

hoo *v tr* to wash (CPA, CPR, C, H) ọ̀ họ́ọ́ ọ́lí úkpùn. He washed the cloth. ọ̀ họ́ọ́ vbí élí íkpún. He washed from the clothes. **họ̀ọ̀ ọ́lí úkpùn.** Wash the cloth. **họ̀ọ̀ úkpùn.** Wash clothes.; *kpaye hoo*, ọ̀ kpáyé òjè họ́ọ́ ọ́lí úkpùn. He helped Oje wash the cloth.; *re hoo*, ọ̀ ré íjìnì họ́ọ́ ọ́lí úkpùn. He used a washing machine to wash the clothes.; *hoo a*, ọ̀ họ́ọ́ ọ́lí úkpùn á. He washed off the cloth.; *hoo li*, ọ̀ họ́ọ́ ọ́lí úkpùn ní émè̲. He washed the cloth for me. cf. **horo** to soak.

horo *v intr* to become wet, damp, soaked (CPA, CPR, *C, *H) ọ́lí úkpún họ́róì. The cloth got soaked. égbé ísì òjè họ́róì. Oje's body got wet.; *horo lee*, égbé mè̲ họ́ró léé ísì òjè. My body is wetter than Oje's.; *ze horo*, ọ́lí ọ́mọ̀hè zé ọ́lí úkpún họ̀rò. The man allowed the cloth to get wet.; **horo** *tr* to wet, soak (CPA, CPR, C, *H) ọ́lí ọ́mọ̀hè ọ̀ ọ́ họ̀rò èkè̲n. The man is wetting down sand (as preparation for brick formation). **hòrò èkèn.** Wet down the sand.; *kpaye horo,* **ò ó kpàyè òjé hòrò èkèn.** He is helping Oje wet the sand. cf. **hoo** to wash.

hu *v intr* to grow in stature [of humans] (*CPA, *CPR, C, *H) **ólí óvbèkhàn ò ó hú.** The youth is growing. cf. **hunme re** grow up.

hu *v intr* to swell, foam (*CPA, *CPR, *C, H) **ólí ósá ó ò hú.** The soap foams. The soap forms a lather.; *hu re,* **ólì ìsòn hú ré.** The feces foamed up. cf. **hughu** to lather.

hu *v tr* to nauseate (*CPA, *CPR, C, *H) **ékpà ò ó hù mè.** I am nauseous. lit. Vomit is swelling in me.

hu *v intr* to boil, heat (CPA, CPR, C, H) **ólì òmì ò ó hú.** The soup is boiling.; *hu ku a,* **ólì òmì hú kù á.** The soup boiled over.; *hu ku o,* **ólì òmì hú kù ó vbì èràìn.** The soup boiled all over the fire.; *hu re,* **ólì òmì hú ré.** The soup boiled up.

hu *v tr* to construct, build (CPA, CPR, C, H) **òjè ò ó hù ólì àsè.** Oje is building the hut. **yà hú ólì àsè.** Start building the hut.; *kpaye hu,* **ò kpáyé òjè hú ólì àsè.** He helped Oje build the hut.; *re hu,* **ò ré ébé ògèdè hú àsè.** He used banana leaves to construct a hut.; *hu o,* **ò hú àsè ó vbí ímè.** He built a hut on the farm.

hua *v tr* to take hold of multiple objects [for transport on the head] (CPA, CPR, C, H) **ólí ómòhè húá éghó'.** The man has carried money. **ólì òkpòsò húá íkpùn.** The woman carried clothes. **ólì òkpòsò húá vbí élí íkpún.** The woman carried from the clothes. **hùà èlí émà.** Carry the yams.; *kpaye hua,* **ò kpáyé òjè húá élí émà.** He helped Oje carry the yams.; *re hua,* **ò ré ágbà húá élí émà.** He used a basket to carry the yams.; *hua ku a,* **ò húá émà kú à.** He tossed yams aside.; *hua ku o,* **ò húá émà kú ó vbì ìtébù.** He dropped yams all over the table.; *hua li,* **ò húá ólí émà lí ònwìmè.** He gave the yams to a farmer.; *hua o,* **ò húá émà ó vbí úkpódè.** He put yams onto the road.; *hua re,* **ò húá émà ré.** He brought yams.; *hua shoo vbi re,* **ò húá émà shóó vbì ìtébù ré.** He removed yams away from the table.; *hua vbi re,* **ò húá émá vbì ìtébù ré.** He removed yams from the table.; *hua ye,* **ò húá élí émà yé ólí ònwìmè.** He carried the yams to the farmer.; *hua dianre,* **ò húá ólì ùgbòfì díànré.** He carried the oranges out.; *hua heen,* **ò húá ùgbòfì héén ólí ókòò.** He carried oranges up the hill.; *hua lagaa,* **ò ó hùà ùgbófì làgáá ùhàì.** He is putting oranges around the well.; *hua o,* **ò húá ùgbòfì ó vbì ìwè.** He carried oranges into the house.; *hua raa re,* **òhí húá élí**

émà ráá é̱dà ré. Ohi carried the yams across the river.; *hua ye*, **ò̱ húá ùgbòfì yé ísáó ísì ìwè**. He carried oranges to the front of the house.; *nwu hua* to get carried (CPA, CPR, *C, *H) **ò̱ nwú émà húá**. He got yams carried on his head. cf. **nwu** to take hold of single object.

hua úlà *tr* to take off running (*CPA, CPR, *C, *H) **è húá úlà**. They took off running. lit. They took hold of running.; *ton úlà hua*, **è tó̱n úlà húá**. They took off. lit. They took off by digging into running.

húághòì *pstv adv* loud snoring sound. **ú hó̱ní húághòì**. You heard a loud snoring sound. **ò̱ ó hìò̱n húághòì**. She was snoring loudly.

húáí *pstv adv* sudden disappearance. **ú mí̱é̱í húáí**. You experienced a sudden vanishing.

húásá *adj* light in weight [of inanimates] **ó̱lí óràn ú húásá**. The wood is light. **órán lì húásá** light wood. **ébé' ó̱ í khùà sé?** How heavy is it?

huee *v tr* to lunge, rush for [of a plurality] (CPA, CPR, C, H) **yàn húéé ó̱lí émàè**. They lunged for the food. **yàn húéé ó̱lí émàè léé**. They lunged for all the food. They finished lunging for all the food.

huee *v tr* to boil (CPA, CPR, C, H) **ò̱jè húéé ó̱lì ìhíángùè**. Oje boiled peanuts. **hùèè ìhíángùè**. Boil peanuts.; *kpaye huee*, **ò̱**

kpáyé̱ ò̱jè húéé ìhíángùè. He boiled peanuts in lieu of Oje.; *re huee*, **ò̱ ré̱ ìtásà húéé ìhíángùè**. He used a plate to boil peanuts.; *huee li*, **ò̱jè húéé ó̱lì ìhíángùè lí òhì**. Oje boiled peanuts and gave them to Ohi. cf. **hu** to boil.

hùé̱hùè̱ *adj* easy. **ó̱lì ìsó̱ó̱mú ú hùé̱hùè̱**. The arithmetic is easy. **ébé' ó̱ í rîì?** How is it?

húé̱kpé̱, **húé̱kpé̱húé̱kpé̱** *pstv adv* shallow, short, spasmic breathing pattern. **ò̱jè ò̱ ó̱ fì ètín húé̱kpé̱húé̱kpé̱**. Oje is breathing spasmically. **ébé' ó̱ ò̱ í fì étìn?** How is his breathing? cf. **húkpé̱húkpé̱** shallow, spasmic breathing.

hùé̱n *pstv adv* snapping, thrusting fashion. **ú mí̱é̱í hùé̱n**. You sensed a snapping event. **ó̱lí ó̱mò̱hè há ó̱í úrún hùé̱n**. The man squeezed her neck with a snap. The man snapped her neck. **ébé' ó̱ í há ó̱ì?** How did he squeeze it?

hughu *v tr* to make lather by squeezing (*CPA, *CPR, C, H) **ò̱ ó̱ hùghù ósà**. He is lathering with soap. **ò̱ ó̱ hùghù òsá vbì àmè**. He is forming lather with soap in the water. **ò̱ ó̱ hùghù àmè̱**. He is forming lather with water. **yà húghú ósá**. Start lathering. cf. **hu** to foam.

húkpé̱húkpé̱ *pstv adv* shallow, short, spasmic fashion of gasping for breath. **ò̱ ó̱ fì ètín húkpé̱húkpé̱**. He is gasping for air. lit. He is throwing his breath in a gasping fashion. **ébé' ọ́ ọ̀ í fì étìn?** How is he breathing? cf. **húẹ́kpẹ́** shallow spasmic breathing.

húlọ́, húlọ́húlọ́ *pstv adv* sluggishly, clumsily, awkwardly. **ọ̀ ọ́ shàn húlọ́.** He is proceeding sluggishly. **ọ́lí ọ́mọ̀hè ọ̀ ọ́ gbè húlọ́húlọ́.** The man is dancing clumsily. **ébé' ọ́ ọ̀ í gbé?** How does he dance?

huma re *intr* to swell up [of body part] (CPA, CPR, C, H) **égbé ísì ọ̀jé húmá ré.** The body of Oje swelled up. **ẹ́kẹ́ín ísì ọ̀í húmá ré.** Her belly swelled up. cf. **hu** to swell.

huma re *intr* to become inflamed (CPA, CPR, *C, *H) **ọ́lì èmàì húmá ré.** The wound is inflamed. cf. **hu** to swell.

hunmẹ *v intr* to be appeased, be good [used in response to greetings] (*CPA, CPR, *C, *H) **ọ̀ hùnmẹ́.** It is good.; *hunmẹ lee,* **ọ́lí ọ́mọ̀hè húnmẹ́ lẹ́é ọ̀jè.** The man is better than Oje.

hunmẹ *v intr* to be fine, expedient, fortuitous that (CPA, CPR, *C, *H) *hunmẹ khi,* **ọ̀ hùnmẹ́ khí ọ́lì ọ̀kpòsò gbé ọ́lí ẹ́nyè.** It is fortuitous that the woman killed the snake. **ọ̀ hùnmẹ́ khí ọ́lí ọ́mọ̀hè é ọ́lí émàè.** It is fine that man has eaten the food.; *hunmẹ li,* **ọ̀ hùnmẹ́ lí ọ́lí ọ́kpósó gbè ọ̀lí ẹ́nyè.** It is expedient that the woman should kill the snake. **ọ̀**

hùnmẹ́ lí ọ́lí ọ́mọ́hé è ọ̀lí émàè. It is fine that the man should eat the food. **ọ̀ hùnmẹ́ lí á í lè ímè.** It is fine for one to tend a farm.

hunmẹ *tr* to appease, forgive, assuage (CPA, CPR, *C, *H) **ọ̀jè rẹ́ húnmẹ́ òhí.** Oje forgave Ohi.

hunmẹ èhàì *tr* to have goodluck (*CPA, CPR, *C, *H) **ọ̀jè húnmẹ́ èhàì.** Oje is lucky. lit. Oje appeased his forehead.

hunmẹ ẹ́kẹ́ín *tr* to love, like (CPA, CPR, *C, *H) **àlèkè húnmẹ́ ẹ́kẹ́ín ọ̀jè.** Aleke loved Oje. lit. Aleke appeased Oje's belly. **á ì hùnmẹ̀ ẹ̀kẹ́ín vbá vbì èàn.** They don't like you here.

huọ *v intr* to be simple, easy (CPA, CPR, *C, H) **ọ́lì ìdàmìghé húọ́ì.** The exam was easy.

huọ *v intr* to be soft, pliable (CPA, CPR, *C, H) **ọ́lì ọ̀tòì húọ́ì.** The ground is soft.; *huọ lee,* **ìbẹ́ẹ̀dí mè húọ́ lẹ́é ísì ọ̀jè.** My bed is softer than Oje's.

huọhuọ *v intr* to soften, become pliable (CPA, CPR, *C, *H) **ọ́lì ùdékèn húọ́húọ́ì.** The wall got softened. **ọ́lí óràn húọ́húọ́ì.** The wood became waterlogged.; **huọhuọ** *tr* to soften, cause to be soft (CPA, CPR, C, H) **àmẹ̀ húọ́húọ́ ọ́lì ùdékèn.** Rain softened the wall.

huọhuọ *v intr* to become ripe [by softening] (CPA, CPR, *C, *H) **ọ́lì àmágò húọ́húọ́ì.** The mango got ripe.; *huọhuọ lee,* **òúmú mè húọ́húọ́ lẹ́é ísì ọ̀jè.** My pear is more ripe than Oje's. My pear is riper than Oje's.

húré *pstv adv* vain, pompous fashion. <u>ò</u> <u>ó</u> ù húré. He is acting pompously. <u>ómòhè</u> lí <u>ó</u> <u>ò</u> ù húré. It is a male who acts pompously. cf. **gàdà** bragadociously.

húsé *adj* light in weight [of animates] <u>ólí</u> ófé ú húsé. The rat is light. ófé lì húsé a light rat. ébé' <u>ó</u> í rîi? How is it?

húú *pstv adv* absolutely pungent fashion. <u>ólí</u> ísón áìn <u>ò</u> <u>ó</u> yàà húú. That feces smells pungent. <u>ólí</u> óìmì <u>ò</u> <u>ó</u> ké yàá gbè <u>òí</u> húú. The dead body thereafter smells pungent to him. lit. The dead body thereafter smells and overtakes him with its pungency. cf. **hu** to swell up.

húú *pstv adv* shuffling fashion. <u>ò</u> <u>ó</u> shàn húú. He is moving along with a shuffle. He is shuffling away. ébé' <u>ó</u> <u>ò</u> í shán? How is he proceeding?

hùyá, hùyáhùyá *pstv adv* faded, greyish fashion. <u>ólí</u> úkpùn bíní hùyá. The cloth is grey. The cloth is dark grey.; ~ *adj* faded, greyish, **úkpún lì hùyáhuyá** the grey cloth. <u>ólí</u> úkpùn ú hùyáhùyá. The cloth is grey. ébé' <u>ó</u> í rîi? How is it? In what condition is it?

I

i *pro* I [first person singular subject] **ì nwú émà <u>ó</u> vbì ìtébù.** I put yam onto the table. **ì á nwù <u>ò</u>lí**

émá <u>ò</u> vbì ìtébú <u>è</u>nyáà. I am putting the yam onto the table just now. **í à nwù émá <u>ò</u> vbì ìtébú sàá.** I put yam onto the table all the time. cf. **mèmè** first person singular emphatic.

i *pro* it, which one [subject function in identity constructions] **òlólò lí í khì <u>ò</u>dón <u>ó</u>ì.** It is Ololo who is her husband. **w<u>è</u>w<u>è</u> lí í khì <u>ò</u>nwìmè.** It is you who are a farmer. **í yì <u>è</u>ghé lí ójé gbé <u>ó</u>lí ófè?** At what time did Oje kill the rat? Which one indicates the time when Oje killed the rat? **í yì <u>è</u>ghé lí <u>ó</u>lí ókpósó r<u>é</u> é <u>ó</u>lí émàè?** Which one indicates when the woman ate the food? **í kè yí <u>ó</u>lí áwà?** Now which one is the dog?

i *aux* subject agreement function for third person in predicate negation constructions [regardless of number] **ólì òkpòsò í ì dà <u>é</u>nyò.** The woman did not drink wine. **élì ìkpòsò í ì dà <u>é</u>nyò.** The women did not drink wine. **ólì òkpòsò í yà dà <u>é</u>nyò.** The woman never drinks wine.

ì *aux* not [predicate negation function, restricted to first and third person] **í ì è <u>ò</u>lí émàè.** I did not eat the food. **<u>ó</u> ì è <u>ò</u>lí émàè.** He did not eat the food. **<u>ó</u>lí <u>ó</u>mòhè í ì è <u>ò</u>lí émàè.** The man did not eat the food. cf. **ki** NF, **ki** SN, **e** PR.

í *aux* should, ought to [hortative function in subjunctive] **<u>ó</u>lí <u>ó</u>mòhè í è <u>ó</u>lí émàè.** The man should eat the food.

i *prev adv* manner function [obligatory in manner questions and manner deictic constructions] **ébé' ọ́lí ọ́mọ́hé ọ́ ọ̀ í è émàè?** How does the man eat (food)? **ìyọ́ lí ọ́lí ọ́mọ́hé í hián ọ́lí óràn.** It was that way that the man cut the wood.

-i *v suff* factative function indicating present state or completion of a process or activity [only in absence of auxiliaries or preverbal adverbs] **ọ́lí ọ́mọ̀hè dáì.** The man is tall. **ọ́lí órán nà lí ọ́lí ọ́mọ́hé híánì.** It was this tree that the man cut.

íàán *n* vein, **íàán élìyọ́** vein of that kind, **íàán èvá** two veins.

ìàbàdó *n* eve of agangan festival [youths go door-to-door collecting items commemorating the previous year] **ìàbàdó ọ́ọ̀.** It's agangan festival eve.

íbà *n* malaria, **íbá élìyọ́** malaria of that kind. **ọ̀ mọ̀è íbà.** He has malaria. **íbà ọ̀ ọ́ kpọ̀kpọ̀ ọ́ì.** Malaria is afflicting him.

ìbáànkì *n* bank. **ọ̀ yé ìbáànkì.** He went to the bank.

ìbàbá *n* father [only in vocative construction].

ìbàbó *n* bamboo, **ìbàbó élìyọ́** bamboo of that kind, **ìbàbó èvá** two shoots of bamboo.

ìbádéè *n* birthday, birthday celebration, **ìbádéè èvá** two birthdays, **ìbádéé ísì òjè** Oje's birthday. **àlèkè yé ìbádéè.** Aleke went to a birthday party.

ìbàfúrúùmù *n* bathroom, **ìbàfúrúúmú élìyọ́** bathroom of that kind, **ìbàfúrúúmù èvá** two bathrooms.

ìbáírò *n* pen, **ìbáírò èvá** two pens. **ìbáírò ọ́ọ̀.** It's a pen.

ìbàghò *n* cowpea, **ìbàghò èvá** two cowpeas. **ọ́ ọ̀ nyè ìbàghò.** She prepares cowpeas.

íbàlázà *n* jawbone, **íbàlázá ísì òjè** jawbone of Oje. **ọ̀ ú íbàlázà bí ètèkùn.** He has a jawbone like a bow. lit. He did a jawbone like a bow.; ~ *n* mumps. **íbàlázà ọ́ọ̀.** It's mumps.; **íbàlázà nwu** *tr* to have mumps (CPA, CPR, *C, *H) **íbàlázà nwú ọ́ì.** He has mumps. lit. Mumps caught him.

ìbàlòkpò *n* weaving shuttles. cf. **ùbàlòkpò** weaving shuttle.

ìbàn *n* tendon, **ìbàn èvá** two tendons; ~ *n* eye lense, **ìbàn èvá** two eye lenses. **ọ̀ yí ọ́í íbán vbì èò.** He pulled his lense from his eye.

ìbàn *n* unripe palm kernel [white in color] **ìbàn èvá** two unripe palm kernels.

íbàtà *n* shoe, sandal, footwear, **íbátá élìyọ́** shoe of that kind, **íbàtà èvá** two shoes, **íbátá ísì ọ̀í** his shoe.

ìbè *n* drum, **íbé élìyọ́** drum of that kind, **ìbè èvá** two drums.

ìbèàkhé *n* glossy-backed drongo. **ìbèàkhé ọ́ọ̀.** It's a glossy-backed drongo. cf. **ákhè** pot.

ìbèkhé *pstv adv* wavering fashion. **ìbèkhé, ọ́lí ákhè ményéì.** With wavering, the pot tilted. cf. **bèkhé** wavering fashion.

íbélàwè *n* calf muscles, íbéláwé èvèvá both calf muscles. cf. ìbèlè calabash, àwè legs.

ìbèlè *n* gourds. cf. ùbèlè gourd.

ìbèú *pstv adv* banging sound of a hitting activity. ìbèú, ò nwú ákhè hían vbì òtòì. With a bang, he struck the pot on the ground. cf. bèú banging sound.

ìbèú *pstv adv* sound of loud bursting into tears. ìbèú, ó ghé sán évìè á. In a loud burst, she cracked into tears. cf. bèú sound of a loud burst of tears.

ìbééèdì *n* bed, ìbééédí élìyó bed of that kind, ìbééèdì èvá two beds.

ìbègùn *n* shin, íbégún ísì òjè Oje's shin.

ìbèghè *n* water yam stew [boiled and mixed with bitter garden egg, unripe pepper and oil] ìbèghè èvá two water yam stews.

ìbéléèètì *n* belt, ìbéléétí ísì àlèkè Aleke's belt, úvbìbéléèètì small belt.

ìbèmbé *n* metal storage box, ìbèmbé élìyó metal box of that kind, ìbèmbé èvá two metal boxes.

íbèmí *n* crumbled yam stew [boiled, sliced and dried yam, crumbled, pounded, soaked in water and wrapped in leaves for boiling, served with garden egg, pepper and oil stew] íbèmí óò. It's a crumbled yam stew.

íbèn *n* liver, íbèn èvá two livers.

ìbìán, ìbìánbìán *pstv adv* flash resulting from sharp contact.

ìbìán, ókhúnmí ghé hían íhìàn. With a flash, the sky just struck. cf. bìán flash from sharp contact.

ìbìbìédà *n* Gymnarchus niloticus fish, ìbìbìédà èvá two Gymnarchus niloticus fish. cf. édà river.

ìbìghìtàn *n* conjunctivitis. ìbìghìtàn óò. It's conjunctivitis.; ìbìghìtàn nwu *tr* to have conjunctivitis (CPA, CPR, *C, *H) ìbìghìtàn nwú óì. He has conjunctivitis. lit. Conjunctivitis took hold of him.

ìbíkìlía *n* bricklayer, mason, ìbíkìlía èvá two masons. ìbíkìlía óò. It's a mason.

ìbìlàkí *n* very dark skinned. ìbìlàkí óò. She's very dark skinned.

ìbíléèdì *n* blade, ìbíléédí élìyó blade of that kind, ìbíléèdì èvá two blades.

íbìn *n* soot, black carbon from a lantern. íbìn óò. It's soot. cf. bin to be dark in color.

ìbìòhán *n* state of being angry. ìbìòhán lí ó sí óì ré. It was anger that brought it about. cf. bi to move aside, óhàn anger.

ìbírîjì *n* bridge, ìbírííjí élìyó bridge of that kind, ìbírîjì èvá two bridges.

ìbísíkò *n* fireworks, sparkler, ìbísíkó élìyó fireworks of that kind, ìbísíkò èvá two sparklers. ólì ìbísíkò ò ó khùìkhúí kù ò vbí òtòì. The sparklers are sparkling all over the ground.

ìbòghò *n* front of the shin, íbóghó ísì òjè the front of Oje's shin.

íbóghóràn *n* buttress root of a tree, íbóghórán élìyó̱ buttress root of that kind, íbóghóràn èvá two buttress roots. cf. ìbòghò shin front, óràn tree.

ìbòhí *n* guilt; re̱ ìbòhí li *tr* to assign guilt to (CPA, CPR, *C, *H) à ré̱ ìbòhí ní áìn. They assigned guilt to him. He was guilty. à ré̱ ìbòhí lí òjè. Oje was blamed. lit. One assigned guilt to Oje.; ze̱ ìbòhí *tr* to be guilty [only in positive focus constructions] òjè lí ó̱ zé̱ ìbòhí. It was Oje who was guilty. lit. It was Oje who communicated guilt.

ìbóí *pstv adv* popping sound resulting from a pulling activity. ìbóí, òjè yí ó̱lí órán vbì òtò̱ì ré. With a pop, Oje pulled the tree from the ground. cf. bóí popping sound.

ìbòké *pstv adv* sound resulting from pecking of a bird. ìbòké, ó̱lí óghòhúnmí só óí úkpà. With a pecking sound, the wild goose touched it with its beak. cf. bòké pecking sound.

ìbòó, ìbòóbòó *pstv adv* sudden, sharp thumping sound resulting from a hitting activity. ìbòó, ó̱ gbé á. With a thump, it broke. cf. bòó sudden, sharp thump.

ìbòó *pstv adv* sound of sudden, loud burst of tears. ìbòó, ó̱ sán évìè̱ á vbí áàìn. With a cracking sound, she burst into tears there. cf. bòó sound of sudden burst of tears.

ìbòbòdí *n* cassava, ìbòbòdí élìyó cassava of that kind, ìbòbò̱dí èvá two cassava pieces, úsùìbòbò̱dí, ísùìbò̱bò̱dí tuber of cassava, úkhùn ìbòbò̱dí, íkhùn ìbòbò̱dí bunch of cassava, úgbó' ìbòbò̱dí cassava grove, órán ísì ìbò̱bò̱dí stalk of cassava.

ìbòí *n* servant, attendant, apprentice. ìbò̱í óò̱. He's a servant.

ìbóífùréèndì *n* boyfriend, ìbó̱í-fùréèndì èvá two boyfriends.

ìbó̱kéètì *n* bucket, ìbó̱kéétí élìyó bucket of that kind, ìbó̱kéètì èvá two buckets.

íbòkpò̱ *n* mosquito net, tent covering, íbó̱kpó élìyó mosquito net of that kind, íbò̱kpò̱ èvá two mosquito nets.

ìbóòlù *n* ball for football or soccer game, ìbóólú élìyó ball of that kind, ìbóòlù èvá two balls.

ìbóòsì *n* bus, ìbóósí élìyó bus of that kind, ìbóòsì èvá two buses.

ìbó̱tìnì *n* button, ìbó̱tíní élìyó button of that kind, ìbó̱tìnì èvá two buttons.

ìbùbúmòìsà *n* palm fern [preserves yam tubers against yam rot] íbùbúmòìsà èvá two palm ferns.

ìbúghábúghá *pstv adv* fluttering sound resulting from a beating activity. ìbúghábúghá, ésó̱n-kpú ò̱ ó̱ gbé. With a flutter, a rag is beating. cf. búghábúghá fluttering sound.

ìbùhú *n* basket of raffia leaves with narrow, round neck [for selling gari, predates jute sack] ìbùhú élìyó raffia basket of that kind, ìbùhú èvá two raffia baskets.

ìbúkà *n* canteen, food area, ìbúká élìyó food canteen of that kind, ìbúkà èvá two food canteens.

ìbúlóòkì *n* block, ìbúlóókí élìyó block of that kind, ìbúlóòkì èvá two blocks.

ìbùlúkù *n* slip, skirt, cloth wrapper worn by females, ìbùlúkú élìyó skirt of that kind, ìbùlúkù èvá two skirts.

ìbùlúù *n* blue dye. ìbùlúù óò. It's blue dye. ò nwú ìbùlúù ó vbì ìtébù. He put blue dye on the table.

ìbúréèdì *n* bread, ìbúréédí élìyó bread of that kind, ìbúréèdì èvá two pieces of bread.

ìbúrîjì *n* bridge, ìbúrîjì élìyó bridge of that kind, ìbúrîjì èvá two bridges. ìbúrîjì óò. It's a bridge.

ìbúùtù *n* boot, ìbúútú élìyó boot of that kind, ìbúùtù èvá two boots.

íchèchèghè *n* type of small bird, íchèchèghè èvá two small birds of this type.

ìchénjà *n* record turntable, ìchénjá élìyó turntable of that kind, ìchénjà èvá two turntables.

íchììchòghó *n* shrub with white, sticky sap [for marking boundary between plots of land, children play with seeds, produces íkpòòbí fruit] íchììchòghó èvá two white-sap shrubs.

ìchóón *pstv adv* zipping sound resulting from entering a hole quickly. ìchóón, ò ó vbí ékéín ólí ákhé áìn. With a zipping sound, she entered inside that pot. cf. **chóón** zipping sound.

ìdàdá *n* person with frizzled locks [folk belief that born into a traditional cult with magical powers] ìdàdá óò. He's a frizzled-hair person. cf. **dada** to lose one's way.

ìdàèhón *n* expectation, hope; **moe** ìdàèhón khi *tr* to expect, have expectation that (CPA, CPR, *C, *H) ò móé ìdàèhón khí ójé ló vàré. He has the expectation that Oje will come. òjè í ì ké mòè ìdàèhón khí ólí ókpósó ló vàré. Oje did not expect that the woman would come. lit. Oje did not have the expectation that the woman would come. cf. **daa** to position, **éhòn** ear.

ìdàlè *n* high place, location high off the ground, upright position. ò rî vbí ìdàlè. It is upright.; **mehen o** vbi ìdàlè *intr* to sleep in an upright position (*CPA, CPR, C, *H) ò ó mèhén ò vbí ìdàlè. He is sleeping while standing upright. lit. He is sleeping on account of the upright position.

ídámà *n* chest, ídámá élìyó chest of that kind, ídámá ísì òjè chest of Oje; ~ *n* middle, ídámá òéé' middle of township, commons area of a township.

ídámégbè *n* trunk, stem area, ídámégbé ísì òjè trunk of Oje's body, ídámégbé ísì óràn trunk of a tree. cf. **ídámà** chest, **égbè** body.

ìdàmìdámí *n* distant point up ahead on the horizontal plane. **ọ̀ rîì vbí ìdàmìdámí.** He is up ahead. cf. **ídámà** middle.

ìdàmìghé *n* examination, trial run, test, **ìdàmìghé élìyọ́** examination of that kind, **ìdàmìghé èvá** two examinations. cf. **damẹ** to test.

ídámùòkhò *n* back of the torso. **ọ̀ hían ọ́í ọ́píá vbí ídámùòkhò.** He cut him on the back with a cutlass. cf. **ídámà** middle, **ùòkhò** back.

ìdé *n* crayfish, **ìdé élìyọ́** crayfish of that kind, **ìdé èvá** two crayfish. cf. **ìdèlọ́òfán** white crayfish.

ìdédédé *pstv adv* scurried, extremely quick pace. **ìdédédé, ọ́ lá vádè.** At a scurry, he came running. cf. **dédédé** scurried pace.

ìdédèdèdè *pstv adv* hurry-scurry pace. **ìdédèdèdè, ọ́ lá vádè.** At a hurry-scurry pace, he came running. cf. **dédèdèdè** hurry-scurry pace.

ìdèdéghé' *n* high, suspended position on vertical plane. **ọ̀ rîì vbí ìdèdéghé'.** He is suspended.

ìdélékùkù *n* pigeon, laughing pigeon, **ìdélékúkú élìyọ́** laughing pigeon of that kind, **ìdélékùkù èvá** two laughing pigeons.

ìdèlọ́òfán *n* white crayfish. **ìdèlọ́òfán ọ́ọ̀.** It's a white crayfish. cf. **ìdé** crayfish, **li R, ọ̀fùàn** white.

ìdèùhùnmìré *n* humility, deference. **òjè mọ̀ẹ̀ ìdèùhùnmìré.** Oje is

humble. Oje possessed humility. cf. **dee re** to lower, **úhùnmì** head.

ídèùkhọ̀ìn *n* weed used to heal navel of an infant, **ídèùkhọ̀ìn èvá** two navel-healing weeds. cf. **dee** to lower, **úkhọ̀ìn** navel.

ìdè *pstv adv* thumping sound resulting from a jumping activity. **ìdè, ọ́ nwú ọ́ì gbé ọ́í vbí ésèsẹ́ úhùnmì.** With a thump, she hit it against the middle of his head. cf. **dè** thumping sound.

ìdéé' *n* Gloriosa shrub that blooms annually, **ìdéé' èvá** two Gloriosa shrubs.

ìdì *n* grave, **ídí élìyọ́** grave of that kind, **ìdì èvá** two graves.

ìdì *pstv adv* booming sound resulting from a hitting activity. **ìdì, ọ́ nwú óràn gbé vbì ọtọ̀ì.** With a boom, he fell the tree on the ground. cf. **dì** booming sound.

ìdìì *pstv adv* rumbling sound that results from loud thunder. **ìdìì, ókhúnmí sóì.** With a huge rumble, the sky thundered. cf. **dìì** rumbling sound.

ìdírévà *n* driver, **ìdírévà èvá** two drivers. **ìdírévà ọ́ọ̀.** He's a driver.

ídìsè *n* indulgence. **ídìsè ọ́ọ̀.** It's an indulgence. cf. **de** to reach, **ìsè** indulgent state.

ìdísíkò *n* party, disco, **ìdísíkó élìyọ́** party of that kind, **ìdísíkò èvá** two parties.

ídò *n* stones. cf. **údò** stone.

ìdògbóìmì *n* inhabitants of spirit world appearing in this world, demon-like characters, ghosts, **ìdògbóìmì èvá** two spirit world beings. cf. **óìmì** spirit world. cf. **ùdògbóìmì** ghost.

ìdòjé *n* sickle attached to a wooden pole [for harvesting kola nut] **ìdòjé élìyó** kola sickle of that kind, **ìdòjé èvá** two kola sickles; ~ *n* three-pronged metal hook used to remove bucket from a deep well, **ìdòjé èvá** two bucket hooks.

ìdóòbò *n* mistake, error, accidental occurrence. **ìdóòbò óò.** It's a mistake. cf. **dobo** mistakenly, accidentally.

ìdòzé *n* plant, food crop growing where it should not. **ìdòzé óò.** It's a misplaced plant. cf. **do** to perform in stealth, **ze** to grow.

ìdòbùbá *n* double-barreled gun, **ìdòbùbá élìyó** double-barreled gun of that kind, **ìdòbùbá èvá** two double-barreled guns.

ìdókítà *n* physician, doctor. **ìdókítà óò.** He's a physician.

ídù- *n pref* augmentative plural function. cf. **údú-** augmentative singular function.

idú *n* bedbugs, **ìdú èvá** two bedbugs.

ìdùàbò *n* plea, pleading. **ó ì mìèè ìdùàbò.** He did not accept pleading. cf. **due** to level out, **ábò** hands.

ìdùdú *n* fried yam, **ìdùdú èvá** two fried yam pieces.

ídùdù *n* black ant colony [typically found at tree base] **ídùdù èvá** two black ant colonies.

ìdùé *pstv adv* sound of air leaving a body. **ìdùé, ó dúmé úvbíághàè ó óí vbí ékéìn.** With a rushing sound, he stuck a knife into her belly. cf. **dùé** rushing sound.

ìdùé *pstv adv* smashing sound resulting from forceful hitting. **ìdùé, é gbá úgbà kú ó vbì èfèn.** With a smash, they hit the fence all over her side. cf. **dùé** smashing sound.

ídúégbè *n* muscle ache, muscular pain. **ídúégbè óò.** It's a muscle ache.; **khonme ídúégbè** *tr* to suffer from, be afflicted by muscular aches [only in positive focus constructions] **ídúégbè lí ó ò khònmé.** It is muscle aches that he suffers from. cf. **ídù-** AUG, **égbè** body.

ìdúgbèrèdúgbèrèdúgbère *pstv adv* drumming sound resulting from a beating activity. **ìdúgbèrè- dúgbèrèdúgbère, yàn á khùèè ìbè.** With the drumming sound, they were playing a drum. cf. **dúgbèrèdúgbèrèdúgbère** drumming sound.

ìdúróòmù *n* drum, barrel, **ìdúróómú élìyó** drum of that kind, **ìdúróòmù èvá** two drums.

ìdúróòsì *n* underwear, undergarment with draw string, **ìdúróósí élìyó** underwear of that kind, **ìdúróòsì èvá** two undergarments, **úvbì- ìdúróòsì** small undergarment.

ídùù *n* church organ, **ídúú élìyó** church organ of that kind, **ídùù èvá** two church organs.

ìèè *n* awareness, alertness; **rẹ ìèè ọ vbi égbè** *tr* to be alert (*CPA, *CPR, *C, H) **ójé ọ́ ọ̀ rẹ ìéé ọ̀ vbí égbè**. Oje is alert. lit. Oje puts awareness onto his body. **rẹ̀ ìèè ọ́ vbí égbè**. Be alert. cf. **ee** to be agitated.

ìègbèá *n* forgetfulness. **ìègbèá ọ́ọ̀**. It's forgetfulness. cf. **égbè** body, **ee a** to forget.

ìèghè *n* bead worn around waist, **íéghé élìyó** waist bead of that kind, **ìèghè èvá** two waist beads. cf. **íkpémí ékùn** beads for the waist.

íèjè *n* titled men, chiefs, **ódíọ́n íèjè** senior titled men. cf. **óèjè** chief.

ìèké *n* sugar cane, **ìèké èvá** two pieces of sugar cane, **órán ísì ìèké**, **érán ísì ìèké** stalk of sugar cane, **úkhùn ìèké**, **íkhùn ìèké** bundle of sugar cane, **íkpèénmí ísì ìèké** section, nodule of sugar cane stalk.

íèmúghó'ì *n* tailor ant, **íèmúghó'ì èvá** two tailor ants. cf. **émúghó'ì** stale food.

íèvbú *n* very small termite with wings [visible in morning, inedible] **íèvbú èvá** two very small winged termites.

ìèèsì *n* rice, **ìèésí élìyó** rice of that kind.

íé'n *n* type of creeping insect, **íé'n èvá** two creeping insects of this type.

íẹ̀nhì *n* leech, blood sucker, **íẹ̀nhì èvá** two leeches.

ìfáà *pstv adv* whistling sound resulting from a light object rushing through the air. **ìfáà, ólì ùhàì ráá ré**. With a whistling sound, the arrow passed by. The arrow whistled by. cf. **fáà** whistling sound.

ìfááí *n* hautiness, vanity, pride, bragging behavior [Hausa] **sẹ ìfááí** *tr* to be an exhibitionist, show-off (*CPA, *CPR, C, H) **ọ̀ ọ́ sẹ ìfááí**. He is an exhibitionist. lit. He is reaching hautiness.

ìfáànì *n* fan, **ìfáání élìyó** fan of that kind, **ìfáànì èvá** two fans.

ìfàdá *n* missionary, especially Roman Catholic priest. **ìfàdá ọ́ọ̀**. He's a missionary.

ìfáìlì *n* file in an office, **ìfáílí élìyó** file of that kind, **ìfáìlì èvá** two files.

ìfáò *pstv adv* noisy zinging sound resulting from an object moving through the air. **ìfáò, ọ̀ fí ùhàì**. With a zinging sound, he shot an arrow. cf. **fáò** noisy zinging sound.

ìfátìrì *n* factory. **ìfátìrì ọ́ọ̀**. It's a factory.

ífèè *n* whistle, **íféé élìyó** whistle of that kind, **ífèè èvá** two whistles; **fi ífèè** *tr* to blow a whistle (CPA, CPR, C, *H) **òhí fí ífèè**. Ohi blew a whistle.

ìfèèsé *n* window [Yoruba] **ìfèèsé élìyó** window of that kind, **ìfèèsé èvá** two windows.

ìfètìán *n* rest, holiday; ìfètìán m**o**e **é**ghè *tr* to have time to rest (*CPA, CPR, *C, *H) ìfètìán í ì m**ò**è **é**ghè. There's no appropriate time to rest. lit. Rest does not have time. cf. **foo** to cool down, **étìn** breath, a CS.

ìfì *n* snare trap [made with wire or string] ífí **é**lìy**ó** snare trap of that kind, ífì èvá two snare traps.

ìfìàb**ò** *n* empty-handedness. ìfìàb**ò** lí **ó** **ò** kh**òò** òhúá vbí égbè. It is terrible for a hunter to go empty handed. lit. It is empty-handedness that is terrible for the hunter. cf. **fi** to drop, **áb**ò hands.

ífìánmì *n* birds. cf. **á**fìánmì bird; ~ *n* witches, wizards. cf. **á**fìánmì witch, wizard.

ìfîìdì *n* lawn, field, ìfíídí **é**lìy**ó** lawn of that kind, ìfîìdì èvá two lawns.

ìfíín *pstv adv* high-pitched, sizzling sound. ìfíín, **ó**ká ísì **ò**í **ó** **ò** tín. With a sizzling sound, his maize boils. cf. **f**íín sizzling sound.

ìfìòb**ò** *n* amount dashed by a seller [akin to baker's 13th donut] ìfìòb**ò** **ó**ó. It's dash. cf. **fi** to drop, **ó**b**ò** hand.

ìfírîìjì *n* refrigerator, ìfírííjí **é**lìy**ó** refrigerator of that kind, ìfírîìjì èvá two refrigerators.

ìfóónù *n* telephone, ìfóónú **é**lìy**ó** telephone of that kind, ìfóónù èvá two telephones.

ìf**ò**f**ò**séén *n* dull person, dullard, individual extremely slow to act. ìf**ò**f**ò**séén **ó**ó. He is a dullard. cf.

f**o**f**o** to be cold, s**éé**n lifeless cold state.

ìf**ò**tó *n* photograph, picture, ìf**ò**tó **é**lìy**ó** picture of that kind, ìf**ò**tó èvá two pictures.

ìfùfú *n* crushed and boiled cassava formed into a thick ball and eaten with sauce [Yoruba] ìfùfú èvá two cassava balls.

ìfúláwà *n* flour, ìfúláwá **é**lìy**ó** flour of that kind.

ìfùn**ò**fúnó *n* unsteadiness, discontinuousness, instability. ìfùn**ò**fúnó ísì èràìn unsteadiness of the fire. cf. **fun**o a to extinguish.

ìfúrúùtù *n* fruit, Indian almond, ìfúrúútú **é**lìy**ó** Indian almond of that kind, ìfúrúùtù èvá two Indian almonds.

ìgáàí *n* grated and fried cassava, processed cassava in powdered form, gari, ìgáàí **é**lìy**ó** gari of that kind, ìgáàí lì òvbàè yellow gari, ìgáàí lì **ò**fùàn white gari, ìgáàí ísì àfúzé' gari from Afuze.

ìgááwá *n* four gallon rectangular palm oil container made of tin, ìgááwá **é**lìy**ó** four gallon tin container of that kind, ìgááwá èvá two four gallon tin containers, ìgááwá ísì évbìì four gallon tin container for palm oil.

ìgàbàí *n* Hausa people and language. ìgàbàí **ó**ó. He's Hausa. cf. àúsá Hausa.

ìgádágòdò *n* padlock, ìgádágódó **é**lìy**ó** padlock of that kind, ìgádágòdò èvá two padlocks. cf. ágádágòdò lock and key.

ìgàdáísí *n* nicker, trouser, shorts [Hausa] ìgàdáísí élìyọ́ shorts of that kind, ìgàdáísí èvá two nickers, ìgàdáísí lì gbọ́ọ́ long trousers.

ìgèdè *n* opening, point of rupture on a dead body; gbe ìgèdè a *tr* to rupture (CPA, CPR, *C, *H) ọ́lí ọ́ìmì gbé ìgèdè á. The dead body has ruptured. lit. The dead body broke its openings.; gboo ìgèdè ku a to burst open. ọ́lí ọ́ímí áín ké gbọ́ọ́ ìgèdè kú à. That dead body burst open all over.

ìgédéègé *n* two-story building, ìgédéègé élìyọ́ two-story building of that kind, ìgédéègé èvá two two-story buildings. cf. íwé ísì ìkpàtáísí multi-storied building.

ìgègèdí *n* shoulder high; nwu sẹ̀ ìgègèdí to carry on the shoulder (CPA, CPR, *C, H) òjè nwú ọ́lí ọ́mọ̀ sẹ́ ìgègèdí. Oje carried the child astraddle on his shoulder. Oje straddled the child on his shoulders. nwù ọ́ì sẹ́ ìgègèdí Carry her on your shoulder.

ìgèì *pstv adv* banging sound resulting from an exploding gun. ìgèì, ọ́ fí òísí'. With a bang, he shot the gun. cf. gèì banging sound.

ìgérèdèdèdè *pstv adv* extremely fast, break-neck speed. ìgérèdèdèdè, ọ́ ọ̀ khù ìyáín shán. At break-neck speed, she chases them about. cf. gérèdèdèdè break-neck speed.

ìgèdú *n* timber, ìgèdú élìyọ́ timber of that kind, ìgèdú èvá two

pieces of timber; ~ *n* lorry for carrying timber, ìgèdú élìyọ́ timber lorry of that kind, ìgèdú èvá two timber lorries.

ìgéfúréèndì *n* girlfriend, ìgéfúréèndì èvá two girlfriends.

ígìdí *ideo* sense impression of the stomping of a large, heavy animal. ọ́ tọ́n úlà húá. ígìdí. ígìdí. ígìdí. It took off. Stomping. Stomping. Stomping. ú míẹ́í ígìdí. ígìdí. You experienced stomping. Stomping. cf. kítíkítí stomping fashion.

ìgíláàsì *n* window glass, ìgíláàsí élìyọ́ window glass of that kind, ìgíláàsì èvá two window panes of glass.

ìgílóòbù *n* electric bulb, globe of a lantern, ìgílóóbú élìyọ́ globe of that kind, ìgílóòbù èvá two bulbs.

ígó' *n* protective shrine for warding off a curse, place where witches go to confess [Eteye area in Emailand] ígó' nwu *tr* to be protected by a shrine (CPA, CPR, *C, H) ígó' nwú ọ́ì. A shrine protected him. lit. A shrine took hold of him.

ígòdó *n* species of grass found along banks of marshy areas [cane fiber provides material for ájọ̀ used in sieving gari and preparing woven cane base for roof mats] ígòdó èvá two blades of cane grass.

ígógégbè *n* carcass. ígógégbè ọ́ọ̀. It's a carcass. cf. úgògò shell, égbè body.

ìgóògóhì *n* Eutropius niloticus fish, ìgóògóhì èvá two Eutropius niloticus fish.

ìgóólù *n* gold, ìgóólú élìyó gold of that kind, ìgóòlù èvá two pieces of gold; ~ *n* gold-plated jewelry, jewelry, ìgóólú élìyó gold jewelry of that kind, ìgóòlù èvá two pieces of jewelry.

ìgóòlù *n* goal in a game, ìgóólú élìyó goal of that kind, ìgóòlù èvá two goals.

ìgòsímîtì *n* goldsmith, ìgòsímîtì èvá two goldsmiths.

ìgóvà *n* guava fruit, ìgóvá élìyó guava fruit of that kind, ìgóvà èvá two guava fruit pieces.

ìgó *pstv adv* sound resulting from a forceful, jabbing contact. ìgó, ó só ólí ékpén úkpá vbì òtòì. With a jab, he touched the leopard's tail on the ground. cf. gó jabbing sound.

ìgóvìnà *n* governor. ìgóvìnà óò. He's a governor.

ìgùà *n* bone joints; de ìgùà *tr* to kneel (CPA, CPR, *C, *H) ólí ómóhé dé ìgùà. The man knelt down. lit. The man reached his bone joints. òjè dé ígúá vbí ékóà. Oje knelt in the room. ólí ómò dé ígúá vbí ókhúnmí ìtébù. The child knelt on top of the table. cf. ùgùà bone joint.

ígú'ábò *n* wings, ígú'ábó èvèvá both wings. cf. ígú'é palm frond, ábò hands. cf. íhú'nábò wings.

ìgùàgúgùàgú *pstv adv* slow whooshing sound resulting from the beating wings of a bird. ìgùàgúgùàgú, ólí áfiánmí gbéì. With a whoosh, the bird beat its wings. cf. gùàgúgùàgú slow whooshing sound.

ìgùàghó *pstv adv* jerky fashion. ìgùàghó, ó shóó ré. With a jerk, he arose. cf. gùàghó jerky fashion.

ìgúáhí *pstv adv* lurching fashion of movement. ìgúáhí, ó shóó rè. With a lurch, he arose. cf. gúáhí lurching fashion.

ìgúáhí *pstv adv* crumpled state. ìgúáhí, ò dé fì ó vbì òtòì. In a crumpled state, he fell onto the ground. cf. gúáhí crumpled state.

ìgùàkó *pstv adv* clashing sound resulting from forceful contact. ìgùàkó, è dé khún égbé. With a clash, they rushed against each other. cf. gùàkó clashing sound of forceful contact.

ìgúákpá *pstv adv* crumpled position. ìgúákpá, ólì èkpèn déí vbì òtòì. Crumpled, the leopard fell on the ground. cf. gúákpá crumpled position.

ìgùàn *pstv adv* poking sensation of a blunt object. ìgùàn, ò sén óì. With a poke, he stabbed him. cf. gùán poking fashion.

ìgúdùlóòkì *n* good luck bowl, bowl used to sell gari, ìgúdùlóókí élìyó gari bowl of that kind, ìgúdùlóòkì èvá two gari bowls.

ígú'é *n* palm fronds. ígú'é óò. They're palmfronds. cf. úgú'é palm frond.

ígúé' *n* camp or temporary site of farmers or hunters, **ígúé' élìyó** camp site of that kind, **ígúé' èvá** two camp sites.

ígùèfẹ̀n *n* rib, **ígùèfẹ̀n èvá** two ribs. cf. **guẹn** bend, **èfẹ̀n** side.

ìgùèngbé *n* bend in the road, **ìgùèngbé élìyó** road bend of that kind, **ìgùèngbé èvá** two road bends, **ìgùèngbé ísì àfúzé'** bend in the road to Afuze. cf. **guẹn** to bend, **égbè** body.

ìgùìèn *n* malice. **ìgùìèn óò**. It's malice.

ìgùlúrù *n* Tretraodon fahaka fish, **ìgùlúrù èvá** two Tretraodon fahaka fish.

ìgúó *n* unsavory act, untruthful dealings, corruption, crooked-ness, **óíá ísì ìgúó** crook. **óíá ísì ìgúó óò**. He's a crook.; **gbe ìgúó** *tr* to make a crooked deal (CPA, CPR, *C, H) **ó gbé ìgúó**. He made a crooked deal. He developed an unsavory deal.; *re* **ìgúó gbe fì a, òjè rẹ́ ìgúó gbé óhá óì fí à**. Oje's crookedness killed off his wife. lit. Oje used unsavory acts to kill off his wife.; **u ìgúó** *tr* to act crookedly (*CPA, *CPR, *C, H) **ójé ó ọ̀ ù ìgúó**. Oje is crooked. lit. Oje engages in unsavory acts.

ìgùòghó *pstv adv* crashing sound resulting from contact activity. **ìgùòghó, ó fí ákhé ísì èkán fí ó vbì èàn**. With a crash, he threw the pot of beads here. cf. **gùòghó** crashing sound.

ìgùòó *pstv adv* crashing sound resulting from contact activity. **ìgùòó, ólí ómóhé déì**. With a crash, the man fell. cf. **gùòò** crashing sound.

ìgúó *pstv adv* slumped over position. **ìgúó, é kú óì ó vbì òtòì**. In a slumped position, they dumped him on the ground. Slumped over, he was dumped on the ground. cf. **gúó** slumped over.

ìgúó *pstv adv* jingling sound resulting from divining seeds hitting the ground one after the other. **ìgúó, ó kú íkhùèkhúé ísì òì**. With a jingle, he cast his divining seeds. cf. **gúó** jingling sound.

ìgùú *pstv adv* whooshing sound of air rushing out of a body when stabbed. **ìgùú, ó gbé àgádà ó óí vbí ékéìn**. With a whoosh, he stabbed a sword into her belly. cf. **gùú** whooshing sound.

ígbáàmásà *n* weed with sharp-edged leaf [found in swamp forest, possesses medicinal value] **ígbáàmásà èvá** two thorny-edged weeds.

ìgbàán *pstv adv* intense smacking sound resulting from a hitting activity. **ìgbàán, ó fí óbó vbí úhùnmì**. With a smack, he hit his hand on his head. cf. **gbàán** smacking sound.

ìgbàán *pstv adv* condition of intense shouting, scolding. **ìgbàán, ó sáhíén óì**. With a shout, he yelled at her. cf. **gbàán** intense shouting.

ìgbàán *pstv adv* loud, intense cracking sound of thunder. **ìgbàán, òísókhúnmí sáhíénì.** With a crack, the thunder screeched. cf. **gbàán** intense cracking sound.

ìgbàgé *n* scaffold for spreading cocoa beans to dry, **ìgbàgé èvá** two cocoa-bean scaffolds.

ìgbàgbó *n* believer. **ìgbàgbó óò.** He's a believer.

ìgbàjá *n* two-lobed kola nut [chewed as stimulant, of less cultural significance than évbéòhèn] **ìgbàjá èvá** two two-lobed kola nuts, **úvbìigbàjá** small two-lobed kola nut.

ìgbákòn *n* Labeo senegalensis fish, **ìgbákòn èvá** two Labeo senegalensis fish. cf. **gbe** to project, **àkòn** teeth.

ìgbákòn *n* derogatory term based on protruding teeth. cf. **gbe** to project, **àkòn** tooth.

ìgbàkhùan *n* being that begins to die immediately after birth [folk belief that spirit-world cult draws it back, cult must be broken for child to remain alive in this world] **ìgbàkhùàn óò.** It's a cult being. cf. **khuan** to suspend.

ígbàlàkà *n* ladder, scaffold, **ígbáláká élìyó** ladder of that kind, **ígbàlàkà èvá** two ladders.

ìgbàmá *n* teenage boys. cf. **ògbàmá** teenage boy.

ìgbàmádí *n* echo, reverberation. **ì á hòn ìgbàmádí ísì òísí'.** I am hearing the echo of cannon shots.

ígbàn *n* fish bones, thorns, ribs. cf. **úgbàn** fish bone, thorn, rib.

ìgbángbáún *n* brass or aluminum measuring bowl in market, **ìgbángbáún élìyó** brass bowl of that kind, **ìgbángbáún èvá** two brass bowls.

ígbánkpé'n *n* thorny creeper, vine, **ígbánkpé'n èvá** two thorny creepers; ~ *n* thorn from thorny creeper, **ígbánkpé'n èvá** two thorns. cf. **ígbàn** thorn, **ákpé'n** wild yam vine.

ìgbàshán *n* mock marriage [customary practice whereby a child is betrothed to another without serious implication for future, spiritual linking between two young people] **ìgbàshán óò.** It's a mock marriage.; ~ *n* betrothed partner of opposite sex in mock marriage custom for sickly child. **ìgbàshán mè óò.** It's my betrothed partner. cf. **gba** to tie, **shan** to proceed.

ìgbé *pstdet* ten, **ìkpòsò ìgbé** ten women; ~ *pro* ten, **ìgbé vbí élí íkpósó** ten of the women.

ìgbèéà *pstdet* thirteen, **ímòhè ìgbèéà** thirteen men; ~ *pro* thirteen, **ìgbèéà vbí élí íkpósó** thirteen of the women. cf. **ìgbé** ten, **èéà** three.

ìgbèéhàn *pstdet* sixteen, **éràn ìgbèéhàn** sixteen trees; ~ *pro* sixteen, **ìgbèéhàn vbí élí íkpósó** sixteen of the women. cf. **ìgbé** ten, **èéhàn** six.

ìgbèélè *pstdet* fourteen, **éràn ìgbèélè** fourteen trees; ~ *pro* fourteen, ìgbèélè vbí élí íkpósó fourteen of the women. cf. ìgbé ten, èélè four.

ìgbéèvà *pstdet* twelve, éràn ìgbéèvà twelve trees; ~ *pro* twelve, ìgbéèvà vbí íyáín twelve of them. cf. ìgbé ten, èvá two.

ìgbèéén *pstdet* eighteen, éràn ìgbèéén eighteen trees; ~ *pro* eighteen, ìgbèéén vbí íyáín eighteen of them. cf. ìgbé ten, èéén eight.

ìgbégbè *n* velvet, ìgbégbé élìyọ́ velvet of that kind, ìgbégbè èvá two pieces of velvet.

ìgbélélé *pstv adv* dinging sound resulting from hitting activity. ìgbélélé, ọ́ fí àghán ọ́ vbí órán édìn. With a ding, he inserted a sickle into the palm tree. cf. gbélélé dinging sound.

ìgbè *pstv adv* thumping sound resulting from a falling activity. ìgbè, ólí órán dé fì ọ́ vbí òtọ̀ì. With a thump, the tree fell onto the ground. cf. gbè thumping sound.

ìgbèhí *n* slavery. ìgbèhí óò. It's slavery. cf. gbe to position, èhì fate.

ígbénù *n* thorny yam vine [develops from wild yam found on fallow land] ígbénù èvá two thorny yam vines. ọ̀ míé ígbénù èvá. He found two thorny creepers. cf. ígbánkpé'n thorny creeper.

ìgbèó *n* minute, blink of an eye, ìgbèó èvá two minutes. cf. gbe to beat, èò eye.

ìgbèòkhò *n* cocksidosis; ìgbèòkhò foo *tr* to be afflicted by cocksidosis (*CPA, CPR, *C, *H) ìgbèòkhò fóó mé éọ́khò. Cocksidosis has eliminated my chickens. cf. gbe to overcome, éọ́khò chickens.

ìgbèwè *n* goat distemper [goat affliction marked by foaming at the mouth] ìgbèwè lí ọ́ ọ̀ kpòkpò ọ̀lí éwè. It is distemper that the goat suffers from. cf. gbe to overcome, éwè goat.

ìgbì *pstv adv* smacking sound resulting from a compact object hitting the ground. ìgbì, ọ̀ nwú ólí óràn gbé vbì òtọ̀ì. With a smack, he hit the pole against the ground. cf. gbì smacking sound.

ígbì *n* seed yam from previous year's crop, ígbí élìyọ́ seed yam of that kind, ígbì èvá two seed yams, úkhún ígbì bundle of seed yam.

ìgbìà *n* Ebira people and language [also Igbira] àlèkè ọ̀ ọ́ zè ùróó ìgbìà. Aleke is speaking Igbira.

ìgbìdì *pstv adv* sound resulting from alternate ends of a stick hitting the ground. ìgbìdì, ọ́ fí vbì òtọ̀ì. With an echo, it hit on the ground. cf. gbìdì with an echo.

ìgbìgbé *pstdet* all ten [collective quantifying function] íkpósó ìgbìgbé all ten women; ~ *pro* all ten of [collective quantifying function] ìgbìgbé ó vbí ékọ́à. All ten entered the room. cf. ìgbé ten.

ìgbìhíọ́n *pstdet* seventeen, éràn ìgbìhíọ́n seventeen trees; ~ *pro* seventeen, **ìgbìhíọ́n vbí íyáín** seventeen of them. cf. **ìgbé** ten, **ìhíọ́n** seven.

ìgbîìgbé *pstdet* ten each [distributive quantifying function] **ìnáírà ìgbîìgbé** ten naira each. cf. **ìgbé** ten.

ìgbìíhìèn *pstdet* fifteen, **éràn ìgbìíhìèn** fifteen trees; ~ *pro* fifteen, **ìgbìíhìèn vbí élí íkpósó** fifteen of the women. cf. **ìgbé** ten, **ìíhìèn** five.

ìgbîìrí *pstv adv* sound of sudden, vigorous sneezing activities. **ìgbîìrí, óvbí ọ́í tíhóì.** With a vigorous sound, his son sneezed. cf. **gbîìrí** sound of vigorous sneezing.

ìgbîìrìrì *pstv adv* vigorous sound of peeling skin or muscle. **ìgbîìrìrì, ọ́ kpán ọ́í óhìàn.** With a vigorous sound, she peeled his skin. With a screeching sound, she peeled off his skin. cf. **gbîìrìrì** vigorous peeling sound.

ìgbìó *pstv adv* cracking sound resulting from a hitting activity. **ìgbìó, ọ́ fí úkpàsánmí vbí ákhè.** With a crack, he hit a cane on a pot. cf. **gbìó** cracking sound.

ìgbíólò *pstv adv* zipping sound resulting from an object taking off quickly. **ìgbíólò, ọ́lí áwá làì.** With a zip, the dog ran off. cf. **gbíólò** zipping sound.

ígbíòó *n* tattoo lines or marks drawn on body, **ígbíòó èvá** two tattoo lines. cf. **ígbàn** thorn, **íòó** tattoo mark.

ìgbíórò *pstv adv* zipping sound resulting from an object taking off. **ìgbíórò, ọ́lí áwá làì.** With a zip, the dog ran off. cf. **gbíórò** zipping sound.

ìgbìọ́n *pstv adv* gulping sound resulting from swallowing food. **ìgbìọ́n, ọ́ mí ọ̀í dáán.** With a gulp, he swallowed it. cf **gbìọ́n** gulping sound.

ìgbìsín *pstdet* nineteen, **ìkpòsò ìgbìsín** nineteen women; ~ *pro* nineteen, **ìgbìsín vbí élí ívbékhán** nineteen of the youths. **ìgbìsín ọ̀ò.** It's nineteen. cf. **ìgbé** ten, **ìsín** nine.

ìgbó *pstv adv* thud sound resulting from hitting dry wood. **ìgbó, ọ́lí áfiánmì nwú úkpà ọ́ vbí óràn.** With a thud, the bird put its beak into a tree. cf. **gbó** thud sound.

ígbò *n* Igbo people and language. **ígbò ọ̀ò.** He's Igbo. **òhí ọ̀ ó zè ùróó ígbò.** Ohi is speaking Igbo. **ótọ́í ígbò lí ọ́ zá vàré.** It was from Igboland that he came.

ígbóbọ́rù *n* embezzlement, fraud, misappropriation of money. **ígbóbọ́rù ọ̀ò.** It's embezzlement. cf. **gbe éghó' ru** to misappropriate money.

ígbògbèn *n* age group serving as pall bearers or burial attendants. **ọ̀ rîì vbí ígbògbèn.** He is in the pall bearers guild. cf. **gbe** to develop, **ògbèn** burial site.

ìgbòí *pstv adv* snapping sound resulting from a plucking activity. **ìgbòí, ọ́ nyá úsúọ́ká vbí óràn.** With a snap, he plucked an ear from a maize stalk. cf. **gbòí** snapping sound.

ìgbòò *pstv adv* intensely loud splat. **ìgbòò, ó̩ fí ó̩í vbí é̩dà**. With a loud splat, he hit it on the river. cf. **gbòó** intensely loud splat.

ìgbó̩ó̩ *pstdet* eleven, **ìkpòsò ìgbó̩ó̩** eleven women; ~ *pro* eleven, **ìgbó̩ó̩ vbí é̩lí íkpósó** eleven of the women. **ìgbó̩ó̩ ó̩ò̩**. It's eleven. cf. **ìgbé** ten, **ò̩kpá** one.

ìgbòtó̩é *n* lowland valley, **ìgbòtó̩é é̩lìyó̩** lowland valley of that kind, **ìgbòtó̩é èvá** two lowland valleys. cf. **gbe** to develop, **òtò̩ì** soil.

ìgbó̩mò̩gbó̩mò̩ *n* kidnapper [Yoruba] **ìgbó̩mò̩gbó̩mò̩ ó̩ò̩**. He's a kidnapper.

ígbùlòtò̩ì *n* foundation of a building or other structure, **ígbúlótó̩í é̩lìyó̩** foundation of that kind, **ígbùlòtò̩ì èvá** two foundations. cf. **gbulu** to roll, **òtò̩ì** soil.

ígbúlúgbùlù *n* moveable toys of tin or soft wood that children play with, toy wagon, **ígbúlúgbúlú é̩lìyó̩** tin toy wagon of that kind, **ígbúlúgbùlù èvá** two wooden toy wagons; ~ *n* carts, wheeled devices for transporting objects, **ígbúlúgbúlú é̩lìyó̩** cart of that kind, **ígbúlúgbùlù èvá** two carts. cf. **gbulu** to roll. cf. **ágbúlúgbùlù** cart.

ìgbùlúrù *n* Auchenoglanis occidentalis fish, **ìgbùlúrù èvá** two Auchenoglanis occidentalis fish.

ìgbùùgbúú *n* gulley from severe erosion, eroded landscape, **ìgbùùgbúú é̩lìyó̩** gulley of that kind, **ìgbùùgbúú èvá** two gulleys.

ìghà *n* preoccupation, vocation. **íghá lí ó̩ ò̩ ké zé̩ lí í khì ò̩áìn**. That is the preoccupation he selects. lit. It is the preoccupation that he selects that is that one.; **ze̩ ìghà** *tr* to express an obsession [only non-declarative constructions] **ò̩jè í yà zè̩ ìghá óvbèé**. Oje never revealed any other obsession. **ímé únwùmí lí í khì ìghá lí ójé ó̩ ò̩ zé̩**. It is farming that is Oje's obsession. **yà zé̩ íghá óvbèé**. Get on with another obsession.

íghàèmò̩ì *n* judges, arbitrators. cf. **úghàèmò̩ì** judge.

ìghàn *n* net of rope or chain-metal used in hunting or fishing, **íghán é̩lìyó̩** net of that kind, **ìghàn èvá** two nets; **ku ìghàn o** *tr* to throw a fish net into (*CPA, CPR, *C, *H) **ò̩ kú ìghàn ó̩ vbí é̩dà**. He threw his net into the river.

ìghàn *n* jail, prison yard, **íghán é̩lìyó̩** prison of that kind, **ìghàn èvá** two prisons. **ò̩jè ó vbì ìghàn**. Oje entered the prison. Oje has gone to prison.; **nwu fi o̩ vbi ìghàn** *tr* to be incarcerated, jailed (*CPA, CPR, *C, *H) **à nwú ò̩jè fí ó̩ vbì ìghàn**. Oje has been jailed. lit. One tossed Oje into jail.; **ye ìghàn** *tr* to go to prison (CPA, CPR, *C, *H) **òhí yé ìghàn**. Ohi went to prison.; **yé ìghàn** *compl tr* to send to prison, cause to go to prison.

òhí yé ójé ìghàn. Ohi's actions sent Oje to prison. à yé ójé ìghàn. Oje was sent to prison.

ìghéèghé *pstv adv* in the past, at a distant past time, in generations past, days of yore. á yà è èmá ìghéèghé. Yam was never eaten in the past. á à sì ìkìtìbé ìghéèghé. Pipes were inhaled long ago. í yì èghé lì òù? Which indicates its time of occurrence?; ~ *n* distant past time, éghé lì ìghéèghé generations past, time of the distant past, óré' lì ìghéèghé visitor from past generations. ìghéèghé óò. It's the distant past.

ìghéé' *n* joke, jesting, clownishness, unserious, óíá ísì ìghéé' clownish person. óíá ísì ìghéé' óò. She's a clownish person. ìghéé' óò. It's jesting.

ìghèghèbúghè *n* physically weak person. ìghèghèbúghè óò. He's a weakling.

ìghíghìèn *n* cactus plant [ofen employed as a fence] ìghíghìèn élìyó cactus of that kind, ìghíghìèn èvá two cacti.

ìghíghígì *n* large, poisonous mushroom, ìghíghígì èvá two large poisonous mushrooms, úvbììghíghígì diminutive large poisonous mushroom.

íghìghòn *n* smoke [older generation term] íghíghón élìyó smoke of that kind. cf. ìghòn smoke.

íghìíghé' *n* armpit, íghìíghé' ísì òjè Oje's armpit.

ìghìkpà *n* epilepsy; ìghìkpà nwu *tr* to have epilepsy (CPA, CPR, *C, *H) ìghìkpà nwú óì. He has epilepsy. lit. Epilepsy took hold of him.

ìghìrìgùóó *pstv adv* thumping sound resulting from contact between objects. ìghìrìgùóó, óvbé' ó vbí ékéín óì. With a thump, the puff adder entered his belly. cf. ghìrìgùóó thumping sound.

ìghìrìghìrì *pstv adv* sloshing sound of dirt moving in the air. ìghìrìghìrì, yán tónnó ítíhíán údìn kú à. With sloshing, they dug the base of the palm tree away. cf. ghìrìghìrì sloshing sound.

ìghìrìrì *pstv adv* thumping sound of falling mass. ìghìrìrì, ó ré éhìèn kpán óí ógògómùòkhò yé òtòì. With a thump, she used her nails to peel his spinal tract to the ground. cf. ghìrìrì thumping sound.

íghí'sò *n* locusts, swarm of locusts úkpíghí'sò single locust. íghí'sò óò. It's a swarm of locusts.

íghòókàn *n* stink bug, smelly insect [renders soup useless on contact] íghòókàn èvá two stink bugs.

ìghùkú *n* aggressive or bullying behavior of children; se ìghùkú *tr* to be aggressive (*CPA, *CPR, *C, H) ó ò se ìghùkú. He is aggressive. lit. He moves as far as aggressiveness.

ìháàwòhó *n* asthma, whooping cough, respiratory condition inhibiting breathing. ò mòè ìháàwòhó. He has asthma. ìháàwòhó lí ó̩ ọ̀ kpòkpò ọ̀ì. It is asthma that he suffers from. It is asthma that has afflicted him. ìháàwòhó ọ́ọ̀. It's a whooping cough.

ìhágbìó *pstv adv* swooshing sound of a moving cutlass. ìhágbìó, ọ̀ rẹ́ ópìà hían ọ́lí ọ́vbékhán vbí úhùnmì. With a swoosh, he used a cutlass to strike the youth on the head. cf. hágbìó swooshing sound.

ìhámà *n* hammer, ìhámá élìyó̩ hammer of that kind, ìhámà èvá two hammers.

íhànèvbòò *n* arbitrators. cf. óhànèvbòò arbitrator.

ìháún, ìháúnháún *pstv adv* physical distance greater than accepted norm. ìháún, ọ̀ fí údò fí à. To a great distance, he threw the stone away. cf. háún great distance.

ìhìàègbè *n* endurance, perseverance. ìhìàègbè lí ọ́ rẹ́ nwú ọ́lí óràn. It is endurance that he used to carry the wood. ìhìàègbè lí ó̩ rîì. It is a state of perseverance that he is in. cf. hiaa to straighten hair, égbè body.

ìhíághálò *n* Ricinus communis, castor oil plant, ìhíághálò èvá two castor oil plants.

ìhìàghò *n* maize tassel. ìhìàghò ọ́ọ̀. It's a maize tassel.; gbe ìhìàghò *tr* to tassel, develop a tassel (*CPA, CPR, C, H) ọ́lí ọ́kà gbé ìhìàghò. The maize developed a tassel.

íhìán *n* lightning flash. òkhùnmì hían íhìán. The sky struck with lightning. The sky flashed. cf. hian to strike.

ìhìànbá *n* blessedness, blessing. ìhìànbá ọ́ọ̀. It's a blessing. cf. hian to strike, baa to add.

ìhíángúéìbó *n* bread-fruit tree, ìhíángúéìbó èvá two bread-fruit trees, órán ìhíángúéìbó tree of bread fruit; ~ *n* bread fruit, ìhíángúéìbó èvá two bread-fruit pieces. cf. ìhíángùè groundnut, éìbó white men.

ìhíángùè *n* groundnut pod, peanut pod, ìhíángúé élìyó̩ groundnut pod of that kind, ìhíángùè èvá two peanut pods, úkpìhíángùè, íkpìhíángùè nut within the groundnut pod.

íhí'ànmì *n* outer layer, shell, rind, bark. íhí'ànmì ọ́ọ̀. It's a shell. íhí'ánmíkpémì rind of melon, íhí'ánmìhíángùè shell of a groundnut, íhí'ánmóràn bark of a tree.

íhìèhíé *n* very hard bean from a vine, íhìèhíé èvá two hard beans. íkpíhìèhíé èvá two hard bean seeds.

ìhìèvbè *n* Ihievbe village [immediately northeast of Emailand] àlèkè rîì vbí ìhìèvbè. Aleke is in Ihievbe.

íhìnèò *n* stinginess. íhìnèò ọ́ọ̀. It's stinginess. cf. hian èò to be stingy.

íhìèò *n* Cocchorus otitorus, leafy vegetable [provides greens for soup, Yoruba ewédò] **íhìèò óò**. It's a Cocchorus otitorus plant.

ìhíí' *n* shrub with Indian curry aroma. **ìhíí' óò**. It's an Indian curry shrub.; **~** *n* local curry with aromatic character of Indian curry. **ìhíí' óò**. It's Indian curry.

ìhìíhìèn *pstdet* all five [collective quantifying function] **émá ìhìíhìèn** all five yams; **~** *pro* all five [collective quantifying function] **ìhìíhìèn rîì vbì ìwè**. All five are in the house. cf. **ìíhìèn** five.

ìhíón *pstdet* seven, **ívbèkhàn ìhíón** seven youths; **~** *pro* seven, **ìhíón vbí élí ívbékhán** seven of the youths.

íhìòn *n* sponge prepared from strands of local fiber, **íhíón élìyó** fiber sponge of that kind, **íhìòn èvá** two fiber sponges.

íhòèò *n* nosiness, excessive curiosity. **íhòèò óò**. It's nosiness. cf. **hoo èò** to be nosey. cf. **íhùèò** excessive curiosity.

ìhòn *n* fart; **gbe ìhòn a** *tr* to fart (CPA, CPR, *C, *H) **òjè gbé ìhòn á**. Oje farted. lit. Oje broke a fart.; **ne ìhòn** *tr* to fart (CPA, CPR, C, H) **òjè né ìhòn**. Oje farted. lit. Oje passed a fart.

ìhú *n* gangrene, gangrenous infection; **ìhú o** *intr* to be gangrenous (CPA, CPR, *C, *H) **ìhú ó vbí ólì èmàì**. The wound is gangrenous. Gangrene has entered the wound. lit. Gangrene entered the wound.

íhùà *n* load typically carried on the head, **íhúá élìyó** load of that kind, **íhùà èvá** two loads; **khu íhùà** *tr* to hunt (*CPA, *CPR, *C, H) **ójé ó ò khù íhùà**. Oje hunts. lit. Oje chases a load. cf. **hua** to carry on the head.

íhùà *n* hunters. cf. **óhùà** hunter.

ìhúághòí *pstv adv* loud snoring sound; **ìhúághòí, áléké ó ò hìón ìhúághòí**. In a loud fashion, Aleke snores. cf. **húághòí** loud snoring sound.

íhùè *n* nose, **íhúé élìyó** nose of that kind, **íhùè èvá** two noses, **úkpíhùè** joint between nostrils, **óó ísì íhùè** nostril; **~** *n* mucus from the nose. **íhùè óò**. It's mucus.; **fi íhùè** *tr* to exhibit excessively nasal speech (*CPA, *CPR, *C, H) **ójé ó ò fi íhùè**. Oje has a nasal twang. lit. Oje projects his nose.; **gbe íhùè a** *tr* to be fortunate, lucky (*CPA, CPR, *C, *H) **ù gbé íhùè á**. You are fortunate. lit. You broke your nose.

ìhùén *pstv adv* sudden, final snap. **ìhùén, ólí ómòhè há óí ùrùn**. With a snap, the man squeezed her neck. cf. **hùén** sudden snap.

íhùèò *n* excessive curiosity, excessive zeal to know everything about everyone. **íhùèò óò**. It's excessive curiosity. cf. **hoo èò** to be nosey. cf. **íhòèò** nosiness.

íhú'nábò *n* wing, **íhú'nábó élìyó** wing of that kind, **íhú'nábò èvá** two wings. cf. **ábò** hands. cf. **ígú'ábò** wings.

ìhùnmẹ̀hàì *n* good luck, good fortune, íhúnmẹ́háí élìyọ́ good luck of that kind. cf. hunmẹ appease, ẹ̀hàì forehead.

ìhùnmẹ̀kèìn *n* love, íhúnmẹ́kẹ́ín élìyọ́ love of that kind. à í yà mọ́ẹ́ ìhùnmẹ̀kèìn yé égbè. One should love one another. lit. One should start having love for one another. cf. hunmẹ to appease, ẹ́kẹ́ìn belly.

ìì *n* ropes. cf. úì rope.

ìèmúghó'ì *n* tailor ant, dark red, pinkish brown ant [builds nest on underside of leaves] ìèmúghó'ì èvá two tailor ants. cf. ìhì ant, émúghó'ì stale pounded yam.

ììghò̀n *n* smoke, ííghọ́n élìyọ́ smoke of that kind, úkpìghò̀n, íkpìghò̀n stream of smoke; gbe ììghò̀n *tr* to smoke, produce smoke (CPA, CPR, C, H) ọ́lì òísí' ghé gbé ììghò̀n. The gun just smoked. ọ́lì ìmátò ọ̀ ọ́ gbè ììghò̀n. The car is smoking. The car is making smoke.; gbe ììghò̀n ku a, ọ́lì òísí' gbé ììghò̀n kú à. The gun made smoke all over. ọ́lì ìmátọ̀ ọ̀ ọ́ gbè ìíghọ́n kù á. The car is smoking away.; za vbi gbe ììghò̀n ku a, òjè ọ̀ ọ́ zà vbí únú gbè ìíghọ́n kù á. Oje is exhaling smoke from his mouth. lit. Oje is smoking away at his mouth. cf. íghìghò̀n smoke [for older generation].

ìhì *n* common house ant that is black [smallest of the ants] ííhí élìyọ́ black ant of that kind, ìhì èvá two black ants.

ìíhìèn *pstdet* five, ìkpòsò ìíhìèn five women; ~ *pro* five, ìíhìèn vbí élí íkpósó five of the women.

ìíhìíhìèn *pstdet* five each, five-five [distributive quantifying function] ìnáírà ìíhìíhìèn five naira each. cf. ìíhìèn five.

ííhóìbó *n* large, brown sugar ant, ííhóìbó èvá two sugar ants. cf. ìhì ant, óìbó whiteman.

ìn *n* root, íín élìyọ́ root of that kind, ìn èvá two roots, íínmíóràn tree root. cf. ìnmì root [for older generation].

iin *v tr* to tickle, induce laughter (*CPA, *CPR, C, H) òhí ọ̀ ọ́ ìn òjè. Ohi is tickling Oje. yà íín ọ̀ì. Start tickling him.; rẹ iin, ọ̀ ọ́ rẹ̀ ìóón ìn òjè. He is using feathers to tickle Oje.

ìjàmàfó *n* gramophone, ìjàmàfó élìyọ́ gramophone of that kind, ìjàmàfó èvá two gramophones.

ìjèélè *n* four market days, temporal period incorporating four different market times. ó lọ́ sẹ̀ ìjèélè, ì kpẹ́ chè várè. Four market days will occur before I come again. cf. èélè four.

ìjésù *n* Jesus. ìjésù ọ́ọ̀. It's Jesus.

ìjẹ̀bú *n* counterfeit money. ìjẹ̀bú ọ́ọ̀. It's counterfeit money.

ìjẹ̀bú *n* Ijebu people and language, ìjẹ̀bú èvá two Ijebu people. àlèkè ọ̀ ọ́ zè ùróó ìjẹ̀bú. Aleke is speaking Ijebu.

ìjẹ̀díjẹ̀dí *n* dysentery. ìjẹ̀díjẹ̀dí ọ́ọ̀. It's dysentery.

íjé'n *n* charcoal, íjé'n èvá two pieces of charcoal.

íjìnì *n* engine, íjíní élìyó engine of that kind, íjìnì èvá two engines; ~ *n* grinding machine with an engine. íjíní lí á à ré lò èmí élìyó. Machine of that kind that one uses to grind things. íjíní lí á à ré lò émì èvá. Two grinding machines that one uses to grind things.

ìjìtá *n* guitar, ìjìtá élìyó guitar of that kind, ìjìtá èvá two guitars. òjè mòè ìjìtá. Oje has a guitar.

ìjòkó *n* stool for sitting [Yoruba] ìjòkó élìyó stool of that kind, ìjòkó èvá two stools.

ìjóbá *n* government, kingdom [Yoruba] ìjóbá ísì ìsòjá military government, ìjóbá ísì òmìnírá civilian government, democratic government. ìjóbá óò. It's the government.

ìjòdójòdó *n* water leaf, local spinach. ìjòdójòdó óò. It's water leaf.

ìjògé *n* type of traditional dance. yàn á gbè ìjògé. They are dancing the ijoge.

íjògìdì *n* trap consisting of a covered hole and overhead weight, íjógídí élìyó weighted trap of that kind.

ìjóòbù *n* job, work, ìjóóbú élìyó job of that kind, ìjóòbù èvá two jobs; gbe ìjóòbù *tr* to work, perform a job (*CPA, *CPR, C, H) ólí ómóhé ó ò gbè ìjóòbù. The man performs his job.

ìkà *n* feigned condition, pretense. óíá ísì ìkà pretentious person. ìkà óò. It's pretense.; re ìkà fi to pretend to hit (CPA, CPR, C, H) ò ré ìkà fí ójé émì. He pretended to hit Oje with something. lit. He used pretense to hit Oje with something.; re ìkà u to pretend to die. òjè ré ìkà ú féé ghòò. Oje pretended to be dead. lit. Oje used pretense to try to die.; ze ìkà *tr* to pretend (*CPA, *CPR, C, H) ò ó zè ìkà. He is pretending. lit. He is uttering pretense.

íkàà *n* fried cake of water yam or maize [fried water-yam cake serves as traditional offering to witches and wizards] íkàà èvá two fried maize cakes.

íkààghà *n* chains, shackles, handcuffs, íkáághá élìyó shackles of that kind, íkààghà èvá two shackles.

ìkààsí *n* kerosene, ìkààsí élìyó kerosene of that kind.

ìkábáàdì *n* effervescent stone in hunters' lamps, ìkábáàdì èvá two effervescent stones.

ìkàbò *n* measuring unit formed by extending thumb and central digit, ìkàbò èvá two thumb-digit units of measurement. cf. ken to divide, ábò hands.

íkàdànyà *n* stubbornness, willfulness; se íkàdànyà *tr* to be stubborn (*CPA, *CPR, *C, H) ó ò sè íkàdànyà. He is stubborn. lit. He reaches stubbornness.

ìkáèén *n* small, bitter fruit of the garden egg family, **ìkáèén èvá** two small bitter garden eggs.

ìkáín *pstv adv* sharp, ringing sound resulting from contact between two hard objects. **ìkáín, ó hián ói ó vbì èvá òèghè.** With a ringing sound, he cut it into two equal parts. cf. **káín** sharp, ringing sound.

ìkàjú *n* cashew tree, **ìkàjú élìyó** cashew tree of that kind, **ìkàjú èvá** two cashew trees; ~ *n* cashew nut, **ìkàjú élìyó** cashew nut of that kind, **ìkàjú èvá** two cashew nuts.

íkàkéànmì *n* dried carcass of an animal, **íkàkéánmí élìyó** carcass of that kind, **íkàkéànmì èvá** two carcasses. cf. **kaka** to be hard, **éànmì** animal.

íkàkîìsòn *n* dried feces, **íkàkíísón élìyó** dried feces of that kind, **íkàkîìsòn èvá** two pieces of dried feces. cf. **kaka** to be hard, **ìsòn** feces.

íkàkójè *n* forced laughter. **íkàkójè óò.** It's forced laughter. cf. **kaka** to be hard, **ójè** laughter.

íká'lábéràn *n* branches of a tree, **íká'lábérán élìyó** branches of that kind, **íká'lábéràn èvá** two branches. cf. **íká'lábò** branches [for older generation], **éràn** trees. cf. **úká'lábéràn** branch.

íká'lábèrán *n* deer with antlers, **íká'lábèrán èvá** two antlered deer, **úvbííká'lábèrán** small antlered deer. cf. **íká'lábò**

branches [for older generation], **éràn** trees.

íká'lábò *n* branch [for older generation] **íká'lábó élìyó** branch of that kind, **íká'lábò èvá** two branches. cf. **ábò** hand.

íká'n *n* kidney, **íká'n èvá** two kidneys, **úkpíká'n, íkpíká'n** testicle; ~ *n* strength, resilience. **ò mòè íká'n.** He has resilience.

ìkáó *pstv adv* sharp, low pitched pinging sound resulting from contact between two hard objects. **ìkáó, ó hián ói úhùnmì á.** With a pinging sound, he cut off her head. cf. **káó** sharp, pinging sound.

ìkápítà *n* carpenter, **ìkápítà èvá** two carpenters.

ìkàséètì *n* cassette player, **ìkàséétí élìyó** cassette player of that kind, **ìkàséètì èvá** two cassette players; ~ *n* cassette tape, **ìkàséétí élìyó** cassette tape of that kind, **ìkàséètì èvá** two cassette tapes.

ìkàtàmí *n* clog, traditional shoe [wooden sole and rope guide for toes] **ìkàtàmí élìyó** clog of that kind, **ìkàtàmí èvá** two clogs.

ìkáún *n* potash for thickening soup, **ìkáún èvá** two samples of potash.

íké' *n* horn, **íké' élìyó** horn of that kind, **íké' èvá** two horns. cf. **ìkòkò** small animal horn for traditional medicine practice; ~ *n* plant shoots, sprouts, **íké'**

élìyó plant shoot of that kind, íké' èvá two plant shoots; ~ n hump found on cattle or camels. cf. úké' hump.

ìkèfèí n pagan, non-believer [from Arabic/ Hausa] ìkèfèí óò. He's pagan.

ìkéké' n pegs, small sticks of wood; solo ìkéké' to insert nail or peg (CPA, CPR, *C, H) ójé sóló ìkéké' òdè̱. Oje nailed in pegs yesterday.; solo ìkéké' li, ó̱ sóló ìkéké' lí óhá ói̱. He nailed pegs for his wife.; re solo ìkéké' li, ó̱ ré íyàìn sóló ìkéké' lí óhá ói̱. He used them to nail pegs for his wife.; solo ìkéké' o̱, ó̱ sóló ìkéké' ó̱ vbì ùdékè̱n. He nailed pegs onto the wall. cf. ùkéké' peg.

ìkèké n small, round water snail carrying belarzia in small streams, ìkèké èvá two round water snails.

ìkékèzí n disturbance, riotous behavior. ìkékèzí óò. It's a disturbance.

íké'lábò̱ n upper arms of the body, íké'lábò̱ èvá two upper arms. cf. úké'lóbò̱ upper arm.

íké'légbè n trunks of human bodies, íké'légbé ísì èlí ímò̱hè trunks of the men. cf. úké'légbè trunk of a body.

ìkérésìméèsì n Christmas. ìkérésìméèsì óò. It's Christmas.

ìkésìnì n kitchen, ìkésíní élìyó kitchen of that kind, ìkésìnì èvá two kitchens.

íkè̱ké̱ n bicycle, íkè̱ké̱ élìyó bicycle of that kind, íkè̱ké̱ èvá two bicycles.

ìké̱kèén n droplets of water on the skin after bathing or after rubbing with pomade; égbè fi ìké̱kèén tr to be covered with droplets (*CPA, CPR, C, H) égbé mè̱ fí ìké̱kèén. My body is covered with beads of water. lit. My body has shot out droplets. cf. ken to divide.

ìkè̱kè̱mì- n pref parts of, pieces of, íké̱ké̱móràn pieces of wood.

íké̱ké̱móràn n pieces of wood, íké̱ké̱mórán élìyó pieces of wood of that kind. cf. ìkè̱kè̱mì- pieces of, óràn wood.

íkèléègúé n tact, political astuteness. ò̱ mò̱è̱ íkèléègúé. He possesses tact. He is diplomatic. cf. lee surpass, gue to know how.

íkè̱mò̱ì n witty saying, íké̱mó̱í élìyó witty saying of that kind, íkè̱mò̱ì èvá two witty sayings. cf. è̱mò̱ì matter.

ìkí n key, ìkí élìyó key of that kind, ìkí èvá two keys, ìkí ísì úkhùèdè key for a door; fi ìkí tr to lock a key in (CPA, CPR, C, H) òhí fí ìkí vbí úkhùèdè. Ohi locked a key in the door. Ohi locked the door with a key.

íkìí n banks of a river, shore, íkìí ísì ónwá' banks of Owan River.

ìkíláàsì n class, grouping, ìkíláásí élìyó class of that kind, ìkíláàsì èvá two classes.

íkìó *n* mascara [antimony rock ground into a powder and placed on the eyelashes] íkìó élìyó mascara of that kind.

íkíróòsí *n* cross [in Christian tradition] íkíróòsí élìyó cross of that kind, íkíróòsí èvá two crosses.

ìkìtìbé *n* pipe used in smoking tobacco, ìkìtìbé élìyó pipe of that kind, ìkìtìbé èvá two pipes; si ìkìtìbé *tr* to inhale, smoke a pipe (CPA, CPR, C, H) ọ̀ sí ìkìtìbé. He smoked a pipe. He inhaled his pipe. lit. He drew in his pipe.

íkò *n* traditional honeymoon [initial seven days after marriage in which a woman falls under the guidance of nearest relative in her husband's quarters] è béé vbí íkò. They started honeymooning. ọ̀ rìi vbí íkò. She is on her honeymoon. cf. koo to honeymoon.

ìkòbá *n* tin box, container with a cover for storing food, cigarettes, ìkòbá élìyó tin box of that kind, ìkòbá èvá two tin boxes.

íkòíkò *n* gorilla, íkòíkò èvá two gorillas, úvbííkòíkò small gorilla. ọ́lì íkòíkó rì vbì ọ̀. There's the gorilla.

íkókényè *n* budding breasts of a young woman, developing breasts, íkókényé ísì àlèkè Aleke's developing breasts. cf. ìkòkò buds, ényè breast.

ìkòkó *n* cocoa, údùìkòkó, ídùìkòkó cocoa pod, úkpìkòkó, íkpìkòkó seed of cocoa bean.

ìkòkò *n* blood clot, congealed blood [traditional blood letting medical practice done with a small animal horn] nwu ìkòkò vbi *tr* to remove a blood clot from (CPA, CPR, C, H) ọ̀ nwú íkókó vbí ọ́lì àwẹ̀. He removed a blood clot from the leg. lit. He took hold of a blood clot on the leg. à nwú ójé íkókó vbì àwẹ̀. Oje's blood clot on his leg was removed.

ìkòkò *n* bud of a mushroom plant, ìkòkò èvá two mushroom buds.

íkòló *n* earthworm, íkòló élìyó earthworm of that kind, íkòló èvá two earthworms.

ìkóòkì *n* coca cola soft drink, ìkóòkì èvá two cokes.

ìkóòmù *n* comb, ìkóómú élìyó comb of that kind, ìkóòmù èvá two combs.

ìkóòtù *n* coat, ìkóótú élìyó coat of that kind, ìkóòtù èvá two coats, úvbììkóòtù small coat.

ìkóòtù *n* contemporary law court, courthouse, ìkóótú élìyó courthouse of that kind, ìkóòtù èvá two law courts.

ìkòsẹ́ẹ̀tì *n* corset, bra, ìkòsẹ́ẹ́tí élìyó corset of that kind, ìkòsẹ́ẹ̀tì èvá two corsets.

ìkòsó *n* top, spinning top [from íkpédìn shell] ìkòsó élìyó spinning top of that kind, ìkòsó èvá two spinning tops.

ìkòtá *n* bituminous material used on roadways, coal tar, **ìkòtá élìyọ́** coal tar of that kind.

ìkóbò *n* smallest monetary unit of Nigerian currency [one hundred ikóbò equal one ìnáírà] **ìkóbò èvá** two kobo.

ìkọ́kóó *n* lock mechanism including key [key for current generation] **ìkọ́kóó élìyọ́** lock mechanism of that kind, **ìkọ́kóó èvá** two lock mechanisms. cf. **ágádágòdò** key.

ìkọ́lò *n* color, **ìkọ́lọ́ élìyọ́** color of that kind, **ìkọ́lò èvá** two colors.

ìkọ́sìmì *n* member of judicial court, councilor, **ìkọ́sìmì èvá** two councilors.

ìkọ́tìnì *n* doorblind, **ìkọ́tíní élìyọ́** doorblind of that kind, **ìkọ́tìnì èvá** two doorblinds.

ìkú *n* ambush; **gbe ìkú** *tr* to lay in ambush (CPA, CPR, *C, *H) **à lọ́ gbè ìkú khẹ́ẹ́ íyàìn**. An ambush awaited them. lit. One is about to position an ambush and wait for them. **yàn gbé ìkú vbì òdẹ̀ èvá**. They lay in ambush in two places. lit. They positioned an ambush in two places.

ìkúá *pstv adv* sound of pouncing. **ìkúá, ọ́ kú àwẹ̀ ọ́ vbì òtòì**. With a pounce, he put his legs on the ground. cf. **kúá** sound of pouncing.

ìkúàghàghà *n* tree hyrax [nocturnal, lives on tree tops] **ìkúàghàghà èvá** two tree hyraxes, **úvbììkúàghàghà** small tree hyrax.

ìkùẹ́n, ìkùẹ́nkùẹ́n *pstv adv* sudden snapping sound resulting from a breaking activity. **ìkùẹ́n, ọ́ gúóghọ́ ọ́lí úkpóràn á**. With a snap, he broke the stick. cf. **kùẹ́n** sudden snapping sound.

íkúkákògùè *n* seed water yam. **íkúkákògùè óò**. It's seed water yam. cf. **íkùkù** peelings, **ákògùè** water yam.

íkúkémà *n* seed yam, yam pieces for seeding. **íkúkémà óò**. It's seed yam. cf. **íkùkù** peelings, **émà** yam.

íkúkémì *n* bits and pieces. **íkúkémì óò**. It's bits and pieces. cf. **íkùkù** refuse, **émì** thing.

íkúkògèdè *n* seed plantain. **íkúkògèdè óò**. It's seed plantain. cf. **íkùkù** peelings, **ògèdè** plantain.

íkúkókà *n* seed maize. **íkúkókà óò**. It's seed maize. cf. **íkùkù** peelings, **ókà** maize.

íkùkù *n* dirt, peelings, general refuse pieces, debris, garbage, **íkúkú ísì émà** yam peelings, **íkúkú ísì ìbòbòdí** peelings from cassava, **íkúkú ísì ókà** refuse from maize. cf. **úkùkù** peeling.

íkùkù *n* bullet, **íkúkú élìyọ́** bullet of that kind, **íkùkù èvá** two bullets.

íkùkùíkẹ́'n *n* ruins of a hut or building. **à dé íkùkùíkẹ́'n ísì ìwé mẹ̀**. He reached the ruins of my house. cf. **íkùkù** debris.

ìkùnèdèdé *n* period of the day immediately before dawn. **má lọ́ nwù èmí ikùnèdèdé**. We will carry our things toward morning. cf. **kuan** to clear, **édè** day, **dé** coming.

ìkùtè *n* ancestral deity, idol, **ìkùtè èvá** two ancestral deities.

ìkúùkù *n* cook, **ikúùkù èvá** two cooks.

ìkhààkháá *n* ordinary common-place, **ívbékhán lì ìkhààkháá** the ordinary youths.

ìkhàì *n* testimony during agangan festival [praising achievements of the previous year] **ikhàì ọ́ọ̀**. It's an agangan praise testimony.

íkhàìrù *n* argument. **ọ́ ọ̀ tò vbí íkhàìrù**. He is fond of arguing. cf. **khaa** to carve, **ìrù** lice.

ìkhèòá *n* vigil, communal watch or guarding of a village. **ikhèòá rîi vbí ọ́ ákhọ̀**. There is a communal watch tomorrow. lit. A vigil is in it tomorrow. cf. **khee** to guard, **óà** house.

ìkhì *n* hip bone, hips, **íkhí èvèvá** both hip bones.

ìkhìmìzà *n* footfall, sound of moving feet. **ìkhìmìzà ọ́ọ̀**. It's the sound of moving feet. **á à hòn ìkhúéé íkhímízá ísì ìyáín**. They hear the sound of their moving feet.; **solo ìkhìmìzà vbi** *tr* to dance by stomping the feet (*CPA, *CPR, C, *H) **yàn á sòlò ìkhímízá vbì òtòì**. They are stomping on the ground. lit.

They are pounding footfalls on the ground. cf. **ízà** footstep.

ìkhókhóì *n* knock on head with finger or knuckles, **ìkhókhóì èvá** two knocks on the head. **ọ̀ só ọ́í ìkhókhóì**. He hit her with his knuckles. **ọ̀ só ọ́í ìkhókhóí vbí úhùnmì**. He hit her on the head with his knuckles.

ìkhòbó *n* assistance, aid, support, **ìkhòbó élìyó** assistance of that kind; **u ìkhòbó li** *tr* to provide assistance to (CPA, CPR, *C, *H) **ọ̀ ú ìkhòbó lí òhí**. He provided assistance to Ohi. lit. He engaged assistance for Ohi. **ù ìkhòbó lí òhí**. Provide assistance to Ohi.; *re u li*, **ọ̀ ré ọ́lí éghó' ú ìkhòbó lí òhí**. He used the money to provide assistance to Ohi. cf. **khee** to wait for, **óbò** hand.

íkhòèhàì *n* bad luck, ill fortune, **íkhóéháí élìyó** bad luck of that kind. **íkhòèhàì ọ́ọ̀**. It's bad luck. cf. **khoo** be bad, **èhàì** forehead.

íkhùá *n* animal tick, **íkhùá èvá** two animal ticks, **úvbííkhùá** small animal tick.

ìkhùàègbèré *n* pride. **òjè mòè ìkhùàègbèré**. Oje has pride. **ìkhùàègbèré ísì òjè tótó gbè**. Oje's pride is too strong. cf. **khuae** to raise, **égbè** self, **re** D.

ìkhùàhúbú' *n* worldly possessions of homeless, destitute person, **ìkhùàhúbú' ísì òhí** worldly possessions of Ohi.

íkhùèè *n* sensation, beat, sound, noise, vibration. **á à hòn ìkhúéé** íkhímízá ísì ìyáín. One hears the sound of their stomping feet.; ~ *n* fame. á à hòn ìkhúéé òhí vbí éhé èrèmé. One hears about the fame of Ohi everywhere.; ~ *n* news. òhí í ì hòn ìkhúéé òjè. Ohi has no news of Oje. má à hòn ìkhúéé òjè. We hear from Oje. cf. **khuee** to sound.

ìkhùèèmì *n* drumming, music, sound of drumming or musical instrument. íkhúéémí ísì òjè. Oje's drumming. ìkhùèèmì ò ó dè vbí èvbò. Music is over there. lit. The sound of music was reaching there. cf. **íkhùèè** sensation, **émì** thing.

ìkhùèèó *n* destruction. ìkhùèèó óó' yè vbá. May you be destroyed [used as curse or invocation]. lit. Destruction went to move toward you.

ìkhùèkhùè *n* mold. ìkhùèkhùè óò. It's mold.; **gbe ìkhùèkhùè** *tr* to develop mold (CPA, CPR, C, H) ólí ókà gbé ìkhùèkhùè. The maize developed a mold.

ìkhúèkhúéhì *n* long-nosed mongoose, ìkhúèkhúéhì èvá two of the long-nosed mongooses, úvbìíkhúèkhúéhì small long-nosed mongoose.

íkhùèkhúé *n* seed inside Irvingia gabonensis, dika nut, íkhùèkhúé èvá two dika nut seeds; ~ *n* divination string consisting of dika nut shells or similar small objects. ò kú íkhùèkhúé. He cast his divina-

tion string.; ~ *n* bits and pieces, a little of everything. òjè délá íkhùèkhúé vbì èkìn. Oje bought bits and pieces in the market. cf. **khuikhui** to dispense small items.

íkhùèkhúémì *n* small, immature palm nuts, íkhùèkhúémì èvá two immature palm nuts. cf. **íkhùèkhúé** dika nut seed.

íkhúérékhùèrè *n* donkey, íkhúérékhùèrè èvá two donkeys, úvbí-íkhúérékhùèrè small donkey.

ìkhùìén *pstv adv* sharp, twisting fashion. ìkhùìén, ó shíén úrún ísì òí. With a twist, he coiled her neck. cf. **khùìén** sharp twisting fashion.

íkhùìkhúí *n* mashed yam and plantain [mixed with palm oil and condiments] íkhùìkhúí óò. It's mashed yam and plantain. cf. **khuikhui** to crumble.

ìkhúkhù *n* tiny black insect attracted to the eyes, ìkhúkhù èvá two tiny black insects.

íkhúnmékìàn *n* charm for making one disappear, íkhúnmékíán éìyó disappearing charm of that kind, íkhúnmékìàn èvá two charms for disappearing. íkhúnmékìàn óò. It's a disappearing charm. cf. **ìkhùnmì** charm, **ékìàn** disappearance.

ìkhùnmì *n* charm, medicine, herb, íkhúnmí éìyó charm of that kind, ìkhùnmì èvá two charms, úkpìkhùnmì medicinal tablet, small piece of charm, íkhúnmí ísì èkéìn medicine for the stomach, **íkhúnmí lì ọ̀bè** bad charm. **ọ́lì òkpòsò kpé ìkhùnmì.** The woman prepared a charm.; **riaa ìkhùnmì a** *tr* to render a charm ineffective (CPA, CPR, *C, *H) **ọ̀ ríáá ọ́lì ìkhùnmì á.** He rendered the charm ineffective. lit. He spoiled the charm.

ìkhùnmìzàñgbíòó *n* charm weed, **ìkhùnmìzàñgbíòó èvá** two charm weeds. cf. **ìkhùnmì** charm.

ìkhùó *pstv adv* whooshing sound of a deep cut. **ìkhùó, ọ́ hían ùkèlè.** With a whoosh, he cut the morsel. cf. **khùó** whooshing sound.

íkhùòkhúó *n* coco-yam, **íkhùòkhúó èvá** two coco-yams.

íkpà- *n pref* denotes multiple individuation from a homogeneous mass or isolation from a heterogeneous mass. cf. **úkpà-** singular.

íkpà *n* seeds. cf. **úkpà** seed.

ìkpàán *pstv adv* smashing sound resulting from a hitting activity involving a small object. **ìkpàán, ọ́ fí ẹ́khíí úkpórán vbí úhùnmì.** With a smash, he hit the cripple with a stick on the head. cf. **kpàán** smashing sound.

ìkpáànù *n* tin sheets of roofing material [referred to as zinc sheets] **ìkpáánú élìyọ́** tin sheets of that kind, **ìkpáànù èvá** two tin sheets.

ìkpá'béràn *n* new, fresh branches of a tree. cf. **úkpá'béràn** new branch.

ìkpáí *pstv adv* sharp snapping sound resulting from a separating activity. **ìkpáí, ọ́lì ìkpéèkpéhínmí fán à.** With a sharp snap, the millipede ripped apart. cf. **kpáí** sharp snapping sound.

ìkpàkúté' *n* clawed snare trap with metal teeth, **ìkpàkúté' élìyọ́** clawed snare trap of that kind, **ìkpàkúté' èvá** two clawed snare traps, **úvbììkpàkúté'** small clawed snare trap.

íkpàkpà *n* scales, outer layers [for older generation] cf. **úkpàkpà** scale.

íkpàkpégbè *n* skin that is dead. **íkpàkpégbè óò.** It's dead skin. cf. **íkpàkpà** outer layer, **égbè** body.

íkpàkpóhìàn *n* skin that is dry. **íkpàkpóhìàn óò.** It's dry skin. cf. **íkpàkpà** outer layer, **óhìàn** skin.

ìkpàmìká *n* force, intimidation. **ọ̀ rẹ́ ìkpàmìká míéé mẹ́ ói.** He used intimidation to seize it from me. He bullied it away from me.

ìkpàmọ́mọ̀ì *n* weed with seeds and tuberous root [medicinal value] **íkpàmọ́mọ̀ì èvá** two medicinal value weeds of this type.

ìkpàó *pstv adv* first time. **òjè várè ìkpàó.** Oje came the first time. cf. **kpao** initially.

ìkpàtáísí *n* tarred road, principal road [Yoruba] ìkpàtáísí élìyó tarred road of that kind, ìkpàtáísí èvá two tarred roads.

ìkpátákó *n* plank, lumber, ìkpátákó élìyó lumber of that kind, ìkpátákó èvá two planks.

íkpàtívbì *n* entangled vine-mass, íkpàtívbí élìyó climbing vines of that kind. cf. ívbìì vines.

ìkpáùn *n* pound sterling, monetary unit of colonial era, ìkpáùn èvá two pounds.

íkpàwè *n* toes. cf. úkpoè toe.

íkpè *n* years, íkpè ìgbé ten years. íkpé ékà ó ù? How old is he? cf. úkpè year.

íkpédìn *n* palm nuts, palm fruits. cf. úkpédìn palm nut.

íkpèdín *n* snail that is relatively small, íkpèdín èvá two small snails.

ìkpéèkpéhìnmì *n* small insect, millipede, ìkpéèkpéhìnmì èvá two millipedes, úvbìíkpéèkpéhìnmì small millipede.

ìkpèghèlúèlúè *n* tadpole, ìkpèghèlúèlúè èvá two tadpoles.

íkpé'híábò *n* fingers of the hand. cf. úkpó'híóbò finger.

íkpèhìànmì *n* palm frond branches, íkpèhìànmì èvá two palm frond branches. cf. íkpà- part of, éhìànmì peeling.

íkpékè *n* a few people, small group of people. íkpékè lí ó ré èkìn. It was a few people who came to the market.

íkpékèìn *n* eggs. cf. úkpékèìn egg.

íkpèkpàn *n* melon balls for preparing melon soup, ómí íkpèkpàn melon ball soup. cf. íkpà seed, èkpàn gourds.

íkpémì *n* melon with brown seeds [for soups] íkpémì óò. It's a melon. cf. ísèghéègúé melon type. cf. ìtóghò melon type.

íkpémíékùn *n* waist beads worn during ritual ceremonies. cf. úkpémíékùn waist bead.

íkpéònmò *n* type of very sweet fruit, íkpéònmò èvá two sweet fruits of this type. cf. kpan to peel, éòn honey, moe to have.

íkpéràn *n* fruits, íkpérán élìyó fruits of that kind. cf. úkpóràn stick.

ìkpèshè *n* beans, íkpéshé élìyó beans of that kind, ìkpèshè èvá two beans, íkpéshé lì òkhúá black-eyed peas, íkpéshé lì gúéé small, brown beans; ~ *n* bean pottage of palm oil. ìkpèshè óò. It's bean pottage.

íkpéshéìmì *n* Cassia poducarpa shrub, Senna podocarpa shrub, íkpéshéìmì èvá two bean shrubs. cf. ìkpèshè beans, éìmì spirit world.

íkpétò *n* tufts of hair. cf. úkpétò tuft of hair.

íkpèvìè *n* testicles. cf. úkpèvìè testicle.

íkpédè *n* days. cf. úkpédè day.

ìkpéèkpéyè *n* duck, ìkpéèkpéyé élìyó duck of that kind,

ìkpéèkpéyè èvá two ducks, óvbì ìkpéèkpéyè, ívbì ìkpéèkpéyè duckling.

íkpékòmì *n* berries, berry fruit, íkpékòmì èvá two berry fruits. cf. ékòmì edible berries.

ìkpékpé' *n* shelf in cooking area [for utensils and ingredients] ìkpékpé' élìyó utensil shelf of that kind, ìkpékpé' èvá two utensil shelves.

íkpé'nmábò *n* wrists of the hands. cf. úkpé'nmóbò wrist.

íkpé'nmàwè *n* ankles of the legs. cf. úkpé'nmòè ankle.

íkpèò *n* eyeballs, íkpéó èvèvá both eyeballs. cf. úkpèò eyeball.

íkpé'túnù *n* lips. cf. úkpé'túnù lip.

íkpì *n* python, íkpè èvá two pythons.

íkpídò *n* pebbles, gravel. cf. úkpúdò pebble.

íkpìkó *n* hiccup, gasp, íkpìkó élìyó hiccup of that kind; **so** íkpìkó *tr* to have hiccups (*CPA, *CPR, C, *H) ò ó sò íkpìkó. He is having hiccups. lit. He is tapping hiccups.

íkpìkó *n* sugar palm species in swamps, Arenga pinnata, íkpìkó èvá two sugar palms, úvbííkpìkó small sugar palm.

íkpìnyèmì *n* gossip. ó ò tò vbí íkpìnyèmì. He is fond of gossip. cf. íkpà- part of, ìnyèmì issue.

ìkpìó *pstv adv* cracking sound resulting from a hitting activity. ìkpìó, ò fí ólí óvbékhán úkpàsánmì. With a crack, he hit the youth with a cane. cf. kpìó cracking sound.

ìkpìó *pstv adv* snatching sound from a sudden picking up activity. ìkpìó, ó ré úkpàsánmì róó ésónkpùn. As for the snatching sound, she used a cane to pick up the rag. cf. kpìó snatching sound.

ìkpíòn *pstv adv* sound resulting from gulping to a great depth. ìkpíòn, ólí ómòhè mí òì dán. With a deep gulp, the man swallowed it. cf. kpíòn deep gulping sound.

ìkpíòngòndòn *pstv adv* sound resulting from loud gulping. ìkpíòngòndòn, ó mí òì dán. With a loud gulp, he swallowed it. cf. kpíòngòndòn loud gulping sound.

íkpíròòn *n* skin infection type [referred to as craw-craw] íkpíròòn óò. It's craw-craw.

íkpísédíòn *n* game seeds from an itchy vine, íkpísédíòn èvá two game seeds. cf. íkpísè seeds, édíòn elders.

íkpísè *n* seeds [used in ayo game] íkpísé rì vbì ò. There are the seeds. cf. íkpà- part of, ísè seeds.

íkpògháàmè *n* deluge of water, forceful current, tidal currents, tidal wave, íkpògháámé élìyó tidal wave of that kind. cf. kpogho to have a deluge, àmè water.

íkpòghéghè *n* yellow berry [heightens water sensitivity and deadens tongue when licked] **íkpòghéghè èvá** two tongue-deadening yellow berries. cf. **òghéghè** tree with yellow berry.

íkpòghẹ́dà *n* undercurrent, forceful river current, waves of river water, flood of river water. **íkpòghẹ́dà nwú ọ̀ì rááḷ̀ẹ.** The wave carried her away. cf. **kpogho** to have a deluge, **ẹ́dà** river.

ìkpòhíó *pstv adv* sound resulting from one object gouged out of another. **ìkpòhíó, ọ̀ rẹ́ ọ́pìà zẹ́ ọ́í ẹ̀ò díànré.** Gougingly, she pried out his eyes with a cutlass. cf. **kpòhíó** gouging sound.

íkpòìì *n* blackberry [pear-shaped fruit of Vitex doniana boiled to produce a syrup that sweetens pap or custard] **íkpòìì èvá** two blackberries. cf. **òìì** blackberry tree.

íkpòkémà *n* large-sized yams, **íkpòkémà èvá** two large-sized yams. cf. **émà** yam.

ìkpókpógàí *n* snack from unsifted cassava [associated with Isoko and Urhobo people] **ìkpókpógàí èvá** two cassava snacks; ~ *n* solid piece of gari remaining after sieving. **ìkpókpógàí óò.** It's a lump of gari. cf. **ìgáàí** gari.

ìkpóló *pstv adv* swishing sound resulting from an entering activity. **ìkpóló, ọ́lí ófè ó vbì òò.** With a swish, the rat entered the hole. cf. **kpóló** swishing sound.

íkpólò *n* strings of palm kernel shells worn on waist by young females [quantity reflects parental affluence and social standing] cf. **úkpólò** waist bead.

íkpòóbì *n* fruit of **íchíchọ̀ghó** shrub, **íkpòóbì èvá** two pieces of íchíchọ̀ghó fruit.

ìkpóòjè *n* game played only by girls. **ìkpóòjè óò.** It's a girl's game of this type.

íkpósédíọ̀n *n* old women. cf. **úkpósódíọ̀n** old woman.

íkpótìẹ́n *n* cherry seeds, **íkpótìẹ́n éḷ̀yọ́** cherry seeds of that kind, **íkpótìẹ́n èvá** two cherry seeds. **íkpótìẹ́n óò.** It's cherry seeds.; ~ *n* bangle of cherry seeds worn during festivals, **íkpótìẹ́n éḷ̀yọ́** cherry seed bangle of that kind, **íkpótìẹ́n èvá** two cherry seed bangles. **íkpótìẹ́n óò.** It's a bangle of cherry seeds.; ~ *n* cherry seed net covering a calabash. **íkpótìẹ́n óò.** It's a cherry seed calabash net. cf. **íkpà-** parts of, **ótìẹ́n** cherry.

íkpòú *n* cottonseed, **ómí íkpòú** cottonseed soup, **ómí íkpòú ísì òjè** Oje's cottonseed soup. **íkpòú óò.** It's cottonseed. cf. **íkpà** seed, **òú** cotton.

íkpòèlè *n* very hard pigeon pea [requires very lengthy cooking] **íkpòèlè óò.** It's a pigeon pea. cf. **íkpà** seed, **òèlè** pigeon pea plant.

íkpókìéèsì *n* soft inside of maize kernel boiled with stew and eaten like rice [grits] íkpókìéèsì óò. It's maize grits. cf. íkpókà maize kernels, ìéèsì rice.

íkpókhòhíá *n* walnut seeds, walnut fruits. cf. úkpókhòhíá walnut seed.

íkpóòfò *n* prickly heat rash. íkpóòfò óò. It's prickly heat rash. cf. íkpà- parts of, óòfò sweat.

ìkpùghùlúùlú *n* sugarcane node, ìkpùghùlúùlú élìyó sugarcane node of that kind, ìkpùghù- lúùlú èvá two sugarcane nodes.

ìkpùkpúùghù *n* white-faced owl, Ptilopsis leucotis, ìkpùkpúù- ghù èvá two white-faced owls.

íkpùlùbù *n* tree with leaves used in herbal treatments, íkpùlùbù èvá two herbal treatment trees.

íkpùn *n* clothing items. cf. úkpùn clothing item, cloth.

ìkpùókhó *n* end, terminal point of a process. ìkpùókhó ísì òlí óvbèkhàn í khà hùnmè. The youth's end will not be good. cf. kpen be next to, ùòkhò back.

ìláàbù *n* laboratory, ìláábú élìyó laboratory of that kind, ìláàbù èvá two laboratories, ólì ìláábú áìn those laboratories.

ìlàgáá *n* surroundings, vicinity, perimeter, ìlàgáá élìyó sur- roundings of that kind. cf. lagaa to encircle.

ìlánlòdù *n* landlord, ìlánlòdù èvá two landlords. ólì ìlánlódú rì vbì ò. There's the landlord.

ìlàtírî *n* latrine, ìlàtíríî élìyó latrine of that kind, ìlàtírî èvá two latrines.

ìlávbááì *n* refugee, dispossessed person. á yà gbè ìlávbááì. One never beats a refugee. cf. lavbaa to seek refuge, -i F.

ílè *n* vow. ílè óò. It's a vow.; gbe ílè *tr* to make a vow (*CPA, *CPR, C, *H) ólí óvbèkhàn ò ó gbè ílè. The youth is making a vow.; *gbe ílè li*, élí ívbèkhàn ò ó gbè ìlé lì égbè. The youths are vowing to each other. The youths are making a vow to each other. cf. éò fetish.

ìlébìà *n* laborers, ìlébíá élìyó laborers of that kind, ìlébìà èvá two laborers.

ìlèkè *n* pubescent females. cf. àlèkè pubescent female.

ìlélé' *n* red henna plant [leaves used for dying fingernails] ìlélé' èvá two red henna plants. ìlélé' rì vbì ò. There's a red henna plant.

ìléléèjì *n* velveteen fabric, velvet- like fabric of cotton, ìlélééjí élìyó velveteen fabric of that kind, ìléléèjì èvá two velveteen fabric pieces.

ìlèkhóí *n* shyness. ólí óvbèkhàn ré ìlèkhóí ríáá òsíé' á. The youth spoiled the play through his shyness. cf. la to flow, èkhòì shame.

ílèò *n* deference. íléó mè̩ lí ójé ré̩ háé ó̩lí éghó'. It was in deference to me that Oje paid the money. cf. la to flow, è̩ò face.

ìlòdò *n* yam rot. ìlòdò ó̩ò. It's yam rot.

ìlòfé̩n *n* fearfulness, state of being afraid; mo̩e ìlòfé̩n *tr* to be afraid [negative constructions only] ó̩ ì mò̩è̩ ìlòfé̩n. He is not afraid. lit. He does not possess fearfulness. cf. la to flow, ófè̩n fear.

ílòjá *n* mermaid, ílòjá èvá two mermaids. ó̩lí ó̩vbèkhàn záwó ílòjá. The youths saw the mermaids.

ìló̩yà *n* lawyer, ìló̩yà èvá two lawyers.

ìlùdó *n* ludo board game with dice, ìlùdó èvá two ludo games.

ílúló̩kà *n* silky thread-like fibers on a maize cob, ílúló̩kà èvá two maize cob fibers. ílúló̩kà ó̩ò. They're maize cob fibers. cf. ílùlù fibrous strands, ó̩kà maize.

ìmáìlì *n* mile, ìmáìlì èvá two miles.

ìmáímáí *n* ground beans, condiments and oil cooked in parcels or in metal cups [locally called mò̩ìmò̩ì] ìmáímáí èvá two ground bean packets, two moimoi packets. ó̩lì ò̩kpòsò nyé̩ ìmáímáí. The woman prepared ground bean packets.

ìmàkálìkì *n* mechanic, ìmàkálìkì èvá two mechanics.

ìmàlé *n* Muslim, ìmàlé èvá two Muslims. ìmàlé ó̩ò. He's Muslim.

ìmàmí *n* gown, long dress, ìmàmí élìyó̩ gown of that kind, ìmàmí èvá two gowns.

ìmàshîìnì *n* sewing machine, ìmàshíìní élìyó̩ sewing machine of that kind, ìmàshîìnì èvá two sewing machines.

ìmátò *n* car, automobile, lorry, motorized vehicle, ìmátó élìyó̩ car of that kind, ìmátò èvá two cars, úvbììmátò tiny car, ìmátó ísì ìgè̩dú lorry for timber, lumber truck, ìmátó lì òkhúá lorry, ìmátó ísì émà truck for carrying yams, ìmátó lì kéré a small car.

ìmátòlétò̩nù *n* mentholatum. ò̩ ó rè̩ ó̩lì ìmátòlétó̩nú sìlò àwé̩ ísì òjè. He is using mentholatum to massage the leg of Oje.

ímè *n* farm, land under cultivation, ímé élìyó̩ farm of that kind, ímè èvá two farms, ímé ísì ìbò̩bò̩dí cassava farm; nwu ímè *tr* to farm, tend a farm (*CPA, *CPR, *C, H) ójé ó̩ ò̩ nwù ímè. Oje farms. lit. Oje took hold of a farm. ó̩lí ó̩mó̩hé nwú ímé é̩lá úkpè. The man made a farm last year. yà nwú ímè. Start farming. cf. ò̩nwìmè farmer.

ime *v intr* to be deep (CPA, CPR, *C, *H) ó̩lí édà ímé̩ì. The river is deep.; ime lee, ónwá' ímé léé òsé̩. The Owan river is deeper than the Ose.; ime o vbi o, ó̩lí édà ò̩ ó ìmé ò̩ vbì ò̩. The river is getting deeper.; *ze ime*, **òjè zé ólí óó ìmè**. Oje allowed the hole to deepen.; **ékéin ime** *intr* to be devious, vengeful, wicked, given to social intrigues with wicked consequences (CPA, *CPR, *C, *H) **ékéín ísì òjé ímêì**. Oje is devious. lit. The belly of Oje is deep. **ékéín ísì òjé ímêì**. Oje has a propensity for social intrigues.

ímègù *n* leafy vegetable with enlarged bud [for preparing soup] **ímègù óò**. It's an enlarged- bud vegetable.

ímèkhòkhò *n* spot-nosed monkey, **ímèkhòkhò èvá** two spot-nosed monkeys.

ìmîìnyé *n* young girl's game of matching step to step. **yàn á tò vbí imîìnyé**. They are fond of the match-step game.

ìmílîìkì *n* milk, **ìmílîìkí élìyó** milk of that kind, **ìmílîìkì èvá** two servings of milk, **úvbììmílîìkì** small container of milk.

ìmìòbò *n* preoccupation, state of being characterized by failure to perform expected functions. **ìmìòbò í ì zè mé lè ímè**. Preoccupations did not allow me to tend the farm. cf. **mie** to find, **óbò** hand.

ìmítà *n* meter tracking electric consumption, **ìmítá élìyó** electricity meter of that kind, **ìmítà èvá** two electricity meters.

ímòèò *n* contentiousness, extremely adversarial disposition. **ímòèò lí**

ó ò kpòkpò óì. It is contentiousness that is his shortcoming. cf. **ómòèò** contentious person.

ímòhè *n* men. cf. **ómòhè** man.

ímóhédíòn *n* old men, senior men. cf. **ómóhódíòn** old man.

ìmòòbò *n* bail; **miee vbi ìmòòbò** *tr* to accept on bail (CPA, CPR, *C, *H) **à míéé ójé vbí ìmòòbò**. Oje has been bailed out. lit. One accepted Oje on bail. cf. **moe** to have, **óbò** hand.

ìná *pstv adv* this way, like this, so [proximal manner deictic function] **ólí ómóhé dín ólí éwé ìná**. The man tied the goat this way. **ìná lí ó í dín óì**. It was this way that he tied it. **ébé' ólí ómóhé í dín ólí éwè?** How did the man tie the goat?; ~ *prev adv* this way, like this [proximal manner deictic function] **ólí ómóhé sé íná nwú ólí émàè**. The man still took the food this way. cf. **ìyó** that way.

ìnáí *n* traditional fine for fighting older person [nine pence in colonial era] **ìnáí élìyó** fighting fine of that kind, **ìnáí èvá** two fighting fines; **hian ìnáí** *compl tr* to level a fine at (CPA, CPR, *C, *H) **à hián ólí ómóhé áín ìnáí**. They find that man for fighting. That man has been fined a fighting fine. lit. One struck that man with a fighting-fine amount. **yàn hián ólí ómóhé áín ìnáí**. They fined that man a fighting fine amount.

ìnàìjírìà *n* Nigeria. ìnàìjírìà míéé òmìnírá vbí óbọ́ ísì óìbó. Nigeria received its independence from the white man.

ìnáírà *n* naira, contemporary unit of Nigerian currency, ìnáírà èvá two naira.

ìnámà *n* beef [Hausa] ìnámà óò. It's beef.

ìnàtírî *n* latrine, ìnàtírîí élìyọ́ latrine of that kind, ìnàtírî èvá two latrines. ìnàtírîí rì vbì ọ̀. There's a latrine. cf. ìlàtírî latrine.

ìnàtírîkì *n* electricity. ìnàtírîkì óò. It's electricity.

ínì *n* elephant, ínì èvá two elephants, úvbíínì small elephant, óvbí ínì, ívbí ínì young of an elephant, úghéé ísì ínì abode of elephants.

ìnìnáàmὲ *n* hippopotamus, ìnìnáàmὲ èvá two hippopotami, úvbì- ìnìnáàmὲ small hippopotamus. cf. ínì elephant, ni R, ámὲ water.

íninìwàì *n* Senegal galago, bush baby, íninìwàì èvá two bush babies.

ìnìnyέ *n* news item, information, ìnìnyέ élìyọ́ news of that kind, ìnìnyέ èvá two news items, ìnìnyέ lì ὲsὲn gospel.

ìnọ́òsì *n* nurse, ìnọ́òsì èvá two nurses. ìnọ́òsì rî vbí ásìbítò. A nurse is in the hospital.

ínwà *n* stain, filthy condition, dirt. ọ̀ gbé ínwà. He became filthy.

ínwàdà *n* executioners, palace guards, arm bearers; ínwàdà èvá two guards, ínwádá ísì óbá' the Oba's guards. cf. nwu to take hold of, àdá sword type [for older generation].

ìnwàì *n* soldier-ant species [found in bush, not in villages] ìnwàì èvá two soldier-ants.

ìnwòbòmóé *n* menstruation. ọ̀ sέ rì vbì ìnwùòbòmóé. She is still in her menstrual period. cf. nwu moe to hold, óbò hand.

ìnwùzò *n* furry weed species clinging to animal hair [used in trapping animals] ìnwùzò èvá two furry weeds.

ìnyáá *pstv adv* condition of sudden glowing. ìnyáá, ọ́ rúnì. With a sudden glow, it lit. cf. nyáá sudden glowing condition.

ìnyábìí *n* firefly, ìnyábìí èvá two fireflies. cf. ìnyáá sudden glowing condition.

ínyàmὲò *n* intimidating bluff, rascality. ínyàmὲò óò. It's a bluff. ọ̀ ré ínyàmὲò míéé ójé émà. He used intimidation to obtain yam from Oje. òhí rέ ínyàmὲò míéé ójé ọ́lì ìmátò. Ohi used intimidation to seize the car from Oje. cf. nyami to contort, ὲò face.

ínyèrà *n* paternal grandmother, ínyérá mὲ my paternal grandmother. cf. ìnyὸ mother, èrà father.

ìnyὲmì *n* discourse, palaver, understanding, information, discussion, issue, conversation, matter at hand requiring attention, **ínyémí ísì òjè** Oje's matter.

ínyémójè *n* joke, **ínyémójé élìyó** joke of that kind. cf. **ìnyèmì** discourse, **ójè** laughter.

ínyéwè *n* she-goat, mother goat, **ínyéwè èvá** two she-goats. cf. **ìnyò** mother, **éwè** goat.

ínyìnyò *n* maternal grandmother, **ínyínyó mè** my maternal grandmother. cf. **ìnyò** mother.

ínyókò *n* mortar, **ínyókó élìyó** mortar of that kind, **ínyókò èvá** two mortars. cf. **ìnyò** mother, **ókò** canoe. cf. **óvbíókò** pestle.

ìnyò *n* mother, **ínyó élìyó** mother of that kind, **ìnyò èvá** two mothers, **ínyó òjè** Oje's mother, **ínyó ó** your mother, **ínyó ólí ínì** mother elephant, **ínyó mé lí ódíòn** my grandmother, **ínyínyó mè** my grandmother. **ò mòè ìnyò**. He has a mother.

ìnyóbá' *n* paw paw, papaya fruit, **ìnyóbá' élìyó** papaya fruit of that kind, **ìnyóbá' èvá** two paw paw, **úvbìnyóbá'** small paw paw, **údùìnyóbá'** chunk of papaya fruit. cf. **ìnyò** mother, **óbá'** Oba.

ínyóbá' *n* queen mother, mother to the Oba. **ínyóbá' óò**. She is the queen mother. cf. **ìnyò** mother, **óbá'** Oba.

ìnyòkpá *n* maternal sibling, children of the same mother, **ìnyòkpá èvá** two maternal siblings, **ìnyòkpá ísì òjè**

maternal siblings of Oje. cf. **ìnyò** mother, **òkpá** one.

ínyóókhò *n* hen. **ínyóókhò óò**. It's a hen. cf. **ìnyò** mother, **óókhò** chicken.

ínyúdò *n* flat stone for grinding and crushing pepper or medicinal herbs, **ínyúdó élìyó** grinding stone of that kind, **ínyúdò èvá** two grinding stones. cf. **ìnyò** mother, **údò** stone. cf. **óvbíúdò** small, round, stone pestle.

íòédó' *n* winged insect species [termite-like but smaller] **íòédó' èvá** two winged insects. cf. **òò** to mimic, **édó'** termite.

íóghèrè *n* hemorrhage, severe blood reduction. **íóghèrè lí ó gbé óì**. It is a hemorrhage that killed her. cf. **ìòghò** flood, **èrèè** blood.

ìòghò *n* flood, deluge, **íóghó élìyó** deluge of that kind. cf. **òòghò** flood.

ìókó' *n* hunter's dance. **ìókó' óò**. It's a hunter's dance. **yàn á gbè ìókó'**. They are doing the hunter's dance. They are dancing the hunter's dance.

íòó *n* tool for making tattoos on the body. **íòó óò**. It's a tattoo pen. **úgbán ísì íòó** thorn for tattoo pen; ~ *n* tattoo lines or marks drawn on a body. **íòó óò**. It's a tattoo line. cf. **ígbíóó** tattoo.

ìòò *n* thought, meditation. **yàn á zè ìòò**. They are conversing. lit. They are expressing their thoughts. cf. **oo** to ponder.

íòò *n* song, hymn, íóó élìyó song of that kind, íòò èvá two songs. ò ó sò íòò. She is singing a song.

íòngbòndòn *n* large earthworm species, íòngbòndòn èvá two large earthworms.

ìòòn *n* feather of a bird, íóón élìyó feather of that kind, íóón ísì óókhò feather of a hen, íóón ísì òókhò élìyó hen feather of that kind, íóón ísì òókhò èvá two hen feathers, íóón ísì áfiánmì bird feather, íóón ísì òkhùèdídè feather of a parrot; ~ *n* undomesticated-animal hair, íóón élìyó hair of that kind, íóón ísì ívàn cane rat hair. cf. étó ísì áwà dog hair.

íòón *n* small snail that lays eggs and dies, íòón èvá two small snails.

ìpálò *n* parlor, sitting room, ìpáló élìyó sitting room of that kind, ìpálò èvá two sitting rooms, úvbììpálò small sitting room.

ìpáódà *n* face powder, ìpáódá élìyó face powder of that kind.

ìpásítò *n* pastor, minister of a gospel. ìpásítò óò. He's a minister.

ìpèú *pstv adv* sudden, smacking sound resulting from a hitting activity. ìpèú, ó fí óí émì. With a smack, he hit him. cf. pèú smacking sound.

ìpèú *pstv adv* cracking sound of tears bursting. ìpèú, ó gbé évìè á. With a crack, she burst into tears. cf. pèú cracking sound.

ìpéèntì *n* paint, ìpéèntí élìyó paint of that kind, ìpéèntì èvá two paints, ìpéèntí ísì ìmátò paint for a car, ìpéèntí lì òvbàè red paint, ìpéèntí lì òfùàn white paint.

ìpénsù *n* pencil, ìpénsú élìyó pencil of that kind, ìpénsù èvá two pencils.

ìpètúróò *n* petrol, gasoline. ìpètúróò óò. It's petrol.

ìpéùn *pstv adv* whizzing sound of passing object. ìpéùn, ólí áfiánmí tín fì á. With a whiz, the bird flew away. cf. péùn whizzing sound.

ìpìén, ìpìénpìén *pstv adv* with small bits positioned here and there. ìpìénpìén, ólí óókhó ó ò fènà ìsón. With a bit here and there, the chicken defecates. cf. pìén with bits here and there.

ìpíéré *pstv adv* trotting manner. ìpíéré, ólí áwà ó vbí égbókhèé. At a trot, the dog entered the backyard. cf. píéré trotting manner.

ìpísí'pà *n* principal of a school. ìpísí'pà óò. He's a principal.

ìpóí *pstv adv* popping sound resulting from one object pulled from another. ìpóí, ólí ómóhé yí ólí órán vbì òtòì ré . With a pop, the man pulled the tree from the ground. cf. póí popping sound. cf. bóí popping sound.

ìpòlíìsì *n* law enforcement officer. ìpòlíìsì óò. He's a policeman.

ìpòó *pstv adv* intense booming sound of a separation activity. **ìpòó, ólì èkpà sóó á.** With a boom, the bag burst its seams. cf. **pòó** intense booming sound.

ìpòó *pstv adv* sound of intense burst of tears. **ìpòó, áléké róó évìè.** With a loud burst, Aleke broke into tears. lit. As for the loud burst, Aleke sounded a cry. cf. **pòó** intense crying sound.

ìpòòkhóró *pstv adv* sound of an intense tear burst. **ìpòòkhóró, íyáín èrèmé gbé évìè á.** With a loud burst, all of them broke into tears. cf. **pòòkhóró** loud crying sound.

ìpóòlù *n* pole, utility pole, **ìpóólú élìyó** pole of that kind, **ìpóòlù èvá** two poles.

ìpóòmpù *n* pump. **ìpóòmpù óò.** It's a pump.

ìpóòtù *n* pot, **ìpóótú ísì àlèkè** Aleke's pot.

ìpúùlù *n* pools, gaming pools, betting. **ìpúùlù óò.** It's pools.

ìràà *n* area, **íráá lì èvbò** area there. cf. **raa** to move past.

ìràbònwú *n* procession game played by young girls holding hands and singing. **ìràbònwú óò.** It's the young girl's procession game. cf. **re** to use, **ábò** hands, **nwu** to catch.

íré' *n* strangers. cf. **óré'** stranger.

ìré *n* praise, praising, adoration; **re ìré lì** *tr* to adore, praise (*CPA,

CPR, *C, *H) **à ré ìré lí éní ísì èé.** Your name was praised. lit. One has assigned praise to your name.

ìrédìó *n* radio, **ìrédìó élìyó** radio of that kind, **ìrédìó èvá** two radios. **ìrédìó óò.** It's a radio.

ìrélùwé *n* train, railway line, **ìrélùwé élìyó** train of that kind, **ìrélùwé èvá** two trains.

ìrèhúnmé *n* forgiveness; **miaa ìrèhúnmé** *tr* to ask forgiveness (CPA, CPR, C, *H) **ò ó mìàà ìrèhúnmé.** She is asking forgiveness. **mìàà ìrèhúnmé.** Ask for forgiveness.; *miaa ìrèhúnmé vbi óbò,* **ó míáá ìrèhúnmé vbí óbó mè.** He asked forgiveness from me. **mìàà ìrèhúnmé vbí óbó mè.** Ask forgiveness from me.; **vbi ìrèhúnmé** *tr* to beg forgiveness (CPA, CPR, C, H) **òjè ò ó vbì ìrèhúnmé.** Oje is begging for forgiveness. **vbì ìrèhúnmé.** Beg forgiveness.; *re vbi ìrèhúnmé,* **ólí óvbèkhàn ò ó rè èwáín vbì ìrèhúnmé.** The youth is begging for forgiveness with prudence.; *vbi ìrèhúnmé li,* **òjè ò ó vbì ìrèhúnmé lì òhí.** Oje is begging for forgiveness for Ohi. cf. **re hunme** to forgive.

ìréréè *n* type of small squash, **ìréréè èvá** two small squashes.

ìrèsó *n* end of time, end of existence, end of life, end of the world. **ìrèsó ísì ói í yà hùnmè.** The end of a thief is never good. cf. **re** take, **so** end.

ìríghírìghì *n* vine creeper that lathers for bathing, ìríghírìghì èvá two foaming vines.

ìrìpíárà *n* one who repairs things. ìrìpíárà óò. He is a repairer.

ìrò *n* cheek, író ísì òlí óvbèkhàn the youth's cheek., író ísì èmé my cheeks.

íròkhùò *n* pimple. íròkhùò óò. It's a pimple.

írù *n* wild animal den in mountain rocks or hill side, shelter for a wild animal, írú élìyó den of that kind; ~ *n* shelter where harvested yams are roped on sticks, írù èvá two yam shelters.

ìrù *n* louse, ìrù èvá two lice. cf. ìrùrù louse [for older generation].

írùàn *n* grunt, groan; si írùàn *tr* to groan (*CPA, *CPR, C, H) ò ó sì írùàn. He is groaning. lit. He is drawing a groan. ólí óvbèkhàn ò ó sì ìrúán kù á. the youth is groaning all over. cf. ruan to happen.

írùèè *n* pubic hair. írùèè óò. It's pubic hair. cf. ìrù louse.

írúrèò *n* eyelash, írúréó ísì òlí ókpósó áìn That woman's eyelash. cf. ìrù louse, èò face. cf. ílùlù maize tassel.

írúrókhò *n* chicken lice, írúrókhò èvá two chicken lice. cf. ìrù louse, óókhò chicken.

ìsà *n* musical instrument from calabash or gourd covered with net of beads, ísá élìyó beaded calabash of that kind, ìsà èvá two beaded calabashes.

ìsàá *n* feast or offering to appease traditional deity. ìsàá óò. It's a feast.; sè ìsàá *tr* to make a feast, appease the living (CPA, CPR, C, H) òjè sé ìsàá. Oje made a feast. Oje feasted. lit. Oje reached the feast stage. sè ìsàá. Make a feast.; re se ìsàá, ò ré óókhò sé ìsàá. He used a chicken to make a feast.; se ìsàá li, ólí ómòhè sé ìsàá lí ébóó òì. The man made a feast for his relations.

ìsàghèdà *n* pinkish water-gnat inhabiting stagnant water [folk belief that purifies and cleans water] ìsàghèdà èvá two pink water-gnats. cf. sagha to dismember, édà river. cf. ìsànèdà water-gnat.

ísàkóòè *n* thigh, ísàkóóé élìyó thigh of that kind, ísàkóòè èvá two thighs. cf. òè leg.

ìsàkpàná *n* small pox; ìsàkpàná nwu *tr* to have smallpox (CPA, CPR, *C, *H) ìsàkpàná nwú ólí óvbèkhàn. The youth has small pox. lit. Small pox took hold of the youth.

ìsàkpàná *n* thunderbolt in the sky, strike of lightning. ìsàkpàná tóó é á. A thunderbolt burned you up.

ìsàlébó' *n* black and red seeds from a flowering plant, ìsàlébó' èvá two black and red seeds. cf. ísè seed from a vine.

ìsàmìsákóì *n* giant black ant, soldier ant, stink ant, **ìsàmì-sákóì èvá** two soldier ants.

ìsàn *n* charm of leather worn around waist [folk belief that possesses magical power] **ísán élìyó** leather charm of that kind, **ìsàn èvá** two leather charms.

ìsànèdà *n* pinkish water-gnat near stagnant pool [folk belief that purifies and cleans water] **ìsànèdà èvá** two pinkish water-gnats. cf. **san** to be pellucid, **édà** river. cf. **ìsàghèdà** pinkish water-gnat.

ìsánó *n* matches, **ìsánó élìyó** matches of that kind, **ìsánó èvá** two matches, **úkpìsánó**, **íkpìsánó** matchstick.

ísàò *n* front of, **ísáó ísì òlí ómòhè** front of the man, **ísáó ísì ìwè** front of the house. **ò rîi vbí ísáó ísì ìwè.** She is in front of the house. **ò yé ísàò.** He moved to the front.; **si ísàò** *tr* to shift forward in time (CPA, CPR, *C, *H) **si** *kee* **ísàò** to adjourn, postpone. **à sí ólì èzón kéé ísàò.** The case was shifted near the front (of the list). The case was postponed.; **si ye ísàò** to defer. **yàn sí ólí ékùèè yé ísàò.** They deferred the meeting. They shifted the meeting forward (to another time). cf. **ísì** ASS, **àó** one.

ìsásàgèlè *n* young, intelligent man. **ìsásàgèlè òò.** He's an intelligent young man. cf. **sasa** to be agile, **àgèlè** young man.

ìsávbèé *n* anklet of cherry or dika nut seeds [for cultural ceremonies] **ìsávbèé élìyó** dika nut anklet of that kind, **ìsávbèé èvá** two dika nut ankle strings. cf. **ìsà** beaded net calabash, **vbee** to lower.

ìsè *n* state of indulgence; **de ìsè** *tr* to be indulgent (CPA, CPR, *C, *H) **ó dé ìsè.** He is indulgent. lit. He reached an indulgent state. **ò dé ìsè gbé.** He is too indulgent.

ìsèéà *pstv adv* thrice. **ólí ókpósó dá ényó ìsèéà.** The woman drank wine thrice. **ísí ékà lí ólí ókpósó dá ényò?** How often did the woman drink wine?; ~ *n* three times, thrice, **ìsèéá vbí úkpédé** thrice per day. cf. **ísì** ASS, **èéà** three.

ìsèélè *pstv adv* four times. **ólí ókpósó dá ényò ìsèélè.** The woman drank wine four times. **ísí ékà lí ólí ókpósó dá ényò?** How often did the woman drink wine?; ~ *n* **ìsèélé vbí úkpédé** four times per day. cf. **ísì** ASS, **èélè** four.

íséhòn *n* ear wax, discharge from the ear. **òjè ré óbò húá íséhòn.** Oje picked out the earwax with his hand. cf. **ìsòn** body waste, **éhòn** ear.

ìsèvá *pstv adv* twice. **ìsèvá lí ólí ómóhé é ólí émàè.** It was twice that the man ate the food. **ìsèvá vbí úkpédé lí ó é ói.** It was twice per day that he ate it. **ísí ékà lí ójé é ólí émàè?** How often did Oje eat the food?; ~ *n* ìsèvá vbí úkpédé twice per day. cf. ísì ASS, èvá two.

ísè *n* itchy vine producing seeds for ayo game, ísé élìyó itchy vine of that kind, ísè èvá two itchy vines; ~ *n* game seed for playing ayo, ísé élìyó game seed of that kind, ísè èvá two game seeds; ragha ísè a *tr* to disrupt a game by rubbing off or mixing up seeds (CPA, CPR, *C, *H) òjè rághá ólí ísè á. Oje disrupted the seed game. Oje mixed up the seeds. ràghà ólí ísè á. Rub the seeds off.; *re ragha ìsè a*, ò rẹ́ óbò rághá ólí ísè á. He used his hand to rub off the seed game.

ìsé *n* invocation of evil force in the universe, ìsé élìyó invocation of evil of that kind; fì ìsé *tr* to invoke an evil force (*CPA, *CPR, C, *H) ò ó fì ìsé. He is invoking evil. lit. He is casting an evil invocation. é è kè fí ìsé. Don't make evil invocations anymore.; *fì ìsé li*, ò ó fì ìsé lì òjè. He is invoking evil on Oje. yàn á fì ìsé lì égbè. They are invoking evil on one another. They are casting evil wishes on one another.; ~ *n* final word of a prayer in Christian tradition, so be it [akin to Amen].

ísèghéègúé *n* melon species with brown seed pods [for preparing soup] ísèghéègúé óò. It's a seed-pod melon. úkpísèghéè-gúé, íkpísèghéègúé seed of

brown seed-pod melon. cf. se reach, éghè time, ègúé hoe.

ìsékètú *n* Cida acuta weed, ìsékètú èvá two cida acuta weeds.

ísènò *n* eye mucus, discharge from the eye. ísènò óò. It's eye mucus. cf. ìsòn body waste, èò eye.

ìsèsè *n* dew. ìsèsè óò. It's dew.

ìsèsè *n* yam pole, yam stakes, pole for supporting growing yams, ìsèsè èvá two yam poles; dome ìsèsè *tr* to insert yam poles (CPA, CPR, C, H) ólì ònwìmè dómé ìsèsè. The farmer staked down his yams.

ísì *conj* of, for [associative relation linking noun phrases] áwá ísì òlí ómóhé áìn that man's dog, íwé ísì òlí ómóhé áìn that man's house, ísì ékà how often. cf. ési of.

ìsì *n* pig, ìsì èvá two pigs, úvbììsì pig of small size, óvbì ìsì, ívbì ìsì piglet, úghéé ísì ìsì abode for bush pigs, éánmìsì pork. úghéé ísì ìsì óò. It's a bush pig shelter.

ìsíbí *n* spoon [Yoruba] ìsíbí élìyó spoon of that kind, ìsíbí èvá two spoons, ìsíbí lì òkhúá big spoon, ìsíbí lì kéré teaspoon.

ísíéìbó *n* paprika, large-sized green or red pepper, ísíéìbó èvá two green peppers. cf. ísíẹ̀in pepper, éìbó whitemen.

ísíẹ̀in *n* long, hot pepper [hottest pepper] ísíẹ́ín élìyó pepper of that kind, ísíẹ̀in èvá two peppers.

ísíénòtòì *n* creeping vine with red flower [for treating cold affliction] ísíénòtòì èvá two red flower creeping vines. cf. ísíẹ̀in pepper, òtòì ground.

ìsìgá *n* cigarette, ìsìgá élìyó cigarette of that kind, ìsìgá èvá two cigarettes.

ísìghàn *n* prisoner, ísìghàn èvá two prisoners, ógbá ísì ísìghàn prison yard. cf. sẹ to reach, ìghàn jail.

ìsìkéètì *n* skirt, ìsìkéétí élìyó skirt of that kind, ìsìkéètì èvá two skirts. àlèkè mọ̀è ìsìkéètì èvá. Aleke has two skirts.

ìsìkóì *n* wasp with very narrow waist, ìsìkóí élìyó narrow waist wasp of that kind, ìsìkóì èvá two narrow waist wasps.

ìsíkọ̀lọ̀ *n* grated water yam with condiments and oil wrapped in leaves and boiled [eaten during àgágá'n festival] ìsíkọ̀lọ̀ èvá two grated water-yam packets.

ìsìkúù *n* school, ìsìkúú élìyó school of that kind, ìsìkúù èvá two schools, ìsìkúú lì òkhúá secon-dary school, ìsìkúú lì kéré primary school.

ìsíkhùìhíé *n* foot rot, fungal infection of the foot from erosion water [treated with ashes] ìsíkhùìhíé nwu *tr* to have a fungal infection (CPA, CPR, *C, *H) ìsíkhùìhíé nwú ọ́lí óvbékhán áìn. That youth has a fungus. lit. A fungal infection took hold of that youth.

ìsíkhùìhíé nwú ọ́lí óvbékhán vbì àwè̖. The youth's feet have a fungus.

ìsíkhùú *n* cloud. ìsíkhùú óò. It's a cloud.

ìsílè *n* shilling, currency of colonial era, ìsílè èvá two shillings.

ìsílîkì *n* silk, ìsílííkí élìyó silk of that kind, ìsílîkì èvá two instances of silk.

ìsílípà *n* slippers, ìsílípá élìyó slippers of that kind, ìsílípà èvá two slippers.

ìsílívà *n* silver. ìsílívà óò. It's silver.

ìsìméèntì *n* cement. ìsìméèntì óò. It's cement.

ísín *pstdet* nine, íkpùn ísín nine cloths; ~ *pro* nine, ìsín vbí élí ívbékhán nine of the youths.

ísíóà *n* domestic pig, dwarf pig, ísíóà èvá two domestic pigs. cf. ìsì pig, óà home.

ísìògò *n* bush pig, giant forest hog, ísìògò èvá two bush pigs, úvbíísìògò small bush pig. cf. ìsì pig, ògò bush.

ìsírîtì *n* street, ìsíríítí élìyó street of that kind, ìsírîtì èvá two streets, ìsíríítí mè̖ my street.

ìsìsàn *n* vegetable signifying extreme poverty [easily obtainable with low nutritional value] ìsìsàn èvá two poverty-indicating vegetables.

ìsísì *n* six-pence [currency unit of colonial era] ìsísì èvá two six-pence.

ìsísíkhàìdí *n* butterfly larva, caterpillar [butterfly evolution stage] ìsísíkhàìdí èvá two caterpillars. cf. **khaa** to carve, **ìdì** grave.

ìsísíkhàìdí *n* empty palm ridge, ìsísíkhàìdí èvá two empty palm ridges. cf. **khaa** to carve, **ìdì** grave.

ìsísíkhòòjò *n* local guitar, fluted cane over which hollowed dika nut is moved back and forth, ìsísíkh<u>óó</u>jó élìyó guitar of that kind, ìsísíkh<u>òò</u>jò èvá two guitars.

ìsísíkhùàì *n* brown wasp, ìsísíkhùàì èvá two brown wasps.

ìsísìlákpò *n* food dish prepared with ripe plantain, ìsísìlákpò èvá two ripe plantain dishes.

ìsìsìtá *n* sister, familial relation, ìsìsìtá m<u>è</u> my sister.

ísítà *n* Easter holiday. ísítà <u>óò</u>. It's Easter holiday.

ìsìtáàchì *n* starch. ìsìtáàchì <u>óò</u>. It's starch.

ìsìt<u>éé</u>pù *n* step, ìsìt<u>éé</u>pú élìyó step of that kind, ìsìt<u>éé</u>pù èvá two steps, úvbììsìt<u>éé</u>pù small step.

ìsìt<u>óò</u> *n* trading store, trading stall, ìsìt<u>óó</u> élìyó trading stall of that kind, ìsìt<u>óò</u> èvá two trading stalls.

ísò *n* rumbling, roar of sea or sky. ísó ísì òkùn <u>óò</u>. It's rumbling of the ocean. cf. **so** to rumble.

ìsòbìà *n* guinea worm [Yoruba] ìsòbìà <u>óò</u>. It's a guinea worm.

ìsòkpá *pstv adv* once. ìsòkpá lí ójé é émàè. It was only once that Oje ate food. élí ívbékhán áín <u>ó</u> <u>ò</u> khùàn <u>òí</u> ìsòkpá vbí úkp<u>é</u>d<u>é</u>. Those youths set it once per day. ísí ékà lí ójé é <u>ó</u>lí émàè? How often did Oje eat the food? ísí ékà yán à khàùn ìfí ísì ìyáín? How often do they set their trap?; ~ *n* once, ìsòkpá vbí úkp<u>é</u>d<u>é</u> once per day. cf. **ísì** ASS, **òkpá** one.

ìsòkpísòkpá *pstv adv* immediately, at once [only in focus position] ìsòkpísòkpá lí <u>ó</u>lì òísí' áín r<u>é</u> ghè dé. It was immediately that that gun just exploded. cf. **ìsòkpá** once.

ìs<u>ó</u>bìlì *n* shovel, spade, ìs<u>ó</u>bílí élìyó shovel of that kind, ìs<u>ó</u>bìlì èvá two shovels.

ìsójà *n* soldier, ìsójà èvá two soldiers.

ìsòn *n* feces, excreta, fecal matter, body excretion, body waste, ís<u>ó</u>n élìyó body waste of that kind; **raan ìsòn** *tr* to be constipated (*CPA, *CPR, *C, H) <u>ó</u>lí <u>ó</u>mó <u>ó</u> <u>ò</u> ràan ìsòn. The child is constipated. lit. The child cures his feces.

ìsóòsì *n* sock, ìs<u>óó</u>sí élìyó sock of that kind, ìs<u>óó</u>sì èvá two socks, ìs<u>óó</u>sí lì gb<u>óó</u> long sock.

ìsùé *pstv adv* thrashing sound resulting from jumping activity. ìsùé, <u>ó</u>lí óvbékhán vb<u>óó</u> fì <u>ó</u> vbì ògò. With a thrash, the youth jumped into the bush. cf. **sùé** thrashing sound.

ìsùmàbọ̀ *n* politics. ìsùmàbọ̀ óò. It's politics. ẹ́ghẹ́ ísì ìsùmàbọ̀ lí á ké rîì. It is hereafter the time for politics. cf. sume to contend for, ábọ̀ hands.

ìsùsúghù *n* internal bodily organs. ìsùsúghú ísì ẹ́wè óò. It's the internal organs of a goat.

ísúsúwèúwè *n* type of weed, ísúsúwèúwè èvá two weeds of this type.

ìsúùtù *n* suit of clothes, ìsúútú élìyó suit of that kind, ìsúùtù èvá two suits.

íshàkọ̀n *n* bark, íshákón ísì údìn bark of the palm tree. íshákón ísì údìn óò. It's palm-tree bark.

íshámá'lòkín *n* red fly [folk belief that carries parasite for elephantitis] íshámá'lòkín èvá two red flies. cf. íshàn fly, ámá'lòkín lesser bush baby.

íshàn *n* housefly, íshán élìyó housefly of that kind, íshàn èvá two houseflies.

ìshàsọ̀n *n* witches, wizards [euphemism] óbíá ísì ìshàsọ̀n óò. It's the handiwork of witches. cf. shan to proceed, àsọ̀n night.

íshàvbọ́ *n* okra, Habiscus surathensis, íshàvbọ́ élìyó okra of that kind, íshàvbọ́ èvá two pieces of okra, íshàvbọ́ ísì òkáì okra of the dry season.

ìshé *n* nail, ìshé élìyó nail of that kind, ìshé èvá two nails, úvbììshé small nail, ìshé lì òkhúá big nail, ìshé lì kéré small nail.

ishèkírì *n* Itsekiri people or language. ishèkírì óò. She's Ishekiri. ò zẹ́ úróó ishèkírì. She spoke Ishekiri.

íshẹ́'n *n* blacksmith bellows, íshẹ́'n élìyó bellows of that kind, íshẹ́'n èvá two bellows; khuee íshẹ́'n *tr* to pump bellows (*CPA, *CPR, C, H) òjè ọ̀ ó khùèè íshẹ́'n. Oje is pumping bellows. yà khúéé óì. Start pumping it.; *kpaye khuee íshẹ́'n*, ólí óvbèkhàn ọ̀ ó kpàyè òjé khùèè íshẹ́'n. The youth is helping Oje pump the bellows.; *re khuee íshẹ́'n*, ọ̀ ó rè ètín khùèè íshè'n. He is using his breath to pump the bellows.; *khuee íshé'n li*, ólí óvbèkhàn ọ̀ ó khùèè íshẹ́'n lì àgbèdẹ́. The youth is pumping bellows for the blacksmith.

ìshọ́ọ̀bù *n* shop, trading store, ìshọ́óbú élìyó shop of that kind, ìshọ́ọ̀bù èvá two shops.

ìshúgà *n* sugar. ìshúgà élìyó sugar of that kind. ìshúgà óò. It's sugar. cf. úmẹ́éìbó sugar.

ìtàán *pstv adv* dinging sound resulting from a hitting activity. ìtàán, ọ́ ọ̀ sàn ìvìn. With a ding, she cracks palm kernels. cf. tàán dinging sound.

ìtáì *n* necktie, ìtáí élìyó necktie of that kind, ìtáì èvá two neckties.

ìtáìmìsì *n* multiplication. ìtáìmìsì óò. It's multiplication.

ìtàkpà *n* scabies skin disease, ítákpá élìyó scabies of that kind.

ìtàlò̱tálö̱ *n* talk without substance, trash talk; **talo̱ ìtàlò̱tálö̱ ku o̱ vbi ò̱tò̱i** *tr* to speak trash (CPA, CPR, *C, *H) **ö̱lí ö̱vbèkhàn tálö̱ ìtàlò̱tálö̱ kú ö̱ vbì ò̱tò̱i.** The youth said all kinds of things. lit. The youth spoke rubbish throughout the land.

ìtàn *n* traditional saying, proverb, riddle, history, **ìtàn èvá** two riddles. **o̱ ö̱ kpè ìtàn.** He is narrating a saying.; **fi ìtàn** *tr* to pose a riddle (CPA, CPR, *C, *H) **yàn fí ìtàn.** They riddled. lit. They tossed riddles.

ìtànè̱òá *n* state of enlightenment. **ìtànè̱òá ö̱ò̱.** It's a mark of enlightenment. cf. **taan è̱ò a** to be enlightened.

ìtásà *n* basin, bowl, plate, **ìtásá élìyö̱** bowl of that kind, **ìtásà èvá** two bowls, **ìtásá lì gbègbèghé** flat plate, **ìtásá lì kpùgùdú** deep plate.

ìtáyà *n* vehicle tire, **ìtáyá élìyö̱** tire of that kind, **ìtáyà èvá** two tires.

ìtébù *n* table, **ìtébú élìyö̱** table of that kind, **ìtébù èvá** two tables. **ìtébú rì vbì ò̱.** There's a table.

ítèé *n* yeast infection, infection of the vagina leading to un-scheduled blood discharge, **ítèé élìyö̱** yeast infection of that kind.

ìtélò̱ *n* tailor, **ìtélò̱ èvá** two tailors.

ìtépèé *n* small infection on the skin developed from a scratch. **ìtépèé ö̱ò̱.** It's small skin infection.

ìtèlèvíshò̱n *n* television, **ìtèlè-víshö̱n élìyö̱** television of that kind, **ìtèlèvíshò̱n èvá** two televisions.

íté̱n' *n* leprosy; **íté̱'n nwu** *tr* to have leprosy (CPA, CPR, *C, *H) **íté̱'n nwú ö̱ì.** He has leprosy. lit. Leprosy took hold of him.

ìtíè̱ntíè̱n *n* small sun bird species with pointed beak and distinctive chirping noise, **ìtíè̱ntíén élìyö̱** pointed-beak bird of that kind, **ìtíè̱ntíè̱n èvá** two pointed-beak birds.

ítíhìàn *n* buttock, rump, **ítíhián ísì àlèkè** Aleke's buttocks, **ídúítí-hìàn** big buttocks, **ítítíhìàn** both buttocks; ~ *n* bottom side, **ítíhián àkpótì** bottom of the box.

ítíkù *n* dunghill, refuse pile, **ítíkú élìyö̱** dunghill of that kind, **ítíkù èvá** two refuse piles; **bilo ítíkù** *tr* to rummage, sift through a refuse pile, stir up, turn over (*CPA, *CPR, C, H) **ò̱jè o̱ ó bìló ìtíkù.** Oje is rummaging through the refuse pile.

ìtìmátì *n* tomato, **ìtìmátì èvá** two tomatoes.

ìtísà *n* teacher, **ìtísà èvá** two teachers.

ìtóghò *n* melon with white seeds [for soups] **ìtóghò ö̱ò̱.** It's a white seed melon. **úkpìtóghò, íkpìtó-ghò** seed of white seed melon, **íkpìtóghò èvá** two seeds of white seed melon.

ìtòlótòló *n* turkey, ìtòlótòló èvá two turkeys.

ìtólózì *n* species of sand fly that burrows on dry, sandy soil, ìtólózì èvá two sand flies. cf. ìtútùẹ́n sand fly.

ítọ́nbùlà *n* drinking glass, tumbler, ítọ́nbúlá é**ì**yọ́ tumbler of that kind, ítọ́nbùlà èvá two tumblers.

ìtóọ́ *n* three pence [currency unit of colonial era] ìtóọ́ óò. It's three pence.

ìtùèkèìn *n* pity, sympathy, compassion. ọ̀ mòè ìtùèkèìn. He has compassion. cf. **to** to pain, ẹ́kẹ́ìn belly.

ìtúmọ̀ *n* meaning, significance, interpretation of an event [Yoruba] ìtúmọ̀ èvá two meanings. ìtúmọ́ ísì ọ̀í lí í khì ọ̀nà. The meaning of it is this. This is its significance.

ìtúróòkì *n* truck, ìtúróọ́kí ísì òjè Oje's truck.

ìtúrọ́zà *n* trousers, ìtúrọ́zá é**ì**yọ́ trousers of that kind, ìtúrọ́zà èvá two pair of trousers.

ìtútùẹ́n *n* sand fly, ìtútùẹ́n èvá two sand flies. cf. ìtólózì sand fly.

ìtútúgbùù *n* grey-headed sparrow with a short and stout beak, ìtútúgbùù èvá two grey-headed sparrows.

ítùú *n* mushroom, ítùú é**ì**yọ́ mushroom of that kind, ítùú èvá two mushrooms. òjè yé ógúí ítùú. Oje went mush-

rooming.; ~ *n* fungus, mold; fi ítùú *tr* to develop mold or fungus (CPA, CPR, C, H) ọ́lí émà fí ítùú. The yam developed a fungus.

íù *n* hearth, fireplace for cooking, hearth stones, cooking pot stand, íú é**ì**yọ́ hearth of that kind, íù èvá two hearths. íù èvá lí ọ́ ọ̀ vbìè ákhè. It is two hearths that cook a pot.

íúhényè *n* slough or dead outer skin of a snake, íúhényẹ́ é**ì**yọ́ snake slough of that kind, íúhényè èvá two snake sloughs. cf. íùhù membrane, ẹ́nyè snake.

íùhù *n* outer membrane of animal, outer layer of plant, testa, chaff, íúhú é**ì**yọ́ chaff of that kind, íùhù èvá two outer membranes.

íúlèéhà *n* Iuleha people and their language. ọ̀ yé íúlèéhà. He went to Iuleha. òhí ọ̀ ọ́ zè ùróó íúlèéhà. Ohi is speaking Iuleha.

íúmékhàyẹ́ *n* weed species [leaves of medicinal value for headache relief when mixed with black native soap] íúmékhàyẹ́ èvá two headache-relief weeds. cf. ìùmì weed, ẹ́khàyẹ́ kindling.

íúmẹ́mèlá *n* cow weed, íúmẹ́mèlá èvá two cow weeds. cf. ìùmì weed, ẹ́mèlá cow.

ìùmì *n* weed, íúmí é**ì**yọ́ weed of that kind; gbe ìùmì *tr* to weed (*CPA, *CPR, C, H) ọ̀ ọ́ gbè ìùmì. He is weeding. lit. He is killing weeds. ọ́ ọ̀ gbè ìúmí vbí ímè. He weeds on the farm.

íúmọ́kọ̀mòtọ̀ì *n* weed associated with wood dove, íúmọ́kọ̀mòtọ̀ì èvá two wood-dove weeds. cf. ìùmì weed, ókọ̀mòtọ̀ì wood dove.

ìùù *ideo* sense impression of a gushing mass. ú họ́ní ìùù. You heard the gushing water. ú míẹ́í ìùù. You sensed gushing water. ọ́ déé ákhé únù ré vbí ókhúnmí ómẹ̀hẹ̀n. ìùù. She lowered the pot's opening on top of the sleeping one. Gushing. ọ́ kpóló èkẹ̀n ọ́ vbí ókhúnmí ítíkù.ú họ́ní ìùù. She scooped sand onto the top of the refuse pile. You heard a gushing sound.

ívàn *n* cane rat, grass cutter, Thryonomys swindereianus, ívàn èvá two cane rats, úvbíívàn small cane rat.

ìváò *pstv adv* zinging sound resulting from a small moving object. ìváò, ọ́ fí ùhàì. With a zing, he shot an arrow. cf. váò zinging sound.

ìváùn *pstv adv* zooming sound resulting from a large moving object. ìváùn, ọ́lì ìmátò ráá ré. With a zoom, the car passed. cf. váùn zooming sound.

ívé' *n* bargaining, haggling for a price. òjè ọ̀ ọ́ vè ívé'. Oje is haggling. ọ́ ọ̀ èén ùè ívé'. He knows how to bargain. lit. He knows how to get lost in bargaining. cf. ve to bargain.

ìvẹ̀ùn *pstv adv* whistling sound resulting from a small projectile

moving through space. ìvẹ́ùn, ọ́lí ọ́vbékhán fí ọ́lì ùhàì fí à. With a whistle, the youth shot the arrow away. cf. vẹ́ùn whistling sound.

ívìàgbàn *n* front of jawbone, point of the chin, ívíágbán ísì ọ̀lí ọ́mọ̀ jawbone of the child. cf. ìvìn kernel, àgbàn jaw.

ìvíé *n* round, glass beads, coral beads, ìvíé élìyọ́ glass beads of that kind, ìvíé èvá two glass beads.

ìvìn *n* palm kernel, ìvìn èvá two palm kernels, úkpìvìn, íkpìvìn palm kernel nut, íhí'ánmìvìn palm kernel shell.

ìvìòìmì *n* funeral, mourning period associated with burial, ívíóímí ísì ọ̀í his mourning period. ívíóímí ísì òjè tínì. The funeral for Oje was grand. cf. vie to mourn, óìmì dead body.

ívùnnòtọ̀ì *n* species of wood termite [folk belief considers them an evil omen] ívùnnòtọ̀ì èvá two wood termites. cf. vunno to uproot, ọ̀tọ̀ì soil.

ìvbàbò *n* sacrifice in traditional religion. ọ̀ ọ́ọ́' vbì ìvbàbò. He went to perform a sacrifice.

ívbàẹ̀ò *n* fierceness, fury, agony, ívbáẹ́ó élìyọ́ fury of that kind. cf. vbae ẹ̀ò to be fierce.

ívbèkhàn *n* youths. cf. ọ́vbèkhàn youth.

ívbékhìlèkè *n* female teenagers, female youths. cf. ọ́vbékhàlèke female youth.

ívbékhímọ̀hè *n* male teenagers, male youths. cf. óvbékhọ́mọ̀hè male youth.

ívbì *n* multiple offspring of, ívbí áwà puppies, ívbì òjè offspring of Oje. cf. óvbì offspring of.

ívbìà *n* offspring, children, ívbíá òjè Oje's children. ọ̀ mọ̀è ivbíá lí é búnì. He has many children. ólì ìsì mọ̀è ivbíá lí é búnì. The pig has many offspring. cf. ívbí éfè offspring of the rat.

ívbìàgógó' *n* small shrine bells, worn by dancers, ívbìàgógó' éliyọ́ small shrine bells of that kind, ívbìàgógó' èvá two small shrine bells. cf. ívbì DIM, àgógó' bell. cf. úvbìàgógó' small shrine bell.

ívbíékhéìmì *n* youths of spirit world incarnate in this world, ívbíékhéìmì èvá two children of spirit world. cf. ívbèkhàn youths, éìmì spirit world.

ívbíémà *n* yam vines, creeper vine of yam plant, ívbíémá éliyọ́ yam vines of that kind, ívbíémà èvá two yam vines. cf. ívbìì vines, émà yam.

ívbíhàì *n* palm swift, ívbíhàì èvá two palm swifts.

ívbìì *n* vine undergrowth, mass of climbing plants in a thick cluster, ívbíí éliyọ́ vine undergrowth of that kind, ívbìì èvá two vine clusters.

ívbìòìsà *n* small, reddish worm [associated with new yam harvest] ívbìòìsà èvá two small reddish worms. cf. ívbì offspring of, òìsà supreme deity.

ívbìòìsà *n* angels, ívbìòìsà èvá two angels, élí ívbíóísá áìn those angels. ívbìòìsà óọ̀. It's angels. cf. óvbìòìsà angel.

ìvbìvbíá *n* grandchildren, ìvbìvbíá èvá two grandchildren. cf. ívbì offspring of, ívbìà children.

ìwákàtí *n* moment, hour [Hausa] ìwákàtí èvá two hours.

ìwàwà *n* earthen pots, ceramic soup pots. cf. ùwàwà earthen pot.

ìwàyó *n* phony [Hausa] ìwàyó éliyọ́ phony of that kind, óíá ísì ìwàyó phony person. ìwàyó óọ̀. He's a phony.

ìwè *n* dwelling, house, place of residence, íwé éliyọ́ house of that kind, ìwè èvá two houses, íwé ísì ìkpàtáísí multi-storied house, íwé ísì òọ́khọ̀ chicken cage.

íwèéà *n* triplets. ólí ókpósó áìn mọ̀è ìwèéà. That woman has triplets. cf. wee to arrange in piles, èéà three.

íwèélè *n* quadruplets. àlèkè mọ̀è íwèélè. Aleke has quadruplets. cf. wee to arrange in piles, èélè four.

ìwèké̱ *n* second hand, used item, ìwèké̱ éliyọ́ used item of that kind, ìwèké̱ èvá two used items.

ìwèléwèlé *n* sanitary inspector [Yoruba] ìwèléwèlé rìì vbì ìwè. A sanitary inspector is in the house.

íwèvà *n* twins. **àlèkè mòè íwèvà.** Aleke has twins. cf. **wee** to arrange in piles, **èvá** two.

iwé *n* land that is fallow but was tilled earlier, **ìwé élìyó** fallow land of that kind, **ìwé èvá** two tracts of fallow land.

iwìàìnì *pstv adv* violent, smashing sound of a hitting activity. **ú hóní iwìàìnì.** You heard a violent, smashing sound. **ó fí égbé vbí ótói iwìàìnì.** He hit his body on the ground with a smash. He smashed his body on the ground. **ó hían égbé vbí ótói iwìàìnì.** He struck his body on the ground with a smash. **ó róó égbè hían vbí ótói iwìàìnì.** He picked up a body and struck it on the ground with a smash.

iwìlì *n* wheel, **ìwíílí élìyó** wheel of that kind, **ìwìlì èvá** two wheels.

iwìndò *n* window, **ìwííndó élìyó** window of that kind, **ìwìndò èvá** two windows.

iwóò *pstv adv* intense sound resulting from hitting activity. **ìwóò, ó hían úkpàsánmì kú ó vbì òtòì.** With a smack, he struck his cane over the ground. cf. **wóò** smacking sound.

iwówó' *n* peers, playmates, **ìwówó' òjè** Oje's peers, **ìwówó' é** your peers. **ìwówó' ói rìì vbì iwè.** His peers are in the house.

iyàìn *pro* they [third person plural emphatic] **ìyàìn lí yán gbé ólí ófè.** It was they who killed the rat.

íyàìn *pro* them [third person plural direct object] **àlèkè gbé íyàìn.** Aleke killed them.

íyàìn *pro* them [third person plural indirect object] **àlèkè nwú émà ní íyàìn.** Aleke gave yam to them.

ìyáín *pro* their [third person plural genitive] **ólí ókpósó áìn dá ényó ísì ìyáín.** That woman drank their wine.

ìyàìn *pro* they [emphatic third person plural logophoric] **élí ímóhé ré é khì ìyàìn lí yán gbé ólí ófè.** The men said that it was they who killed the rat.

íyàìn *pro* them [third person plural logophoric direct or indirect object] **élí ímóhé ré é khì àlèkè fí íyáín émí vbí úhùnmì.** The men said Aleke hit them on the head with something. **élí ímóhé ré é khì àlèkè nwú émà ní íyàìn.** The men said Aleke gave yam to them.

ìyáín *pro* their [third person plural logophoric for genitive] **élí ímóhé ré é khì àlèkè dá ényó ísì ìyáín.** The men said that Aleke drank their wine.

ìyàó *n* progress, **ìyàó ísì àfúzé'** Afuze's progress. **ìyàó óò.** It's progress. cf. **ye àó** to move forward.

ìyèké *n* sugar cane, **ìyèké èvá** two sugar cane stalks.

ìyèkóvbìògúé' *n* edible cane species growing along streams, **ìyèkóvbìògúé' èvá** two edible canes. cf. **ìyèké** sugar cane, **óvbìògúé'** humble person.

ìyèkúùzón *n* swamp sugar cane, **ìyèkúùzón èvá** two swamp sugar cane stalks. cf. **ìyèké** sugarcane, **ùzón** Ijaw people.

ìyèì *n* earring, **ìyèì élìyó** earring of that kind, **ìyèì èvá** two earrings; **lie ìyèì** *tr* to collect earrings (*CPA, CPR, C, *H) **ólì òkpòsò líé ìyèì**. The woman collected her earrings. **lìè ìyèì ísì èé**. Collect your earrings.; *lie ìyèì ku a*, **ólì òkpòsò líé ìyèì kú à**. The woman misplaced her earrings.; *lie ìyèì li*, **ólì òkpòsò líé ìyèì lí àlèkè**. The woman gave earrings to Aleke.; *lie ìyèì o*, **ólì òkpòsò líé ìyèì ó vbí éhòn.** The woman put on her earrings.; *lie ìyèì re*, **ólì òkpòsò líé ìyèì ré**. The woman brought her earrings.; *lie ìyèì shoo vbi re*, **ólí ókpósó áìn líé ìyèì shóó vbí éhòn ré**. That woman removed her earrings way off her ear.; *lie ìyèì vbi re*, **ólí ókpósó áìn líé ìyèì vbí éhòn ré**. That woman removed her earrings from her ear.; *lie ìyèì ye*, **ò líé ìyèì yé àlèkè**. She took earrings to Aleke.

ìyèyé *n* unimportant trivialities, uselessness. **ìyèyé lí ó ò kpòkpò óì**. It is trivialities that are his shortcoming.; **de ìyèyé** *tr* to be unimportant, trivial (*CPA, CPR, *C, *H) **òjè dé ìyèyé**. Oje is a nobody. lit. Oje reached trivialness.

íyì *n* edict, declaration, command, resolution, decree, **íyí élìyó** edict of that kind, **íyì èvá** two edicts. **ò yí íyì**. He declared an edict.; **re íyì o vbi òtòì** *tr* to establish a decree (CPA, CPR, *C, *H) **óbá' ré ólí íyì ó vbì òtòì**. The Oba established the decree. lit. The Oba assigned the decree onto the land. cf. **yi** to declare.

ìyòò *n* gum area of mouth, **íyóó ísì àlèkè** Aleke's gums.

ìyóóbá *n* Yoruba people and language. **áléké ó ò zè ùróó ìyóóbá**. Aleke speaks Yoruba.

ìyòyò *n* small, tin balls with metal pieces inside [strung together and worn around wrist or ankle] **íyóyó élìyó** tin jingling balls of that kind, **ìyòyò èvá** two tin jingling balls. **íyóyó rì vbì ò**. There're the jingling balls.

ìyó *pstv adv* in that way, like that, so [distal manner deictic function] **ójé é ólí émáé ìyó**. Oje ate the food that way. **ìyó lí ó í é ólí émàè**. It was that way that he ate the food. **ébé' ó í é ólí émàè?** How did he eat the food?; ~ *prev adv* in that way, like that [distal manner deictic function] **ólí ómóhé íyó hían ólí óràn**. The man cut the wood that way. cf. **ìná** this way.

ìyòdán *n* difference. **ìyòdán í ì è vbí ò**. There is no difference. lit. A difference is not in it. cf. **ye** to move toward, **ódàn** different kind.

ìyọ̀ìn *pro* he [third person singular emphatic] ìyọ̀ìn lí ọ́ gbé ọ́lí ófè. It was he who killed the rat.

ìyọ̀ìn *pro* he [third person singular logophoric emphatic] ójé rẹ́ ẹ́ khì ìyọ̀ìn lí yọ́n gbé ọ́lí ófè. Oje said that it was he who killed the rat.

íyọ̀ìn *pro* him [third person singular logophoric for direct and indirect object] ójé rẹ́ ẹ́ khì òhí gbé íyọ̀ìn. Oje said that Ohi beat him. ójé rẹ́ ẹ́ khì òhí nwú ọ́lí émà ní íyọ̀ìn. Oje said that Ohi gave the yam to him.

ìyọ́ín *pro* his, her [genitive third person singular logophoric] ójé rẹ́ ẹ́ khì òhí dó émà ísì ìyọ́ín nwú. Oje said that Ohi stole his (Oje's) yam.

ìyùnìvásí'tì *n* university, ìyùnì-vásí'tì èvá two universities.

ìzà *n* dwarf chicken for special sacrifices [folk belief that protects house from evil spirits] ízá élìyọ́ dwarf chicken of that kind, ìzà èvá two dwarf chickens, ókpìzà cock of dwarf chicken.

ízà *n* side and back of foot area, heel of the foot; rẹ ízà gbe to trample, kill with the heel (CPA, CPR, *C, *H) òjè rẹ́ ízà gbé ófè. Oje trampled a rat with his heel. Oje killed a rat with his heel.; rẹ ízà o *tr* to step onto. ọ́lì òkpòsò rẹ́ ízà ọ́ ọ́í vbì úkpìrìàì. The woman stepped on its tail. lit. The woman put her heel on its tail. rè ízà ọ́ òhí

vbì àwẹ̀. Step onto Ohi's feet.; *rẹ ízà teen nye* to trample, press on (CPA, CPR, C, H) ò rẹ́ ízà téén ọ́ì nyẹ́. He trampled on her. lit. He used his heel to press on her. òjè rẹ́ ízà téén òhí nyẹ́ vbì òtọ̀ì. Oje pressed Ohi down against the ground with his heel. rè ízà téén ọ́ì nyẹ́ vbì òtọ̀ì. Press him down against the ground with your foot. cf. ìkhìmìzà footfall.

ìzèzé *n* affairs, matters, activities, ìzèzé ísì òjè the affairs of Oje; la ìzèzé *tr* to be preoccupied with a matter (*CPA, *CPR, C, H) òjè ọ̀ ọ́ là ìzèzé. Oje is preoccupied with matters. lit. Oje is flowing with matters. ò ọ́ là ìzèzé ísì òvbí ọ́ì. He's preoccupied with his child's matter. ìzèzé ísì ìsìkúù lí ójé ọ́ ọ̀ lá. It is the affairs of school that preoccupy Oje. yà lá ìzèzé ísì ìvbíá ẹ́. Get focused on your children.; *kpayẹ la ìzèzé*, ọ̀ ọ́ kpàyẹ̀ òjé là ìzèzé. He is preoccupied with Oje. ọ̀ ọ́ kpàyẹ̀ òjé là ìzèzé ísì òvbí ọ́ì. He is preoccupied with Oje's children.

ízèwàìn *n* wisemen, advisers. cf. ózèwàìn wiseman.

ìzìènègbè *n* patience; mọe ìzìèn-ègbè *tr* to have patience [only in negative constructions] ọ́lí óvbékhán áìn í ì mòè ìzìèn-ègbè. That youth is impatient. That youth does not have patience. cf. zìen to be patient, égbè body.

ízó' *n* antelopes. cf. úzó' antelope.

ìzòbò *n* traditional sacrifice put at a cross road, roadside or under an iroko tree, ízóbó élìyó sacrifice of that kind, ìzòbò èvá two sacrifices. cf. ze to make sacrifice, òbò appeasement to witches and wizards.

J

jáhí *pstv adv* raw, blood-red color. ólí úkpùn ò ó vbàè jáhí. The cloth is a raw red. ébé' ó í rîì? How is it?

jaja *v intr* to be energetic, athletic, sprite (*CPA, *CPR, *C, H) ólí ókpósó ó ò jàjá. The woman is energetic.

jájághá *adj* extremely dry and delicate, órán lì jájághá the crisply dry tree. ólí óràn ú jájághá. The tree is crisply dry. ébé' ó í rîì? How is it?

járáán *pstv adv* dinging sound of a metal object. ú hóní járáán. You heard a dinging sound. ólì àgógó' róóí járáán. The bell sounded a ding. The bell made a dinging sound.; ~ *adj* dinging sound of a metal object. ólì àgógó' ú járáán. The bell dinged.

jáún *pstv adv* charred condition resulting from a burning activity. íwé ísì òì tóó kù á jáún. His house burned to a complete char. His house burned up completely. ó tóó á jáún. It burned to a charred state. ébé' ólí ógó í tòò sè? To

what extent did the bush burn?; ~ *adj* charred. ólí íwé ú jáún. The house was charred.

je *v intr* to laugh (CPA, CPR, C, H) ólí ómóhé jéì. The man laughed. yàn bí ólì òkpòsò ò ó jé. He and the woman were laughing. yà jé. Start laughing.; *je ku a*, òjè ò ó jé kù á. Oje is laughing away.; je *tr* to laugh at. òjè ò ó jè ólì òkpòsò. Oje is laughing at the woman. yà jé ólì òkpòsò. Start laughing at the woman.

je ghoo *intr* to smile at (*CPA, *CPR, C, H) òjè ò ó jé ghòò òhí. Oje is smiling at Ohi. lit. Oje is laughing and looking at Ohi.

jee *v intr* to pierce, penetrate, pass through (CPA, CPR, C, H) ólì ìshé jééì. The nail has penetrated. The nail punched through. ólì ìshé jééí vbí áyé nóì. The nail has penetrated to the other side.; *jee re*, ólì ìshé jéé ré. The nail pierced through. The nail has come out.

jénjén *pstv adv* absolutely crisp condition. ò ánmé éhéén jénjén. He fried the fish to a crisp.; ~ *adj* crisp. ólí éhéén ú jénjén. The fish is crisp. éhéén lì jénjén the crisp fish. ébé' ó í rîì? How is it?

jin *v intr* to shine, glitter (*CPA, *CPR, C, H) ólí úbélàsí ò ó jín. The snuff gourd is shining.; *jin ku a*, ólí úbélàsí ó ò jín kù á. The snuff gourd shines all over.

K

ka *v intr* to be dry (*CPA, CPR, *C, *H) ólí úkpùn káì. The cloth is dry.; *ka lee*, úkpún mè ká léé ísì òjè. My cloth is dryer than Oje's.; *hua ka* to put to dry (CPA, CPR, *C, *H) ò húá ìwàwà ká. He put cooking pots to dry. hùà ìwàwà ká. Put cooking pots to dry.; *nwu ka* to put to dry. ò nwú úkpùn ká. He put clothes to dry.

ka *aux* may have [epistemic modal function] ójé ká ú ìyó. Oje may have done so.

kaa *v intr* to anticipate, expect [non-affirmative, non-declarative constructions] *kaa o vbi o*, òjè í ì kàá ò vbí ó khì òhí ló vàré. Oje did not anticipate that Ohi will come. ó ì kàá ò vbì ò. He didn't expect it.

kaa è̩ò a *tr* to be attentive, observant, watchful [restricted to non-affirmative, non-declarative constructions] ólí ómòhè í ì kàà è̩ó à. The man was not attentive. lit. The man did not attend with his eyes. kàà è̩ò á. Be watchful. kàà è̩ò á, ù kpè̩ fán úkpódè̩ zé̩. Look around before you cross the road.

kaan *v tr* to snipe at, deride, complain about (*CPA, *CPR, C, H) òjè ò̩ ó kààn òhí. Oje is deriding Ohi. é è kè káán òhí. Don't complain about Ohi anymore.; *re è̩zón kaan* to complain to about (CPA, CPR, C, *H) òhí ré è̩zó̩n káán òjè.

Ohi made a complaint to Oje over something. Ohi complained to Oje about the case. òhí ré è̩zó̩n mè̩ káán òjè. Ohi complained to Oje about me.

kaan *v tr* to disinterest (CPA, CPR, *C, *H) ólí émàè káán òjè. The food no longer interested Oje. lit. The food complained to Oje. ó̩lì ìnyè̩mì káán mè̩. The affair disinterested me.

kaan *v tr* to concern, engage, attract (*CPA, CPR, *C, *H) ó̩lì è̩mò̩ì káán mè̩. The matter concerned me. lit. The matter complained to me. ò káán mè̩. It was my business.

káé *pstv adv* high-pitched pinging sound resulting from striking a hard object. ú hó̩ní káé. You heard a ping. ó̩lí óvbékhán hián ò̩ì ó vbí èvá óéghé káé. The youth cut it into two with a pinging sound.; ~ *adj* pinging sound from striking hard object. ó̩lí ó̩píá ú káé. The cutlass made a pinging sound. cf. **káí** higher-pitched pinging sound.

káí *pstv adv* high-pitched sound resulting from striking a hard object. ú hó̩ní káí. You heard a ping. ó̩lí óvbékhán hián ò̩ì ó vbì èvá óéghé káí. The youth cut it into two with a high-pitched pinging sound.; ~ *adj* pinging sound from striking a hard object. ó̩lí ó̩píá ú káí. The cutlass made a pinging sound. cf. **káé** less high-pitched pinging sound.

kaka *v intr* to become dry, hard, stiff (CPA, CPR, *C, *H) ọ́lì úkpùn kákáì. The cloth dried. The cloth is dry. ọ́lí óràn kákáì. The wood is hard. ọ́lì ẹ̀màì kákáì. The wound is dry.; *kaka a*, ọ́lì ẹ̀màì káká à. The wound dried up. ọ́lì ìbùréèdì káká à. The bread dried up.; *kaka ku a*, ọ́lí óràn káká kù á. The tree was dry. throughout. ọ́lì ìbùréèdì káká kù á. The bread dried out.; *kaka lee*, óràn mẹ̀ káká lẹ́ẹ́ ísì òjè. My wood is harder than Oje's.; **kaka** *tr* to dry, harden. *kaka a*, òvọ̀n káká ọ́lí ìbúréèdì á. The sunshine dried out the bread.; *ze̱ kaka*, òvọ̀n zẹ́ ọ́lì ìbúréédí káká. Sunshine allowed the bread to harden. cf. **ka** to be dry.

kaka *a intr* to be haggard looking (CPA, CPR, *C, *H) ọ́lí ọ́mọ́hé káká à. The man became haggard looking. lit. The man dried up.

kaka ábọ̀ vbi úlà *tr* to run with intensity (CPA, CPR, *C, *H) é káká ábọ́ vbí úlà. They intensified their running. lit. They stiffened their hands at running.

kàká *pstv adv* absolute degree of restraint. ọ́lí ọ́mọ́hé ọ́ ọ̀ wàà àsí kàká. The man refrains from snuff absolutely. cf. **kaka** to be hard.

kàkégbè *prev adv* perseveringly. ọ́lí ọ́mọ́hé kákégbè é ọ́lí émàè. The man ate the food by persevering. cf. **kaka égbè** to stiffen body.

kalo̱ *v tr* to clean by rubbing or wiping (*CPA, *CPR, C, H) òjè ọ̀ ọ́ kàlọ̀ ìtébù. Oje is cleaning the table. kàlọ̀ ìtébù. Clean the table.; *kpaye̱ kalo̱*, ọ̀ kpáyẹ́ òjè kálọ́ ìtébù. He helped Oje clean the table.; *re̱ kalo̱*, ọ̀ ọ́ rè ẹ̀sọ́nkpún kàlọ̀ ìtébù. He is using a rag to clean the table.; *kalo̱ a*, ọ̀ kálọ́ ábọ̀ à. He cleaned off his hands. ọ̀ kálọ́ ìtébù á. He cleaned off the table.; *kalo̱ o*, ọ̀ kálọ́ ábọ̀ ọ́ vbì ùdékèn. He cleaned his hands onto the wall.

kalo̱ *v tr* to rub, wipe (CPA, CPR, C, H) *kalo̱ o*, ọ̀ kálọ́ évbìì ọ́ vbì ìtébù. He rubbed oil onto the table. ọ̀ kálọ́ ìsọ̀n ọ́ vbì àgá. He rubbed feces onto the chair.; *kalo̱ shoo vbi re*, ọ̀ kálọ́ ìfúláwà shọ́ọ́ vbì ìtásà ré. He rubbed flour way off the plate. He removed flour from the table.; *kalo̱ vbi re*, ọ̀ kálọ́ évbíí vbì ìtébù ré. He rubbed oil from the table. ọ̀ kálọ́ ìfúláwá vbì ìtásà ré. He rubbed flour from the plate.

kalo̱ *v tr* to trim, cut, barb (CPA, CPR C, H) ọ̀ kálọ́ étò. He trimmed his hair. ọ́ó kàlọ̀ étò. Go to trim your hair.; *kpaye̱ kalo̱*, ọ̀ kpáyẹ́ òjè kálọ́ étó ísì ọ̀í. She trimmed Oje's hair for him.; *re̱ kalo̱*, ọ̀ rẹ́ àmúgá mẹ̀ kálọ́ étò. He used my scissors to trim his hair.

kanye *v tr* to clasp, latch (CPA, CPR, C, H) *kanye shoo vbi re* to unclasp, unlatch, loosen from. ò kányé òú shóó vbì ùrùn ré. He removed the thread away from his neck. òjè kányé ólí ómóhé óbò shóó vbì ùrùn ré. Oje unclasped the man's hand from his neck.; *kanye vbi re* to unclasp, loosen from. ò kányé òú vbì ùrùn ré. He unclasped the thread from his neck. He removed the thread from his neck. òjè kányé ólí ómóhé óbó vbì ùrùn ré. Oje unclasped the man's hand from his own neck.

káó *pstv adv* sharp, low-pitched pinging sound resulting from contact between two hard objects. ú hóní káó. You heard a low-pitched pinging sound. ó hían óí úhùnmì á káó. He cut off her head with a pinging sound.; ~ *adj* low-pitched pinging sound of contact between two hard objects. ólí ópíá ú káó. The cutlass made a low-pitched pinging sound. cf. **káé** high-pitched pinging sound, **káí** higher-pitched pinging sound.

kaoghoo *v tr* to look at, watch, stare at intensely (CPA, *CPR, C, H) òjè ò ó kàóghòò òlí ómòhè. Oje is looking at the man. kàòghóó ólí ómòhè. Look at the man. cf. **kawo** to look at. cf. **kaa** to expect.

kátákátá *pstv adv* stomping fashion. ò ó gbè àwé vbí ótóí kátákátá. He is hitting his legs on the ground in a stomping fashion. He is stomping his feet on the ground. cf. **kítíkítí** stomping fashion.

kawo *v tr* to look at intensely (CPA, *CPR, C, H) ólí ómóhé káwó ólí ókpósó òdè. The man looked at the woman yesterday. kàwó ólì òkpòsò. Look at the woman. cf. **kaoghoo** to look at.

kawo ghoo *tr* to imagine [only in imperative constructions] kàwó óì ghóó. Imagine him. cf. **kaa** to expect. cf. **kaoghoo** to look at.

ke *aux* afterward, subsequently, thereafter, eventually, anymore [relative tense function] ólí ómóhé ké é ólí émàè. The man subsequently ate the food.; **ke** *aux* after [relative tense subordinating function] ólí ómòhè kéè é ólí émàè, ó ráálè. After the man ate the food, he left.

kédé, kédékédé *pstv adv* extremely small portion, in bits. ó ráá ùdékèn á kédé. She smoothened her own bit of the wall. ó hían ólí órán kédé. He cut the wood into bits. ébé' ó í hían óì? How did he cut it?; ~ *adj* extremely small portion, bits. ólí órán ú kédé. The wood is in small bits. órán lì kédé the small bit of wood. ébé' ó í rìì? How is it?

kédégbé *pstv adv* sudden manner. óáín róó évíé kédégbé. That one burst into tears suddenly.

kèké *pstv adv* irregular, here and there, patched fashion. ó gbé ósà ó vbí égbé kèké. He put soap onto his body in irregular patches.; ~ *adj* patched condition. ólí úkpún ú kèké. The cloth is patchy (with dirt). ébé' ó í rîî? How is it?

kélédé *pstv adv* sudden, bouncing manner of a falling action. ólí ómòhè dé ó vbí ótói kélédé. The man fell onto the ground in a bounce. The man bounced onto the ground. ú míéí kélédé. You sensed a bouncing. cf. kélégbé bouncing fashion.

kélégbé *pstv adv* bouncing manner of a falling action. ò róó òjè gbé vbí ótói kélégbé. He brought Oje to the ground with a bounce after picking him up. ú míéí kélégbé. You sensed a sudden bounce. cf. kélédé bouncing fashion.

kéré, kékéré *pstv adv* temporally brief state. ólì òbìà kóó ré kéré. A bit of work remains. ékà ó kóó rè? How much of it remains?;~ *adj* temporally brief state. ólì òbìà ú kéré. The work is brief. ébé' ólí óbíá í gbà sé? How much work remains?

kéré, kékéré *adj* small in size [of inanimates] ólì èkpà ú kéré. The bag is small. ékpá lì kéré the small bag, émá lì kéré the small-sized yam. ólí émà ú kéré. The yam is small in size. ébé' ólí ékpá í rîî? What size is the bag?

kéré, kékéré *adj* small in size [of animates] ólí óvbèkhàn ú kéré. The youth is small in size.

kéré, kékéré *adj* young age. óvbékhán lì kéré the young person.

kéré, kékéré *adj* small in quantity. ìéèsì lì kéré a small amount of rice. ìéèsì ú kéré. The rice is a small amount. émá lì kéré a small quantity of pounded yam. ólí émá ú kéré. The pounded yam is small in quantity. ò ó tà ètá kékéré. She is speaking a bit. ébé' ó í bùn sé? How plentiful is it?

kere *v intr* to be small; *kere o vbi o* to get smaller (*CPA, CPR, C, *H) éfé ísì òí ò ó kèré ò vbì ò. His wealth is diminishing. ólí émà ò ó kèré ò vbì ò. The quantity of yam is getting diminished.

kea *v tr* to be quick, fast, early (CPA, CPR, *C, H) ò kéá òjè. Oje was quick. éhéní úmòémí ó ò kèà àléké gbé. Telling lies comes too quickly to Aleke. Aleke is too quick to tell lies. étá útàmí í yà kèà òjé. Speaking is never easy for Oje. Oje is taciturn. lit. Speaking never comes quickly to Oje. cf. kia to be quick.

kea *v compl tr* to happen quickly, happen too late (CPA, CPR, *C, *H) ò kéá ójé rè dá ólí ényò léé. It is too late since Oje has already drunk the wine. cf. kia to be quick.

kéé *pstv adv* motionless, absolutely still state. **ó ré óìmì ó vbí ótóí kéé.** He died. lit. He put his body into the ground motionlessly. **ó ghé rì vbí ááín kéé.** He was just there motionless.

kèkèéèkèéè *inter* cock-a-doodle-do.

kékéké *pstv adv* extremely bright, dazzling white. **ólí úkpún ó ò fùàn kékéké.** The cloth is dazzling white. **ébé' ó í rí?** How is it?

kékéké *pstv adv* for a long time, continuously. **ólí óvbékhán víéí kékéké.** The youth continuously cried. **ébé' ólí óvbèkhàn í víé téé sé?** How long did the youth cry?

kémíkémí *pstv adv* discrete, cautious fashion. **ò ó shàn kémíkémí.** He is proceeding discretely. He is moving along discretely.

ken *v tr* to divide, share, split among individuals (CPA, CPR, C, H) **élí ímòhè kén ólì ògèdè.** The men shared the plantain. **òjè kén ólí úkpùn.** Oje divided the cloth. **kèn òlí émà.** Divide the yam.; *ken li,* **ò kén émà ní íyàìn.** He apportioned pounded yam among them. **ó ló kèn òtòì lí ívbíá óì.** He will divide his land among his sons.; *ken o,* **ò kén éfé ísì òí ó vbí òdè èvá.** He divided his wealth in two.; *ken ye,* **ò kén émà yé òhí.** He divided the yam and took it to

Ohi.; *ken gha óbò,* **yàn kén émà ghá égbé óbò.** They apportioned yam among each other. They divided yam proportionately among themselves.

kenhen *v intr* to cough, clear the throat (CPA, CPR, C, H) **òjè kénhéní.** Oje coughed. **é è kè kénhén.** Don't cough anymore.; *kenhen ku a,* **òjè kénhén kù á.** Oje cleared out his throat.; *kenhen ku o,* **òjè kénhén kú ó vbí émàè.** Oje coughed all over the food.

kenno *v tr* to divide items (*CPA, *CPR, C, H) **ò ó kènnò íkpùn.** He is dividing clothes.; *kenno li,* **ò kénnó íkpùn ní íyàìn.** He divided clothes among them. He apportioned them clothes. cf. **ken** to divide, **-no** DS.

kenno *intr* to shred, disintegrate (CPA, CPR, *C, *H) *kenno a,* **ólí úkpúì kénnó á.** The rope shredded.; *kenno ku a,* **ólí úkpùn kénnó kù á.** The cloth got shredded into bits.; *kenno ku o,* **ólí úkpúì kénnó kú ó vbí úkpódè.** The rope got shredded all over the road.; **kenno** *tr* to shred (*CPA, CPR, *C, *H) *kenno a,* **òjè kénnó ólí úkpúì á.** Oje shredded the rope. **é è kénnó ólí úkpúì á.** Don't shred the rope.; *kenno ku a,* **òjè kénnó ólí úkpúì kú à.** Oje shredded the rope all over.; *kenno ku o,* **òjè kénnó úkpúì kú ó vbí úkpódè.** Oje shredded rope all over the road. cf. **ken** to divide.

kènnòkénnó *adj* shredded condition. **ólí úkpúí ú kènnòkénnó.** The rope is shredded. **úkpúí lì kènnòkénnó** the shredded bits of rope. **ébé' ó í rîì?** How is it? cf. **kenno** to shred.

kétè *ideo* sense impression of alternating foot movement in running. **ú míéí kétè.** You sensed the running. **yán à lá. kétè. kétè.** They run. Running. Running.

ki *comp* it is not [negative focus function] **ólí émà kí ójé ló shèn.** It isn't the yam that Oje will sell. cf. **li** affirmative focus function.

ki *comp* isn't it the case that [sentence negation function] **kí áléké éénì?** Isn't it the case that Aleke knew? **kí ólí ómóhé hián ólí óràn?** Isn't it the case that the man cut the wood?

kia *v tr* to move quickly, be prompt (CPA, CPR, *C, H) **ò kíá àlèkè.** Aleke was prompt. It moves quickly with Aleke. **óshán ó ò kìà ìvbíá òjè.** Walking comes quickly to Oje's children. Oje's children walk at an early age. **émí úsìnmí ó ò kìà òlí ómóhé gbé.** Denying things comes too quickly to the man. cf. **kea** to be quick.

kia *v compl tr* to happen quickly, happen too late (CPA, CPR, *C, *H) **ò kíá ólí ókpósó rè gbé ólí ófè léé.** It is too late for the woman has already killed the rat. **ò kíá ólí ókpósó rè gbé ólí ófè léé, ámé kpé bèè.** It quickly happened that the woman finished killing the rat before the rain started. **yà shán lí ó ì kìà òkhóín rè ó vbì èvbòò ré.** Start going so that fighting will not quickly enter the village. cf. **kea** to be quick.

kian *v intr* to disappear (CPA, CPR, *C, *H) **ólí ómòhè kíánì.** The man disappeared. cf. **chian** to disappear.

kino *v tr* to permeate, saturate adequately, sufficiently (CPA, CPR, *C, *H) **ólí úmèè kínó òmì.** The salt is enough for the soup. **ísíéín kínó ólì òmì.** The pepper is adequate for the soup. **ìshúgà kínó ólì ìtîì.** There is enough sugar in the tea. The sugar is sufficient for the tea.

kino *v tr* to saturate, permeate with information, publicize (CPA, CPR, *C, *H) **ólì ìnyèmì kínó évbóó èrèmé.** The matter has gone around the whole village. The affair has saturated the village. **ínyémí ísì òjè kínó òéé' èrèmé.** Oje's matter is all over the township.

kino égbè *tr* to be overtaken with a plight (CPA, CPR, *C, *H) **òyà kínó ójé égbè.** Oje's plight has overtaken him. lit. A plight saturated Oje's body.

kísín, kíkísín *adj* tiny in size [of humans] **ólí ómò ú kísín.** The child is tiny. **ómó lì kísín** the tiny child. **ébé' ó í rîì?** How is she?

kísín, kíkísín *adj* very small amount, quantity. ọ́lí émá ú kísín. The yam is very meager. ébé' ọ́ í bùn sẹ́? How plentiful is it?

kítíkè̱ *ideo* sense impression of galloping. ọ̀ nwú órán ísì ọ̀í. kítíkè̱. He carried his wood. Galloping. ú míẹ́í kítíkè̱. kítíkè̱. You sensed galloping. Galloping.

kítíkítí *pstv adv* stomping fashion. yán à là kítíkítí. They run in a stomping fashion. They stomp along. cf. kátákátá stomping fashion.

kóíkóí *pstv adv* brisk, fast pace. ọ́lí ọ́mò̱hè̱ ọ̀ ọ́ è ọ̀lí émáé kóíkóí. The man is eating the food briskly. ébé' ọ́lí ọ́mọ́hé í é ọ́lí émàè? How did the man eat the food?

koko *v tr* to gather, bring together (CPA, CPR, C, H) ọ̀ kókó èràìn. He prepared a fire by gathering coals. kòkò èràìn. Gather (coals for) a fire.; *kpaye̱ koko*, ọ̀ kpáyé ọ̀jè kókó èràìn. He helped Oje make a fire.; *koko li*, ọ̀ kókó èràìn lí ọ́lì ọ̀kpòsò. He gathered coal for the woman, making a fire. He made a fire for the woman.; *koko o̱*, ọ̀ kókó èràìn ọ́ vbí íù. He made a fire in the hearth.; *eche koko* to call together (CPA, CPR, *C, *H) ọ̀jè éché ívbí ọ̀ì kókó. Oje called his children together. Oje gathered his children by calling them.

Oje called his children and gathered them. èchè íyàìn kókó. Call them together.; *kpaye̱ eche koko*, ọ̀ kpáyé ọ̀jè éché íyàìn kókó. He helped Oje call them together. cf. si koko to bring together.

koko *v tr* to save (CPA, CPR, C, H) ọ́lí ókpósó kókó éghó'. The woman saved money. The woman gathered her money; *kpaye̱ koko*, ọ́lí ókpósó lọ́ kpàyè̱ ọ́lì ọ̀nwìmè kókó éghó'. The woman will help the farmer save money.; *koko li*, ọ́lí ókpósó lọ́ kòkò éghó' lí ọ́lì ọ̀nwìmè. The woman will save money for the farmer.

koko *v tr* to close (CPA, CPR, C, *H) ọ̀jè kókó èkpà. Oje closed his fist. Oje made a fist. ọ̀ kókó è̱ò. She closed her eyes. kòkò è̱ò. Close your eyes.; *koko re*, ọ̀ kókó óbọ̀ ré. He closed up his hand.

kòkóó *greeting* farewell, bon voyage.

kòkòróòkòóó *inter* cock-a-doodle-do.

koo *v intr* to honeymoon (*CPA, *CPR, C, H) yàn á kòó. They are honeymooning.; *re̱ koo*, ọ́ lọ́ rè ákhè kóó vbí úkòòmí. He will use a pot to honeymoon.

kóó *pstv adv* excessive manner of caring. yán nyá ọ́lí ọ́mọ̀ kóó. They pampered the child excessively.

ko̱ *v tr* to stroll (*CPA, *CPR, C, H) ọ̀jè ọ̀ ọ́ kò̱ òwàà. Oje is strolling on a direct course.; *ko̱ raale̱*, **ò̱ kó̱ ò̱wàà ráálè̱**. He strolled away on a direct course.; *ko̱ ye*, **ò̱ kó̱ ò̱wàà yé ókhúnmí òéé'**. He strolled on a direct course to the upper part of the village.

ko̱ *v tr* to plant, insert seed (CPA, CPR, C, H) **ò̱ kó̱ ókà**. He planted maize. **kò̱ ìbèlè̱**. Plant gourds.; *kpaye ko̱*, **ò̱ kpáyé̱ òjè kó̱ ìbèlè̱**. He helped Oje plant gourds.; *re ko̱*, **ò̱ ó rè̱ òpíá mé kò̱ ókà**. He is using my cutlass to plant maize.; *ko̱ ku o̱*, **ó kó̱ ìbèlè̱ kú ó vbí ímè̱**. He planted gourds all over the farm.; *ko̱ o̱*, **ò̱ kó̱ ìbèlè̱ ó vbí ímè̱**. He planted gourds on the farm.; *re ko̱* to get planted (CPA, CPR, *C, *H) **ò̱ ré̱ ókà kó̱**. He got the maize planted.

ko̱ égbè ísì ò̱tó̱í bí òkhùnmì *tr* to curse oneself extensively (*CPA, *CPR, C, H) **ò̱ ó kò̱ ègbé ísì ò̱í ò̱tò̱ì bí òkhùnmì**. He is cursing himself up and down. lit. He is cursing himself with the earth and sky.

ko̱ é̱ò̱ *tr* to curse, invoke a fetish (*CPA, *CPR, C, H) **òhí ò̱ ó kò̱ é̱ò̱**. Ohi is cursing. Ohi is invoking a fetish.; *re ko̱ é̱ò̱*, **ò̱ ó rè̱ ùdó kò̱ é̱ò̱**. He is cursing on a stone. He is using a stone to invoke a fetish.

ko̱ é̱ò̱ *compl tr* to curse, invoke with a fetish (*CPA, *CPR, C, H) **òhí ò̱ ó kò̱ òjé é̱ò̱**. Ohi is cursing Oje with a fetish. Ohi is

invoking a fetish on Oje. **ò̱ ó̱ kò̱ égbé̱ ó̱í é̱ò̱**. He is cursing himself.

ko̱no *v tr* to pick, pluck, harvest leafy plants (CPA, CPR, C, H) **òjè ò̱ ó kò̱nò̱ ìsíé̱ìn**. Oje is picking peppers. **kò̱nò̱ ìsíé̱ìn**. Pick peppers.; *kpaye ko̱no*, **ò̱ ó kpàyè̱ òjé kò̱nò̱ ìsíé̱ìn**. He is helping Oje pick peppers.; *ko̱no li*, **ò̱ kó̱nó̱ ísíé̱ìn lí ó̱lì òkpòsò**. He picked peppers for the woman.; *ko̱no re*, **ò̱ kó̱nó̱ ísíé̱ìn ré̱**. He picked peppers and brought them.

koo *v tr* to count (CPA, CPR, C, H) **ó kó̱ó̱ è̱kpà ò̱kpá ísì éghó'**. He counted one bag of money. **ó̱lì òkpòsò ò̱ ó kò̱ò̱ è̱lí émà**. The woman is counting the yam. **kò̱ò̱ è̱lí émà**. Count the yam.; *kpaye koo*, **ò̱ kpáyé̱ òjè kó̱ó̱ é̱lí émà**. She helped Oje count the yam.; *koo o̱*, **ó kó̱ó̱ émà ó vbì ò̱tò̱ì**. He put yam onto the ground, counting it.

koo *v tr* to read, recite (*CPA, *CPR, C, H) **òjè ò̱ ó kò̱ò̱ ébè**. Oje is reading a book. **kò̱ò̱ ò̱lí ébè ò**. Read the book, oh. **yà kó̱ó̱ ébè**. Start reading a book.; *re koo*, **òjè ò̱ ó rè̱ ìtó̱óchí kò̱ò̱ ébè**. Oje is reading with a torch.; *koo dianre*, **òjè kó̱ó̱ ó̱lí ébè díànré**. Oje read the book aloud. lit. Oje read the book out.

koo re *intr* to remain, be left behind (CPA, CPR, *C, *H) **ó̱lí émàè̱ kó̱ó̱ rè̱**. The food remained. There was food left. **íkpùn èvá kóó rè.** Two cloths remained. **èfòkpá kóó rè.** One part remained.; *koo re kéré,* **ólì òmì kóó ré kéré.** A little of the soup remained.; **koo re** *tr* to remain, be left behind. **ò kóó étù èvá ré.** There remained two people. **ò kóó íkpùn èvá ré.** There remained two cloths. Two cloths were left behind.

koo re *tr* to leave (CPA, CPR, *C, *H) **óvbíóímì kóó íkpétò èèà ré vbí úhùnmì.** The orphan left three tufts of hair on his head. **ólí ómòhè kóó émà ré.** The man left the yam.; *koo re li,* **ò kóó émàè ré lí òjè.** He left food for Oje.; *koo re khee* to leave waiting for. **ò kóó émàè ré khéé òhí.** He left some food waiting for Ohi. **ólí ómòhè kóó émà ré khéé óvbí òì.** The man left yam waiting for his child.; *e koo re* to eat and leave some amount. **ò é émàè kóó rè.** He ate food and left some.; *e koo re li,* **àlèkè é émà kóó ré lí òjè.** Aleke ate yam and left some for Oje.

koon *v tr* to aim, take aim at (CPA, CPR, C, H) **òjè kóón ólí áfiánmì.** Oje took aim at the bird. **kòòn òì.** Take aim at it.; *re koon,* **ò ré òísí' kóón ólí áfiánmì.** He aimed at the bird with a gun.

koon a *intr* to become discolored, stained (CPA, CPR, *C, *H) **ólí úkpùn kóón á.** The cloth was

discolored. **ákón ísì òjè kóón á.** Oje's teeth are stained.; *ze koon a,* **òjè zé ólí úkpún kòòn á.** Oje allowed the cloth to become discolored.; **koon a** *tr* to discolor, stain. **òjè kóón ólí úkpùn á.** Oje discolored the cloth. **úkpún lí óbín kóón úkpún lì òfùàn á.** The dark cloth discolored the light one.

kótó, kótókótó *adj* thick. **ómí lì kótókótó** the thick soup. **ómí íkpémì ú kótókótó.** The melon soup is thick. **ébé' ó í rîî?** How is it?

ku *v tr* to make by stretching over (CPA, CPR, *C, *H) **yàn kú ùkpákò.** They formed a masquerade costume. **yàn kú ìbè.** They fashioned a drum (by stretching a skin).; *re ku,* **yàn ré ólí óhìàn kú ìbè.** They used the skin to make a drum.

ku èkìn *tr* to make, form load pad by stretching (*CPA, CPR, *C, *H) **ólì òkpòsò kú èkìn.** The woman formed a head pad.

ku íùhù *tr* to slough, throw off outer skin layer (*CPA, CPR, C, H) **ólí ényè kú íùhù.** The snake sloughed its outer skin.

ku *v intr* to move body fluid [of the upper body] (CPA, CPR, C, *H) **ku** to burp. **ólí ómò kúì.** The baby burped.; **ku** *tr* to drip [of saliva] **ólí ómò ò ó kù òdòghò.** The baby is dripping saliva. **ólí ómò ò ó kù òdóghó vbí únù.** The baby is dripping saliva from its mouth.; **ku a** to drop down, ooze [of tears] **ámévíé̩ kú ói vbì è̩ò á yó̩ó̩.** Tears oozed down her cheeks.

ku *v intr* to flow, move a liquid (CPA, CPR, C, H) *ku o̩,* **évbìì kú ó̩ vbí úkpódè̩.** Oil got poured onto the road.; *ku ku a,* **évbìì kú kù á.** Palm oil got spilled all over.; *ku ku o̩,* **àmè̩ kú kù ó̩ mé̩ vbì ùòkhò.** Water splashed onto my back.; **ku** *tr* to pour, spill, splash; *ku o̩,* **ò̩jè kú évbìì ó̩ vbì ìtébù.** Oje poured oil onto the table. **kù ó̩lì àmè̩ ó̩ vbì ùbèlè.** Pour water into the gourd; *kpaye̩ ku o̩,* **ò̩ kpáyé̩ ò̩jè kú évbìì ó̩ vbì ìtébù.** He helped Oje pour oil onto the table.; *ku ku a,* **ò̩ kú évbìì kú à.** He spilled palm oil all over. **kù ò̩lí évbìì kú à.** Pour away the palm oil.; *kpaye̩ ku ku a,* **ò̩ kpáyé̩ ò̩jè kú évbìì kú à.** He spilled the palm oil all over in place of Oje.; *ku ku e̩,* **ó̩lí ó̩mò̩hè kú àmè̩ kú é̩ ó̩lì ò̩kpòsò.** The man splashed water onto the woman. **kù àmè̩ kú é̩ ó̩lí óvbèkhàn.** Splash water onto the youth.; *kpaye̩ ku ku e̩,* **ò̩ kpáyé̩ ò̩jè kú àmè̩ kú é̩ ó̩lí óvbèkhàn.** He splashed water onto the youth for Oje..; *ku ku o̩,* **ò̩jè kú évbìì kú ó̩ mé̩ vbì è̩hàì.** Oje splashed palm oil onto my forehead. **kù àmè̩ kú ó̩ mé̩ vbì ùòkhò.** Splash water onto my back.; *kpaye̩ ku ku o̩,* **ò̩ kpáyé̩ ò̩jè kú àmè̩ kú ó̩ mé̩ vbì ùòkhò.** He helped Oje splash water onto my back.

ku *v intr* to move a mass (CPA, CPR, C, H) *ku o̩,* **ìhíángùè̩ kú ó̩ vbí úkpódè̩.** Groundnuts have spilled onto the road. **ìsánó̩ kú ó̩ mé̩ vbí óbò̩.** Matchsticks got put into my hand.; *ku ku a,* **ìhíángúé̩ mè̩ kú kù á.** My groundnuts got thrown away. My groundnuts got dropped all over.; *ku ku o̩,* **élí ídò kú kù ó̩ vbì ò̩tò̩ì.** The stones dropped all over the ground.; **ku** *tr* to move a mass; *ku o̩,* **ó̩lí ó̩mò̩hè kú ìhíángùè̩ ó̩ vbì ìtébù.** The man put groundnuts onto the table. **ó̩lì ò̩kpòsò kú ìsánó̩ ó̩ mé̩ vbí óbò̩.** The woman put matchsticks into my hand.; *kulo o̩,* **è̩ kúló ábò̩ ó̩ vbì òò.** They inserted their hands into the hole.; *ku ku a,* **ó̩lí ó̩mò̩hè kú ìhíángúé̩ mè̩ kú à.** The man threw my groundnuts aside. **kù ìhíángùè̩ kú à.** Throw the groundnuts away.; *kpaye̩ ku ku a,* **ò̩ kpáyé̩ ò̩jè kú ìhíángúé̩ mè̩ kú à.** He helped Oje throw my groundnuts away. In place of Oje, he threw my groundnuts all over.; *ku ku e̩,* **ò̩jè kú èkèn kú é̩ mè̩.** Oje splattered sand onto me. Oje covered me with sand.; *ku ku o̩,* **ò̩jè kú élí ídò kú ó̩ vbì ò̩tò̩ì.** Oje dropped the stones all over the ground. **ó̩lì ò̩kpòsò kú ìsánó̩ kú ó̩ mé̩ vbí óbò̩.** The woman dropped matchsticks all over my hand.; *kpaye̩ ku ku o̩,* **ò̩ kpáyé̩ ò̩jè kú élí ídò kú ó̩ vbì ò̩tò̩ì.** He dropped the stones all over the ground in lieu of Oje.

ku *v tr* to move a clothing item (CPA, CPR, C, H) *ku o̲, ó̲lì òkpòsò kú èùn ó̲ mé̲ vbí égbè*. The woman put a shirt on my body.; *ku shoo vbi re, ò̲ kú èùn shó̲ó̲ vbí égbè ré*. He removed a shirt away from his body. **yán kú ó̲lì ònyé̲hì shó̲ó̲ ó̲í vbí úhùnmì ré**. They removed the collar off her head.; *kpaye̲ ku shoo vbi re*, **yàn kpáyé òjè kú ó̲lì ònyé̲hì shó̲ó̲ vbí úrún ísì ò̲í ré**. They helped Oje remove the collar from her throat.; *ku vbi re*, **ò̲ kú é̲ún vbí égbè ré**. He removed a shirt from his body.; *kpaye̲ ku vbi re*, **yàn kpáyé òjè kú ó̲lì ònyé̲hí vbí úrún ísì ò̲í ré**. They helped Oje remove the collar from her throat.

ku o̲ *intr* to collapse, drop down (*CPA, CPR, *C, *H) **ó̲lí ómò̲hè kú ó̲ vbì òtò̲ì**. The man dropped onto the ground.; **ku o̲** *tr* to dump, drop. **é kú ó̲ì ó̲ vbì òtò̲ì**. They dumped him onto the ground.

ku ábò̲ shan vbi *tr* to grasp, hold onto (CPA, CPR, *C, *H) **ò̲ kú ábò̲ shán vbí úkpá'mòú**. He grasped the strand of rope. lit. He proceeded to the strand of rope by dropping his hands.

ku àwè̲ o̲ vbi òtòì *tr* to land on the feet (*CPA, CPR, *C, *H) **yán kú àwè̲ ó̲ vbì òtò̲ì**. They landed on their feet. lit. They dropped their feet onto the ground. **kù àwè̲ ó̲ vbì òtò̲ì**. Land on the ground.

ku íkhùè̲khúé̲ *tr* to cast, throw divining seeds to foretell future events (CPA, CPR, *C, *H) **òjè kú íkhùè̲khúé̲**. Oje cast divining seeds.; *ku íkhùè̲khúé̲ o̲, ó̲ kú íkhùè̲khúé̲ ó̲ vbì òtò̲ì*. He cast divining seeds onto the ground.; *ku íkhùè̲khúé̲ o̲ li, ó̲ kú íkhùè̲khúé̲ ó̲ vbì òtò̲ì ní áìn*. He cast divining seeds (to secure information) for her.; *hua ku* to get cast. **ò̲ húá íkhùè̲khúé̲ kú**. He got the divining seeds cast.

ku òísí' li *tr* to shoot (CPA, CPR, *C, *H) **ó̲lí ómò̲hè kú òísí' lí ó̲lí óvbèkhàn**. The man shot the youth. lit. The man cast a gun for the youth.

ku a *intr* to stop, cease, get terminated, disbanded (CPA, CPR, *C, *H) **ó̲lì òsíé' kú á**. The entertainment ceased. **élì òsíé' kú á**. The entertainers disbanded.; **ku a** *tr* to stop, terminate. **ó̲lí ómò̲hè kú ó̲lì òsíé' á**. The man stopped the entertainment. cf. **kuye a** to terminate.

ku àwè̲ o̲ vbi úlà *tr* to start running (CPA, CPR, *C, *H) **ó̲ kú àwè̲ ó̲ vbí úlà**. He started running. lit. He dropped his legs into a running mode.

ku gbe *intr* to get repositioned by mixing, get mixed together, mixed up (CPA, CPR, *C, *H) **élí éwè kú gbé**. The goats got mixed together.; **ku gbe** *tr* to mix together. **òjè kú élí éwè**

gbé. Oje mixed up the goats [those owned by different people]. **kù íyàìn gbé.** Mix them together.; *kpaye ku gbe*, **ò kpáyé òjè kú íyàìn gbé.** He helped Oje mix them together.

ku gbe *intr* to become intertwined, entangled through repositioning (CPA, CPR, *C, *H) **élí íkpùì kú gbé.** The ropes got entangled. **ólí íkpàtívbì kú gbé vbì òkpá.** The vines twisted into one.; **ku gbe** *tr* to entangle. **òjè kú ólí íkpàtívbì gbé.** Oje entangled the vines.

ku gbe *intr* to perform jointly, together. **élì ìkpòsò díá kù gbé.** The women sat together. **élì ìkpòsò é émàè kú gbè.** The women ate together.

ku gbe *intr* to become enjoined, together (CPA, CPR, *C, *H) *so ku gbe* to join, nail together. **ò só ólí óràn kú gbè.** He nailed the wood together.

ku gbe *intr* to reconcile (CPA, CPR, *C, *H) **élí íkpósó áìn kú gbé.** Those women have reconciled.; **ku gbe** *tr* to reconcile, conclude a matter or issue. **yán kú ólì ìnyèmì gbé ìyó.** They reconciled the matter that way. **yán kú ólì gbé vbì ò.** They reached a conclusion.

ku óbò gbe *tr* to cooperate (CPA, CPR, *C, *H) **yàn kú óbò gbé.** They cooperated. lit. They brought their hand together. **yàn kú óbò gbé bíá ólì òbìà.** They cooperated in doing the work. **élí**

ívbèkhàn kú óbò gbé vbí ólì òbìà. The youths cooperated on the job. **vbá kù óbò gbé vbì ò.** Cooperate on it.

ku óbò gbe *tr* to shut, bring together claws (CPA, CPR, *C, *H) **ólí ózí' kú óbò gbé.** The crab closed its claws.

ku únù gbe *tr* to close up an opening (*CPA, CPR, C, *H) **ólì èmàì kú únù gbé.** The wound closed up. lit. The wound brought its opening together.

ku únù gbe *tr* to shut up, stop making noise (CPA, CPR, *C, *H) **òjè kú únù gbé.** Oje shut up. Oje stopped crying. lit. Oje brought his mouth together. **kù únù gbé.** Shut up. Close your mouth.

ku únù gbe vbi o khi *tr* to reconcile, reach a consensus [only in a judicial sense] **è kú únù gbé vbì ò khì òjè lí ó é ásé'.** They reached a consensus that it was Oje who was victorious. lit. They closed their mouths on it that it was Oje who ate vindication.

kúá *pstv adv* sound resulting from grabbing or pouncing activity. **ú hóní kúá.** You heard a pouncing sound. **ò khú ói nwú kúá.** He chased him and caught him with a pounce. He pounced on him.

kúákúá *pstv adv* broadly, openly. **òjè ò ó jè kúákúá.** Oje is smiling broadly.

kuan *v intr* to dawn, break, become clear (*CPA, CPR, *C, *H) **édè kúánì**. The day has broken.

kuee *v tr* to present a welcome gift (CPA, CPR, *C, *H) **òhí kúéé òkpàn**. Ohi presented a gourd.; *kuee li*, **òhí kúéé òkpàn lí íré'**. Ohi presented a gourd to visitors. **ò kúéé évbèè lí òtú ísì òì**. She presented kola nut to his age group.; *kuee o*, **òhí kúéé évbèè ó vbì òkpàn**. Ohi presented kola nut in a gourd.; *kuee re*, **ò kúéé évbèè ré**. She brought kola nut and presented it.; *kuee ye*, **òhí kúéé òkpàn yé íré'**. Ohi presented a gourd to the visitors.

kuee li *intr* to get betrothed (CPA, CPR, *C, *H) **à kúéé lí òjè**. Oje got betrothed.; **kuee li** *tr* to betroth to. **yàn kúéé ólì òkpòsò lí òhí**. They betrothed the woman to Ohi. **à kúéé ólì òkpòsò lí òhí**. Ohi got betrothed to the woman.

kuee *v intr* to meet (CPA, CPR, C, H) **yàn kúééì**. They met.; **kuee** *tr* to meet. **yán kúéé ékúéé ísì ósàì**. They held a meeting about the bachelor.

kuee *v intr* to reason, reflect on (CPA, CPR, C, *H) *kuee re*, to understand by reasoning. **nwu èò kuee re, ó nwú mé èò kúéé rè**. I understood. lit. It made my eyes meet.; *re nwu èò kuee re*, **òjè ré òì nwú máí èò kúéé rè**. Oje used it to make us understand. lit. Oje used it to

make our eyes meet. **rè óì nwú máí èò kúéé ré**. Explain it to us.; **kuee** *tr* to reason about, reflect on. **òjè kúéé ólì ìnyèmì**. Oje reflected on the matter. lit. Oje met the matter. **kùèè óì**. Reflect on it.; *re kuee*, **ò ré íkpédè èéà kúéé ólì ìnyèmì**. He took three days to reflect on the matter.; *kuee ye òtòì ye òkhùnmì*, **óbá' kúéé óì yé òtòì yé òkhùnmì**. The Oba thought about it from every direction. lit. The Oba met it toward the earth and the sky.

kuee *v tr* to rear, care for, raise (*CPA, *CPR, C, H) **òjè ò ó kùèè ólí éwè**. Oje is rearing the goat. **ó kúéé ólí ómó íkpè èvá**. He cared for the child for two years. **yà kúéé óì**. Start caring for her.

kuee *v tr* to care for, ignite a fire (CPA, CPR, C, H) **ó kúéé èràìn**. He tended a fire. He started a fire. **òó kùèè èràìn**. Go to start a fire.; *kpaye kuee*, **ò kpáyé òjè kúéé èràìn**. He helped Oje start a fire.; *re kuee*, **ò ré ìkààsí kúéé èràìn**. He used kerosene to start a fire.; *kuee li*, **ò kúéé èràìn lí òjè**. He started a fire for Oje.; *kuee o*, **ò kúéé èràìn ó vbí íú nòì**. He started a fire in the other hearth.

kueghe *v tr* to render, dismantle (CPA, CPR, *C, *H) *kueghe a*, **òjè kúéghé ólì òísí' á**. Oje dismantled the gun. **kùèghè óì á**. Dismantle it.; *kpaye kueghe a*, **ò kpáyé òjè kúéghé ólì òísí'**

á. He helped Oje dismantle the gun.; *kueghẹ a li*, **òjè kúẹ́ghẹ́ ọ́lì òísí' á lí òhí.** Oje dismantled the gun for Ohi.; *kueghẹ o*, **òjè kúẹ́ghẹ́ ọ́lì òísí' ọ́ vbì ìtébù.** Oje dismantled the gun onto the table.

kúẹ́í, kúẹ́íkúẹ́í *pstv adv* socially appropriate fashion. **yán gúé ọ́í kúẹ́í.** They discussed it in an appropriate fashion. **ọ́lí úẹ́ẹ́n ló yà dé ọ́ vbì ọ̱ ní á kúẹ́íkúẹ́í.** The behavior will turn out appropriately for you. lit. The behavior will fit further for you as appropriate.

kuẹn *v tr* to conserve (*CPA, *CPR, C, *H) **òjè ọ̱ ó̱ kùẹ̀n étìn.** Oje is conserving his breath. **yà kúẹ́n étìn.** Start conserving your breath.; *kuẹn re* to revive (CPA, CPR, C, H) **yàn kúẹ́n òhí ré.** They revived Ohi.; *kpayẹ kuẹn re*, **yàn kpáyé òjè kúẹ́n òhí ré.** They helped Oje revive Ohi.; *nwu kuẹn re* to take and revive (CPA, CPR, *C, *H) **yàn nwú òhí kúẹ́n rè.** They took hold of Ohi and revived him. They got Ohi revived. **à á nwù òjé kùẹ̀n rè.** Oje is getting revived. **nwù ọ́í kúẹ́n rè.** Get him revived.

kùẹ́n, kùẹ́nkùẹ́n *pstv adv* sudden snapping sound. **ú họ́ní kùẹ́n.** You heard a snapping sound. **ọ́ gúóghọ́ ọ́lí úkpóràn á kùẹ́n.** He broke the stick in a snapping fashion. He snapped the stick.; ~ *adj* sudden snapping sound.

ọ́lí úkpóràn ú kùẹ́n. The stick snapped suddenly. The stick made a snapping sound.

kúẹ́sẹ́mí *adj* small size. **ọ́lí àkpótí ú kúẹ́sẹ́mí.** The pot was small. **àkpótí lì kúẹ́sẹ́mí** the small pot. **ébé' ọ́ í rîì?** How is it?

kùẹ́té *pstv adv* exact, snug fitting. **ọ́lí úkpún má ọ́í kùẹ́té.** The cloth fit her snugly. **ọ́ dé ọ́ vbí ọ́ kùẹ́té.** It fit exactly.

kuku *prev adv* after all [evaluative function] **ọ́lí ómọ́hé kúkù é ọ́lí émàè lẹ́é.** After all, the man ate up all the food.

kúkúrú *pstv adv* convulsive, final shudder [of non-humans] **ú míẹ́í kúkúrú.** You sensed the final shudder of life. **ọ́lí áfiánmì dé fi ọ́ vbí ótọ́í kúkúrú.** The bird fell and convulsed on the ground.

kùkùrúúkùúù *inter* cock-a-doodle-do.

kuno̱ *v intr* to slip, be slippery (*CPA, *CPR, C, H) **égbé ísì òjè ọ̱ ó̱ kùnó̱.** Oje's body is slippery. **ọ́lí údò ọ̱ ó̱ kùnó̱.** The stone is slippery.; *kuno̱ fi a*, **ọ́lí údò kúnó̱ fì á.** The stone slipped away.; *kuno̱ o*, **ọ́lí údò kúnó̱ ó vbí édà.** The stone slipped into the river.; **kuno̱** *tr* to cause to slip (CPA, CPR, *C, *H) **òtọ̀ì kúnó̱ òjè.** The ground made Oje slip. Oje slipped on the ground.; *fan kuno̱* to embrace, grab hold of. **ọ̱ fán kúnó̱ ọ́lí ákhè.** He latched onto the pot. **ójé fán kúnó̱ ọ́há ọ́ì.**

Oje embraced his wife. **òjè fán kúnó òhí.** Oje embraced Ohi.

kùnòkúnó *adj* slippery [of earth] **ólí ótói ú kùnòkúnó.** The ground is slippery. **ótói lì kùnòkúnó** the slippery ground. **ébé' ólí ótói í rfì?** How is the ground? In what condition is the ground? cf. **kuno** to slip.

kuogho *v intr* to move apart (*CPA, CPR, *C, *H) **ólì àgá kúóghói.** The chair came apart.; *kuogho a,* **ólì àgá kúóghó à.** The chair fell apart.; *kuogho o,* **ólì àgá kúóghó ó vbì òtòì.** The chair fell apart onto the ground. cf. **ku** to slough.

kútúkútú *pstv adv* final, seething stage of a boiling condition. **ólì àmè ò ó tìn kútúkútú.** The water is seething. The water is boiling in a seething fashion. cf. **yáá** simmering stage of boiling condition.

kuye a *intr* to be terminated, broken up before expected concluding date (CPA, CPR, *C, *H) **ólì òsíé' kúyé à.** The play terminated unexpectedly. **ómóó ísì òjè bí ísì òhí kúyé á.** The friendship of Oje and Ohi broke up. Oje and Ohi's friendship was severed.; **kuye a** *tr* to break up, terminate, end. **òjè kúyé ólì òsíé' á.** Oje broke up the play. **óáìn lí ó kúyé ómóó ísì ìyáín á.** It was that one who terminated their friendship. **é è kúyé óì á.** Don't break it up. cf. **ku a** to stop.

KH

kha *aux* would have but didn't [epistemic modal hypothetical function] **ólí ómóhé khà é ólí émàè.** The man would have eaten the food. The man should have eaten the food.; **kha** *aux* when [temporal subordination function] **ólí ómóhé khà míé òhí, ó ó vbì ìwè.** When the man saw Ohi, he entered the house.; **kha** *aux* if [counter-to-fact subordination function] **ólí ómóhé khà míé òhí, ó khà ó vbì ìwè.** If the man had seen Ohi, he would have entered the house.; **kha** *aux* will not [negative counterpart for predictive and anticipative subjunctive constructions] **ólí ómòhè í khà è òlí émàè.** The man will not eat the food.

khaa *v tr* to shave wood (CPA, CPR, C, H) **ò kháá ólí óràn.** He shaved the wood. **khàà óì** Shave it.; *kpaye khaa,* **ò kpáyé òjè kháá ólí óràn.** He helped Oje shave the wood.; *re khaa,* **ò ré ághàè kháá ólí óràn.** He used a knife to shave the wood.; *khaa a,* **ò kháá ólí óràn á.** He shaved off the wood.; *khaa li,* **ò kháá ólí óràn lí òhí.** He shaved (off) the wood for Ohi.

khaa *v tr* to carve, fashion out of wood (CPA, CPR, C, H) **érá óì kháá ùhàì.** His father carved an arrow.; *kpaye khaa,* **ò kpáyé òjè kháá ùhàì.** He helped Oje carve an arrow.; *re khaa,* **ò ó rè**

ùvbíághàé mé̱ khàà ùhàì. He
is using my knife to carve an
arrow.; *khaa a*, o̱ kháá úhái
úkpà á. He carved off the
arrow's fine point.; *khaa li*, o̱
kháá ùhàì ní é̱mè̱. He carved
an arrow for me.; *khaa o̱*, o̱
kháá ùhàì ó vbì òto̱ì. He
carved the arrow beforehand.

khaa úkpà *compl tr* to carve to a
point (CPA, CPR, C, H) o̱ kháá
úhái úkpà. He carved the arrow
to a point. He shaved the
arrow's point. khàà ói úkpà.
Carve its point.; *kpaye̱ khaa
úkpà*, o̱ kpáyé̱ òjè kháá ói
úkpà. He helped Oje carve it to
a sharp point.; *re̱ khaa úkpà*, o̱
ré̱ úvbíághàè kháá ói úkpà.
He used a knife to carve it to a
point.

khaa ìrù *tr* to argue (*CPA, *CPR,
C, H) òjè bí òhí o̱ ó khàà ìrù.
Oje and Ohi are arguing.; *kha
ìrù khi*, òjè o̱ ó khàà ìrù khì
àlèkè dá lé̱é̱ òhí. Oje is arguing
that Aleke was taller than Ohi.
lit. Oje is shaving lice that
Aleke was taller than Ohi.

khaan *v tr* to nail, pound together
(CPA, CPR, C, *H) òjè o̱ ó
khààn àgá. Oje is nailing the
chair together. khàààn óli àgá.
Nail the chair.; *kpaye̱ khaan*, o̱
ó kpàyè̱ òjé khàààn àgá. He is
helping Oje nail the chair
together.; *re̱ khaan*, o̱ ó rè̱ ìshé
khàààn àgá. He is using nails to
pound the chair together.;
khaan o̱, óli ó̱mò̱hè kháán ìshé

ó vbí ólí óràn. The man
pounded a nail into the wood.;
khaan ze vbi tr to nail, stick,
pound into or against (CPA,
CPR, *C, *H) o̱ kháán ói óbò̱
zé vbí úkhùèdè̱. He nailed her
hand on the door.; o̱ kháán ìshé
zé vbí úkhùèdè̱. He stuck a nail
to the door. ólí ó̱mò̱hè kháán
úkpìhíákpà zé vbí òto̱ì. The
man stuck a ring in the ground.

khaan *v tr* to load, pound
gunpowder into a gun barrel
(CPA, CPR, C, H) o̱ kháán óli
òísí'. He loaded the gun. khàààn
ói. Load it.; *kpaye̱ khaan*, o̱
kpáyé̱ òjè kháán óli òísì'. He
helped Oje load the gun.; *khaan
o̱*, o̱ kháán óli òísí' ó vbí òto̱ì.
He loaded the gun beforehand.

khaan *v tr* to strain, sift (*CPA,
*CPR, C, H) òjè o̱ ó khàààn
àkàmù. Oje is straining maize
pap. yà kháán àkàmù. Start
straining pap.; *kpaye̱ khaan*, o̱
kpáyé̱ òjè kháán àkàmù. He
helped Oje strain pap.; *re̱
khaan*, o̱ ó rè̱ ùkpún khàààn
àkàmù. He is using a cloth to
strain pap. cf. **khakha** to sieve.

khako̱n *v intr* to please, plead,
appeal to (*CPA, *CPR, *C,
*H) òjè í khàkò̱n. Oje should
plead. o̱ í khàkón yóyòyó. He
should plead fervently. khàkò̱n.
Please.

khakha *v tr* to sieve, strain, put
through a sieve (CPA, CPR, C,
H) o̱ khákhá ìgáàí. He sieved
gari. yà khákhá ìgáàì. Start

sieving gari.; *kpaye khakha*, <u>ò</u> <u>ó</u> **kpàyè òjé khàkhà ìgáàí**. He is helping Oje sieve gari.; *re khakha*, <u>ò</u> <u>ó</u> **rè àjó khàkhà ìgáàí**. He is using a palm-frond sieve to strain gari.; *khakha ku a*, <u>ò</u> **khákhá ìgáàí kú à**. He sieved gari all over.; *khakha ku <u>o</u>*, <u>ò</u> <u>ó</u> **khàkhà ìgáàí kú <u>ò</u> vbí òt<u>ò</u>ì**. He is sieving gari all over the ground. cf. **khaan** to sift. cf. **ékhàkhà** crumbs.

khakha *v tr* to spread, broadcast (CPA, CPR, C, H) <u>ó</u> **khákhá íhí'ánmìvìn**. He spread palm kernel shells.; *khakha ku a*, **òjè khákhá íkpèfó kú à**. Oje sprinkled vegetable seeds around.; *khakha ku <u>o</u>*, **òjè khákhá íkpèfó kú <u>ó</u> vbí égbóà**. Oje sprinkled vegetable seeds all over the backyard.; *ku khakha* to get spread (CPA, CPR, *C, *H) <u>ò</u> **kú íhí'ánmìvìn khákhá**. He got palm kernel shells spread.; <u>ó</u> **kú íhí'ánmìvìn khákhá vbì òt<u>ò</u>ì**. He got palm kernel shells spread on the ground.; *fena khakha* to spread body waste evenly (CPA, CPR, C, H) <u>ó</u> <u>ò</u> **fènà ìs<u>ó</u>n khàkhá**. He spreads his feces evenly. lit. He passes his feces and spreads it. cf. **khaan** to sift.

khee *v intr* to guard, watch (*CPA, *CPR, C, H) **òjè** <u>ò</u> <u>ó</u> **khèè**. Oje is standing guard.; *kpaye khee*, **òhí** <u>ò</u> <u>ó</u> **kpàyè òjé khèè**. Ohi is watching on behalf of Oje.; **khee** *tr* to guard, watch. **òjè** <u>ò</u> <u>ó</u> **khèè** <u>ó</u>**lì ìwè**. Oje is guarding

the house.; *kpaye khee*, <u>ò</u> <u>ó</u> **kpàyè òjé khèè** <u>ó</u>**lì ìwè**. He is helping Oje guard the house.

khee *v tr* to wait for a temporal landmark (*CPA, *CPR, C, H) **ójé** <u>ó</u> <u>ò</u> **khèè ùsúmù**. Oje waits for the ninth day.

khee *v tr* to wait for (CPA, CPR, C, H) **yàn khéé** <u>ó</u>**lí íkòíkò**. They waited for the gorilla. <u>ó</u>**lí ómòhè** <u>ò</u> <u>ó</u> **khèè òvbí** <u>ó</u>**ì**. The man is waiting for his children. **è khéé ójé vbí úkpódè**. They waylaid Oje on the road. **yà khéé òhí**. Get on with waiting for Ohi.; *muzan khee* to stop and wait for (CPA, *CPR, C, H) <u>ó</u>**lì òkpòsò** <u>ò</u> <u>ó</u> **mùzán khèè** <u>ò</u>**lí ómòhè**. The woman is stopping and waiting for the man.; *re khee* to reserve (CPA, CPR, *C, H) <u>ò</u> **ré émàè khéé òjè**. He reserved food for Oje. He put food aside for Oje. He waited for Oje with food.; *kpen òt<u>ò</u>ì khee* to ambush, lay in wait for. <u>ó</u>**lì òlógbò kpén òt<u>ò</u>ì khéé** <u>ó</u>**ì**. The cat ambushed him. lit. The cat was next to the ground and waited for him. <u>òó</u> **kpèn òt<u>ò</u>ì khéé** <u>ó</u>**ì**. Go to lay in wait for him.

khena égbè *tr* to be paranoid *CPR, *CPA, *C, H) **ójé** <u>ó</u> <u>ò</u> **khènà égbè**. Oje is paranoid. lit. Oje's body is paranoid.

khenkhen *v intr* to become sour, fermented slightly, spoiled (CPA, CPR, *C, *H) <u>ó</u>**lí ómí khénkh<u>é</u>nì**. The soup became spoiled. ọ́lì ìgáàí khẹ́nkénì. The gari became really sour.; *khẹnkhẹn ku a*, ọ́lì òmì khénkhén kù á. The soup is spoiled throughout.; *khẹnkhẹn lee*, ìgáàí mẹ̀ khẹ́nkhẹ́n lẹ́ẹ́ ísì òjè. My gari is more spoiled than Oje's.; *ze khẹnkhẹn*, ọ́lí ọ́mọ̀hẹ̀ zẹ́ ọ́lí ómí khẹ̀nkhẹ̀n. The man allowed the soup to spoil.

khẹnkhẹn èmọ̀ì *tr* to stutter, stammer (*CPA, *CPR, C, H) ọ́lí óvbékhán ọ́ ọ̀ khẹ̀nkhẹ̀n èmọ̀ì. The youth stutters. lit. The youth spoils the matter.

khi *comp* that [indicative complement function] òjè ẹ́ẹ́ní khí élí ívbèkhàn gbé élí éwè. Oje knew that the youths killed the goats. cf. **li** subjunctive, **si** conditional.

khi *cop* be [equational identity] (CPA, *CPR, *C, *H) ọ́lí ọ́móhé nà kí í khì ọ̀nwìmè. It isn't this man who is a farmer. ọ́é' í khì ọ̀nwímé vbí úsèé àvbá? Who is a farmer among you?; **khi** *cop* that is [afterthought function for right dislocation] òjè shén ọ̀ì, í khì ọ̀lí émà. Oje sold it, that is, the yam. cf. **vbi** cop, **u** cop.

khi khi *conj* both and, each and [correlative conjunction function] khì émá khì ògédé khì ènyó each of the yam, plantain and wine, khì ọ̀lí ékpén khì ọ̀lí áwá both the leopard and the dog.

khoen *v intr* to fight, riot, war with (*CPA, *CPR, C, H) yàn á khòén. They are fighting. vbá yà khóén. Start fighting.; *kpaye khoen*, òjè ọ̀ ó kpàyè ìyáín khòén. Oje is fighting with them.; *re khoen*, yàn á rè ọ̀píá khòén. They are fighting with a cutlass.; *khoen o*, yàn á khòén ọ̀ vbí éànmì. They are fighting over meat.

khokho *v tr* to recall, bring to a state of recall; *khokho khi* to recall, expect that [only in negative constructions] ọ́lí ọ́mọ̀hẹ̀ í ì khòkhọ́ khí ọ́lí ókpósó lọ́ gbè ọ̀lí ófè. The man does not expect that the woman will kill the rat. ọ̀hí í ì khòkhò khì ìyó lí ú táì. Ohi did not recall that that was how you spoke.; *khokho vbiee* to recall to (CPA, CPR, *C, *H) ọ́lí ọ́mọ̀hẹ̀ khókhọ́ ọ́lì èmọ̀ì vbíẹ́ẹ́ ọ́lì òkpòsò. The man brought the matter to the woman's attention. The man recalled the matter for the woman.

khonme *v intr* to get ill, sickly, suffer from an affliction (*CPA, *CPR, C, H) òjè ọ̀ ó khònmé. Oje is ill.; *khonme ku a*, òjè khónmé kù á. Oje was really ill.; *khonme tr* to be sick with, be ill with (*CPA, *CPR, C, *H) òjè ọ̀ ó khònmè íbà. Oje is sick with malaria.; *khonme ku a*, òjè khónmé ọ́lí íbà kú à. Oje was really sick with malaria.

khoo *v intr* to bathe (*CPA, *CPR, C, H) ọ̀ ó khòó. She is bathing.;

re khoo, **ọ̀ ré íhìọ̀n khóó**. She used a sponge to bathe.; *khoo a*, **ọ́lì òkpòsò khóó á**. The woman bathed up. **ọ̀ó khòò á**. Go to bathe.; *khoo ku o*, **ọ́lì òkpòsò khóó kù ọ́ vbí ótóàfẹ́n**. The woman bathed all over the courtyard.; *khoo li*, **ọ́lì òkpòsò khóó lí òjè**. The woman bathed Oje. The woman gave a bath to Oje.; **khoo** *tr* to bathe (CPA, CPR, C, H) **ọ̀ khóó ọ́lí ọ́mọ̀**. She bathed the child.; *re khoo*, **ọ̀ ré íhìọ̀n khóó ọ́lí ọ́mọ̀**. She used a sponge to bathe the child.; *khoo a*, **ọ́lì òkpòsò khóó ọ́lí ọ́mọ̀ á**. The woman bathed up the child.; *kpaye khoo a*, **ọ̀ kpáyé ọ́lì òkpòsò khóó ọ́lí ọ́mọ̀ à**. He helped the woman bathe up the child.; *een khoo* to know how to bathe (*CPA, CPR, *C, H) **ọ̀ één khóó ọ́lí ọ́mọ̀**. She knew how to bathe the child.

khoo a *intr* to be purified, be fortified against evil with charms (CPA, CPR, *C, *H) **ọ́lí ọ́mọ̀hè khóó á**. The man fortified himself with charms. lit. The man bathed.

khoo *v intr* to be wicked, brutal, harmful, terrible (CPA, CPR, *C, *H) **ọ́lí ọ́móhé khóóì**. The man is wicked.; *khoo lee*, **ọ́lí ọ́mọ̀hè khóó léé òjè**. The man is more wicked than Oje.; *khoo o vbi o*, **ọ́lì èmìàmì ọ̀ ọ́ khòò ọ̀ vbí ọ̀**. The sickness is getting worse. **ọ́lí ọ́móhè khóó ọ̀ vbì ọ̀**. The man is relapsing.; *u khoo* to treat wickedly (*CPA, *CPR,

*C, H) **ójé ọ́ ọ̀ ù ìnyọ́ ọ́í khòò**. Oje treats his mother wickedly. **ọ́ ọ̀ ù ìnyọ́ mé khòó**. She treats my mother wickedly.

khoo vbi égbè *tr* to displease, upset (*CPA, *CPR, *C, H) **ìfìàbọ̀ lí ọ́ ọ̀ khòò òhúá vbí égbè**. It is empty handedness that displeases the hunter. lit. It is empty handedness that is bad for the hunter at his body.

khoo vbi éhọ̀n *tr* to displease, upset (*CPA, *CPR, *C, H) **étá mé ọ́ ọ̀ khòò òjé vbí éhọ̀n**. My words displease Oje. lit. My words upset Oje in his ears.

khoo vbi ékẹ̀ìn *tr* to displease, upset (*CPA, *CPR, *C, H) **úẹ́ẹ́n ísì ójé ọ́ ọ̀ khòò òhí vbí ékẹ̀ìn**. Oje's behavior displeases Ohi. lit. Oje's behavior upsets Ohi in his belly.; **khoo ékẹ̀ìn** *tr* to hate, get displeased, upset by. **yán à khòò èkẹ́ín òjè**. They detest Oje. They hate Oje. They got their belly upset by Oje. cf. **ọ́ húnmẹ́ ékẹ́ín òjè**. She loved Oje.

khoon *v intr* to be satisfied, content, pleased (CPA, CPR, *C, *H) **òjè khóónì**. Oje is satisfied.; *e khoon* to eat and be satisfied. **òjè é émà khóón**. Oje ate yam and was satisfied.; **khoon** *tr* to satisfy, please (CPA, CPR, C, *H). **ọ́lí émà khóón òjè**. The yam satisfied Oje. **émà ọ̀ ọ́ khòòn òjè**. Yam is pleasing to Oje. **ényọ̀ ọ̀ ọ́ khòòn òjè**. Wine is pleasing

Oje.; *khoon khi*, [only in non-declarative constructions] **ó ì khòòn òlí ókpósó khì ò ló nyè émàè**. It did not please the woman that she is about to prepare a meal. **ò bíà khóón ólí ókpósó khì ò ló nyè émàè?** Did it really please the woman that she was about to cook food?

khoon *v tr* to resemble physically, be physically comparable (CPA, CPR, *C, *H) **ójé khóón érá òì**. Oje resembled his father. **òhí bí òjè khóón égbè**. Ohi and Oje resembled each other.; *re khoon*, **òjè ré ùèèn khóón érá òì gbé**. Oje's behavior resembled his father's too closely. With his behavior, Oje resembled his father too much.

khu *v tr* to chase, pursue (CPA, CPR, C, H) **ò khú ólí óvbèkhàn**. He chased the youth. **khù òì**. Chase him.; *kpaye khu*, **ò kpáyé òjé khú ólí óvbèkhàn**. He chased the youth in place of Oje.; *re khu*, **ò ó rè òpíá khù òlí óvbèkhàn**. He is using a cutlass to chase the youth.; *khu fi a*, **ólí ómòhè khú ólí éwè fí à**. The man chased the goat away.; *khu fi o*, **ò khú ólí óvbèkhàn fí ó vbì óéé'**. He chased the youth into the township.; *khu ku a*, **ólí ómòhè khú élí éwè kú à**. The man chased the goats away.; *khu ku o*, **ólí ómòhè khú élí éwè kú ó vbí égbóà**. The man chased the goats into the backyard.; *khu*

dianre, **òjè khú élí ívbèkhàn díànré**. Oje chased the youths out.; *khu o*, **ò khú ólí óvbèkhàn ó vbì ìwè**. He chased the youth into the house.; *khu shan*, **yàn á khù ègbé shán**. They are chasing each other about.; *khu shan*, **ólí ómòhè khú élí ívbèkhàn shán ékéín ìwè**. The man chased the youths through the house.; *khu shan vbi*, **yán khú égbè shán vbí ékóà**. They chased each other to the room.; *khu nwu* to grab, hold onto, to chase and catch (CPA, CPR, *C, *H) **òjè khú ólí óvbèkhàn nwú**. Oje held onto the youth. Oje chased the youth and caught him.

khu *v tr* to expel (CPA, CPR, *C, *H) **à khú ójé vbì òkè**. Oje has been expelled from Oke. lit. Oje was chased in Oke.

khu vbi *tr* to stop or prohibit an activity (*CPA, CPR, *C, *H) **ò khú ójé vbí ényó údàmí**. He stopped Oje from drinking wine. lit. He chased Oje from wine drinking.

khua *v intr* to become heavy in weight (*CPA, CPR, *C, H) **ólì èkpà khúá gbè**. The bag is too heavy. **ótóón ó ò khùá**. Iron is heavy.; *khua gbe li*, **ólì èkpà khúá gbé ní áìn**. The bag is too heavy for him.; *khua lee*, **íhúá mè khúá léé ísì òjè**. My load is heavier than Oje's.; *ze khua*, **ólì ùghàmà lí ó zé ólí íhúá khùà**. It is the ax that allowed the load to become heavy.

khuae *v tr* to raise, lift (CPA, CPR, C, *H) **ò khúáé ọ́lí ákhè.** He raised the pot. **ó khúáé úhùnmì.** He lifted his head. **khùàè ọ́ì.** Raise it.; *kpaye khuae,* **ò kpáyé òjè khúáé ọ́lì ùkòdò.** He helped Oje raise the pot.; *re khuae,* **ò rẹ́ óràn khúáé ọ́lì ùkòdò.** He used a stick to raise the pot.; *khuae ye,* **ò khúáé óbọ̀ yé òkhùnmì.** He raised his arm to the sky. **ò khúáé ọ́lí ákhè yé òkhùnmì.** He raised the pot to the sky.; *nwu khuae* to get raised up (CPA, CPR, *C, *H) **ò nwú ọ́lì ùkòdò khúáé.** He got the pot raised up. He lifted up the pot. **nwù ọ̀lí ákhè khúáé.** Get the pot raised up.

khuakhua *a intr* to become shocked (CPA, CPR, *C, *H) **ọ́lì òkpòsò khúákhúá á.** The woman became stiff with shock. The woman stiffened in a state of shock. cf. **khua** to be heavy.

khuan *v tr* to suspend, set a trap (CPA, CPR, C, H) **ò khúán ìkpàkúté'.** He set a snare trap (with metal teeth). **ò khúán ífì.** He set a spring trap (with a wire). **khùàn ọ́ì.** Set it.; *kpaye khuan,* **ò kpáyé òjè khúán ọ́lí ífì.** He helped Oje set the snare trap.; *re khuan,* **ò rẹ́ ìbòbòdí khúán ọ́lí ífì.** He used cassava to set the snare trap. He set the snare trap with cassava bait.; *khuan ọ,* **ò khúán ífì ó vbí ímè.** He set a snare trap on the farm.

khuan *v intr* to hang (CPA, CPR, *C, *H) *de khuan* to get hung, suspended. **ọ́lì ẹ̀kpà dé khúán vbí ọ́lí óràn.** The bag hung in the tree. **ọ́lí ẹ́kpà dé khúán vbí ókhúnmí óràn.** The bag got hung at the top of the tree. lit. The bag reached a suspended position at the top of the tree.; *fi khuan* to hang by throwing. **òjè fí ẹ̀kpà khúán.** Oje hung a bag. **òjè fí ẹ̀kpà khúán vbí ọ́lí óràn.** Oje hung a bag in the tree. Oje tossed a bag to hang in the tree.; *nwu fi khuan,* **ó nwú ọ́lì úkòójè fí khúán vbì ùkéké'.** He hung the ceramic cup on the peg.; *nwu khuan* to hang by taking hold of, to get in a suspended state. **ò nwú ọ́lì ẹ̀kpà khúán.** He hung the bag. He got the bag hung. **ò nwú ọ́lì ẹ̀kpà khúán vbí óràn.** He hung the bag in the tree.; *ze khuan* to hang by scooping up. **íní zẹ́ ọ́lí òkpòsò khúán.** An elephant hung the woman. An elephant scooped thew woman and hung her up. **íní zẹ́ ọ́lí ómọ̀hè khúán vbì ìdàlè.** An elephant scooped the man and hung him at a great height.

khuankhuan *v intr* to be congested, compressed (CPA, CPR, C, *H) **ọ́lí ẹ́kọ́á khúánkhúánì.** The room is overcrowded.; **khuankhuan** *tr* to compress. *khuankhuan ọ,* **òjè khúánkhúán ọ́lí úkpùn ọ́ vbì àkpótì.** Oje forced the cloth into the box. cf. **khuan** to suspend.

khuankhuan *v tr* to be constipated (*CPA, *CPR, C, *H) ék̲é̲ìn ò ó khùànkhúán m̲è̲. I am constipated. lit. My belly is compressing on me.

khuee *v tr* to play an instrument, make a musical sound (*CPA, *CPR, C, H) òjè o̲ ó khùèè àfàn. Oje is playing a harp. òjè o̲ ó khùèè ìbè. Oje is playing a drum. yà khúéé àfàn. Get on with harp playing.; *kpay̲e̲ khuee*, ò ó kpày̲è̲ òjé khùèè àfàn. He is playing a harp in place of Oje.; *r̲e̲ khuee*, ò ó rè òrán khùèè ìbè. He is using a stick to play a drum.; *khuee li*, ò ó khùèè àfán lì òhí. He is playing a harp for Ohi.

khuee *v intr* to crow (CPA, CPR, C, H) ó̲lì ò̲kpà khúééì. The cock crowed.

khuee *v intr* to scream, sound off (*CPA, *CPR, C, H) ólí ómò̲hè ò ó khùèé. The man is screaming.; *khuee o̲*, ò ó khùèé ò̲ vbí éànmì. He is screaming on account of meat (denied him).; *khuee l̲e̲* to scream away (CPA, CPR, *C, *H) ó khúéé l̲é̲. He screamed away.; *khuee lod̲e̲* to scream away. ò khúéé lód̲è̲. He screamed away (at the top of his voice).; *khuee raal̲e̲* to scream away. ó khúéé rààl̲é̲. He screamed away.; **khuee** *tr* to sound off at, insult by screaming, verbally abuse, scream at (*CPA, *CPR, C, H) ó̲lí ómó̲hè ò ó khùèè ó̲lì

ò̲kpòsò. The man is insulting the woman. é è kè khúéé ó̲lì ò̲kpòsò. Don't abuse the woman anymore.; *khuee vbi̲e̲e̲*, ó̲lì ómó̲hé khúéé ó̲lì ò̲kpòsò vbí̲é̲é̲ ò̲jè. The man insulted the woman to Oje.

khuee *v compl tr* to insult with (CPA, CPR, *C, *H) òjè khúéé ó̲lí ókpósó úkhúéé lì ò̲bè. Oje insulted the woman with a terrible insult.

khuee òrùn *tr* to shout, scream with a shout (*CPA, *CPR, C, H) òjè o̲ ó khùèè òrùn. Oje is shouting. lit. Oje is sounding a shout. yà khúéé òrùn. Start shouting.; *khuee òrùn eche* to shout and call (CPA, CPR, *C, *H) ò̲ khúéé òrùn éché ó̲há ó̲ì. He shouted and called his wife. He called out for his wife. khùèè òrùn éché ó̲ì. Call out for him.; *kpay̲e̲ khuee òrùn eche*, ò kpáy̲é̲ òjè khúéé òrùn éché ó̲há ó̲ì. She assisted Oje in shouting for his wife.

khuee o *intr* to perish, get ruined, smashed (*CPA, CPR, *C, *H) élí ívbèkhàn khúéé ó. The youths perished. ó̲lí ék̲é̲ín óókhò̲ khúéé ó vbì èkìn. The chicken egg got smashed in the market. àgbò̲n khúéé ó vbí úkpód̲é̲ áfúzé'. People perished on the Afuze road. ó̲lí ék̲é̲ín óókhò̲ khúéé ó. The chicken egg got smashed.; **khuee o** *tr* to destroy, smash, make perish. ò̲ khúéé élí ék̲é̲ín óókhó̲ áìn ó. He smashed those chicken eggs.

é khúéé èrèmé ó. They destroyed everything. ìmátò khúéé àgbòn ó vbí úkpódé áfúzé'. A car smashed into people on the Afuze road. cf. o to enter.

khuee égbè o *tr* to be severely ill (CPA, CPR, *C, *H) émíámí khúéé égbè ó. He is very ill. lit. The illness ruined his body.

khueye a *tr* to snap, break (CPA, CPR, *C, *H) òjè khúéyé ói á. Oje snapped it.

khueen *v tr* to shell, remove outer casing or fiber, break kernels from a cob (*CPA, *CPR, C, H) òjè ò ó khùèèn ókà. Oje is shelling maize. khùèèn ókà. Shell maize.; *kpaye khueen*, ò ó kpàyè òjé khùèèn ókà. He is helping Oje sheel maize; *re khueen*, ò ó rè àhíán khùèèn ókà. He is using a grater to shell maize.; *khueen ku a*, ò khúéén ókà kú à. He shelled maize all over.; *khueen ku o*, ò khúéén ókà kú ó vbì òtòì. He shelled maize all over the ground.; *khueen li*, ò ó khùèèn òká lì èókhò. He is shelling maize for the chickens.; *khueen o*, ò khúéén ókà ó vbì ìtásà. He shelled maize onto the plate.

khúékpé, khúékhúékpé *pstv adv* condition of intense, near absolute proximity. yán sí kéé éìn ré khúékhúékpé. They drew extremely close to the tortoise. ébé' ó í sì kéá ói sé? How close was she to him?

khueme *v tr* to thank, express gratitude to (CPA, *CPR, C, H) ójé khúémé íyàìn. Oje thanked them. ólì ìdògbóímí khúémé íyàìn. The ghost thanked them. khùèmè ói. Thank him.; *kpaye khueme*, ò kpáyé òjè khúémé òhí. She helped Oje thank Ohi.; *re khueme*, ò ré émà khúémé òhí. She used yam to thank Ohi.

khuere *v intr* to be soft (CPA, CPR, *C, *H) ólí émà khúéréì. The yam is soft. ísón ísì òlí ómò khúéréì. The feces of the child is soft.

khúí *pstv adv* absolutely charred-black state. íhúé ísì òí bín á khúí. The tip of its nose really darkened. ébé' ó í bìn sé? To what extent did it darken?

khúíá, khúíákhúíá *pstv adv* absolute condition of straightness. élí úháí díáí khúíákhúíá. Each of the arrows was absolutely straight. ólí úháí díáí khúíá. The arrow is absolutely straight.; ~ *adj* absolutely straight. úháí lì khúíá the absolutely straight arrow. ólì ùhàì ú khúíá. The arrow is absolutely straight. ébé' ó í rîì? How is it?

khúíá *pstv adv* straight ahead direction. ó ò ghé shàn khúíá. He just heads straight out. ó dín ó vbí úkpódé khúíá. He got straight onto the road.

khúíéé *adj* slim, thin, slender [of humans] ólí ómóhé ú khúíéé. The man is slender. ómóhé lì

khúíéé the slim man. **ébé' ọ́ í rĩ̀?** How is he?

khùìékhùìé *pstv adv* adroit peeling activity. **ọ́ fọ́lọ́ émá khùìé-khùìé.** He peeled yam adroitly. cf. **khúíéé** slim condition.

khùìén *pstv adv* sharp, twisting fashion. **ú míẹ́í khùìén.** You sensed sharp twisting. **ọ́ shíẹ́n úrún ísì ọ̀í khùìén.** He coiled her neck with a twist. He twisted her neck off.

khuikhui *v intr* to crumble, flake off, disintegrate (*CPA, *CPR, C, H) **ọ́lì ìbúréèdì ọ̀ ọ́ khùìkhúí.** The bread is crumbling.; *khuikhui ku a,* **ọ́lí ítùú khúíkhúí kù á.** The mushrooms disintegrated all around. **ọ̀lì ìbúréèdì ọ̀ ọ́ khùìkhúí kú à.** The bread is crumbling away.; *khuikhui ku o,* **ọ́lí ítùú khúíkhúí kú ọ́ vbí òtọ̀ì.** The mushrooms disintegrated all over the ground. **ọ́lì ìbúréèdì ọ̀ ọ́ khùìkhúí kú ọ̀ vbí òtọ̀ì.** The bread is disintegrating all over the ground.

khuikhui *v intr* to dispense, disperse (*CPA, *CPR, C, H) **ọ́lì ìbísíkò ọ̀ ọ́ khùìkhúí.** The sparklers are sparkling.; *khuikhui ku a,* **ọ́lì ìbísíkò ọ̀ ọ́ khùìkhúí kú à.** The sparklers are sparkling all over.; *khuikhui ku ọ,* **ọ́lì ìbísíkò ọ̀ ọ́ khùìkhúí kù ọ̀ vbí òtọ̀ì.** The sparklers are sparkling all over the ground.; **khuikhui èràìn** *tr* to disperse, dispense fire, sparkle. **ọ́lí ósún**

ọ́ ọ̀ khùìkhùì èràìn. The fetish object sparkles. **ósún ísì ọ̀í khùìkhùì èráín vádè.** His fetish was dispersing fire as it was coming. His fetish object is sparkling while coming.

khuikhui éhọ̀n a *tr* to hold a deaf ear to, fail to take heed (CPA, CPR, *C, *H) **ọ́ khúíkhúí éhọ̀n ísì ọ̀í á.** He did not take heed. lit. His ear has disintegrated.

khuo *v intr* to lose color (CPA, CPR, C, H) **ọ́lí úkpùn khúóì.** The cloth's color ran.; *khuo ku a,* **ọ́lí úkpún khúó kù á.** The cloth's color ran out.; *khuo ku ọ,* **ọ́lí úkpùn khúó kù ọ́ vbí íkpún nọ́ì.** The color of the cloth ran all over the other clothes.

khùó *pstv adv* whooshing sound resulting from a deep cut. **ú họ́ní khùó.** You heard a whooshing sound. **ọ́ hían úkélé khùó.** He cut a morsel with a whoosh.

khuokhuo *v intr* to crawl (*CPA, *CPR, C, H) **ọ̀ ọ́ khùòkhúó vbí ídámí úkpódè̀.** He is crawling midway up on the road. **ọ́lí ọ́mọ̀ ọ̀ ọ́ khùòkhúó.** The child is crawling. **yà khúókhúó.** Start crawling.; *re khuokhuo,* **ọ̀ ọ́ rè ìgúá khùòkhúó vbí íhíá'n-mìvìn.** He is crawling on the palm kernel shells with his knees.; *khuokhuo shan,* **ọ̀ ọ́ khùòkhúó shán.** She is crawling away.; **khuokhuo shan vbi, ọ̀ ọ́ khùòkhúó shàn**

vbí égbóà. She is crawling to the backyard.

khúrú *pstv adv* slow, burdensome manner [for older generation] **ọ̀ ọ́ sì khúrú**. She is moving slowing. cf. **khúú** outstretched condition.

khúú *pstv adv* outstretched condition of a moving activity. **ọ̀ ọ́ sì òjé vbí ótọ́í khúú**. He is dragging Oje on the ground in an outstretched fashion. **ọ̀ ọ́ shàn vbí ísáó khúú**. He is proceeding to the front in an outstretched fashion. He is rushing to the front.

khuun *v tr* to bundle, wrap up, arrange by tying in a bundle (*CPA, CPR, C, *H) **ọ̀ khúún íhùà**. He arranged his load. **ọ́lì òkpòsò khúún élí éràn**. The woman bundled the wood. **khùùn ọ́lì ògèdè**. Bundle the plantain.; *kpaye khuun*, **ọ̀ kpáyé òjè khúún ọ́lì ògèdè**. He helped Oje bundle the plantain.; *re khuun*, **ọ̀ ré úì khúún ọ́lì ògèdè**. He used rope to bundle the plantain.; **khuun li**, **ọ̀ khúún ọ́lì ògèdè lí òhí**. He bundled the plantain for Ohi.; *khuun ọ*, **ọ̀ khúún ọ́lì ògèdè ọ́ vbí íhùà**. He bundled the plantain onto the load.; *khuun ye*, **ọ̀ khúún ọ́lì ògèdè yé òhí**. He bundled the plantain and took it to Ohi.; *de khuun* to get bundled up, embrace (CPA, CPR, *C, *H) **ọ́lì òkpòsò dé khúún òdéèwè**. The woman grabbed the she-

goat. lit. The woman reached and bundled the she-goat. **òjè dé khúún ọ́lì òkpòsò**. Oje grabbed the woman. **ọ́lí ọ́mọ̀hè dé khúún òjè**. The man embraced Oje. The man and Oje embraced. **dè khúún ọ́ì**. Grab him.

khuye *v intr* to close, shut (CPA, CPR, *C, *H) **ọ́lí úkhùèdè khúyéì**. The door is shut.; *ze khuye*, **ọ́lí ọ́mọ̀hè zé ọ́lí úkhúédé khùyè**. The man allowed the door to close.; **khuye** *tr* to close, shut (CPA, CPR, C, H) **ọ̀ khúyé ìwîndò**. He closed a window. **khùyè ìwîndò**. Shut the window.; *kpaye khuye*, **ọ̀ kpáyé òjè khúyé ìwîndò**. He helped Oje shut the window.; *khuye da nye* to close, lock in (CPA, CPR, *C, *H) **ọ́ khúyé úkhùèdè dá ọ́ì nyé**. He closed the door against her. He closed the door and kept her in. **ọ́lí ọ́mọ̀hè khúyé úkhùèdè dá ọ́lì òkpòsò nyé**. The man locked the door on the woman.; *khuye ze* to detain by locking in. **à khúyé òjè zé**. Oje has been detained. **òhí khúyé òjè zé vbì ìwè**. Ohi detained Oje in the house (by locking him there).

khuye a *intr* to open, become open (CPA, CPR, *C, *H) **ọ́lì ìwîndò khúyé à**. The window opened.; **khuye a** *tr* to open (CPA, CPR, C, H) **ọ́lí ọ́mọ̀hè khúyé ọ́lí úkhùèdè á**. The man opened the door. **khùyè ó̩ì á.** Open it.; *kpaye̩ khuye a,* **ò̩ kpáyé̩ òjè khúyé ìwîndò á.** He opened the window in lieu of Oje.; *re̩ khuye a,* **ò̩ ré̩ óràn khúyé ó̩lì ìwîndò á.** He used a stick to open the window.; *khuye fi a,* **ò̩ khúyé ìwîndò fí à.** He opened the window wide.; *khuye a li,* **ò̩ khúyé ìwîndò á lí ò̩hí.** He opened the window for Ohi.

KP

kpa *v intr* to vomit (CPA, CPR, C, H) **òjè ò̩ ó̩ kpá.** Oje is vomiting. **é è kpá.** Don't vomit.; *kpa ku a,* **ò̩ kpá kù á.** He vomited all over.; *kpa ku o̩,* **ò̩ kpá kù ó̩ vbì ìtébù.** He vomited all over the table.; **kpa** *tr* to vomit. **ò̩ kpá émà.** He vomited yam.; *kpa ku a,* **ò̩ kpá ó̩lí émà kú à.** He vomited the pounded yam all over.; *kpa ku o̩,* **ò̩ kpá émà kú ó̩ vbì ìtébù.** He vomited yam all over the table.; *kpa o̩,* **ò̩ kpá émà ó̩ vbì ìtébù.** He vomited yam onto the table.

kpa ékpà *tr* to vomit (CPA, CPR, *C, *H) *kpa ékpà ku a,* **ó̩lí ó̩vbèkhàn kpá ékpà kú à.** The youth vomited vomit all over.; *kpa ékpà ku o̩,* **ó̩lí ó̩vbèkhàn kpá ékpà kú ó̩ vbì ìtébù.** The youth vomited all over the table.

kpa li *tr* to regurgitate for (CPA, CPR, C, H) **ó̩lí áfiánmì kpá émàè lí óvbí ó̩ì.** The bird regurgitated food for its young.

kpa óbì vbi únù *tr* to speak in a socially unacceptable fashion (CPA, CPR, *C, *H) **ó̩ kpá óbí lí ó̩bé vbí únù.** He spoke in a socially unacceptable manner. lit. He vomited bad poison from his mouth.

kpa o̩ *tr* to apportion to (CPA, CPR, *C, *H) **òjè kpá émà ó̩ vbì ìtásà.** Oje apportioned pounded yam into the bowl. **ó̩lì ò̩kpòsò kpá émà ó̩ élí ívbékhán vbí óbò̩.** The woman apportioned pounded yam among the youths. cf. **gha** to be apportioned.

kpàán *pstv adv* smashing sound resulting from a hitting activity involving a small object. **ú hó̩ní kpàán.** You heard a smashing sound. **ó̩ fí ékhíí úkpórán vbí úhúnmí kpàán.** He hit the cripple with a stick on the head with a smash. He smashed the cripple on the head with a stick.

kpàgùàkpágúá *adj* gaunt, lean, weary, lifeless, weak, **ó̩mó̩hé lì kpàgùàkpágúá** the gaunt man. **ó̩lí ó̩mó̩hé ú kpàgùàkpágúá.** The man is gaunt. **ébé' ó̩ í rî?** How is he?

kpagha *v intr* to be shocked (CPA, CPR, *C, *H) *kpagha a,* **ó̩ kpághá à.** He was shocked. **ó̩ kpághá á vbì ìdàlè.** He was shocked bolt upright.; *kpagha o̩,* **ò̩ kpághá ó̩ vbì ìbé̩è̩dì.** He was shocked stiff in bed.

kpáí *pstv adv* sharp snapping sound resulting from an activity of separation. **ú hóní kpáí.** You heard a snapping sound. **ó ghé íná hían édìn á kpáí.** He just snapped off the palm tree this way. **ólì ìkpéèkpéhímí fán á kpáí.** The millipede snapped apart sharply.

kpákpá *pstv adv* extremely urgent fashion. **ó róó òì yé óí kpákpá.** She took it to him with urgency. **ò í vàré kpákpá.** He should come without a second to loose.

kpákpá *pstv adv* attentively. **ò gbé éhón kpákpá.** He positioned his ears in an attentive fashion. He bent his ear to listen. He listened closely.

kpákpákpá *pstv adv* trembling fashion of shaking activity. **ó ò gùò kpákpákpá.** He's trembling He is shaking all over. **àlèkè ò ó tín à kpákpákpá.** Aleke is trembling. Aleke flew up trembling. cf. **kpékpékpé** shivering fashion.

kpan *v tr* to flay, peel, skin (*CPA, CPR, C, *H) **ò kpán ólí éwé óhìàn.** He flayed the goat. **kpàn òlí éwé óhìàn.** Peel the goat's skin.; *kpaye kpan,* **ò kpáyé òjè kpán ólí éwé óhìàn.** He helped Oje skin the goat.; *re kpan,* **ò ré úvbíághàè kpán ólí éwé óhìàn.** He used a small knife to flay the goat's skin.

kpan *a tr* to peel out from (*CPA, CPR, *C, *H) **ò kpán émà á.** He peeled out the yam (from its skin). He skinned the yam. **kpàn òì á.** Peel it out.

kpanno *a tr* to bruise, scrape the skin (CPA, CPR, *C, *H) **ò kpánnó égbè á.** He bruised his body. **ò kpánnó ójé àwè á.** He bruised Oje's leg. **é è kpánnó égbè á.** Don't bruise your body.; *re kpanno a,* **ò ré údò kpánnó égbè á.** He bruised his body with a stone.; *kpanno ku a,* **ò kpánnó égbè kú à.** He bruised his body all over. cf. **kpan** to peel, **-lo** DS.

kpao *prev adv* earlier, initially, firstly. **ólí ómóhé kpáò é vbí ólí émáé.** The man earlier on ate from the food. cf. **àó** one [for counting].

kpásíá *pstv adv* extremely upright, erect manner. **ó múzání kpásíá.** He stood erect. He stood straight. **ébé' ó í múzán?** How did he stand?

kpaye *v tr* to help, assist, perform in place of, in lieu of, with (*CPA, *CPR, C, H) **ó ò kpàyè òí vbàyé.** He passes time with her. **òhí ò ó kpàyè òjé tà étà.** Ohi is speaking with Oje. **òjè kpáyé àlèkè gbé ólí ófè.** Oje killed the rat in place of Aleke. **kpàyè òlí ómòhè gbé ólí ófè.** Help the man kill the rat.

kpaye óbò *compl tr* to assist, give a helping hand to (CPA, CPR, *C, *H) **òjè kpáyé àlèkè óbò.** Oje assisted Aleke. Oje gave Aleke a helping hand.

kpe *v tr* to narrate (*CPA, *CPR, C, H) **ólí ókpósó nà ò ó kpè ìtàn.** This woman is narrating a saying.; *kpe li hon,* **ólì òkpòsò kpé ìtàn lí ólí ómóhé hòn**. The woman narrated a saying to the man.; *kpe vbiee,* **ò kpé ìtàn vbíéé ólí ómòhè**. She narrated a saying to the man.

kpe ìkhùnmì *tr* to prepare charms (CPA, CPR, C, H) **ò kpé ìkhùnmì**. He prepared charms. **é è kè kpé ìkhùnmì**. Don't prepare charms anymore.; *kpe ìkhùnmì li,* **ò kpé ìkhùnmì lí òjè**. He prepared charms for Oje.; *kpe ìkhùnmì dume ku a,* to prepare extra charms to fortify against evil deeds (*CPA, CPR, *C, *H) **ò kpé ìkhùnmì dúmé kù á**. He fortified himself with extra charms. lit. He prepared charms and pounded (them) all over.

kpe *v tr* to wash (CPA, CPR, C, H) **ólí óvbèkhàn kpé ólì òkpàn**. The youth washed the gourd. **kpè ólì ìtásà**. Wash the plate.; *kpaye kpe,* **ò kpáyé òjè kpé ólì ìtásà**. He helped Oje wash the plate.; *re kpe,* **ò ré ósá lí óbìn kpé ìtásà**. He used black soap to wash plates.; *kpe a,* **ò kpé ólì ìtásà á**. He washed off the plate.; *kpe ku a,* **ò kpé ólì òmì kú à**. He washed the soup away.; *kpe ku o,* **ò kpé ólì òmì kú ó vbì ìtébù**. He splattered the soup all over the table.; *kpe li,* **ò kpé ólì ìtásà lí òjè**. He washed the plate for Oje.; *kpe o vbi òtòì,* **ò kpé ólì ìtásà ó vbì òtòì**. He washed the plate beforehand. cf. **kpeye** to wash.

kpédé, kpékpédé *adj* stubby, stout, short and plump [of inanimates] **ólí órán ú kpédé**. The tree is stubby. **órán lì kpédé** the stubby log. **ébé' ó í rîì?** How is it?

kpèé *pstv adv* condition of deep, prolonged agony during mourning. **ójé róó évíé kpèé**. Oje burst into tears in agony. cf. **kpèégédé** condition of prolonged agony.

kpèé *pstv adv* spatially distant position. **ó sé ókhúnmí kpèé**. It reached a distant point on the horizon. **ó fí óì yé ókhúnmí kpèé**. He threw it high in the sky. **ò rîì vbí ísáó kpèé**. It is far to the front. **ébé' ó rîì?** Where is it? cf. **kpèégédé** spatially distant position.

kpèégédé *pstv adv* spatially distant position. **ò fí óì yé ókhúnmí kpèégédé**. He threw it far ahead. cf. **kpèé** spatially distant position.

kpèégédé *pstv adv* deep, prolonged agony during mourning. **ójé róó évíé kpèégédé**. Oje burst into agonizing tears. cf. **kpèé** condition of agony.

kpeghe *v tr* to shake something (CPA, CPR, C, H) **ò kpéghé ólí órán**. He shook the tree. **ò kpéghé úhùnmì**. He shook his head. **kpèghè óì**. Shake it.; *kpaye kpeghe,* **ò kpáyé òjè kpéghé ólí órán**. He shook the tree in lieu of Oje.; *áíkhàán kpeghe ku a zíghíí* to bustle, shake everywhere (*CPA, *CPR, *C, H) **áíkhàán ó ò kpèghé kú à zíghíí**. It shakes noisily everywhere. lit. Everywhere shakes away noisily.

kpeghe úhùnmì a *tr* to shake the head [as a sign of pity] (CPA, *CPR, *C, *H) **ó kpéghé úhùnmì á**. He shook his head in pity. lit. He shook off his head.

kpéké *pstv adv* condition of absolute contentment or satisfaction. **yán khóóní kpéké**. They are absolutely content.

kpèlèkpélé *pstv adv* maximal point on the horizontal plane. **òjè lí ó kpén úókhó kpèlèkpélé**. It is Oje who is the very last. **òjè lí ó kpén ísáó kpèlèkpélé**. It is Oje who is furthest to the front. **ó rîì vbí ísáó kpèlèkpélé**. He is furthest to the front. **ébé' ó rîì?** Where is he? cf. **kpèè** spatially distant position.

kpeye *v tr* to wash (CPA, CPR, *C, *H) *kpeye a*, **òjè kpéyé ókò á**. Oje washed off the mortar. **kpèyè ói á**. Wash it off.; *kpaye kpeye a*, **ò kpáyé òjè kpéyé ókò á**. He helped Oje wash off the mortar.; *kpeye o vbi òtòì*, **ò kpéyé ókò ó vbì òtòì**. He washed the mortar beforehand. cf. **kpe** to wash.

kpeye *v tr* to purge; **ékéìn kpeye** to purge the bowels, have a runny stomach (*CPA, *CPR, C, H) **ékéìn ò ó kpèyè òjè**. Oje is

having a runny stool. lit. His belly is purging Oje.

kpeye égbè a *tr* to purify by washing (*CPA, CPR, *C, *H) **òjè kpéyé égbè á**. Oje purified his body.

kpe *aux* yet, beforehand, previously [relative tense function] **ólí ómóhé ló kpè é ólí émàè**. The man will yet eat the food. **ólí ómóhé kpé é ólí émàè**. The man ate the food beforehand.; **kpe** *aux* before [subordinating function] **ójé dá ényò, ó kpé hián óràn**. Oje drank wine, before he cut wood.

kpeen *v tr* to wedge, support, prop up (CPA, CPR, *C, H) *re kpeen*, **ò ré óbò kpéén àgbàn**. He wedged his jaw with his hand. **rè óràn kpéén ólì ìmátò**. Prop up the car with a pole.

kpeen *v tr* to position by, wedge with (CPA, CPR, *C, *H) **ó díá kpéén ólì òkpòsò**. He sat with the woman. **ò fí ómò kpéén ói**. He left a child with her. **òjè múzán kpéén òhí**. Oje stood with Ohi. **ò nwú ómò kpéén òjè**. He put the child with Oje.; **mehen kpeen** to have sex with (CPA, CPR, *C, H) **ó méhén kpéén ólì òkpòsò**. He had sex with the woman. lit. The man slept positioned with the woman. cf. **kpeen** to wedge.

kpeen ùrùn *tr* to have a goiter (CPA, CPR, *C, *H) **ójé kpéén ùrùn**. Oje has a goiter. lit. Oje wedged his throat.

kpẹ́gẹ́n *pstv adv* bulging condition. **ẹ́kẹ́ín ísì ọ̀í yí ré kpẹ́gẹ́n**. His belly pushed out in a bulge. His belly bulged out.; ~ *adj* bulged state. **ẹ́kẹ́ín lì kpẹ́gẹ́n** the bulging belly. **ẹ́kẹ́ín ísì ẹ̀ẹ́ ú kpẹ́gẹ́n**. Your belly bulged out. **ójé ú ẹ́kẹ́ín kpẹ́gẹ́n**. Oje has a bulging belly. **ébé' ẹ́kẹ́ín ísì ọ̀í í ríì?** How is his belly?

kpẹ́kẹ́ *adj* short in height, petite [of humans] **ọ́lí ọ́mọ́hẹ́ ú kpẹ́kẹ́**. The man is short. **ọ́mọ́hẹ́ lì kpẹ́kẹ́** the short man. **ébé' ọ́ í dà sẹ́?** How tall is he?

kpẹkpe *v intr* to be sickly (*CPA, *CPR, *C, H) **ívbí ójé ọ́ ọ̀ kpẹ̀kpé**. The children of Oje are sickly.

kpẹ́kpé, **kpẹ́kpékpé** *pstv adv* attentive state of listening. **ọ́ dáá éhọ́n kpẹ́kpé**. He listened attentively.

kpẹ́kpékpé *pstv adv* shivering condition of a shaking activity. **yán à gùọ̀ kpẹ́kpékpé**. They shake in a shivering fashion. They shiver. cf. **kpákpákpá** trembling condition.

kpẹ̀kpẹ́kpÌẹ̀ *inter* never ever, never a chance.

kpẹn *v tr* to be positioned next to a location (CPA, CPR, *C, *H) **ọ́lí ọ́mòhẹ̀ kpẹn ísàò**. The man was in front. lit. The man is next to the front. **ọ́lì òkpòsò kpẹn ùòkhò**. The woman was last. **ọ́lì ìtásà lí ọ́ kpẹn òkhùnmì**. It was the plate that was on top.; *kpen li*, **ọ́lí ọ́mòhẹ̀**

kpẹ́n àó ní íyàìn. The man is in front of them. lit. The man is next to the first from them.; *kpen re* to be next to [only positive focus] **òjè lí ọ́ kpẹ́n òhí ré**. It is Oje who is next to Ohi. It is Oje who arrived next to Ohi.; *rẹ kpẹn* to stoke, get positioned [of wood] **òjè rẹ́ óràn kpẹn**. Oje stoked the fire. Oje put wood on the fire. lit. Oje got the wood positioned. **rè ọ́ì kpẹn**. Stoke it.; *delo ẹ̀ò kpẹn* to face, turn the face to. **ọ́lí ọ́mòhè délọ́ ẹ̀ò kpẹn òjè**. The man turned toward Oje. The man faced Oje. lit. The man turned his faced next to Oje. **ọ́lì ìwè délọ́ ẹ̀ò kpẹ́n úkpódè**. The house faced the road.; *delo ùòkhò kpẹn* to turn the back to. **ọ́lí ọ́mòhè délọ́ ùòkhò kpẹn òjè**. The man turned away from Oje. lit. The man turned his back next to Oje. **ọ́lì ìwè délọ́ ùòkhò kpẹn úkpódè**. The house faced away from the road. **dèlọ̀ ùòkhò kpẹn ọ́ì**. Turn your back to him. Face away from him.; *fi ẹ́kẹ̀ìn kpẹn òkhùnmì* to turn upside down. **ọ́lì èhèèn fí ẹ́kẹ̀ìn kpẹn òkhùnmì**. The fish is belly up. lit. The fish positioned its belly next to the top.; *fi úhùnmì kpẹn òtọ̀ì* to turn upside down. **ọ̀ fí úhùnmì kpẹn òtọ̀ì**. He turned upside down. lit. He dropped his head next to the ground. **fì úhùnmì kpẹn òtọ̀ì**. Turn upside down.; **fi úhùnmì kpẹn òtọ̀ì**

compl tr to turn upside down. ọ̀ fí ọ̀gó úhùnmì kpẹ́n òtọ̀ì. He turned the bottle upside down. lit. He positioned the bottle's top next to the ground. fì ọ̀í úhùnmì kpẹ́n òtọ̀ì. Turn it upside down.; *nwu kpẹn òtọ̀ì* to put at the bottom. ọ̀ nwú ọ́lí úkpùn kpẹ́n òtọ̀ì. He put the cloth at the bottom. lit. He put the cloth next to the ground. nwù ọ̀lí úkpùn kpẹ́n òtọ̀ì. Put the cloth at the bottom of the pile.; *nye kpẹn ùòkhò* to prepare last (CPA, CPR, C, H) wẹ̀wẹ̀ lí ú nyẹ́ ákhè kpẹ́n ùòkhò. It is you who prepared food last. lit. It is you who prepared a pot next to the back.; cf. kpao nyẹ prepare first. wẹ̀wẹ̀ lí ú kpáò nyẹ́ ákhè. It is you who will first prepare food.

kpẹn ábọ̀ *tr* to square up arms for a push (CPA, CPR, C, *H) yàn kpẹ́n ábọ́ nyẹ́nyẹ́ òjè. They straightened their arms and pushed Oje. They shoved Oje with their arms.

kpẹ́shé *adj* stubby, short and fat. ọ́lí ọ́vbé' ú kpẹ́shẹ́. The puff adder is stubby. ọ́vbé' lì kpéshé the stubby puff adder. ébé' ọ́ í rîì? How is it?

kpẹ́zẹ́kpẹ́zẹ́ *adj* saggy, flaccid cheeks, író lì kpẹ́zẹ́kpẹ́zẹ́ the saggy cheeks. író ísì òjè ú kpẹ́zẹ́kpẹ́zẹ́. Oje's cheeks are flaccid. ójé ú író kpẹ́zẹ́kpẹ́zẹ́. Oje has flaccid cheeks. ébé' ọ́ í rîì? How is it?

kpiakpia *v tr* to trim bark (CPA, CPR, C, H) òjè kpíákpíá ọ́lí óràn. Oje trimmed the tree. kpìàkpìà ọ́ì. Trim it.; *kpaye kpiakpia*, ọ̀ kpáyẹ́ òjè kpíákpíá ọ́lí óràn. He helped Oje trim the tree.; *re kpiakpia*, ọ̀ ré ọ́píá mẹ̀ kpíákpíá ọ́lí óràn. He used my cutlass to trim the tree.; *kpiakpia ku a*, ọ̀ kpíákpíá ọ́lí óràn kú à. He trimmed away the tree bark.; *kpiakpia ku o*, ọ̀ kpíákpíá ọ́lí óràn kú ọ́ vbì òtọ̀ì. He trimmed the tree bark all over the ground.

kpíàlà *pstv adv* sudden, jerky manner. ú míẹ́í kpíàlà. You sensed the jerky motion. ọ́lí áwá láí kpíàlà. The dog ran off with a jerk. The dog jerked away.; ~ *adj* sudden jerky condition. ọ́lí áwá ú kpíàlà. The dog jerked away. The dog has bolted away.

kpíkpíkpí *pstv adv* intense fluttering sound resulting from wing beating. ú họ́ní kpíkpíkpí. You heard a fluttering sound. ọ́lí ékùété' gbé ábọ́ kpíkpíkpí. The dove beat its wings with a fluttering sound. The dove fluttered its wings.

kpìó *pstv adv* cracking sound resulting from a hitting activity. ú họ́ní kpìó. You heard a cracking sound. ọ́ fí ọ́í úkpàsánmí kpìó. He hit him with a cane with a crack. He cracked him with a cane.

kpìó *pstv adv* sound resulting from a sudden snatching activity. **ú hóní kpìó.** You heard a snatching sound. **ó ré úkpàsánmì róó ésónkpún kpìó.** She used a cane to pick up the rag with a snatch. She snatched up the rag with a cane.

kpìón *pstv adv* sound of a loud gulp. **ú hóní kpìón.** You heard a loud gulping sound. **ó mí òì dáán kpìón.** He swallowed it with a gulp. cf. **gbìón** sound of a less loud gulping.

kpíòngòndòn *pstv adv* sound of an intensely loud gulp. **ú hóní kpíòngòndòn.** You heard very loud gulping sound. **ó mí òì dáán kpíòngòndòn.** He swallowed it with a very loud gulp. cf. **kpìón** loud gulping sound.

kpíríkpírí *pstv adv* dense, regularly-spaced arrangement of rash protrusions. **égbé ísì òjè fíí kpíríkpírí.** Oje's body is rash-covered.; ~ *adj* dense, regularly spaced arrangement of rash protrusions. **égbé ísì òjè ú kpíríkpírí.** Oje's body is full of rashes. **ójé ú égbé kpíríkpírí.** Oje has a body full of rashes. **ébé' ó í rîì?** How is it?

kpízíkpízí *pstv adv* creased condition of fat. **égbé ísì òjè fíí kpízíkpízí.** Oje's body is covered with creases of fat.; ~ *adj* creasy, full of creases. **égbé ísì òjè ú kpízíkpízí.** Oje's body is creased with fat. **ébé' ó í rîì?** How is it?

kpogho *v tr* to dilute by liquifying a congealed substance (CPA, CPR, C, H) **òjè kpóghó ólì àkàmù.** Oje diluted the maize pap. **kpòghò òì.** Dilute it.; *kpaye kpogho*, **ò kpáyé òjè kpóghó ólì àkàmù.** He diluted the maize pap in lieu of Oje.; *kpogho li*, **ólì òkpòsò kpóghó àkàmù lí òhí.** The woman diluted the pap for Ohi.; *kpogho on* to dilute and drink (CPA, CPR, *C, *H) **ólì òkpòsò kpóghó ólì àkàmù ón.** The woman diluted the pap and drank it.

kpòhíó *pstv adv* sound resulting from gouging one object out of another. **ú hóní kpòhíó.** You heard a gouging sound. **ó ré ópìà zé óí èò díànré kpòhíó.** She pried out his eyes with a cutlass in a gouging fashion. She gouged out his eyes with a cutlass.; ~ *adj* sound resulting from a gouged condition. **éó ísì òí ú kpòhíó.** His eye was gouged out.

kpokpo *v intr* to worry, pester, bother, be agitated, restless, disturbed (*CPA, *CPR, C, *H) **òjè ò ó kpòkpò gbé.** Oje worries too much. **é è kè kpókpó.** Don't worry anymore.; **kpokpo** *tr* to worry, agitate, disturb, pester. **ólí ómò ò ó kpòkpò ólì òkpòsò.** The child is agitating the woman. **áfìánmì lí ó ò kpòkpò ólì òkpòsò.** It is witchcraft that worries the woman. **é è kè kpókpó ínyó é.**

Don't worry your mother anymore.

kpolo *v tr* to scoop by packing together a mass (CPA, CPR, C, H) **òjè ọ̀ ọ́ kpòlò èkẹ̀n.** Oje is scooping sand. **ọ̀ kpóló vbí ọ́lí ékẹ́n.** He scooped from the sand. **kpòlò ọ̀ì.** Pack it.; *kpaye kpolo,* **ọ̀ kpáyẹ́ òjè kpóló èkẹ̀n.** He scooped sand in place of Oje.; *re kpolo,* **ọ̀ rẹ́ ìtásá mẹ̀ kpóló èkẹ̀n.** He used my plate to scoop sand.; *kpolo ku a,* **ọ̀ kpóló èkẹ̀n kú à.** He scooped sand aside.; *kpolo ku o,* **ọ̀ kpóló èkẹ̀n kú ọ́ vbí úkpódẹ̀.** He scooped sand all over the road.; *kpolo li,* **ọ̀ kpóló èkẹ̀n lí òhí.** He scooped sand and gave it to Ohi.; *kpolo o,* **ọ̀ kpóló èkẹ̀n ọ́ vbí úkpódẹ̀.** He scooped sand onto the road.; *kpolo re,* **ọ̀ kpóló èkẹ̀n ré.** He scooped sand and brought it.; *kpolo shoo vbi re,* **òjè kpóló èkẹ̀n shọ́ọ́ vbí úkpódẹ̀ ré.** Oje scooped sand away from the road.; *kpolo vbi re,* **òjè kpóló ékẹ́n vbí úkpódẹ̀ ré.** Oje scooped sand from the road.; *kpolo ye,* **ọ̀ kpóló èkẹ̀n yé òhí.** He took sand to Ohi.

kpolo *v tr* to scoop by gathering together a homogeneous aggregate (CPA, CPR, C, H) **òjè kpóló ìvìn.** Oje gathered palm nuts. **òjè kpóló vbí ívín.** Oje gathered from the palm nuts. **kpòlò ìvìn.** Gather palm nuts.; *kpolo ku a,* **òjè kpóló ìvìn kú à.** Oje scooped palm nuts all around.; *kpolo ku o,* **òjè kpóló**

ìvìn kú ọ́ vbì ẹ̀kpà. Oje scooped palm nuts all over the bag.; *kpolo li,* **òjè kpóló ìvìn lí òhí.** Oje gathered palm nuts for Ohi.; *kpolo o,* **ọ́lí óvbèkhàn kpóló ìvìn ọ́ vbì ẹ̀kpà.** The youth gathered palm nuts into the bag.; *kpolo re,* **òjè kpóló ìvìn ré.** Oje brought palm nuts.; *kpolo shoo vbi re,* **òjè kpóló ìvìn shọ́ọ́ vbì ìtébù ré.** Oje removed palm nuts far away from the table.; *kpolo vbi re,* **òjè kpóló ívín vbì ìtébù ré.** Oje removed palm nuts from the table.; *kpolo ye,* **òjè kpóló ìvìn yé òhí.** Oje took palm nuts to Ohi.; *kpolo o,* **ọ́lí óvbèkhàn kpóló élí ékhè ó vbì iwè.** The youth gathered the pots into the house.

kpolo égbè ye *tr* to gather, take each other to (CPA, CPR, *C, *H) **è kpóló égbè yé ésì ọ́bá'.** They took themselves to the Oba's place. lit. They gathered themselves and moved toward the Oba's place.

kpóló *pstv adv* swishing sound resulting from an entering activity. **ú họ́ní kpóló.** You heard a swishing sound. **ọ́lí ófé ó vbí óó kpóló.** The rat entered the hole with a swish.

kpóò *pstv adv* loud bang of an exploding gun. **ú họ́ní kpóò.** You heard a loud bang.; ~ *adj* loud banging sound of a gun. **ọ́lì òísí' ú kpóò.** The gun banged. cf. **ìgèì** exploding sound of a gun.

kposho *v tr* to scrape from a hard surface (*CPA, *CPR, C, H) **òjè ọ̀ ọ́ kpòshò àkpókà.** Oje is scraping a bone. **úvbíúkò ọ̀ ọ́ kpòshò òtọ̀ì.** A billy goat is scraping the ground. **yà kpóshó ọ́lì àkpókà.** Start scraping the bone.; *re kposho,* **úvbíúkò ọ̀ ọ́ rẹ̀ èhíá kpòshò òtọ̀ì.** The billy goat is using its hooves to scrape the ground. The billy goat is pawing the ground.

kpọ *v intr* to visit a place frequently (*CPA, *CPR, *C, H) **ọ́ ọ̀ kpọ̀ vbí èvbọ̀.** He frequents there. He visits there frequently.

kpọ *v intr* to become cheap in price (CPA, CPR, *C, H) **ọ́lí éhéén kpọ́ì.** The fish is cheap.; *kpọ ku a,* **èhẹ̀ẹ̀n kpọ́ kù á vbì èkìn.** Fish is very cheap throughout the market.; *kpọ lee,* **éhéén mè kpọ́ lẹ́é ísì òjè.** My fish is cheaper than Oje's.; *kpọ o vbi ọ,* **ìgbégbé ọ́ ọ̀ kpọ́ ọ̀ vbí ọ́ úkpùúkpè.** Velvet gets cheaper each year.; *ze kpọ,* **òkhùàkhùà í ì zẹ̀ ìkpéshé kpọ̀ úkpẹ̀énà.** Harmattan did not allow beans to become cheap this season.

kpọ́dọ́ *adj* small and round. **úkpéó lì kpọ́dọ́** the small eyeball. **ọ́lí úkpéó ú kpọ́dọ́.** The eyeball is small. **ébé' ọ́ í rîì?** How is it?

kpọ̀ì *pstv adv* swollen, plump condition. **óbọ́ ísì ọ̀í gbáí kpọ̀ì.** His arm is big in a plump fashion. **ọ́lì òú fíí kpọ̀ì.** The cotton sprouted in a swollen condition. The cotton is swollen. **ébé' ọ́ í gbà sẹ́?** How big is it? cf. **kpọ́kọ́** swollen condition.

kpọ́kọ́, kpọ́kọ́kpọ́kọ́ *pstv adv* swollen new growth. **ọ́lì òú fíló kpọ́kọ́kpọ́kọ́.** Each of the cotton bulbs swelled up.; ~ *adj* swollen, **ìéésí lì kpọ́kọ́** the fat grained rice. **ọ́lì ìéésí ú kpọ́kọ́kpọ́kọ́.** The rice is new and swollen. **ébé' ọ́ í rîì?** How is it? cf. **kpọ̀ì** swollen condition.

kpọ́nkpọ́n *pstv adv* extremely heavy in weight. **ọ̀ ọ́ khùà kpọ́nkpọ́n.** It is extremely heavy.; ~ *adj* extremely heavy, bulky. **íhúá lì kpọ́nkpọ́n** the bulky load.

kpoon *v intr* to collapse (*CPA, CPR, C, *H) **ọ́lì ìwè kpóónì.** The house collapsed.; *kpoon ku a,* **ọ́lì ìwè kpóón kù á.** The house collapsed into pieces. **ìgédéègé ísì óbá' ké kpóón kù á.** Thereafter, the storied building of the Oba crumbled to bits.

kpoon *v tr* to move down, descend (*CPA, CPR, C, *H) **ọ́lí ómòhè kpóón ọ́lí ókòó.** The man descended the hill.

kpoon *v tr* to dump (CPA, CPR, C, H) *kpoon ku a,* **ọ̀ kpóón ọ́lí évbìì kú à.** He dumped the palm oil all over.; *kpoon ku ọ,* **ọ̀ kpóón èkèn kú ọ́ vbì òtọ̀ì.** He dumped sand all over the ground.; *kpoon voo* to dump over, dump and cover. **ọ̀ kpóón èkẹ̀n vóó ọ́lì òò.** He covered the hole with sand. He dumped sand over the hole. **àzìzà kpóón èkèn vóó ólì òò.** The whirlwind dumped sand over the hole. **kpòòn èkèn vóó ólì òò.** Dump sand to cover the hole.

kpoon àkòn vbi únù *tr* to cause teeth to fall out (*CPA, CPR, *C, *H) **ò yà kpóón ólí ómóhé ákón vbí únù.** He almost caused the man's teeth to fall out. lit. He almost dumped the man's teeth in his mouth.

kpúdú *adj* pellet-shaped, **ísón lì kpúdú** the pellet-shaped feces. **ólí ísón ú kpúdú.** The feces is pellet shaped. **ébé' ó í rîì?** How is it?

kpúkú *adj* protruding shape, **úgúá lì kpúkú** the protruding joint. **ólí úgúá ú kpúkú.** The joint protruded. **ébé' ó í rîì?** How is it?

kpútú *adj* stumpy shape [of wood or tree] **órán lì kpútú** the stumpy tree. **ólí órán ú kpútú.** The tree is stumpy. **ébé' ó í rîì?** How is it?

L

la *v intr* to run (CPA, CPR, C, H) **ólí óvbèkhàn ò ó lá.** The youth is running.; *la fi a,* **ólí ómòhè lá fì á.** The man ran away.; *la le,* **ò lá lé.** He ran away. He escaped.; *la li,* **ò ó lá lì òjè.** He is running from Oje.; *la rekhaen,* **òjè lá rèkháén òhí.** Oje ran after Ohi.; *la rere,* **ólí ómòhè lá réré.** The man ran far away.; *la shan,* **ò ó**

lá shàn. He is running along.; *la vbi,* **òjè láí vbì ìwè.** Oje has run away from home.

la *v intr* to flow (*CPA, *CPR, C, H) **ólì àmè ò ó là séréséré.** The water is flowing intermittently. **ólí évbìì ò ó là yóó.** The oil is flowing in an oozing fashion. **éréé ó ò là bí ìòghò.** Blood flows like a flood. It is bleeding like a flood.; *la ku a,* **àmè ò ó lá kú à.** The tap water is flowing away. The water is overflowing.; *la shan,* **ìòghò lá shán ékéín ìwè.** A flood flowed through the house.

la èkhòi *tr* to be shy (*CPA, *CPR, C, H) **ò ó là èkhói ísì òjè.** He is shy in Oje's presence. lit. He is flowing with shame for Oje.

la èrèè *tr* to bleed, flow with blood (*CPA, *CPR, C, H) **áwé ísì òlí óvbèkhàn ò ó là èrèè.** The youth's leg is bleeding. **íhúé ísì òjè ò ó là èrèè.** Oje's nose is bleeding. **òjè ò ó là èréé vbí íhùè.** Oje is bleeding from his nose.

là ófèn *tr* to be afraid (*CPA, *CPR, C, H) **òjè ò ó là ófèn.** Oje is afraid. lit. Oje is flowing with fear.

laa *v intr* to be bitter (*CPA, *CPR, C, H) **ólì àmágò ò ó làá.** The mango is bitter.; *laa ku a,* **ólì àmágò ò ó làá kù á.** The mango is bitter throughout.; *laa lee,* **àgbó mè láá léé ísì òjè.** My malaria potion is more bitter than Oje's.

laa *prep* locative function [designates only ultimate sources of existence] **ọ́íá láá éìmì** a person from the spirit world. **ọ́íá láá àgbọ̀n** a person from the physical world. cf. **ọ́ láá éìmì** someone from the spirit world.

laa *v tr* to move in turns, take turns with, alternate [requires plural subject] (*CPA, *CPR, C, H) **yán à làà éànmì.** They take turns with (carrying of) the meat.; *laa ye*, **yàn láá éànmì yé ésì óbá'.** They took the meat in turns to the Oba's place.; *laa égbè* (*CPA, *CPR, *C, H) **élí ímọ́hé ọ́ ọ̀ làà ègbé vbí ésì óbá'.** The men alternated at the Oba's place. lit. The men took turns with each other at the Oba's place.

laa *v tr* to insert, immerse by thrusting (CPA, CPR, *C, *H) *laa o*, **ọ́lí áwà láá íhùè ọ́ vbí édà.** The dog immersed its nose in the river. **ọ̀ láá óbọ̀ ọ́ vbí ékẹ́ín òò.** He thrust his hand into the hole. **òhí láá óràn ọ́ vbí ọ́lì àmè.** Ohi inserted a pole into the water. Ohi immersed the wood in water. **làà óbọ̀ ọ́ vbì ọ̀.** Thrust your hand further. Thrust your hand into it.

laa ẹ́kẹ̀ìn a *tr* to have a miscarriage (CPA, CPR, *C, *H) **ọ́lì òkpòsò láá ẹ́kẹ̀ìn á.** The woman miscarried. lit. The woman drenched her belly.

lábálábá *pstv adv* lumpy condition. **ọ́lí ényè ọ̀ ọ́ fì lábálábá.** The

breast is tossing about in a lumpy fashion.; ~ *adj* lumpy, tuberous shape. **ényẹ́ lì lábálábá** the lumpy breast. **ọ́lí ényẹ́ ú lábálábá.** The breast is lumpy. **ébé' ọ́ í rîì?** How is it?

lagaa *v tr* to encircle, move around (*CPA, CPR, C, *H) **ìsójà lágáá áfúzé'.** The soldiers surrounded Afuze. **ọ́lí ómọ̀hè ọ̀ ọ́ làgáá úhàì.** The man is circling the well.; *de lagaa*, **élì ùgbòfì délọ́ làgáá ùgín.** The oranges each fell around the basket.; *eche lagaa*, **ọ́ éché íyàìn lágàà.** He summoned them together. He called them around.; *gbulu lagaa*, **ọ́lì ùgbòfì ọ̀ ọ́ gbùlú lágàà àgá.** The orange is rolling around the chair.; *hua lagaa*, **òjè húá élì òtọ́ lágáá àgá.** Oje put the bottles around the chair.; *la lagaa*, **ọ́lí ómọ̀hè lá lágáá úhàì.** The man ran around the well.; *sua lagaa*, **ọ́lí ómọ̀hè súá ìmátò lágáá ọ́lì ìwè.** The man pushed a car around the house. cf. **gaa** encircle.

lagha *v intr* to move, proceed back and forth (*CPA, *CPR, C, H) **élí ímọ́hé ọ́ ọ̀ làghá.** The men go back and forth. **òjè ọ̀ ọ́ làghà vbí édà.** Oje is going back and forth to the stream. cf. **laa** to take turns.

lagha *v intr* to be viscous; **lagha a** to lose viscosity, become diluted (CPA, CPR, *C, *H) **ọ́lì òmì lághá á.** The soup is watery (has lost its taste). The soup lost its viscosity. cf. **logho a** to dilute.

lahee *v intr* to hide, conceal (CPA, CPR, C, H) **òjè ọ̀ ọ́ làhèè.** Oje is hiding. **òjè láhéé vbì ògò.** Oje hid in the bush. **làhèè.** Hide.; *lahee li,* **ọ́lí ọ́mọ́hé lọ́ làhéé lí ọ̀nwìmè.** The man will hide from the farmer.; *nwu lahee* to hide something (CPA, CPR, *C, *H) **òjè nwú ọ́lí émà láhéé.** Oje hid the yam. Oje got the yam hidden. **nwù ọ̀ì láhéé** Hide it.; *kpaye nwu lahee,* **ọ̀ kpáyé òhí nwú ọ́lí émà láhéé.** He helped Ohi hide the yam.; *nwu lahee li,* **òjè nwú ọ́lí émà láhéé lí òhí.** Oje hid the yam from Ohi. cf. **hee** to hide.

láílàí *pstv adv* ever [only in negative constructions, Yoruba] **é è chè zẹ́ mẹ́ mìè ẹ́ vbí áán láílàí.** Don't ever let me see you here again.

lalọ *v tr* to lick, lap up (CPA, CPR, C, H) **ọ̀ lálọ́ ọ́lì òmì.** He licked the soup. **ọ́lí éwè lálọ́ úmèè** The goat licked the salt. **làlọ̀ ọ́lì òmì.** Lick the soup.; *lalọ shoo vbi re,* **ọ̀ lálọ́ ìkhùnmì shọ́ó vbì ìsíbì ré.** He licked medicine off the spoon.; *lalo vbi re,* **ọ̀ lálọ́ ọ́mí vbì ìsíbì ré.** He licked soup from the spoon.; *rẹ lalọ* to lick up, get licked up (CPA, CPR, *C, *H) **ọ́lí éwè rẹ́ úmèè lálọ́.** The goat licked up the salt. The goat got the salt licked up.; *roo lalọ* to lick up, get licked up. **ọ̀ róó ọ́lì òmì lálọ̀.** He got the

soup licked up. He took up the soup by licking it. cf. **la** to flow, **-lọ** DS.

láó *pstv adv* snatching fashion. **ọ́ fí óbọ̀ róó ọ́lí ọ́pìà láó.** He picked up the cutlass with his hand in a snatch. He snatched up the cutlass. **ébé' ọ́ í nwú ọ́lì òkpòsò?** How did he take hold of the woman?

lavbaa *tr* to seek, take refuge with (CPA, CPR, *C, *H) **ọ̀ lávbáá òhí.** He took refuge with Ohi. **làvbáá òhí.** Take refuge with Ohi.

layẹ a *tr* to rinse off (CPA, CPR, *C, *H) **òjè láyé ìtásà á.** Oje rinsed the plate off. **làyè ọ̀ì á.** Rinse it off.; *kpaye laye a,* **ọ̀ kpáyé òjè láyé ìtásà á.** He helped Oje rinse off the plate.; *laye a li,* **òjè láyé ìtásà á lí òhí.** Oje rinsed off the plate for Ohi.

lébé *adj* firm, tuberous shape. **ényé lì lébé** the firm breast. **ọ́lí ényé ú lébé.** The breast is firm. **ébé' ọ́ í rìì?** How is it?

lee *pstv part* already, finally, finish [temporal achievement function, specifies temporal onset or endpoint] **òjè é émàè léé.** Oje has finished eating. Oje has already eaten food. **òjè ọ̀ ọ́ è ọ́lí émáé lèé.** Oje is eating the food already.

léghé, léghéléghé, léghéléghéléghé *pstv adv* extreme condition of height. **ọ́ fí ọ́lí ọ́mọ́ áìn yé ókhúnmí léghéléghéléghé.** He threw that child upward extremely high. **ébé' ólí údò í yé òkhùnmì sé?** How far up did the stone go? **ólí údó yé ókhúnmí léghéléghéléghé.** The stone went skyward extremely far.

lèì *pstv adv* thumping sound resulting from the landing of a heavy object. **ú hóní vbí íkìí lèì.** You heard on the river bank a thumping sound. **ólí órán ú vbí íkìí lèì.** The tree landed on the river bank with a thump. **ólí órán ú léí vbí íkìí..** The tree landed with a thump on the riverbank.

lékpú *adj* small, hard protruded shape. **ékéín lì lékpú** the protruded belly. **ólí ékéín ú lékpú.** The belly is protruded. **ékéín ísì òjè ú lékpú.** Oje's belly is protruded. **ójé ú ékéín lékpú.** Oje has a protruding belly. **ébé' ó í rîì?** How is it?

lele *v intr* to copulate (*CPA, *CPR, C, H) **yán à lèlé.** They copulate.; **lele** *tr* to copulate with (CPA, CPR, C, H) **ólí ómòhè ò ó lèlè ólì òkpòsò.** The man is copulating with the woman.

lèùléú *pstv adv* lumpy, blockish condition. **ólì òkpòsò gbáí lèùléú.** The woman is big in a lumpish way. The woman is lumpy. **ébé' ó í gbà sé?** How big is she?; ~ *adj* lumpy, blockish. **ókpósó lì lèùléú** the blockish-shaped woman. **ólí ókpósó ú lèùléú.** The woman is

blockish shaped. **ébé' ó í gbà sé?** How big is she?

le *v tr* to tend (CPA, CPR, *C, *H) **ólí ómòhè lé ímè.** The man tended his farm.

le *v intr* to depart, leave (CPA, CPR, *C, *H) **ólí ómòhè léì.** The man left.; **la le** to run and depart, escape. **ólí ómòhè lá lé.** The man ran away. The man escaped. **òjè zá vbí áfúzé' lá lè.** Oje escaped at Afuze. Oje ran away at Afuze.; **le** *tr* to depart, leave to perform an activity. **ólì òkpòsò lé ógúí ósèn.** The woman departed for marriage. **yàn lé ógó úkhùnmí.** They departed for hunting.

le *v intr* to commit adultery (*CPA, CPR, *C, *H) **òjè léì.** Oje committed adultery. lit. Oje departed.

lee *v tr* to surpass, outrank [of humans] (CPA, CPR, *C, *H) **òjè léé òhí.** Oje surpassed Ohi.; **lee** comparative function. **òjè dá léé òhí.** Oje is taller than Ohi. Oje was tall and surpassed Ohi. **áfúzé' réré léé òkè.** Afuze is farther than Oke.

léghé, léghéléghé *pstv adv* extremely extended, stretched condition. **áwé ísì òì ò ó fì léghéléghé.** His legs are dangling out. His legs are dangling in an outstretched fashion. **yán nwú òì méhén vbí ótóí léghé.** They stretched him out on the ground. They laid him outstretched on the ground.

got him in a stretched out condition on the ground.; ~ *adj* stretched out. **áwẹ́ ísì ọ̀í ú léghéléghé**. His legs are stretched out. **ọ́ ú áwẹ́ léghéléghé**. He has stretched out legs. **ébé' áwẹ́ ísì ọ̀í í rîì?** How are his legs? cf. **lélélé** extremely extended condition.

lèkẹ́, lèkẹ́lèkẹ́ *pstv adv* smooth condition of flat objects. **ọ́ dúmẹ́ úvbíémá lèkẹ́lèkẹ́**. He pounded the small yam smooth.; ~ *adj* smooth [of flat objects] **émá lì lèkẹ́lèkẹ́** the smooth pounded yam. **ọ́lí émá ú lèkẹ́lèkẹ́**. The pounded yam is smooth. **ébé' ọ́lí émá í rîì?** How is the yam?

lélélé *pstv adv* extremely extended condition. **ọ̀ méhẹ́ní vbí ótọ́í lélélé**. He slept outstretched on the ground.; ~ *adj* outstretched. **ọ́lí ọ́mọ́hẹ́ ú vbí ótọ́í lélélé**. The man was on the ground stretched out. **ọ́lí ọ́mọ́hẹ́ ú lélélé vbì ọ̀tọ̀i**. The man was stretched out on the ground. cf. **léghé** extremely extended condition.

lèsèn *pstv adv* good, well done, successfully. **ójé bíá ọ́lí óbíá lèsèn**. Oje did the work very well.; ~ *adj* successful. **òhí ú lèsèn**. Ohi is successful. cf. **ọ́lèsèn** goodness.

li *pstv part* to, for [applicative function for event recipient or beneficiary] **ọ́lí ọ́mọ̀hè nwú ògèdè lí òkpòsò**. The man gave

plantain to a woman. **élí ívbèkhàn húá élí émà lí égbè**. The youths gave the yams to one another. cf. **ni** to, for [in clause final or pre-pronoun position].

li *comp* in order to, in order that [purposive clause function] **ọ̀jè khú ọ́lí áwà lí ọ́ ì ọ́ò è ọ̀lí éànmì**. He chased the dog in order that it not go to eat the food.

li *comp* until, so that [resultative clause function, requires auxiliary **rẹ**] **ọ̀jè gbé àlèkè lí ọ́ rè ú**. Oje beat Aleke until she died. Oje beat Aleke so that as a result she died. **ọ̀jè tẹ́é àlèkè lí ọ́ í rè sá òhí òísí'**. Oje tricked Aleke into shooting Ohi with a gun.

li *comp* that [relator function for attributive construction] **éwé lí óbí'n** dark goats.

li *comp* that [relator function for relative clause] **ọ̀jè záwó ọ́lí óvbékhán lí ọ́ gbé ọ́lí óókhò**. Oje saw the youth that killed the chicken.

li *comp* that [subjunctive clause function] **àlèkè ọ̀ ọ́ hòò lí élí ívbékhán è ọ̀lí émàè**. Aleke wants the youths to eat the food. cf. **khi** indicative clause function.

li *comp* it is, it was [affirmative focus function] **ọ́lí ókpósó nà òkpá lí ọ́ dá ényò**. It was this woman alone who drank wine. cf. **ki** negative focus function.

lie *v tr* to collect, pick up a dispersed quantity (*CPA, CPR, C, *H) òjè <u>ò</u> <u>ó</u> lìè émìòmì. Oje is is gathering ingredients for the soup. <u>ò</u> líé vbí <u>ó</u>lí ítùú. He gathered from the mushrooms. yà líé émìòmì. Get on with gathering ingredients for the soup.; *lie ku a*, <u>ò</u> líé ítùú kú à. He collected mushrooms and dropped them all over.; *lie ku <u>o</u>*, <u>ò</u> líé ítùú kú <u>ó</u> vbì ìtásà. He collected mushrooms into the bowl.; *lie li*, <u>ò</u> líé ítùú lí òjè. He gathered mushrooms for Oje.; *lie <u>o</u>*, <u>ò</u> líé ítùú <u>ó</u> vbì ìtásà. He picked up mushrooms and put them into a bowl. <u>ó</u>lì òkpòsò ló lìè àwè <u>ó</u> vbì àgá. The woman is about to put her feet onto the chair.; *lie sh<u>oo</u> vbi re*, <u>ó</u>lì òkpòsò líé íkùkù sh<u>óó</u> vbí émàè ré. The woman removed dirt away from the food.; *lie vbi re*, <u>ó</u>lì òkpòsò líé íkúkú vbí émàè ré. The woman removed dirt from the food.; *lie ye*, <u>ò</u> líé ítùú yé òjè. He collected mushrooms and took them to Oje. He took mushrooms to Oje.

lie àw<u>è</u> aan *tr* to seal off with the feet (*CPA, CPR, *C, *H) <u>ó</u>lí <u>ó</u>mòhè líé àw<u>è</u> áán àgá. The man sealed the chair off with his feet. lit. The man collected his feet and sealed the chair. cf. **lie àwè <u>o</u>** to put feet onto.

-lo *v suf* each of [distributive function with non-nasalized high front or back vowel verbs]

òjè <u>ò</u> <u>ó</u> fìlò èlí ívbékhán údò. Oje is hitting each of the youths with a stone. cf. **–lo** distributive function. cf. **–n<u>o</u>** distributive function.

lode *v intr* to go, move thither (*CPA, CPR, *C, *H) <u>ó</u>lí <u>ó</u>mòhè lódè vbì ìwè. The man is going to the house.; **khuee lode** *intr* to scream away (CPA, CPR, *C, *H) <u>ò</u> khúéé lódè. He screamed away at the top of his voice. lit. He screamed and went.

lode vbi úh<u>è</u> *tr* to be sexually pure [gender neutral] (*CPA, CPR, *C, *H) <u>ò</u> lódè vbí úh<u>è</u>. She was pure. lit. She went to purity.

lógólógó *pstv adv* extremely lean condition of height. òhí dái lógólógó. Ohi is extremely tall and lean.; ~ *adj* extremely tall and lean physique. <u>ó</u>mòhé lì lógólógó the extremely tall and lean man. <u>ó</u>lí <u>ó</u>mòhé ú lógólógó. The man is extremely tall and lean. ébé' <u>ó</u> í dà s<u>é</u>? How tall is he?

logho a *intr* to dilute, water down, become liquified (*CPA, CPR, *C, *H) <u>ó</u>lì òmì lóghó à. The soup became watery.; **logho a** *tr* to dilute, water down, liquify. <u>ó</u>lí óvbèkhàn lóghó <u>ó</u>lì òmì á. The youth diluted the soup. The youth made the soup watery. é è lóghó <u>ó</u>ì á. Don't make it watery. cf. **lagha a** to be viscous.

lòghòlóghó *adj* watery. ómí lì lòghòlóghó the watery soup. ólí ómí ú lòghòlóghó. The soup is watery. ébé' ólí ómí í rî? How is the soup? cf. **logho a** to dilute.

lo *v tr* to grind (CPA, CPR, C, H) òjè ò ó lò ìsíéìn. Oje is grinding pepper. lò ìsíéìn. Grind pepper. *kpaye lo*, ò ó kpàyè òjé lò ìsíéìn. He is helping Oje grind pepper.; *re lo*, ò ó rè ùdó lò ìsíéìn. He is using a stone to grind pepper.; *lo ku o*, ò ló ísíéìn kú ó vbì ìtásà. He ground pepper all over the plate.; *lo li*, ò ló ísíéìn lí òhí. He ground pepper for Ohi.; *lo o*, ò ló ísíéìn ó vbì ìtásà. He ground pepper into the plate.; *lo re*, ò ló ísíéìn ré. He ground pepper and brought it.

-lo *v suf* each of [distributive function with verbs having non-nasalized, non-high vowels] élí ímóhé dálói. Each of the men is tall. îhì ò ó sàlò èlí ívbèkhàn. Ants are stinging each of the youths. cf. **-lo** distributive function.

lo *aux* will [predictive function relative to distal future event, requires marked melody subject] ólí ómóhé ló è òlí émàè. The man will eat the food.

lo *aux* is about to [anticipative function for proximal future event, requires unmarked melody subject] ólí ómòhè ló è

òlí émàè. The man is about to eat the food.

lóbó *pstv adv* soggy and lumpy condition. òlì ùbó yí ré lóbó. The hemorrhoid protruded in a soggy and lumpy condition.; ~ *adj* soggy and lumpy. ólì ùbó ú lóbó. The pile is soggy and lumpy. ùbó lì lóbó the soggy and lumpy pile. ébé' ó í rî? How is it?

lógbóó *pstv adv* extreme condition of length. ólí úkpìrìàì réré lógbóó. The tail is extremely long. ébé' ó í rèrè sé? How long is it?; ~ *adj* extremely long. úkpìrìàì lì lógbóó the extremely long tail, ógóló lì lógbóó the extremely long tail. ólí ógóló ú lógbóó. The tail is extremely long. ébé' ó í rî? How is it? cf. **lógbótó** extreme condition of length.

lógbótó *pstv adv* extreme condition of length. ólì ògòlò réré lógbótó. The tail is extremely long. ébé' ó í rèrè sé? How long is it?; ~ *adj* long. ógóló lì lógbótó the long tail. ólí ógóló ú lógbótó. The tail is long. ébé' ó í rî? How is it? cf. **lógbóó** extreme condition of length.

loko *v tr* to smooth, smoothen (*CPA, *CPR, C, *H) òjè ò ó lòkò òlí ákhè. Oje is smoothing the pot. lòkò ói. Smoothen it.; *kpaye loko*, ò kpáyé òjè lókó ólí ákhè. He helped Oje smoothen the pot.; *re loko*, ò ré ìsóbìlì lókó ólí ákhè. He used a shovel to smoothen the pot.; *loko a*, òjè **lókó ólí ákhè á**. Oje smoothed off the pot.; *re óbò loko* to caress (CPA, CPR, C, H) **òjè ré óbò lókó mé ùòkhò**. Oje used his hand to caress my back. **rè óbò lókó óí égbè**. Use your hand to caress her body.

lòkólòkó *pstv adv* smooth condition of round objects. **ó dúmé úvbíémá lòkólòkó**. He pounded the yam smoothly.; ~ *adj* smooth [of round objects] **ólí ákhé ú lòkólòkó**. The pot is smooth. **ákhé lì lòkólòkó** the smooth pot. **ébé' ó í rìì?** How is it? cf. **lèké** smooth condition of flat objects. cf. **loko** to smoothen.

lókpó *adj* long and lumpy shape. **úhúnmí lì lókpó** the long and lumpy head. **òjè ú úhúnmí lókpó**. Oje has a long and lumpy head. **úhúnmí ísì òjè ú lókpó**. Oje's head is long and lumpy in shape. **ébé' ó í rîî?** How is it?

loo *v tr* to roll, stretch, make smooth (*CPA, *CPR, C, H) **ò ó lòò émà**. He is rolling yam smooth.; *loo li*, **ò ó lòò èmá lì òjè**. She is rolling yam for Oje. cf. **loko** to smoothen.

loo *v tr* to iron, press clothing (*CPA, *CPR, C, H) **ò ó lòò úkpùn**. He is pressing cloth. **ò ó lòò íkpùn**. He is pressing clothes. **ò lóó vbí élí íkpún**. He ironed from the clothes. **lòò íkpùn**. Press the clothes.; *kpaye*

loo, **ò ó kpàyè òjé lòò úkpùn**. He is helping Oje press cloth.; *re loo*, **ò ó rè àyóní mé lòò úkpùn**. He is using my electric iron to press cloth.; *loo li*, **ò ó lòò ùkpún nì émè**. He is pressing cloth for me.

loo a *tr* to consume an extreme amount (CPA, CPR, *C, *H) **òjè lóó émà á**. Oje ate yam to an extreme. lit. Oje stretched out the yam.

lu *v intr* to ring, chime, strike (CPA, CPR, *C, *H) **àúgó' èvá lúì**. Two o'clock has struck.; **lu** *tr* to ring, strike, chime (CPA, CPR, C, H) **ò lú ólì àúgó'**. He rang the bell. **lù àúgó'**. Ring a bell.; *kpaye lu*, **ò kpáyé òjè lú ólì àúgó'**. He helped Oje ring the bell.; *re lu*, **ò ó rè étín lù àúgó'**. He is using energy to ring the bell.

lu *v tr* to chew, roll over and over in the mouth (*CPA, *CPR, C, H) **òjè ò ó lù éànmì**. Oje is chewing meat. **lù óì**. Chew it.; *lu li*, **òjè lú éànmì lí óvbì óì**. Oje masticated the meat for his infant.

lu únù *tr* to chew (*CPA, *CPR, C, *H) **ò ó lù únù**. She is chewing. lit. She is chewing with her mouth.

lúbú *adj* distended shape. **ékéín lì lúbú** the distended belly. **ólì òkpòsò ú ékéín lúbú**. The woman has a distended belly. **ékéín ísì òlí ókpósó ú lúbú**. The belly of the woman is

distended. **ébé' ó í rîi?** How is
it? cf. **lúkpú** tight protruded
shape.

lùghὲlúghέ *adj* spent, shrivelled,
worn-out [of humans] **ólí
ómòhὲ ú lùghὲlúghέ.** The man
is worn-out. **ómóhé lì
lùghὲlúghέ** the worn-out man.
ébé' ó í rîi? How is he?

lughu *v tr* to squeeze (*CPA,
*CPR, C, H) **òjè ò ó lùghù òhí
nyὲ vbí ùhùnméhὲὲ.** Oje is
squeezing Ohi against the
anthill. **yà lúghú òì nyέ vbì
ùhùnméhὲὲ.** Start squeezing
him against the anthill. cf.
gbulu to roll.

lughu *v tr* to wrinkle, rumple,
crease by squeezing (*CPA,
*CPR, C, H) **ólí óvbèkhàn ò ó
lùghù èlí íkpùn.** The youth is
wrinkling the clothes. **é è kè
lúghú ìbéὲdì.** Don't wrinkle the
bed anymore.; *lughu nyɛ vbi*, **ò
ó lùghù òlí úkpún nyὲ vbì
ùdékὲn.** He is creasing the
cloth against the wall.

lùghùlúghú *adj* shriveled, wrinkled
condition. **úkpún lì lùghù-
lúghú** the wrinkled cloth. **ólí
úkpún ú lùghùlúghú.** The
cloth is wrinkled. **ébé' ó í rîi?**
How is it? cf. **lughu** to squeeze.

lùghùlúghú *adj* dehydrated,
shriveled condition. **ómóhé lì
lùghùlúghú** a dehydrated man.
ólí ómóhé ú lùghùlúghú. The
man is dehydrated. **ébé' ójé í
rîi?** How is Oje? cf. **lughu** to
squeeze.

lúghútú *pstv adv* absolute state of
dullness. **ólí ópìà gbéí lúghútú.**
The cutlass is extremely blunt.;
~ *adj* absolute dullness, blunt-
ness. **ólí ópíá ú lúghútú.** The
cutlass is absolutely dull. cf.
lúghúú dull condition.

lúghúú *pstv adv* absolute state of
dullness. **ólí ópìà gbéí lúghúú.**
The cutlass is extremely blunt.;
~ *adj* absolute dullness, blunt-
ness. **ólí ópíá ú lúghúú.** The
cutlass is absolutely dull. cf.
lúghútú dull condition.

lúkúlúkú *pstv adv* plump, flabby
condition. **élí éfè gbáló lúkú-
lúkú.** Each of the rats is plump
and flabby. lit. Each of the rats
is big to the point of
plumpness.; ~ *adj* plump, flab-
by. **éfé lì lúkúlúkú** the flabby
rats. **élí éfé ú lúkúlúkú.** The
rats are flabby. **ébé' élí éfé í rîi?**
How are the rats?

lúkpú *adj* tight, large protruded
shape, **ékéín lì lúkpú** the
protruded belly. **ólí ékéín ú
lúkpú.** The belly is protruded.
ékéín ísì òjè ú lúkpú. Oje's
belly is protruded. **ójé ú ékéín
lúkpú.** Oje has a protruded
belly. **ébé' ékéín ísì òjé í rîi?**
How is Oje's belly? cf. **lúbú**
distended.

M

ma *pro* we [first person plural sub-
ject] **má ló ò vbí íwé ákhò.** We
will enter the house tomorrow.
cf. **màmài** first personal plural
emphatic.

ma *aux* certainly, surely [certaintive epistemic modal] **ólí ómóhé má é ólí émàè**. The man certainly ate the food.

ma *v tr* to fit (CPA, CPR, *C, H) **ólí úkpùn má òjè**. The cloth fit Oje.

ma *v tr* to mold, roll, shape, put in a form (CPA, CPR, C, H) **ó má ísùèkò ìhíón**. He molded five maize meal wraps. **mà ákhè** Mold a pot.; *kpaye ma*, **ò kpáyé òjè má ákhè**. He helped Oje mold a pot.; *re ma*, **ò ré ékén lí óbín má ákhè**. He used dark soil to mold a pot.; *ma li*, **ò má ákhè ní émè**. He molded a pot for me.; *ma so* to mold until finished (CPA, CPR, *C, *H) **yán má óì só**. They molded it to the end. cf. **mama** to mold.

ma *v tr* to mold, shape into a human being (CPA, CPR, C, H) **òjè má óìà**. Oje molded a person.

ma *v tr* to create [of a supreme being] (CPA, CPR, *C, *H) **òìsèlébùá má òkpòsò bí ómòhè**. God created woman and man. **òìsèlébùá lí ó má àgbòn**. It was God who created the world.

ma *v tr* to create, construct, build (CPA, CPR, C, H) **yán má óá ísì ìyáín**. They created their house.; *kpaye ma*, **ò kpáyé òjè má óà**. He helped Oje build a house.; *re ma*, **ò ré èkèn má óà**. He used sand to build a house.; *ma li*, **yán má óà lí òhí**. They built a house for Ohi.

ma *v intr* to perch (*CPA, CPR, *C, *H) **ólí áfiánmì máì**. The bird perched. **òkhùèdídè máí vbí óràn**. A parrot perched in the tree.; *re ma* to take a perched position. **ólí áfiánmì ré má**. The bird got perched. **ólí áfiánmì ré má vbì àgágá'n**. The bird took a perched position in the agagan tree.; *tin ma* to fly and perch. **ólí áfiánmì tín má**. The bird flew and perched. The bird got in a perched position by flying. **ólí áfiánmì tín má vbì àgágá'n**. The bird flew and perched in the agagan tree.

ma égbè *tr* to become accustomed to, adapted to (*CPA, CPR, *C, *H) **ólì òkpòsò bí òlí ómòhè má égbè**. The woman and the man got used to each other. **ìnyèmì í ì mà mé égbè**. The matter has not adapted to me. I am not accustomed to the matter.; *émí lì òbè ma égbè* to adapt a bad habit. **émí lì òbè má ójé égbè**. Oje has adapted a bad habit. lit. Something bad molded Oje's body.; *úéén lì òbè ma égbè* to adapt bad behavior. **úéén lì òbè má ójé égbè**. Oje adapted bad behavior. lit. Bad behavior molded Oje's body.; *re úéén lì òbè ma égbè*, **ò ré uéén lì òbè má ójé égbè**. He got Oje accumstomed to behaving badly. lit. He used bad behavior to mold Oje's body.; *úìín ma égbè* to become accustomed to, acclimatize to cold. **ùìín má ójé égbè.** Oje acclimatized to the cold. cf. **magham** to get accustomed to.

màá *inter* bleating sound of a goat. **éwè ò ré é ói "màá, màá, màmáá, màá."** The goat then said, "maa, maa, maa, maa."

maa *v tr* to measure out a standardized quantity (*CPA, *CPR, C, H) **ò ó màà ìgáàí.** He is measuring gari. **òjè máá vbì ìgáàí.** Oje measured from the gari. **màà ìgáàí.** Measure out gari.; *kpaye maa,* **ò ó kpàyè òjé màà ìgáàí.** He is helping Oje measure gari.; *re maa,* **ò ó rè òkpán màà ìgáàí.** He is using a gourd to measure gari.; *maa li,* **òjè máá ényò lí òhí.** Oje measured wine, giving it to Ohi.; *maa o,* **ò ó màà ìgáàí ó vbì èkpà.** He is measuring gari into the bag.; *maa re,* **ò máá ìgáàí ré.** He measured gari and brought it.; *maa ye,* **ò máá ìgáàí yé òhì.** He took gari to Ohi. **ò máá vbí ólì ìgáàí yé èkìn.** He took a measured portion from the gari to market.

maa *v tr* to fold, measure (*CPA, *CPR, C, H) **òjè ò ó màà úkpùn.** Oje is folding cloth. **òjè máá vbí élí íkpún.** Oje folded from the cloth. **màà òlí úkpùn.** Fold the cloth.; *re maa,* **ò ré ìtépú mè máá úkpùn.** He used my tape to measure cloth.

maa *v tr* to arrange, reposition separate items into a stack, pile (CPA, CPR, C, H) **ò máá íhùà.** He packed a load. **ò máá élí ékéín óókhò.** He arranged the chicken eggs. **màà èlí ékéín óókhò.** Arrange the chicken eggs.; *kpaye maa,* **ò kpáyé òjè máá élí ékéín óókhò.** He helped Oje arrange the chicken eggs.; *maa o,* **ò máá éràn ó vbì òtòì.** He stacked wood onto the ground. **ò máá élí ékéín óókhò ó vbí íhùà.** He arranged the chicken eggs onto his load.; *maa teen nye,* **ò máá éràn téén úkpùn nyé.** He stacked wood on top of the cloth.

maa égbè vboo *tr* to jump, leap by extending and repositioning the body (*CPA, CPR, *C, *H) **ólì èkpèn máá égbè vbóó.** The leopard leaped. The leopard repositioned its body and lept.; *maa égbè vboo fi o,* **ò máá égbè vbóó fì ó vbì èvbò.** It positioned its body and lept onto there.

màáá *pstv adv* fixedly. **òjè ò ó ghòó màáá.** Oje is looking fixedly. Oje is staring. cf. **maa** to reposition.

maghan *v tr* to become accustomed to, used to, be compatible with (CPA, CPR, *C, *H) **òjè mághán òhí.** Oje got accustomed to Ohi. Oje and Ohi are compatible. **ólí áwà mághán ìwè**. The dog got used to the house. **ólí òkpòsò bí òlí ómòhè mághán égbè**. The woman and the man got used to each other.; *maghan lee*, **ólí ómò mághán òjè léé òhí**. The child is more accustomed to Oje than to Ohi. cf. **ma** to get accustomed to.

màì *pro* us [first person plural direct object] **ójé khú màì kú à**. Oje chased us away.

mákpáá *pstv adv* highly viscous, sticky condition. **ólì òmì ò ó sùn mákpáá**. The soup is highly viscous. The soup is sticky. **ólí émà ò ó sùn mákpáá**. The pounded yam is sticky.

mákpáá *pstv adv* slurred condition of speech. **ólì òkpòsò ò ó guè ìnyémí mákpáá**. The woman is slurring her speech. lit. The woman is presenting matters with slurred speech.

màlóó *pstv adv* squirming, twisting fashion [when in pain] **ólì òkpòsò ò ó ú màlóó**. The woman is acting in a squirming fashion with pain. **ólí ényè ò ó ú màlóó**. The snake is squirming. **ò ó nwù ègbé shìén màlóó**. He is coiling his body in a squirming fashion. **ébé' ó ò í ú?** How is he acting?

mama *v tr* to compress (CPA, CPR, C, H) *mama o*, **ò mámá**

ìgáàí ó vbì èkpà. He compressed gari into a bag. cf. **ma** to mold.

mama *v tr* to plan (CPA, CPR, *C, *H) *mama o*, **òjè mámá òbìà ó vbì èdèlùsúmù**. Oje planned work for the ninth day. **yàn mámá ímè ó vbì ùsúmú éènà**. They planned farm work for nine days from today.; *mama li*, **òjè mámá òbìà lí òhí**. Oje planned work for Ohi.; *mama re li ye*, **ólí ómóhé zá mámá ói ré lí ólí óvbékhán yè ímè**. The man surely planned that the youth should go to the farm. Certainly the man planned for the youth to work on the farm.

mama *v tr* to learn, study, acquire skill at (*CPA, *CPR, C, *H) **ólí ómò ò ó màmà óshàn**. The child is learning to walk.; *mama èwàìn vbi égbè* to learn, acquire wisdom from (*CPA, CPR, *C, *H) **ólí ómòhè mámá éwáín vbí égbé ísì òjè**. The man learned from Oje's experience. lit. The man learned wisdom at the body of Oje. **màmà èwáín vbí égbé ísì òjè**. Learn from Oje's experience. cf. **ma** to mold.

mama re *tr* to suggest, bring up [only in positive focus constructions] **òjè lí ó mámá ói ré**. It is Oje who suggested it.

màmàì *pro* we [first person plural emphatic] **màmàì lí má gbé ólí ófè**. It is we who killed the rat.

mano *v tr* to roll, mold multiple items or a mass (CPA, CPR, C, H) **élí ívbèkhàn mánó ékhè.** The youths molded pots. **ólí ákhùàìgógó' ò ó mànò ìsòn.** The dungbeetle is rolling up feces. **mànò òlí íkpémì.** Mold the melon.; *kpaye mano,* **ò kpáyé òjè mánó ólí íkpémì.** He helped Oje mold the melon.; *mano o,* **ò mánó ólí íkpémì ó vbì ìtásà.** He molded the melon into the plate. cf. **ma** to mold, -**no** DS.

mano òbèrè ku o vbi òtòì *tr* to tell incredibly tall tales (CPA, CPR, *C, *H) **ò mánó òbèrè kú ó vbì òtòì.** He told incredibly tall tales throughout the land. lit. He molded tall tales all over the land.

manye *v intr* to peel (CPA, CPR, C, *H) **ólí úgú'é mányéì.** The palm frond is peeled.; *manye a,* **ólí úgú'é mányé à.** The palm frond peeled off.; *manye fi a,* **ólí úgú'é mányé fì á.** The palm frond peeled away.; **manye** *tr* to peel (*CPA, *CPR, C, H) **yàn á mànyè ìhí'ámóràn,** They are peeling tree bark. **yà mányé úgú'é.** Start peeling a palm frond.; *kpaye manye,* **ò ó kpàyè òjé mànyè úgú'é.** He is helping Oje peel a palm frond.; *re manye,* **ò ó rè ùvbíágháé mànyè úgú'é.** He is using a knife to peel a palm frond.; *manye a,* **ò mányé ólì èmàì á.**

He peeled off the scab.; *manye fi a,* **ò mányé ólí ébè fí à.** He peeled the paper away.; *manye fi o,* **ò mányé ébè fí ó vbì òtòì.** He peeled paper onto the ground.; *manye ku a,* **ò mányé úgú'é kú à.** He peeled palm fronds all over.; *manye ku o,* **ò mányé úgú'é kú ó vbì òtòì.** He peeled palm fronds all over the ground.; *manye shoo vbi re,* **ò mányé ólí ébè shóó vbì ùdékèn ré.** He peeled the paper away from the wall.; *manye vbi re,* **ò mányé ólí ébé vbì ùdékèn ré.** He peeled the paper from the wall.

matan a *tr* to mess up, make a mess of (*CPA, CPR, *C, *H) **ólí ómòhè mátán ólí émà á.** The man made a mess of the yam.

màtànmátán *adj* sticky. **ólí émá ú màtànmátán.** The yam is sticky. **émá lì màtànmátán** the sticky yam. **ébé' ó í rñ?** How is it? cf. **matan a** to mess up.

mè *pro* me [first person singular direct object] **òhí gbé mè.** Ohi beat me.

me *v intr* to confess a deed, sin or cultural transgression (CPA, CPR, C, H) **òjè méì.** Oje confessed.; **me** *tr* to reveal, implicate, mention (CPA, CPR, *C, *H) **òjè mé òhí.** Oje mentioned Ohi in his confession.; *me khi* to confess that. **ò méí khì ìyòìn lì yón gbé ólì òkpòsò.** He confessed that it was he who killed the woman.

me̩ a *intr* to fade (CPA, CPR, *C, *H) ó̩lí úkpùn mé̩ á. The cloth faded. ó̩lí úkpún ló̩ mè̩ á vbì òvò̩n. The cloth will fade in the sunshine.

me̩ re *intr* to emerge, rise, come out (*CPA, CPR, *C, *H) òèèn mé̩ ré. The sun rose. ó̩lì ùdúkpù mé̩ ré. The coconut came to the top.

mè̩é̩ *inter* bleating sound of goats. élí éwé ré̩ é̩ ó̩í, "mè̩é̩ mè̩é̩ mè̩é̩." The goats then said, "mee mee mee." cf. màá bleating sound of a goat.

mee̩ égbè *tr* to swagger, move stylishly and enticingly with the hips (*CPA, *CPR, C, H) òjè ò̩ ó̩ mèè̩ égbè. Oje is swaggering about. ó̩lì òkpòsò ò̩ ó̩ mèè̩ égbè. The woman was swinging her hips stylishly. yàn bí è̩sí ísì ò̩í ò̩ ó̩ mèè̩ ègbé vbì ídámí òéé'. He and his horse are swaggering through the middle of the township. yà mé̩é̩ égbè. Start moving stylishly.; *mee̩ égbè raa re*, ò̩ mé̩é̩ égbè ráá rè. She swaggered past.

me̩hen *v intr* to congeal (*CPA, CPR, *C, *H) ó̩lí évbìì me̩hé̩nì. The oil has congealed.

me̩hen *v intr* to sleep, be in relaxed, stretched out position (CPA, CPR, *C, *H) ò̩ mé̩héní. She slept. ó̩lí ó̩mò̩hè mé̩héní

vbì ìbéè̩dì. The man slept in the bed.; *me̩hen kpeen*, ó̩lí ó̩mò̩hè mé̩hén kpéén ó̩lì òkpòsò. The man had sex with the woman. lit. The man slept with the woman.; *nwu me̩hen* to put to sleep. yán nwú ó̩ì mé̩hén. They got her to sleep. yán nwú ó̩ì mé̩hén vbí égbè èràìn. They put him to sleep at the side of the fire. nwù ó̩ì mé̩hén. Put him to sleep.; *me̩hen* *tr* to sleep. *me̩hen ómèhèn shoo vbi re* to sleep off drowsiness. ò̩ mé̩hén ó̩lí ómè̩hèn shó̩ó̩ vbì è̩ò̩ ré. He slept off the drowsiness. lit. He slept the sleep off his face.

mèhèn léèsèn *greeting* Sleep well.

me̩hen o̩ vbì ìdàlè *intr* to sleep in an upright position (*CPA, CPR, C, *H) ò̩ ó̩ mè̩hén ò̩ vbí ìdàlè. He is sleeping upright. lit. He is sleeping on account of his upright position.

me̩hen vbi *intr* to lie, assume lying position (CPA, CPR, *C, *H) *de me̩hen vbi* to lie, yán déé mé̩hén vbì òtò̩ì. They lay on the ground. lit. They reached an outstretched position on the ground. ó̩lí ó̩mò̩hè déé mé̩hén vbì ìbéè̩dì. The man lay on the bed.; *nwu me̩hen vbi* to put to lie. yán nwú ó̩ì mé̩hén vbí égbé èràìn. They put him to lie at the side of the fire.

meme̩ *v intr* to be psychologically mad (*CPA, *CPR, C, H) òjè ò̩ ó̩ memé̩. Oje is mad.

mèmè̩ *pro* I [first person singular emphatic] **mèmè̩ lí áwá khúì.** It is I whom the dog chased. cf. **i** first person singular.

me̩no̩ *v intr* to blab incoherently, non-sensically (*CPA, *CPR, C, H) **òjè o̩ ó mè̩no̩ vbí únù.** Oje is babbling on. Oje is babbling at the mouth. **é è kè mé̩nó vbí únù.** Don't blab anymore. cf. **me̩** to confess, **-no̩** DS.

me̩nye *v intr* to tip, tilt (*CPA, CPR, *C, *H) **ó̩lí ákhè mé̩nyéì.** The pot tipped.; *me̩nye fi a*, **ó̩lì òísí' mé̩nyé̩ fì á.** The gun flipped away. **ó̩lì òísí' mé̩nyé̩ fì á vbí óbó̩ ísì ò̩í.** The gun flipped out of his hand.; **me̩nye** *tr* to tip, tilt. **o̩ mé̩nyé ólí ákhè.** He tilted the pot. **mè̩nyè ó̩ì.** Tip it.; *kpaye me̩nye,* **o̩ kpáyé òjè mé̩nyé̩ ó̩lí ákhè.** He helped Oje tip the pot.; *re̩ me̩nye,* **o̩ ré óràn mé̩nyé̩ ó̩lí ákhè.** He used a stick to tip the pot.; *me̩nye dianre* to gouge, twist out. **o̩ mé̩nyé òhí úkpè̩ò díànré.** He gouged out Ohi's eye.; *re̩ me̩nye dianre,* **o̩ ré̩ úvbíágháè mé̩nyé òhí úkpè̩ò díànré.** He used a knife to gouge out Ohi's eye.

miaa *v tr* to ask (CPA, CPR, C, H) **ó̩lí ò̩kpósó míáá étà.** The woman asked a question. **ó̩lí ómó̩hé míáá étá vbí óbó̩ ísì ó̩lì ò̩kpòsò.** The man asked a question from the woman. **mìàà étà.** Ask a question.

miaa *v compl tr* to ask, interrogate (CPA, CPR, C, H) **ó̩lì ò̩kpòsò̩ míáá ó̩lí ómó̩hé étà.** The woman asked the man a question.; *miaa si,* **ó̩lí ómó̩hé míáá òhí sí ó̩lì ò̩kpòsò gbé ó̩lí ófè.** The man asked Ohi whether the woman killed the rat.; *miaa fe̩e ghoo si,* **ó̩lí ómò̩hè o̩ ó mìàà òhí fè̩é ghòó sí ó̩lì ò̩kpòsò yé ímè.** The man is asking Ohi to consider whether the woman went to the farm.; *miaa ghoo si,* **ó̩lí ómò̩hè o̩ ó mìàà òhí ghòó sí ó̩lì ò̩kpòsò yé ímè.** The man is asking Ohi to find out whether the woman went to the farm.

miaghan *v tr* to flick, shake off (*CPA, *CPR, C, *H) **òjè o̩ ó mìàghàn àmè̩.** Oje is shaking off the water. *miaghan fi a*, **òjè míághán ó̩lì è̩khò̩ì fí à.** Oje flicked the worm aside.; *miaghan fi e̩*, **òjè míághán ó̩lì è̩khò̩ì fí é̩ àlèkè.** Oje flicked the worm onto Aleke.; *miaghan fi o̩*, **òjè míághán ó̩lì è̩khò̩ì fí ó̩ vbì ìtébù.** Oje flicked the worm onto the table.; *miaghan ku a*, **òjè míághán àmè̩ kú à.** Oje shook water all over.; *miaghan ku e̩*, **òjè míághán àmè̩ kú é̩ òhí.** Oje shook water onto Ohi.; *miaghan ku o̩*, **òjè míághán àmè̩ kú ó̩ mé̩ vbí úkpùn.** Oje shook water all over my cloth.

miaghan óbò̩ *tr* to shake off, wring out wet hands (*CPA, *CPR, C,

*H) òjè ọ̀ ó mìàghàn óbò. Oje is shaking off his hands. **mìàghàn óbọ̀.** Shake off your hands.; *miaghan óbọ̀ ku a,* **ọ̀ míághán óbọ̀ kú à.** He wrang out his hands all over.; *miaghan óbọ̀ ku ọ,* **ò míághán óbọ̀ kú ó vbì ìtébù.** He wrang out his hands all over the table.

miame *v intr* to be difficult (*CPA, *CPR, *C, H) **émọ́í ágbọ́n ó ọ̀ mìàmẹ́.** Life is difficult. The issues of life are difficult.; **miame** *tr* to be difficult for. **ẹ́ó úràmẹ́mí ọ́ ọ̀ mìàmè̩ òhí.** Taking oaths is difficult for Ohi. **émọ́í ágbọ́n ó ọ̀ mìàmè óì.** Life is difficult for him.

mi dan *v tr* to swallow (CPA, CPR, *C, *H) **ọ̀ mí émà dán.** He swallowed the pounded yam. **mì ọ̀ì dán.** Swallow it.

mie *v tr* to accept, receive [only in imperative constructions] **mìè ọ̀lí ógbélé áìn.** Accept that baby sash. **mìè éghó'.** Accept the money. cf. **mọ** take.

mie hon *v intr* to believe (CPA, *CPR, *C, *H) **ójé míé họ̀n.** Oje believes. Oje is a believer.; **mie hon** *tr* to believe. **ójé míé àlèkè họ́n.** Oje believed Aleke.; *mie hon khi* [only in negative constructions] **ọ́lí ọ́mọ̀hè í ì míé hòn khí ọ̀lì òkpòsò gbé ọ́lí ófè.** The man did not believe that the woman killed the rat. cf. **mie** to accept, **hon** to hear.

mie *v tr* to find (CPA, CPR, *C, *H) **ọ́lí ọ́mọ́hé míẹ́ ọ́lí úkpùn.** The man found the cloth. **òjè míé óbìà.** Oje has found a job. **ọ́lí ọ́mọ̀hè míé ọ́lí ọ́mò.** The man has found the child.; *mie khi* to find, realize, discover that. **ì míẹ́í khí ọ́lí óvbèkhàn nwú ọ́lí íbàtà mọ́é.** I found that the youth held the shoe.; *mie ben* to find and cut. **ò míé ókà bén.** He found maize and cut it.; *mie e* to find and eat. **ọ́lí ọ́mọ̀hè míé émàè é.** The man found food and ate it.

mie úhùnmì re ye *tr* to return alive [only in negative constructions] **òjè í khà mìè ùhúnmí rè̩ yé.** Oje will not go back alive. lit. Oje will not find his head to then move onward.

mie *v tr* to perceive, see, sense with the eyes (CPA, CPR, *C, H) **ọ́lí ọ́mọ́hé míẹ́ ọ́lì òkpòsò.** The man saw the woman. **ọ́lí ọ́mọ́hé ọ́ ọ̀ mìè ùyè.** The man sees the way.

mie èò *tr* to fortell, prophesize, experience a vision (*CPA, *CPR, *C, H) **ọ́lí ọ́mọ́hé ọ́ ọ̀ mìè èò.** The man sees the future. The man sees visions. lit. The man sees with his eyes. **á ì mìè èó vbì ọ̀.** Nothing came of it. lit. One did not see with eyes in it.; *mie èò li,* **òjè míé èò lí òhí.** Oje saw a vision for Ohi.

mie óbọ̀ *tr* to have an opportunity, chance [only in negative constructions] òjè í ì mìè óbò. Oje did not have a chance. lit. Oje did not see his hand.

mi**ee** *v intr* to accept; mi**ee anma khi** to admit, acknowledge, accept to agree (CPA, CPR, *C, *H) ó ì mìéé ànmá khì ìyòìn lí yón gbè òlí ófè. He did not admit that it was he who should kill the rat.; mi**ee** *tr* to accept, receive, seize (CPA, CPR, *C, H) ólí ómòhè míéé éghó'. The man received money. ó míéé ìdùàbò. He accepted the pleading. é è míéé éghó'. Don't accept the money.

mi**ee** *v compl tr* to accept, seize from (CPA, CPR, *C, *H) ólí ómòhè míéé ólí ókpósó éghó'. The man accepted money from the woman. ò míéé òhí ópià. He seized a cutlass from Ohi. ò míéé òhí ópíá vbí óbò. He seized a cutlass from Ohi's hand. ò míéé áléké úkpólò. She seized the bead strand from Aleke. ó míéé áléké úkpóló vbí ékùn. She seized the bead strand from Aleke's waist.; *gaa óbò miee* to accept with the hand. òjè gáá óbò míéé òhí éànmì. Oje held out his hand and collected meat from Ohi. Oje collected the meat from Ohi with his hand. Oje accepted the meat from Ohi by collecting it with his hand. gàà óbò míéé óí éànmì. Accept the meat from him with your hand.

mi**ee** ùròò *tr* to interpret, translate (*CPA, *CPR, C, H) ò í yà èén mìèè ùròò. He never knew how to interpret. lit. He never knew how to receive speech.; *miee ùròò li*, òjè lí ó ò mìèè ùróó lì àlùfà. It's Oje who interprets for a cleric. cf. ùròò language.

mi**emie** *v intr* to respond, answer a call with a vocal response (CPA, CPR, *C, *H) ólí ómòhè míémíèì. The man responded. é è míémíé. Don't answer.; mi**emie órùè** *tr* to answer, respond to a greeting. ò míémíé ójé órùè. He responded to Oje's greetings. ò míémíé órúé ìsì òjè. He responded to greetings of Oje. cf. mi**e** to perceive.

min**o** *v tr* to squeeze fruit or vegetable (*CPA, *CPR, C, H) ò ó mìnò ùgbòfì. He is squeezing lime. ò mínó vbí ólí úgbófí. He squeezed from the lime. mìnò óì. Squeeze it.; *kpaye mino*, ò ó kpàyè òjé mìnò ùgbòfì. He is helping Oje squeeze a lime.; *re mino*, ò ó rè ìjíní mìnò ùgbòfì. He is using an engine to squeeze lime.; *mino ku a*, ò mínó ùgbòfì kú à. He squeezed lime all over.; *mino ku o*, ò mínó ùgbòfì kú ó vbì ìtébù. He squeezed lime all over the table.; *mino li*, ò ó mìnò ùgbófí nì émè. He is squeezing lime for me.; *mino o*, ò mínó ùgbòfì ó vbí úkó'. He squeezed lime into the cup.

min̩o *v tr* to wring clothing items (*CPA, *CPR, C, H) **o̩ ó mìno̩ úkpùn.** She is wringing out clothes. **mìno̩ ói̩.** Wring it out.; *kpaye̩ min̩o,* **o̩ kpáyé̩ òjè mín̩ó éli̩ íkpùn.** He helped Oje wring out the clothes.; *min̩o ku a,* **o̩ mín̩ó úkpùn kú à.** He wrang clothes out all over.; *min̩o ku o̩,* **o̩ mín̩ó úkpùn kú ó mé̩ vbì àwè̩.** He wrang out clothes all over my legs.; *min̩o o̩,* **o̩ mín̩ó úkpùn ó mé̩ vbì àwè̩.** He wrang out a cloth onto my leg. cf. **miaghan** to shake off.

mìòghòn̩mío̩ghón *adj* smooth, slippery. **o̩lí údó ú mìòghòn̩mío̩ghón.** The stone is smooth. **údó lì mìòghòn̩mío̩ghón** the smooth stone. **ébé̩' ó í ri̩ì?** How is it?

miti *prev adv* able [subject attributive function] **o̩lí o̩mó̩hè mìtì gbé o̩lí é̩wè.** The man was able to kill the goat.

mo̩ *v intr* to take [only in imperative constructions where no choice is present] **mò̩.** Take. Have (it). cf. **moe** to have, own.

mo̩ *v intr* to bear fruit (*CPA, CPR, C, H) **o̩lí údúkpù mó̩ì.** The coconut bore fruit.

mo̩ *prev adv* at a past time [past absolute function with marked tonal melody subject] **o̩lí úbélé mó̩ vòòn.** The gourd at one time was full. **ójé mó̩ gbé o̩lí ófè̩.** Oje at one time killed the

rat, as I recall.; **mo̩** *prev adv* almost, nearly complete [egressive function with unmarked tonal melody subject] **o̩lì ùbèlè mó̩ò vóón.** The gourd is almost full. **o̩lí o̩mòhè mó̩ò é o̩lí émàè léé.** The man almost ate all the food already. The man almost finished eating all the food.

moe *v tr* to have, possess as part of permanent or temporary arrangement (*CPA, CPR, *C, *H) **o̩lì òkpòsò mòè ómò.** The woman has a child. **ì mòè óbò̩.** I have a hand. **ò mòè éghó'.** He has money. **o̩lí ómòhè mòè àmágò.** The man has a mango. **ì mòè ópìà.** I own a cutlass.; **moe** *tr* to have, possess as a generic truth (*CPA, *CPR, *C, H) **úkó' ó ò mòè óbò.** Cups have handles. **ígbíá ó ò mòè émà.** Ebira people have yams.; **moe** *tr* to possess as habitual characteristic (CPA, *CPR, *C, *H) **yán mòè éànmì.** They usually have meat. **yán mó̩é éánmí èrèmé̩.** They usually own all the animals.

moe *v intr* to hold in some manner (CPA, CPR, *C, *H) *nwu moe* to hold, take hold of and possess a sizeable object. **o̩lì òkpòsò nwú émà mó̩é.** The woman held yam. **ò nwú àgógó' mó̩é.** He held a gong. **ò nwú àgógó' mó̩é vbí óbò̩.** He held a gong in his hand.; *kpaye̩* nwu *moe*, ó̱ ló̱ kpàyè ó̱lì ò̱kpòsò nwú émà mó̱é. He will hold yam with the woman.; *nwu moe li*, ó̱ ló̱ nwù émà mó̱é lí ó̱lí ó̱mòhè. She will hold yam for the man.; *roo moe* to hold, take hold of a small object. ò̱ ró̱ó̱ àgógó̱' mó̱é. He held a gong. ò̱ ró̱ó̱ àgógó̱' mó̱é vbí óbò̱. He held a gong in his hand. ó̱ ró̱ó̱ úvbíághàè mó̱é vbí óbò̱. He took along a small knife in his hand. rò̱ò̱ àgógó̱' mó̱é. Take a gong with.; *sa moe* to hold, take along liquid in a small container. ò̱ sá àmè mó̱é. He took along water. He held the water after fetching it. sà àmè mó̱é. Take along water.; *sa moe ye*, ò̱ sá àmè mó̱é yé ímè. He took along water to the farm.

moe o̱ lí ó̱ rîì *tr* to be useful, good for [only in negative constructions] ó̱lí ó̱mòhè í ì mò̱è ò̱ lí ó̱ rîì. The man is useless. lit. The man does not have something that he is in.

moe ékéìn *tr* to be unforgiving, vindictive regarding social offenses (*CPA, CPR, *C, *H) ò̱jè mò̱è ékéìn ò̱. Oje does not forget a wrong, you know. lit. Oje has a belly, oh. ó̱lí ó̱mòhè í ì mò̱è ékéìn. The man is not vindictive.

moe èò̱ *tr* to be covetous, jealous (*CPA, *CPR, *C, H) ó̱jé ó̱ ò̱ mò̱è èò̱. Oje is jealous. lit. Oje has his eye.

moe èò̱ *tr* to be contentious (*CPA, *CPR, *C, H) ó̱jé ó̱ ò̱ mò̱è èò̱. Oje is contentious. lit. Oje has his eye.

moe óbò̱ *tr* to be resourceful, diligent (*CPA, CPR, *C, *H) ó̱lì ò̱kpòsò mò̱è óbò̱. The woman is resourceful. lit. The woman has her hand.

moe ùdù *tr* to be bold, courageous (*CPA, CPR, *C, *H) ò̱jè mò̱è ùdù. Oje is courageous. lit. Oje has his heart.

mo̱mo *v tr* to borrow (CPA, CPR, *C, H) yàn mó̱mó̱ éghó̱'. They borrowed money. yàn mó̱mó̱ ó̱lì ìmátò̱. They borrowed the car. ò̱ó̱ mò̱mò̱ éghó̱'. Go borrow money.; *mo̱mo vbí óbò̱*, ó̱ ló̱ mò̱mò̱ úvbíághàé vbí óbó ísì ò̱nwìmè. He will borrow a knife from the farmer.; *mo̱mo vbi ò̱dó̱n* to borrow at interest. ò̱ mó̱mó̱ éghó̱' vbì ò̱dón. He borrowed money at interest.; *mo̱mo de* to buy on credit (CPA, CPR, *C, *H) yàn mó̱mó̱ úkpùn dé̱. They bought cloth on credit. They borrowed and bought cloth. They bought cloth by borrowing money.; *re éghó̱' li mo̱mo* to give to borrow. ò̱hí ré̱ éghó̱' lí ó̱jé mò̱mò̱. Ohi gave money to Oje to borrow. Ohi lent money to Oje.

mo̱mo li *tr* to lend to (CPA, CPR, *C, *H) ò̱hí mó̱mó̱ éghó̱' lí ò̱jè. Ohi lent money to Oje.

momo *v compl tr* to lend, loan to (CPA, CPR, *C, H) **òhí mómó ójé éghó'**. Ohi lent money to Oje. **ólí ómòhè mómó ólí ónwímé úvbíághàè**. The man lent the farmer a knife.

mózón *pstv adv* condition of grandiose character. **ólì òsíé' ò ó tín kú à mózón**. The entertainment is feverishly grand. **áíkhàán ó ò ù mózón**. There is a great deal of interest everywhere. lit. Everywhere appears gradiose.

múémúé *pstv adv* smiling condition of a laughing activity. **ólì òkpòsò ò ó jè múémúé**. The woman is smiling. **ébé' ó ò í jé?** How is she laughing?

múné *adj* small, tiny [of nonhuman animates] **ólí ófé ú múné**. The rat is small. **ófé lì múné** the small rat. **ébé' ó í gbà sé?** How big is it?

muzan *v intr* to wait, stop, halt (CPA, CPR, C, H) **òjè múzání**. Oje halted. **ólì ìmátò ò ó mùzán**. The car is waiting. **mùzàn**. Stop!; *muzan ghoo* hold on [only in imperative constructions] **mùzàn ghóó**. Hold on, just a minute. lit. Stop and look.; *nwu muzan* to make stop, stand still (CPA, CPR, *C, *H) **ólì òkpòsò nwú ólì ìmátò múzán**. The woman made the car stop. The woman hailed the car. **óé' élí íkpósó nwú múzán?**

Whom did the women stop? **nwù òlí ómòhè múzán**. Stop the man.

muzan *v intr* to stand, be upright in position (CPA, CPR, *C, *H) **ólí ómòhè múzání vbí úkpódè**. The man stood on the road. **òjè múzání kpásíá**. Oje stood extremely erect.; *muzan kpeen*, **òjè múzán kpéén òhí**. Oje stood with Ohi.; *muzan lagaa*, **élí ímòhè múzán lágáá ùhàì**. The men stood around the well.; *da muzan* to stand up, assume upright position. **òjè dáá múzán**. Oje stood up.; *nwu muzan vbi* to make stand on. **élí íkpósó nwú ólí ómò múzán vbì òtòì**. The women made the child stand on the ground. **nwù òlí ómò múzán vbì ìtébù**. Stand the child on the table.

N

nà *pstdet* this, these [proximal demonstrative] **ólí ómóhé nà** this man, **élí ímóhé nà** these men.

naa *v compl tr* to force-feed with (CPA, CPR, C, H) **òjè náá ólí ómó àkàmù**. Oje force-fed the child with maize pap. **nàà òí àkàmù**. Force-feed her maize pap.

naa òyà *compl tr* to punish severely (CPA, CPR, *C, *H) **ò náá ójé òyà**. He has really punished Oje. lit. He force-fed Oje with a plight.

ne *v tr* to pass body waste [Ora] (CPA, CPR, *C, *H) **ólí ómòhè né ìhòn.** The man farted. The man passed a fart. cf. **fena** to pass body waste.

négénnégén *adj* wiry, thin physique. **ómóhé lì négénnégén** the wiry man. **ólí ómóhé ú négénnégén.** The man is wiry. **ébé' ó í rîì?** How is he?

nene *v intr* to be sweet (*CPA, *CPR, *C, H) **ólì àmágó ó ò nèné.** The mango is sweet.; *nene ku a,* **ólì àmágò ò ó nèné kú à.** The mango is sweet throughout.

nènéé *pstv adv* soft manner of speaking. **òjè ò ó tà ètá nènéé.** Oje is speaking softly.

nénéné *pstv adv* forever and ever absolutely [restricted to end of narrative text] **ó ré só nénéné.** It then reached the absolute end.

néún *pstv adv* absolute quiet, stillness. **úkpódè gháyé á néún.** The road separated in complete stillness. **yán ráálè léé néún.** They left and it was absolutely quiet. It was absolutely quiet after they left.; ~ *adj* absolutely clear and quiet, still. **éhé èrèmé ú néún.** It is quiet everywhere. Every place is still. **ólí úkpódé ú néún.** The road is absolutely clear and quiet.

ni *pstv part* to, for [applicative function in clause final position and before pronouns] **ólí óvbékhán nwú ólí émà ní áìn.** The youth gave the yam to her. **ólì òkpòsò lí ólí óvbékhán nwú ólí émà ní.** It was the woman whom the youth gave the yam to. cf. **li** to/for.

ni *v tr* to slip from (CPA, CPR, *C, *H) **ólì ùwàwà ní òjè.** The cooking pot slipped from Oje. **ùwàwà ní ójé vbí óbò.** A cooking pot slipped from Oje's hand.; *ni vbi de re,* **ùwàwà ní ójé vbí óbò dé rè.** A cooking pot slipped from Oje's hand and fell.

ni *v intr* to survive, recover from (*CPA, CPR, *C, *H) **òjè nîì.** Oje survived. **ò ní vbí ólì èmìàmì.** He recovered from the illness. **ó ní vbì èsòn.** He is free from poverty.; *ni faan* to survive and be rescued. **òjè ní fáán.** Oje has been rescued (after surviving).; *u ni faan* to excuse after a sneeze. **ù ní fáán.** You are excused. lit. You are saved.

nia *v intr* to stretch (CPA, CPR, C, H) *nia a,* **óbó ísì àlèkè níá à.** Aleke's hand stretched out.; **nia a** *tr* **àlèkè níá óbò á.** Aleke stretched out her hand. **ólì èkpèn níá ábò á.** The leopard stretched out its forelegs. **nìà égbè á.** Stretch yourself. Stretch out your body.; *kpaye nia a,* **ò kpáyé òjè níá óbó ísì òì á.** She helped Oje stretch out his hand.;

re *ìká nia a*, òjè ǫ̀ ó rè ìká nìà ègbé á. Oje is pretending to stretch out his body.; *nia ye*, ǫ̀ níá óbǫ̀ yé òkhùnmì. He stretched his hand to the sky.

nia óbǫ̀ ghoo *tr* to point to, at (CPA, CPR, C, H) ǫ̀ níá óbǫ̀ ǫ́lì ìkpòsò. He pointed at the woman. lit. He stretched his finger and looked at the woman. **nìà óbǫ̀ ghóó ǫ́ì**. Point to him.

niaa *v intr* to become surprised, startled, frightened (CPA, CPR, *C, *H) òjè níááì. Oje got startled.; **niaa** *tr* to frighten, startle, surprise. òhí níáá òjè. Ohi frightened Oje. **nìàà ǫ́ì**. Frighten him.

-nǫ *v suf* each of [distributive function with verbs having non-high nasal vowels] òjè shénnǫ́ élí érán áìn. Oje sold each of those trees. cf. **-lǫ** distributive function.

nǫ́ì *pstdet* other, next [non-deictic, contrastive demonstrative function] **ékpá nǫ́ì** the other bag.

nǫnǫ *v tr* to move along side or edge of (*CPA, *CPR, C, H) ǫ́lí ǫ́mòhè ǫ̀ ó nǫ̀nǫ̀ ùdékèn. The man is moving along the edge of the wall.; *nǫnǫ shan vbi*, ǫ́lì òkpòsò ǫ̀ ó nǫ̀nǫ̀ ùkpódé shàn vbí édà. The woman is moving along the road and proceeding to the river.

nǫnǫ *v intr* to drip, trickle (*CPA, *CPR, C, H) àmè̩ ǫ̀ ó nǫ̀nǫ́.

Water is dripping.; *nǫnǫ ku e*, àmè ǫ̀ ó nǫ̀nǫ̀ kú è òhí. Water is dripping onto Ohi.; *nǫnǫ ku o*, àmè ǫ̀ ó nǫ̀nǫ̀ kú ǫ̀ vbí ùhàì. Water is dripping into the well.; **nǫnǫ** *tr* to drip. ǫ̀ ó nǫ́nǫ́ àmè. He is dripping water.; *nǫnǫ ku e*, òjè ǫ̀ ó nǫ̀nǫ̀ àmé kù é òhí. Oje is dripping water onto Ohi.; *nǫnǫ ku o*, ǫ̀ nǫ́nǫ́ àmè kú ǫ́ ójé vbí úhùnmì. He dripped water all over Oje's head.

núé̩núé̩ *pstv adv* slow, crouching fashion. **àlèkè ǫ̀ ó shàn núé̩núé̩**. Aleke is moving along in a crouching fashion. Aleke is crouching along.

NW

nwe *v intr* to become ripe (CPA, CPR, C, H) ǫ́lì àmágò nwéì. The mango has ripened.; *nwe ku a*, àmágò nwé kù á. The mango tree is ripe throughout. All mango in the tree are ripe.; *ze nwe*, ǫ́lí ǫ́mòhè zé ǫ́lì àmágó nwè. The man allowed the mango to ripen.

nweghen a *tr* to crush (CPA, CPR, C, H) òjè nwéghén úkòójè á. Oje crushed the ceramic cup to pieces. é è nwéghén ǫ́ì á. Don't crush it to a powder.; *re nweghen a*, ǫ̀ ré ìmátò nwéghén ǫ́lí úkòójè á. He used a car to crush the ceramic cup to pieces.

nwéghén *adj* granular, tiny, crushed particulate state. ǫ́lì èkè̱n ú nwé̱ghé̱n. The sand is granular. cf. **nweghen** to crush.

nwé̱ínwé̱í *pstv adv* skittering condition. **ó̱lí ó̱mò̱hè̱ o̱ ó̱ shàn nwé̱ínwé̱í.** The man is skittering along. **ébé' ó̱ o̱ í shán?** How does he proceed?

nwèné̱nwèné̱ *adj* spotted, freckled. **ó̱lì è̱kpè̱n ú nwè̱né̱nwnè̱né̱.** The leopard is spotted. **é̱kpé̱n lì nwè̱né̱nwè̱né̱** the spotted leopard. **ébé' ó̱ í rîì?** How is it?

nwu *v intr* to be sharp (*CPA, CPR, *C, H) **ó̱lí ó̱pìà nwúì.** The cutlass is sharp.

nwu *v tr* to arrest, apprehend (CPA, CPR, *C, H) **ò̱lóòkpá nwú ò̱jè.** The policeman arrested Oje. **o̱ nwú ó̱ì.** He apprehended a thief. **o̱ nwú ó̱lí ó̱vbèkhàn.** He apprehended the youth.; *kpaye̱ nwu,* **òhí kpáyé̱ ò̱jè nwú ó̱ì.** Ohi helped Oje arrest a thief.; **re̱ égbè nwu** *tr* to celebrate, rejoice with (*CPA, CPR, C, *H) **è ó̱ó̱' ré̱ égbè nwú ò̱jè.** They went to celebrate with Oje. lit. They went to use their bodies to take hold of Oje.

nwu *v tr* to catch (CPA, CPR, *C, H) **ó̱lí ó̱mò̱hè̱ nwú ó̱lí ófè.** The man caught the rat. **ífì nwú ívàn.** A snare trap caught a grasscutter. **nwù ó̱ì.** Catch it.; *kpaye̱ nwu,* **òhí kpáyé̱ ò̱jè nwú ívàn.** Ohi helped Oje catch a grasscutter.; *re̱ nwu,* **o̱ ré̱ ífì nwú ófè.** He used a snare trap

to catch a rat.; **de nwu émí ó̱sò̱** to be significant [only in negative constructions] **étá ísì ò̱jè í ì dé nwù èmí ó̱sò̱.** Oje's speech is insignificant. lit. The words of Oje did not fall and catch anything. **ó̱lí évbòhìè í ì dé nwù émí ó̱sò̱.** The dream is meaningless. The dream is nothing.

nwu àko̱n *tr* to ignite a fire (*CPA, CPR, C, *H) **ó̱lì èràìn nwú àko̱n.** The fire ignited. lit. The fire caught its teeth.

nwu vbi è̱ò *intr* to become attractive (CPA, CPR, *C, *H) **ó̱lí úkpùn nwú vbì è̱ò.** The cloth is attractive. lit. The cloth caught at the eye. **ó̱lí úkpùn í ì nwù vbí è̱ò.** The cloth is not attractive.; **nwu vbi è̱ò** *tr* to appreciate [only in negative constructions] **ó̱lí éghó' í ì nwù ò̱lí ó̱mó̱hé vbì è̱ò.** The man did not appreciate the money. The money was not attractive to the man. lit. The money did not catch the man in his eye.

nwu è̱ò kuee re *tr* to understand (CPA, CPR, *C, *H) **ó̱lì ìtàn nwú ójé è̱ò kúéé rè.** Oje understood the saying. lit. The saying made Oje's eyes meet. **ó̱lì ìtàn í ì nwù òjé é̱ó̱ kùéé rè.** Oje did not understand the saying. Oje was puzzled by the saying.; **nwu vbi è̱ò kuee re** *tr* to understand (*CPA, CPR, *C, *H) **o̱ nwú ó̱lí ó̱mó̱hé vbì è̱ò**

kúéé rè. The man understood it. lit. It made the man's eyes meet. **ò nwú ólí ómóhé vbì èò kúéé ré émé' ó zéí khí ólì òkpòsò gbé ólí ófè**. The man understood why the woman killed the rat.; *re nwu vbi èò kuee re*, **òhí ré ólì ìnyèmì nwú mé vbì èò kúéé rè**. Ohi brought the matter to my understanding. lit. Ohi used the issue to make my eyes meet.

nwu *v intr* to take, pick, select, [only imperative constructions, assumes choice from multiple items] **nwù**. Take one.; **égbè ze nwu o** *intr* to stay in one place [only in negative constructions] **égbè í yà zè òjé nwù ó vbí áyè òkpá**. Oje never stayed in one place. Oje is restless. lit. His body never allowed Oje to remain in one place.; **nwu** *tr* to take. *nwu o* to take in exchange for (CPA, CPR, *C, *H) **ólí ómóhé ló nwù ògèdè ó vbí éghó' ísì òí**. The man will take plantain in exchange for her money. **ò ló nwù ìnáírà èvá ísì ògèdè yé ònwìmè**. He is about to take two naira for the plantain to the farmer.; *nwu vbi* to pick up, take from [assumes a choice] **ò nwú údó vbì òtòì**. He picked up a stone on the ground. **òjè nwú órán vbì òtòì**. Oje took a stick from the ground. **é è nwú óí vbì òtòì**. Don't take it from the ground.

nwu *v tr* to take hold of a relatively heavy object and move with it (CPA, CPR, C, *H) **ólì òkpòsò nwú ólí émà**. The woman took hold of the yam. The woman carried the yam. **òjè nwú èkpá ísì éghó'**. Oje took hold of the bag for money. **ólí ómóhé nwú ólì ùgín**. The man took hold of the basket. **nwù èkpà**. Take hold of a bag.; *kpaye nwu*, **òjè kpáyé òhí nwú èkpá ísì éghó'**. Oje carried the bag for money in lieu of Ohi.; *re nwu*, **ólì òkpòsò ré èkpà nwú émà**. The woman used a bag to carry yam.; *nwu fi a*, **ò nwú èkpà fí à**. He dropped a bag aside. He took hold of a bag and tossed it away.; *nwu fi o*, **ò nwú èkpà fí ó vbí úkpódè**. He dropped a bag onto the road.; *nwu li*, **ólì òkpòsò nwú émà lí ònwìmè**. The woman has given yam to a farmer.; *nwu o*, **òjè nwú èkpà ó vbì ìtébù**. Oje put a bag onto the table.; *nwu re*, **òjè nwú ólí émà ré**. Oje brought the yam after picking it up. **ò nwú ólí úkpùn ré vbì iwè**. He brought the cloth home.; *nwu shoo vbi re*, **ò nwú ùbòsùn shóó vbì èràin ré**. He removed a yam skewer away from the fire. **ò nwú èkpà shóó vbì ìtébù ré**. He removed a bag way off the table.; *nwu vbi re*, **ò nwú úbósún vbì èràin ré**. He removed a yam skewer from the fire. **ò nwú èkpá vbì ìtébù ré**.

He removed a bag from the table.; *nwu ye*, **ọ̀ nwú émà yé ọ́lì ọ̀nwìmè**. She took yam to the farmer. **ọ̀ nwú émà yé ìwè**. He took yam to the house.; *nwu fan ze*, **ọ̀ nwú ọ́lí ọ́mọ̀ fán úkpódè zé**. He carried the child across the road. He took hold of the child and crossed the road.; *nwu lagaa*, **ọ̀ nwú émà lágáá úháí ìsèvá**. He carried yam around the well twice.; *nwu o*, **ọ̀ nwú émà ó vbì ìwè**. He carried yam into the house.; *nwu raa re*, **ọ̀ nwú émà ráá ọ́lí ọ́kọ̀ọ́ ré**. He carried yam past the hill.; *nwu shan*, **ọ̀ nwú émà shán ékéín ìwè**. He carried yam through the house.

nwu *v tr* to take, assume a position (CPA, CPR, *C, *H) *nwu ákpọ́zèvà* to take second. **ọ̀ nwú ákpọ́zèvà**. He came in second place (in an exam).; *nwu ọ́kpàò* to take first position. **àlèkè nwú ọ́kpàò**. Aleke came in first. **ìyọ̀ìn lí ọ́ nwú ọ́kpàò**. It was he who came in first.

nwu ọ vbi ákpọ́zèvà *tr* to make a deputy (*CPA, CPR, *C, *H) **à nwú ọ̀jè ọ́ vbí ákpọ́zévá ísì ọ́bá'**. They made Oje deputy to the Oba. They put Oje into the deputyship of the Oba.

nwu ọ vbi éhé ísì *tr* to substitute for (*CPA, CPR, *C, *H) **à nwú ọ́jè ọ́ vbí éhé ísì òhí**. Oje has substituted for Ohi. They put Oje into the place of Ohi.

nwu ọ vbi ékéìn *tr* to be vindictive (*CPA, *CPR, *C, H) **ọ́jé ọ́ ọ̀ nwù èmí ọ̀ vbí ékéìn**. Oje is vindictive. lit. Oje puts something in his belly. **ọ́jé ọ́ ọ̀ nwù ìnyémí ọ̀ vbí ékéìn**. Oje is vindictive. lit. Oje put a matter into his belly.

nwu ọ vbi ùdù *tr* to retain in memory, take to heart, hold a grudge toward (*CPA, *CPR, *C, H) **ọ́jé ọ́ ọ̀ nwù èmí ọ̀ vbí ùdù**. Oje retains things in his memory. Oje doesn't forget. lit. Oje puts things in his heart.

nwu éhọ̀n ọ vbi égbè *tr* to be attentive [only in imperative constructions] **nwù éhọ̀n ọ́ vbí égbè**. Be attentive (an appeal). Listen attentively. lit. Put your ear onto your body.

nwu únù ọ vbi égbè *tr* to be quiet [only in imperative constructions] **nwù únù ọ́ vbí égbè**. Be quiet. Shut your mouth. lit. Put your mouth into your body.

nwu égbè *tr* to make proud, excited (*CPA, *CPR, *C, H) **úéén ísì òvbí ọ́í ọ́ ọ̀ nwù òjé égbè**. The behavior of his child makes Oje proud. lit. The behavior of his child takes hold of Oje's body.; **égbè nwu** to become excited, proud (*CPA, *CPR, C, H) **égbè ọ̀ ọ́ nwù òjè**. Oje is becoming excited. lit. Oje's body is taking hold of him. **égbè ọ̀ ọ́ nwù mè ọ̀híó khí óvbí mè̀ nwú ósèn**. I am proud because my daughter got married. lit. My body has taken hold of me because my daughter took a marriage.

nwu égbè *tr* to get ready, get prepared (*CPA, *CPR, C, *H) **òjè ò̩ ó̩ nwù égbè**. Oje is getting ready. lit. Oje is taking hold of his body.

nwu ékùn *tr* to support by wrapping (CPA, CPR, C, H) **ó̩lì ò̩kpò̩sò̩ ré̩ ò̩gbè̩lè̩ nwú ékùn**. The woman used a baby sash as support. lit. The woman used a baby wrapper to take hold of her waist.

nwu émì vbi *tr* to start from, depart from (CPA,*CPR, *C, *H) **ó̩ nwú émí vbí ímè**. He started out from the farm. He departed from the farm. lit. He carried something from the farm.

nwu éké̩ìn *tr* to become pregnant (CPA, CPR, *C, *H) **àlèkè nwú éké̩ìn**. Aleke has become pregnant. lit. Aleke took hold of her belly.; *nwu éké̩ìn li* to impregnate (*CPA, CPR, *C, *H) **òjè nwú éké̩ìn lí àlèkè**. Oje impregnated Aleke. lit. Oje has given a belly to Aleke. **nwù éké̩ìn ní áìn**. Impregnate her.

nwu è̩ò hua *tr* to frown, get upset, disgruntled, offended (CPA, CPR, *C, *H) **òjè nwú è̩ò húá**. Oje got disgruntled. Oje is frowning. lit. Oje got his eyes taken hold of.

nwu óà *tr* to rent a house (CPA, CPR, *C, H) *nwu óà li* to rent a house to. **òhí nwú óà lí òjè**. Ohi rented a house to Oje. Ohi provided a house for Oje. **ó̩ ò̩ nwù òá lì íré'**. He rents out houses to strangers.; **nwu óá vbi óbó̩ ísì** *tr* to rent a house from. **òjè nwú óá vbí óbó̩ ísì òhí**. Oje rented a house from Ohi. lit. Oje took hold of a house from the hand of Ohi.

nwu óbò̩ moe *tr* to menstruate (*CPA, *CPR, *C, *H) **áléké ó̩ ò̩ nwù òbó̩ mò̩é**. Aleke menstruates. Aleke has her menstrual period. lit. Aleke holds her hand.

nwu gbe *tr* to bury (CPA, CPR, *C, H) *nwu gbe èràìn* to bury in a fire. **ò̩ nwú ó̩lí émà gbé èràìn**. He buried the yam in the fire. He repositioned the fire by taking hold of the yam. **nwù ó̩ì gbé èràìn**. Bury it in the fire.; *nwu gbe òtò̩ì* to bury in the ground. **ò̩ nwú éànmì gbé òtò̩ì**. He buried meat in the ground. **nwù ó̩ì gbé òtò̩ì**. Bury it in the ground.; *kpaye̩ nwu gbe*, **ò̩ kpáyé̩ òjè nwú ó̩lí éànmì gbé òtò̩ì**. He helped Oje bury the meat in the ground.

NY

nya *pro* they [third person plural subject, variant orthographic form] **nyà dá é̩nyò̩**. They drank wine. cf. **yan** they.

nya *v intr* to tear, rip, pluck (CPA, CPR, *C, *H) *nya a*, **ólí óràn nyá á**. The branch ripped off.; **nya** *tr* to tear, rip, pluck. *nya a*, **ò̩ nyá ólí óràn á**. He ripped off the branch. **nyà ò̩ì á**. Rip it off.; *nya vbi re*, **ò̩ nyá úsú̩ó̩ká vbí óràn ré**. He plucked ears of maize from the stalk. **ó̩ nyá élí ébé vbí ùló̩kò̩ ré**. He ripped the leaves from the uroko tree.

nya a *tr* to open wide a body part (CPA, CPR, *C, *H) **ólí ó̩mò̩hè̩ nyá únù á**. The man opened up his mouth. **ólí ó̩mò̩hè̩ nyá è̩ò̩ á**. The man opened his eyes wide.

nya è̩ò̩ a *tr* to watch; **re̩ óbò̩ nya è̩ò̩ a** to watch (CPA, CPR, *C, *H) **ó̩ ré̩ óbò̩ nyá è̩ò̩ á lí òhí ré̩ gbé ó̩lí óókhò̩**. He watched Ohi kill the chicken. lit. He used his hand to open wide his eyes until Ohi killed the chicken.

nya únù a *tr* to be puzzled, shocked (CPA, CPR, *C, *H) **òjè nyá únù á**. Oje was in a state of shock. lit. Oje opened his mouth wide.; **nya únù a** *compl tr* to shock, surprise, startle, puzzle. **úé̩é̩n ísì àlèkè nyá ójé únù á**. The behavior of Aleke shocked Oje. lit. The behavior of Aleke opened Oje's mouth. **ólí é̩mó̩í nyá mé̩ únù á**. The matter surprised me.; *nya únù a khi*, **ò̩ nyá ólí ó̩mó̩hé únù á khí ó̩lì òkpòsò gbé ólí ófè̩**. It surprised the man that the woman killed the rat.

nyaa *v intr* to fuss (*CPA, *CPR, C, H) **ólí ó̩mó̩ ó̩ ò̩ nyáá**. The child fusses.; **nyaa** *tr* to pamper, indulge (*CPA, *CPR, *C, H) **ólí ókpósó ó̩ ò̩ nyàà ìvbí ò̩ì**. The woman pampers her child. **é è kè nyáá ívbí é̩**. Don't pamper your child anymore.

nyáá, nyáányáá, nyáányáányáá *pstv adv* extreme, intense condition of glowing or of brightness. **òvò̩n ò̩ ó̩ vbàè̩ nyáányáányáá**. The sunshine is intensely bright. **ú míé̩í nyáá**. You sensed brightness. You observed a sudden glow. **ó̩lì ùrùkpá rúní nyáá**. The lantern lit with a sudden glow.; **~** *adj* glowed. **ó̩lì ùrùkpá ú nyáá**. The lamp is aglow.

nyágán *pstv adv* awkward, crab-like manner of walking. **ólí ó̩mò̩hè̩ ò̩ ó̩ shàn nyágán**. The man is walking awkwardly. **ébé' ó̩ ò̩ í shán?** How does he proceed?

nyaghan *v intr* to rip (CPA, CPR, *C, *H) *nyaghan a*, **ó̩lì è̩kpà nyághán à**. The bag ripped apart.; **nyaghan** *tr* to rip. *nyaghan a*, **ò̩ nyághán ó̩lì è̩kpà á**. He ripped apart the bag. **ó̩lì è̩kpèn nyághán úzó' á**. The leopard ripped apart the antelope. **nyàghàn ò̩ì á**. Rip it apart.; *re̩ nyaghan a*, **ò̩ ré̩ úvbíágháè̩ nyághán ó̩lì è̩kpà á**. He used a knife to rip the bag apart.; *nyaghan ku a*, **òjè**

nyághán ólì ẹ̀kpà kú à. Oje ripped the bag into shreds.; *nyaghan ku ọ*, **òjè nyághán ólì ẹ̀kpà kú ó vbí úkpódè.** Oje ripped the bag into shreds all over the road. cf. **nya** to rip.

nyàì *pro* they [third person plural emphatic, variant orthographic form] **nyàì lí ójé hián óràn ní.** It was they who Oje cut the wood for. cf. **ìyàìn** third person plural emphatic.

nyàkhúánnyàkúán *pstv adv* waddling fashion, extremely rhythmic hip movement. **ólí ókpósó ó ọ̀ shán nyàkhúán-nyàkhúán.** The woman is waddling along. The woman is moving along with a waddle. **ébé' ó ọ̀ í shán?** How does she proceed?

nyami ẹ̀ò *tr* to intimidate, bluff (*CPA, *CPR, *C, H) **ójé ó ọ̀ nyàmì ẹ̀ò.** Oje intimidates. lit. Oje contorts his face. cf. **nya ẹ̀ò** to watch.

nyanya *v tr* to freighten, harrass (*CPA, *CPR, C, H) **ólí óvbèkhàn ọ̀ ó nyànyà ólì òkpòsò.** The youth is harassing the woman. **é è kè nyányá òhí.** Don't freighten Ohi anymore.; *re nyanya*, **òjè ọ̀ ó rè ọ̀píá nyànyà òhí.** Oje is using a cutlass to harass Ohi. cf. **nya** to shock.

nyẹ *v tr* to cook, prepare food (CPA, CPR, C, H) **ólì òkpòsò**

nyẹ́ émàè. The woman cooked food. **àlèkè nyẹ́ ìẹ́ẹ̀sì.** Aleke prepared rice. **nyẹ̀ òmì.** Cook soup.; *kpaye nyẹ*, **ọ̀ kpáyé àlèkè nyẹ́ òmì.** She helped Aleke cook soup.; *re nyẹ*, **ó rẹ́ ùwàwà nyẹ́ òmì.** She used a pot to cook soup. **ó rẹ́ éànmì nyẹ́ òmì.** She used meat to prepare soup.; *nyẹ li*, **ọ̀ nyẹ́ òmì lí òjè.** She cooked soup for Oje.; *nyẹ re*, **ọ̀ nyẹ́ òmì rẹ́.** She brought soup. **ólì òkpòsò nyẹ́ ákhè rẹ́.** The woman brought a dish after preparing it.; *nyẹ ye*, **ọ̀ nyẹ́ òmì yé òjè.** She cooked soup and took it to Oje.

nyẹ *v tr* to suckle (*CPA, *CPR, C, H) **ólí ómọ̀ ọ̀ ó nyẹ̀ ényẹ̀.** The infant is suckling a breast.; *nwu ényẹ̀ li nyẹ*, **àlèkè nwú ényẹ̀ lí óvbí ọ́í nyẹ̀.** Aleke gave a breast to her child to suckle.; *re ényẹ̀ li nyẹ*, **àlèkè rẹ́ ényẹ̀ lí óvbí ọ́í nyẹ̀.** Aleke gave a breast to her child to suckle.

nyẹ *pstv part* against (CPA, CPR, *C, *H) *da óbọ̀ nyẹ vbi* to stop, prevent, keep from. **òjè dá áléké óbọ̀ nyẹ́ vbì òbìà.** Oje kept Aleke from working.; *gba nyẹ vbi* to tie to, against. **òjè gbá òhí nyẹ́ vbí ólí óràn.** Oje tied Ohi to the tree. Oje tied Ohi against the tree. **yàn gbá òjè nyẹ́ vbí óràn.** They tied Oje to a stake.; *khaan nyẹ vbi* to poke against. **ó kháán ìkìtìbẹ́ nyẹ́ íyáín vbí únù.** He poked a pipe against their mouth.; *khuye nye vbi* to close in, lock in. **è khúyé égbè nyé vbí ékóà.** They locked themselves in the room. They closed themselves in the room.; *khuye da nye* to close in. **òjè khúyé úkhùèdè dá àlèkè nyé.** Oje locked Aleke in. **òjè khúyé úkhùèdè dá àlèkè nyé vbí ékóà.** Oje locked Aleke in the room.; *lughu nye vbi* to crease, wrinkle against (*CPA, *CPR, C, *H) **ò ó lùghù òlí úkpún nyè vbì ùdékèn.** He is creasing the cloth against the wall.; *lughu nye vbi* to squeeze against. **òjè ò ó lùghù òhí nyè vbì ùhùnméhèè.** Oje is squeezing Ohi against the anthill. **yà lúghú òì nyé vbì ùhùnméhèè.** Start squeezing him against the anthill.; *so ìshé nye vbi* to nail against, onto. **yàn só ójé ìshé nyé vbí óràn.** They nailed Oje onto the tree. lit. They joined Oje with a nail to the tree.; *so étà nye vbi ùnù* to interrupt (CPA, CPR, *C, *H) **òhí só étà nyé ójé vbí únù.** Ohi interrupted Oje. lit. Ohi touched words against Oje's mouth.; *teen nye vbi* to press against (CPA, CPR, C, *H) **ò téén òhí nyé vbì ùdékèn.** He pressed Ohi against the wall. **tèèn óì nyé vbì ùdékèn.** Press him against the wall.; *kpaye teen nye vbi,* **ò kpáyé òjè téén òhí nyé vbì ùdékèn.** He helped Oje

press Ohi against the wall.; *teen àwè/ábò nye vbi* to press against (CPA, CPR, C, *H) **òjè téén àwè nyé vbì ùhùnméhèè.** Oje pressed his foot against the anthole. Oje stepped into the hole. **òjè téén ábò nyé vbì ùhùnméhèè.** Oje pressed his arms against the anthole. **ò téén mé àwè nyé vbì òtòì.** He pressed my leg against the ground. He stepped on my leg.; *u nye vbi* to die in (CPA, CPR, *C, *H) **ójé ú nyé vbì èvbò.** Oje died in there.

nyéé *pstv adv* shuffling manner of running. **ó láí nyéé.** He ran along in a shuffling fashion. He shuffled along. **ó lá ó vbí íwé nyéé.** He shuffled into the house. He ran into the house with a shuffle. cf. **nyényényé** shuffling manner.

nyee égbè *tr* to push excessively, strain one's body (*CPA, *CPR, C, *H) **òhí ò ó nyèè égbè.** Ohi is straining himself (when relieving). cf. **nyenye** to push.

nyee *v tr* to concern (*CPA, CPR, *C, *H) **ólí émòì í ì nyèé mè.** The matter does not concern me. lit. The matter does not push me. **ó lí ó nyéé mè í ì è vbì ò.** The one that concerns me does not exist. There is nothing that concerns me. **émé' ó nyéé mé vbí óàìn?** What concern is that to me? Why should I care?

nyẹ́hí *adj* extremely broad chest. ídámá lì nyẹ́hí extremely broad chest. ọ́lí ọ́mọ́hẹ́ ú ídámá nyẹ́hí. The man is broad chested. ídámá ísì ọ̀lí ọ́mọ̀hẹ̀ ú nyẹ́hí. The chest of the man is extremely broad. ébé' ọ́ í rîì? In what state is he?

nyẹnyẹ *v tr* to push, prod along (CPA, CPR, *C, *H) kpẹn ábọ̀ nyẹnyẹ, ọ̀ kpẹ́n ábọ̀ nyẹ́nyẹ́ òhí. He prodded Ohi along with his hands. He pushed Ohi with his arms. kpẹ̀n ábọ̀ nyẹ́nyẹ́ òì. Push him.; rẹ nyẹnyẹ dianrẹ, ọ̀jè rẹ́ ẹ́kẹ̀ìn nyẹ́nyẹ́ òhí díànré. Oje used his belly to push Ohi out.

nyẹnyẹ re *intr* to protrude, push out (CPA, CPR, *C, *H) ẹ́kẹ́ín ísì òjè nyẹ́nyẹ́ rè. Oje's belly protruded. ẹ́kẹ́ín ísì ọ̀ì nyẹ́nyẹ́ rè. Her belly pushed out.; nyẹnyẹ re *tr* to protrude, push out. òjè nyẹ́nyẹ́ ẹ́kẹ̀ìn ré. Oje pushed out his belly.

nyẹ́nyẹ́nyẹ́ *pstv adv* shuffling man- ner. ọ́ là vádè vbí óá nyẹ́nyẹ́nyẹ́. He came running home in a shuffle. He came shuffling home. ọ́ láí nyẹ́nyẹ́- nyẹ́. He shuffled off. cf. nyẹ́é shuffling manner.

nyẹ́únyẹ́ú *pstv adv* sobbing manner. ọ̀ ọ́ dègbé khùèè vbí ááín nyẹ́únyẹ́ú. She is steadily sobbing there. ébé' ọ́ ọ̀ í víé? How does she cry?

nyọ *v intr* to glow, be red with a glow (*CPA, *CPR, C, *H) ọ́lí ótóòn ọ̀ ọ́ nyọ́. The iron is glowing.; ẹ̀ò nyọ to have blood shot eyes. ẹ́ó ísì òjè ọ̀ ọ́ nyọ́. Oje's eyes are blood shot. lit. The eyes of Oje are glowing.

nyọ̀ì *pro* he [third person singular emphatic, variant orthographic form] nyọ̀ì lí ójé hián óràn ní. It was he whom Oje cut the wood for. cf. ìyọ̀ìn third person singular emphatic.

nyọ́kọ́n *adj* chunky, ẹ́ánmí lì nyọ́kọ́n chunky meat. ọ́lí ẹ́ánmì ú nyọ́kọ́n. The meat is chunky. ébé' ọ́ í rîì? How is it?

nyọ́ọ́ *inter* good for you, it serves you right [accompanied by gesture where hands drawn from under the eyes to base of cheeks].

O

ò *inter* oh, attend to what the speaker says, you know [speaker calls attention to knowledge state opposite of that presumed by the hearer] òjè mọ̀è ẹ̀kẹ̀ìn ò. Oje does not forget an offense, you know. é è téé ò. Don't take long, oh.

o *v intr* to enter, move into, onto (CPA, CPR, C, *H) ọ́lí ọ́mọ̀hẹ̀ ó vbì ìwè. The man entered the house. ọ́lí ọ́mọ̀hẹ̀ ó vbí úkpódè. The man entered the road. ọ́lì ìmátò ó vbí ẹ́dà. The car entered the river. ọ̀ ó vbí ékéín ògò. He entered the bush.; *o raale*, ò ó vbí ékéín ímè ráálè. He entered the farm and left.; *o re*, ólí ómòhè ó ré vbì ìwè. The man entered the house (where speaker is).; *de o*, ògó mè dé ó vbì ùhàì. My bottle fell into the well.; *fioo o*, éfìòò fíóó ólí ébè ó vbí ékéín ìwè. Wind blew the paper into the house.; *gbulu o*, ólì ùgbòfì gbúlú ó vbí ékóà. The orange rolled into the room.; *la o*, ólí ómòhè lá ó vbí úkpódè. The man ran onto the road.; *sua o*, ólí ómòhè súá èkpètè ó vbì ìwè. The man pushed a stool into the house.

o *v tr* to enter [of shame] èkhòì o *tr* to be ashamed, disgraced (CPA, CPR, C, H) èkhòì ó òì. He is ashamed. lit. Shame entered him.; *re èkhòì o* to disgrace, make ashamed. òhí ré èkhòì ó òjè. Ohi disgraced Oje. lit. Ohi made shame enter Oje. ólí úkpùn ò ó rè èkhóí ò òjè. The cloth is making Oje ashamed. úéén ísì òjè ò ó rè èkhóí ò òhí. The behavior of Oje is making Ohi ashamed.

o vbi égbè *intr* to affect negatively, possess psychologically, get to (*CPA, CPR, *C, *H) yán ó óí vbí égbè. They got to him. lit. They entered his body.

o vbi èò *intr* to attract, covet (*CPA, CPR, *C, *H) ólí émàè ó ójé vbì èò. The food attracted Oje. Oje coveted the food. lit. The food entered Oje's eye.

óà *n* home, house, óá élìyó home of that kind, óà èvá two houses, óá ísì òókhò chicken house. òhí nwú óà lí òjè. Ohi rented a house to Oje.

óbè *n* poisonous liquid to stun fish [prepared from a tree fruit] à kú óbè ó vbí édà. The fish-stunning agent was poured into the river. cf. óbì venom.

óbè *n* announcement, proclamation, public statement by town crier; gbe óbè *tr* to publicize, make an announcement (CPA, CPR, C, H) óbá' gbé óbè. The Oba made an announcement. lit. The Oba positioned a proclamation. à gbé óbè. An announcement was made. òó gbè óbè. Go to make an announcement.; kpaye gbe óbè, yán kpáyé òì gbé óbè. They helped him make an announcement.; gbe óbè li, gbè óbè lí òdóòdé díànré. Make an announcement for each to come out. à gbé óbè lí ágbón èrèmé sì égbè kókó vbí ésì óbá'. An announcement was made to all the people to come together at the Oba's.

óbèè *n* genet cat, óbèè èvá two genet cats.

òbééghònghòn greeting at time of rejoicing or great happiness. cf. ghonghon to be happy.

óbì *n* poison, venom, **óbí éliyó** poison of that kind, **óbí ísì ̱ényè̱** poison from a snake. **ó̱lí ̱ényè̱ mò̱è̱ óbì.** The snake is poisonous. lit. The snake possessed poison. cf. **óbè̱** poisonous chemical for stunning fish.

obí- *n pref* congratulatory address [final vowel assimilates] **òbìifè̱tìán** rest, **òbéèghò̱nghò̱n** great happiness.

òbìà *n* work, job, deed, portion of work, vocation, **óbíá éliyó** work of that kind, **òbìà èvá** two jobs, **óbíá lì è̱sè̱n** good deed. **òjè ò̱ ó màmà òbìà.** Oje is learning his vocation.; **nwu òbìà fi a** *tr* to resign, quit a job (*CPA, CPR, *C, *H) **òjè nwú òbìà fí à.** Oje has resigned. lit. Oje dropped his job aside.; **re̱ òbìà o̱ vbi ótò̱ì** *tr* to retire, resign (CPA, CPR, *C, *H) **ólí ómò̱hè̱ ré óbìà ó̱ vbì òtò̱ì.** The man resigned. The man retired. lit. The man put his work into the ground. cf. **bia** to work.

òbìbì *n* pandemonium, uproar, din, ovation, applause, uproarious cry. **óbíbí róóì.** Pandemonium arose.

òbíhùnmè̱hàè greeting, form of address to congratulate good fortune. cf. **íhùnmè̱hàì** good fortune.

òbìifè̱tìán greeting, form of address to one on leave or resting on holiday. cf. **ìfè̱tìán** rest.

óbìkó *n* type of tree, **óbìkó èvá** two trees; ~ *n* charm from óbìkó tree making one invisible. **óbìkó ó̱ò̱.** It's an obiko charm.

óbí'n *n* dark one. **óbí'n ó̱ò̱.** It's a dark one. **ágbó̱n lí óbí'n** black people. **óbí'n ó vbí ékó̱à.** A black one entered the room. cf. **bin** to be dark.

óbìnyédè̱ *n* lime preparation for treating yaws. **óbìnyédè̱ ó̱ò̱.** It's a yaws-treatment preparation. cf. **édè̱** day.

òbìzá *n* drum used in hunters dance, **òbìzá éliyó** hunter's dance drum of that kind, **òbìzá èvá** two hunter's dance drums.

òbóbìà greeting, well done, form of address to one who has done work very well. cf. **òbìà** work.

òbòghò *n* Heterotis niloticus fish, **òbòghò èvá** two Heterotis niloticus fish.

óbóghó lì ùdùgbò *n* Citharinus citherus fish, **óbóghó lì ùdùgbò èvá** two Citharinus citherus fish. cf. **òbòghò** Heterotis niloticus fish.

òbóòkpòkpò greeting, form of address to one experiencing difficulties or troubles.

òbóshàn greeting, form of address to one who is welcomed back. cf. **óshàn** journey.

óbòtú *n* crowd of people, multitude, populace, **émáé ísì óbòtú** food for the populace.

òjè ọ̀kpá lí ọ́ é émáé ísì óbòtú. It was Oje alone who ate food for the populace. cf. óbọ̀ hand, òtú age group.

óbọ̀, ábọ̀ *n* hand, arm of humans, foreleg of animals, óbọ́ élìyọ́ hand of that kind, ábọ̀ èvá two hands, úkélóbọ̀ forearm; de óbọ̀ *tr* to make a mistake (CPA, *CPR, *C, *H) ọ́lí óvbèkhàn dé óbọ̀. The youth made a mistake. lit. The youth reached his hand.

óbọ̀ *n* handle of a utensil, of a car, óbọ́ élìyọ́ handle of that kind, óbọ̀ èvá two handles.

óbọ́díọ̀n *n* right hand, óbọ́díọ́n ísì òjè Oje's right hand. cf. óbọ̀ hand, ọ́díọ̀n senior. cf. ògónbọ̀ left hand.

óbúlàlòmí *n* index finger, óbúlàlòmí ísì òjè Oje's index finger. cf. óbọ̀ hand, úlàlò licking, òmì soup.

ódàn *n* wrestling, ódán élìyọ́ wrestling of that kind. cf. dan to wrestle.

òdèdè *n* corpse [for older generation] òdèdè èvá two corpses.

òdèdèshíèkpè *n* lizard [red-headed male] òdèdèshíèkpè èvá two red-necked lizards.

òdéèwè *n* mother-goat, she-goat, giant she-goat, òdééwé élìyọ́ she-goat of that kind, òdéèwè èvá two she-goats. cf. dee to lower, éwè goats.

ódègbé *n* chicken hawk, ódègbé èvá two chicken hawks.

òdèlò *n* sauce of leafy vegetables, okra and garden eggs [for eating èkò] òdèlò óò. It's eko sauce.

òdè *pstv adv* yesterday. ọ́lí ọ́mọ́hé é ọ́lí émáé òdè. The man ate the food yesterday. éghè ọ́lí ọ́mọ́hé rẹ́ é ọ́lí émàè? When did the man eat the food?; ~ *n* yesterday, ópíá lì òdè yesterday's cutlass. òdè óò. It's yesterday.

ódè *n* way, pathway; de ódè *tr* to miss the way, take wrong track (CPA, CPR, *C, *H) òjè dé ódè. Oje took a wrong turn. lit. Oje reached his way. é è dé ódè ò. Don't take a wrong turn, oh. cf. úkpódè road.

òdè *n* parts, òdè èélè three parts. ò kẹ́n ọ̀í ọ́ vbì òdè èvá. He divided it into two parts. ódé ékà lí ọ́ kẹ́n ọ̀í ọ́? How many parts did he divide it into?

òdẹ́mẹ̀lá *n* mother cow, breeding cow, òdẹ́mẹ̀lá élìyọ́ breeding cow of that kind. cf. dee to lower, émèlá cow.

òdíàgbá *n* metal strip for holding a roof to a beam, òdíàgbá élìyọ́ metal strip of that kind, òdíàgbá èvá two metal strips.

ódíánmì *pstv adv* afternoon. ọ́ gbé ọ́lí ófé ódíánmì. He killed the rat in the afternoon. éghè ọ́lí ókpósó rẹ́ é ọ́lí émàè? When did the woman eat the food?; ~

n afternoon, **ódíánmì èvá** two afternoons, **ódíánmí éénà** the afternoon of today, **ódíánmí ákhò** tomorrow afternoon, **ódíánmí òdè** yesterday afternoon, **élá ódíánmì** the past afternoon. **ódíánmì óò**. It's afternoon.

òdìbò *n* servant, body guard, court attendant exclusive to the Oba, **òdìbò èvá** two court attendants of the Oba.

òdìn *n* mute individual, **òdìn èvá** two mutes. **òdìn óò**. He's a mute person.

ódòdó *n* flowering plant, **ódòdó éliyó** flowering plant of that kind, **ódòdó èvá** two flowering plants, **ódòdó lì òvbàè** red flowering plant.

òdòdòhúélé *n* state of wasting away; **dé òdòdòhúélé** *tr* to perish, be wasted (*CPA, CPR, *C, *H) **èrèmé dé òdòdòhúélé**. All was wasted. All perished. lit. All reached a state of complete waste.

òdóò *n* fantasy, fantasy state. **yàn rìì vbí òdóò**. They are in a state of fantasy. cf. **doo** to fantasize.

ódòrèrè *n* overseas, abroad, distant land. **ò yé ódòrèrè**. He went overseas. cf. **de** to reach, **rere** to be far.

ódùdú *n* shadow from sunlight, image in a mirror, **ódùdú èvá**, two images, **ódùdú mè**, my image. **ódùdú óò**. It's an image.

òdùmá *n* lion, **òdùmá èvá** two lions, **óvbì òdùmá, ívbì òdùmá** lion cub.

òéé' *n* commons area of a village, township in general, general area outside one's house. **ò yé òéé'**. He has gone to the township. **ò rìì vbí òéé'**. He is in the township. **ídámá òéé'** middle of village commons area.

òèè *n* anxiety, agitation, disturbing thought; **òèè gbe** *tr* to be overcome with anxiety (*CPA, CPR, *C, *H) **òèè ló ghè gbé ólí óvbèkhàn**. The youth was almost overcome by anxiety. lit. Anxiety just about killed the youth. cf. **ee** to cogitate.

òègbé *n* overeating, overfeeding, gluttony. **òègbé óò**. It's gluttony. cf. **e** eat, **gbè** excessively.

òèghè *n* equality, sameness, proportional. **òèghè óò**. They're proportional.; **de òèghè** *tr* to be proportional (*CPA, CPR, *C, *H) **ò dé òèghè**. It is proportional. lit. It reached a proportional state.

òè, àwè *n* foot, leg of human, hind leg of animal, **àwè èvá** two legs, **úkpóé lì òjè, íkpáwé lì òjè** big toe.

òèè *n* gourd ladle [used at traditional feasts] **óéé éliyó** feast ladle of that kind, **òèè èvá** two feast ladles.

òèghè *n* stinginess [of parents failing to provide for children

as other parents do] òèghè óò.
It's stinginess.

óẹnmáwà *n* weed associated with
dogs, óẹnmáwà èvá two dog
weeds. cf. óẹnmì tongue, áwà
dog.

óẹnmì *n* tongue, óẹnmì èvá two
tongues.

ófè, éfè *n* rat, ófé élìyọ́ rat of that
kind, éfè èvá two rats. cf.
èkhùè mouse.

ófélòkhúá *n* giant rat, pouched rat
[referred to as native rabbit]
ófélòkhúá èvá two giant rats.
cf. ófè rat, li R, òkhúá heavy.

ófèn *n* fear; ófèn ma vbi a *intr* to
have fear dissipate from, clear
off (*CPA, CPR, *C, *H) ófèn
má ójé vbì èọ á. Fear dissipated
from Oje's face. lit. Fear peeled
off Oje's face.; ófèn nwu *tr* to
become afraid (*CPA, *CPR,
C, H) ófèn ọ̀ ọ́ nwù ọ́ì. He is
becoming afraid. lit. Fear is
taking hold of him.; *re ófèn
nwu*, ọ́lì àtàlàkpà rẹ́ ófèn nwú
ọ́lí ọ́mọ̀hè. The lion frightened
the man. lit. The lion made fear
catch the man.; ku ófèn ọ vbi
ẹ́kẹ́ìn *tr* to frighten by psy-
chological means (CPA, CPR,
*C, *H) òjè kú ófèn ọ́ mẹ́ vbí
ẹ́kẹ́ìn. Oje frightened me. lit.
Oje dropped fear into my belly.;
la ófèn *tr* to be afraid (*CPA,
*CPR, C, H) òjè ọ̀ ọ́ là ófèn.
Oje is afraid. lit. Oje is flowing
with fear.

ófì *n* yaws, contagious tropical skin
disease leaving scars [leads to
body swelling and itching]
úkpófì, íkpófì yaws ulcer. ófì
óò. It's yaws.; ófì fi vbi égbè *tr*
to be covered with yaws
(*CPA, CPR, *C, *H) ófì fí ọ́í
vbí égbè. Yaws covered his
body lit. Yaws shot out on his
body.

ófì *n* warts on a chickens leg,
íkpófì èvá two chicken warts.

ófóà *n* house rat, ófóà èvá two
house rats. cf. ófè rat, óà house.

ófògò *n* bush rat, ófògò èvá two
bush rats. cf. ófè rat, ògò bush.

ófóìbó *n* guinea pig, ófóìbó èvá
two guinea pigs. cf. ófè rat,
óìbó white man.

ófúènghẹ́n *n* striped bush rat,
striped mouse living in
grassland, ófúènghẹ́n èvá two
striped bush rats. cf. ófè rat,
úènghẹ́n striped yam.

ògà *n* turn or opportunity leading
to reciprocity, repayment repri-
sal, retaliation,; hae ògà *tr* to
retaliate, settle a score (CPA,
CPR, *C, *H) ọ̀ ú ọ́ì háé ògà.
He did it to retaliate. lit. He did
it to pay back his turn.; *re ògà li*
to reciprocate. yàn rẹ́ ògà ní
áìn. They reciprocated. lit.
They provided a turn for him. é
rẹ́ ògà lí égbè. They
reciprocated (with the farm
work). lit. They assigned a turn
for each other.; sẹ ògà ọ vbi

òt?ì *tr* to initiate a retaliatory move. **òjè s?? òga ?? vbì òt?ì.** Oje has initiated retaliation. lit. Oje set a turn onto the ground.; **hae òga** *compl tr* to retaliate, settle a score. **òhí háé ójé òga.** Ohi settled a score with Oje. lit. Ohi repaid Oje with a turn. **è háé ?í òga.** They retaliated against him.; *re hae òga*, **?? ré ?ì háé m?? òga.** He used it to retaliate against me.

ògàá *n* upper end or far end of a farm, portion of farm most distant from its base [area of potential farm expansion] **?? rîi vbí ògàá.** He is at the upper end.

ògèdè *n* large drum with a bass sound [employed by native doctors in their war dance] **ógédé élìy??** bass war drum of that kind, **ògèdè èvá** two bass war drums.

ògídìgán *n* very large machete, **ògídìgán élìy??** large machete of that kind, **ògídìgán èvá** two large machetes.

ògìì *n* pungent condiment from ground, boiled and fermented melon [traditional bullion cube] **?? dé ògìì.** She bought melon condiment.

ògò *n* bush, **ógó élìy??** bush of that kind.

ògògókhò *n* cry of alarm. **?? khúéé ògògókhò.** He sounded an alarm. cf. **ókòóghòkò** call of

alarm. cf. **ògògòkhòògòò!** help (alarm statement).

ògòlà *n* state or condition of wandering or migrating, journey without aim or goal; **gbe ògòlà** *tr* to wander (*CPA, *CPR, C, H) **?? ò gbè ògòlà.** He wanders. lit. He makes a migration. **óshán ísì ògòlà lí ?? ò shán.** It is a migration that he is on. lit. It is a journey of wandering that he proceeds on.; ~ *n* wanderer, personality characterized by nervous energy and constant movement. **ògòlà óò.** He's a wanderer.

ògòlò *n* praying mantis, **ògòlò èvá** two praying mantises.

ògòlòkhúáóbòífì *n* charm for immobilizing a weapon during a battle. **ògòlòkhúáóbòífì óò.** It's an immobilizing charm.

ógùà *n* conical-shaped fish trap of woven reeds or palm frond veins opened at one end, **ógúá élìy??** conical fish trap of that kind, **ógùà èvá** two conical fish traps.

ógùà *n* woven mat of traditional doctor for bone setting, **ógúá élìy??** woven mat of that kind, **ógùà èvá** two woven mats.

ógùà *n* gingivitis, disease of the mouth accompanied by bleeding and swelling of the gums. **ógùà óò.** It's gingivitis.

ògùì *n* area [only in locative-governed positions, nominal complement refers to activity typically undertaken in an area, nominal cannot be individuated by modifiers] **ógúí ítùú** mushroom gathering, **ógúí ǫ̀ì** gathering it. **ǫ́ lǫ́ lè ǫ̀gúí éràn.** He will tend to gathering firewood. **ǫ̀ yé ógúí òbìà.** He went to work.

ógùté *n* Emai village. **òjè rîì vbí ógùté.** Oje is in Ogute.

ógbá' *n* woven roof mat, **ógbá' élìyǫ́** woven roof mat of that kind, **ógbá' èvá** two woven roof mats.

ógbè *n* housing compound, family housing complex of multiple dwellings, family estate. **ǫ̀ rîì vbí ékéín ógbè.** He is inside the compound.

ògbéé greeting. How are you?

ògbèré *n* plentiful, numerous, surplus, **émá lì ògbèré** plentiful yam, **úkpún lì ògbèré** surplus cloth.

ògbèn *n* graveyard, traditional burial ground for deceased of a village. **à nwú ǫ́lí óvbèkhàn yé ògbèn.** One took the youth to the burial ground. cf. **úgbìdì** cemetary [from Christian missionaries].

òghàè *n* festival of the new born [held during àgágá'n period] **à rîì vbí òghàè.** The new-born festival is upon us. lit. One is in the new-born festival. cf. **ghaa** to adjudicate.

óghè *n* putty-nosed monkey, **óghè èvá** two putty-nosed monkeys.

òghéghè *n* tree with yellow berry, **òghéghè èvá** two yellow berry trees. **íkpòghéghè** berries of yellow-berry tree.

òghèè *n* flirtatious, promiscuous condition [gender neutral, negative connotation] **òghèè óò.** She's flirtatious.; **la òghèè** *tr* to be flirtatious, promiscuous (*CPA, *CPR, *C, H) **ǫ́ ò là òghèè.** He is flirtatious. lit. He flows with promiscuity. cf. **ólòghèè** promiscuous person. cf. **ghee** to be promiscuous.

óghìán *n* enemy, foe, opponent. **óghíán mè óò.** It's my enemy.; **kpaye nwu óghìàn** *tr* to hold in enmity, harbor ill-feeling for (*CPA, *CPR, C, H) **áléké ǫ́ ò kpàyè òjé nwù óghìàn.** Aleke harbors ill feeling toward Oje. lit. Aleke takes hold of enmity with Oje.

óghìán *n* alter ego, one's other self. **óghìán óí ǫ́ ò hùnmè ósèn.** Her alter ego is beautiful. **ǫ̀ yà gbé óghìán mè.** He almost killed me. lit. He almost killed my alter ego. **óghìán ójé khà ú élá úkpè.** Oje would have died last year. lit. Oje's alter ego would have died last year. **óghìán mé yà ú élélá òdè.** I almost died yesterday. lit. My alter ego spirit almost died this very yesterday.; **ze óghìán shan ku a** *tr* to waste time (*CPA, CPR,

*C, *H) **ò zé óghìán mé shàn kú à.** He wasted my time. lit. He allowed my alter ego to proceed without limit.

òghòdàn *n* misfit, ingrate, fool, imbecile, untutored person. **òghòdàn óò.** He's an ingrate. cf. **éséòghòdàn** unappreciated kindness.

óghòhúnmì *n* white and black colored wild goose that flies at a great height and perches high in trees [visible during dry season, folklore reveres as a symbol of nobility] **óghòhúnmì èvá** two wild geese. cf. **òkhùnmì** sky.

óghòóghò, íghòóghò *n* sheep, female sheep, **íghòóghò èvá** two sheep, **óvbí óghòóghò** lamb.

óghòhé *n* type of tree, **óghòhé èvá** two trees of this type.

óháànmè *n* thirst, **óháánmé élìyó** thirst of that kind; **óháànmè gbe** *tr* to become thirsty (*CPA, *CPR, C, *H) **óháànmè ò ó gbè mè.** I am becoming thirsty. lit. Thirst is overcoming me.; **óháànmè gbe** *tr* to die of thirst (CPA, CPR, *C, *H) **óháànmè gbé òjè.** Oje died of thirst. lit. Thirst killed Oje. cf. **òhànmì** hunger, **àmè** water.

óhàn *n* anger, provocation, **óhán élìyó** anger of that kind; **óhàn bi** *tr* to be angry, provoked (*CPA, *CPR, C, H) **óhàn ò ó**

bì íyàìn. They are angry.; **bi óhàn** *tr* to be angry, provoked. **òjè ò ó bì óhàn.** Oje is angry. lit. Oje is moving aside his anger. **yàn á bí óhàn.** They are angry.; *bi óhán ísì* to be angry at (*CPA, *CPR, C, *H) **yàn á bì óhán ísì òjè.** They are angry at Oje. lit. They are moving aside with anger for Oje.; **re hunme óhàn** *tr* to dash, appease, assuage by giving dash (CPA, CPR, *C, *H) **òjè ré émà húnmé óhàn.** Oje dashed yam. lit. Oje appeased his own anger with yam. **òjè ré ólí ébè húnmé óhàn.** Oje dashed the book. **ó ré ólí émàè húnmé óhàn.** He used the food as dash.; **nwu óhàn** *tr* to assuage anger, separate physically, force apart (CPA, CPR, *C, *H) **òjè nwú íyáín óhàn.** Oje separated them (when fighting). lit. Oje took hold of their anger. **nwù ìyáín óhàn.** Separate them.; **shoo vbi óhàn re** *intr* to cease being angry (*CPA, CPR, *C, *H) **òjè shóó vbí óhàn ré.** Oje stopped being angry. lit. Oje left his anger. **shòò vbí óhàn ré.** Stop being angry.

òhànmì *n* hunger, **óhánmí élìyó** hunger of that kind, **óhánmí ísì émà** hunger for yam, **óhánmí lì òkhúá** famine; **òhànmì fi** *tr* to be in a famine (*CPA, *CPR, C, *H) **òhànmì ò ó fí vbì òtòì.** There's famine in the land. A famine is in the land.; **òhànmì gbe** *tr* to become hungry, famished (*CPA, *CPR, C, H) **òhànmì ọ̀ ọ́ gbé mè**. I am hungry. lit. Hunger is overtaking me.; *òhànmì re gbe,* **ọ́lì ìkhùnmì ọ̀ ọ́ rè òhánmí gbè òjè**. The medicine is making Oje hungry. lit. The medicine is making hunger overtake Oje.; **òhànmì gbe** *tr* to starve, die of hunger (CPA, CPR, *C, *H) **òhànmì gbé òjè**. Oje died of hunger. lit. Hunger killed Oje.; *òhànmì re gbe,* **òhí ré òhànmì gbé òjè**. Ohi starved Oje. lit. Ohi made hunger kill Oje. **rè òhànmì gbé òì**. Starve him.; **òhànmì loo a** *tr* to be overtaken by hunger (CPA, CPR, *C, *H) **óhánmí lọ́ọ́ ọ́lí ọ́mọ̀hè á**. The man was hungry. lit. Hunger flattened the man out.

òhànmì gbe *tr* to miss (*CPA, *CPR, C, H) **óhánmí ọ̀ì ọ̀ ọ́ gbè íyàìn**. They are missing her. lit. Hunger for her is overcoming them.

óhánmí úù gbe *tr* to desire death (*CPA, *CPR, C, H) **óhánmí úù ọ̀ ọ́ gbè ọ̀lí ọ́mọ̀hè**. The man wants to die. The man is hungry for death. lit. Hunger for death is overcoming the man.

óhèèn *n* traditional priest, priestess associated with a deity, **óhèèn èvá** two traditional priests, **óhéén ísì òlóòkún** traditional priestess of sea goddess. cf.

heen to ascend. cf. **ọ̀hèn** divine gift.

òhì *n* providence, destiny. **émí lí únú táí vbí òhì lí á à ù vbí àgbọ̀n**. One lives what one is destined to. lit. It is the thing that one's mouth said at the moment of destiny that one does in life. cf. **hi** to be destined.

óhìà, éhìà *n* hoof, paw of an animal [for older generation].

ohia *v intr* to be effective, powerful in the practices of traditional religion (CPA, *CPR, *C, *H) **ọ́lí ọ́mọ́hé óhíáì**. The man is powerful as an oraclist.; *ohia lee,* **ọ́lí ọ́mọ̀hè óhíá léé mè**. The man is more powerful than I.

ohia *v intr* to be tough, have strong constitution (CPA, *CPR, *C, *H) **ọ́lí ọ́mọ́hé óhíáì**. The man is tough.

ohia *v intr* to be difficult, hard (CPA, *CPR, *C, *H) **ọ́lí óbíá óhíáì**. The work is difficult.

ohia *v intr* to mature, ripen (CPA, CPR, C, *H) **ọ́lí ókà óhíáì**. The maize matured. **ọ́lì àmágò óhíáì**. The mango matured.; *ohia ku a,* **ọ́lí ọ́kà óhíá kù á**. The maize became too mature.; *ohia lee,* **ọ́ká mè óhíá léé ísì òjè**. My maize is more mature than Oje's.; *ohia re,* **ọ́lí ókà ọ̀ ọ́ óhíá ré**. The maize is maturing.; *ze ohia,* **ọ́lí ọ́mọ̀hè zẹ́ ọ́lí ọ́ká òhìà**. The man allowed the maize to mature.

ohia *v intr* to mature, achieve maturity, grow up [of humans] (CPA, CPR, *C, *H) ọ́lì àlèkè óhíáì. The girl has grown up.; *ohia re* to grow, mature (*CPA, *CPR, C, *H) òjè ọ̀ ọ́ òhíá ré. Oje is growing. ívbí òjè ọ̀ ọ́ òhíá ré. The children of Oje are maturing.

óhìàn *n* fur, skin of an animal, skin blanket, leather blanket, leather item, óhíán élìyọ́ animal skin of that kind, óhìàn èvá two animal skins, óhíán ísì ẹ́mẹ̀lá skin from a cow. cf. **hian** to cut.

òhìmìè *n* Niger River. òhìmìè ọ́ò. It's the Niger River.

òhíó' *n* algae, moss, or plankton on water surface. òhíó' rîì vbí ọ́lì àmè. Algae is on the water.

óhìòghóì *n* fibrous roots of the elephant grass family, óhìòghóì èvá two elephant grass fibrous roots.

òhìvbó *n* red flanked duiker, òhìvbó èvá two red flanked duikers.

oho *v tr* to blow with the mouth (CPA, CPR, C, *H) ọ̀ óhó ọ́lí úshẹ́'n. He blew the powder. òhò ọ́lí úshẹ́'n. Blow the powder.; *oho a*, ọ̀ óhó mẹ́ èọ́ á. He blew (it) out my eye.; *oho ku a*, ọ́lí ọ́mọ̀hè óhó ọ́lí úshẹ́'n kú à. The man blew the powder away.; *oho ku e*, ọ́lí ọ́mọ̀hè óhó

ọ́lí úshẹ́'n kú ẹ́ òjè. The man blew the powder onto Oje.; *oho ku ọ*, ọ̀ óhó ọ́lí úshẹ́'n kú ọ́ vbì ìtébù. He blew the powder all over the table.; *oho shoo vbi re*, ọ̀ óhó ọ́lí íkùkù shọ́ọ mẹ́ vbí ẹ̀ọ ré. He blew the dirt way out of my eye.; *oho vbi re*, ọ̀ óhó ọ́lí íkúkú vbí ẹ́ọ mẹ̀ ré. He blew the dirt from my eye.; *oho ye*, ọ̀ óhó ọ́lí úshẹ́'n yé òhí. He blew the powder to Ohi.; *isòn oho étìn ku a tr* to have feces smell (*CPA, *CPR, C, *H) ìsọ̀n ọ̀ ọ́ òhò ètín kú à. It smells of feces all over. lit. Feces are blowing their vapor all over.

oho *v tr* to escort, see off (CPA, CPR, C, H) yán óhó ọ́ì. They escorted her. òjè óhó òhí. Oje escorted Ohi. òhò ọ́ì. Escort him. òhò ọ́ì kéré. Escort her a bit.; *kpaye oho*, ọ̀ kpáyẹ́ òjè óhó òhí yé ìwè. He helped Oje escort Ohi home.; *oho re*, ọ̀ óhó òhí ré. He brought Ohi.; *oho ye*, ọ̀ óhó òhí yé ìwè. He escorted Ohi home.

óhòó *n* state of being faint, dizzy, giddy. óhòó ọ́ò. He's dizzy.; óhòó hoo tr to be dizzy, giddy (CPA, CPR, *C, *H) óhòó hóó ọ́ì. He is dizzy. lit. Dizziness searched for him.; ~ *n* palpitations. óhòó ọ́ò. It's palpitations.

òhóó *pstv adv* blissful, peaceful fashion. ọ́ ọ̀ ù àgbọ́n ísì ọ̀ì òhóó. He lives his life blissfully. **égbé fún ó̩ì ré òhóó.** He is in a state of bliss.; ~ *adj* blissful. **égbé ísì òjé ú ohóó.** Oje's body is at ease. **égbé ú ójé òhóó.** Oje is at ease. lit. Oje's body is blissful. cf. **oho** to blow.

óhò̩ *n* thin slices of boiled and cooked cassava soaked for two days in cold water [eaten with groundnuts or coconut as a snack, purification item in traditional religion for cancel-ing a small taboo] **óhò̩ èvá** two ritual cassava snacks.

óhùà, íhùà *n* hunter, **íhùà èvá** two hunters. cf. **hua** to carry.

òhùkú *n* group, party, clan, company, war-party, **òhùkú élìyó̩** clan of that kind, **òhùkú èvá** two groups, **òhùkú ísì é lí yán mó̩é̩ àwè̩ èvá** a group of the ones that have two legs.

óhùú *n* condition of cloudy, very overcast skies. **óhùú rîì vbí òkhùnmì.** The sky is very overcast. lit. Cloudiness is in the sky. cf. **hu** to grow.

ó̩ì *n* thief, thievery, theft, **ó̩í élìyó̩** thief of that kind, **ó̩ì èvá** two thieves.; **do ó̩ì** *tr* to engage in thievery (CPA, CPR, C, H) **òhí dó ó̩ì.** Ohi engaged in theft.; **re̩ o vbi ó̩ì** to make a thief (CPA, CPR, *C, *H) **ò̩mìàmé̩ ré̩ ó̩ì ó vbí ó̩ì.** Hardship made him a thief. lit. Hardship made him enter thievery.

ò̩í *n* pomade, hot rub, **ò̩í élìyó̩** pomade of that kind, **ò̩í èvá** two pomade lumps, **ò̩í ísì ìdúégbè** pomade for a body ache; **gbe ò̩í** *tr* to spread pomade (*CPA, CPR, C, *H) **òjè̩ gbé ò̩í vbí égbè̩.** Oje spread pomade lavishly on his body.; **hian ò̩í** *tr* to dab, apply pomade (CPA, CPR, C, H) **òhí hián ò̩í.** Ohi applied pomade. lit. Ohi cut pomade.; *hian ò̩í li,* **òhí hián ò̩í lí òjè̩.** Ohi applied pomade to Oje. **hìàn ò̩í lí òjè̩.** Cut pomade for Oje.; *hian ò̩í o,* **òhí hián ò̩í ó mé vbì ùòkhò̩.** Ohi dabbed pomade onto my back.; *hian ò̩í re,* **òhí hián ò̩í ré.** Ohi brought pomade.; *hian ò̩í ye,* **ó̩lí ókpósó̩ nà hián ò̩í yé àlèkè.** This woman cut pomade and took it to Aleke. This woman took pomade to Aleke.

ó̩ìà *n* West African ground squirrel of brown color, **ó̩ìà èvá** two ground squirrels.

ó̩ìbó, éìbó *n* whiteman, person of European descent, **ó̩ìbó élìyó̩** whiteman of that kind, **éìbó èvá** two whitemen. cf. **ì** NEG, **bo** be related to. cf. **úróó ó̩ìbó** English language.

ò̩ìì *n* Vitex doniana tree of grass-land with small, black berry [favored by antelope] **ò̩ìì èvá** two black berry trees; ~ *n* black, pear-shaped Vitex donia-na fruit [boiled to produce a sweet syrup for pap or custard] òìì èvá two pear-shaped black berries, íkpòìì black berry seeds, ényòìì black berry syrup. á à rè òíí èhèn ényò. One uses black berry to prepare wine.

òíkhàán *n* tree whose shoot and leaf produce sharp lemon-like taste [used with okra to reduce sauce viscosity] òíkhàán èvá two lemon-leaf trees; ~ *n* shoot of lemon-leaf tree. òíkhàán óò. It's a lemon-leaf shoot.

óímémà *n* glutton [derogatory and insulting reference] óímémà óò. He's a glutton. cf. óìmì corpse, émà pounded yam.

óìmì *n* corpse, deceased person, dead human body, óímí élìyó corpse of that kind, óìmì èvá two corpses, ékú óìmì human corpse prepared for burial; re óìmì o vbi òtòì *tr* to die (CPA, CPR, *C, *H) ólí ómòhè ré óìmì ó vbì òtòì. The man and the woman died. lit. The man and the woman put their dead bodies into the ground.; roo óìmì o vbi òtòì *tr* to die. ólí ómòhè róó óìmì ó vbì òtòì. The man died. lit. The man released his (dead) body into the ground.

óí'n *n* dika nut tree. óí'n rìì vbí èvbò. A dika nut tree is over there. órán óí'n dika nut tree; ~ *n* green dika nut fruit [increases viscosity level of soups] óí'n èvá two pieces of green dika nut fruit.

óínbò *n* shrub type with edible seeds, óínbò èvá two edible seed shrubs.

òíòyó *n* shea butter oil. òíòyó óò. It's shea butter oil. cf. òí pomade, òyó shea butter [Yoruba].

òìsà *n* omniscient being, traditional supreme being. òìsà óò. It's the supreme being.

òìsèlébùá *n* God, supreme being as introduced by missionaries. òìsèlébùá lí ó ì mòè ìrèsò. It is God alone who has no end. cf. òìsà traditional supreme being.

òísí' *n* gun, òísí' élìyó gun of that kind, òísí' èvá two guns. cf. úkpòísí' leaf for treating gunshot wound.

òísò *n* legendary king in folk tradition [perhaps ògísó in Benin historical tradition] òísò óò. It's Oiso.

òísòkhùnmì *n* thunder clap. òísòkhùnmì óò. It's thunder. cf. òísí' gun, òkhùnmì sky.

òjáàgbá *n* metal strap for linking house roof to beam, òjáàgbá élìyó roof strap of that kind, òjáàgbá èvá two pieces of roof strap. cf. òdíàgbá metal strip joining roof and beam.

òjàjà *n* physical agility [folk inference links to mental agility] ólí óvbèkhàn mòè òjàjà. The youth is agile. The youth possesses agility.

ójàvùn *n* Emai village. àlèkè rîì vbí ójàvùn. Aleke is in Ojavun.

òjè *n* traditional ruler of the land [ruler not subject to any other ruler] ójé ísì èmáì traditional ruler of Emai, òjéànmì ruler of the animals. òjè óò. He's the traditional ruler.

òjègbókhùn *n* palm tree type [leaves pounded to powder to remove hair from a child's body] òjègbókhùn èvá two hair-powder palm trees.

ójémì *n* wondrous thing, a marvel, an awesome phenomenon, an unbelievable event. ójémì óò. It's a wondrous thing. ójémì lí á míéí éènà. It was an unbelievable event that one experienced today. cf. òjè ruler, émì thing.

ójè *n* concubine, mistress, ójè èvá two concubines, ójé ísì òhí Ohi's mistress; nwu ójè *tr* to take a mistress (CPA, CPR, *C, *H) ólí ómóhé nwú ójè. The man took a mistress. lit. The man took hold of a mistress. ólí ómòhè nwú ójé vbì òkè. The man took a mistress in Oke.; nwu ójè *compl tr* to take as a mistress (*CPA, CPR, *C, *H) ólí ómòhè nwú ólí ókpósó ójè.

The man took the woman as his mistress. lit. The man took hold of the woman as his mistress. ò nwú áléké ójè. He took Aleke as his concubine.

ójè *n* laughter; fan ójè a to burst into laughter (CPA, CPR, *C, *H) ò fán ójè á. He burst into laughter. lit. He ripped open his laughter.; gbe ójè a *tr* to burst into laughter. élí ívbèkhàn gbé ójè á. The youths burst into laughter. lit. The youths broke their laughter.; gbe ójè *compl tr* to make laugh (*CPA, *CPR, C H) òjè ò ó gbè òlí óvbékhán ójè. Oje is making the youth laugh. lit. Oje is breaking the youth's laughter. ólí ómóhé ó ò gbè òíá ójè. The man makes people laugh.; ton ójè hua *tr* to burst into laughter (CPA, CPR, *C, *H) òjè tón ójè húá. Oje burst into laughter. lit. Oje lifted his laughter. cf. je to laugh.

òjó *n* person with an umbilical hernia. òjó óò. It's one with an umbilical hernia.

òjòmé *n* palm shoot [yellow, un-developed palm leaves] òjòmé èvá two palm shoots.

òjòmúdìn *n* shoot of the oil-palm tree, òjòmúdìn èvá two oil-palm shoots. cf. òjòmé palm shoot, údìn oil-palm tree.

ókáì *n* dry season, period of year with no rainfall, ókáí éliyó dry season of that kind, ókáì èvá two dry seasons. à rîì vbí ókáì. The dry season is upon us. lit. One is in the dry season. cf. ka to be dry, -i F.

ókàn *n* anatomical oddity, physical deformity or abnormality, irregular physique; **fi ókàn li** *tr* to tease, mock, spread derision (CPA, CPR, C, H) **òhí ọ̀ ó fi òkán lì òjè.** Ohi is mocking Oje. Ohi is spreading derision for Oje. **ọ̀ fí ókàn ní áìn.** He poked fun at her. He teased her. lit. He spread a deformity for her.; **rẹ gbe ókàn** *tr* to deride (*CPA, *CPR, C, H) **òjè ọ̀ ó rẹ̀ àwẹ́ lí ọ́ ọ̀ tò òí gbẹ̀ òí ókàn.** Oje is making fun of her with her bad leg. lit. Oje is using the leg that pains her to project her deformity.; **ókàn voon égbè** *tr* to deride physiological shortcomings or deformities (*CPA, CPR, *C, *H) **ókàn vóón ọ́í égbè.** He was derided for his physical shortcomings. lit. Physical shortcomings filled his body. cf. **kaan** to deride.

òkè *n* Oke village in Ora community. **àlèkè díáí vbí òkè.** Aleke lived in Oke.

òké *n* mature male of a mammal species, **émèlá lì òké** bull. lit. cow that is male. cf. **òkémèlá** bull. cf. **ọ̀hè** male of non-human animal species.

òkèkè *n* noise, uproar, din from a crowd, applause. **ókéké réì.** The applause rose.; **kpe òkèkè** *tr* to make noise, create an uproar (*CPA, *CPR, C, H) **yàn á kpè òkèkè.** They are making noise. **àgbọ̀n ọ̀ ó kpè**

òkèkè. The crowd is roaring. lit. The people are expressing applause. **é è kpé òkèkè.** Don't make noise.

òkéòké *n* type of weed, **òkéòké èvá** two weeds of this type.

òkémèlá *n* fully developed, mature bull capable of breeding, **òkémèlá ísì òjè** Oje's bull. **òkémèlá rì vbì ọ̀.** There's a bull rat. cf. **òké** mature male, **émèlá** cow. cf. **émèlá lì òké** bull.

òkîìsì *n* boar, mature wild boar capable of breeding. **òkîìsì rîi vbí ògò.** A boar is in the bush. cf. **òké** mature male, **ìsì** pig.

ókìn *n* state of being faint, unconscious, dizzy; **de ókìn** *tr* to faint, be unconscious (CPA, CPR, *C, *H) **ọ̀ dé ókìn.** He is unconscious. lit. He reached unconsciousness.; *de ókìn o,* **ọ́ dé ókìn ọ́ vbí ékéín ímè.** He fainted on the farm.; **zẹ ókìn** *tr* to grow faint (*CPA, *CPR, C, H) **òjè ọ̀ ó zẹ̀ ókìn.** Oje is growing faint.; *la zẹ ókìn,* **ọ̀ ó lá zẹ̀ ókìn.** She is running (in circles) and growing faint.

òkófè *n* bull rat, **òkófè èvá** two bull rats. cf. **òké** mature male, **ófè** rat.

ókòóghòkò *inter* call of alarm.

òkóvbèè *n* mature, male red patas monkey, **òkóvbèè èvá** two bull red patas monkeys. cf. **òké** mature male, **óvbèè** patas monkey.

ókọ̀ *n* boat, canoe, ókọ́ élìyọ́ boat of that kind, ókọ̀ èvá two canoes, úvbíókọ̀ small boat, ókọ́ ísì ẹ́dà boat for the river, ókọ́ ísì éfìòò airplane. lit. boat for the wind.

ókọ̀ *n* wooden mortar for pounding yam, ókọ́ élìyọ́ mortar of that kind, ókọ̀ èvá two mortars. cf. úvbíókọ̀ pestle.

ókùgbé *n* unity. ókùgbé ísì èmáì lí má à hòó. It is Emai unity that we search for. cf. ku gbe to mix.

ókùlúùbú *n* pestilence, plague, fatal epidemic, disease moving among households, ókùlúùbú élìyọ́ pestilence of that kind, ókùlúùbú èvá two epidemics.

òkún *n* sea, ocean. òkún óò. It's the sea.

ókhà *n* folktale, traditional story, oral tradition narrative, ókhá élìyọ́ folktale of that kind, ókhà èvá two folktales, ókhá ísì éìn tortoise folktale. cf. ìtàn saying [for daily narratives such as how one's car broke down].

ókhèé *n* watch area, dominion under guard. ókhèé óò. It's a watch area. élí ímọ́hé áìn rìì vbí ókhèé. Those men are in the watch area. cf. khee to wait.

ókhèè *n* menstrual period. ọ̀ rìì vbí ókhèè. She is menstruating. lit. She is in a state of menstruation. cf. khee to wait.

ókhírígùògùò *pstv adv* helter-skelter fashion. yán à là ókhírígùògùò. They run about helter-skelter.

òkhòkhòíkhò *n* edible beetle that sucks palm wine, òkhòkhòíkhò èvá two palm-wine beetles.

ókhọ̀ìn *n* war, fight, battle, ókhọ́ín élìyọ́ war of that kind, ókhọ̀ìn èvá two wars, ókhọ́ín ísì ẹ̀dó bí àkúré the battle between the Edo and the Akure. ólí ómọ́hé khọ́én ólí ókhọ̀ìn. The man fought the battle. cf. khoen to fight.

òkhọ̀ò *n* badness, meanness. ókhọ́ó ọ́dàn lí í khì ísì ọ̀í. His meanness is of a different kind. lit. It is a different kind of meanness that is his. cf. khoo be wicked.

òkhúá *n* big. ẹ́khọ́í lì òkhúá a great shame. ólì òkhúá the big one.

òkhùàkhùà *n* harmattan wind, ókhúákhúá élìyọ́ harmattan wind of that kind. òkhùàkhùà ọ̀ ó fí. The harmattan winds are blowing. cf. khuakhua to be stiff from shock.

ókhúnméìmì *n* heaven in Christian tradition. àlèkè yé ókhúnméìmì. Aleke went to heaven. cf. òkhùnmì sky, éìmì spirit world.

òkhùnmì *n* sky. òkhùnmì bínì. The sky is dark.; òkhùnmì hoo *intr* to threaten rain (*CPA,

*CPR, C, *H) **òkhùnmì** <u>ò</u> <u>ó</u>
hóó. The sky is threatening. lit.
The sky is searching.; **òkhùnmì**
hoo ódè̱ *tr* to threaten rain.
òkhùnmì <u>ò</u> <u>ó</u> **hòò ódè̱**. It is
threatening to rain. lit. The sky
is searching for its way.; ~ *n* top
of, above, apex, **ókhúnmí óràn**
top of the tree, **ókhúnmí** <u>ókòó</u>
top of the hill, **ókhúnmí** <u>ò̱ì</u> top
of it. <u>ó̱lí</u> **ákhè̱ rîi vbí òkhùnmì**.
The pot is on top.; ~ *n* upward
direction on the horizontal
plane, **ókhúnmí** <u>é̱dà</u> up river.
<u>ó̱lì</u> **è̱kpà rîi vbí òkhùnmì**. The
bag is up ahead. <u>ò̱</u> **yé ókhúnmí**
ò̱éé'. He went upward in the
township.

òkpà *n* Emai village. **àlèkè̱ rîi vbí**
òkpà. Aleke is in Okpa.

òkpàn, è̱kpàn *n* small Crescentia
cryete calabash cut in two and
dried [serves as a bowl] **ókpán**
é̱lìyó gourd bowl of that kind,
è̱kpàn è̱vá two pieces of gourd
bowl, **úvbìòkpàn** small bowl; ~
n gourd fruit from Crescentia
cryete. **òkpàn** <u>óò̱</u>. It's gourd
fruit.

ókpè̱- *n pref* item of major cultural
significance or importance,
ókpé̱dà mighty river.

ókpénì *n* impressive name. **ókpénì**
<u>óò̱</u>. It's an impressive name. cf.
ókpè̱- culturally important, **énì**
name.

òkpè̱sá *n* male of affluence,
respectability and significant
social standing, **òkpè̱sá é̱lìyó**
man of substance of that kind.
òkpè̱sá <u>óò̱</u>. He's a man of
substance. cf. **ókpè̱-** culturally
important, **è̱sájè̱n** blood [for
older generation].

ókpétà *n* pithy saying of social
significance. <u>ò̱</u> **tá ókpétà**. He
expressed an important saying.
cf. **ókpè̱-** culturally important,
étà word.

ókpé̱dà *n* major river. **ókpé̱dà** <u>óò̱</u>.
It's a mighty river. cf. **ókpè̱-**
culturally important, **é̱dà** river.

òkpè̱n *n* timber tree of hard wood
[valued for looms] **òkpè̱n è̱vá**
two hardwood timber trees.

ókpíjé'n *n* conflagration, inferno,
significant fire, **ókpíjé'n é̱lìyó**
conflagration of that kind. cf.
ókpè̱- culturally important,
íjé'n fired coal.

òkpíkpì *n* motorcycle, **òkpíkpí**
é̱lìyó motorcycle of that kind,
òkpíkpì è̱vá two motorcycles,
òkpíkpì ísì ò̱í his motorcycle

ókpóghìtàn *n* culturally significant
saying. **ókpóghìtàn** <u>óò̱</u>. It's a
culturally significant saying. cf.
ókpè̱- culturally important, **ìtàn**
traditional saying.

òkpòkún *n* large sack of raffia with
narrow opening for grains or
gari, **òkpòkún é̱lìyó** raffia sack
of that kind, **òkpòkún è̱vá** two
raffia sacks.

ókpòkhúnmí *n* Emai village. **àlèkè̱**
díá vbí ókpòkhúnmí. Aleke

lived in Okpokhunmi. cf. **kpe̱n** next, **òkhùnmì** upward.

òkpòkpò *n* state of being worried, mentally troubled, physically agitated. **òkpòkpò ó̱ò̱**. It's trouble. **ókpókpó ló̱ gbè òhí.** Worry will kill Ohi. cf. **kpokpo** to worry.

òkpòsò, ìkpòsò *n* woman, female, **ókpósó élìyó̱** woman of that kind, **ìkpòsò èvá** two women, **úvbìòkpòsò** little woman [derogatory] **òjè mò̱è òkpòsò.** Oje has a wife.; **fi òkpòsò li égbè mie̱e** to engage a single female alternately as a sexual partner (*CPA, *CPR, C, H) **yàn á fì òkpòsò ò̱kpá lì ègbé mìè̱è̱.** They are having sex with the same woman. lit. They are throwing one woman to each other and seizing her.; **hoo òkpòsò** *tr* to have sex with a woman (*CPA, CPR, *C, *H) **òjè hóó ó̱lì òkpòsò.** Oje had sex with the woman. lit. Oje searched for the woman.; **fi òísí' vbi òkpòsò** *tr* to fire a gun when taking a wife (*CPA, CPR, *C, *H) **òjè fí òísí' vbì òkpòsò.** Oje has taken a wife. lit. Oje shot a gun on a woman.; **sin òkpòsò** *tr* to divorce a wife by returning her to her family (CPA, CPR, *C, *H) **ó̱lí ómóhé sín ó̱lì òkpòsò.** The man divorced the woman.; **ze̱ éghó' vbi òkpòsò** *tr* to pay a dowry, bride price (CPA, CPR, *C, H)

òjè zé̱ éghó' vbí ó̱lì òkpòsò. Oje paid a dowry. lit. Oje paid money on the woman. **ò̱ zé̱ éghó' vbí úhúnmí ísì ó̱lì òkpòsò.** He paid a dowry for the woman. lit. He paid money on the head of the woman.

ókpósódío̱n, íkpósédìo̱n *n* senior woman, **ókpósódío̱n élìyó̱** old woman of that kind, **íkpósédío̱n èvá** two old women. **ò̱ chián ókpósódío̱n.** She became an old woman. cf. **òkpòsò** woman, **ódío̱n** elder.

ókpóso̱hàmà *n* pregnant woman, **ókpóso̱hàmà o̱kpá** one pregnant woman. **ókpóso̱hàmà ó̱ò̱.** She's a pregnant woman. cf. **òkpòsò** woman, **òhàmà** pregnancy.

ókpòtó̱ì *n* downward direction, lower direction on horizontal plane, **ókpòtó̱í édà** down river. **ò̱ yé ókpòtó̱í édà.** She went down river. **ò̱ yé ókpòtó̱í òéé'.** He went to the lower end of the village.; ~ *n* bottom of, **ókpòtó̱í àkpótì** bottom of the box. **ó̱lí áwà rî̱ vbí ókpòtó̱í ó̱kò̱ó̱.** The dog is at the bottom of the hill. cf. **kpe̱n** next, **òtò̱ì** ground.

ókpó̱ìà *n* culturally important person. **ókpó̱ìà rî̱ vbí ó̱lì èvbòò.** An important person is in the village. cf. **ókpè-** culturally important, **ó̱ìà** person.

ókpúghè *n* spectacle, impressive sight. **ókpúghè ó̱ò̱.** It's a great sight. cf. **ókpè** culturally important, **úghè** scene.

òlàà *n* bitter leaf, Veronica amyedalina [for soup] **íkpébé ísì òlàà** leaves of bitter leaf, **íkpébé ísì òlàà èvá** two bitter leaf leaves. **òlàà óò**. It's bitter leaf. cf. **laa** to be bitter.

òlèghéèlè *n* dilemma resulting in a frightful experience. **òlèghéèlè óò**. It's a frightful dilemma.

òlèlè *n* copulation. **ó ò̱ tò vbí òlèlè**. He is fond of copulating. cf. **lele** to copulate.

òlé̱hèin *n* liar. **òlé̱hèin óò**. He's a liar. cf. **la** flow, **èhèin** lie.

òlíé̱nà *pstv adv* interval of four days. **ójé ló̱ vàré òlíé̱nà**. Oje will come in four days time. **éghè̱ ójé ló̱ rè̱ várè?** When will Oje come?

òlímá' *n* file, rasp [for sharpening knives] **òlímá' élìyó̱** file of that kind, **òlímá' èvá** two files. **ò̱ ó rè̱ òlímá' rìè̱ ópìà**. He is using a file to sharpen a cutlass.

ólìsó *n* hopscotch game. **ólìsó óò**. It's hopscotch.; **so ólìsó** *tr* to play hopscotch (*CPA, *CPR, C, H) **ò̱ ó sò ólìsó**. She is playing hopscotch. She is hopping on one foot. lit. She is touching hopscotch.

òlívbèé *n* swing, state of back and forth movement; **fi òlívbèé** *tr* to swing, to move back and forth (*CPA, *CPR, C, H) **ò̱ ó fi**

òlívbèé. He is swinging. lit. He is propelling a swing.

ólò *n* game of marbles designed to knock over marble pile. **ólò óò**. It's a game of marbles.; ~ *n* lottery, gambling with dice, pools; **fi ólò** *tr* to gamble, play pools (*CPA, *CPR, C, H) **ó ò̱ fi ólò**. He plays pools. lit. He tosses pools. **yàn á fi ólò**. They are gambling.

òlógbò *n* house cat, **òlógbó élìyó̱** house cat of that kind, **òlógbò èvá** two house cats.

òlógbògò *n* bush cat, ferret, **òlógbògò èvá** two ferrets. cf. **òlógbò** cat, **ògò** bush.

òlòghò *n* dika nut soup. **òlòghò óò**. It's dika nut soup. cf. **òmòlòghò** dika nut soup.

òlòkún *n* Atlantic Ocean. **òlòkún óò**. It's the Atlantic Ocean. **èhèèn rî vbí òlòkún**. Fish are in the Atlantic Ocean. cf. **òkún** ocean.

òlóòkún *n* sea goddess. **òlóòkún óò**. She's a sea goddess. cf. **òkún** sea.

òlóòlò *n* destiny, fate, chance. **òlóòlò óò**. It's fate. cf. **èhì** personal fate.

ólòsì *n* wretched one [Yoruba] **ólòsì óò**. He's a wretched one.

ólùà *n* female chief, **ólùà èvá** two female chiefs; ~ *n* institution or position of female chieftancy. **à ré̱ ólùà ní áìn**. A chieftancy title was assigned to her. lit. One assigned a chieftancy title to her.

ólùgázù *n* idiot, moron, human being lacking basic intelligence. **úéén ísì ólùgázù lí ó ò èén**. It is idiotic behavior that he exhibits. **ólùgázù óò**. He's an idiot.

òlúgbàméjì *n* cholera, sickness causing simultaneous vomiting and excretion [Yoruba] **òlúgbàméjì óò**. It's cholera.

ómàá *n* mark, scar, dent, crack, **ómàá élìyó** scar of that kind, **ómàá èvá** two scars, **ómàá ísì ólì èmàì** scar from the wound. cf. **maa** to measure.

ómèfó *n* vegetable soup. **ómèfó óò**. It's vegetable soup. cf. **òmì** soup, **èfó** leafy vegetables.

ómèhèn *n* sleep. **ò méhèn ólí ómèhèn shóó vbì èò ré**. He slept off the drowsiness. lit. He slept the sleep from his eyes.; **ómèhèn so** *tr* to feel sleepy (*CPA, *CPR, C, *H) **ómèhèn ò ó sò òjè**. Oje is feeling sleepy. lit. Sleep is touching Oje.; **koon ómèhèn** *tr* to stay up (*CPA, *CPR, C, H) **ò ó kòòn ómèhèn**. He is staying up. lit. He is aiming at sleep (but not reaching it).; ~ *n* sexual intercourse [euphemism] **to vbi ómèhèn** *intr* to enjoy sex (*CPA, *CPR, *C, H) **ó ò tò vbí ómèhèn**. He enjoys sex. lit. He is fond of sleep. cf. **mehen** to sleep.

òmèmì *n* latex for treating whitlow. **òmèmì óò**. It's whitlow latex.

òmì *n* soup, sauce of greens, melon seeds and other condiments [served with **èbà** or pounded yam] **ómí élìyó** soup of that kind, **òmì èvá** two portions of soup, **ómí òsàn** meatless soup; **re guogho òmì** a to cook soup by adding a great deal of meat (CPA, CPR, *C, *H) **ò ré èànmì gúóghó òmì á**. He took meat and cooked the soup. He cooked soup with plenty of meat. lit. He used meat to break up the soup.

ómíkpémì *n* melon soup. **ó ò tò vbí ómíkpémì**. He is fond of melon soup. cf. **òmì** soup, **íkpémì** melon.

ómìmí *n* depths, condition of great depth in water; **de ómìmí** *tr* to be submerged (CPA, CPR, *C, *H) **òjè dé ómìmí**. Oje is submerged. Oje dived into the depths. lit. Oje reached the depths.

òmìnírá *n* political independence [Yoruba] **úkpé ísì òmìnírá** festival of independence. **ìnàìjíríà míéé òmìnírá vbí óbó ísì óìbó**. Nigeria received its independence from the white man.

ómìòò, ímìòò *n* blood relative, kin relation, sibling, **ómíóó élìyó** relative of that kind, **ímìòò èvá** two relatives, **ómíóó òjè** Oje's sibling, **ómíóó ó** your sibling, ómíóó lì òkpòsò sister, ómíóó lí ómòhè brother, ómíóó ínyó mé lí ómòhè uncle on mother's side, ómíóó érá mé lí ómòhè uncle on father's side, ómíóó ínyó mé lì òkpòsò aunt on mother's side, ómíóó érá mé lì òkpòsò aunt on father's side. ò mòè ómìòò. She has a sibling. cf. ìnyòkpá siblings with same mother, èràkpá siblings with same father.

ómòíkhàán *n* soup made from òíkhàán shoot. ómòíkhàán óò. It's oikhaan-shoot soup. cf. òmì soup, òíkhàán type of tree.

ómòlòghò *n* dika nut soup. ómòlòghò óò. It's dika nut soup. cf. òmì soup, òlòghò dika nut soup.

ómókhà *n* cotton tree shoot soup. ómókhà óò. It's cotton tree shoot soup. cf. òmì soup, ókhà cotton tree.

ónwèé *n* cough, ónwèé élìyó cough of that kind, úkpónwèé phlegm. òjè mòè ónwèé. Oje has a cough. cf. nwe to ripen.

ónyà *n* rope from vines of oil-palm tree, ónyà èvá two oil-palm ropes. cf. nya to rip.

òò *n* pit, tunnel, gap, hole in the ground or wall, óó élìyó hole of that kind, òò èvá two holes, óó ísì ényè snake hole.

oo *v tr* to think, ponder, reflect on (CPA, CPR, C, *H) ólí ómòhè ò ó òò ólì ìnyèmì. The man is reflecting on the matter. yà óó ólì ìnyèmì. Get on with pondering the matter. Start pondering the matter; oo khi to hope, suppose, think (*CPA, CPR, *C, *H) ì óó khí ólì òkpòsò gbé ólí ófè. I thought that the woman killed the rat. ì óó khí ójé ló vàré. I hope that Oje will come. émé' ú à òò vbí ùdù? What do you think? lit. What are you pondering in your heart?; oo ba kun to ponder in vain (CPA, CPR, *C, *H) ó óó ólì èmòì bá kùn. He pondered the issue in vain.

oo ékéìn *tr* to ponder, reflect on in a spiritual manner (*CPA, *CPR, C, H) ólí ómòhè ò ó òò èkéìn. The man is reflecting. lit. The man is pondering with his belly. ólí ómòhè í yà òò èkéìn, ò kpè tá étà. The man never reflected before he spoke. yà óó ékéìn. Start reflecting.

oo úhùnmì *tr* to ponder in search of a solution (*CPA, *CPR, C, *H) ólí ómòhè ò ó òò úhùnmì. The man is searching for a solution. lit. The man is pondering with his head.; oo úhùnmì ye òtòì bí òkhùnmì to ponder, reflect a great deal (CPA, *CPR, *C, *H) ó óó úhùnmì yé òtòì bí òkhùnmì. He really searched a great deal for a solution to the matter. lit. He pondered with his head to the ground and the sky.

oo *v tr* to perform a mental summation, sum up, count, calculate (CPA, CPR, C, *H) **ọ́lí ọ́mọ̀hè óó ọ́lí éghó'**. The man has added up the money. **òò ọ̀lí éghó'**. Add up the money.; *kpayẹ oo*, **ọ̀ kpáyẹ́ òjè óó ọ́lí éghó'**. He helped Oje add up the money.; *rẹ oo*, **ọ̀ rẹ́ ìkàkùlétọ̀ óó ọ́lí éghó'**. He used a calculator to add up the money.; *oo baa émí ọ́sò* to assess something [only in negative constructions] **ọ́lí ọ́mọ̀hè í ì òò ọ̀í bàà èmí ọ́sò**. The man deemed it insignificant. lit. The man did not count it as adding to anything.; *oo ku gbe* to add together (CPA, CPR, C, H) **ọ́lí ọ́mọ̀hè óó ọ́lí éghó' kú gbè**. The man added the money together. **òò ọ̀lí éghó' kú gbè**. Add the money together.

oo *v tr* to imitate, mimic (*CPA, *CPR, C, *H) **òjè ọ̀ ọ́ òò òhí**. Oje is mimicking Ohi.; *rẹ égbè oo*, **òjè ọ̀ ọ́ rẹ̀ ègbé òò òhí**. Oje is imitating Ohi. **yà rẹ́ égbè óó òhí**. Get on with imitating Ohi.

oo *v tr* to assess and compare to (*CPA, *CPR, C, H) **àlèkè ọ̀ ọ́ rẹ̀ òhí òò òjè**. Aleke is comparing Ohi to Oje. **é è kè rẹ́ òhí óó òjè**. Don't compare Ohi to Oje anymore.; *rẹ égbè oo*, **òjè ọ̀ ọ́ rẹ̀ ègbé òò mẹ̀**. Oje is comparing himself to me.; *rẹ oo* to compare to, assess (*CPA, *CPR, C, H) **ọ̀lì òkpòsò ọ̀ ọ́ rẹ̀**

òjé òò ọ̀lí ọ́mọ̀hè. The woman is comparing the man to Oje. **émé' á lọ́ rẹ̀ èé óó?** What will one compare you to?

oo *v intr* to drain, ooze, discharge (*CPA, CPR, C, *H) **ọ́lì èmàì óói**. The boil drained.; *oo ku a*, **ọ́lì èmàì óó kù á**. The wound drained out.

òòghò, ìòghò *n* flood, **óóghó élìyọ́** flood of that kind.

òòjò *n* multi-colored dwarf monitor lizard [smooth body, stripe on its side, larger than common lizard] **òòjò èvá** two dwarf monitor lizards, **úvbìòòjò** small dwarf monitor lizard.

òòká *n* ring, talisman associated with fighting [Yoruba] **òòká élìyọ́** talisman ring of that kind, **òòká èvá** two talisman rings.

óòkó greeting, good day, hello.

óọ̀ọ̀ *n* antidote. **óọ̀ọ̀ óò**. It's an antidote. cf. <u>oo</u> to dissipate.

órà *n* Ora people and language. **ọ̀ yé órà**. He went to Oraland.

óràn, éràn *n* wood, **órán élìyọ́** wood of that kind, **éràn èvá** two pieces of wood, **úkpóràn, íkpéràn** stick, club; ~ *n* tree, **órán élìyọ́** tree of that kind, **éràn èvá** two trees, **úvbíóràn** small tree, **úhí'ánmóràn, íhí'ánméràn** bark of a tree, **íkpéràn** fruit of a tree, seed of a tree, **órán lì òkhúá** big tree, **órán àmágò** mango tree. **órán àmágò èvá** two mango trees, úvbíórán àmágò small mango tree. ò̩jè gbé éràn. Oje fell trees. órán ìbàbó ó̩ò̩. It's a bamboo tree.; ~ n stalk, órán ó̩kà stalk of maize, órán ìèké sugar cane stalk, órán ò̩gè̩dè̩ plantain stalk, órán ótìé̩n cherry stalk, órán ìbò̩bò̩dí cassava stalk, órán ó̩kà èvá two maize stalks, úvbíórán ó̩kà small stalk of maize.

órèè n generational group, contemporaries, peers, equals in rank, óréé ísì è̩mé my generation, óréé ísì è̩é your peers, óréé mè̩ my equals. cf. ree to visit.

òrèlé̩è̩dé n preceding generation, ancestors. ítán ísì òrèlé̩è̩dé ó̩ò̩. It's a saying of the ancestors. cf. órèè generation, láá from, é̩dè̩ day.

òrìà n state of foraging for food. élí éànmì yé ógúí òrìà. The animals went to forage. cf. riaa to spoil.

órìkhùò n pimple, óríkhúó élìyó pimple of that kind, órìkhùò èvá two pimples.

òrìrì n awesome, amazement. ó̩lí órán mó̩é òrìrì. The tree is awesome. lit. The tree possesses amazement.

órò n Albizia tree, sass wood tree, órò èvá two sass wood trees.

óróbò̩, éróbò̩ n forearm, óróbó̩ ísì ò̩jè Oje's forearm. cf. órán tree, óbò̩ arm.

òroè̩, éràwè̩ n shin, óró̩é ísì ò̩lí ómò̩hè̩ shin of the man. cf. órán tree, òè̩ leg.

òrò̩ísí' n plant in mangrove swamp with prop roots, òrò̩ísí' èvá two prop-root plants. cf. òísí' gun.

òróró n oils lighter in color than palm oil [includes groundnut, soy, or corn oil] òróró élìyó groundnut oil of that kind, ògó ísì òróró bottle for groundnut oil.

órò̩ò̩n n guinea fowl, órò̩ò̩n èvá two guinea fowls.

òrò̩ò̩n n rainy season [from April to September] à rîi vbì òrò̩ò̩n. The rainy season is upon us. lit. One is in the rainy season. òrò̩ò̩n lí á sé̩ rîi. It's the rainy season that is still with us. cf. roon for rain to fall.

òruán, ìruán n in-law, òruán élìyó in-law of that kind, ìruán ò̩jè Oje's in-laws, ìruán ò̩jè èvá two in-laws of Oje, ìruán mè̩ my in-laws. cf. ruan to happen.

òruè̩ n greeting, óruè̩ élìyó greeting of that kind. cf. rue to greet.

òruèè n circumcision. ó̩lì òruèè í ì sé̩ fò̩ò̩. The circumcision has not yet healed. cf. ruee to circumcise.

òrùghùlábè̩ n riot, unrest, turmoil, òrùghùlábé élìyó riot of that kind. òrùghùlábè̩ ó̩ò̩ It's a riot. cf. rughu to shake.

órùkòkò *n* shrub with hollow stems [for taking liquid medications] órùkòkò èvá two hollow-stem shrubs. cf. óràn tree, ùkòkòcontainer.

òrùkù *n* pillar, column, support for a house, órúkú élìyọ́ column of that kind, òrùkù èvá two columns.

òrùn *n* shout, scream; khuee òrùn *tr* to shout (*CPA, *CPR, C, H) ọ̀ ó khùèè òrùn. He is shouting. lit. He is sounding a shout. cf. ùrùn throat.

òrùrù *n* foolishness, stupidity. òrùrù óọ̀. It's foolishness. cf. ruru to be foolish.

ósà *n* soap, ósá élìyọ́ soap of that kind, ósà èvá two bars of soap, ídúósà lump of soap. cf. ósùdén black native soap. cf. ósòkòtọ̀ soda soup for washing clothes.

ósà *n* debt, ósá ísì émà debt for yam; mọe ósà *compl tr* to owe a debt to (CPA, CPR, *C, *H) ọ̀ mòè òjé ósà. He owed Oje a debt. lit. He possessed Oje's debt.; o vbi ósà *intr* to be in debt (*CPA, CPR, *C, *H) ọ̀ ó vbí ósà. He is in debt. lit. He entered a state of indebtedness.; *dẹ o vbi ósà* to incur a debt by buying (CPA, CPR, *C, H) ójé dẹ́ émà ó vbí ósà. He incurred debt from buying yams.

òsẹ́ *n* way, track, bush path, úkpòsẹ́ èvá two bush paths. òsẹ́ óọ̀. It's a bush path.; sẹ òsẹ́ o *tr* to make a path into (CPA, CPR, *C, *H) ọ̀ sẹ́ òsẹ́ ó vbì ògò. He made a path into the bush. lit. He split a path and entered the bush. cf. sẹ to split.

òsẹ́kà *n* monetary expenses, loss, misfortune, òsẹ́ká élìyọ́ expenses of that kind. òsẹ́kà óọ̀. It's a misfortune.; o vbi òsẹ́kà *intr* to acquire expenses (*CPA, CPR, *C, *H) ọ̀ ó vbì òsẹ́kà. He has acquired expenses. lit. He entered expenses. cf. sẹ to reach, ékà amount.

ósẹ̀n *n* beauty, ósẹ́n élìyọ́ beauty of that kind; ósẹ̀n khuikhui *intr* to glisten (*CPA, CPR, C, *H) ósẹ̀n ọ̀ ó khùìkhúí. It is glistening. lit. Beauty is being dispensed.; hunmẹ ósẹ̀n *tr* to appease with beauty, be beautiful, handsome (CPA, CPR, *C, *H) óghìán ọ́í ó ọ̀ hùnmè ósẹ̀n. Her alter ego is beautiful. ọ́lì òkpòsò húnmẹ́ ósẹ̀n. The woman is beautiful. ọ́lí ọ́mòhè húnmẹ́ ósẹ̀n. The man is handsome.; *hunmẹ ósẹ̀n ku a*, ọ́lì àlèkè ọ̀ ó hùnmẹ́ òsẹ́n kù á. The young girl is beautiful all over.; zẹ ósẹ̀n *compl tr* to beautify, make beautiful (CPA, CPR, C, *H) òjè ọ̀ ó zẹ̀ òhí ósẹ̀n. Oje is making Ohi beautiful. Oje is beautifying Ohi. lit. Oje released Ohi's beauty. ọ̀ zẹ́ ọ́lí ọ́mọ́ ósẹ̀n. She beautified the child.

òsì *n* state of wretchedness, penury, poverty. **òsì óò**. It's wretchedness.; **òsì o vbi** *intr* to become financially destitute (*CPA, CPR, *C, *H) **òsì ó ói vbì ìwè**. His household is destitute. lit. Wretchedness has entered his household.; **fì òsì o vbi égbè** *tr* to put into penury (CPA, CPR, *C, *H) **è fí òsì ó mé vbí égbè**. They put me into a state of penury. lit. They inserted penury onto my body. **ò fí ósí ìsì ìtásà ó mé vbí égbè**. He diminished my supply of plates.; *fì òsì o vbi égbè de* to go into debt and buy (*CPA, CPR, *C, *H) **ò fí òsì ó vbí égbè dé ìtásà**. He went into debt and bought a plate. lit. He put penury onto himself and bought a plate. cf. **si** to shift.

ósì *n* charm for a person's desires [hunter's charm draws animals from the bush] **ò mòè ósì**. He has an attraction charm. cf. **si** to pull.

òsíé' *n* performance, drama, play, dance, party, **òsíé' élìyó** performance of that kind, **òsíé' èvá** two performances. **è síé ólì òsíé' léé**. They finished the performance.; ~ *n* performing group, for drama or dance, entertainers, **òsíé' ìsì èkhéén òkè** performance group from Oke. cf. **sie** to entertain.

ósìì *n* stew of tomatoes, pepper and onion fried in oil [served with yam or rice] **ósìí élìyó** stew of that kind.

òsímì *n* condition of being regular, natural, normal. **ò ríì vbì òsímì**. It is right ahead. lit. It is on the regular way.

ósìókpó' *n* yellow yam. **ósìókpó' óò**. It's yellow yam.

ósìré *n* charm attracting customers. **ò mòè ósìré**. He has a customer-attracting charm. cf. **ósì** attracting charm, **re** to arrive.

òsó *n* wizard, **òsó èvá** two wizards; ~ *n* witchcraft. **òsó óò**. It's witchcraft. cf. **àzén** witch, wizard.

ósòkpòsò *n* female community figure of affluence, respectability, and significant social standing, **ósókpósó élìyó** a woman of social standing of that kind. **ósòkpòsò óò**. She's a woman of substance. cf. **se** to reach, **òkpòsò** female.

ósòkòtò *n* soda soap [for washing clothes] **ósókótó élìyó** soda soap of that kind, **ósòkòtò èvá** two soda soap pieces. cf. **ósà** soap, **òkòtò** mushy substance.

ósùdén *n* traditional black soap [prepared from palm kernels] **ósùdén élìyó** black soap of that kind, **ósùdén èvá** two black soap pieces. cf. **ósà** soap, **ùdén** palm kernel oil.

òsùghù *n* state of social confusion; **kpe òsùghù** *tr* to incite, cause social confusion (*CPA, *CPR,

C, H) ólí ómọ́hé ọ́ ọ̀ kpè
òsùghù. The man causes confu-
sion. lit. The man utters social
confusion. cf. sughu to slosh
through.

ósùn *n* fetish object in a house
[serves as personal shrine for
making sacrifices] ósùn èvá
two fetish objects. ọ̀ mọ̀è ósùn.
She has a fetish object.

ósùnbíjòjò *n* Tacca plant of
grassland, ósùnbíjòjò èvá two
Tacca plants.

òsùsù *n* financial loan secured from
a cooperative group to which
one contributes, òsùsù èvá two
cooperative loans. ọ̀ rîì vbí
ègbé ísì òsùsù. He is in the
union for cooperative financial
loans.; nwu òsùsù *tr* to take a
loan from a thrift (CPA, CPR,
*C, *H) ọ̀ nwú òsùsù. He
obtained a cooperative loan.

òsùsù *n* hair wound into ball at
occipital area. ọ̀ bá òsùsù ọ́ vbí
úhùnmì. She plaited her hair
into a ball. lit. She plaited a ball
onto her head.

óshàn *n* walking, journey, pro-
ceeding. óshàn lọ́ gbè òhí.
Walking is about to kill Ohi.
óshán òtùà lí ọ́ rîì. It is a hasty
journey that he is on. cf. shan
to proceed.

òshíé' *n* green bean plant [long
twisting pod of multiple beans
that coils during growth] òshíé'
èvá two coiling green beans. ọ̀

shíé ábọ̀ ré bì òshíé'. He
twisted up his arms like a
coiling green bean. cf. shie to
coil.

ótèfẹ̀n *n* side of the human body,
ótéfẹ́n ísì òjè Oje's side. cf.
èfẹ̀n side.

òtíàkhọ́ *pstv adv* day after tomor-
row. ólí ókpósó lọ́ dà òlí ényọ́
òtíàkhọ́. The woman will drink
the wine the day after tomor-
row. éghè ólí ókpósó lọ́ rè dá
ólí ényò? When will the woman
drink the wine?; ~ *n* day after
tomorrow. òtíàkhọ́ óò. It's the
day after tomorrow. cf. ákhọ̀
tomorrow.

ótìẹ́n *n* African plum cherry
[yellow when ripe] ótìẹ́n élìyọ́
yellow cherry of that kind,
ótìẹ́n èvá two yellow cherries,
údúótìẹ́n, ídúótìẹ́n large yel-
low cherry, úkpọ́tìẹ́n seed or
nut of yellow cherry, úvbíótìẹ́n
small yellow cherry; ~ *n* bangle
of dark tan cherry seeds [worn
on leg during festivals] ótìẹ́n
óò. It's a bangle.

òtòó *n* diarrhea, loose stool, òtòó
élìyọ́ diarrhea of that kind. òtòó
óò. It's a watery stool. cf. too to
burn.

ótọ̀àfẹ́n *n* courtyard, ótọ̀àfẹ́n élìyọ́
courtyard of that kind. cf. òtọ̀ì
soil, àfẹ̀n family.

òtọ̀ì *n* ground, plot of land,
country, continent, geographi-
cal or political entity, ótọ́í élìyọ́

plot of that kind, **òtòì èvá** two plots of land, **ótóí ísì òhí** Ohi's land, **ótóí ísì àfúzé'** land area of Afuze, **ótóí èdó** Edoland, land of the Edo speaking people; ~ *n* bottom of an enclosure, **ótóí ísì àkpótì** bottom of a box, **ótóí àkpótì** bottom of a box. cf. **ókpòtóí** downward direction.

òtòì *n* origin, source, **ótóí ísì ìnyèmì** source of the issue or matter; **hoo òtòì** *tr* to investigate, determine origin of, search for origin of (*CPA, CPR, C, *H) **òjè hóó ótóí òì**. Oje searched for its origin. **òjè hóó ótóí ólì èmòì**. Oje has investigated the matter. lit. Oje searched for the origin of the matter. **hòò òtóí ólì èmòì**. Investigate the matter.

ótóídò *n* gravel, **ótóídò élìyó** gravel of that kind. **ótóídò óò**. It's gravel. cf. **òtòì** ground, **ídò** stones.

ótóòn *n* iron, metal, **ótóón élìyó** iron of that kind, **ótóòn èvá** two bars of iron, **úkpótóòn**, **íkpótóòn** piece or rod of iron; ~ *n* rust. **ótóòn óò**. It's rust.; **nwu ótóòn** *tr* to rust (CPA, CPR, *C, *H) **ólí ópìà nwú ótóòn**. The cutlass rusted. lit. The cutlass took hold of iron.

ótóúghó'ì *n* area around house before being swept in the morning [locally known as "stale ground"] **òjè í ì sé wèlò**

ótóúghó'ì. Oje did not yet sweep the house grounds. **á yà è èmáé vbí ótóúghó'ì**. One never eats on stale ground. cf. **òtòì** ground, **úghó'ì** staleness.

òtú *n* age grade [nine traditional age groups with initiation to first stage in late twenties] **òtú élìyó** age group of that kind, **òtú èvá** two age groups, **òtú ìsín** ninth age group, **òtú ísì òjè** Oje's age group.

ótù, **étù** *n* person [only accepts cardinal numerals] **ótù òkpá** one person, **étù èvá** two people. cf. **óìà òkpá** one person.

òtùà *n* haste, **ótúá ísì émàè** haste for food. **òtùà lí ójé rìì**. Oje is in a hurry. lit. It is a hasty state that Oje is in. **óshán òtùà lí ójé rìì**. Oje is in a hurry. lit. It is a journey in haste that Oje is on. cf. **tua** hastily.

òtùkpághò *n* small, bitter species of garden egg, **òtùkpághò èvá** two bitter garden eggs.

òú *n* cotton, **úkpòú**, **íkpòú** cotton seed. **òú óò**. It's cotton.; **sa òú** *tr* to produce cotton (*CPA, CPR, C, H) **ókhá ó ò sà òú**. Cotton trees shoot out cotton fibers.; ~ *n* thread, string [need not be cotton] **òú élìyó** thread of that kind, **òú èvá** two strings, **úkpòú**, **íkpòú** strand of cotton, **òú ísì úkpùn** thread for cloth, **òú lì òvbàè** bright colored thread.

òúmù *n* native pear, avocado, **òúmú élìyó** avocado of that kind, **òúmù èvá** two avocados, **òúmù lì gùéé** avocado.

òúmúgbó' *n* Trichila hendelotii forest plant producing wild pear, **òúmúgbó' èvá** two wild pear plants. cf. **òúmù** native pear, **úgbó'** forest.

òvá *n* outlet, hole, escape route of burrowing mammals, **òvá élìyó** escape outlet of that kind, **òvá èvá** two escape outlets. cf. **va** to escape.

òvààn *n* scream, shriek, shout. **ì hón óváán ísì ói.** I heard his shriek. cf. **vaan** to shout.

òvọn *n* sunshine, energy from the sun, **óvọn élìyó** sunshine of that kind. cf. **voon** to be full.

óvbàá *n* spleen, **óvbàá ísì àlèkè** Aleke's spleen; **~** *n* visceral leishmaniasis symptoms include fever, anemia, and spleen enlargement. **ò mọè óvbàá.** He has visceral leishmaniasis.

òvbàyè *n* state of relaxed, informal conversation, chatting. **òvbàyè óò.** It's informal conversation. **è ríì vbí òvbàyè.** They are chatting leisurely. lit. They are in a state of relaxed conversation. **òvbàyè lí yán à vbàyé.** It is in relaxed conversation that they chat. cf. **vbaye** to converse in a relaxed fashion.

òvbéé' *n* trickery, trick, manipulation for selfish ends, **òvbéé'**

élìyó trickery of that kind; **u òvbéé'** *tr* to plan social intrigues, manipulate for social disruption (*CPA, *CPR, *C, H) **ójé ó ò ù òvbéé'.** Oje plans intrigues. Oje is manipulative. lit. Oje engages in tricks. **é è kè ú òvbéé'.** Don't plan intrigues anymore. cf. **vbee** to twist.

óvbèè, ívbèè *n* monkey, **óvbéé élìyó** monkey of that kind, **ívbèè èvá** two monkeys.

óvbèè *n* trunk of an elephant, **óvbèè èvá** two trunks, **óvbéé ísì íní** trunk from an elephant.

óvbì, ívbì *n* offspring of humans or animals [requires accompanying noun] **óvbí òhí** offspring of Ohi, **óvbí é** your offspring, **óvbí ói** his offspring, **óvbí áwà** pup, **óvbí óbá'** prince.

óvbíéìmì *n* orphan. **óvbíéìmì óò.** He's an orphan. cf. **óvbì** offspring, **éìmì** spirit world. cf. **óvbíóìmì** orphan.

òvbìè *n* type of yam, **òvbìè èvá** two yams of this type. cf. **ákògùè** water yam.

óvbìèkpéé' *n* small tom-tom [controls rhythm of musical ensemble] **óvbìèkpéé' élìyó** tom-tom of that kind, **óvbìèkpéé' èvá** two tom-toms.

óvbìògúé' *n* person with no financial standing, **óvbìògúé' élìyó** humble man of that kind, **óvbìògúé' èvá** two humble men. cf. **óvbì** offspring of.

óvbíóìmì *n* orphan, fatherless individual. óvbíóìmì óò. He's an orphan. cf. óvbì offspring, óìmì dead body. cf. óvbíéìmì orphan.

óvbìòìsà, ívbìòìsà *n* angel. cf. óvbì offspring, òìsà supreme being.

óvbíókò̱ *n* pestle, óvbíókó̱ élìyó̱ pestle of that kind, óvbíókò̱ èvá two pestles. cf. óvbì offspring of, ókò̱ mortar.

óvbìònwú *n* Emai village. àlèkè rîì vbí óvbìònwú. Aleke is in Ovbionwu. cf. óvbì offspring, ònwú Onwu.

óvbìòò *n* type of weed, óvbìòò èvá two weeds of this type.

óvbíóvbì *n* grandchild. óvbíóvbí ísì òjè ó vbí é̱kó̱à. A grandchild of Oje entered the room. cf. óvbì offspring. òjè mò̱è óvbíóvbì. Oje has a grandchild.

óvbìò̱ké̱n *n* small sack of ò̱kén fibers, óvbìò̱ké̱n élìyó̱ small sack of that kind, óvbìò̱ké̱n èvá two small fiber sacks. cf. óvbì offspring of.

óvbìò̱wàmì *n* immature palm-oil tree, óvbìò̱wàmì èvá two immature palm-oil trees. cf. óvbì offspring, ò̱wàmì short palm-oil tree.

óvbíúdò *n* stone for grinding pepper, óvbíúdó élìyó̱ grinding stone of that kind, óvbíúdò èvá two grinding stones. cf. óvbì offspring of, údò stone.

óvbíúèmághè *n* section of Ihievbe village. óvbíúèmághè óò. It's the Ihievbe section.; ~ *n* person lacking discretion [insult] óvbíúèmághè óò. He's an indiscrete person. cf. óvbì offspring of, úèmághè quarter of Ihievbe.

óvbìvbì̱é *n* black cobra snake, óvbìvbì̱é èvá two black cobra snakes.

óvbìvbì̱é lì ò̱kpà *n* crested cobra, spitting cobra, Naja nigricollis, óvbìvbì̱é lí ò̱kpà èvá two spitting cobras. cf. óvbìvbì̱é black cobra, ò̱kpà cock.

óvbùù *n* fog, mist, óvbúú élìyó̱ fog of that kind. cf. vbughu to scald.

òwélékè *n* rascally young female, extremely clever young girl. òwélékè óò. She's a rascally young female. cf. ìlèkè pubescent females.

òwèwè *n* preaching, sermon. ò̱ yé ógúí òwèwè. He has gone for preaching. cf. wewe to preach.

ówè *n* pinkish-yellow clay. ówè óò. It's pinkish-yellow clay.

ówè *n* eczema. ò̱ mò̱è ówè. He has eczema.

ówèé *n* broom [bundle of tied palm-frond ribs fashioned as a broom] ówè̱é élìyó̱ broom of that kind, ówèé èvá two brooms, úgbówè̱é broomstick. cf. welo to sweep.

òwó *n* palm oil stew or soup [served cold with boiled unripe or semi-ripe plantain and yam] òwó ọ́ọ̀. It's palm-oil stew. àlèkè nyẹ́ òwó. Aleke prepared palm-oil stew.

òyà *n* plight, punishment, state of suffering. òyà ọ́ọ̀. It's a plight.; òyà e *tr* to suffer (CPA, CPR, *C, *H) òyà é òjè. Oje suffered. lit. Suffering consumed Oje.; e òyà *tr* to suffer. òjè é òyà. Oje suffered. lit. Oje consumed a plight.; *re òyà e*, ọ́lì ẹ̀mọ̀ì rẹ́ òyà é òjè. The matter troubled Oje. lit. The matter made suffering consume Oje. òhí rẹ́ òyà é òjè. Ohi made Oje suffer. lit. Ohi made suffering consume Oje.; re òyà li *tr* to punish, assign a plight to. òjè rẹ́ òyà lí òhí. Oje punished Ohi.; *re òyà li e*, ọ́lí ọ́mọ̀hè rẹ́ òyà lí ọ́lí ọ́kpósó è. The man punished the woman.; miẹ òyà *tr* to find, take offense, harbor ill-feeling (CPA, CPR, *C, *H) ọ̀ míẹ́ òyà. He took offense. lit. He experienced a plight. ọ́lí ọ́mọ̀hè míẹ́ óyá ísì òjè. The man harbored ill-feeling for Oje.; viẹ òyà *tr* to mourn about a plight (*CPA, *CPR, C, *H) ọ̀ ọ́ vìẹ́ òyà. He is crying about his plight. cf. **yaya** to scavenge.

óyá *inter* come on, let's go.

óyàìbì *n* deity of Emai at Uanhunmi village. óyàìbì ọ́ọ̀. It's the Uanhunmi deity.

óyàyá *n* small, white mushroom found on anthills. óyàyá ọ́ọ̀. It's white mushroom.

òyébóyè *n* state of being precious, costly, expensive, dear, émá lì òyébóyè costly yam, úkpún lì òyébóyè expensive cloth. òyébóyè ọ́ọ̀. It's precious.

óyèé *n* negative force in the universe acting on individuals and leading to unwanted and unpleasant circumstances. óyèé lí ọ́ yéé ọ́ì gbé. It was a negative force that charged him and killed him. cf. **yee** to charge.

óyèé *n* lizard, dwarf monitor lizard, óyèé élìyọ́ dwarf monitor lizard of that kind, óyèé èvá two dwarf monitor lizards. cf. òòjò dwarf monitor lizard.

óyé'lò *n* monitor lizard with green-brown coloring of female and immature male, óyé'lò èvá two monitor lizards. cf. óyèé lizard.

òyìyà *n* traditional comb, óyíyá élìyọ́ traditional comb of that kind, òyìyà èvá two combs.

òzé *n* lead, lead bangles [worn during ésẹ́ọ́khàè portion of àgángá'n festival in July/August] òzé élìyọ́ lead of that kind, òzé èvá two bangles of lead. cf. úmòmì lead bar.

ózí' *n* crab, ózí' èvá two crabs, úvbíózí' small crab.

òzìẹ̀n *n* patience, mental calmness. òjè mọ̀è òzìẹ̀n. Oje has patience. cf. **ziẹn** to endure.

O

o *aux* imperfect aspect function for third person [tone sensitive] **ó** continuous aspect function [requires high tone and low tone agreement particle or unmarked melody subject] **ò ó è òlí émàè**. She is eating the food. **ólì òkpòsò ò ó è òlí émàè**. The woman is eating the food.; **ò** habitual aspect function [requires low tone and high tone agreement particle or marked melody subject] **ó ò shèn úkpùn**. She sells cloth. **ólí ókpósó ó ò shèn úkpùn**. The woman sells cloth. cf. **a** imperfect aspect function in first and second person.

o *aux* subject agreement function for singular or plural third person [tone sensitive] **ò** with continuous aspect [requires low tone] **ólí ómòhè ò ó shèn òlí úkpùn**. The man is selling the cloth. **élí ímòhè ò ó shèn òlí úkpun**. The men are selling the cloth.; **ó** with habitual aspect [requires high tone] **ólí ómóhé ó ò shèn úkpùn**. The man sells cloth. **élí ímóhé ó ò shèn úkpùn**. The men sell cloth.

o *pro* he, she, it [third person singular subject, tone varies according to tense/aspect] **ò dá ólí ényò**. He has drunk the wine [perfective, completive present] **ó dá ólí ényò**. He drank the wine [perfective, completive past]. **ò ó dà òlí ényò**. He is drinking the wine [imperfective, continuous]. **ó ò dà ényò**. He drinks wine [imperfective, habitual]. cf. **ìyòìn** third person singular emphatic.

o *pstv part* into, onto [change of location or position function, requires preposition vbi] **ólí ómòhè nwú ògèdè ó vbì ìtébù**. The man put plantain onto the table. **ólí óvbèkhàn nwú ìshé ó vbì ùgín**. The youth put a nail into the basket.; *o vbi o* inchoative function. **ólí óràn ò ó rèré ò vbì ò**. The stick is getting longer. **ò gbá ó vbì ò**. It got bigger.

o *pro* there, it [partitive function, complement of preposition vbi] **ómòhè rîi vbí ò**. There's a man.

o *pro* one [singular relative clause head] **ó lí ó rì vbí édà úéì**. The one who is in the river is lost. cf. **e** plural relative clause head.

o *cop* to be [identification function] (*CPA, *CPR, *C, *H) **àgàzí óò**. It's a rainbow. **àgàzí má ò**. It's surely a rainbow.

óáìn *pro* that, that one [distal deictic function] **ònwìmè lí í khì òáìn**. That one is a farmer. cf. **ònà** this one. cf. **áìn** that.

óbá' *n* supreme ruler, king of Edo people and Benin Kingdom. **óbá' óò**. He's the Oba.; **ri vbi óbá'** *intr* to live in great comfort (*CPA, CPR, *C, *H) **òjè rîì vbí óbá'**. Oje is living in opulence. lit. Oje is in a state of the Oba.

òbàdán *n* shade tree variety [location of festival offerings to titled chiefs] **òbàdán èvá** two festival shade trees of this variety.

òbàn *n* unripe, raw character of fruit, **àmágó lì òbàn** the unripe mango. **ólì òbàn óò**. It's the unripe one.

òbàódí *n* pinkish-white segement of a giant rat's tail [not eaten] **òbàódí èvá** two portions of a giant rat's tail.

òbàzù *n* Obazu, clan deity for Iuleha people, **égúáí ísì òbàzù** Obazu's court.

òbè, èbè *n* bad, evil, **óvbékhán lì òbè** the bad youth, **úéén lì òbè** bad behavior.

óbè *n* enmity, ill-feeling, malice, hatred, hostility. **óbé mè óò**. It's enmity.; **nwu óbè** *tr* to hate, hold malice toward (*CPA, *CPR, C, H) **yán à nwù óbè**. They hate one another. lit. They took hold of enmity.; *kpaye nwu óbè*, **ò ó kpàyè mé nwù óbè**. He is holding hostility toward me.

óbèbíóbè *n* medicinal herb for evil charms. **óbèbíóbè óò**. It's an evil charm medicinal herb. cf. **óbè** malice, **bí** COM.

òbèbè *n* measles. **ò mòè òbèbè**. He has measles.

òbèn *n* spear grass, weed with sharp edges that cut human skin. **òbèn óò**. It's spear grass. **úkpòbèn, íkpòbèn** blade of spear grass. cf. **ben** to cut.

òbèrè *n* incredible, unbelievable tall tales, grievous lies, **óbéré élìyó** grievous lies of that kind; **mano òbèrè ku o vbi òtòì** *tr* to tell tall tales throughout the land (CPA, CPR, *C, *H) **ò mánó òbèrè kú ó vbì òtòì**. He told tall tales throughout the land. lit. He molded tall tales throughout the land.

òbó *n* pinkish edible fruit with sour flesh, **òbó èvá** two pieces of pinkish, sour fruit, **úkpòbó, íkpòbó** seed of pinkish, sour fruit.

óbò, ébò *n* oraclist, diviner, native doctor sought out to foretell the future, **óbó élìyó** oraclist of that kind, **ébò èvá** two oraclists. **óbò lí ó ò bó**. It is an oraclist who divines. cf. **bo** to divine.

òbòléìmì *n* oracle of spirit world, **òbòléìmì èvá** two oracle of spirit world. cf. **óbò** oracle, **làà** from, **éìmì** spirit world.

òbòlókpòsò *n* witch. **òbòlókpòsò óò**. She's a witch. cf. **óbò** oracle, **lì** R, **òkpòsò** female.

ódàfèn *n* landlord [for older generation] **ódàfèn óò**. He is a landlord.; ~ *n* head of a household,

ódàfèn èvá two heads of house-holds. cf. **ódòn** husband, **àfèn** household.

ódàn, édàn *pstdet* different, differ-ent kind [contrastive sortal function] **úkpódé ódàn** differ-ent road, **úkpún ódàn** different kind of cloth; **~** *pro* different one [contrastive sortal function] **ódàn lí í khì ònà**. This is a different one.; **ye ódàn** *tr* to be different (CPA, CPR, *C, *H) **ólí úkpún yé ódàn**. The cloth is different. lit. The cloth moved toward a different one. The cloth moved toward a different kind. **élí íkpún yé ódàn**. The cloths are different.

òdèvié *n* individual with distended scrotum, **òdèvié èvá** two individuals with distended scro-tums. cf. **dee** to lower, **èvìè** scrotum.

òdènyò, ìdènyò *n* drunkard, **ìdènyò èvá** two drunkards. cf. **dà** drink, **ényò** wine.

òdèrè *n* Senegal puffback fly catcher bird, **òdèrè èvá** two fly-catcher birds.

òdètú *n* stunted person, person of stunted growth, **òdètú élìyó** stunted person of that kind, **òdètú èvá** two stunted persons. cf. **de** to reach, **ètú** stunted.

ódíèjè *n* senior titled man within a village. **ódíèjè óò**. It's a senior titled man. cf. **ódíòn** senior, **íèjè** titled chief.

ódíòn, édíòn *n* senior, older in rank, **édíòn èvá** two senior ones. **òjè lí í khì òdíòn**. It is Oje who is the eldest.; **de ódíòn** *tr* to be senior in rank (CPA, CPR, *C, *H) **ó dé ódíòn**. He is senior. lit. He reached seniority. **òjè dé ódíòn léé òhí**. Oje is senior to Ohi. cf. **dion** to be senior to.

òdòé *n* individual with a clubfoot, **òdòé èvá** two clubfooted indi-viduals. cf. **de** to reach, **òè** foot.

ódófì *n* person afflicted with yaws disease, **ódófì èvá** two persons with yaws. cf. **de** to reach, **ófì** yaws.

òdòghò *n* saliva, froth, drivel, spit. **ólí ómò ò ó kù òdóghó vbí únù**. The child is dripping sali-va at her mouth.

ódòn, édòn *n* husband, **ódón élìyó** husband of that kind, **édòn èvá** two husbands, **ódón àlèkè** Aleke's husband, **ódón ó** your husband. **ò mòè ódòn**. She has a husband.; **fi ódòn a** *tr* to divorce a husband (CPA, CPR, *C, *H) **àlèkè fí ódón óì á**. Aleke divorced her husband. lit. Aleke left her husband.; **u ódòn chéchéché** *tr* to treat husband appropriately (*CPA, *CPR, *C, H) **ó ò ù òdón óí chéchéché**. She treats her hus-band appropriately.; **u ódòn lèsèn** *tr* to treat husband well (*CPA, *CPR, *C, H) **áléké ó ò ù òdón óí lèsèn**. Aleke treats her husband well. **yà ú ódọ́n ọ́ lèsẹ̀n**. Get on with treating your husband well.

òdọ́n *n* interest on a loan. **ọ̀ mọ́mọ́ ọ́lí éghó' vbì òdọ́n**. He borrowed the money at interest.; **nwu li vbi òdọ́n** *tr* to give at monetary interest (CPA,CPR, *C, *H) **ójé nwú ọ̀ì ní émẹ́ vbì òdọ́n**. Oje lent it to me with interest.

ódòódàn *pstdet* very different kind [emphatic contrastive sortal function] **úéén ódòódàn lí ójé ọ́ ọ̀ één**. It is a very different kind of behavior that Oje exhibits.; ~ *pro* this very different kind of one [emphatic contrastive sortal function] **ódòódàn ọ́ò**. It's this very different kind of one. cf. **ódàn** different kind.

òdóòdé *pstdet* each, every [distributive quantifying function] **ómọ́hé òdóòdé** each man; ~ *pro* each one, everyone [distributive quantifying function] **òdóòdé ó vbì ìwè**. Each one entered the house. **òdóòdé í yà mọ́é èwàìn**. Everyone should start using his intelligence.

òdù *n* bitter kola, **òdù èvá** two bitter kola pieces.

ódùèkìn, ídùèkìn *n* merchant, trader, **ídùèkìn èvá** two merchants. cf. **do** to engage in stealth, **èkìn** market.

óé', éé' *pro* who, whom [requires following vowel] **óé' ọ́ hián ólí**

óràn? Who cut the wood? **éé' ójé gbéì?** Whom did Oje beat?; **óèé** *pro* who, whom [only non-subject position] **ólí óvbèkhàn gbé óèé?** The youth beat whom? cf. **ọ́í', éí'** who, whom [in focus position requires following consonant].

òèèmìré *n* person who remembers things. **òèèmìré lí í khì òjé vbí éìmì**. It is the one who remembers that is king in the spirit world. cf. **ee re** to remember, **émì** thing.

óèjè, íèjè *n* chief or titled man among Emai, **íèjè èvá** two chiefs. cf. **ólééíèjè** Oleije [title of traditional rule in Emailand].

òèmàshán *n* person lacking discipline related to eating food [an insult] **òèmàshán ọ́ò**. He's an undisciplined eater. cf. **émà** pounded yam, **shan** to move about.

òèèn *n* sun. **òèèn dée ó**. The sun set. lit. The sun lowered and entered. **òèèn mé ré**. The sun rose. lit. The sun emerged. cf. **òvọ̀n** sunshine.

òèlè *n* pigeon pea, Cajanus cajan plant producing hard pea requiring lengthy cooking. **òèlè ọ́ò**. They're pigeon peas. **ọ̀ ó nyè òèlè**. She is preparing pigeon peas. **íkpòèlè** pigeon pea seed.

òèmẹ́ *n* fatigue, **òèmẹ́ élìyọ́** fatigue of that kind.

òènhènmé *n* smugness, overconfidence, state of being too self-satisfied; **òènhènmé si re** *tr* to be brought about by overconfidence [positive focus constructions only] **òènhènmé lí ó sí óì ré**. It was self-satisfaction that brought it about.

òfènàhìènóvbóà *n* egg case of praying mantis [folk belief that stops bed-wetting when roasted and eaten] **òfènàhìènóvbóà èvá** two praying mantis egg cases; ~ *n* bed wetter. **òfènàhìènóvbóà óò**. He's a bed wetter. cf. **fena** to pass, **áàhìèn** urine, **o** CL, **vbi** LOC, **óà** house.

òfièdé *n* gray-haired person. **òfièdé óò**. He's a gray-haired person. cf. **fi** to sprout, **édè** gray hair.

ófìùdù *n* laborer. **ófìùdù óò**. He's a laborer.; **ófìùdù fi èwàìn** *tr* for a laborer to be wise [only in negative constructions] **ófìùdù lí ó ì fi èwàìn**. It is a common laborer who does not use his intelligence. lit. It is a common laborer who does not project wisdom. cf. **fi** to project, **ùdù** heart.

òfòò *n* trap employing string or loop attached to a limb, **ófóó élìyó** loop trap of that kind, **òfòò èvá** two loop traps. cf. **foo** with a limp.

òfòré *n* dampness, cold after rain, **òfòré élìyó** dampness of that kind. **òfòré rîî vbí éhé èrèmé**.

There is dampness all over. Dampness is everywhere. cf. **fo** to be cool, **re** to arrive.

òfùán *n* whiteness, purity, **òfùán ísì èrà** purity of the father. **úkpún lì òfùán** white cloth. cf. **fuan** to be white.

òfùnvbègbé *n* relaxed state, peace of mind. **òfùnvbègbé lí ó rîî**. It is in a state of inner peace that he exists. cf. **fun** to be comfortable, **vbi** LOC, **égbè** body.

òfùré *n* peace or calm in the world. **òfùré í ì è vbì ò**. There is no peace. **òfùré lí ó rîî**. It is in a state of peace. cf. **fun re** to be at peace.

ògá *n* leader, boss, head of a group [Yoruba] **ògá élìyó** leader of that kind, **ògá èvá** two leaders, **ògá ísì áfìánmì** leader of the witches.

ògà *n* tetanus. **ògà óò**. It's tetanus.; **ògà o vbi** *intr* to be infected by tetanus (CPA, CPR, *C, *H) **ògà ó vbí ólì èmàì**. Tetanus has infected the wound. lit. Tetanus entered the wound.

ògàlé *n* ostentatious. **ògàlé óò**. She is ostentatious.; **ze ògàlé** *tr* to brag, exhibit haughty behavior, be ostentatious (*CPA, *CPR, C, *H) **òjè ò ó zè ògàlé shàn vbí òéé'**. Oje is bragging throughout the township. lit. Oje is expressing ostentatiousness and proceeding to the township.

ògán *n* spear, ògán élìyó spear of that kind, ògán èvá two spears, úkpògán tip of a spear. ò só ójé úkpògán vbì èfèn. He stabbed Oje with a spear tip in the side.

ógédàgbà *n* plantain type of larger-than-normal size, ógédàgbà èvá two pieces of larger-than-normal plantain. cf. ògèdè plantain, ágbà basket.

ògèdè *n* plantain, banana, ógédé élìyó plantain of that kind, ògèdè èvá two plantains, ógédé lì gúéé banana, ógédé lì kéré banana, ógédé lì òkhúá plantain, órán ògèdè stalk or tree branch of banana/plantain, úsùògèdè, ísùògèdè finger of plantain/banana, úkhún ògèdè, íkhún ògèdè bunch of plantain/banana tied together.

ògòbó *n* left hand, ògòbó ísì òjè Oje's lefthand; ~ *n* left side, to the left of. òjè rîì vbí ògòbó. Oje is on the left side. cf. gon to be crooked, óbò hand.

ògó *n* bottle, ògó élìyó bottle of that kind, ògó èvá two bottles, ògó ísì èmé bottle for me, ògó mè my bottle.

ògòdò *n* mud, swamp. ògòdò vóón òéé'. Mud filled the township.; ògòdò so *tr* to get stuck in mud (CPA, CPR, *C, H) ògòdò só ólì ìmátò. Mud got the car stuck. The car is stuck in the mud. lit. Mud touched the car.; so ògòdò *tr* to get stuck in mud

(CPA, CPR, *C, *H) ólì ìmátò só ògòdò. The car got stuck in the mud. lit. The car joined the mud.

ògòé *n* clubfoot, ògòé èvá two clubfooted persons. ògòé óò. She's a clubfoot. cf. òè foot.

ógògómùòkhò *n* spinal column, ógògómúókhó ísì òjè Oje's spinal column. cf. ùòkhò back.

ògòlò *n* tail, ógóló élìyó tail of that kind, ògòlò èvá two tails, ógóló ísì óvbèè tail of the monkey. cf. ùrìàì tail.

ògòò *n* sediment, dregs, residue [liquid paste residue caused by boiling a substance too long] ógóó ísì ényò sediment from palm wine, ógóó ísì évbìì dregs from palm oil. ògòò óò. It's dregs.; de ògòò a *tr* to become a paste (CPA, CPR, *C, *H) ólí émà dé ògòò á. The yam became a paste.

ògòò *n* diarrhea, runny stomach. ògòò óò. It's diarrhea.; ògòò gbe *tr* to have severe diarrhea (CPA, CPR, *C, *H) ógóó ló ghè gbé ói. He will just be afflicted with severe diarrhea. lit. Diarrhea will just overtake him.

ògúáí *n* vicinity, ògúáí ísì àmáí our vicinity. cf. òjáí neighborhood. cf. ògùì area.

ògùè *n* skill, knowledge, cleverness, diplomacy, proficiency, know how, tact, ógúé élìyó skill of that kind. ògùè óò. It's skill.

ò gúé ógúé lí á à rẹ́ vbì émì.
He knew how to beg for things.
lit. He knew the skill that one
uses to beg for things. ọ̀ rẹ́
ògùè míẹ́ẹ́ ójé ópìà. He used
tact to obtain the cutlass from
Oje. cf. guẹ to know how.

òguòmàdìà n maid [Bini]
òguòmàdìà èvá two maids.

òguòógúé n systematicity. ọ̀ rẹ́
òguòógúé míẹ́ẹ́ ójé ópìà. He
seized the cutlass from Oje sy-
stematically. lit. He used sy-
stematicity to seize the cutlass
from Oje. cf. ògùè skill.

ògbà n plot, conspiracy, collusion
among parties to harm some-
one. ògbà ọ̀ọ̀. It's a plot.; hian
ògbà ísì tr to plot against (CPA,
CPR, *C, *H) è hián ógbá ísì
ọ̀í. They plotted against him.
lit. They set a plot for him.

ógbà n compound or housed area,
ógbá élìyọ́ compound of that
kind, ógbá ísì ìsìkúù school
compound, ógbá ísì émẹ̀mẹ̀
sanatorium, asylum.

ògbàgbé n trap with falling weight,
ògbàgbé èvá two weighted
traps. cf. gba to be big, gbè too
much.

ògbàgbè n floor or story of a
building, ògbàgbè èéà three
floors. cf. ógbà compound.

ògbàmá, ìgbàmá n pubescent
male, stage in lifecycle termi-
nated by marriage, ìgbàmá èvá
two pubescent males; sẹ

ògbàmá tr to be pubescent [of
males] (*CPA, *CPR, C, H) ólí
óvbèkhàn ọ̀ ó sẹ̀ ògbàmá. The
male youth is pubescent. lit.
The youth is reaching pubes-
cence.

ógbàn pstv adv diagonal, across
from [general geometric posi-
tion] órán dé gbé ógbán vbí
úkpódè. A tree has fallen
across the road. ó nwú ólí údò
gbé ógbán vbì èràìn. He placed
the stone at a diagonal in the
fire. ébé' ọ́ í nwú ọ̀ì ọ́ vbì
èràìn? How did he position it at
the fire? ọ̀ nwú ọ̀ì gbé ógbàn.
He diagonally positioned it.
ébé' ọ́ í nwú ọ̀ì méhén? How
did he put him to sleep? ọ̀ nwú
ọ̀ì gbé ógbán vbì èràìn. He put
him across from the fire. cf.
ógbòógbàn at a diagonal.

ógbàn pstdet thirty, ìkpòsò ógbàn
thirty women; ~ pro thirty,
ógbàn vbí élí íkpósó thirty of
the women.

ógbàn bí ìíhìèn pstdet thirty-five,
ìkpòsò ógbàn bí ìíhìèn thirty
five women; ~ pro thirty five.
ógbàn bí ìíhìèn vbí élí íkpósó
rîì vbí ìwè. Thirty-five of the
women are in the house. cf.
ógbàn thirty, bí COM, ìíhìèn
five.

ògbèdí n large, liquid container,
barrel, ògbèdí élìyọ́ barrel of
that kind, ògbèdí èvá two
barrels, ògbèdí ísì àmẹ̀ barrel
for water.

ògbèlè *n* cloth baby sash supporting infant on mother's back, ógbélé élìyó baby sash of that kind, ògbèlè èvá two baby sashes, ógbélé ísì ìkhùnmì sash for charms, ógbélé ísì ìkhúnmí élìyó charm sash of that kind, ógbélé ísì ìkhùnmì èvá two charm sashes. ógbélìkhùnmì óò. It's a charm sash.

ógbèn *n* agemate, ógbén ísì òí agemate of his.

ógbé'nógbé'n *n* long-crested helmet shrike, ógbé'nógbé'n èvá two long-crested shrikes.

ógbímè *n* traditional land unit of 400 yam heaps by 400 heaps, ógbímè èvá two farm plots, ógbímé ísì ìbòbòdí cassava plot. cf. **gbe** to position, **ímè** farm.

ògbòbè, ìgbòbè *n* town-crier, spokesperson, ìgbòbè èvá two spokespersons. cf. **gbe** to position, **óbè** announcement.

ògbòènmì *n* common cold, illness [characterized by whitish coat on the tongue and loss of appetite, referred to as "coated tongue"] ògbòènmì lí ó ò kpòkpò óì. It is a cold that he suffers from. cf. **gbe** to kill, **òènmì** tongue.

ògbòì *n* daft person. ògbòì óò. He's a daft person.

ògbógó' *n* stretch of road, path, ògbógó' élìyó stretch of road of that kind, ògbógó' èvá two

stretches of road, ògbógó' ísì àfúzé' path for Afuze.

ògbògbò *n* pneumonia, illness characterized by high fever and shivers, ógbógbó élìyó pneumonia of that kind; ògbògbò **nwu** *tr* to have pneumonia (*CPA, *CPR, C, *H) ògbògbò ò ó nwù óì. She has pneumonia. lit. Pneumonia is taking hold of her.

ògbóìn *n* new plant growth in recently cleared and burned plot of land. ògbóìn óò. It's new plant growth. cf. **ògbòn** fresh.

ògbòn *n* raw, fresh, uncooked [not with fruit] éánmí lì ògbòn raw meat, óká lì ògbòn newly ripened maize. ògbòn óò. It's raw.; ~ *n* new, recent; **de ògbòn** *tr* to be new (CPA, *CPR, *C, *H) ólí úkpún dé ògbòn. The cloth is new. lit. The cloth reached newness.; **roo òkpòsò ògbòn** *tr* to take a recent wife (CPA, CPR, *C, *H) ò róó ókpósó ògbòn. He has recently taken a wife. lit. He picked out a recent woman.; **roo òkpòsò li ògbòn** *tr* to take a new wife (CPA, CPR, *C, *H) ò róó ókpósó lì ògbòn. He has taken a new wife. lit. He picked out a woman who was new.

ògbónògbón *pstv adv* extremely new or raw. ògbónògbón lí ó dé ólì ìmátò. It was in a extremely new state that he bought the car. cf. **ògbòn** new.

ógbòógbàn *n* position diagonal to, across from [general geometric character] **ò nwú ólí údò gbé ógbòógbàn.** He put the stone in a diagonal position. **ò nwú ólí áwà gbé ógbòógbán vbì èràìn.** He put the dog at a diagnonal to the fire. He put the dog at a diagonal across from the fire. **nwù òì gbé ógbòógbàn.** Put it at a diagonal. **ébé' ó í nwú ólí óvbèkhàn méhén?** How did he put the youth to sleep? cf. **ógbàn** at a diagonal.

ògbùbì *n* murderer, **ògbùbì èvá** two murderers. cf. **gbe** to commit, **ùbì** murder.

ògbùnù *n* shock, condition of being puzzled, dumbfounded. **ògbùnù óò.** It's a shock. cf. **gbe** to beat, **únù** mouth.

óghàèmòì, íghàèmòì *n* arbitrator, judge, adjudicator, **íghàèmòì èvá** two judges. cf. **ghae** to adjudicate, **èmòì** matter.

òghàin *n* condition of being costly, expensive. **ó dé ólí émá vbì òghàin.** He bought the yam at a costly rate. **òghàin óò.** It's expensive. cf. **ghaen** to be costly.

òghò *inter* no [rejection function] cf. **hèè** yes.

óhà *n* catarrh, inflammation of nasal passage, **óhá élìyó** catarrh of that kind. **ò mòè óhà.** She has a catarrh condition.; **óhà nwu** *tr* to have a catarrh condition (CPA, CPR, *C, *H) **óhà**

nwú óì. She has a catarrh condition. lit. A catarrh condition took hold of her.

óhà, éhà *n* wife, **óhá òjè** Oje's wife, **óhá á** your wife. cf. **ò mòè òkpòsò.** He has a wife.

òhàà *n* elephant grass of the savanna. **òhàà óò.** It's elephant grass. **úkpòhàà, íkpòhàà** blade of elephant grass.

óhàìdón *n* fierce cobra-like snake noted for ability to thrust itself at victim, **óhàìdón èvá** two fierce thrusting snakes.

òhàn *n* wrong, incorrect, irregular. **ójé ó ò ù èmí yè òhàn.** Oje does the wrong things. lit. Oje does things and moves toward the wrong place.; **wéé yé òhàn** *tr* to wear incorrectly (CPA, CPR, *C, *H) **ó wéé ólí úkpùn yé òhàn.** He wore the cloth on the wrong side. **ò wéé ólí íbàtà yé òhàn.** He wore the shoe on the wrong foot.; **ye òhàn** *compl* *tr* to move the wrong direction. **ísíèìn yé ójé òhàn.** Pepper went down the wrong way on Oje. lit. Pepper moved toward Oje's wrong side.

óhànèvbòò, íhànèvbòò *n* judge, mediator, **íhànèvbòò èvá** two mediators. cf. **haan** to be in harmony, **èvbòò** village.

òhè *n* male of non-human animal species, **òhè èvá** two male animals. cf. **áànmì** female insect. cf. **ómòhè** male human.

òhẹ́n *n* free, without restraint or cost, **ésé òhẹ́n** grace, **ésé òhẹ́n ísì ìjésù** grace of Jesus. **òhẹ́n óò**. It's free of charge.; ~ *pstv adv* freely, free of charge, at no cost. **òhẹ́n lí ọ́ nwú ọ̀ì ní émè**. It was freely that he gave it to me. **à nwú ọ̀ì ní áín òhẹ́n**. It was given to him free of charge.

òhíná' *n* this time. **òhíná' óò**. It's this time. **òhíná' ákhò** this time tomorrow, **òhíná' òdè** this time yesterday, **òhíná' úkpègbé** this time next year; ~ *pstv adv* the right time. **òhíná' lí á à mìè ítùú**. It is the right time to find mushrooms. **éghè á à rẹ́ mìè ítùú?** When are mushrooms found?

òhíọ́ *n* because, for the reason, for the sake, **òhíọ́ ísì** because of, **òhíọ́ ísì òlí óvbèkhàn** because of the youth. **émé' ọ́ zéí khí ólí ómọ́hé é ólí émàè lẹ́é?** Why did the man eat up all the food? **òhíọ́ khi** because of that. **òhíọ́ khì òjè váré lí ọ́ ò rẹ́ gbé**. It is because Oje has come that she dances.

óhọ́bá' *n* wife of the Oba. **óhọ́bá' óò**. She's the Oba's wife. cf. **óhà** wife, **óbá'** Oba.

òhòmò *n* white yam, **òhòmò èvá** two white yams.

òhọ́òhán *pstv adv* wrong way, incorrect way [only in positive focus constructions] **òhọ́òhán lí ọ́ ò ù émì**. It is always the

wrong way that he does things. cf. **òhàn** wrong way.

òhùè *n* sandy, non-loam soil [less productive for farming] **òhùè óò**. It's sandy soil.

òhùnmẹ́ *n* goodness. **òhùnmẹ́ óò**. It's goodness. cf. **hunmẹ** to be good.

ọ́ì *pro* him, her, it [third person singular direct object] **ólí óvbèkhàn gbé ọ̀ì**. The youth beat him.

òì *pro* her, his, its [third person singular possessive] **éwé ísì òì** goat of hers.

óí', éí' *pro* who, whom [requires following consonant] **óí' yán fí óí úkpóràn?** Whom did they hit with a stick?

óí' *vbi* native of, indigene of [requires place name complement] **óí' vbí áfúzé'** native of Afuze. cf. **óé', éé'** who, whom [requires following vowel].

óìà, éèà *n* person, **óíá élìyó** person of that kind, **éèà èvá** two persons, **óíá ísì àtà** truthful person, **óíá ísì ìghéé** clown, **óíá lì òbè** despicable person, **óíá lí óbí'n** black person.

òíẹ́'n, ìíẹ́'n *n* co-wife [woman in multiple-wife household] **òíẹ́'n élìyó** co-wife of that kind, **ìíẹ́'n èvá** two co-wives, **òíẹ́'n àlèkè** Aleke's co-wife, **òíẹ́'n mè** my co-wife, **òíẹ́'n ẹ́** your co-wife. **ò mòè òíẹ́'n**. She has a co-wife.; ~ *n* female rival. **òíẹ́'n mè óò**.

She's my rival.; ~ *n* jealousy, envy. **òíé'n óò**. It's jealousy.; **nwu òíé'n** *tr* to be envious, jealous (*CPA, *CPR, *C, H) **áléké ó ò nwù òíé'n**. Aleke is jealous. lit. Aleke takes hold of jealousy.

òìnègbè *n* grief, sorrowful, pathetic. **òìnègbè óò**. It's pathetic. cf. **iin** to tickle, **égbè** body.

òjáí *n* neighborhood, **òjáí élìyó** neighborhood of that kind, **òjáí ísì ìtélò** neighborhood of the tailor. cf. **ògúáí** vicinity.

òjòjò *n* grated and fried water yam [not served with sauce] **òjòjò èvá** two grated water yam dishes.

ókà *n* maize, corn, **óká élìyó** maize of that kind, **ókà èvá** two portions of maize, **órán ókà** stalk of maize, **úkpókà**, **íkpókà** kernel of maize, **úsúókà**, **ísúókà** ear of maize, **írúrókà** fluff on maize ear, **íhíághókà** maize tassel.

òkàlètò *n* small insect typically found around head, **òkàlètò èvá** two small insects. cf. **kalo** to cut, **étò** hair.

òkàn *n* disposition characterized by ill-feeling or hostility after being offended; **mie òkàn** *tr* to take offense, be offended, be annoyed (CPA, CPR, *C, *H) **ò míé òkàn**. He was offended. lit. He experienced an offense.; **ze òkàn** *tr* to express thanks. **òjè**

zé òkàn. Oje expressed thanks. lit. Oje extracted ill feeling. **ù zé òkàn**. Thank you. **ù zé òkàn gbé**. Thank you very much. cf. **kaan** to complain about.

òkòèdè *n* period of daily rainfall irrespective of amount. **òkòèdè óò**. It's daily rainfall. cf. **koo** to count, **édè** day.

òkòèhè *n* long-tailed shrike, **òkòèhè èvá** two long-tailed shrikes.

òkòkò *n* crouched position; **se òkòkò** *tr* to crouch (CPA, CPR, *C, *H) **è sé òkòkò**. They crouched up. lit. They reached a crouched position.

òkókóì *n* hiccup. **òkókóì óò** It's a hiccup.; **òkókóì so** *tr* to hiccup (*CPA, *CPR, C, H) **òkókóì ò ó sò óì**. He hiccups. lit. A hiccup is rumbling in him. cf. **veen o vbi égbè** to belch.

òkòló *n* esophagus, gullet, **òkòló ísì òjè** Oje's esophagus, **úkpókòló**, **íkpókòló** larynx.

ókòmòtòì *n* red-billed wood dove [inhabits lonely and quiet places, folk belief that if it enters a house, a three month suspension of house activity is required] **ókòmòtòì èvá** two red-billed wood doves. cf. **òtòì** land.

ókònìvbèè *n* overly talkative person [insult].

ókòó *n* mountain, hill, **ókòó élìyó** mountain of that kind, **ókòó èvá**

two mountains, **ókòó ísì òkè** Oke hill.

òkóòdò *n* large, long barreled elephant gun, **òkóódó élìyó** elephant gun of that kind, **òkóòdò èvá** two elephant guns.

ókùá *n* tree in grasslands producing fig-like fruit, **ókùá èvá** two grassland fig trees.

ókhààn *n* porcupine, **ókhààn èvá** two porcupines. cf. **khaan** to nail.

ókhàè *n* glory. **ókháé ísì àmáí óò.** It's our glory.

ókhàì *n* silk-cotton tree [shoots for cooking soup] **ókhàì èvá** two silk-cotton trees, **úkpókhàì** lint from silk-cotton tree, **ómíókhàì** silk-cotton tree shoot soup.

òkhèkhè *n* mental state of grief. **òkhèkhè óò**. It's grief.

òkhèkhègbè *n* source of sorrow. **òkhèkhègbè óò**. It's the source of sorrow. cf. **òkhèkhè** grief, **égbè** body.

òkhènkhènmòì *n* stutter, one who stammers, **ókhènkhènmòì èvá** two stammers. cf. **khenkhen** to stammer, **èmòì** matter.

òkhèòà *n* gecko, **òkhèòà èvá** two geckos, **úvbìòkhèòà** tiny gecko. cf. **khee** to watch, **óà** house.

òkhíèèmè *n* charm to ward off tiredness [invoked before arduous labor] **òkhíèèmè óò**. It's an anti-tiredness charm. cf. **ee** to tire, **me** me.

òkhígùàmégùá *n* yellow-mantled whydah bird, **òkhígùàmégùá èvá** two yellow whydahs.

okho *v intr* to ease up, settle down, dissipate (*CPA, CPR, C, *H) **ólí òkhòìn ò ó òkhó**. The hostility is dissipating. **ólì òsíé' ókhóì**. The entertainment eased up.; **ényò okho o vbi égbè** *intr* to be drunk. **ólí ényò ókhó ó ójé vbí égbè**. Oje is wine drunk. lit. The wine eased into Oje. cf. **oo re** to dissipate.

òkhòhíá *n* walnut tree, **òkhòhíá élìyó** walnut tree of that kind; ~ *n* walnut, walnut pod, **òkhòhíá èvá** two walnuts, **údúókhòhíá**, **ídúókhòhíá** very large walnut, **úkpókhòhíá**, **íkpókhòhíá** nut inside the walnut shell.

òkhòì, èkhòì *n* worm [only èkhòì for current generation] **ékhóí élìyó** worm of that kind, **èkhòì èvá** two worms.

òkhóítíkù *n* wood-worm larvae [edible, thumb-sized] **ókhóítíkù èvá** two wood-worm larvae. cf. **òkhòì** worm, **ítíkù** refuse pile.

ókhókhúhè *n* white cattle egret, **ókhókhúhè èvá** two cattle egrets. cf. **ókhókhò** fowl [for older generation], **úhè** purity.

ókhònmì *n* patient, sick person, **ókhònmì èvá** two patients. **ókhònmì óò**. She's a sick person. **úvbíókhònmì** small patient [derogatory form of belittlement] cf. **khonme** to be ill.

ókhónmíté'n *n* leper, ókhómíté'n èvá two lepers. cf. kh<u>o</u>nm<u>e</u> to be ill, íté'n leprosy.

òkhòó *n* evil deed, transgression, sin, òkhòó élìyó transgression of that kind, òkhòó èvá two transgressions. ò ú òkhòó. He performed an evil deed. cf. kh<u>oo</u> to be wicked.

ókhóùkìn *n* grain-sized worm infecting pubic region, ókhóùkìn èvá two grain-sized worms; ~ *n* worm infection in pubic region [treated with palm oil] ókhóùkìn nwu vbi ègèin *tr* to have a pubic infection (CPA, CPR, *C, *H) ókhóúkín nwú óí vbì ègèìn. He has a pubic infection. lit. Pubic infection took hold of him in the crotch. cf. òkhòì worm, ùkìn moon.

òkhòvbèó *n* unpleasant sight, òkhòvbèó élìyó unpleasant sight of that kind. cf. kh<u>oo</u> to be terrible, vbi LOC, èò eye.

òkhùèmì *n* musician, drummer, player of a musical instrument, òkhùèmì èvá two musicians. òkhùèmì óò. He's a drummer. cf. khuee to make sound, émì thing.

òkhùèdídè *n* parrot, òkhùèdídé élìyó parrot of that kind, òkhùèdídè èvá two parrots.

ókhùènkhùèn *n* vine with thorns for making rope, ókhúénkhúén élìyó thorned-rope vine of that kind, ókhùènkhùèn èvá two rope vines, íkpókhùènkhùèn seeds from thorned-rope vine.

òkhùò *n* pepper fruit that tastes very hot, òkhùò èvá two pepper fruits.

òkpá *pstdet* one, èkpà òkpá one bag; ~ *pro* one, òkpá vbí élí íkpósó one of the women; de òkpá *tr* to agree [only in negative constructions] únú ísì ìyáín í ì dè òkpá. They did not agree. lit. Their mouths did not reach sameness. cf. úkpòkpá one of the group.

òkpá *n* same. òkpá óò. They're the same.; ~ *adj* same, úéén òkpá same character. òkpá lí íyáín ù. They are the same. lit. It is the same that they are. cf. òkpá one.

òkpà *n* cock, rooster, ókpá élìyó rooster of that kind, òkpà èvá two roosters, ókpá lì òvìè crowing cock. lit. cock that crows. òkpà víéì. A cock crowed.

òkpàkù *n* black loam soil [productive for farming] òkpàkù óò. It's loam. cf. úgbó'rè old virgin forest land.

ókpàò *n* first position. ókpàò óò. He's first.; nwu ókpàò *tr* to assume first position (CPA, CPR, *C, *H) àlèkè nwú ókpàò. Aleke took first place. ìyòìn lí ó nwú ókpàò. It was he who took first.; ~ *pstv adv* firstly. ójé ó vbí íwé ókpàò. Oje entered the room first. cf. **kpen** to be next, **àó** front.

òkpèn *n* bitter-bark tree, **òkpèn èvá** two bitter-bark trees.

ókpò *n* tapper of palm trees [for wine and palm fruit] **ókpò èvá** two palm-tappers.

ókpò *n* namesake, **ókpó mè** my namesake.

ókpó' *n* rod used for loading a gun, **ókpó' éliyó** gun rod of that kind, **ókpó' èvá** two gun rods.

òkpóghòlúkpé' *n* date fruit [from date palm] **òkpóghòlúkpé' èvá** two dates.

òkpói *n* cheap, inexpensive. **ó dé óí vbì òkpói**. He bought it at a cheap rate. cf. **kpo** to be cheap.

ókpó'n *n* rubber tree with edible shoots [resembles ornamental rubber tree] **ókpó'n èvá** two rubber trees.

òkpòòn *n* extremely cold wind condition, **ókpóón éliyó** cold weather of that kind; **òkpòòn ze reghe égbè** *tr* to allow one to move about [only in negative constructions] **òkpòòn í ì zè òíá règhè égbè**. The cold weather prevented a person from moving about. lit. Cold wind [usually from the north] does not allow a person to shake his body. cf. **kpoon** to descend.

òkpùrún *n* local chicken with featherless neck, **òkpùrún éliyó** featherless-neck chicken of that kind, **òkpùrún èvá** two featherless-neck chickens. cf. **kpan** to peel, **ùrùn** thoat.

òláàkpátà *n* butcher, **òláàkpátà èvá** two butchers.

ólàlékpà *n* centipede, bag worm, **ólàlékpà èvá** two centipedes. cf. **èkpà** bag.

òlàvbèhón *n* person with pus from eardrum infection [an insult] **òlàvbèhón óò**. He's the ear-pus one. cf. **la** to flow, **vbi** LOC, **éhòn** ear.

ólééíèjè *n* title of traditional ruler of Emailand. cf. **lee** to surpass, **íèjè** chiefs.

òlèkhòíò *n* shameless person [an insult] **òlèkhòíò óò**. He's a shameless person. cf. **la** to flow, **èkhòì** shame, **o** enter.

òlèlèbíèlè *n* cataclysm, destructive, unrestrained force, **òlèlèbíélé éliyó** destructive force of that kind. **òlèlèbíèlè lí á míéì**. It's a destructive force that one experienced.

ólèsèn *n* goodness; **gbe o vbi ólèsèn** *tr* to repay unsatisfactorily (CPA, CPR, *C, H) **òjè gbé òhí ó vbí ólèsèn**. Oje repaid Ohi's kindness with injustice. lit. Oje beat Ohi in exchange for his goodness. cf. **li** R, **èsèn** good.

ólì, **élì** *predet* the [definite determiner function] **ólì òkpòsò** the woman.

òlìmè, ìlìmè *n* farmer, ìlìmè èvá two farmers. cf. **le** to tend to, **ímè** farm.

ólìná *pstdet* this kind [singular proximal sortal for older generation] **úkpún ólìná** cloth of this kind; ~ *pro* this kind of one [singular proximal sortal for older generation] **ólìná rîì vbí ékóà**. This kind of one is in the room. cf. **élìyó** that kind of one [for current generation].

ólìyó *pstdet* that kind [singular distal sortal for older generation] **úkpún ólìyó** cloth of that kind; ~ *pro* that kind of one [singular distal sortal for older generation] **ólìyó rîì vbí ékóà**. That kind of one is in the room. cf. **élìyó** that kind of one [for current generation].

òlòfén *n* person full of fear. **òlòfén óò**. He's a fearful person. cf. **la** to flow with, **ófèn** fear.

ólòghèè *n* person known to be sexually promiscuous [gender neutral] **ólòghèè óò**. He's a promiscuous person. cf. **la** to flow with, **òghèè** promiscuity.

olo *v tr* to tire (CPA, CPR, C, *H) **égbè óló mè**. I am tired. lit. My body has tired me. **óbó óló mè**. My hands are tired. cf. **ee** to tire.

ólòbè *n* evil, badness; **re chian ólòbè** *tr* to construe as bad (CPA, CPR, *C, *H) **ò ré ólésén mè chían ólòbè**. He

construed my goodness as badness. lit. He made my goodness become badness. cf. **li** R, **òbè** bad.

òlóòkpá *n* policeman, officer who enforces the law [Yoruba] **òlóòkpá óò**. He's a policeman.

ólósímùàn *n* savior in religious prayers.

ómèlégbó' *n* carpet viper, **ómèlégbó' èvá** two carpet vipers.

ómèmè, émèmè *n* lunatic, madman, **émèmè èvá** two lunatics. cf. **meme** to be mad.

ómèò *n* pupil of the eye. **ómèò óò**. It's a pupil.; ~ *n* facial outline encompassing characteristic facial features from front, **óméó ísì òjè** Oje's facial outline. cf. **ómò** child, **èò** face.

òmìàmé *n* hardship, dilemma, ordeal, **òmìàmé élìyó** dilemma of that kind; **òmìàmé re o vbi óì** *tr* to become a thief due to hardship (CPA, CPR, *C, *H) **òmìàmé ré ólí ómóhè ó vbí óì**. Hardship made the man a thief. lit. Hardship made the man enter thievery. cf. **miame** to be difficult.

ómìèò *n* prophet, one who foretells, predicts the future, **ómìèò èvá** two fortune tellers. cf. **mie** to discover, **èò** eye.

ómìèùròò *n* interpreter. **ómìèùròò óò**. It's an interpreter. cf. **miee** to seize, **ùròò** language.

ómóbò *n* last born child, ómóbó ísì òhí last born of Ohi. cf. ómò infant, óbò hand.

ómòkpòsò *n* female child, ómòkpòsò èvá two baby girls. ómòkpòsò óò. It's a baby girl. cf. ómò child, òkpòsò female.

ómòtòì *n* native born, free born individual [contrast with slave born] ómòtòì èvá two sons of the soil. cf. ómò child, òtòì soil.

ómò *n* infant, child, ómó élìyó infant of that kind, ómò èvá two infants, ómó lì ògbòn infant that is new born.

ómódíòn *n* first born, oldest child, senior child. òjè lí í khì òmódíòn. It is Oje who is the senior child. cf. ómò child, ódíòn senior.

ómòèò *n* extremely contentious person. ómòèò óò. He's a contentious person. cf. moe have, èò face. cf. ímòèò contentiousness.

ómògbòn *n* newborn. ómògbòn óò. It's a newborn child. ò mòè ómògbòn. She has a newborn. cf. ómò baby, ògbòn new.

ómòhè, ímòhè *n* man, male, ómóhé élìyó man of that kind, ímòhè èvá two men. cf. ómò child, òhè male creature.

ómóhódíòn, ímóhédíòn *n* elder, senior man, ímóhédíòn èvá two elders. cf. ómòhè man, ódíòn older.

òmòlòéé' *n* child who stays outdoors. òmòlòéé' í yà è èmí lí ó ò èghén. Outdoor children never eat sweets. lit. An outdoor child never eats things that are sweet. cf. ómò child, làà from, òéé' township.

òmòlófùúkù *n* wasteful, extravagant individual. òmòlófùúkù óò. He's a wasteful person. cf. ómò child, li R, fu to waste, ùkù bequest.

ómómòhè *n* male child, baby boy. ómómòhè óò. It's a baby boy. cf. ómò child, ómòhè male.

ómónànyà *n* pampered youngster. ómónànyà óò. He's a pampered child. cf. ómò child, ni R, a one, nyaa to pamper.

ómòò, ímòò *n* friend, companion, ómóó élìyó friend of that kind, ímòò èvá two friends. ó ì mòè ómòò. He has no friend.; nwu ómòò *tr* to become friends (*CPA, *CPR, *C, H) yán à nwù ómòò. They are friends. lit. They take hold of friendship. élí ívbékhán ó ò nwù òmóó ùzà. The youths fashioned an unusually strong friendship. é nwú ómòò sé vbí édèhì. They were friends until death. lit. They took hold of friendship up to the day of fate.

òmóòmó *predet* most especially [emphatic, only with proper names] òmóòmó òjè most especially Oje.

on *v tr* to drink water or medicinal liquid (CPA, CPR, C, H) **àlèkè ón àmè**. Aleke drank water. **àlèkè ón ìkhùnmì**. Aleke consumed the medicine. **ò ón vbí ámé mé**. He drank from my water. **òn àmè** Drink water.; *nwu* **on** to get drunk (CPA, CPR, *C, *H) **òjè nwú àmè ón**. Oje got the water drunk.; *re sa nwu* **on** to use to fetch and drink. **ò ré úkó' sá àmè nwú òn**. She used a cup to fetch water and to get it drunk.

ònà, ènà *pro* this one [demonstrative function] **ònà óò**. It's this one. **óná ó vbì ìwè**. This one entered the house. cf. **nà** this, these.

ónánà *pro* this very one [emphatic demonstrative function] **ónánà óò**. It's this very one. cf. **nà** this.

ònè *n* crocodile, **ònè èvá** two crocodiles.

ònìhóònè *n* one who farts [insult] **ònìhóònè óò**. He's a farter. cf. **ni** R, **ìhòn** fart, **ne** to pass [Ora].

ònìsóònè *n* person who defecates without reservation [insult] **ònìsóònè óò**. He's a person who defecates all over. cf. **ni** R, **ìsón** feces, **ne** to pass [Ora].

ònìvàngúé *n* shaggy rat [same eating habits as grass cutter] **ònìvàngúé èvá** two shaggy rats. cf. **ni** R, **ìvàn** grass cutter, **gue** to nibble.

ónóì, énóì *pro* next one [nondeictic, contrastive demonstrative function] **ónóì hián ólí óràn**. The next one cut the wood. cf. **nóì** next, other.

ónwá' *n* Owan river. **ónwá' óò**. It's the Owan river.

ònwìmè, ìnwìmè *n* farmer, **ìnwìmè èvá** two farmers. cf. **nwu** to take hold of, **ímè** farm.

ònyéhì *n* broad collar, **ònyéhí élìyó** broad collar of that kind, **ònyéhì èvá** two broad collars.

ònyómì *pstv adv* as a matter of fact [only with identifier copula] **àtà óó ònyómì**. It's true as a matter of fact. **ìyó óó ònyómì**. It's so.

ònyùnùá *n* surprise, **ònyùnùá élìyó** surprise of that kind, **ònyùnùá èvá** two surprises. cf. **nya** to pluck, **únù** mouth, **a** CS.

òó *prev adv* go to [conative function signaling departure for activity without committing speaker to onset or completion] **ólí ómòhè óó' è òlí émàè**. The man went to eat the food. **ólí ómòhè ló óó è òlí émàè**. The man wants to eat the food. The man wants to eat the food.

oo *v intr* to swallow; *nwu* **oo** *tr* (CPA, CPR,*C, *H) **ólí óvbé' nwú ófè óó**. The puff adder swallowed a rat. **òjè nwú ólí éànmì óó**. Oje swallowed the meat. Oje took the meat and swallowed it. **nwù óì óó** Swallow it.

oo *v intr* to assuage, appease, soothe, calm (CPA, CPR, *C, *H) **ku égbè oo** to get at ease. **òjè kú égbè óó.** Oje became at ease. lit. Oje got his body calmed down. **kù égbè óó.** Be at ease.

oo re *intr* to be assuaged, appeased, soothed (CPA, CPR, *C, *H) **ólí óvbèkhàn óó rè.** The youth was assuaged.; **oo re** *tr* to assuage, soothe, appease. **òjè óó òhí ré.** Oje assuaged Ohi. **òò òhí ré.** Soothe Ohi.

oo re *intr* to dissipate, calm down (*CPA, CPR, C, *H) **ókhòin óó rè.** The fighting calmed down. **ólí íbà óó rè.** The malaria became less severe. cf **okho** to dissipate.

oo éò *tr* to appease a fetish (CPA, CPR, *C, *H) **ò óó ólí éò.** He appeased the fetish. *oo éò li,* **à óó ólí éò lí òjè.** The curse was removed from Oje. The fetish was appeased for Oje.

òòbà *n* crown-prince, **òòbà èvá** two crown-princes. cf. **óbá'** Oba.

óòfò *n* sweat, perspiration, **óófó élìyó** perspiration of that kind, **íkpóòfò** drops of sweat, heat rash; **óòfò fan ku e** to break into a sweat (*CPA, CPR, *C, *H) **óòfò fán kù é ói.** He burst into a sweat. lit. Sweat sprang out all over him.; **óòfò gbe** *tr* to sweat profusely (*CPA, *CPR,

C, *H) **óòfò ò ó gbè mè.** I am sweating. lit. Sweat is overcoming me.

óókhò, éókhò *n* fowl, chicken, hen, **óókhó élìyó** chicken of that kind, **éókhò èvá** two chickens, **óókhó ísì àgírîìkì** chicken from an agricultural station. cf. **ókhókhúhè** cattle egret. cf. **ókhókhò, ékhókhò** fowl [for older generation].

óókhòkpà *n* cock. **óókhòkpà óò.** It's a cock. cf. **óókhò** chicken, **òkpà** rooster. cf. **ásèsèòkpà** cockerel.

óókhúróòbè *n* fine consisting of a rooster [paid by woman violating cultural taboo with her words] **ò zé óókhúróòbè.** She paid a cock fine. cf. **óókhò** chicken, **ùròò** language, **òbè** bad.

oon *v tr* to pour so as to fill; *oon o* to pour into, fill (CPA, CPR, C, H) **ò óón àmè ó vbì ògó.** He poured water into the bottle, filling it. He filled the bottle with water. **òòn àmè ó vbì ògó.** Fill the bottle with water.; *kpaye oon o,* **ò kpáyé òjè óón àmè ó vbì ògó.** He helped Oje fill the bottle with water. He helped Oje pour water into the bottle.; *re oon o,* **ò ré àtìró óón àmè ó vbì ògó.** He used a funnel to pour water into the bottle. He poured water into the bottle with a funnel.

óònmì *n* jealousy; **ze óònmì** *tr* to be jealous (*CPA, *CPR, C, H) **ó ò zè óònmì.** He is jealous. lit. He expresses jealousy.

óósò *pro* someone, nobody [only in negative constructions] **óósò í ì vàrè.** No one came. cf. **ósò** certain one. cf. **ósó'sò** no one [for older generation].

òóúì *n* rope of palm fronds [weaved together as base for a ceiling] **òóúì èvá** two palm frond ropes. cf. **úì** rope.

ópìà *n* cutlass, machete, **ópíá éliyó** cutlass of that kind, **ópìà èvá** two cutlasses, **úvbíópìà** small cutlass, **ópíá lì òkhúá** big cutlass, **ópíá lì kéré** small cutlass, **úkpópìà** point of cutlass. **ò só ójé úkpópìà.** He stabbed Oje with the tip of a cutlass.

ópìsó *n* pointed tip cutlass, **ópìsó éliyó** pointed-tip cutlass of that kind, **ópìsó èvá** two pointed-tip cutlasses. cf. **ópìà** cutlass.

órà *n* rheumatism, **órá éliyó** rheumatism of that kind, **órá àkpókà** rheumatism of the bone [rheumatoid arthritis].

óráníhùè *n* nosebleed. **óráníhùè óò.** It's a nosebleed. cf. **órà** rheumatism, **ni** R, **íhùè** nose.

óré', íré' *n* stranger, visitor, individual outside one's ethnic group, **óré' éliyó** stranger of that kind, **íré' èvá** two strangers, **óré' ísì òjè** visitor of Oje. cf. **ree** to visit.

òrìrègbè *n* startling, grievous, awesome phenomenon. **òrìrègbè óò.** It's a grievous occurrence. cf. **òrìrì** eerie sensation causing goose bumps [for older generation], **égbè** body.

òròòn *n* widow, **òròòn èvá** two widows. **òròòn óò.** She's a widow.

òrùènó, ìrùènó *n* blind person, **ìrùènó èvá** two blind persons. cf. **run** to light, **èò** eye.

òrùhùnmìgóòrúán *n* green grasshopper with elongated head and antenna, **òrùhùnmìgóòrúán èvá** two elongated-head grasshoppers. cf. **úhùnmì** head, **òrúán** in law.

òrùnèó *n* Alesses baremose fish, **òrùnèó èvá** two Alesses baremose fish.

òsà *n* lagoon. **òsà óò.** It's a lagoon.

óságbè *n* Hydrocynus vittalus fish [with sting fins] **óságbè èvá** two sting-fin fish. cf. **sa** to sting, **gbè** too much.

ósàì *n* bachelor, widower, **ósàì èvá** two bachelors.

òsàn *n* natural, ordinary happening. **òsàn kí óò.** It isn't ordinary (supernatural implication). **ó ì vbì òsàn.** It's not natural (implication that forces in the universe are actively affecting humans).; ~ *n* bare. **óbó òsàn lí ó ré gbé ólí ényè.** It is with bare hands that he killed the snake. cf. **san** to peel.

òsàráí *n* overindulgence, excessive indulgence. **úéén ísì òsàráí émé' í kè khí ɔ́áìn?** What kind of over-indulgent behavior is that anyhow? cf. **sa** to shoot out, **raa** to pass.

òsè *pstv adv* week. **ólí ómɔ́hé lɔ́ gbè òlí ófé ósé lì òdè.** The man will kill the rat in the upcoming week. **ólí ómɔ́hé é ólí émáé ósé lí ɔ́ ráá rè.** The man ate the food in the past week. **éghè lí ólí ómɔ́hé lɔ́ rè gbé ólì èkpèn?** When will the man kill the leopard?; ~ *n* week, **òsè èvá** two weeks, **ólí ósé nà** this week, **ósé lí ɔ́ ráá rè** past week, **ósé lì òdè** upcoming week; **re òsè li** *tr* to assign a week to (CPA, CPR, *C, *H) **ò ré òsè òkpá lí òjè.** He gave Oje one week. He assigned one week to Oje.

òsè *n* church, church building, **ósé élìyó** church of that kind, **òsè èvá** two churches, **ósé ísì òkè** the church for Oke.

òsé *n* Ose river on western boundary of Edo State [Ovia river in Benin City] **òsé óò.** It's the Ose river.

óséì *n* witness in legal proceeding, **óséì èvá** two witnesses. **óé' í khì òséí ísì èé?** Who is your witness?; ~ *n* testimony; **fi óséì gbe** *tr* to testify against, bear false witness against (CPA, CPR, *C, *H) **òjè fí óséì gbé òhí.** Oje testified against Ohi.

lit. Oje threw testimony and hit Ohi.; **re óséì** *tr* to testify, provide testimony. *re óséì o*, **òjè ré óséì ó vbí óli èzón.** Oje was a witness in the case. Oje testified in the case. lit. Oje provided testimony in the case. **òjè ré óséì ó vbì ò.** Oje testified.; *re óséì li*, **òjè ré óséì lí òhí.** Oje provided testimony for Ohi. Oje testified in support of Ohi. cf. **se** to reach, **-i** F.

òsèn, èsèn *n* goodness, **ósén mè** my goodness, **úéén lì èsèn** good behavior. cf. **ólèsèn** good one.

ósèn *n* marriage; **nwu ósèn** *tr* to marry [requires female grammatical subject] (*CPA, CPR, *C, *H) **àlèkè nwú ósèn.** Aleke got married. lit. Aleke took hold of marriage. **àlèkè nwú ósén óvbèé.** Aleke married again. lit. Aleke took hold of another marriage. **à ré àlèkè nwú ósèn.** Aleke has been taken in marriage. **é è sè ché nwú ósèn.** Don't yet again get married.; **ye ógúí ósèn** *tr* to go for the purpose of marriage. **ólì àlèkè yé ógúí ósèn.** The young girl went to marry.

òsèné *n* edible cricket, **òsèné élìyó** edible cricket of that kind, **òsèné èvá** two edible crickets.

ósò, ésò *pstdet* certain, some [partitive quantifying function] **ékpá ósò** a certain bag, **émí ósò** something, **óíá ósò** some person, **ébé' ó̱sò** somewhere, someplace. **àlèkè yé ébé' ó̱sò.** Aleke went somewhere.; ~ *pro* certain one, someone. **ó̱sò ó vbì ìwè.** Someone entered the house. cf. **óósò** no one

ósòtòì *n* ankle-length gown or trousers, **ósótó̱í éli̱yó̱** ankle-length gown of that kind, **ósòtòì èvá** two ankle-length gowns. cf. **se̱** to reach, **òtò̱ì** ground.

òsó̱n *n* festering wound where muscles loose elasticity. **òsó̱n óò̱.** It's a festering condition.; **òsó̱n o** *intr* to be afflicted by a festering condition (*CPA, CPR, *C, *H) **òsó̱n ó vbí ó̱lì èmàì.** The wound is in a festered state. lit. A festering condition entered the wound.

ósònà *n* person extremely skilled at dancing, carving, sculpting, playing music, singing, **ósònà èvá** two talented individuals. cf. **àzìzé̱** talented dancer or singer.

ósùà *n* magical or spiritual force causing people to behave to their disadvantage. **ósùà lí ó̱ ò̱ sùà ó̱ì.** It is a detrimental force that pushes him. cf. **sua** to push.

òsùèdìn *n* palm-oil harvester. **òsùèdìn óò̱.** He's a palm-oil harvester. cf. **so** to harvest, **édìn** palm-oil tree.

òsùgùà *n* bone setter, traditional orthopedic doctor, **òsùgùà èvá** two bone setters. cf. **so** to join, **úgùà** joint.

òsùké' *n* hunchback, **òsùké' èvá** two hunchbacks. cf. **so** to touch, **úké'** hump.

òtá *n* Fagara leprieurii tree [provides excellent fire kindling] **òtá èvá** two Fagara leprieurii trees.

òtàn *n* squirrel, **ótán éli̱yó̱** squirrel of that kind, **òtàn èvá** two squirrels.

òtètà *n* speaker, **òtètà èvá** two speakers. cf. **ta** speak, **étà** words.

òtèèàlèkèyógúéràn *n* evening sun. **òtèèàlèkèyógúéràn óò̱.** It's the evening sun. cf. **tee** be long, **àlèkè** pubescent female, **ye** to move toward, **ògùì** area of, **éràn** wood.

òtòhíá *n* hot, heat wave, condition of high temperatures and extreme heat, **òtòhíá éli̱yó̱** heat wave of that kind, **ámé̱ lì òtòhíá** hot water. **ámé̱ lì òtòhíá óò̱.** It's hot water. **òtòhíá rîì vbí ènà.** This environment is hot. lit. Heat is in these places.; ~ *n* psychological troubles, inhospitable condition. **ó ló̱ rè̱ òtòhíá gbé mè̱.** He will kill me with his troublesome behavior. lit. He will use trouble to kill me. cf. **tohia** to be hot.

òtòmé̱ *n* illness, aches and pains, ill health. **òtòmé̱ í ì zè̱ mé̱ yè ímè̱.** The illness did not allow me to go to the farm. cf. **to** to ache, **me̱** me.

óùèmòì *n* busy-body, gossipy person. óùèmòì óò. He's a busy-body. cf. **u** to engage, **èmòì** matter. cf. **óvbèmòì** busy-body.

òvàuhùnmì *n* splitting, pounding headache, óváúhúnmí élìyó pounding headache of that kind. òvàuhùnmì lí ó ò kpòkpò óì. It is a splitting headache that he suffers from. cf. **va** to split, **úhùnmì** head.

òvén *n* desperation, panic; **re o vbi òvén** *tr* to be in a panic (CPA, CPR, *C, *H) è ré óì ó vbì òvén. They made him panic. lit. They put him into a panic. cf. **veen** to disperse.

óvèò *n* migraine headache, óvéó élìyó migraine of that kind. cf. **va** to split, **èò** face.

òvíáàbà *n* false rubber tree [resembles rubber tree] òvíáàbà èvá two pseudo rubber trees. cf. **òvíén** slave, **ààbà** rubber tree.

òvíémà *n* wild yam in the bush, false yam [not eaten] òvíémà óò. It's wild yam. cf. **òvíén** slave, **émà** yam.

òvíén, ìvíén *n* slave, serf, bonded person, òvíén élìyó slave of that kind, ìvíén èvá two slaves, óvbì òvíén, ívbì ìvíén child of a slave.

òvìnèbè, ivìnèbè *n* writer, ìvìnèbè èvá two writers, élí ívínébé áìn those writers. cf. **vin** to write, **ébè** paper.

òvíóòbàdán *n* false shade tree, òvíóòbàdán èvá two pseudo shade trees. cf. **òvíén** slave, **òbàdán** shade tree.

òvítùù *n* false mushroom. òvítùù óò. It's pseudo mushroom. cf. **òvíén** slave, **ítùú** mushroom.

òvbàvbègbé *n* irritating sensation, mental irritation. òvbàvbègbé lí ó ré fí óí émì. It was out of irritation that he hit him with something. òvbàvbègbé lí ó ré sá ójé ávbòhà. It was with irritation that he slapped Oje. cf. **vbaa** to be peppery, **vbi** LOC, **égbè** body.

óvbèé, évbèé *pstdet* another [contrastive quantifying function] ékpá óvbèé another bag; ~ *pro* another one, someone else, other ones, something else [contrastive quantifying function] óvbèé ó vbì ìwè. Another one entered the house.

óvbékhàlèkè, ívbékhìlèkè *n* female youth. óvbékhàlèkè óò. She's adolescent. cf. **óvbèkhàn** youth, **àlèkè** pubescent female.

óvbèkhàn, ívbèkhàn *n* adolescent youth, óvbékhán élìyó youth of that kind, ívbèkhàn èvá two youths. cf. **óvbì** child of.

óvbékhómòhè, ívbékhímòhè *n* male youth, ívbékhímòhè èvá two male youths. cf. **óvbèkhàn** youth, **ómòhè** male.

óvbé' *n* puff adder, óvbé' èvá two puff adders.

òvbèlè *n* delay, hindrance, óvbélé élìyó delay of that kind. í ì hòò lí í shàn òshán ísì òvbèlè. I do not want my walk delayed. lit. I do not want that I should proceed on a delayed journey.

óvbé' lì ùkpèshè *n* Rhinoceros viper, óvbé' lì ùkpèshè èvá two Rhinoceros vipers, úvbíóvbé' lì ùkpèshè small Rhinoceros viper. cf. óvbé' puff adder, ùkpèshè trap stick.

óvbèmòì *n* busy-body, gossipy person. óvbèmòì óò. He's a busy-body. cf. vbi to engage, èmòì matter. cf. óùèmòì busy-body.

òvbìòmò *n* fertile woman [able to bear children] òvbìòmò èvá two fertile women. cf. vbia to give birth, ómò child.

òwàà *n* direct, straight nature of a course of movement. ó yà shàn òwàà. He never moves on a direct route. ó yà shàn òshán ísì òwàà. He never follows a direct course. lit. He never proceeds on a journey of a direct nature.; ko òwàà to stroll (*CPA, CPR, C, *H) òhí ò ó kò òwàà. Ohi is strolling. ò kó òwàà. He strolled.; ko òwàà ye, ò kò òwàà yè òkhúnmí òéé'. He is strolling to the upper township. cf. waa to spread out.

òwàmì *n* short palm-oil tree [bears palm fruit] òwàmì èvá two short palm-oil trees. òwàmì óò. It's a short palm-oil tree.

òwègbé *n* eunuch, impotent person, òwègbé èvá two eunuchs. cf. wewe to lull, égbè body.

òwéwè *n* local cannon, mortar for saluting dead during burial rites, òwéwé élìyó burial mortars of that kind, òwéwè èvá two burial mortars.

òwò *n* raffia palm tree thriving in wet conditions, òwò èvá two raffia palm trees, úgbó' òwò forest of raffia trees; ~ *n* hard and durable wood of raffia palm tree for house construction, ówó élìyó raffia wood of that kind, òwò èvá two raffia poles, úkpòwò, íkpòwò raffia pole.

òyèhón, ìyèhón *n* deaf person, ìyèhón èvá two deaf people. cf. yi pull, éhòn ear.

òzèàlòrívbò *pstv adv* thirdly. cf. ózèéà third, li R, o it, ri be, vbi LOC, o it.

ózèéà *adj* third, íwé lí ózèéà third house; ~ *pro* third one. ózèéà vádé. The third one is coming. cf. ze to select, èéà three.

ózèéhàn *adj* sixth. ómóhé lí ózèéhàn vádé. The sixth man is coming.; ~ *pro* sixth one. ózèéhàn vádé. The sixth one is coming. cf. ze to select, èéhàn six.

ózèélè *adj* fourth. ómóhé lí ózèélè gbé ófè. The fourth man killed a rat.; ~ *pro* fourth one. ózèélè í ì ànmá lé. The fourth one refused to depart. cf. ze to select, èélè four.

ózèéén *adj* eighth. **ómóhé lí ózèéén gbé ófè.** The eighth man killed a rat.; ~ *pro* eighth one. **ózèéén í ì ànmá lè.** The eighth one refused to depart. cf. ze to select, **èéén** eight.

òzètò, ìzètò *n* barber, **ìzètò èvá** two barbers. cf. ze to extract, **étò** hair.

ózèvà *adj* second, **éwé lí ózèvà** the second goat; ~ *n* partner, **ózévá mè** my partner; ~ *pro* second one. **ózévá ó vbì ìwè.** The second one entered the house. cf. ze to select, **èvá** two.

òzèvàlòrívbò *pstv adv* secondly. cf. **ózèvà** second, li R, **o** it, ri be, **vbi** LOC, **o** it.

ózèbèn *n* square-bottomed bottle [typically for schnapps] **ózébén élìyó** square-bottomed bottle of that kind, **ózèbèn èvá** two square-bottomed bottles.

ózèwàìn, ízèwàìn *n* wiseman, adviser, counselor, **ízèwàìn èvá** two advisors, **ízéwáín ísì óbá'** counselor for the Oba. cf. ze to express, **èwàìn** wisdom.

ózìgùè *n* person skilled at swimming and fishing, **ózìgùè èvá** two skilled swimmers; ~ *n* highly expert, creative, extremely skilled person. **ózìgùè óò.** He's an extremely talented person. cf. **gue** to know how.

ózìgbé *adj* tenth, **óvbékhán lí ózìgbé** the tenth youth; ~ *pro* tenth one. **ózìgbé rîi vbí óà.** The tenth one is at home. cf. ze to select, **ìgbé** ten.

ózìgbéèvà *adj* twelfth, **óvbékhán lí ózìgbéèvà** the twelfth youth; ~ *pro* twelfth one. **ózìgbéèvà ó vbì ìwè.** The twelfth one entered the house. cf. ze to select, **ìgbéèvà** twelve.

ózìgbìíhìèn *adj* fifteenth, **óvbékhán lí ózìgbìíhìèn** the fifteenth youth; ~ *pro* fifteenth one. **ózìgbìíhìèn ó vbí ékóà.** The fifteenth one entered the room. **ózìgbìíhìèn óò.** It's the fifteenth one. cf. ze to select, **ìgbìíhìèn** fifteen.

ózìhíón *adj* seventh. **íwé lí ózìhíón ó ò vbàé.** The seventh house is red.; ~ *pro* seventh one. **ózìhíón ló vàré.** The seventh one will come. cf. ze to select, **ìhíón** seven.

ózìíhìèn *adj* fifth, **áwá lí ózìíhìèn** the fifth dog; ~ *pro* fifth one. **ózìíhìèn ó vbì ìwè.** The fifth one entered the house. cf. ze to select, **ìíhìèn** five.

ózìsín *adj* ninth, **ókpósó lí ózìsín** ninth woman; ~ *pro* ninth one. **ózìsín rîi vbí ìwè.** The ninth one is in the house. cf. ze to select, **ìsín** nine.

òzùkòkòzékùè *n* hermaphrodite, creature with male and female sex organs. **òzùkòkòzékùè óò.**

It's a hermaphrodite. cf. ze to select, ùkòkò vagina, ékùè penis. cf. árá'ghòhí hermaphrodite.

P

péèzè *ideo* sense impression characterized by running in long strides. ò ó lá. péèzè. péèzè. péèzè. He is running. Striding. Striding. Striding. ò ó lá. ú míéí péèzè. péèzè. péèzè. He is running. You sensed striding. Striding. Striding.

pèú *pstv adv* sudden, sharp smacking sound resulting from a hitting activity. ú hóní pèú. You heard a smacking sound. ó fí ói émí vbí áwé pèú. He hit him with something on the leg with a smack. He smacked him on the leg. cf. bèú sound of severe, sharp smack.

pèú *pstv adv* cracking sound resulting from bursting into tears. ú hóní pèú. You heard a loud burst of tears. ólí ókpósó áín sán évìè á pèú. That woman burst into tears with a crack. That woman cracked into tears. cf. bèú sound of bursting into tears.

péè *pstv adv* sudden, abrupt flutter. ólí úkpáfiánmí áín tíní péè. That bird suddenly flew off. That bird fluttered off.; ~ *adj* abrupt flutter. ólí áfiánmí ú péè. The bird took off abruptly. The bird fluttered off.

pééí *pstv adv* absolute, brimful condition. àmè vóón ólí óó áín pééí. Water filled that pit to the brim. ólí ókpán èdìdé vóóní pééí. The gourd container was filled to the brim. ébé' ó ì vóón sè? How full was it?

pèréé *adj* flat and thin. ólì ìtásà ú pèréé. The plate is flat. ìtásá lì pèréé the flat plate. ébé' ó í rñ? How is it?

péùn *pstv adv* whizzing sound resulting from moving object. ú hóní péùn. You heard a whiz. ó búmé ói fí á péùn. He whizzed it away. ólí áfiánmí tín fì á péùn. The bird flew away in a whiz.; ~ *adj* whizzing sound. ólí ékùété' ú péùn. The dove whizzed by.

pìénpìén *pstv adv* distributed bits condition. ólí óókhó ó ò fènà ìsón pìénpìén. The chicken defecates here and there. ú míéí pìénpìén. You sensed bits here and there.

píéré *ideo* sense impression characterized by a trotting manner. ú míéí píéré. You sensed a trotting activity. ó tón úlà húá. píéré. píéré He took off. Trotting. Trotting.

píéré *pstv adv* trotting manner. ólí áwà ó vbí égbókhèè píéré. The dog entered the backyard at a trot. The dog trotted into the backyard.; ~ *adj* trot. ólí áwà ú píéré. The dog trotted off.

pìètèpíété *adj* watery, mushy. émá lì pìètèpíété the mushy yam. ólí émá ú pìètèpíété. The yam is mushy. ébé' ólí émá í rîì? How is the yam?

píí *pstv adv* extremely forceful manner of a flinging activity. ó ló bùmè òì fí á píí. He will fling it aside forcefully. yán ré óbò búmé úkpáfiámì fí á píí. They used their hands to fling aside the bird forcefully. They forcefully flung the bird aside with their hands.

pìrìpírí *pstv adv* haphazardly. ìyó yán í má óá ísì ìyáín pìrìpírí. It was in that way that they constructed their house haphazardly. è ú óí pìrìpírí. They did it haphazardly.

pói *pstv adv* popping sound from pulling one object apart from another. òjè yí ólí órán vbì òtòì ré pói. Oje pulled out the tree in the ground with a pop. Oje popped the tree from the ground. cf. bói intense pull-apart popping sound.

pòó *pstv adv* intense booming or bursting sound resulting from a separation activity. ú hóní pòó. You heard a booming sound. ólí ékpá sóó á pòó. The bag tore apart with a boom. The bag burst with a boom. cf. pòró intense sound of tearing activity. cf. bòó more intense booming sound.

pòó *pstv adv* intense burst of sound resulting from crying activity. ú hóní pòó. You heard a loud burst of tears. ó róó évíé pòó. She burst into booming tears. cf. pòòkhóró intense burst of sound from crying.

pòòkhóró *pstv adv* intense burst of sound resulting from crying activity. ú hóní pòòkhóró. You heard a loud burst. íyáín èrèmé gbé évìè á pòòkhóró. All of them broke into tears with a loud burst. All of them burst into tears. cf. bòó more intense burst of tears. cf. pòó intense burst of sound from crying.

pòró *pstv adv* intense sound resulting from a tearing activity. ú hóní pòró. You heard an intense tearing sound. ólí úkpún sóó á pòró. The cloth tore up in a loud burst. The cloth tore up in an intensely loud fashion. cf. pòó intense sound of a separation activity.

púépúé *pstv adv* continuous condition of a blinking activity. ò ó gbè èó púépúé. He is blinking his eyes continuously. cf. púképúké continuous condition of looking.

púképúké *pstv adv* constant condition of a looking activity [leads to inference of dejection and subdued condition] ò ó ghòò púképúké. He is looking continuously. He is looking subdued. cf. **púépúé** continuous condition of blinking.

pupu *v intr* to stumble about in a stunned, disoriented state (*CPA, *CPR, C, *H) **ólí óókhò̩ o̩ ó pùpú**. The chicken is stumbling about.; **de pupu** stumble about from falling. **ólí ómòhè o̩ ó dé pùpú**. The man stumbling about after falling. The man is stumbling down.; *pupu shoo re* to stumble up, arise with a stumble (CPA, CPR, *C, *H) **ólí ómóhé púpú shò̩ò̩ ré**. The man got up in a stumbling fashion. The man stumbled up.

púpúpú *pstv adv* vigorous flapping sound resulting from wing beating. **ú hó̩ní púpúpú**. You heard a flapping sound. **ólí óghòhúnmí gbé ábó̩ púpúpú**. The goose beat its wings with a flap. The goose flapped its wings.

púré̩ *pstv adv* convulsive, final spasmodic reaction of a dying body. **ólí áfiánmí úí púré̩**. The bird died in a final spasm. **ólí ómóhé déí púré̩**. The man stretched out in a final spasm of life. The man slumped over in a final spasm of life.

R

raa *v intr* to rob, steal (CPA, CPR, *C, H)) **ólí ómòhè ráàì**. The man robbed. The man stole. **é è kè ráá**. Don't rob anymore.; **raa**

tr to rob, steal from (CPA, CPR, *C, *H) **ólí ómòhè ráá òhí**. The man robbed Ohi. **é è ráá òhí**. Don't rob Ohi.

raa *v tr* to smoothen, polish, scrub (*CPA, *CPR, C, H) **òjè o̩ ó ráà òtò̩ì**. Oje is polishing the floor. **yà ráá òtò̩ì**. Start polishing the floor.; *kpaye̩ raa*, **o̩ kpáyé̩ mè ráá òtò̩ì**. He helped me polish the floor.; *re̩ raa*, **òjè ré ísó̩n émèlá ráá òtò̩ì**. Oje used cow dung to polish the floor.; *raa a*, **o̩ ráá ùdékèn á**. He smoothened up the surface of the wall.; *raa li*, **o̩ ráá òtò̩ì ní émè̩**. He polished the floor for me.

raa *v intr* to dip a morsel; **re̩ raa** to dip, get dipped (CPA, CPR, *C, *H) **o̩ ré ùkèlè ráá**. He dipped with a morsel. **o̩ ré̩ ùkèlè ráá vbì òmì**. He dipped a morsel in the soup. **rè̩ ùkèlè ráá**. Dip a morsel.

ràá *pstv adv* excessively. **ó o̩ ù èmí ràá**. He does things excessively. **ó o̩ lá ràá**. He runs extremely fast.; **raa ùhì** excessively (CPA, CPR, *C, *H) **o̩ é émàè ráá ùhì**. He ate excessively. lit. He ate food passed the boundary. cf. **raa** to pass.

raa *v tr* to pass a point in time; **raa ááìn** (CPA, CPR, *C, *H) **o̩ kéè ráá ááìn** later. lit. after it passed there. **éghé lí ó ráá ááín** later on. lit. the time at which it passed there.

raa re *intr* to pass, cross, move past, move by (CPA, CPR, C, *H) ólí ómòhè ráá ré. The man has passed. The man has crossed.; **raa re** *tr* to move across, past, over with continuous surface contact. ólí ómòhè ráá ólí ókòó ré. The man passed beyond the hill.; *de raa re*, ólí óràn dé ráá úkpódè ré. The tree fell across to the other side of the road.; *fioo raa re*, éfìòò fíóó ólí ébè ráá ólí ókòò ré. Wind blew the leaf beyond the hill.; *gbulu raa re*, ólì ùgbòfì gbúlú ráá àgá ré. The orange rolled past the chair.; *la raa re*, ólí ómòhè lá ráá ùhàì ré. The man ran past the well.; *sua raa re*, ólí ómòhè súá ìmátò ráá édà ré. The man pushed the car across the river.

raa re *tr* to overtake (CPA, CPR, C, *H) ólí ómòhè ò ó ràà ólì ìmátò rè. The man is overtaking the car. òjè ò ó ràà mé rè. Oje is overtaking me.

raale *v intr* to move away, depart, leave (*CPA, CPR, *C, *H) ólí ómòhè ráálè. The man has moved away.; *za vbi raale*, ólí ómòhè zá vbì ìwè ráálè. The man has moved away from the house.; *za vbi la raale*, ólí ómòhè zá vbì ìwè lá ráálè. The man run away from the house.

raan *v tr* to cure cocoa beans in a basket [initial stage in fermen-

tation] (CPA, CPR, C, H) òjè ráán ólì ìkòkó. Oje cured the cocoa beans. rààn ólì ìkòkó. Cure the cocoa beans.; *kpaye raan*, ò kpáyé òjè ráán ólì ìkòkó. He cured the cocoa beans in lieu of Oje.

ragha *v tr* to rub (CPA, CPR, C, H) òhí rághá ójé ùòkhò. Ohi rubbed Oje's back. ràghà òjé ùòkhò. Rub Oje's back.; *kpaye ragha*, ò kpáyé òhí rághá ójé ùòkhò. He helped Ohi rub Oje's back.; *re ragha*, òhí ré óbò rághá ójé ùòkhò. Ohi used his hand to rub Oje's back.; *ragha o*, ólì òkpòsò rághá èrèè ó mé vbí óbò. The woman rubbed chalk onto my hand.

rame eò *tr* to invoke a fetish before a shrine as an act of swearing, take an oath (CPA, *CPR, C, *H) ólí ómóhé rámé eò. The man invoked a fetish.

ranran *v intr* to get soaked [of cloth, maize] (CPA, CPR, C, H) ólí úkpùn ránráni. The cloth was soaked.; **ranran** *tr* to soak. òjè ránrán ókà. Oje soaked maize. rànràn úkpùn. Soak cloth.; *kpaye ranran*, ò kpáyé òjè ránrán úkpùn. He helped Oje soak clothes.; *re ranran*, ò ré àgbàdà ránrán úkpùn. He used a large bowl to soak cloth.; *ranran o*, òjè ránrán úkpùn ó vbì àgbàdà. Oje soaked a cloth in a large bowl.

ranran re *intr* to put on weight (CPA, CPR, C, *H) **òjè ránrán rè**. Oje has put on weight. lit. Oje got soaked up.

re *v intr* bring [venitive function, requires preceding verb] (CPA, CPR, *C, H) **ò nyé ákhè ré**. He brought food. He cooked food and arrived (with it). **ó ré ìnyòkpá ísì òí ré**. She took her maternal sibling and brought her.

re *v intr* to arrive, get to a place or time (*CPA, CPR, C, *H) **ásòn réì**. Night has arrived. **égúáí ísì óbá' réì**. The court of the Oba has arrived.; *re se òtòì se òkhùnmì*, **égúáí ísì óbá' ré sé òtòì sé òkhùnmì**. The court of the Oba was completely filled up. lit. The court of the Oba arrived and extended to the land and the sky.; **re** *tr* to arrive, come for an activity (CPA, CPR, *C, H) **ólí ómòhè ré ógúí èbàbò**. The man arrived to perform divination. **ólí ómòhè ré ìjóòbù**. The man arrived for his job. **ólì èvbòò ré ègùàì**. The village arrived at court.

re *v intr* to rise, move to higher vertical position (CPA, CPR, C, H) **ólí édà réì**. The river rose.; **re égbè re** to put on weight (*CPA, CPR, C, *H) **òjè ré égbè ré**. Oje got his weight up. Oje raised his body weight.; **re** *tr* to rise, move to a higher

vertical level (CPA, CPR, *C, H) **ólí údúkpù ré ókhúnmí àmè**. The coconut rose to the top of the water.

ree *v tr* to praise, extoll virtues of (*CPA, *CPR, C, H) **ólí ómòhè ò ó rèè ólì òkpòsò**. The man is praising the woman.

ree *v intr* to visit (CPA, CPR, *C, H) *ree li*, **é réé lí ójé**. They visited Oje.; *ree ye*, **ínyókpá ísì òí réé yé òì**. His maternal sibling visited him.; **ree** *tr* to visit. **óré' réé òjè**. A visitor visited Oje.

reghe *v intr* to shake, sway, move back and forth (CPA, CPR, C, H) **ólí óràn réghéì**. The tree shook. **áwé ísì òjè réghéì**. Oje's feet shook.; **mie égbè reghe** to celebrate with [only in negative constructions] **òjè í ì mìè égbé règhè**. Oje had nothing to celebrate with. lit. Oje did not find his body to shake.; **reghe** *tr* to shake, sway, move back and forth [limited to body parts] **ólí óvbèkhàn réghé úhùnmì**. The youth shook his head. **ólí ómò ò ó règhè égbè**. The infant is rocking back and forth. **ólí ómó réghé égbé vbí ékéìn**. The infant rocked its body in (her) belly. **règhè égbè**. Shake your body.; *reghe égbè o*, **òjè ò ó règhè ègbé ò vbí ólí fòò**. Oje is swaying to the song. Oje is swaying his body on account of the song.; *nwu reghe* to get shaken up (CPA, CPR, *C, *H) ọ̀ nwú égbè réghé. He got shook up. He got his body shaken up.

rèlèrélé *pstv adv* ever, forever and ever. ọ́ lọ́ díá vbí úvbíákhé rèlèrélé. She will stay in the small pot forever and ever. é è chè zé mẹ́ mìẹ̀ ẹ́ vbí áán rèlèrélé. Don't ever let me see you here again. ébé' ọ́ lọ́ ì díá vbì èvbọ̀ téé sẹ̀? How long will he stay there?

rere *v intr* to become long (CPA, CPR, *C, *H) ọ́lí órán réréì. The stick is long.; *rere lee,* órán ísì òhí réré lẹ́ẹ́ ísì òjè. Ohi's stick is longer than Oje's.; *rere ọ vbi ọ,* ọ́lí óràn ọ̀ ọ́ rèré ọ̀ vbì ọ̀. The stick is getting longer.; *ze rere,* ọ́lí ọ́mọ̀hè zé ọ́lí órán rèrè. The man allowed the stick to lengthen.

rere *v intr* to be far (CPA, CPR, *C, *H) áfúzé' réréì. Afuze is far. áfúzé' réré vbì òkè. Afuze is far from Oke.

re *aux* then, and then [relative tense sequential function] ọ́lí ọ́mọ́hé rẹ́ é ọ́lí émàè. The man then ate the food.

re *aux* when [subordinating temporal clause function, requires bi] bí ọ́lí ọ́mọ́hé rẹ́ míé òhí, ọ́ ó vbì ìwè. When the man saw Ohi, he entered the house.

re *aux* when [subordinating temporal clause function, requires éghè] òjè ó vbì ìwè éghẹ́ lí ọ́ rẹ́ míẹ́ òhí. Oje entered the house when he saw Ohi.

re *aux* until [subordinating resultative clause function, requires li] àlèkè gbé ọ́lí ọ́mọ̀hè lí ọ́ rè ú. Aleke beat the man until he died.

re *v tr* to make, cause, construe, force; *re chian* to make become, make a state of affairs come about (CPA, CPR, *C, *H) ọ́lì èvbòò rẹ́ òhí chíán ákpọ́zévá ísì ọ́bá'. The village made Ohi deputy to the Oba. ọ́lí ọ́mọ̀hè rẹ́ ọ̀gẹ̀dẹ̀ chíán ísì ọ̀í. The man made the banana his. ọ́lí ọ́mọ̀hè rẹ́ ọ́lì òkpòsò chíán ísì ọ̀í. The man made the woman his.; *re ọlésén chian ọlọbè* to construe good as bad. ọ̀ rẹ́ ọ́lésén mè chíán ọ́lọ̀bè. He construed my goodness as badness. lit. He made my goodness become badness.; *re u ákpọ́zèvà* to make deputy. à rẹ́ òjè ú ákpọ́zèvà. They made Oje a deputy. Oje was made a deputy.

re *v tr* to use, take, with, by means of (CPA, CPR, C, H) ọ̀ rẹ́ ọ́pìà hían óràn. He used a cutlass to cut wood. He cut wood with a cutlass. ọ́lí ọ́mọ̀hè rẹ́ àwẹ̀ gbé údò yé òhí. The man kicked the stone to Ohi with his leg. òjè ọ̀ ọ́ rẹ̀ ègbé gbùlù èkẹ̀n. Oje is rolling in the sand with his body. Oje is taking his body and rolling in the sand.

re o *intr* to adhere to, follow through on (CPA, CPR, *C, H) òjè ré ó vbí émí lí yàn bí òhí gbá gùè. Oje followed through on the agreement with Ohi. Oje adhered to the agreement with Ohi. lit. Oje adhered to the thing that they and Ohi together discussed. ójé ó ò ré ò vbí étá ísì ìnyó óì. Oje adheres to his mother's words.

re o *intr* to get onto, stay on (CPA, CPR, *C, *H) yàn ré ó vbí úkpódé ísì òkè. They got onto the road for Oke. cf. **din o** to get onto.

re *v tr* to transfer a mass; *re li* (CPA, CPR, C, H) ò ré ikhùnmì lí òhí. He provided medicine for Ohi. ò ré éghó' ní émè. He gave money to me. ò ré vbí ényó lí òhí. He gave from the wine to Ohi. rè ényò lí òhí. Give wine to Ohi.; *kpaye re li*, ò kpáyé òjè ré émàè lí óókhò. He helped Oje give food to the chicken.; *re li da* to give to drink (CPA, CPR, *C, *H) ò ré ényò lí ódón óí dà. She gave wine to her husband to drink.; *re o* (CPA, CPR, C, H) òjè ré ikhùnmì ó vbí èkò. Oje put charms into the maize meal. Oje put medicine into the maize ball. àlèkè ré ìléèdì ó vbí èò. Aleke rubbed an eyebrow pencil onto her eyelash. Aleke put eyebrow pencil onto her eyelash. rè íkìó ó vbì èò. Put

mascara onto your face.; *re re* (CPA, CPR, *C, *H) ò ré ikhùnmì ré. He brought medicine. ó ré ìnyòkpá ísì òí ré. He brought his maternal-sibling. rè émàè ré. Bring food.; *re ye* (CPA, CPR, *C, *H) òjè ré ényò yé òhí. Oje took wine to Ohi. ó ré émàè yé óli òkpòsò. He took food to the woman. ò ré ikhùnmì yé òhí. He took medicine to Ohi.

re o vbi únù *tr* to disgrace (CPA, CPR, *C, *H) òhí ré òjè ó vbí únù. Ohi disgraced Oje. lit. Ohi put Oje into his mouth. òjè ré égbè ó vbí únù. Oje has disgraced himself. lit. Oje put his body into his mouth.

re éhòn o *tr* to listen, be attentive (*CPA, *CPR, C, *H) òjè ò ó rè èhón ò vbí émí' vbá à tá. Oje is listening to what you discuss. lit. He is putting his ear onto what you say.; *re éhòn o vbi òtòì* (*CPA, CPR, *C, *H) òjè ré éhòn ó vbì òtòì. Oje listened. lit. Oje put his ear onto the ground. rè éhòn ó vbì òtòì. Be attentive.

re èràin o *tr* to light [for smoking] (CPA, CPR, C, H) òjè ré èràin ó vbì ìkìtìbé. Oje lit a pipe. lit. Oje put fire onto a pipe.

re èò o *tr* to pay attention, be observant (CPA, CPR, *C, H) òjè ré èò ó vbì òtòì. Oje was observant. lit. Oje put his eye onto the ground. òjè ré èò ó vbì òbìà. Oje paid attention to his work. lit. Oje put his eye onto work. rè èò ó vbì òtòì. Be observant. Be attentive to where you are going.

re èò o *tr* to covet, desire (*CPA, *CPR, C, H) ójé ó ò rè èó ò vbí émàè. Oje covets the food. lit. Oje puts his eye onto food. ójé ó ò rè èó ò vbí émì. Oje is covetous. Oje covets things.

re óbò o *tr* to sanction, sign, authorize (CPA, CPR, *C *H) òjè ré óbò ó vbí ólí ébè. Oje signed the paper. lit. Oje put his hand onto the paper. òjè ré óbò ó vbì ò. Oje sanctioned it. Oje signed off on it. rè óbò ó vbí ébè. Sign the paper.; *re óbò o vbi li*, òjè ré óbò ó vbí ébè lí òhí. Oje served as a guarantor for Ohi. lit. Oje put his thumb print to the paper for Ohi.

re ùdù o vbi o khi *tr* to expect (CPA, *CPR, *C, *H) ójé ré ùdù ó vbì ò khí ó ló ròò ólì òkpòsò. Oje expected that he would marry the woman. lit. Oje put his heart into it that he will marry the woman. òjè í ì rè ùdú ò vbí ó khì òhí ló vàré. Oje does not expect that Ohi will come.

re únù o vbi òtòì *tr* to rain heavily (CPA, CPR, *C, *H) ámé ré únù ó vbì òtòì. It rained heavily. lit. Rain provided an opening onto the ground.

ree *v intr* to resemble, take after physically [requires bi] (CPA, CPR, *C, *H) ólí óvbèkhàn réé bí érá óì. The youth resembled his father. òjè réé bí éwè. Oje looked like a goat.

ree *v tr* to move after; *ye ree* to send after (CPA, CPR, *C, H) ó yé úkó' ísì òí réé ízèwàìn. He sent his spokesperson after the wisemen. ó yé úhùnmì réé ólì òkpòsò. He sent a message to the woman. cf. ree to resemble.

rehunme *v tr* to forgive (CPA, CPR, *C, *H) òjè réhùnmè òhí. Oje forgave Ohi. rèhúnmé óì. Forgive him. cf. re to get, hunme to appease.

rekhaẹn *v tr* to follow, accompany, trail after (CPA, CPR, C, H) òjè ò ó rèkhàèn òhí. Oje is following Ohi. ólí òkpòsò ò ó rékhàèn óvbì òhí. The woman is following the son of Ohi. rèkháén òhí. Follow Ohi.; *rekhaẹn de*, élí ímòhè rékháén ólí ómò dé égbóà. The men followed the child to the backyard.; *rekhaẹn ùokhò*, ó rékháén ínyó óí ùòkhò. He followed behind his wife. òjè ò ó rékhàèn òhí vbì ùòkhò. Oje is following behind Ohi.; *rekhaẹn vare*, òjè rékháén òhí várè. Oje came with Ohi. Oje came following Ohi.; *rekhaẹn ye*, òjè rékháén òhí yé ímè. Oje followed Ohi to the farm.; *la rekhaẹn*, òjè lá rékháén òhí.

Oje has run after Ohi.; *sua rekhaẹn*, **ọ ọ́ sùà àgá rẹ́khàẹ̀n òhí.** He is pushing a chair after Ohi. He is pushing the chair and following Ohi.

rẹkhaẹn *v tr* to marry [of a woman] (CPA CPR *C *H) **ọ́lì àlèkè rẹ́kháẹ́n ọ́lí ọ́mọ̀hè.** The young girl married the man. **àlèkè rẹ́kháẹ́n òhí.** Aleke married Ohi. cf. **roo** to marry [of a man].

rere *aux* supposedly [epistemic assumptive judgment function acknowledging doubt about actuality of state of affairs] **ọ́lí ọ́mọ́hé rẹ̀rẹ̀ é ọ́lí émàè.** The man supposedly ate the food.

rere *aux* although, even though [concessive subordinate clause function] **ójé rẹ́rẹ̀ tá ìyọ́, ọ́ kpé ù.** Although Oje spoke that way, he still died.

rẹ́rẹ́rẹ́ *pstv adv* loose manner of holding. **ọ́ rẹ́ óbọ̀ ọ́ vbí ọ́lí úkpún rẹ́rẹ́rẹ́.** He put his hand onto the cloth lightly. **ébé' ọ́ í nwú ọ́lí úì mọ́é?** How did he hold the rope?

ri *v intr* to be located at, be positioned in or on [only in realis constructions] (CPA, CPR, *C, *H) **ọ́lí ọ́mọ́hè rîì vbí áfúzé'.** The man is in Afuze. **ọ rîì vbí íwé ísì òjè.** She is in the house of Oje. **íkpáàhìẹ̀nhìẹ̀n rîì vbí òkhùnmì.** The stars are in the

sky. **ọ̀ rîì vbí úkhòómì.** She is bathing. **ọ̀ rîì vbí éviè.** She is crying. **è rîì vbí òvbàyè.** They are chatting. cf. **e** to be located.

ri vbi óbọ̀ *intr* to be in possession of (*CPA, CPR, *C, *H) **ọ́píá ísì ọ́í rîì mẹ́ vbí óbọ̀.** His cutlass is in my hand. I have his cutlass. **ọ́lí ọ́píá ísì ẹ̀é rîì mẹ́ vbí óbọ̀.** Your cutlass is in my hand.

riaa *v tr* to apply warm compress to, treat by fomentation (CPA, CPR, C, H) **ọ́lì òkpòsò ọ́ ọ́ rìàà òmọ́ ùkhòìn.** The woman is fomenting the child's navel. **rìàà ọ́ì.** Foment it.; *kpaye riaa*, **ọ́ ọ́ kpàyẹ òjé rìàà ẹ̀máí ísì ọ́í.** She is helping Oje foment his wound.; *rẹ riaa*, **ọ̀ ọ́ rè ẹ̀sọ́nkpún mẹ́ rìàà òmọ́ ùkhòìn.** She is using my rag to foment the child's navel.; *riaa li*, **ọ̀ ríáá ẹ̀màì lí òhí.** He fomented a wound for Ohi. He applied a warm compress to Ohi's wound.

riaa a *intr* to become damaged, out of order [but not irreparably so] (CPA, CPR, *C, *H) **ọ́lì àgá ríáá à.** The chair got damaged. **ọ́lì ìfóònù ríáá á.** The phone is out of order. **ọ́lí íkẹ̀kẹ́ ríáá à.** The bicycle got damaged.; **riaa a** *tr* to damage, ruin, make out of order (CPA, CPR, C, H) **ọ̀ ọ́ rìàà ọ́lì àgá á.** He is ruining the chair.

riaa a *intr* to get spoiled (CPA, CPR, *C, *H) **ọ́lì òmì ríáá á.**

The soup spoiled. **ólí éànmì ríáá á**. The meat spoiled.; **riaa a** *tr* to spoil. **ólì òkpòsò ríáá éànmì á**. The woman spoiled the meat. **é è ríáá ólì òmì á**. Don't spoil the soup.; *re riaa a*, **ò ré ògìì ríáá ólì òmì á**. She used fermented melon to spoil the soup.

riaa a *intr* to get disrupted (CPA, CPR, *C, *H) **ólì òsíé' ríáá à**. The entertainment was disrupted.; **riaa a** *tr* to disrupt. **òjè ríáá ólì òsíé' á**. Oje disrupted the entertainment.

riaa égbè a *tr* to hurt oneself physically (CPA, CPR, *C, *H) **ò ríáá égbè á**. He hurt himself. lit. He spoiled his body.

riaa ékéìn a *tr* to upset, displease (CPA, CPR, *C, *H) **ólì ìnyèmì ríáá ójé ékéìn á**. The matter upset Oje. lit. The matter spoiled Oje's belly.

riaa ékéìn a *tr* to abort (CPA, CPR, *C, *H) **ólì òkpòsò ríáá ékéìn á**. The woman aborted the fetus. lit. The woman spoiled her belly.

riaa èò a *tr* to frown (*CPA, CPR, *C, *H) **òjè ríáá èò á**. Oje frowned. lit. Oje spoiled his face.

riaariaa *v tr* to compress, force (*CPA, *CPR, C, H) **ò ó rìàà-rìàà mé ékéìn**. He is compressing my belly.; *riaariaa o*, **ò ríááríáá íkpùn ó vbí ékéín**

àkpótì. He forced the clothes inside the box. cf. **riaa** to apply a compress.

riee *v tr* to sharpen (CPA, CPR, C, H) **òjè ò ó rìèè ópìà**. Oje is sharpening a cutlass. **rìèè ólí ópìà**. Sharpen the cutlass.; *kpaye riee*, **ò ó kpàyè òjé rìèè ópìà**. He is helping Oje sharpen a cutlass.; *re riee*, **ò ó rè òlímá' rìèè ópìà**. He is using a file to sharpen a cutlass.

rììgùòó *pstv adv* crashing sound resulting from object contact. **ú hóní rììgùòó**. You heard a crashing sound.; ~ *adj* crashing sound. **úkhùèbó ú rììgùòó vbì égéén ókhà**. The charm crashed under a cotton tree. cf. **gùòó** crashing sound.

rírírí *pstv adv* extreme intensity of warm, bright color. **ólí úkpún ó ò vbàè rírírí**. The cloth is intensely red. **ébé' ó í rìi?** How is it?

roo *v intr* to reverberate, rattle, vibrate, make a sound, echo (CPA, CPR, C, H) **ólí íbé róóì**. The drum reverberated. **ólì àúgó' róóí vbì ìwîndò**. The clock sounded at the window. **óbíbí róóì**. The applause reverberated. ; *roo bi*, to sound like (*CPA, *CPR, *C, H) **áwé ísì òí ó ò ròò bì ìbé**. His feet sound like a drum.

roo *v intr* to quarrel (CPA, *CPR, C, H) **yàn á ròó**. They are quarrelling. **vbá è kè róó.** Don't quarrel anymore.; *kpaye roo*, **ólí ómòhè ò ó kpàyè òlí ókpósó ròó.** The man is quarrelling with the woman.; *roo o*, **élí ímòhè ò ó ròò ò vbí émói émà.** The men are quarreling over the yam.; **roo vbi únù ghèghé** to blab (*CPA, *CPR, C, H) **òjè ò ó ròò vbí únú ghèghé.** Oje is blabbing. lit. Oje is sounding off at the mouth in a dilly dally fashion. **é è kè róó vbí únù ghèghé.** Don't blab anymore.

roo ùròò *tr* to utter, speak (*CPA, CPR, *C, *H) **é róó ùròò.** They spoke. lit. They uttered language. **ò róó úróó lì òbè.** He uttered bad language. **é è kè róó úróó lí óbé vbí únù.** Don't utter bad language from your mouth anymore.

roo *v tr* to marry [of men] (CPA, CPR, *C, *H) **ólí ómòhè róó ólí òkpòsò.** The man married the woman. **ólí ómòhè róó òkpòsò.** The man has married. lit. The man picked out a female. **ròò ói.** Marry her.; *roo li*, **ólí ómòhè róó ólì òkpòsò lí òhí.** The man gave the woman to Ohi (as a wife).; *roo ye*, **ólí ómòhè róó òkpòsò yé òhí.** The man took a female to Ohi.; *roo òkpòsò ògbòn* to take a wife. **ò róó ókpósó ògbòn.** He has recently married. He has taken a wife recently. lit. He picked out a

female recently.; *roo òkpòsò li ògbòn* to take a new wife. **ò róó ókpósó lì ògbòn.** He has taken a new wife. lit. He picked out a new female.

roo *v tr* to take, pick out from an array of relatively small items (CPA, CPR, *C, *H) **àlèkè róó ólì ìsánó.** Aleke picked up the matches. **ò róó úhàì.** He picked out an arrow. **ò róó éánmí vbì òmì.** He picked out meat in the soup. **ò róó vbí élí úháí.** He picked from the arrows. **ròò ólì úhàì.** Pick out the arrow.; *re roo*, **ò ré íbàtà róó ìsòn.** He picked up feces on his shoe. **ò ré úhùnmì róó ékpén vbì òtòì.** He used his head to pick up the leopard from the ground.; *roo fi a*, **ò róó úhàì fí à.** He dropped an arrow aside. **òjè róó úgbàn fí à.** Oje tossed a thorn away.; *roo fi o*, **òjè róó úgbàn fí ó vbì òtòì.** Oje dropped a thorn onto the ground. **ò róó ólí éànmì fí ó vbí únù.** He dropped the meat into his mouth.; *roo ku a*, **òjè róó ìéèsì kú à.** Oje dropped rice all over.; *roo ku o*, **òjè róó ìéèsì kú ó vbí únù.** Oje dropped rice into his mouth.; *roo li*, **ò róó úhàì lí òhí.** He gave an arrow to Ohi.; *roo o*, **òjè róó úhàì ó vbì ètèkù.** Oje put an arrow onto his bow. **àlèkè róó émàè ó vbì ìtásà.** Aleke put food onto the plate by picking it up.; *roo shoo* *vbi re*, **ọ̀ róó úkpún ísì òjè shọ́ọ́ vbì ọ̀ ré.** He removed Oje's cloth away from them. **òjè róó úgbàn shọ́ọ́ vbì àwẹ̀ ré.** Oje removed a thorn from his leg.; *roo vbi re*, **ọ̀ róó úkpún ísì òjé vbì ọ̀ ré.** He removed Oje's cloth from them. **àlèkè róó íkúkú vbí ẹ́ó ísì ọ̀í ré.** Aleke removed dirt from his eye.; *roo ye*, **ọ̀ róó ùhàì yé òhí.** He picked up an arrow and took it to Ohi. **ọ̀ róó éànmì yé òhí.** He took meat to Ohi.; *fi óbọ̀ roo* to pick up by thrusting. **ọ̀ fí óbọ̀ róó ẹ̀kpà.** He picked up a bag with his hand. He thrust out his hand and picked up a bag.

roo àwẹ̀ *tr* to trip (*CPA, CPR, *C, *H) **òhí rẹ́ àwè róó ójé àwẹ̀.** Ohi used his feet to trip Oje. lit. Ohi released Oje's legs with his own legs.

roo ékẹ́ìn *tr* to become pregnant (*CPA, CPR, *C, *H) **àlèkè róó ékẹ́ìn.** Aleke became pregnant. lit. Aleke released her belly. cf. **nwu li** to impregnate.

roo óbọ̀ *compl tr* to release, let go, let alone (CPA, CPR, *C, *H) **òjè róó òhí óbọ̀.** Oje has left Ohi alone. lit. Oje released his hand from Ohi. **ọ́lí ọ́mọ̀hè róó ọ́lí órán óbọ̀.** The man let the tree go. **ròò ọ̀í óbọ̀.** Leave her alone.

roo óbọ̀ vbi *tr* to cease an activity (*CPA, CPR, *C, *H) **òjè róó óbọ́ vbí ẹ́nyọ́ údàmí.** Oje stopped drinking. lit. Oje released his hand from wine drinking.

roo ùdù vbi re *tr* to take the mind off (*CPA, CPR, *C, *H) **òjè róó údú vbí ọ́lì ẹ̀mọ̀ì ré.** Oje has taken his mind off the matter. lit. Oje removed his heart from the matter. **ròò ùdú vbì ọ̀ ré.** Take your mind off it.

roro *prev adv* by chance, serendipitous in fashion [subject attributive function] **òjè rórò gbé ọ́lí ófè.** Oje killed the rat by chance. **ọ́ rórò ú ọ̀ì.** He did it serendipitously.

rórósó *pstv adv* condition of extreme mound. **ọ́lì ìtásà vọ́óní rórósó.** The plate is mounded high. **ébé' ọ́ í vọ̀ọ̀n sẹ́?** How full is it?; ~ *adj* mounded high. **ọ́lì ìgáàí ú rórósó.** The gari is mounded high. **ọ́lì ìgáàí ú rórósó vbì ìtásà.** The gari is mounded high on the plate.

rònòrónó *adj* slippery, soapy, not properly rinsed. **ìtásá lì rònòrónó** the slippery plate. **ọ́lì ìtásà ú rònòrónó.** The plate is slippery. **ébé' ọ́ í rîî?** How is it?

roon *v intr* to leak (*CPA, *CPR, C, H) **ọ́lí íwé ọ́ ọ̀ ròón.** The house leaks.

roon *v intr* to fall [of rain or hail] (CPA, CPR, C, H) **àmẹ̀ ọ̀ ọ́ ròón.** Rain is falling. **ámíkpídò ọ̀ ọ́ ròón.** It is hailing.; *roon ku* a, àmè róón kù á. The rain has fallen all over.

róóróó *pstv adv* condition of zest, relish. ólì òkpòsò ọ̀ ọ́ jè róóróó. The woman is laughing with zest. ébé' ọ́ í jé? How is he laughing?

ru *v intr* to affect negatively (CPA, CPR, *C, *H) gbe éghó' ru to embezzle, swindle money. òjè gbé éghó' ísì òtú rú. Oje embezzled his age group's money.; re ẹ̀ò gbe ru to treat with contempt. ọ́ rẹ́ ẹ̀ò gbé òhí rú. He treated Ohi with contempt. lit. He used his eyes to defeat Ohi.

ruan *v intr* to happen (CPA, CPR, *C, *H) émí lì ọ̀bè rúánì. Something bad happened. émé' ọ́ rúání vbì èvbọ̀? What happened there? émí lì ìná rúání? Did something like this happen?; ruan ye, émí lì ọ̀bè rúán yé íyàìn. Something bad happened to them.; zẹ ruan ye, é è zẹ́ émí lí ọ́bé rùàn yé ọ̀i. Don't allow something bad to happen to him. cf. u to happen to.

ruan *v tr* to wear, tie a wrapper, wrap a cloth (CPA, CPR, C, *H) àlèkè rúán úkpùn. Aleke wore a wrapper. rùàn úkpùn. Put on a wrapper.; re ruan to get wrapped (CPA, CPR, *C, *H) àlèkè rẹ́ úkpùn rúán. Aleke got on a wrapper. Aleke got a wrapper tied around herself. Aleke got a cloth wrapped around (herself).

rue *v intr* to greet (CPA, CPR, C, H) òjè ọ̀ ọ́ rúé. Oje is greeting.; rue *tr* to greet. ágbọ́n ọ́ ọ̀ rùè ọ̀í yóó. People greet him noisely. ólí ọ́mọ̀hè rúé ólì òkpòsò. The man greeted the woman. rùè ọ̀i. Greet him.; kpaye rue, kpàyè mè rúé òhí. Greet Ohi on my behalf.

ruee *v tr* to circumcize (CPA, CPR, C, H) ọ̀ rúéé ólí ọ́mọ̀. He circumcized the child. rùèè ọ̀i. Circumcize him.; kpaye ruee, ọ̀ kpáyé òjè rúéé óvbí ọ̀i. He helped Oje circumcize his child.; re ruee, ọ̀ rẹ́ àbèé rúéé ólí ọ́mọ̀. He used a razor to circumcize the child.

rùérùẹ́ *pstv adv* adroit, fluent, extremely articulate fashion of speaking. ọ́ gúé ínyẹ́mí èrèmẹ́ rùérùẹ́. He related the entire matter skillfully.

rughu *v tr* to unsettle, disrupt; ékẹ́ìn rughu (*CPA, *CPR, C, H) to become nauseated. ékẹ́ìn ọ̀ ọ́ rùghú mè. I am nauseated. lit. My belly is disrupting me.

rughu a *intr* to get stirred up, become unsettled (CPA, CPR, *C, *H) ólì àmè̀ rúghú á. The water got stirred up. ólí édà rúghú á. The river stirred up.; rughu a *tr* to stir up, disrupt sediment (CPA, CPR, C, H) ólì òkpòsò rúghú ọ́lì àmè̩ á. The woman stirred up the water. é è̩ rúghú ọ̀ì á. Don't stir it up.

rughu a *intr* to be in pandemonium (CPA, CPR, *C, *H) òéé' èdó rúghú à. The Edo township is in pandemonium. lit. The Edo township got stirred up.

rùghùrúghú *adj* stirred up, disturbed. ọ́lì àmè̩ ú rùghùrúghú. The water is stirred up. ámé̩ lì rùghùrúghú the stirred up water. ébé' ọ́ í rîì? How is it? cf. **rughu** to disrupt.

run *v intr* to get lit (CPA, CPR, *C, *H) ùrùkpà rúnì. The lantern is lit.; *re run* to light, get lit. ọ̀ ré̩ ùrùkpà rún. He got the lantern lit. rè̩ ùrùkpà rún. Light the lantern.; *kpaye̩ re̩ run*, ọ̀ kpáyé̩ òjè ré̩ ùrùkpà rún. He helped Oje light the lantern.; *re̩ re̩ run*, ọ̀ ré̩ ìsánó ré̩ ùrùkpà rún. He used matches to get the lantern lit.; *re̩ run li*, ọ̀ ré̩ ùrùkpà rún lí òhí. He lit the lantern for Ohi. He got the lantern lit for Ohi.

run è̩ò *tr* to become blind (CPA, CPR, *C, *H) òjè rún è̩ò. Oje is blind. lit. Oje lit his eye.; **run è̩ò** *compl tr* to blind. àlèkè rún ójé̩ è̩ò. Aleke blinded Oje. lit. Aleke lit Oje's eye. é è̩ rún ọ́í è̩ò. Don't blind him.

run *v intr* to roost (CPA, CPR, *C, *H) *nwu run* to put to roost. ọ̀ nwú áfìánmì rún. He put the bird to roost.; *sa run* to cover for roosting. ọ̀ sá ọ́lí óókhò̩ rún. He covered the chicken to roost.; *re̩ sa run*, ọ̀ ré̩ ùgín sá ọ́lí óókhò̩ rún. He covered the chicken with a basket. ọ́ ré̩ ùgín sá óghòhúnmì rún. He put the goose to roost under a basket. rè̩ ùgín sá ọ̀ì rún. Use a basket to roost it.; *sa ùdù run vbi òtò̩ì* to roost on the ground. ọ́lí óókhò̩ sá ùdù rún vbì òtò̩ì. The chicken roosted on the ground. lit. The chicken covered its heart to roost on the ground.; **sa é̩ké̩ìn run** to prostrate. ọ̀ sá é̩ké̩ìn rún. He prostrated. lit. He covered his belly.; *sa é̩kè̩ìn run li*, ọ̀ sá é̩ké̩ìn rún lí òhí. He prostrated for Ohi.

ruoo *v intr* to become thick by boiling (CPA, CPR, *C, *H) ọ́lì òmì rúóòì. The soup has thickened. ọ́lí ísíé̩ìn rúóòì. The pepper has thickened.; **ruoo** *tr* to thicken by boiling (CPA, CPR, C, H) òjè rúóó éànmì. Oje boiled meat. òjè rúóó ọ́lí ísíé̩ìn. Oje thickened the pepper. rùòò ọ̀ì. Boil it.; *kpaye̩ ruoo*, ọ̀ kpáyé̩ òjè rúóó ọ́lí ísíé̩ìn. He helped Oje boil the pepper.

ruọ *v intr* to boast, make a solemn promise (*CPA, *CPR, C, H) ọ́lí ọ́mòhè ọ̀ ọ́ rúọ́. The man is boasting. *ruọ li*, yán rúọ́ lí égbè. They boasted to each other (to do it).; *ruo̱ li khi,* è rúó̱ lí égbè khí yán ló̱ gbà lé̱ várè. They promised to each other that together they would leave and return.; *ruo̱ vbiee̱,* ó̱lí ómó̱hè rúó̱ vbíé̱é̱ ó̱lì ò̱kpòsò. The man boasted to the woman.

ruru *v intr* to be foolish, stupid, behave in a foolish, senseless manner (*CPA, *CPR, *C, H) ó̱lí ómó̱hé ó̱ ò̱ rùrú. The man is foolish.; *ruru lee,* ó̱lí ó̱mò̱hè rúrú lé̱é̱ éwè. The man is more foolish than a goat.

rúrúrú *pstv adv* without doubt, very clearly. ò̱ díó̱n ójé rúrúrú. He is senior to Oje without a doubt. cf. **ruu** without doubt.

rùrùrúrú *pstv adv* foolishly. ó̱lí ó̱mò̱hè ò̱ ó́ tà ètá rùrùrúrú. The man is speaking foolishly. cf. **ruru** to be foolish.

rúú *pstv adv* forceful, ruthless fashion. ó̱lí úkpíó̱ón áín vbó̱ó́ zé ó̱í vbí óbó̱ rúú. That bunch of feathers ripped out in his hand ruthlessly. ó̱ ló̱ vbò̱ò̱ íyàìn á rúú. He will beat them ruthlessly.

rúú *pstv adv* without doubt. ò̱ díó̱n ójé rúú. He is no doubt older than Oje. cf. **rúrúrú** without doubt.

S

sa *v tr* to shoot (CPA, CPR, *C, *H) ò̱ sá ó̱lí ó̱ókhò̱. He shot the chicken. ò̱hí sá ò̱jè vbí óbò̱.

Ohi shot Oje in the arm. sà ó̱ì. Shoot him.; *kpaye̱ sa,* ò̱ kpáyé̱ ò̱jè sá ó̱lí ó̱ókhò̱. He helped Oje shoot the chicken.; *sa gbe* to shoot and kill. ò̱ sá áfíánmì gbé. He shot a bird and killed it.

sa ávbò̱hà *compl tr* to slap (CPA, CPR, *C, *H) ò̱ sá ò̱hí ávbò̱hà. He slapped Ohi. sà ó̱í ávbò̱hà. Slap him.

sa ò̱ísí' *compl tr* to shoot with a gun (CPA, CPR, *C, *H) ò̱ sá ò̱hí ò̱ísí'. He shot Ohi with a gun. ò̱hí sá ò̱jè ò̱ísí' vbì ùòkhò̱. Ohi shot Oje with a gun in the back. sà ó̱í ò̱ísí'. Shoot him.

sa *v tr* to sting (CPA, CPR, *C, *H) ó̱lí ékpì sá ó̱lì ò̱kpòsò. The scorpion stung the woman.; è̱màì re̱ è̱kpèìn sa to make lymph glands hurt and swell (*CPA, CPR, *C, *H) ó̱lì è̱màì ré̱ è̱kpèìn sá mè̱. The wound made my lymph glands swell. lit. The wound made lymph glands sting me.

sa *v tr* to collect liquid with a small container by scooping (CPA, CPR, C, H) ò̱ sá àmè̱. He fetched water.. ò̱ sá vbí ó̱lí ámé. He fetched from the water. sà àmè̱. Fetch water.; *kpaye̱ sa,* ò̱ kpáyé̱ ò̱jè sá àmè̱. He helped Oje fetch water.; *re̱ sa,* ó̱ ré̱ ùwàwà sá òmì. He fetched soup with an earthen pot.; *sa ku o,* ò̱ sá àmè̱ kú ó̱ vbí égbè. He splashed water all over his body.; *sa li*, **ọ̀ sá àmẹ̀ lì òhí.** He fetched water for Ohi.; *sa o*, **ó sá òmì ọ́ vbì ìtásà.** He put soup into the bowl.; *sa re*, **ọ̀ sá àmẹ̀ ré.** He fetched water and brought it. He brought water.; *sa ye*, **ọ̀ sá àmẹ̀ yé òhí.** He took water to Ohi. cf. **vo** to fetch water.

sa àmẹ̀ *tr* to get baptized (*CPA, CPR, C, *H) **àlèkè sá àmẹ̀.** Aleke got baptized. lit. Aleke fetched water.

sàá, sàásàá *pstv adv* habitually, repeatedly, usually, all the time. **ọ́lí ókpósó ọ́ ọ̀ è èmáé sàá.** The woman eats food all the time. **òhí ọ́ ọ̀ è èmáé sàásàá.** Ohi eats food repeatedly. **ísékà ọ́lí ọ́mọ́hé ọ́ ọ̀ è émàè?** How often does the man eat food?

sahiẹn *v tr* to scold, yell at (CPA, CPR, C, H) **àlèkè sáhíén ọ́lí ọ́mọ̀.** Aleke scolded the child. **é è kè sáhíén òì.** Don't yell at him anymore.

sáí *pstv adv* excessively lean condition. **òjè fóó vbí ọ́ sáí.** Oje is excessively lean. lit. Oje is depleted excessively.

san *v intr* to become clear, pellucid, transparent (*CPA, CPR, *C, *H) **ọ́lí ẹ́dà sánì.** The river is pellucid.; *san lee*, **ámẹ́ mè sán léé ísì òjè.** My water is clearer than Oje's.; *san re*, **ọ́lì àmè sán ré.** The water cleared up entirely.; *ze san*, **ọ́lí ọ́mọ̀hè í ì**

zè ọ̀lí ámẹ́ sàn. The man did not allow the water to become entirely clear.

san *v tr* to crack (CPA, CPR, C, H) **àlèkè ọ̀ ó sàn ìvìn.** Aleke is cracking palm kernel nuts. **yà sán ìvìn.** Start cracking palm kernels.; *kpaye san*, **ọ̀ ó kpàyẹ̀ òjé sàn ìvìn.** She is helping Oje crack palm kernels.; *re san*, **ọ̀ ó rẹ̀ ùdó sàn ìvìn.** She is using a stone to crack palm kernels.; *san li*, **ọ̀ ó sàn ìvín lì òhí.** She is cracking palm kernel nuts for Ohi.; *san o*, **ọ̀ ó sàn ìvín ọ̀ vbì ẹ̀kpà.** She is cracking palm kernels into the bag.; *san e* to crack and eat. **ọ̀ sán ìvìn é.** He cracked palm kernels and ate them.

san *v intr* to leap, jump (CPA, CPR, C, H) **ọ́lí ékèé sání.** The frog jumped.; *saa dianre*, **ívbì èhẹ̀ẹ̀n sánnọ́ dìànré.** Each of the young fish leaped out.; *san fi a*, **ọ́lí ọ́vbèkhàn sán fì á.** The youth leaped aside.; *san fi o*, **ọ́lí ékèé sán fì ọ́ vbí úkpódẹ̀.** The frog leaped onto the road. **ọ́lí óvbékhán sán fì ọ́ vbí ókhúnmí ẹ̀sí.** The youth leaped onto the horse.; *san raa re*, **ọ́lí ọ́mọ̀ sán ráá édà ré.** The child leaped across the river.

san *v intr* to flick (CPA, CPR, *C, *H) *san fi a*, **ọ́lì èkhọ̀ì sán fì á.** The worm got flicked away.; *san fi e*, **ọ́lì èkhọ̀ì sán fì ẹ́ àlèkè.** The worm got flicked onto Aleke.; *san fì o̩*, **ó̩lì è̩khò̩ì sán fì ó̩ vbì è̩ràìn.** The worm got flicked into the fire.; **san** *tr* to flick. *san fì a,* **ò̩jè̩ sán ó̩lì è̩khò̩ì fí à.** Oje flicked the worm aside.; *san fì e̩,* **ò̩jè̩ sán ó̩lì è̩khò̩ì fí é̩ àlèkè.** Oje flicked the worm onto Aleke.; *san fì o̩,* **ò̩jè̩ sán ó̩lì è̩khò̩ì fí ó̩ vbì è̩ràìn.** Oje flicked the worm into the fire. cf. **san** to leap.

san a *intr* to rupture, get punctured, cracked (*CPA, CPR, *C, *H) **ó̩lì è̩màì sán á.** The wound got punctured.; **san a** *tr* to puncture, crack open (CPA, CPR, *C, *H) **ò̩ sán ó̩lì è̩màì á.** He punctured the wound. **sàn ó̩ì á.** Puncture it.; *kpaye̩ san a,* **ò̩ kpáyé̩ ò̩jè̩ sán ó̩lì è̩màì á.** He helped Oje puncture the wound.; *re̩ san a,* **ò̩ ré̩ àgbèdé sán ó̩lì è̩màì á.** He used a needle to puncture the wound. cf. **san** to crack.

sankan a *tr* to mess up, mush up (CPA, CPR, C, H) **ò̩jè̩ sánkán ó̩lí émàè á.** Oje messed up the food. **élì ìsì sánkán ó̩lì ò̩tò̩ì á.** The pigs mushed up the earth. **é è sánkán ó̩ì á.** Don't mush it up. cf. **san a** to puncture.

sànkànsánkán *adj* mushy, messy. **ó̩lí ótó̩í ú sànkànsánkán.** The ground is messy. **ótó̩í lì sànkànsánkán** the messy ground. **ébé' ó̩lí ótó̩í í rìì?** In what condition is the ground? cf. **sankan a** to mess up.

sanno̩ a *intr* to flake, peel off in quantity (CPA, CPR, *C, *H) **ó̩lì ìtásà sánnó̩ à.** The plate peeled off. The plate's outer coating flaked off.; *ze̩ sanno̩ a,* **é è zé̩ ó̩lì ìtásá sànnò̩ á.** Don't allow the plate to peel off.; **sanno̩ a** *tr* to flake, peel off in quantity. **ò̩jè̩ sánnó̩ ìtásà á.** Oje caused the plate to flake. **é è sánnó̩ ó̩lì ìtásà á.** Don't make the plate flake. Don't peel off the plate. cf. **san a** to rupture.

sanno̩ *v intr* to splatter, splash, spray, sprinkle (CPA, CPR, C, H) *sanno̩ ku e̩,* **évbìì sánnó̩ kù é̩ ò̩jè̩.** Palm oil splattered all over Oje.; *sanno̩ ku o̩,* **évbìì sánnó̩ kù ó̩ vbì ìtébù.** Palm oil splattered all over the table.; **sanno̩** *tr* to splatter, splash, spray, sprinkle. *sanno̩ ku e̩,* **àlèkè sánnó̩ àmè̩ kú é̩ ò̩jè̩.** Aleke splattered water all over Oje. **é è sánnó̩ àmè̩ kú é̩ ò̩jè̩.** Don't splatter water onto Oje.; *sanno̩ ku o̩,* **àlèkè sánnó̩ évbìì kú ó̩ vbí úkpún mè̩.** Aleke splattered palm oil all over my cloth. cf. **san** to leap, **no̩** DS.

sasa vbi ùnù *intr* to speak sharply, pointedly (*CPA, *CPR, *C, H) **ójé ó̩ ò̩ sàsà vbí únù.** Oje is sharp tongued. lit. Oje stings at his mouth. cf. **sa** to sting.

saye̩ *v intr* to hatch, come into being (CPA, CPR, *C, *H) **ó̩lí óókhó sáyé̩ì.** The chicken hatched. **ívbí ó̩ì sáyé̩ì.** Its chicks hatched.; **sayẹ** *tr* to hatch (CPA, CPR, *C, H) **ólí óókhò sáyé ékẹ́ín èrèmẹ́.** The chicken hatched all the eggs. cf. **sa** to shoot.

sèé *pstv adv* maximally high position. **ólí ómó nwú úhùnmì ré vbí ékẹ́ín ẹ́dá sèé.** The child brought his head high out of the river. cf. **sèghé** maximally distant position.

sèghé *pstv adv* maximally distant position, far ahead. **yán záwó óí vbì ògbógó' sèghé.** They saw him on the path in the distant horizon. **ò fí ólí ómó áìn yé ókhúnmí sèghé.** He threw that child sky high. cf. **sèé** maximally high position. cf. **kpèé** at a great distance.

sẹ *v intr* to be effective, be realized, occur, come true in the physical world (CPA, CPR, *C, H) **étá ísì òjé èrèmẹ́ sẹ́ì.** All Oje's words came true. All Oje's predictions were realized. **íkhúnmí mài sẹ́ì.** Our charm is effective. Our charm has made things come true. **ó ì sẹ́.** It is ineffective.; *sẹ li,* **érómó ísì òjé èrèmẹ́ sẹ́ ní áìn.** All Oje's prayers came true for him.

sẹ *v intr* to reach, occur, arrive at a time point (CPA, CPR, *C, H) **ò sẹ́ì.** It has arrived. **óbíá ísì òsè òkpá sẹ́ì.** Work for one week has arrived. There is sufficient work for one week.; **ò sẹ́ vbí**

éghẹ́ lí ójé ló rè várè. It is time for Ohi to come. **éghẹ́ lí ójé ló rè várè sẹ́ì.** The time for Oje to come has arrived. **éghè sẹ́ì lí ójé ló rè várè.** The time has arrived that Oje will come.

sẹ khi *intr* happen, occur [obligatory extraposition of khi clause] (CPA, CPR, *C, *H) **ò kéè sẹ́ khí ólì òkpòsò gbé ólí ófè, ólí ómòhè ráálè.** After it happened that the woman killed the rat, the man left.

sẹ vbi *intr* to reach up to a time point (*CPA, CPR, *C, *H) **ò sẹ́ vbí óbíá ísì òsè òkpá.** It is up to one week's worth of work. **ò sẹ́ òsè òkpá.** It is up to one week.; *za vbi sẹ vbi* to extend from time point to time point. **ò zá vbí égbíà gbé sẹ́ vbì ènwáà.** He danced from morning until evening. cf. *za vbi ye* to move from one place to another.

sẹ *v intr* to reach end of story [only in positive focus constructions] **ááìn lí ólí ókhà sẹ́ì.** It is there that the story ends.

sẹ vbi o khi *intr* until [subordinate clause function] **òjè dá ẹ́nyò sẹ́ vbì ò khí ólí óvbèkhàn nwú émàè ré.** Oje drank until the youth brought food. Oje drank until the youth brought food.

sẹ *v intr* to move as far as, move up to, reach a point in space (CPA, CPR, *C, *H) **ólí ómòhè sẹ́ vbì èvbò.** The man moved as far as there. ólí ómọ̀hè sẹ́ vbí ẹ́dà. The man reached the river.; *la ṣe vbi*, ólí ómọ̀hè lá sẹ́ vbí ẹ́dà. The man ran as far as the river.; *muzan ṣe vbi*, ójé múzán sẹ́ vbì òkè. Oje stood as far as Oke.; *sua ṣe vbi*, ólí ómọ̀hè súá ìmátò sẹ́ vbí ẹ́dà. The man pushed the car up to the river.; *za vbi ṣe vbi*, ótọ́í mè zá vbí áfúzé' sẹ́ vbì òkè. My land reaches from Afuze to Oke; **ṣẹ re** *tr* to reach, get to, arrive at a place. ólì òkpòsò sẹ́ áfúzé' ré. The woman reached Afuze. ólì òkpòsò sẹ́ ójé égbè ré. The woman reached Oje.

ṣẹ égbè *tr* to be one's turn (*CPA, CPR, *C, *H) òbìà sẹ́ ólí ómóhé égbè. It is the man's turn to work. lit. Work has reached the man's body. ọ̀ sẹ́ mẹ́ égbè. It is my turn. ákhè sẹ́ wẹ́ égbè. It is your turn to cook.

ṣẹ égbè vbi ọ *tr* to be equally matched (CPA, CPR, *C, *H) é sẹ́ égbé vbì ọ̀. They are equally matched. lit. They took turns at it.

ṣẹ óbọ̀ *tr* to acquire, get (*CPA, CPR, *C, *H) ólì òbìà sẹ́ ólí ómóhé óbọ̀. The man has gotten the job. lit. The work has reached the man's hand.

ṣẹ òtọ̀ì *tr* to reach the ground; **nwu ṣe òtọ̀ì** to set on the ground (CPA, CPR, *C, *H) òjè nwú ùbèlè sẹ́ òtọ̀ì. Oje set a gourd

on the ground. Oje got a gourd set on the ground. òjè nwú ómọ̀ sẹ́ òtọ̀ì. Oje set a child on the ground.

ṣẹ òtọ̀ì *tr* to be relieved, at peace (CPA, CPR, *C, *H) ùdù ṣe òtọ̀ì, údú ísì òjè sẹ́ òtọ̀ì. Oje is at peace. lit. The heart of Oje reached the ground. údú ísì ọ̀í í ì sè òtọ̀ì. He is not at peace. He is worried.; *fi étìn ṣe òtọ̀ì* to sigh in relief. òjè fí étìn sẹ́ òtọ̀ì. Oje gave a sigh of relief. lit. Oje threw his breath to the ground.

ṣẹ vbi óbá' *intr* to be qualified for Obaship, kingship (*CPA, CPR, *C, *H) òhí sẹ́ vbí óbá'. Ohi is qualified to be Oba. lit. Ohi has reached the Obaship.

ṣẹ *v intr* to be enough, sufficient in quantity (*CPA, CPR, *C, *H) ólí ókà sẹ́ì. The maize is sufficient.; *ṣe li*, ólí ókà sẹ́ ní émè. The maize is sufficient for me. ólí émàè í ì sẹ́ lì òvbí ọ̀ì. The food was not sufficient for his son.; *bun ṣe* to be more than enough. ólí ítùú bún sẹ́. The mushrooms are more than enough.; *da ṣe* to drink and be sufficient, to drink enough. ólí ómọ̀hè dá ényọ̀ sẹ́. The man drank enough wine.; **ṣẹ** *tr* to be sufficient in quantity to a certain level. ólì ìgáàí sẹ́ èkpà èvá. The quantity of gari is up to two bags. ólí éghó' í ì sè èmí ósò. The money does not amount to anything. ólì ìgáàí í ì sẹ́ èmí óṣò. The gari is insignificant in quantity.

sẹ àkọ̀n *tr* to be gap toothed (CPA, CPR, *C, H) ójé sẹ́ àkọ̀n. Oje has gapped teeth. lit. Oje split his teeth.

sẹ ègèìn *tr* to step; *sẹ ègèìn ọ* to step, stand over (CPA, CPR, *C, *H) ọ̀ sẹ́ ègèìn ọ́ òhí vbí égbè. He stood over Ohi. lit. He separated his crotch over Ohi's body.; *sẹ ègèìn raa re* to step across (CPA, CPR, C, H) ọ̀ sẹ́ ègèìn ráá ọ́lì òò ré. He stepped across the hole. lit. He separated his crotch and crossed the hole. sẹ̀ ègèìn ráá ọ́ì ré. Step across it.

sẹ òsẹ́ *tr* to split a path (CPA, CPR, *C, *H) *sẹ òsẹ́ o,* ọ̀ sẹ́ òsẹ́ ó vbì ògò. He made a path into the bush. He split a path and entered the bush.; *sẹ òsẹ́ lagaa,* ọ̀ sẹ́ òsẹ́ lágáá ímè. He made a path around the farm. He split a path and circled the farm. He circled the farm while splitting a path.

sẹ *prev adv* still, yet [durative function indicating passage of a temporal boundary] ọ́lí ọ́mọ̀hè ọ̀ ọ́ sẹ́ kpè ọ́lì ìtásà. The man is still washing the plate.

séén *pstv adv* stiff, lifeless cold state. ọ́ róó óìmì ọ́ vbí ótọ́í séén. He is stone cold. lit. He put his dead body into the ground in a lifeless state. ọ́ úí

séén. He is dead cold.; ~ *adj* stiff, lifeless condition. ọ́lí óvbékhán ú séén. The youth is stiff.

sẹn *v tr* to stab, pierce, prick (CPA, CPR, C, H) òjè sẹ́n òhí. Oje stabbed Ohi. sẹ́n òhí. Stab Ohi. sẹ̀n òí vbì àwè. Pierce him in his foot. ìshé sẹ́n ójé vbì àwè. A nail pierced Oje in his leg.; *rẹ sẹn,* òjè rẹ́ ọ̀gán sẹ́n òhí. Oje used a spear to stab Ohi.

sẹn *v compl tr* to stab with. ọ̀ sẹ́n òhí ògán. He stabbed Ohi with a spear. ọ̀ sẹ́n òhí ògán vbí ákpèfẹ̀n. He stabbed Ohi with a spear in the side. òhí sẹ́n ójé ìshé. Ohi pierced Oje with a nail. sẹ̀n òhí ògán. Stab Ohi with a spear.

sene *v intr* to be ugly, repulsive (*CPA, *CPR, C, H) ívbí ójé ọ́ ọ̀ sènẹ́. The children of Oje are ugly. ọ́lí émàè ọ̀ ọ́ sènẹ́. The food is repulsive.; *sene ku a,* ọ́lí ọ́mọ̀hè ọ̀ ọ́ sènẹ́ kù á. The man is thoroughly repulsive.; *sene lee,* òjè sẹ́nẹ́ lẹ́é ìsọ̀n. Oje is more repulsive than feces.

sènèsẹ́nẹ́ *adj* extremely repulsive, ugly condition. ọ́lí ọ́mọ̀hè ú sènèsẹ́nẹ́. The man is extremely ugly. ọ́mọ́hé lì sènèsẹ́nẹ́ the ugly man. ébé' ọ́ í rìi? How is he? cf. sene to be ugly.

sẹ́rẹ́sẹ́rẹ́ *pstv adv* rapidly intermittent, spurting fashion. ọ̀ ọ́ fènà àáhíẹ́n sẹ́rẹ́sẹ́rẹ́. He is passing urine in spurts. **ólí ámé ó ò là séréséré.** The water spurts. **ébé' ó ò í lá?** How does it flow?

sésésé *pstv adv* absolutely clear result from a sweeping activity. **ó wéló ékóà á sésésé.** He swept the room clean. **ó ló wèlò òlí ótói sésésé.** He will sweep the ground absolutely clean. **ólí ékóà fúání sésésé.** The room is absolutely clean.; ~ *adj* absolutely clean. **ótói lì sésésé** the clean ground. **òtòì ú sésésé.** The ground is clean. **ólí ékóà ú sésésé.** The room is very clean.

si *comp* whether [conditional function] **òhí ò ó mìàà òjé sí ólí óvbèkhàn dá ólí ényò.** Ohi is asking Oje whether the youth drank the wine.

si *comp* if, whether [conditional subordinate clause function] **ójé ló ò vbì ìwè sí ó míé òhí.** Oje will enter the house if he sees Ohi. **òjè í fèè ùwàwà ghóó sì òmì kóó rè.** Oje should examine the pot in order to determine whether any soup remains. Oje should find out if any soup remains in the pot.

si *v tr* to drag, pull, tug (CPA, CPR, C, H) **òjè ò ó sì òlí úì.** Oje is pulling the rope. **òjè ò ó sì òlí óvbèkhàn.** Oje is dragging the youth. **sì òì.** Drag it.; *kpaye si,* **ò ó kpàyè òjé sì òlí úì.** He is helping Oje pull the rope.; *re si,*

òjè ò ó rè ìmátó sì òlí óràn. Oje is using a car to drag wood.; *si fi a,* **ò sí ékú ólí éwè fí à.** He dragged the corpse of the goat aside.; *si fi o,* **òjè sí ólí óvbèkhàn fí ó vbì ògò.** Oje dragged the youth into the bush.; *si re,* **émé' ó sí òì ré?** What brought it about?; *si shoo vbi re,* **òjè sí ékú ólí éwè shóó vbí úkpódè ré.** Oje dragged the corpse of the goat way off the road.; *si vbi re,* **òjè sí ékú ólí éwé vbí úkpódè ré.** Oje dragged the corpse of the goat from the road.; *si ye,* **ò sí ékú ólí éwè yé úkpódé édà.** He dragged the corpse of the goat to the river road.; *si vare* (CPA, CPR, *C, *H) **ò sí ékú ólí éwè váré vbì ìwè.** He dragged the corpse of the goat and came home. He came home dragging the corpse of the goat.

si khúú *intr* to move, drag along in an outstretched fashion (*CPA, *CPR, C, *H) **àlèkè ò ó sì khúú.** Aleke is dragging along. Aleke is extremely pregnant. lit. Aleke is moving along in an outstreteched fashion.; **si khúú** *tr* to drag in an outstretched fashion. **ò ó sì òlí éwé vbí ótói khúú.** He is dragging the goat along outstretched on the ground.

si úkpéhòn *tr* to warn (*CPA, CPR, *C, *H) **ò ré ònà sí ójé úkpéhòn.** He used this to warn

Oje. lit. He used this to pull Oje's earlobe.

si *v tr* to inhale, draw in (CPA, CPR, C, H) ójé ọ́ ọ̀ sì ìkìtìbé. Oje smokes a pipe. ójé ọ́ ọ̀ sì isìgá. Oje inhales cigarettes. ójé ọ́ ọ̀ sì àsí. Oje sniffs snuff. ọ́ sí àsí vbì ẹ́ó mẹ̀. He took snuff in my presence. yà sí àsí. Get on with sniffing snuff. yà sí ìkìtìbé. Start smoking the pipe.; *rẹ si*, ọ̀ ọ́ rẹ̀ ìhúé sì ìkìtìbé. He is smoking a pipe with his nose.

si *v tr* to retract, pull down (CPA, CPR, C, H) òhí sí óbọ̀. Ohi retracted his hand. òhí sí óbọ́ ísì òjè. Ohi retracted the hand of Oje. òhí sí ójé óbọ́. Ohi retracted Oje's hand. sì óbọ̀. Retract your hand.; *si o* to draw in, retract (CPA, CPR, C, H) ólí éìn sí àwẹ̀ ó. The tortoise drew its legs in. lit. The tortoise drew in its feet and entered. ólí éìn sí àwẹ̀ ó vbí ẹ́kẹ́ín égbè. The tortoise withdrew into its shell.

si *v tr* to dissipate, diminish [of wealth] (*CPA, CPR, *C, *H) ẹ́fé ísì òjè sí égbè. The wealth of Oje dissipated. lit. The wealth of Oje retracted its shape.; *si ku a* to squander. ẹ́fé ísì òjè sí kù á. Oje's wealth was squandered.

si **a** *intr* to recede, move in a downward direction (*CPA, CPR, C, *H) ólí édà sí á. The river receded.

si **a** *intr* to drain out, dissipate (*CPA, CPR, C, *H) ólì èmàì sí á. The wound drained out.; *si ku a*, ólì èmàì sí kù á. The boil drained thoroughly. áwẹ́ ísì òjè sí á. The swelling in Oje's leg dissipated. ólí óbọ̀ sí á. The swelling on the hand dissipated.

si **a** *intr* to loose weight (*CPA, CPR, *C, *H) òjè sí á. Oje lost weight.

si ku a *intr* to die (*CPA, CPR, *C, *H) ólí ọ́mọ̀hè sí kù á. The man is dead. lit. The man has drained away.

si re *intr* to draw near end [of temporal units] (*CPA, *CPR, C, H) úkpè ọ̀ ọ́ sí ré. A festival is drawing near. èdèlùsúmú ẹ́éná ọ́ ọ̀ sí ré. The ninth day from today draws near.

si kẹa *intr* to shift, move near (CPA, CPR, C, *H) ólí ọ́mọ̀hè sí kẹ́á òhí. The man shifted nearer Ohi. ólì òkpòsò bí òdón ọ̀ì sí kẹ́á égbè. The woman and her husband moved closer to each other.; *si kẹa re*, ólí áwá sí kẹ́á mẹ̀ ré. The dog drew near me. yán sí kẹ́á ólì èkpèn ré. They shifted close to the leopard.; *la si kẹa*, òjè lá sí kẹ́á àlèkè. Oje ran closer to Aleke.; *shan si kẹa*, ólí ọ́mọ̀hè ọ̀ ọ́ shán sí kèà òhí. The man is walking to a point near Ohi.; *shan si kẹa re*, òjè shán sí kẹ́á mẹ̀ ré. Oje walked closer to me.; *sua si* *kea*, òjè súá èkpètè sí kéá àlèkè. Oje pushed a stool closer to Aleke.; **si kea** *tr* to shift nearer. òjè sí ólì ògèdè kéá àlèkè. Oje moved the plantain closer to Aleke. òjè sí òhí kéá àlèkè. Oje moved Ohi closer to Aleke. cf. **si kia** to shift near.

si kee *intr* to extend to, be near (CPA, CPR, *C, *H) ímé mè sí kéé èkìn. My farm extends to the market. íwé mè sí kéé édà. My house is near the river.

si kee *intr* to shift, move near (CPA, CPR, C, *H) ólí ómòhè sí kéé ùdékèn. The man moved nearer the wall. òjè ò ó sí kèè òhí. Oje is moving nearer Ohi. òjè ò ó sí kèè édà. Oje is moving nearer the river. ólí óràn sí kéé òtòì. The tree moved nearer the ground.; *dia si kee*, ólí ómòhè díá sí kéé òhí. The man sat near Ohi.; *la si kee*, ólí ómòhè lá sí kéé ólì ìwè. The man ran near the house.; *sua si kee*, ólí ómòhè súá èkpètè sí kéé ólì ìwè. The man pushed the stool close to the house.; **si kee** *tr* to shift, move near, close to. ólí ómòhè sí ólì àgá kéé ùdékèn. The man moved the chair closer to the wall. ólí ómòhè sí ólì òkpòsò kéé ùdékèn. The man shifted the woman closer to the wall. ó sí ólí óbó áin kéé égbè. He shifted that hand near his body. cf. **si kea** to shift.

si kee *intr* to develop a closer relationship with (CPA, CPR, *C, *H) ólì òkpòsò sí kéé òhí. The woman developed a closer relationship with Ohi. ólì òkpòsò bí òdón òì sí kéé égbè. The woman and her husband developed a closer relationship with one another.

si kia *intr* to shift, move near (CPA, CPR, C, *H) ólí ómòhè ò ó shán sì kìà òhí. The man is walking to a point near Ohi. The man is proceeding near Ohi.; *si kia re* to shift near speaker (CPA, CPR, *C, *H) yán sí kíá ólì èkpèn ré. They moved close to the leopard. They drew near the leopard. cf. **si kea** to shift near.

si koko *intr* to assemble, move together (CPA, CPR, C, *H) yàn sí kókó. They assembled. lit. They shifted and gathered. yàn sí kókó vbí áfúzé'. They assembled in Afuze. élí éwè sí kókó. The goats drew together. vbá sì kòkó. Assemble.; **si koko** *tr* to assemble, draw to-gether. ò sí ívbíá òì kókó. He assembled his children. òjè sí élí ékhè kókó. Oje drew the pots together. òjè sí ìvìn kókó. Oje gathered together the palm nuts. élí ívbèkhàn sí égbè kókó. The youths drew them-selves together. sì íyàìn kókó. Draw them together.; *kpaye si koko*, ò kpáyé òjè sí íyàìn kókó. He helped Oje draw them together. cf. **koko** to gather.

si kuẹn *intr* to move, draw together (CPA, CPR, *C, *H) **únú ísì ólì ẹmàì sí kúén**. The opening of the wound pinched together.; **si kuẹn** *tr* to retract. **òjè sí àwẹ̀ kúén**. Oje retracted his legs. Oje curled his legs under him. **sì àwẹ̀ kúén**. Draw your legs in. cf. **kuẹn** to conserve.

si égbè *tr* to shift one another, assemble (CPA, CPR, *C, *H) *si égbè ku ọ,* **yán sí égbè kú ọ́ vbí ésì ọ́bá'**. They assembled at the Oba's place. They drew one another into the Oba's place. **ólí ẹvbòò sí égbè kú ọ́ vbì ègùàì**. The villagers drew themselves to court. The village extended throughout the court.; *si égbè shan vbi* (*CPA, *CPR, C, *H) **yàn á sì ègbé shàn vbí ésì ọ́bá'**. They are shifting each other to the Oba's place.

si úkpùn kùẹ̀nkúẹ́n *tr* to pleat a piece of cloth (*CPA, *CPR, C, *H) **òjè ọ̀ ọ́ sì ọ̀lí úkpún kùẹ̀nkúén**. Oje is pleating the cloth. lit. Oje is drawing the cloth in (on itself). cf. **kuẹn** to conserve.

sia *v tr* to activate, invoke (CPA, CPR, C, H) **òjè síá íkhúnmí ísì òí**. Oje activated his charm. **sìà òì**. Activate it.

sie *v intr* to play, entertain (*CPA, *CPR, C, H) **òhí ọ̀ ọ́ sìé**. Ohi is playing. **yà sié**. Start playing.; *kpaye sie,* **ọ̀ ọ́ kpàyẹ̀ òjé sìé**. He is playing with Oje.; *re sie,* **ọ̀ ọ́ rè òmọ́ sìé**. He is getting the child to play.; *sie li,* **yàn á sìé lì òjè**. They are playing for Oje.; **sie** *tr* to entertain by playing music (*CPA, CPR, C, H) **è sié ọ́lì òsíé' léé**. They have finished the entertainment. cf. **òsíé'** performance.

sie re *intr* to unload, bring down a load (CPA, CPR, C, *H) **òjè sié rè**. Oje unloaded. Oje brought down the load from his head. **sìè ré**. Unload.; **sie re** *tr* to unload, bring down. **ọ̀ sié íhùà ré**. He brought a load down. **òjè sié òhí íhùà ré**. Oje brought down Ohi's load. **sìè ọ́ì ré**. Unload it.; *nwu sie re* to get down (CPA, CPR, *C, *H) **ọ́ nwú ìtásà sié rè**. He got a plate down (from his head). **ọ̀ nwú íhùà sié rè**. He got a load down (from his head).

siẹn *v tr* to stack one after the other (CPA, CPR, *C, *H) **ọ̀ sìén íkpórán ọ́kà èvá**. He stacked two maize poles. **sìèn ìkpórán ọ́kà èvá**. Stack two maize poles.; *siẹn li,* **òjè síén íkpórán ọ́kà èvá lì òhí**. Oje stacked two maize poles for Ohi.; *siẹn ọ,* **ọ̀ ọ́ sìèn èhéén ọ̀ vbì ùbọ̀sùn**. He is stacking fish onto the skewer. cf. **sion** to thread.

siẹn òú *tr* to spin cotton (CPA, CPR, C, H) **àlèkè síén ọ́lì òú**.

Aleke spun the cotton. **yà síén òú.** Start spinning cotton.; *kpaye sien òú,* **ò ó kpàyè àléké sièn òú.** He is helping Aleke spin cotton.; *sien òú li,* **àlèkè síén ólì òú ní áìn.** Aleke spun the cotton for him.

sigha *v tr* to pull, tug see-saw like (*CPA, *CPR, C, H) **ò ó sìghà àlèkè.** He is tugging at Aleke. **yàn á sìghà égbè.** They are tugging at each other. **é è kè síghá ói.** Don't tug her anymore. cf. **si** to pull, **gha** to be apportioned.

sìín *pstv adv* maximally radiant. **ó ò fióó sìín.** She is radiant. **ébé' ó í rìí?** How is she?

síkó *pstv adv* extremely cold condition, ice cold. **égbé ísì òje fói síkó.** Oje's body is ice cold. **ébé' ó í fò sé?** How cold is it?

silo *tr* to drag a quantity (*CPA, *CPR, C, H) **òjè ò ó sìlò éràn.** Oje is dragging poles.

silo *v tr* to massage (*CPA, *CPR, C, H) **òhí ò ó sìlò àwé ísì òjè.** Ohi is massaging Oje's legs. **yà síló ói.** Start massaging it.; *re silo,* **ò ó rè ólì ìmátòlétónú sìlò àwé ísì òjè.** He is using mentholatum to massage the leg of Oje. cf. **si** to pull, **–lo** DS.

silo *v tr* to pinch, tug at (*CPA, *CPR, C, H) **ólì èmàì ò ó sìlò òjè.** The wound is pinching Oje. cf. **si** to pull, **–lo** DS.

sin *v intr* to deny (*CPA, *CPR, C, *H) **òjè ò ó sín.** Oje is denying. **é è kè sín.** Don't deny anymore.; **sin** *tr* to deny (*CPA, *CPR, *C, H) **ójé ó ò sìn émì.** Oje doesn't own up to charges against him. Oje denies things. **é è kè sín émì.** Don't deny things anymore.

sin *v tr* to reject, refuse (CPA, CPR, *C, *H) **ólí ómòhè sín éghó'.** The man rejected the money. **ólí ómòhè sín ógédé ísì ònwìmè.** The man rejected the plantain of the farmer.

sin *v tr* to divorce a woman (CPA, CPR, *C, *H) **òjè sín óhá ói.** Oje divorced his wife.

sin úhùnmì *tr* to reject an errand, refuse to go on an errand (*CPA, *CPR, *C, H) **ójé ó ò sìn úhùnmì.** Oje rejects the errand. **é è kè sín úhùnmì.** Don't refuse to go on an errand anymore. cf. **úhùnmì** message.

sio *v intr* to slither, crawl, creep (*CPA, *CPR, C, H) **ólí óvbèkhàn ò ó sìò vbí òtòì.** The youth is slithering on the ground.; *re sio,* **òjè ò ó rè èkéín sìò vbí òtòì.** Oje is slithering with his belly on the ground. **yà ré ékéin síó vbí òtòì.** Start using your belly to slither on the ground.; *sio buu,* **òjè síó búú ólì òkpòsò.** Oje slithered toward the woman.; *sio o,* **ólí ényè síó ó vbì ògò.** The snake slithered into the bush.; *siọ raalẹ,* **ólí ényè síó ràalé.** The snake slithered away.; *siọ shan,* **ólí ényè ọ́ ó sìọ́ shán.** The snake is slithering along.

siọn *v tr* to thread, string, place one after the other (CPA, CPR, C, H) **ólì òkpòsò síọ́n ìvíé.** The man threaded corral beads. **yà síọ́n éànmì.** Start stringing meat (on a skewer).; *kpayẹ siọn,* **ọ̀ kpáyẹ́ òjè síọ́n úkpólò.** He helped Oje thread beads.; *siọn li,* **ólì òkpòsò síọ́n ìvíé lí òhí.** The woman threaded corral beads for Ohi.; *siọn ọ,* **ólì òkpòsò síọ́n ìvíé ó vbí úì.** The woman threaded corral beads onto the string. cf. **siẹn** to stack.

sisha *v intr* to be tough, rubbery (*CPA, *CPR, *C, H) **ólí éánmí ọ́ ọ̀ sìshá.** The meat is tough.

sìshàsíshá *adj* tough, rubbery condition. **éánmí lì sìshàsíshá** the rubbery meat. **ólí éànmì ú sìshàsíshá.** The meat is tough. **ébé' ólí éánmí í rîì?** In what condition is the meat? cf. **sisha** to be tough.

so *v tr* to sing (*CPA, *CPR, C, H) **òjè ọ̀ ó sò íòò.** Oje is singing a song.. **yà só íòò.** Start singing.; *so vade,* **òjè sò ìóó vádé.** Oje sings while coming. Oje is coming while singing.; *so vbiee,* **ólí ọ́vbèkhàn só íòò vbíéé òhí.** The youth sang a song to Ohi.

so *v intr* to rumble, make rumbling sound (CPA, CPR, C, H) **òkhùnmì sóì.** The sky rumbled.

so *ọ intr* to exaggerate, boast, amplify unduly (*CPA, *CPR, *C, H) *so ọ vbi égbè,* **ójé ọ́ ọ̀ só ọ̀ vbí égbè.** Oje exaggerates. Oje exaggerates his own worth. lit. Oje rumbles onto his body. **é è kè só ọ́ vbí égbè.** Don't exaggerate anymore.; *so ọ vbi émì,* **ójé ọ́ ọ̀ só ọ̀ vbí émì.** Oje amplifies things.

so *ọ vbi ékéìn intr* to implode (CPA, CPR, *C, *H) **òkún só ọ́ vbí ékéìn.** The sea imploded. lit. The sea rumbled onto its belly.

so *únù tr* to cause a quarrel, misunderstanding [only in positive focus constructions] **ólì ìnyèmì lí ọ́ só únù.** It is the issue that caused a quarrel. lit. It is the issue that rumbled from his mouth. **émọ́í éànmì lí ọ́ só únù.** It is the food issue that caused a quarrel. **òjè lí ọ́ só únú vbì ìnyèmì.** It is Oje who quarrelled on about the matter.; **so únù** *compl tr* to cause to quarrel. **òjè lí ọ́ só íyáín únù.** It is Oje who caused them to quarrel. lit. It is Oje who is causing their mouths to rumble.

so *v tr* to pluck, remove [of fruit] (CPA, CPR, C, H) **òjè só édìn.** Oje harvested palm nuts. **sò òlí édìn.** Pluck the palm fruit.;

kpaye̲ so, ọ̀ kpáyé̲ òjè só édìn. He helped Oje pluck palm fruit. He plucked palm fruit in place of Oje.; re̲ so, ọ̀ ré̲ àghán mè̲ só édìn. He used my sickle to harvest palm fruit.; so ku o̲, òjè só édìn kú ó̲ vbì òtọ̀ì. Oje plucked palm fruit all over the ground.; so li, ọ̀ só édìn lí ólì òkpòsò. He harvested palm fruit for the woman.; so o̲, òjè só édìn ó̲ vbì òtọ̀ì. Oje plucked palm fruit onto the ground. Oje put palm fruit onto the ground.

so *v tr* to tap, remove a liquid (CPA, CPR, C, H) ọ̀ só édìn. He tapped the palm tree for palmwine. He harvested palm-wine. yán só àhè. They tapped sap. yà só àbà. Start tapping rubber.

so *v tr* to sew, stitch (CPA, CPR, C, H) òjè só úkpùn. Oje sewed (new) clothes. àlèkè ọ̀ ó̲ sò úkpùn. Aleke is sewing cloth. é só ó̲ná vbí úkpùn.They sewed this cloth really well. sò ólí úkpùn. Sew the cloth.; kpaye̲ so, ọ̀ ó̲ kpàyè̲ àléké sò úkpùn. She is helping Aleke sew cloth.; re̲ so, ọ̀ ré̲ òú lí óbìn só úkpùn. She used dark thread to sew cloth.; so li, ọ̀ só úkpùn ní é̲mè̲. She sewed cloth for me.; so o̲, ọ̀ só úkpùn ó̲ vbì àgá. She sewed cloth onto the chair.; so re, ọ̀ só úkpún ísì òjè ré. She brought Oje's cloth.; so ye, ọ̀ só úkpùn yé òjè. She took cloth to Oje.

She took cloth to Oje after sewing it. cf. **ba** to mend.

so *v intr* to achieve, reach, make contact with an end point (CPA, CPR, *C, *H) ọ̀ héén ólí ókòó só. He climbed the hill to its peak. ọ̀ ré̲ ólì è̲mò̲ì só. He took the matter to its end. He said it all. ólí ómò̲hè shán só. The man has come to his end. yán má óá ísì ìyáin só. They constructed their house to the very end. cf. **so** to touch.

so *v tr* to touch; re̲ óbò̲ so to touch, contact with the hand (CPA, CPR, C, H) ì á re̲ òbó̲ sò ópìà. I am touching the cutlass. lit. I am using my hand to touch the cutlass.

so *v tr* to collide, crash, smack, make severe contact with (CPA, CPR, *C, *H) é só égbè. They collided with each other. òhí só ùdékè̲n. Ohi crashed into the wall.

so èkpà vbi *tr* to punch, smack with a fist (CPA, CPR, *C, *H) òhí só ékpá vbì ìtébú. Ohi punched the table.; **so èkpà** *compl tr* to punch, smack with a fist. ólí ómò̲hè só ólí óvbékhán èkpà. The man punched the youth. ólí ómò̲hè só ólí óvbékhán ékpá vbì è̲ò. The man punched the youth in the face.

so ìkhókhóì *compl tr* to smack with knuckles (CPA, CPR, *C, *H) ọ̀ só áléké ìkhókhóì. He smacked

Aleke (on the head) with his knuckles. He knuckled Aleke (on the head). **òhí só ójé ìkhókhóí vbí úhùnmì.** Ohi smacked Oje on the head with his knuckles.

so **ízà vbi** *tr* to stomp on, smack with the heel (CPA, CPR, *C, *H) **òjè só ízá vbí úkhùèdè.** Oje smacked his heel on the door. Oje kicked the door with a smash. **ó só ízá vbí úbéláhíén ísì ọ̀í.** He stomped on its bladder. He smacked his heel on its bladder. **é è kè só ízá vbí úkhùèdè.** Don't smack your heel on the door anymore.; so **ízà** *compl tr* to kick with the heel (CPA, CPR, C, H) **òjè só áléké ízà.** Oje kicked Aleke with his heel. Oje heeled Aleke. **òjè só áléké ízá vbì òè.** Oje kicked Aleke on the leg. **sò ọ̀í ízà.** Kick him.

so **óbọ̀** *compl tr* to shake hands (CPA, CPR, C, H) **yàn só égbé óbọ̀.** They shook each other's hand. **òjè só áléké óbọ̀.** Oje shook Aleke's hand.

so **óbọ̀ vbi** *tr* to knock, to smack with the hand (*CPA, *CPR, C, *H) **ólí ómọ̀hè ọ̀ ọ́ sò òbó vbí úkhùèdè.** The man is knocking on the door. **sò òbó vbí úkhùèdè.** Knock on the door.

so **óbọ̀ vbi** *tr* to start an activity by joining hands (*CPA, CPR, *C, *H) **òjè só óbọ́ vbì òbìà.** Oje

started working. **òjè só óbọ́ vbí émá úèmí.** Oje started eating yam. **òjè só óbọ́ vbì ọ̀.** Oje started it.

so **ògán** *compl tr* to stab with a spear (CPA, CPR, *C, *H) **ólí ómọ̀hè só ólí ẹ́wé ògán.** The man stabbed the goat with a spear. **ólí ómọ̀hè só ólí ẹ́wé ògán vbì ùòkhò.** The man stabbed the goat with a spear in the back.

so **úkpà vbi** *tr* to peck, smack with a beak (CPA, CPR, C, H) **ólí ọ́ọ́khọ̀ só úkpá vbí íjẹ́'n.** The chicken pecked on the charcoal. The chicken smacked its beak on the charcoal. **ólí ọ́ọ́khọ̀ só úkpá vbì òtọ̀ì.** The chicken pecked on the ground.; so **úkpà** *compl tr* to peck. **ólí ọ́ọ́khọ̀ só ójé úkpà.** The chicken pecked Oje. **ólí ọ́ọ́khọ̀ só ójé úkpá vbì àwè.** The chicken pecked Oje on his legs.

soso *v intr* to wander, move incoherently [although not lost] **soso shan** to wander about (*CPA, *CPR, C, H) **àlèkè ọ̀ ọ́ sòsó shán.** Aleke is wandering about. Aleke is proceeding and wandering about. **ólí áwà ọ̀ ọ́ sòsó shán.** The dog is wandering about.

sogolo *prev adv* extremely, very, really [emphatic absolute intensification] **ólí óvbèkhàn sógòlò é émàè.** The youth really ate food. **ó sógòlò éghén**. It is very tasty. **òhí ó ò sògóló gbé**. Ohi really dances. cf. **zemi** very.

sókhóró *adj* soggy. **ò ú sókhóró**. It is soggy. **éó ísì òjè ú sókhóró**. Oje's eyes are full of mucus. **ólí ósà ú sókhóró**. The soap is soggy. **ósá lí sókhóró** the soggy soap. **ébé' ó í rîì?** How is it?

sono *v intr* to sprout, spring up, open with new buds (*CPA, CPR, C, H) **ókhà sónóì**. The cotton tree shoots sprouted. **ólí óràn sónóì**. The tree sprouted.; *sono re*, **ólí óràn sónó ré**. The tree sprouted out.

soo *v tr* to split, chop (CPA, CPR, C, H) **òjè sóó ólí óràn**. Oje split the wood. **sòò óràn**. Split wood.; *kpaye soo*, **ò kpáyé òjè sóó ólí óràn**. He helped Oje split the wood.; *soo ku o*, **òjè sóó óràn kú ó vbì òtòì**. Oje split wood all over the ground.; *soo li*, **òjè sóó óràn lí òhí**. Oje split wood for Ohi.; *soo o*, **òjè sóó óràn ó vbì òtòì**. Oje split wood beforehand.

soo *v intr* to tear (CPA, CPR, *C, *H) *soo a*, **ólí úkpùn sóó á**. The cloth got torn up. **ólí ébè sóó à**. The paper tore up.; *soo ku a*, **ólí úkpùn sóó kù á**. The cloth tore apart into pieces.; **soo** *tr* to tear (*CPA, *CPR, C, H) **òjè ò ó sòò úkpùn**. Oje is tearing cloth.; *soo a*, **ólì òkpòsò sóó úkpùn á**. The woman tore cloth

end to end. **sòò óì á**. Tear it apart.; *re soo a*, **ò ré ìshé sóó úkpún mè á**. He tore up my cloth with a nail.; *soo ku a*, **òjè sóó ólí úkpùn kú à**. Oje tore the cloth apart all over. **òjè sóó íkpùn kú à**. Oje tore clothes into pieces.; *soo ku o*, **òjè sóó úkpùn kú ó vbì òtòì**. Oje tore cloth all over the ground.; *soo li*, **ò sóó úkpùn lí òhí**. He tore cloth for Ohi.

sua *v tr* to push (*CPA, *CPR, C, H) **ólí óvbèkhàn ò ó sùà èkpètè**. The youth is pushing a stool. **ólí óvbèkhàn ò ó sùà èkpété vbí ékéín ìwè**. The youth is pushing the stool inside the house. **yà súá ólí èkpètè**. Start pushing the stool; *sua fi a*, **ólí ómòhè súá údò fí à**. The man pushed a rock away.; *sua fi o*, **ólí ómòhè súá údò fí ó vbí édà**. The man pushed a rock into the river.; *sua o*, **òjè súá èkpètè ó vbí ékéín ìwè**. Oje pushed a stool into the house.; *sua shoo vbi re*, **ò súá ólí údò shóó vbí úkpódè ré**. He pushed the stone way off the road.; *sua vbi re*, **ò súá ólí údó vbí úkpódè ré**. He pushed the stone off the road.; *sua ye*, **ò súá ólí údò yé òhí**. He pushed the stone to Ohi.; *kpen àbò sua* to push with arms squared (CPA, CPR, *C, *H) **ó kpén àbò súá óì ó vbì ìwè**. He pushed her into the house with his hands. He squared up his arms and pushed his mother into the house.

súáí *pstv adv* forceful manner of a cutting activity. **ọ́ hián ọ́lí éánmí súáí.** He cut out the meat with a swipe. He swiped out the meat. **ébé' ọ́ í hián ọ́lí éànmì?** How did he cut the meat?

sùẹ́ *pstv adv* thrashing sound resulting from a jumping activity. **ọ́ vbọ́ọ́ fì ọ́ vbí ógó sùẹ́.** He jumped into the bush with a thrash.

súẹ́í *pstv adv* crouched manner. **ọ́ díá súẹ́í.** He sat in a crouched position. He crouched down. **ébé' ọ́ í dìá?** How did he sit?

sùẹ́sùẹ́ *pstv adv* highly skilled, adroit, deft fashion of cutting. **ọ̀ bẹ́nnọ́ éánmí èrèmẹ́ sùẹ́sùẹ́.** He chopped all the meat adroitly. **ọ́ gúéghé ọ́í sùẹ́sùẹ́.** He sliced it deftly.

sugu oè/àwè *tr* to limp, walk with a temporary gait (*CPA, *CPR, C, *H) **òjè ọ̀ ọ́ sùgù oè.** Oje is limping. **é è kè súgú àwè.** Don't limp anymore.

sughu *v intr* to slosh along, move through an obstructed space (*CPA, *CPR, C, *H) **ọ̀ ọ́ sùghú.** He is sloshing along. He is trying to get through.; **sughu** *tr* to slosh through (*CPA, *CPR, C, H) **ọ̀ ọ́ sùghù ògò.** He is sloshing through the bush. He is trying to get through the bush. **é è kè súghú ògò.** Don't slosh

through the bush anymore.; *sughu shan vbi,* **ọ̀ ọ́ sùghù ògó shàn vbí ẹ́dà.** He is sloshing through the bush to the river.

sughu *v tr* to rinse (CPA, CPR, C, H) *sughu a,* **ọ̀ súghú ọ́lì ògó á.** He rinsed out the bottle. **sùghù únù á.** Rinse your mouth.; *rẹ sughu a,* **ọ̀ rẹ́ ámẹ́ lì ọ̀tòhíá súghú únù á.** He used hot water to rinse out his mouth.; *sughu ku a,* **ọ̀ súghú únù kú à.** He rinsed out his mouth all over.; *sughu ku o,* **ọ̀ súghú únù kú ọ́ vbí úkó'.** He rinsed his mouth all over the cup.

suku ẹ̀ò a *tr* to frown (CPA, CPR, *C, *H) **ọ̀ súkú ẹ̀ò á.** He frowned. cf. **ẹ̀ò** face.

sumẹ *v tr* to struggle for possession of (*CPA, CPR, C, H) **yàn súmẹ́ ọ́lí íkàkéànmì.** They struggled for the carcass. **yàn á sùmè ọ̀lí úkpùn.** They are struggling for the cloth. **vbá yà súmẹ́ ọ́ì.** Get on with struggling for it.; *kpaye sume,* **ọ̀ ọ́ kpàyè òjé sùmè éànmì.** He is struggling over the meat with Oje.; *sume li,* **ọ̀ súmẹ́ íkpùn èvá lí òhí.** He struggled for two pieces of cloth for Ohi. He obtained two pieces of cloth for Ohi.; *sume khee* to struggle and wait, reserve for (CPA, CPR, *C, *H) **ọ̀ súmẹ́ íkpùn èvá khẹ́ẹ́ òhí.** He struggled for two pieces of cloth and waited for Ohi.

He reserved two pieces of cloth for Ohi. **ọ̀ súmẹ́ àgá khẹ́ẹ́ òhí.** He reserved a chair for Ohi. **sùmẹ̀ àgá khẹ́ẹ́ mẹ̀.** Reserve a chair for me.

sume ábò *tr* to question, compete for authority (*CPA, *CPR, C, H) *kpaye sume ábò,* **ọ̀ ọ́ kpàyè mẹ́ sùmẹ̀ ábò.** He is competing with me for authority. He is contesting my authority. lit. He is struggling for hands with me. **é è kè kpáyẹ́ érá ẹ́ súmẹ́ ábò.** Don't compete with your father for authority anymore.

sun *v intr* to grind to a fine, pasty condition (CPA, CPR, *C, *H) **ọ́lí íkpémì súnì.** The melon is finely ground.

sun *v intr* to be viscous, sticky (*CPA, *CPR, C, H) **ọ́lì òmì ọ̀ ọ́ sún.** The soup is viscous. The soup draws out well. cf. **mákpá** sticky condition.

súnẹ́súnẹ́ *pstv adv* clumsily, sluggishly. **ọ́lí ọ́mọ̀hè ọ̀ ọ́ shàn súnẹ́súnẹ́.** The man is walking very clumsily. The man is moving sluggishly. **ébé' ọ́ ọ̀ í shán?** How does he proceed?

suọsuọ *v tr* to pick one by one [only of chickens] (*CPA, *CPR, C, H) **ọ́lí óókhọ̀ ọ̀ ọ́ sùọsùọ̀ ókà.** The chicken is picking up maize.

súún *pstv adv* hunkered down position of dejectedness. **ọ́lí ọ́mọ́ áín kókó ré súún.** That

child hunkered down dejectedly. That child gathered himself in a hunkered down position. **ébé' ọ́ í ú?** In what way did he act?

SH

shan *v tr* to move through, move via (CPA, CPR, C, H) **ọ́lí ọ́mọ̀hè shán ẹ́kẹ́ín ìwè.** The man moved via the house. **ọ́lí ọ́mọ̀hè shán égbóà.** The man moved through the backyard.; *fioo shan,* **éfìòò fíóó ọ́lí ébè shán ẹ́kẹ́ín ìwè.** Wind has blown the leaf through the house.; *gbulu shan,* **ọ́lì ùgbòfì gbúlú shán égẹ́gẹ́ín ìtébù.** The orange rolled through under the table.; *la shan,* **ọ́lí ọ́mọ̀hè lá shán ẹ́kẹ́ín ìwè.** The man ran through the house.; *sua shan,* **ọ́lí ọ́mọ̀hè súá ígbúlúgbùlù shán ẹ́kẹ́ín ìwè.** The man pushed the cart through the house.; *shan vare,* **ọ̀ shán ímè váré vbì ìwè.** He came home via the farm.; *shan ye,* **ọ́lí ọ́mọ̀hè shán égbóà yé ìwè.** The man moved via the backyard to the house.

shan *v intr* to move away, along, about, walk (*CPA, *CPR, C, *H) **ọ́lí ọ́mọ̀hè ọ̀ ọ́ shán.** The man is moving away.; *shan buu,* **òjè shán búú òhí.** Oje walked toward Ohi.; *za vbi shan se vbi,* **ọ́lí ọ́mọ̀hè zá vbí áfúzé' shán sẹ́ vbì òkè.** The man walked from Afuze up to

Oke. **ólí ómọ̀ zá vbì ààn shán sẹ́ vbì èvbọ̀**. The baby walked from here to there.; *hoo shan* to look about. **ọ̀jè ọ̀ ọ́ hòò ìjóòbù shán**. Oje is looking about for a job.

shan shan *intr* to move about, walk about (*CPA, *CPR, C, H) **ólí ómọ̀hẹ̀ ọ̀ ọ́ shán shán**. The man is walking about.

shan so *intr* to die (*CPA, CPR, *C, *H) **ólí ómọ̀hẹ̀ shán só**. The man died. lit. The man walked along to the end.

shan vbi *intr* to proceed to, move to (*CPA, *CPR, C, *H) **ólí ómọ̀hẹ̀ ọ̀ ọ́ shàn vbí ìwè**. The man is proceeding to the house. **ólí ómọ̀hẹ̀ ọ̀ ọ́ shàn vbí ẹ́dà**. He man is proceeding to the river.; *fioo shan vbi*, **éfìòò ọ̀ ọ́ fìòò èbé mẹ́ shàn vbí ẹ́dà**. Wind is blowing my paper to the river.; *gbulu shan vbi*, **ólì ùgbòfì ọ̀ ọ́ gbúlú shàn vbí ẹ́gẹ́gẹ́ín ìtébù**. The orange is rolling to a place under the table.; *la shan vbi*, **ólí ómọ̀hẹ̀ ọ̀ ọ́ lá shàn vbí úkpódẹ̀**. The man is proceeding to the road by running. The man is running to the road.; *nwu shan vbi*, **élí ímọ̀hẹ̀ ọ̀ ọ́ nwù ọ̀lí óvbékhán shàn vbí ímè**. The men are making the youth proceed to the farm. The men are taking the youth to the farm.; *sua shan vbi*, **ólí ómọ̀hẹ̀ ọ̀ ọ́ sùà ìgbúlúgbúlú shàn vbí ẹ́dà**. The man is pushing the cart to the river.

shasha *v tr* to scrape (*CPA, *CPR, C, *H) **ọ̀ ọ́ shàshà ólì ìtákpà**. She is scraping the scab. **yà sháshá ólì ìtákpà**. Get on with scraping the scab.; *kpaye shasha*, **ọ̀ kpáyẹ́ ọ̀jè sháshá ìtákpá ísì ọ̀í**. She helped Oje scrape his scab.; *rẹ shasha*, **ọ̀ rẹ́ úvbíághàè sháshá ìtákpà**. She used a knife to scrape the scab.; *shasha o*, **ọ̀ sháshá àwẹ̀ ọ́ vbì òtọ̀ì**. He scraped his leg beforehand.; *shasha ku a*, **ọ̀ sháshá ólì ìtákpà kú à**. She scraped the scab away.; *shasha ku o*, **ọ̀ sháshá ólì ìtákpà kú ọ́ vbì ìbéèdì**. She scraped the scab all over the bed.

sháshághá *adj* rough, dry, scaly, scruffy, dry. **ólì órán ú sháshághá**. The wood is rough. **órán lì sháshághá** the rough wood. **ébé' ọ́ í rî?** How is it? cf. **shasha** to scrape.

sháshághá *adj* inconsequential, unimportant. **ómọ́hé lì sháshághá** an unimportant man, a man who is a nobody. **ólí ómọ̀hẹ̀ ú égbé sháshághá**. The man is a nobody. **égbé ísì ọ̀lí ómọ̀hẹ̀ ú sháshághá**. The body of the man is unimportant. cf. **shasha** to scrape.

shẹn *v tr* to sell (CPA, CPR, C, H) **ọ̀jè shẹ́n émà**. Oje sold yam. **ọ̀jè shẹ́n vbí ólí émá**. He sold from the yam. **shèn ọ̀lí émà**. Sell the yam.; *kpaye shẹn*, **ọ̀ kpáyẹ́ ọ̀jè shẹ́n émà**. He sold yam in lieu of Oje.; *shẹn li*, **ọ̀**

shẹ́n émà lí ọ̀nwìmè. He sold yam to the farmer.; shẹn ye, ọ̀ shẹ́n émà yé áfúzé'. He took yam to Afuze to sell. He sold yam to Afuze.; shẹn raa re to sell on credit. ólí ómọ̀hè shẹ́n émà ráá ré. The man sold yam on credit. lit. The man sold yam and passed.

shie v tr to coil, curl, wind (CPA, CPR, C, H) shie lagaa, ọ̀ shíé ólí úkpúì lágáá ólí émàè. He wound a rope around the food.; shie ọ, ọ̀ shíé ólí úì ó vbí óràn. He wound the rope onto the pole.

shie re intr to coil, wind up (CPA, CPR, *C, *H) ólí úkpúì shíé rè. The rope wound up.; **shie re** tr to wind up. ọ̀ shíé ólí úì ré. He wound up the rope. **shìè ọ́ì** ré. Wind it up.; kpaye shie re, ọ̀ kpáyẹ́ ọ̀jè shíé ólí úì ré. He helped Oje wind up the rope. cf. **gbaan a** to unwind.

shie ábọ̀ bí àwè re tr to coil up (CPA, CPR, *C, *H) ó shíé ábọ̀ bí àwè ré. He coiled up. lit. He coiled up his hands and feet.

shiẹn v tr to twist, stretch (CPA, CPR, C, H) ọ̀hí shíẹ́n ùrùn. Ohi stretched out his (own) neck (during exercise). ọ̀ ó shìèn mé óbọ̀. He is twisting my arm. ọ̀ ó shìèn òbó mé. He is twisting an arm of mine. **shìèn ọ̀í óbọ̀.** Twist his arm.; shiẹn óbọ̀ ye ùòkhò, ọ̀ shíẹ́n mé óbọ̀ yé ùòkhò. He twisted my arm backwards.

shiẹn v tr to squeeze, wring out by twisting (CPA, CPR, C, H) ọ̀ ó shìèn ọ̀lí úgbèkhòkhò. He is squeezing the leaf [as part of medical practice]. ó shíén ólí úkpùn. He wrang out the cloth. **shìèn ọ́ì.** Wring it. **shìèn ọ̀lí úgbèkhòkhò.** Squeeze the leaf.; kpaye shiẹn, ọ̀ ó kpàyè òjé shìèn ọ̀lí úgbèkhòkhò. He is helping Oje squeeze the leaf. ọ̀ kpáyẹ́ àlèkè shíẹ́n ólí úkpùn. She helped Aleke wring the cloth.

shiẹn égbè tr to writhe in pain (*CPA, *CPR, C, *H) òjè ọ̀ ó shìèn égbè. Oje is writhing in pain. lit. Oje is twisting his body.; nwu égbè shiẹn to get in a writhing condition. ólì ìkpòsò ọ̀ ó nwù ègbé shìẹ́n. The woman is in a writhing condition. The woman is getting her body twisted.

shiẹn ùrùn compl tr to strangle (CPA, CPR, C, *H) òhí shíẹ́n ójé ùrùn. Ohi strangled Oje. lit. Ohi stretched Oje's neck.

shoo v tr to awaken (CPA, CPR, *C, *H) òjè shóó òhí. Oje awakened Ohi. òjè shóó òhí vbí ómẹ̀hèn. He awakened Ohi from sleep. **shòò òhí.** Awaken Ohi.; kpaye shoo vbi, ọ̀ kpáyẹ́ òjè shóó òhí vbí ómẹ̀hèn. He helped Oje awaken Ohi from sleep.; re shoo vbi, ọ̀ ré àmè shóó òhí vbí ómẹ̀hèn. He used water to awaken Ohi from sleep.

shoo re *intr* to be awake, wake up (*CPA, CPR, *C, *H) ólì òkpòsò shóó ré. The woman is awake. ò shóó vbí ómèhèn ré. He awoke from sleep. shòò vbí ómèhèn ré. Wake up from sleep. shòò ré. Wake up.

shoo re vbi *intr* to arise, get up from (CPA, CPR, *C, *H) ò shóó ré vbì àgá mè. He arose from my chair. shòò ré vbì àgá mè. Arise from my chair.; *shoo re vbi ómèhèn* to arise from sleep, get up, become repositioned from a lying position. ólì òkpòsò shóó ré vbí ómèhèn. The woman has arisen from sleep. shòò ré vbí ómèhèn. Get up (from sleep).

shoo vbi re *intr* to exit, leave, move off of, move out of (CPA, CPR, C, *H) ò shóó vbí ékóà ré. He exited the room. ò shóó vbí úkpódè ré. He moved off the road. ólí ígbàn shóó vbí óbó mè ré. The thorn got out of my hand. ólí ófè shóó vbí ébé' íkpéshé rìì ré. The rat left where the beans were. shòò vbí ékóà ré. Leave the room.; *de shoo vbi re,* ògò mé dé shóó vbì ùgín ré. My bottle fell out of the basket.; *fioo shoo re,* éfìòò fíóó ólí ébè shóó vbí úkpódè ré. Wind blew the paper off the road.; *la shoo vbi re,* ólí ómòhè lá shóó vbí úkpódè ré. The man ran off the road. ólí ómòhè lá shóó vbì iwè ré. The man ran out of the house.; *sua shoo vbi re,* élí

ímòhè èvá áìn súá èkpètè shóó vbí ékéín iwè ré. Those two men pushed the stool out of the house.

T

ta *v intr* to speak, say; *ta ìyó* to speak so (CPA, CPR, *C, *H) ólí ómóhé tá ìyó. The man spoke that way.; *re ta* to reconcile, make talk in order to settle a dispute. ò ré òhí bí òhá óì tá. He got Ohi and his wife to talk. He settled the dispute between Ohi and his wife. òjè ré àlèkè bí òdón óì tá. Oje reconciled Aleke with her husband. lit. Oje got Aleke and her husband to speak. rè íyàìn tá. Make them talk and settle their dispute.; *kpaye re ta,* ò kpáyé òjè ré òhí bí òhá óì tá. He helped Oje settle the dispute between Ohi and his wife.; *ta li hon* to tell, speak to. ólí ómòhè tá lí ólí ókpósó hòn. The man told the woman.; *ta khi,* ólí ómóhé táí khí óli òkpòsò gbé ólí ófè. The man said that the woman killed the rat.; *ta li hon khi,* ólí ómóhé tá lì òhí hón khí ólì òkpòsò gbé ólí ófè. The man told Ohi that the woman killed the rat.; *ta li,* ólí ómóhé táí lí ólí ókpósó gbè òlí ófè. The man intended that the woman should kill the rat.; *ta li hon IQ,* ólí ómóhé áìn tá ébé' ólí ókpósó ná í gbé ólí ófè lí élí ívbékhán áín hòn. That man told those youths how this woman killed the rat.

ta *v tr* to mean, signify, symbolize (CPA, CPR, *C, *H) **émé' ú ré ói tá?** What did you use it to symbolize?

ta àghèghèíghè ku a *tr* to cast illumination all about (CPA, CPR, *C, *H) **ólí úkín tá àghèghèíghè kú à.** The moon cast its illumination all about.

ta étà *tr* to speak, talk, utter speech (CPA, CPR, C, H) **òjè tá étà.** Oje spoke. Oje said something. lit. Oje uttered words.; *kpaye ta étà,* **ólí ómòhè ò ó kpàyè òí tà étà.** The man is talking with her.; *ta étà li hon* to speak frankly, honestly. **ólí ómòhè tá étà lí ólí ókpósó hòn.** The man told the woman the hard truth. **ólí ómóhé tá étà ní íyáín hòn.** The man gave them a piece of his mind.; *delo étà ta,* to restate, revise one's position completely (CPA, CPR, *C, *H) **óbá' déló étà tá.** The Oba respoke. The Oba corrected himself. The Oba changed his statement, taking the opposite position.

ta étà vbiee *tr* to have a premonition (*CPA, *CPR, C, H) **égbè ò ó tà étá vbìèè òjè.** Oje is having premonitions. lit. Oje's body is speaking words to him.

ta èmòi òkpòsò *tr* to woo family members in a courtship ritual (*CPA, *CPR, C, H) **òjè ò ó tà èmói òkpòsò.** Oje is wooing a woman. lit. Oje is speaking about the matter with a woman.

ta re *intr* to report, speak out, disclose (CPA, CPR, *C, *H) **ólí ómòhè tá ré.** The man reported.; **ta re** *tr* to mention, interpret, disclose, report. **ò tá éní ísì òlí óvbèkhàn ré.** He mentioned the name of the youth. He reported the name of the youth. **ólí ómòhè tá ólì ìtàn ré.** The man interpreted the saying. **ò tá ìtúmó ísì ólì ìtàn ré.** He interpreted the meaning of the saying.; *ta re khi,* **ólí ómóhé tá ré khí òlì òkpòsò gbé ólí ófè.** The man reported that the woman killed the rat. **ólí ómóhé tá ré khì yòn gbé ólí ófè.** The man reported that he (himself) killed the rat.; *ta re IQ,* **ólí ómóhé tá ré ébé' ólí ókpósó í gbé ólí ófè.** The man reported how the woman killed the rat.

ta *v intr* to move, take a turn in a game (*CPA, CPR, *C, *H) **òjè táì.** Oje has moved. **tà.** Your move.; **ta** *tr* to gamble, play a game (*CPA, *CPR, C, H) **yàn á tà áyò.** They are playing ayo. **yà tá áyò.** Start playing ayo.; *re ta,* **ò ré íkèké ísì òí tá áyò.** He used his bicycle to gamble at ayo.; *ta li,* **tà áyò ní émè.** Play ayo for me (to allow my turn).

tàán *pstv adv* dinging sound resulting from a hitting activity. **ú hóní vbí ótói tàán.** You heard on the ground a dinging sound. **ó ò sàn ìvín tàán.** She cracks palm kernels with a ding. She dinged the palm kernels.

taan a *v intr* to unfold, open by spreading, get open (CPA, CPR, C, *H) ólí ébè táán á. The book opened.; **taan a** *tr* to open, unfold, spread open (CPA, CPR, C, H) òjè táán óbò á. Oje opened his hand. tààn ọ̀ á. Open it.; *kpayẹ taan a,* ọ̀ kpáyẹ́ òjè táán ólí ébè á. He helped Oje open the book.; *taan ọ,* ọ̀ táán ólí úkpùn ọ́ vbì ìtébù. He spread the cloth onto the table.; *taan ka* to spread in order to dry (CPA, CPR, *C, *H) ólí òkpòsò táán úkpùn ká. The woman spread the cloth to dry. ọ̀ ló tààn úkpùn ká vbì òvọ̀n. He is about to spread the cloth to dry in the sunshine.

taan ẹ̀ò a *tr* to be enlightened, civilized (CPA, *CPR, *C, *H) ólí ómóhé táán ẹ̀ò á. The man is enlightened. lit. The man opened up his eyes.

taan únù ọ vbi òtọ̀ì *tr* to be aghast (CPA, CPR, *C, *H) ólí óvbèkhàn táán únù ọ́ vbì òtọ̀ì. The youth was open mouthed. The youth was aghast. lit. The youth spread his mouth onto the ground.

talọ koko *tr* to combine, piece together (*CPA, CPR, C, H) òjè tálọ́ éghó' kókó. Oje pieced money together. Oje gathered money in a gamble. òjè tálọ́ éghó' kókó rẹ́ dé ìmátò. Oje pieced money together and bought a car. cf. **ta** to play a game, **-lọ** DS, **koko** to save.

taza *v tr* to tear, shred (CPA, CPR, *C, *H) *taza a,* ólì òkpòsò tázá ólí úkpùn á. The woman shredded up the cloth. tàzà òlí úkpùn á. Tear up the cloth.; *taza ku a,* ólì òkpòsò tázá ólí úkpùn kú à. The woman tore the cloth to bits. tàzà ọ́ì kú à. Shred it to bits.; *taza ku ọ,* ólì òkpòsò tázá ólí úkpùn kú ó vbì òtọ̀ì. The woman shredded the cloth all over the ground.; *taza ọ,* ọ̀ tázá ólí úkpùn ọ́ vbì òtọ̀ì. She shredded the cloth onto the ground. cf. **nyagha** to shred.

téé *pstv adv* offensively smelly condition akin to halitosis. únú ìsì ọ̀í ọ́ ó yàà téé. His mouth smells terrible.

tee *v intr* to shut [only imperative constructions] nwù ùnú téé. Keep quiet. Shut up.

tééí *pstv adv* pondering, thoughtful manner [only in information questions] ébé' í ló ì ú tééí? How will I act, I wonder? How will I act? ébé' ólí ómóhé ló ì ú tééí? What will the man do? How will the man act, I wonder? ébé' ó lá ó tééí? Where did he run into, I wonder?

tégélé *pstv adv* extremely high and wide state resulting from a piling activity. yàn máá àgágá'n ó vbí ótói tégélé. They stacked the agagan wood extremely high on the ground. ólì àgágá'n vóón ótói tégélé.

The agagan wood filled the ground to a great height. **ébé' ó í bùn sé?** How far is it stacked?; ~ *adj* extremely high pile. **ólì àgágá'n ú tégélé.** The agagan wood is piled up high. **ólì àgágá'n ú vbí ótóí tégélé.** The agagan wood is piled up high on the ground. **ólì àgágá'n ú tégélé vbì òtòì.** The agangan wood is piled up high on the ground. **ébé' ó í bùn sé?** How high is it? cf. **télé** somewhat high state.

tèí *pstv adv* popping sound resulting from return of a submerged object. **ú hóní tèí.** You heard a popping sound. **ólí ómó mé ré tèí.** The child emerged with a pop. The child popped up. cf. **bòí** popping sound.

tékpé *adj* irregular shape, distended. **ékéín lì tékpé** the distended belly. **ólí ékéìn ú tékpé.** The belly is distended. **ékéín ísì òjè ú tékpé.** Oje's belly is distended. **ójé ú ékéín tékpé.** Oje has a distended belly. **ébé' ó í rìì?** How is it?

télé *pstv adv* straight, narrow, high stack resulting from a piling activity. **yàn máá àgágá'n ó vbí ótóí télé.** They stacked the agagan wood high on the ground. **ólì àgágá'n vóón ótóí télé.** The agagan wood filled the ground with a high stack. **ébé' ó í bùn sé?** How high is it?; ~ *adj* high, piled high. **ólì àgágá'n ú télé.** The agagan wood is piled

high. **ólì àgágá'n ú vbí ótóí télé.** The agagan wood is on the ground piled high. **ólì àgágá'n ú télé vbì òtòì.** The agagan wood is piled high on the ground. **ébé' ó í bùn sé?** How high is it? cf. **tégélé** piled extremely high.

tee èbà *tr* to prepare cassava-based eba by adding hot water to gari (CPA, CPR, C, H) **àlèkè téé èbà.** Aleke prepared eba. **tèè èbà.** Prepare eba.; *kpaye tee èbà,* **ò kpáyé àlèkè téé èbà.** She helped Aleke prepared eba.; *tee li,* **ò téé èbà lí òhí.** She prepared eba for Ohi.; *tee o,* **ó téé èbà ó vbí ókò.** She prepared eba on the mortar.

tee ìgáàí *tr* to cure ground cassava by squeezing out moisture (CPA, CPR, *C, *H) **àlèkè tèè ìgáàí.** Aleke cured the gari. cf. **tee** to stay long.

tee *v intr* to stay long (CPA, CPR, *C, H) **òjè tééì.** Oje stayed for a long time. **òjè tééí vbí ímè.** Oje stayed long on the farm. **é è téé, ò.** Don't take long, oh.

tee *v tr* to pacify (*CPA, *CPR, C, *H) **ólí ómòhè ò ó tèè òlí ómò.** The man is pacifying the child. **tèè òì.** Pacify him. cf. **tee** to stay long.

tee *v tr* to deceive, trick (CPA, CPR, *C, *H) **ò téé égbé òì.** He deceived himself. **ó téé òjè.** He deceived Oje. **é è kè téé égbé ísì èé.** Don't deceive yourself anymore.; *tee ye,* **ò téé óhá mè**

yé ímè. He tricked my wife into going to the farm.; *tee e* to dupe, trick out of. óɭí ómòhè tҽ́ҽ́ óɭì òkpòsò é. The man duped the woman. lit. The man tricked the woman and consumed her.; *tee gbe* to deceive or trick into killing. óɭí ómòhè tҽ́ҽ́ óɭí óvbèkhàn gbé óɭí ófè. The man has deceived the youth into killing the rat.

teen nyҽ *tr* to stack on top of (CPA, CPR, *C, *H) *de teen nyҽ* to fall on top of. ékú óímí ó ò dé tèҽn èkú óímí nyè. Corpses fall on top of each other. óɭí óràn dé tҽ́ҽ́n òjè nyé. The wood fell on Oje.; *re ízà teen nyҽ* to trample on. ó rҽ́ ízà tҽ́ҽ́n íyàìn nyҽ́. He trampled on them.; *maa teen nyҽ* to pile, stack on top of. ò máá éràn tҽ́ҽ́n úkpùn nyé. He stacked wood on top of the cloth. lit. He arranged wood and stacked it on the cloth. cf. **nyҽ** against.

teen nyҽ vbi *tr* to press against (CPA, CPR, *C, *H) ò tҽ́ҽ́n ópìà nyҽ́ vbì òtòì. He pressed a cutlass against the ground. é tҽ́ҽ́n òísí' nyҽ́ óí vbí égbè. They pressed a gun against his body. ó tҽ́ҽ́n óɭí úkpókhòhíá nyҽ́ mé vbì èò. He pressed the walnut against my face. ò tҽ́ҽ́n òhí nyҽ́ vbì údékèn. He pressed Ohi against the wall. òjè tҽ́ҽ́n àwè nyҽ́ vbì úhùnméhèҽ. Oje pressed his feet against the anthill. Oje stepped into the anthill. òjè tҽ́ҽ́n ábò nyҽ́ vbì

úhùnméhèҽ́. Oje pressed his arms against the anthill. ò tҽ́ҽ́n mҽ́ àwè nyҽ́ vbì òtòì. He pressed my legs against the ground. He stepped on my legs. tèҽn òì nyҽ́ vbì údékèn. Press him against the wall.; *kpaye teen nyҽ vbi*, ò kpáyҽ́ òjè tҽ́ҽ́n òhí nyҽ́ vbì údékèn. He helped Oje press Ohi against the wall.; *re àwè teen nyҽ vbi*, rè àwè tҽ́ҽ́n òì nyҽ́ vbì òtòì. Step on it. Press it against the ground with your foot. cf. **nyҽ** against.

tҽ́kҽ́ *adj* short in height [of humans] óɭí ómòhè ú tҽ́kҽ́. The man is short. ómóhé lì tҽ́kҽ́ the short man. ébé' ó í rîì? How is he? ébé' óɭí ómóhé í dà sҽ́? How tall is the man?

tete *v tr* to use sparingly, use in a cost conscious manner (*CPA, *CPR, C, H) ójé ó ò tètè òmì. Oje takes soup sparingly. yà tҽ́tҽ́ òmì. Start taking soup sparingly. yà tҽ́tҽ́ éghó'. Be thrifty.

tҽ́tè *ideo* sense impression of trotting. ódón óí ó ò lá shán. tҽ́tè. tҽ́tè. tҽ́tè. Her husband runs about. Trotting.Trotting.Trotting. ú míҽ́í tҽ́tè. tҽ́tè. tҽ́tè. You sensed trotting. Trotting. Trotting. cf. **píҽ́rҽ́** in a trotting fashion.

tҽ́tҽ́tҽ́ *pstv adv* strutting fashion. ò ó lá shàn tҽ́tҽ́tҽ́. He is running about in a strutting fashion. He is strutting along. ó nwú ákhé ísì éghó' vádè vbí óá tҽ́tҽ́tҽ́. He took hold of the pot of money and is coming home in a strutting fashion. He is strutting home with a pot of money.

tèvbé *adj* shallow. **ólì ìtásà ú tèvbé.** The plate is shallow. **ìtásá lì tèvbé** the shallow plate. **ébé' ó í rîì?** How is it?

tian *v intr* to tremble (CPA, CPR, C, H) **ólí ókpósó tíánì.** The woman trembled. **ójé ó ò tìàn kpákpákpá.** Oje trembles excessively.

tian fi a *intr* to disappear, vanish (CPA, CPR, *C, *H) **òjè tián fì á.** Oje disappeared. lit. Oje trembled away.

tián *pstv adv* absolutely stretched condition. **ó ò nìà ègbé à tián.** He stretches out his body completely.

tighi *v intr* to be entangled, intertwined (CPA, CPR, *C, *H) **ólí úì tíghìì.** The rope is tangled.; *tighi a*, **ólí úì tíghí à.** The rope got entangled.; **tighi a** *tr* to entangle, tangle up. **òjè tíghí ólí úì á.** Oje tangled up the rope. **é è tíghí ói á.** Don't tangle it up.

tìghìtíghí *adj* entangled. **ólí úí ú tìghìtíghí.** The rope is entangled. **úí lì tìghìtíghí** the entangled rope. **ébé' ó í rîì?** How is it? cf. **tighi** to be entangled.

tiho *v intr* to sneeze (CPA, CPR, C, H) **òjè tíhóì.** Oje sneezed. **tìhò.** Sneeze.; *tiho ku a*, **ò tíhó kù á.** He sneezed all over.; *tiho ku e*, **òjè tíhó kù é òhí.** Oje sneezed

onto Ohi.; *tiho ku o*, **òjè tíhó kù ó vbì ìtébù.** Oje sneezed all over the table.

tíí *pstv adv* extremely pervasive condition. **ókéké ísì òí ó ò dé kù à tíí.** His fame reaches absolutely everywhere.

tíjètíjètíjè *pstv adv* flicking, jumping fashion. **yán à gbè tíjètíjètíjè.** They dance about in a flicking way. **ú míéí tíjètíjètíjè.** You observed a flicking about. **ébé' yán à í gbé?** How do they dance?; ~ *adj* flick, jump about. **ólí éhéén ú tíjètíjètíjè.** The fish flicked about.

tíkí, tíkítíkí, tíkítíkítíkí *pstv adv* chunky, pasty condition. **ó bénnó ísíéìn ó vbí émáí tíkítíkí.** He applied pasty pepper onto the wound. **ólì òmì rúóóí tíkí.** The soup is very chunky.; ~ *adj* pasty and chunky. **ísíéín lì tíkí** the pasty pepper. **ómí lì tíkí** the very chunky soup. **ólí ísíéín ú tíkí.** The pepper is pasty. **ólì òmì ú tíkí.** The soup is very chunky. **ébé' ólí ísíéín í rîì?** In what state is the pepper?

tin *v intr* to be grand, impressive, interesting (CPA, CPR, C, *H) **ólì òsíé' tínì.** The entertainment was grand.; *tin ku a*, **ólì òsíé' ò ó tín kù á.** The entertainment is really grand. The entertainment is thoroughly grand.; *tin lee*, **ólí ívíóímí ísì òlí óvbékhán ló tìn léé.** The youth's funeral will be grander.

tin *v intr* to fly (CPA, CPR, C, H) ólí áfiánmì tínì. The bird flew.; *tin fi a*, ólí áfiánmì tín fì á. The bird flew away.; *tin fì o̩*, ólí áfiánmì tín fì ó̩ vbí ókhúnmí óràn. The bird flew into the tree top.; *tin ye*, ólí áfiánmì tín yé ólí égbóà. The bird flew to the backyard.; *tin ma* to fly and perch (CPA, CPR, *C, H) ólí áfiánmì tín má vbí óràn. The bird flew and perched in a tree.; *tin shan* to fly about (*CPA, *CPR, C, *H) ólí áfiánmì ò̩ ó tín shán. The bird is flying about.

tin khuae *intr* to become erect (CPA, CPR, *C, *H) úkpégélé ísì ò̩í tín khúáé. His penis became erect. His penis flew up. lit. His penis raised while flying up.

tin shoo re *intr* to rush up, fly out [of bed] (CPA, CPR, *C, *H) ójé tín shòò ré. Oje rushed up. lit. Oje flew out.

tin *v intr* to boil, bubble (CPA, CPR, C, H) àmè̩ tínì. Water boiled. ólì òmì tínì. The soup boiled.; *tin ku a*, ólì òmì ò̩ ó tín kú à. The soup is boiling over.; *tin ku o̩*, ólì òmì ò̩ ó tín kù ò̩ vbí èràìn. The soup is boiling over the fire.; *tin re*, ólì òmì tín ré. The soup boiled up. The soup is abubble.

tinye̩ a *v intr* to loosen, get untied (CPA, CPR, *C, *H) ólí éwè tíny é̩ á. The goat got untied. ólí úkpúì tíny é̩ á. The rope got

untied.; **tinye̩ a** *tr* to untie, loosen up but not necessarily remove (CPA, CPR, C, *H) àlèkè tíny é̩ ò̩gbèlè̩ á. Aleke untied the baby sash. ò̩ tíny é̩ ópìà á vbì èkùn. He untied his cutlass at the waist. tìnyè̩ ò̩lí éwè á. Untie the goat.; *kpaye̩ tinye̩ a*, ò̩ kpáy é̩ alèkè tíny é̩ ò̩gbèlè̩ á. She helped Aleke untie her baby sash.; *tinye̩ a li*, ò̩ tíny é̩ ólí úkpúì á lí òhí. He untied the rope for Ohi.; *tinye̩ fi a*, ò̩ tíny é̩ ópìà fí à. He dropped his cutlass aside untying it. He dropped his cutlass aside.; *tinye̩ fì o̩*, ò̩ tíny é̩ ópìà fí ó̩ vbì òtò̩ì. He dropped his cutlass onto the ground.; *tinye̩ shoo vbi re*, ò̩ tíny é̩ ólí úkpúì shóó vbí óràn ré. He loosened the rope away from the tree.; *tinye̩ vbi re*, ò̩ tíny é̩ ólí úkpúí vbí óràn ré. He loosened the rope from the tree.

tinye̩ a *tr* to open up a body part (*CPA, CPR, C, *H) ò̩ tíny é̩ èò̩ á. He opened up his eyes. ò̩ tíny é̩ óbò̩ á. He opened up his hand. tìnyè̩ èò̩ á. Open up your eyes.

tio *v tr* to pluck, take a bunch of (*CPA, *CPR, C, H) ójè ò̩ ó tìò ébè̩. Oje is plucking leaves.; *tio ku a*, ò̩ tíó ébé ísì ò̩lí óràn kú à. He sheared leaves of the tree all over.; *tio ku o̩*, ò̩ tíó ébè̩ kú ó̩ vbì òtò̩ì. He sheared leaves all over the ground.; *tio e* to pluck and eat. ò̩ ó tìò ébé é. He is plucking leaves and eating them.

tio *v intr* to disperse, scatter (CPA, CPR, *C, *H) *tio ku a*, ólí íkpémí ékùn tíó kù á. The beads on the strand got scattered about. íkhùèhúé tíó kù á. The divining seeds scattered all over.; *tio ku o̩*, ólí íkpémí ékùn tíó kù ó vbì òtò̩ì. The waist beads scattered all over the ground.; tio *tr* to scatter; *tio ku a*, ò̩ tíó ólí íkpémí ékùn kú à. He scattered about the beads on the strand. é è tíó ólí íkpémí ékùn kú à. Don't scatter the beads about.; *tio ku o̩*, ò̩ tíó ólí úkpólò kú ó vbì òtò̩ì. He scattered the string of shells all over the ground.

títítí *pstv adv* for a long time. ólí ómó̩hé múzání títítí. The man waited for a long time. ébé' ólí ómó̩hé í mùzàn té̩é̩ sè? How long did the man wait?

to *v intr* to be fond of, like (*CPA, *CPR, *C, *H) ójé ó ò̩ tò vbí émà. Oje likes pounded yam. ólí ómò̩hè ò̩ ó tò vbí émá úèmí. The man is fond of eating yam. ólí ómò̩he ò̩ ó tò vbí émí àrè̩lívbékhán. The man is fond of giving things to children.; *to vbi ómè̩hè̩n* to enjoy, be fond of sex. ólí ómó̩hé ó ò̩ tò vbí ómè̩hè̩n. The man enjoys sex. The man is fond of sex. lit. The man is fond of sleep.

to *v intr* to taste hot and peppery (*CPA, CPR, *C, H) ólí ómí ó ò̩ tó. The soup tastes peppery. cf. **tohia** to be hot.

to *v tr* to pain, afflict with pain (*CPA, *CPR, C, H) ékùn ò̩ ó tò òjè. Oje's waist is paining him. lit. The waist is paining Oje. égbé ó ò̩ tò òjè. Oje's body aches. ó ò̩ tò òjè. Oje is ill.

to égbè li *tr* to feel empathy for, empathize with (*CPA, *CPR, C, H) òhí ò̩ ó tò ègbé lì òjè. Ohi is empathizing with Oje. lit. Ohi feels (empathy) in his body for Oje.

to ékéìn li *tr* to feel sorry for, compassion for (CPA, CPR, C, H) òhí tó ékéìn lí òjè. Ohi felt sorry for Oje. lit. Ohi feels with his belly for Oje.

to vbi èò *tr* to be stingy (*CPA, *CPR, *C, H) émí ó ò̩ tò òí vbí èò. He is stingy. lit. Things pain him in his face.

tòbó, tòbótòbó *pstv adv* glittering condition. ólí úbélàsí ò̩ ó jín kù á tòbó. The snuff gourd is shining away in a glittering fashion. The snuff gourd is glittering throughout.

tòbóí *pstv adv* swooshing sound resulting from a heavy object contacting water. ú hó̩ní tòbóí. You heard a swooshing sound. ólí údò dé fì ó vbí édá tòbóí. The stone swooshed into the river. The stone fell into the river with a swoosh.; ~ *adj* swoosh-ing sound. ólí údó ú tòbóí. The stone swooshed by.

tohia *v intr* to become hot (CPA, CPR, C, H) ólì òmì tóhíáì. The soup is hot.; *tohia lee*, ámé̩ mè tóhíá léé ísì òjè. My water is hotter than Oje's.; *tohia o vbi o,* ọ́lí íjìnì ọ̀ ọ́ tòhíá ọ̀ vbì ọ̀. The engine is getting hotter.; *ze tohia,* ọ́lí ọ́mọ̀hè zé ọ́lí íjíní tòhìà. The man allowed the engine to become hot. cf. **to** to be peppery hot.

tói, tóítói, tóítóítói *pstv adv* quickly [only irrealis contexts] **vàré tói.** Come quickly. **yà rékháén ọ́í tóítói.** Start following him quickly. **ọ́lì òkpòsò í rèkháén ọ́í tóítói.** The woman should follow him quickly.

too *v intr* to burn (*CPA, *CPR, C, H) ọ́lì ògò ọ̀ ọ́ tóó. The bush is burning.; *too a,* ọ́lì ògò tóó à. The bush burned up.; *too ku a,* íwé ísì òlólò tóó kù á. Ololo's house burned away entirely.; **too** *tr* to burn. òjè ọ̀ ọ́ tòò ébè. Oje is burning leaves. **yà tóó élí ébè.** Start burning the leaves.; *kpaye too,* ọ̀ ọ́ kpàyè òjé tòò ébè. He is helping Oje burn leaves.; *too a,* ọ̀ tóó ọ́lí ébè á. He burned up the leaves.; *re too a,* ọ̀ ré èràìn tóó òjè á. He used a fire to burn up Oje.; *too ku a,* ọ̀ tóó ọ́lí ébè kú à. He burned the leaves away entirely. He burned all the leaves away.

toto *v intr* to become tight, firm, taut (*CPA, CPR, *C, *H) ọ́lí úkpúì tótòì. The rope is taut.; *toto lee,* úí mè tótó léé ísì òjè. My rope is tighter than Oje's.; *ze toto,* ọ́lí ọ́mọ̀hè zé ọ́lí úí tòtò. The man allowed the rope

to become taut. The man allowed the rope to tighten.

toto nwu vbi *intr* to grip, take hold of by tightening (CPA, CPR, *C, *H) ọ́lì ègbá tótó nwú ójé vbí óbọ̀. The armlet tightly gripped Oje's arm. The armlet tightened its grip on Oje's arm. lit. The armlet tightened and took hold of Oje's arm.

toto *v intr* to be intense (CPA, *CPR, *C, *H) ọ́lí órún tótòì. The shout was loud. ọ́lí ámé tótòì. The rain was torrential. ọ́lí úlá tótòì. The race was serious.

toto *v intr* to be effective, strong in the use of traditional medicine (CPA, *CPR, *C, *H) ọ́lí ọ́mọ́hé tótòì. The man is powerful [as an oraclist].; *toto lee,* ọ́lí ọ́mọ̀hè tótó léé mè. The man is more powerful than I.

totóbọ *prev adv* condition of great intensity [subject attributive function] ọ́lí ọ́mọ́hé tótóbọ̀ nwú ọ́lì èkpà mọ́é. The man held the bag with great intensity. cf. **toto** to tighten, **óbọ̀** hand.

tótókó *adj* hard. éánmí lì tótókó the hard meat. ọ́lí éànmì ú tótókó. The meat is hard. ébé' ọ́ í rîì? How is it? cf. **toto** to be taut.

tọ́kọ́, tọ́kọ́tọ́kọ́ *pstv adv* mushy, blobbed condition. ọ́lí ọ́mọ̀hè hián òí ọ́ vbí émáí tọ́kọ́. The man put pomade onto the wound in a blob. The man blobbed pomade onto the wound.; ~ *adj* mushy, blobby. **úkpónwèé lì tókó** mushy phlegm. **ólì òí ú tókó.** The pomade is mushy. **ébé' ó í rîì?** How is it?

tolo *v tr* to itch, scratch [of a body part] (*CPA, *CPR, C, H) **égbè ò ó tòlò òjè.** Oje's body is itching. **àwè ò ó tòlò òjè.** Oje's leg is itching. The leg is itching Oje. **ámé ísì émà ò ó tòlò òjé vbí àwè.** Yam water is itching Oje's leg. **ólì òhàà ò ó tòlò òjé vbí égbè.** The elephant grass is scratching Oje's body.

tolo *v tr* to itch, scratch a body part (*CPA, *CPR, C, H) **òjè ò ó tòlò égbè.** Oje is itching his body. **òjè ò ó tòlò àwè.** Oje is itching his leg. **tòlò òì.** Itch it.; *kpaye tolo,* **ò ó kpàyè òjé tòlò ùòkhò.** He is helping Oje scratch his back.; *re tolo,* **ò ó rè òpíá tòlò égbè.** He is using a cutlass to scratch his body.; *tolo ku o,* **ò ó tòlò ègbé kù ò vbí àgá.** He is scratching his skin all over the chair.; *tolo li,* **ólí óvbèkhàn tóló àwè lí àlèkè.** The youth itched the foot for Aleke. The youth itched Aleke's foot for her.; *tolo o,* **ò ó tòlò ègbé ò vbí àgá.** He is scratching his skin onto the chair.

tolo o vbi èrèè *tr* to scratch until bloody (CPA, CPR, *C, *H) **ò tóló àwè ó vbì èrèè.** He scratched his feet until they

were bloody. lit. He scratched his feet and entered bloodiness.

ton *v intr* to exist for a long time (CPA, CPR, *C, *H) **òjè tónì.** Oje lived long. **ólì ìtásà tónì.** The plate lasted long.

ton *v tr* to roast, bake [traditionally done in ashes] (CPA, CPR, C, H) **ò tón ólí édìn.** He roasted the palm fruit. **tòn óì.** Roast it.; *kpaye ton,* **ò kpáyé òjè tón ólí émà.** He helped Oje roast the yam.; *re ton,* **ò ó rè èráín lì féé tòn émà.** He is using a gentle fire to roast yam.; *ton li,* **ò tón émà lí òhí.** He roasted yam for Ohi. cf. **ton** to dig.

ton *v tr* to harvest food grown in the ground by digging (CPA, CPR, *C, H) **ò tón émà.** He dug up yam. He harvested yam. **ò tón vbí ólí émá shén.** He harvested from the yam and sold it. **tòn òlí émà.** Harvest the yam.; *kpaye ton,* **ò kpáyé òjè tón émà.** He helped Oje harvest yam.; *re ton,* **ò ré ópíá mè tón émà.** He used my cutlass to harvest yam.; *ton li,* **ò tón émà lí òhí.** He harvested yam for Ohi.; *ton ye,* **ò tón émà yé òhí.** He harvested yam and took it to Ohi. He took yam to Ohi.

ton *v tr* to bury a woman [males bury females but never the reverse] (*CPA, CPR, *C, *H) **yàn tón ólì òkpòsò.** They buried the woman. **tòn óì.** Bury her.; *kpaye ton,* **yàn kpáyé ólí ómòhè tón óhá óì.** They helped the man bury his wife.; *re tǫn*, **yàn ré àkpótí lì ǫ̀gbǫ̀n tón ǫ́lì ǫ̀kpǫ̀sǫ̀.** They used a new coffin to bury the woman.; *re tǫn* to get buried (CPA, CPR, *C, *H) **ǫ́lí ǫ́mǫ̀hè ré ǫ́lì ǫ̀kpǫ̀sǫ̀ tón.** The man got the woman buried.

tǫn ǫ̀ǫ̀ *tr* to dig, burrow a hole (*CPA, *CPR, C, *H) **ǫ̀jè ǫ̀ ǫ́ tǫ̀n ǫ̀ǫ̀.** Oje is digging a hole. **ǫ́lí éànmì ǫ̀ ǫ́ tǫ̀n ǫ̀ǫ̀.** The animal is burrowing a hole.; *tǫn ǫ̀ǫ̀ a*, **ǫ̀jè tón ǫ́lì ǫ̀ǫ̀ á gbùdú.** Oje dug the hole out wide.; *tǫn ǫ̀ǫ̀ ǫ*, **ǫ́lí éànmì ǫ̀ ǫ́ tǫ̀n ǫ̀ǫ́ ǫ̀ vbì ǫ̀tǫ̀ì.** The animal is burrowing into the ground. **ǫ̀ tón ǫ̀ǫ̀ ǫ́ vbí ékǫ́à.** He dug a hole into the room.

tǫn ùhàì *tr* to bore a well (CPA, CPR, C, H) **ǫ̀jè tón ùhàì.** Oje bored a well.; *tǫn li*, **ǫ̀ tón ùhàì lí ǫ̀hí.** He bore a well for Ohi.

tǫn nwu *tr* to lift, get lifted by digging (CPA, CPR, *C, *H) **ǫ̀ tón ǫ́lí íhùà nwú.** He lifted up the load. He got the load lifted. **tǫ̀n ǫ̀ì nwú.** Lift it.; *re tǫn nwu*, **ǫ̀ ré úhùnmì tón ǫ́lí íhùà nwú.** He lifted the load and carried it with his head. He got the load lifted with his head.

tǫnnǫ *tr* to dig repeatedly (*CPA, CPR, C, *H) **ǫ̀ ǫ́ tǫ̀nnǫ̀ ǫ̀ǫ̀.** He is digging a hole. **yà tónnó ǫ́lì ǫ̀ǫ̀.** Start digging the hole.; *re tǫnnǫ*, **ǫ̀jè ǫ̀ ǫ́ rè ǫ̀píá mé tǫ̀nnǫ̀ ǫ̀ǫ̀.** Oje is using my cutlass to dig a hole. cf. **tǫn** to dig, **-nǫ** DS.

tu *v intr* to swim (*CPA, *CPR, C, H) **ǫ̀ ǫ́ tú vbí ǫ́lí édà.** He is swimming in the river. **yà tú vbì èàn.** Start swimming here.; *tu raa ra*, **ǫ́ tú ráá ǫ́lí údǫ̀ ré.** He swam past the rock.; *tu ye ǫ̀khùnmì*, to swim upward (CPA, CPR, *C, *H) **ǫ́ tú yé ókhúnmí édà.** He swam up-river.

tu *v tr* to paddle, row (CPA, CPR, C, H) **ǫ̀jè tú ókǫ̀.** Oje paddled a canoe. **tù ǫ̀ì.** Paddle it.; *kpaye tu*, **ǫ̀ kpáyé ǫ̀jè tú ǫ́lí ókǫ̀.** He paddled the canoe for Oje.

tu *v tr* to drive, steer a vehicle (CPA, CPR, C, H) **ǫ̀jè tú ìmátǫ̀.** Oje steered his car. **yà tù ǫ̀ì.** Start driving it.; *tu li*, **ǫ́ ǫ̀ tù ìmátǫ̀ lì ǫ́ìbó.** He drives car for a whiteman.; *tu raa re*, **ǫ̀ tú ìmátǫ̀ ráá rè.** He drove his car past. **ǫ̀ tú ìmátǫ̀ ráá ǫ̀hí ré.** He drove his car past Ohi.; *tu re*, **ǫ̀ tú ìmátó mè ré.** He brought my car.; *tu shǫǫ vbi re*, **ǫ́ tú ìmátǫ̀ shǫ́ǫ́ vbí úkpódè ré.** He drove his car way off the road.; *tu ye*, **ǫ̀ tú ìmátó mè yé èkó.** He drove my car to Lagos. **ǫ̀ tú ǫ̀jè yé áfúzé'.** He drove Oje to Afuze. **tù ǫ̀jè yé áfúzé'.** Drive Oje to Afuze.; *kpaye tu ye*, **ǫ̀ kpáyé ǫ̀hí tú ǫ̀jè yé áfúzé'.** He helped Ohi drive Oje to Afuze.

tu *v intr* to lack moisture in an unhealthy way (*CPA, CPR, C, *H) **égbé ísì ǫ̀jè ǫ̀ ǫ́ tú.** Oje's skin lacks sufficient moisture. **ǫ́lí ákǫ̀gùè túì.** The water yam lacked moisture.

tu *v tr* to spit (CPA, CPR, C, H) òjè tú èsὲìn. Oje spat saliva. ò̩ tú ónwèé̩. He spit phlegm. é è kè tú èsὲìn. Don't spit anymore. é è kè tú ónwèé̩. Don't spit phlegm anymore.; *tu fì a*, òjè tú èsὲìn fí à. Oje spit saliva aside. ò̩ tú ónwèé̩ fí à. He spit phlegm aside.; *tu fì e̩*, òjè tú èsὲìn fí é̩ òhí. Oje spit spittle onto Ohi. ò̩ tú ónwèé̩ fí é̩ òhí. He spit phlegm onto Ohi.; *tu fì o̩*, òjè tú èsὲìn fí ó̩ vbì àgá. Oje spit onto the chair. ò̩ tú ónwèé̩ fí ó̩ mé̩ vbì òè̩. He spit phlegm onto my foot. cf. **tue** to disperse.

tu *v tr* to spread, disperse seeds when planting (CPA, CPR, C, H) òjè tú èfò. Oje spread his vegetable seeds. tù ó̩ì. Spread it.; *kpaye tu*, ò̩ kpáyé̩ òjè tú èfò. He helped Oje spread vegetable seeds. cf. **tue** to disperse.

tu baa *intr* to stick, adhere to (CPA, CPR, *C, *H) ó̩lí ébè tú báá vbì ùdékὲn. The paper stuck to the wall. The paper stuck on the wall. ó̩lí ébè tú báá mé̩ vbì é̩hàì. The leaf stuck to my forehead; **tu baa** *tr* to paste, afix, press to. òhí tú ó̩lí ébè báá. Ohi stuck the paper. òhí tú ébè báá vbì ùdékὲn. Ohi stuck paper on the wall. ó̩lì ò̩kpòsò tú éghó' báá vbì é̩háí mè̩. The woman stuck money on my forehead. tù ò̩lí ébe báá vbì ùdékὲn. Stick the paper to the wall.; *kpaye tu baa*, ò̩ kpáyé̩ òjè tú ó̩lí ébè báá vbì ùdékὲn. He helped Oje stick the paper

on the wall.; *re̩ tu baa*, ò̩ ré èbà tú ó̩lí ébè báá vbì ùdékὲn. He used cassava to stick the paper on the wall. cf. **tu** to spread, **baa** to add to.

tu baa *intr* to stick, stay close to, hide behind (CPA, CPR, *C, *H) òjè tú báá vbí égbókhèé̩. Oje hid behind the backwall. Oje stuck close to the backwall. Oje laid in wait behind the backwall. cf. **tu** to spread, **baa** to add to.

tua *prev adv* hurriedly [temporal function] ó̩lí ómó̩hé túá é ó̩lí émàè̩. The man hurriedly ate the food. ò̩ ó̩ túá shàn. She is proceeding in haste. She is moving along hastily. ò̩ túá shóó̩ rè. She left in haste. yà túá shàn. Start moving along in haste.

tubu *v intr* to thrash, jump about in water (*CPA, *CPR, C, H) ò̩ ó̩ tùbú. He is thrashing about. ò̩ ó̩ tùbù vbí é̩dà. He is thrashing about in the river.; **tubu** *tr* to thrash about. òjè ò̩ ó̩ tùbù àmè̩. Oje is thrashing about the water. é è kè túbú àmè̩. Don't thrash about the water anymore. cf. **tu** to swim.

tue *v intr* to disperse [of humans] (*CPA, CPR, *C, *H) élí ívbèkhàn túéì. The youths have dispersed. élí ívbèkhàn túéì vbí ìsìkúù. The youths dispersed at school. ìsìkúù túéì. The school closed. The school (pupils) dispersed. èkìn túéì. The market closed. The market people dispersed. cf. **tu** to spread.

tue *v intr* to scatter, get dispersed [of small grains] (CPA, CPR, *C, *H) *tue ku a,* **ísíé̱ín túé kù á.** The pepper got scattered all around.; *ze̱ tue ku a,* **é è zé̱ ó̱í tùè kú à.** Don't allow it to get scattered all around.; *tue ku o̱,* **ísíé̱in túé kù ó̱ vbì ò̱tò̱ì.** Pepper got scattered all over the ground.; **tue** *tr* to scatter small grains; *tue ku a,* **ò̱jè túé ísíé̱in kú à.** Oje scattered pepper all around.; *tue ku o̱,* **ò̱jè túé ísíé̱in kú ó̱ vbì ò̱tò̱ì.** Oje scattered pepper all over the ground. cf. **tu** to spread.

túé̱túé̱túé̱ *pstv adv* short-stepped manner of a tortoise. **ó̱lí ó̱mó̱hé ó̱ ò̱ shàn túé̱túé̱túé̱.** The man proceeds tortoise-like. The man moves along tortoise-like. **ébé' ójé ó̱ ò̱ í shán?** How does Oje proceed?

túké *adj* short length [inanimates] **ó̱lí úkpóràn ú túké.** The stick is short. **úkpórán lì túké** the short stick. **ébé' ó̱ í rîì?** How is it?

tutu *v intr* to cling, spread out; **tutu nwu** to embrace (CPA, CPR, *C, *H) **ò̱ tútú nwú ò̱jè.** He embraced Oje. lit. He caught Oje by clinging to him. **yán tútú nwú égbè.** They embraced each other. cf. **tu** to spread.

tùzè̱túzé̱ *adj* malnourished, haggard, wretched [animates] **ó̱lí áwà ú tùze̱túzé̱.** The dog is

malnourished. **áwá lì tùzè̱túzé̱** the malnourished dog. **ébé' ó̱ í rîì?** How is it?

U

u *pro* you [second person singular subject] **ù é ó̱lí émàè.** You ate the food. cf. **wè̱wè̱** second person singular emphatic.

ù *aux* not [predicate negation for second person singular] **ú ù è ò̱lí émàè.** You did not eat the food. cf. **ì** not.

u *cop* to be [class membership function in clause final position] (CPA, *CPR, *C, *H) **ó̱ì lí ójé ù.** It is a thief that Oje is. Oje is a thief. **íkpé ékà lí ú ù?** How old are you? **íkpè ìgbé lí í ù.** I am ten years old. **ó̱é' ó̱ ú?** Who is it? **ékà ó̱ ú?** How much is it? **émé' ó̱ ú?** What is it?; **re̱ u** to place in position of authority (CPA, CPR, *C, *H) **yàn ré̱ ò̱jè ú ó̱bá'.** They made Oje be the Oba. **yàn ré̱ ò̱jè ú ò̱gá.** They made Oje be the head person. cf. **vbi** cop.

u *cop* to be [property function] (CPA, CPR, *C, *H) **ó̱lì ìtásà ú pè̱ré̱é̱.** The plate is flat and thin. **ébé' ó̱lì ìtásà í rîì?** In what state is the plate?

u *v intr* to act, perform, do; *u bi* to act like (CPA, CPR, *C, H) **ó̱lí ó̱mò̱hè ú bí éwè.** The man acted like a goat.; *u lè̱sè̱n* to do, perform well. **ò̱jè ú lè̱sè̱n.** Oje did well. **áléké ó̱ ò̱ ù lè̱sè̱n.** Aleke does well. **áléké ú lé̱sé̱n vbí ó̱lì ìdàmìghé.** Aleke performed well on the exam.; **u** *tr* to do (CPA, CPR, C, H) **òjè ú ói**. Oje did it. **òjè ò ó ù ói**. Oje is doing it. **émé' ójé úì?** What did Oje do?; *do u* to do in stealth (CPA, *CPR, *C, *H) **áléké dó ú ói**. Aleke did it secretly. cf. **vbi** to do.

u *v intr* to happen (CPA, CPR, *C, *H) **ó ú wèé**. It happened a little later.; **u** *tr* to happen to, have impact on, affect [only non-declarative, non-affirmative constructions] **émí ósò í ì ù òlí áwà**. Nothing happened to the dog. lit. Something did not happen to the dog. cf. **ruan** to happen.

u *v intr* to die (*CPA, CPR, *C, *H) **àlèkè úì**. Aleke died. **àlèkè úí vbì òkè**. Aleke died in Oke. **é è sè ú ò**. Don't die yet oh.; *u fi a*, **àlèkè ú fì á**. Aleke died away.; *u fi o*, **òjè ú fì ó vbí ídámí úkpódè**. Oje dropped dead up ahead on the road.; *u o vbi*, **òjè ú ó vbí ídámí úkpódè**. Oje died up ahead on the road.; *ulo o*, **éáìn úló ó vbí ídámí úkpódè**. Those ones died up ahead on the road.; *ulo ku a*, **èrèmé úló kù á**. All died away.; *ulo ku o*, **è úló kù ó vbí úkpódé édà**. They are dead all over on the river road.

u o vbi èsòn *intr* to die in poverty (*CPA, *CPR, *C, *H) **ú ló ù ó vbì èsòn**. You will die in poverty. lit. You will die on account of poverty.

ùà *n* prosperity [greater in composition and diversity than **èfè**] **ùà ríì vbí ísáò**. Prosperity is ahead. **sì kéé ísáó kéré khì ùà ríì vbí ísáò**. Move forward a bit for prosperity is ahead.

uaan *v tr* to poison (CPA, CPR, *C, *H) **ò úáán ólí émàè**. He poisoned the food. **ùààn òlí émàè**. Poison the food.; *uaan li*, **ò úáán émàè lí òjè**. He poisoned food for Oje. He poisoned Oje's food.

úàànmì *n* lineage, ancestral line. **émíámí élìyó í ì è vbí úáánmí màì**. Illness of that kind is not in our lineage. cf. **áànmì** female insect.

ùàmókhò *n* local curry leaves [no longer used as a separate word].

ùànhán *n* door, shutter, **ùànhán élìyó** door of that kind, **ùànhán èvá** two doors.

úánhùmì *n* Emai village. **òhí rìi vbí úánhùmì**. Ohi is in Uanhumi.

ùànmémì *n* scraper utensil [for cooking] **ùànmémí élìyó** kitchen scraper of that kind, **ùànmémì èvá** two kitchen scrapers. cf. **anme** to roast, **émì** thing.

ùànmé *n* tree with rough surface leaves [leaves serve as sandpaper] **ùànmé èvá** two sandpaper trees.

úbàlókpó', **íbàlókpó'** *n* shuttle for weaving, **úbàlókpó' élìyó** shuttle of that kind, **íbàlókpó' èvá** two shuttles.

úbéláàhìèn *n* bladder, **úbéláàhìèn èvá** two bladders, **úbélááhíén ísì ìsì** bladder from a pig. cf. **ùbèlè** gourd, **áàhìèn** urine.

úbélàsí, íbélàsí *n* snuff gourd, **úbélàsí élìyó** snuff gourd of that kind, **úbélàsí èvá** two snuff gourds. cf. **ùbèlè** gourd, **àsí** snuff.

ùbèlè, ìbèlè *n* calabash, gourd, **úbélé élìyó** calabash of that kind, **ìbèlè èvá** two calabash, **úvbìùbèlè** small calabash, **úbélé ákákàzá** calabash of akakaza tree, **úbélé évbìì** palm oil gourd.

úbélényò *n* wine gourd. **úbélényò óò**. It's a wine gourd. cf. **ùbèlè** gourd, **ényò** wine.

ùbètè *n* traditional container of woven Borassus date-palm leaves [for storage of cotton wool or compressing grated cassava] **úbété élìyó** date-palm bag of that kind, **ùbètè èvá** two date-palm bags, **úbétòèlè** date-palm bag of pigeon peas.

úbèè *n* peek, furtive glance, peeping; **de úbèè** *tr* to peek, peep (*CPA, *CPR, C, H) **ò ó dè úbèè**. He is peeking. lit. He is reaching a peeking stage. **ò ó dè ùbéé vbí ékéín íwé ísì ìyáín.** He is peeking inside their house. **é è kè dé úbèè**. Don't peek anymore.; *de úbèè ghoo*, **ò ó dè ùbéé ghòò òjè**. He is peeking at Oje. lit. He is reaching a peek and looking at Oje. cf. **ghoo** to look at.

ùbèzì *n* type of leaf, **úbézí élìyó** leaf of that kind.

úbì *n* murder; **gbe úbì** *tr* to commit murder (CPA, CPR, *C, *H) **ò gbé úbì**. He committed murder. lit. He performed a murder. **ò gbé òhí vbí úbì.** He murdered Ohi.

úbì *n* blinding, intense slap; **gbe úbì o** *tr* to slap (CPA, CPR, *C, *H) **ò gbé úbì ó áléké vbì èò.** He slapped Aleke's face. lit. He thrust a slap onto Aleke's face.

ùbòlò *n* tree with very wide leaves [leaves dried and ground for charms, also for wrapping, bark used as rope] **ùbòlò èvá** two wide-leaf trees. **ùbòlò óò**. It's a wide-leaf tree.; ~ *n* image or representation of dead person for second burial [of ùbòlò leaves] **ùbòlò óò**. It's an ubolo leaf image.; ~ *n* dish consisting of ground pigeon peas mixed with oil and wrapped in leaves prior to boiling. **ùbòlò óò**. It's (a parcel of) ground pigeon peas.

ùbó *n* pile, hemorrhoid, **ùbó ísì òhí** Ohi's hemorrhoid.

ùbòsùn *n* skewer, rod for placing yams in a fire, **úbósún élìyó** yam skewer of that kind, **ùbòsùn èvá** two yam rods.

úbùén *n* dried maize soaked in water, ground and turned over a fire before being pounded and wrapped in leaves to boil [served with sauce] **ólí ómòhè é úbùén.** The man ate pounded maize.

úchè *n* small, sharp knife for traditional circumcision operation, **úché élìyó** circumcision knife of that kind, **úchè èvá** two circumcision knives.

ùdà *n* defiance [for older generation]. cf. **duda** defiantly.

údábìn *n* darkness. **ó múzání vbí údábìn**. He stood in the darkness. cf. **bin** to be dark.

ùdàgbó *n* open space, expansive clearing [area where vision unimpeded] **ò dé ùdàgbó ré**. He reached the clearing.

údàmí *n* height, **údàmí ísì òjè** Oje's height. cf. **da** to be tall.

ùdégùòghò *n* Cassia nodosa tree, **ùdégùòghò èvá** two Cassia nodosa trees.

ùdègbóìmì *n* ghost. **ùdègbóìmì óò**. It's a ghost. cf. **óìmì** dead body.

ùdègbú *n* pit, ditch, valley, depression in the ground, **ùdègbú élìyó** pit of that kind, **ùdègbú èvá** two valleys.

ùdékèn *n* wall, **ùdékén élìyó** wall of that kind; **so ùdékèn** *tr* to crash into (CPA, CPR, *C, *H) **òhí só ùdékèn**. Ohi crashed into the wall. lit. Ohi smacked the wall. cf. **de** to reach, **èkèn** sand.

ùdèlòbò *n* wooden utensil [for stirring and preparing food] **údélóbó élìyó** stirring stick of that kind, **ùdèlòbò èvá** two stirring sticks. **ò dé ùdèlòbò**. He bought a stirring stick. cf. **delo** to turn with, **óbò** hand.

ùdényá' *n* sleep apnoea [sensation that lungs have collapsed, reflects gender neutral folk belief in incubus or succubus] **ùdényá' óò**. It's an incubus.

ùdén *n* palm oil extracted from kernels through heating [used as body oil] **ùdén élìyó** palm oil of that kind, **ògúùdén** bottle of palm-kernel oil.

ùdénàgbán *n* oil from processed coconuts [body cream] **ò dé ùdénàgbán**. He bought coconut oil. cf. **ùdén** palm kernel oil, **àgbàn** coconut [Yoruba].

ùdèvbìè *n* isolated, lonely area. **ò ó shàn vbí ùdèvbìè**. He is proceeding to a lonely place. cf. **de** to reach, **èvbìè** loneliness.

ùdìá *n* sitting. **ùdìá lí ó rîì lí èdèdé**. It was sitting that he was doing earlier. cf. **dia** to sit.

údìn *n* generic oil-palm tree, **údín élìyó** oil-palm tree of that kind, **údìn èvá** two oil-palm trees.

údìnòwò *n* extremely tall, slender Borassus palm tree of grassland areas [large palm kernels but little oil] **údìnòwò èvá** two Borassus palm trees. cf. **údìn** palm tree, **òwò** raffia palm tree.

údò, ídò *n* stone, rock, **údó élìyó** rock of that kind, **ídò èvá** two stones, **úvbíúdò** small movable stone for grinding pepper, **úkpúdò**, **íkpídò** pebble, piece of stone, **úkpúdó élìyó** pebble of that kind, **íkpídò èvá** two pebbles.

ùdókò *n* type of machete, ùdókò èvá two machete of this type.

ùdómòíhì *n* Senegal coucal bird, ùdómòíhì èvá two Senegal coucal birds.

údó'mùhèn *n* midnight, darkest portion of the night. ò óó' sè vbí údó'mùhèn. It got to mid-night. údó'mùhèn óó' sè. It got to midnight. lit. Midnight went to occur.

ùdòò *n* fantasy state of children or adults. è ríì vbí ùdòò. They are fantasizing. They are imagining. cf. **doo** to fantasize.

ùdón *n* clitoris. ùdón óò. It's a clitoris.

ùdù *n* heart, ùdù èvá two hearts, údú ísì èkpèn heart of the leopard; ~ *n* center of one's moral character, údú élìyó heart of that kind, údú lí òbè bad heart; ùdù hunme *intr* to be wicked [only in negative constructions] údú ísì òlí ómòhè í ì hùnmè. The man is a bad person. lit. The heart of the man is not good.

údù-, ídù- *n pref* large [augmentative function] údúókà large maize, údùàmágò large mango. òjè òkpá lí ó é ólí údùàmágò léé. It was Oje alone who finished eating a large mango.

údùdúmì- *n pref* cob of, údùdúmókà cob of maize.

údùdúmókà *n* cob of maize without kernels, údùdúmóká élìyó cob of maize of that kind,

údùdúmókà èvá two cobs of maize. cf. údùdúmì- cob of, ókà maize.

ùdùká *pstv adv* suddenly [only in focus position] ùdùká lí ójé míé élí ívbèkhàn. It was suddenly that Oje saw the youths. ùdùká yán hóní khì èràìn vééní ìgbèú. Suddenly they heard that the fire imploded.

údúkpù *n* coconut palm tree, Cocus nucifera, údúkpú élìyó coconut palm tree of that kind, údúkpù èvá two coconut palm trees; ~ *n* coconut fruit, údúkpú élìyó coconut of that kind, údúkpù èvá two coconuts.

údùúkpú' *n* owl, údùúkpú' élìyó owl of that kind, údùúkpú' èvá two owls.

ue *v intr* to be lost, missing (CPA, CPR, *C, *H) ólí ópìà úéì. The cutlass was lost. ólí ómò úéì. The child was missing. ólí úkpùn úéì. The cloth was lost.; ue a, yán úé à. They became lost. ólí óvbèkhàn úé à. The youth got out of touch.; de ue a to become wasted. ólí úkpédé áín dé ùè á. That day was lost. lit. That day was reached and lost.

úèèn *n* behavior, conduct, character, úéén élìyó behavior of that kind, úéén lì ghààgháá misbehavior, úéén lì òbè bad behavior, úéén lì èsèn good behavior, úéén ísì òjè the behavior of Oje; úèèn toto *intr* to exhibit overly intense, horrible behavior (CPA, CPR, *C, *H) **úéén ísì òjè tótóì.** Oje's behavior was terrible. lit. Oje's behavior was intense. cf. **een** to interact.

úènghén *n* yam with stripes on outer membrane, **úènghén élìyó** striped yam of that kind, **úènghén èvá** two striped yams, **émúènghén** striped yam. cf. **ófúènghén** striped rat.

úfì, ífì *n* hoop-shaped rope of vines [used by palm wine tappers for palm tree climbing] **úfí élìyó** climbing rope of that kind, **ífì èvá** two climbing ropes; ~ *n* wire snare trap for catching animals, **úfí élìyó** snare trap of that kind, **ífì èvá** two snare traps; ~ *n* noose. **úfì óò.** It's a noose.; **re úfì din** to commit suicide by hanging (CPA, CPR, *C, *H) **ólí ómòhè ré úfì dín.** The man committed suicide. lit. The man got the noose tied.

úfì *n* blue glass beads worn tightly around the neck, **úfí élìyó** blue glass beads of that kind, **úfì èvá** two blue glass beads.

úfùnmí *n* kindness, gentleness, **úfùnmí ísì òlí óvbèkhàn** the youth's kindness. cf. **fun** to be kind.

úgé'n *n* tamarind tree [leaves of medicinal value] **úgé'n èvá** two tamarind trees; ~ *n* black tamarind seeds [pinkish flesh embedded in a brownish, edible pulp licked for sweet taste] **úgé'n óò.** It's a tamarind seed.

úgé'n *n* cockscomb, **úgé'n élìyó** cockscomb of that kind, **úgé'n èvá** two cockscombs.

ùgín, ìgín *n* tray, basket of palm frond veins, **ùgín élìyó** palm frond basket of that kind, **ìgín èvá** two palm-frond baskets.

úgó', ígó' *n* bug, **úgó' élìyó** bug of that kind, **ígó' èvá** two bugs, **úkpúgó', íkpígó'** gnat.

ùgò *n* Ugo village. **àlèkè yé ùgò.** Aleke went to Ugo.

úgógèbèsún *n* empty snail shell, **úgógèbèsún élìyó** empty snail shell of that kind, **úgógèbèsún èvá** two empty snail shells. cf. **úgògò** shell, **èbèsún** land snail.

úgògò *n* shell, carapace, outer shell, **úgógó élìyó** shell of that kind, **úgògò èvá** two shells, **úgógó òkpàn** shell of a gourd, **úgógó égbè** remains of a body.

ùgòmùgò *n* ostrich, **ùgòmùgò èvá** two ostriches.

úgùà, ígùà *n* fruit pit, **úgúá ísì àmágò** pit of a mango, **úgúá ísì òúmù, ígúá ísì òúmù** pit of an avocado, **úgùàmágò** mango seed.

úgùà, ígùà *n* joint; **so úgùà** *tr* to set a bone joint (*CPA, *CPR, *C, H) **ólí ómóhé ó ò sò úgùà.** The man sets bones. lit. The man joins joints (of bone).

úgùàkpókà, ígùàkpókà *n* bone joint, **úgùàkpóká élìyó** joint of that kind, **ígùàkpókà èvá** two joints. cf. **úgùà** joint, **àkpókà** bone.

úgùàmágò, ígùàmágò *n* mango seed for planting, ígùàmágò èvá two mango seeds, úgúá ísì àmágò pit of a mango. cf. úgùà pit, àmágò mango.

úgú'díóbò *n* shoulder, úgú'díóbó ísì òjè Oje's shoulder. cf. úgú'é palm frond, **din** to tie, óbò̲ arm.

úgú'é, ígú'é *n* palm frond, ígú'é èvá two palm fronds, úvbí-úgú'é small palm frond, úkpúgú'é vein of palm frond for basket weaving.

úgùgúmẹ̀ò *n* eyebrow, bone ridge above the eye, úgùgúmẹ̲ó ísì àlèkè Aleke's eyebrow. cf. úgùgúmì- ridge of, ẹ̀ò eye.

úgùgúmì- *n pref* brow of, ridge of, úgùgúmẹ̀ò eyebrow.

úgúítíhìàn *n* tail feather, úgúítí-hián élìyó tail feather of that kind, úgúítíhián ísì ò̲khùè̲dídè̲ tail feather of a parrot. cf. úgùà joint, ìtìhìàn tail.

úgú'óbò̲, ígú'ábò̲ *n* elbow, ígú'ábó̲ èvèvá both elbows. cf. úgú'é, ígú'é palm frond, óbò̲, ábò̲ arm.

úgú'òè̲, ígú'àwè̲ *n* knee, ígú'áwé̲ èvèvá both knees, ígú'àwè̲ èvá two kneecaps. cf. úgú'é, ígú'é palm frond, òè̲, àwè̲ leg.

ùgùògùò *n* tree with red leaves [leaves serve as purgative] ùgùògùò èvá two red-leaf trees.

úgùòúmù, ígùòúmù *n* avocado seed for planting, ígùòúmù èvá two avocado seeds, úgúá ísì òúmù pit of an avocado. cf. úgùà pit, òúmù avocado.

úgbà *n* fence, úgbá élìyó fence of that kind; **gba úgbà** *tr* to put up a fence by tying (CPA, CPR, C, H) *gba úgbà o̲*, **yàn gbá úgbà ó̲ vbí úkpódè̲**. They tied a fence across the road. lit. They tied a fence onto the road.; *gba úgbà lagaa* to put a fence around (CPA, CPR, *C, *H) **ò̲ gbá úgbà lágáá íwé ísì ò̲í.** He tied a fence around the house. **à gbá úgbà lágáá ó̲lí ímè̲.** A fence was put around the farm. The farm was fenced in.; ~ *n* roofing mats of thatch, **úgbá élìyó** roofing mat of that kind, **úgbà èvá** two roofing mats. cf. **gba** to tie.

úgbàì *n* instance, example, **úgbáí lí ó̲zèvà** second instance, **úgbáí lí ó̲zèéà** third instance.

ùgbàìgìdì *n* vine creeper, **úgbá-ígídí élìyó** vine creeper of that kind.

ùgbàlùhùnmì *n* head scarf, head tie, head wrap, **úgbálúhúnmí élìyó** head scarf of that kind, **ùgbàlùhùnmì èvá** two head scarves. cf. **gbalo̲** to tie on, **úhùnmì** head.

úgbàn, ígbàn *n* thorn, fish bone, rib, **úgbán élìyó** thorn of that kind, **ígbàn èvá** two thorns, **úgbán ísì èhè̲è̲n** bone from a fish; ~ *n* blade of grass, **úgbán élìyó** blade of grass of that kind, **ígbàn èvá** two blades of grass, **úgbán èvò** blade of thatch.

úgbàyẹ̀yẹ̀ *n* powder to heal sores. **ò̲ rẹ̲ úgbàyẹ̀yẹ̀ ó̲ vbì ẹ̲màì.** He applied healing powder onto the wound. cf. **gbe** to position, **àyéyé'** plant with tiny leaves.

úgbé' *n* dam, **úgbé' élìyó** dam of that kind, **úgbé' èvá** two dams; **nwu** **édá úgbé'** *compl tr* to become dammed (CPA, CPR, C, H) **òjè nwú** **ólí** **édá úgbé'.** Oje dammed the river. lit. Oje took hold of the river with a dam. **à nwú** **ólí** **édá úgbé' vbí áfúzé'.** The river got dammed at Afuze.

úgbèbá *n* two-pronged pick for hair plaiting, **úgbèbá élìyó** hair pick of that kind, **úgbèbá èvá** two hair picks.

úgbé'bè *n* savanna, prairie, grass- land bush area with abundance of leafy shrubs and few high forest trees. **ò yé úgbé'bè.** He went to the savanna. cf. **úgbó'** forest, **ébè** leaf.

úgbé'dàbù *n* desert, sandy, dusty area, **úgbé'dábú élìyó** dusty area of that kind. **ò dé fì ó vbí úgbé'dàbù.** It fell into a dusty area. **ólí óvbèkhàn rî vbí úgbé'dàbù.** The youth was at a sandy place. cf. **úgbó'** forest, **èdàbù** dust.

úgbégbàhè *n* sap gourd, **úgbég- báhé élìyó** sap gourd of that kind, **úgbégbàhè èvá** two sap gourds. cf. **ùgbègbè** gourd, **àhè** sap.

ùgbègbè *n* carved storage gourd, **ùgbègbè** **èvá** two carved gourds.

úgbégbósà *n* gourd for soap, **úgbégbósá élìyó** soap gourd of that kind, **úgbégbósà èvá** two soap gourds. cf. **ùgbègbè** gourd, **ósà** soap.

ùgbèkùn *n* belt, waist strap, **úgbékún élìyó** belt of that kind, **ùgbèkùn èvá** two belts. cf. **gba** to tie, **ékùn** waist.

úgbèmí *n* pulse. **úgbèmí óò.** It's a pulse. cf. **gbe** to beat.

ùgbèùè *n* Chrysichthys nigrodigi- tatus fish, **ùgbèùè èvá** two Chrysichthys Nigrodigitatus fish.

úgbèkhòkhò *n* wound-cure leaf, **úgbékhókhó élìyó** wound-cure leaf of that kind, **úgbèkhòkhò èvá** two wound-cure leaves. cf. **gbe** to develop, **ékhòkhò** scar.

ùgbén *n* tree with long oil-bean pods, **ùgbén èvá** two oil-bean trees; ~ *n* oil bean, **ùgbén èvá** two oil beans.

úgbèrèrè *n* soft spot of the head. **úgbèrèrè óò.** It's the soft spot.; ~ *n* illness causing enlarged soft spot. **úgbèrèrè lí ó ò kpòkpò òlí ómò.** It is soft-spot en- largement that the child suffers from. cf. **gbe** to develop, **èrèrè** soft spot on head.

ùgbévbèè *n* locust bean tree, **ùgbévbèè èvá** two locust bean trees; ~ *n* locust bean [enhances soup] **ùgbévbèè èvá** two locust beans, **úkpùgbévbèè, íkpùgbé- vbèè** locust bean seed. cf. **ùgbén** oil bean, **évbèè** kola nut.

úgbí'dò *n* location of abundant stones. **úgbí'dò óò**. It's a stony place. cf. **úgbó'** forest, **ídò** stone.

úgbí'ìbòbòdí *n* cassava plot or farm, **úgbí'ìbòbòdí èvá** two cassava plots. cf. **úgbó'** forest, **ìbòdòdí** cassava.

úgbí'ìdì *n* graveyard, cemetery, **úgbí'ìdì èvá** two graveyards. cf. **úgbó'** forest, **ìdì** grave.

úgbí'ìhíángùè *n* groundnut plot or farm, **úgbí'ìhíángùè èvá** two groundnut plots. cf. **úgbó'** forest, **ìhíángùè** groundnut.

úgbó' *n* virgin forest with large timber trees, rainforest, **úgbó' élìyó** virgin forest of that kind.

ùgbòbì *n* antidote [incision renders poison ineffective] **úgbóbí élìyó** antidote of that kind. cf. **gbe** to overcome, **óbì** poison.

ùgbòbò *n* Malapterurus electricus, electric eel, **úgbóbó élìyó** electric eel of that kind, **ùgbòbò èvá** two electric eels. cf. **gbe** to strike, **óbò** arm.

ùgbòfì *n* orange, lime, **ùgbòfì èvá** two oranges; ~ *n* orange or lime juice. **ùgbòfì óò**. It's lime juice. cf. **gbe** to kill, **ófì** yaws disease [yaws treated with lime juice].

úgbó'rè *n* old virgin forestland. **úgbó'rè óò**. It's virgin forest-land. cf. **úgbó'** virgin forest, **órèè** generation.

úgbówèé *n* broom rib, **úgbówèé èvá** two broom ribs. cf. **úgbàn** rib, **ówèé** broom.

ùgbóghàín *n* costly item. **ò dé ùgbóghàín**. He bought a costly article. cf. **gbe** to develop, **òghàín** costly condition.

úgbó'ògòdò *n* swamp, marshy plot. **úgbó'ògòdò óò**. It's a swamp. cf. **úgbó'** forest, **ògòdò** mud.

úgbó'òhàà *n* field of elephant grass. **úgbó'òhàà óò**. It's an elephant grass field. cf. **úgbó'** forest, **òhàà** elephant grass.

úgbó'òwò *n* raffia palm forest. **úgbó'òwò óò**. It's a raffia forest. cf. **úgbó'** forest, **òwò** raffia palm.

úgbú'ùlè *n* Emai village area that is no longer a settlement. **òjè rîí vbí úgbú'ùlè**. Oje's in Ugbuule. cf. **úgbó'** virgin forest.

ùghàmà *n* ax, sharpened wedge for cutting down trees, **úghámá élìyó** tree ax of that kind, **ùghàmà èvá** two tree axes.

úghè *n* scene, sight, spectacle, visual impression; **ghoo úghè** *tr* to look at a spectacle (*CPA, CPR, C, *H) **yàn á ghòò úghè**. They are looking at a spectacle. **ò óó' ghòò úghè**. She went to look at the sight.

úghèè *n* resting place for mammals, lair, abode, hideout, **úghéé ísì ófè** rat's nest, **úghéé ísì í

ìnì** elephant abode.

ùghègbè *n* mirror, eyeglasses, spectacles, **úghégbé élìyó** mirror of that kind, **ùghègbè èvá** two mirrors, **úghégbé ísì òjè** Oje's mirror, **úghégbé ísì èò** eyeglasses. cf. **ghoo** to look, **égbè** body.

úghó'ì *n* untended, stale condition, **ótóúghó'ì** unswept ground surrounding a house; **gbe úghó'ì** *tr* to become stale (*CPA, CPR, *C, *H) **ólí émàè gbé úghó'ì**. The food became stale. lit. The food developed staleness. cf. **émúghó'ì** stale food.

ùghòìn *n* yellow-flowered shrub [venerated by chieftancy initiates, received at investiture when rubbed with chalk] **ùghòìn èvá** two yellow-flowered shrubs; ~ *n* reed or cane of yellow-flowered shrub [serves as a whip] **ùghòìn èvá** two yellow-shrub canes. cf. **úkpàsánmùghòìn** whip from yellow-flowered shrub.

ùghú *n* vulture, **ùghú èvá** two vultures.

ùghùghú *n* bowels, **ùghùghú èvá** two bowels. cf. **éhùàn** intestine.

ughun *v* to crush; **ughun a** *intr* to get crushed (CPA, CPR, *C, H) **ólì ìbòbòdí úghún à**. The cassava got crushed.; **ughun** *tr* to crush (CPA, *CPR, C, H) **ò ó ùghùn ìbòbòdí**. She is crushing the cassava.; *kpaye ughun*, **òhí ò ó kpàyè àléké ùghùn ìbòbòdí**. Ohi is crushing cassava in place of Aleke.; *ughun li*, **òhí úghún ìbòbòdí lí àlèkè**. Ohi crushed cassava for Aleke.

ùhàì *n* well, **úháí élìyó** well of that kind, **ùhàì èvá** two wells.

ùhàì, ìhàì *n* arrow, **úháí élìyó** arrow of that kind, **ìhàì èvá** two arrows, **úkpùhàì, íkpúhàì** point of an arrow. cf. **úháóbì** poisoned arrow.

ùhán *n* dash, bribe; **fi ùhán** *tr* to bribe, dash, offer a bribe (CPA, CPR, *C, H) **ójé ó ò fi ùhán**. Oje bribes. lit. Oje drops bribes.; *fi ùhán li*, **òjè fí ùhán lí òhí**. Oje dropped a bribe for Ohi.; **miee ùhán** *tr* to receive a bribe (CPA, CPR, *C, *H) **òhí míéé ùhán**. Ohi received a bribe.; **miee ùhán** *compl tr* to receive a bribe from. **òhí míéé ójé ùhán**. Ohi received a bribe from Oje. cf. **haan** to be harmonious.

úháóbì *n* arrow with poison tip, **úháóbí élìyó** poison arrow of that kind, **úháóbí èvá** two poison arrows. cf. **ùhàì** arrow, **óbì** poison.

ùhápòó *n* seed type [medicinal value, children's toy] **ùhápòó èvá** two seeds of this type.

ùhé *n* promiscuity, fornication, reckless sex [gender neutral] **fi ùhé** *tr* to fornicate, be promiscuous (*CPA, *CPR, *C, H) **ó ò fi ùhé**. He fornicates. He exhibits promiscuity. lit. He projects promiscuity.

ùhègbè *n* privacy, secrecy [only with émì] **émí ísì ùhègbè a** guarded secret. lit. thing for privacy. **émí ísì ùhègbè óò**. It's a guarded secret. cf. **hee** to conceal, **égbè** body.

úhè̀ *n* state, condition of purity; **lodè vbi úhè̀** *intr* to be sexually pure [gender neutral] (*CPA, CPR, *C, *H) **ò̩ lódé̩ vbí úhè̀.** She was pure. lit. She went to purity. cf. **ó̩ókhúhè̀** cattle egret.

úhè̀ *n* mythical village of Ife. **òjè rîi vbí úhè̀.** Oje is in Ife. cf. Yoruba village Ile-Ife.

úhé̩è̩nà *n* five days. **ò̩ ó̩ó̩' sè̩ vbí úhé̩è̩nà.** It got to five days. **úhé̩è̩nà ó̩ó̩' sè̩.** It got to five days. cf. **é̩è̩nà** today.

ùhì *n* law, rule, convention, directive, boundary, property line between farms, **úhí élìyó̩** law of that kind, **ùhì èvá** two laws; **vboo ùhì a** to defy a restriction (CPA, CPR, *C, *H) **òjè vbó̩ó̩ ó̩lì ùhì á.** Oje defied the law. lit. Oje uprooted the law. **à vbó̩ó̩ ó̩lì ùhì á.** The rule was defied. cf. **hi** to be destined.

ùhì *n* penalty, fine; **vbuu ùhì li** *tr* to issue, assess a fine to (CPA, CPR, *C, *H) **ó̩bá' vbúú ùhì lí òhí.** The Oba issued a fine to Ohi. **à vbúú ùhì lí òjè.** Oje has been issued a fine. **à vbúú ùhì ní áìn.** He was fined. **vbùù ùhì ní áìn.** Issue a fine to him.; **ze̩ ùhì** *tr* to pay a fine. **òhí zé̩ ùhì.** Ohi paid a fine. cf. **hi** to be destined.

úhìà *n* Cola millenii, flowering plant with broad leaves, **úhìà èvá** two Cola millenii plants.

úhí'ànmì, íhí'ànmì *n* outer layer, shell, rind, bark. **úhí'ànmì ó̩ò̩.** It's bark.

úhí'ánmóràn *n* bark of a tree, **úhí'ánmórán élìyó̩** bark of that kind, **úhí'ánmóràn èvá** two pieces of bark. cf. **úhí'ànmì** bark, **óràn** wood.

uhie *v tr* to stir, mix (CPA, CPR, C, *H) **ò̩ úhíé ó̩lì ìkpè̩shè̩.** She stirred the beans. **ùhìè ó̩lì ìkpè̩shè̩.** Stir the beans.

úhínédìn *n* naturally occurring ridge of palm nuts, **úhínédín élìyó̩** palm ridge of that kind, **úhínédìn èvá** two palm ridges. cf. **hian** to cut, **édìn** palm fruit.

úhìó *n* depression or hole in a river, **úhìó élìyó̩** river depression of that kind, **úhìó èvá** two river depressions.

ùhò *n* area between four heaps of earth, **ùhò èvá** two heap areas.

ùhòbò *n* Urhobo people and language. **àlèkè ò̩ ó̩ zè̩ ùró̩ó̩ ùhòbò.** Aleke is speaking Urhobo.

ùhùnmého̩è̩è̩ *n* anthill, ant mound, **ùhùnmého̩è̩è̩ élìyó̩** anthill of that kind, **ùhùnmého̩è̩è̩ èvá** two anthill mounds. cf. **úhùnmì** top, **éhè̩è̩** anthill.

úhúnmémà *n* detached yam head for planting. **úhúnmémà ó̩ò̩.** It's a yam head. cf. **úhùnmì** top, **émà** yam.

úhùnmì *n* head of a body, **úhùnmì èvá** two heads; ~ *n* top, apex, **úhúnmí ísì émà** top portion of yam.

úhùnmì *n* wood frame of a roof; **nwu óà úhùnmì** *compl tr* to place a roof (*CPA, CPR, C, *H) **à nwú óá úhùnmì.** The house roof was set in place. lit. One took hold of the house's roof.

úhùnmì *n* errand, message, **úhúnmí élìyǫ́** errand of that kind, **úhùnmì èvá** two errands, **úhúnmí lì ǫ̀bè** bad message. **à yé ójé úhùnmì.** Oje was sent with a message.; **sin úhùnmì** *tr* to reject an errand (*CPA, *CPR, *C, H) **ólí ǫ́mǫ́hé ǫ́ ǫ̀ sìn úhùnmì.** The man rejects errands.

úhúnmílǫ́fíédè̲ *n* goat weed, **úhúnmílǫ́fíédè̲ èvá** two goat weeds. cf. **úhùnmì** head, **li** R, **ǫ** it, **fi** sprout, **édè̲** gray hair.

úhúnmóà *n* roof of a house. **úhúnmóà ǫ́ǫ̀.** It's a house roof. cf. **úhùnmì** top, **óà** house.

úì, ìì *n* rope, **úí élìyǫ́** rope of that kind, **ìì èvá** two ropes, **úkpúì, íkpúì** piece of rope; ~ *n* stripes indicating rank in military organization, **úí élìyǫ́** stripe of that kind, **ìì èvá** two stripes.

úìèn *n* alligator pepper for pepper soup [medicinal iodine function, chewed to treat cough] **úìèn èvá** two alligator peppers. **ǫ̀jè ré̲ úìèn ǫ́ vbì èmàì.** Oje placed alligator pepper onto the wound. **úkpúìèn, íkpúìèn** alligator pepper seed.

úììn *n* cold, fever, **úíín élìyǫ́** cold of that kind; **úììn fan ku e̲** *intr* to catch a cold (*CPA, CPR, *C, *H) **úììn fán kù é̲ ǫ́ì.** He

caught a cold. lit. A cold sprang onto him.; **úììn gbe** *tr* to get cold, fever (*CPA, *CPR, C, H) **úììn ǫ̀ ǫ́ gbè ǫ́ì.** He is getting a cold. lit. A cold is overcoming him. **úììn ǫ̀ ǫ́ gbè ǫ̀jè.** Oje is feverish. Oje has the chills.; *re̲ úììn gbe,* **ǫ́lì èmàì ǫ̀ ǫ́ re̲ úìín gbè ǫ́lì ǫ̀kpòsò.** The wound is making the woman feverish. lit. The wound is making fever overcome the woman.; **úììn gbe** *tr* to die of fever (CPA, CPR, *C, *H) **úììn gbé ǫ́lí ǫ́mǫ̀hè̲.** The man died of a fever. lit. Fever killed the man.

ùjè *n* interval of four days, four-day market week, **ùjè èvá** two market weeks. **ǫ̀ gbé ùjè.** It was a four-day interval. lit. It made a four-day interval.

újèkìn *n* interval between one market day and the next, **újèkìn èvá** two market intervals. **újèkìn ǫ́ǫ̀.** It's a market interval. cf. **ùjè** four day interval, **èkìn** market.

úká'lábóràn, íká'lábóràn *n* tree branch, **íká'lábórán élìyǫ́** tree branches of that kind, **íká'lábóràn èvá** two tree branches. cf. **úké'** hump, **li** R, **ábò̲** hand, **óràn** tree.

úkátó' *n* grassland, savanna, **úkátó' élìyǫ́** grassland of that kind. cf. **átó'** grassland.

ùké *n* fiber for ramming pellets into a gun, **ùké élìyǫ́** ramming fiber of that kind, **ùké èvá** two ramming fibers.

úké', íké' *n* humped condition of humans or animals; s<u>é</u> úké' *tr* to be hunchbacked (CPA, CPR, *C, *H) òhí sé úké'. Ohi is hunchbacked. lit. Ohi reached a hunchbacked position.

ùkéké', ìkéké' *n* peg for hanging items, small wooden stick for playing a drum, ùkéké' élìy<u>ó</u> peg of that kind, ìkéké' èvá two pegs, ùkéké' ísì ìbè stick for a drum.

ùkèlè *n* morsel, chunk, lump, ball, úkélé élìy<u>ó</u> morsel of that kind, ùkèlè èvá two morsels. <u>ò</u> hían ùkèlè. He cut a morsel. cf. ìkèlè chunks [for older generation].

úké'légbè, íké'légbè *n* trunk of a body, úké'légbé ísì <u>é</u>m<u>è</u>lá trunk of a cow. cf. úké' hump, li R, égbè body.

úké'lóbò, íké'lábò *n* upper part of the arm, íké'lábò èvá two upper arms, úké'lóbò ísì òjè the upper arm of Oje. cf. úké' hump, li R, ób<u>ò</u>, áb<u>ò</u> arm.

úké'lóràn, íké'léràn *n* log, úké'lórán élìy<u>ó</u> log of that kind, íké'léràn èvá two logs. cf. úké' hump, li R, óràn, éràn tree.

ùkìn *pstv adv* month, úkín lì <u>ò</u>dè upcoming month. <u>ó</u>lí <u>ó</u>m<u>ó</u>hé l<u>ó</u> gbè <u>ò</u>lí ófé úkín lì <u>ò</u>dè. The man will kill the rat in the up-coming month. úkín lí <u>ó</u> ráá rè the past month. <u>ó</u>lí <u>ó</u>vbékhán gbé <u>ó</u>í úkín lí <u>ó</u> ráá rè. The youth killed it last month. éghè lí <u>ó</u>lí <u>ó</u>m<u>ó</u>hé l<u>ó</u> rè gbé <u>ó</u>lì

èkp<u>è</u>n? When will the man kill the leopard?; ~ *n* moon, moonlight, úkín lì <u>ò</u>gbòn new moon. ùkìn h<u>éé</u>nì. The moon has risen. ùkìn v<u>óó</u>nì. The moon is full. ùkìn <u>óò</u>. It's moonlight.; ~ *n* month, ùkìn èvá two months, <u>ó</u>lí úkín nà this month; nwu ùkìn fi a *tr* to miss a menstrual period (*CPA, CPR, *C, *H) àlèkè nwú ùkìn fí à. Aleke missed her period. lit. Aleke dropped the month aside.

úkó' *n* cup, úkó' élìy<u>ó</u> cup of that kind, úkó' èvá two cups, <u>ó</u>lí úkó' áìn that cup.

ùkòbò *n* untalented singer or dancer. ùkòbò <u>óò</u>. She's an untalented singer.

ùkòdò *n* cooking pot for large quantities of food, úkódó élìy<u>ó</u> large cooking pot of that kind, ùkòdò èvá two large cooking pots.

úkókàsí *n* tin of snuff, úkókàsí élìy<u>ó</u> snuff tin of that kind, úkókàsí èvá two snuff tins. cf. ùkòkò container, àsí snuff.

ùkòkò *n* container. ùkòkò <u>óò</u>. It's a container.; ~ *n* vagina, úkókó ísì <u>ò</u>í her vagina. cf. koko to assemble.

ùkókóí *n* plant favored by animals as food, ùkókóí èvá two food plants of this type.

úkókúdúkpù *n* coconut shell, úkókúdúkpù èvá two coconut shells. cf. ùkòkò container, údúkpù coconut.

úkókúshẹ́'n *n* small gourd for black powder of traditional medicine, **úkókúshẹ́'n élìyọ́** black-powder gourd of that kind, **úkókúshẹ́'n èvá** two black-powder gourds. **úkókúshẹ́'n ọ́ọ̀**. It's a black-powder gourd. cf. **ùkòkò** container, **úshẹ́'n** black powder.

úkòòbòzò *n* heron, tall, brightly-colored swamp bird with long legs, **úkòòbòzò èvá** two herons.

úkòójè *n* ceramic cup or dish, **úkòójé élìyọ́** ceramic cup of that kind, **úkòójè èvá** two ceramic cups. cf. **úkó'** cup, **ójè** traditional ruler.

ùkótì *n* long, stout pin for scratching scalp after hair plaiting, **ùkótí élìyọ́** scalp pin of that kind, **ùkótì èvá** two scalp pins.

úkọ̀ *n* spokesperson for ranking member of age group, messenger, **úkọ̀ èvá** two messengers, **úkọ́ ísì ọ́bá'** messenger of the Oba, **úkọ́ lì ọ̀bè** bad messenger. cf. **úvbíúkọ̀** he-goat.

úkọ́mèhúẹ́ *n* chunk of boiled yam. **úkọ́mèhúẹ́ ọ́ọ̀**. It's a chunk of yam. cf. **úkọ̀mì-** chunk of, **èhúẹ́** boiled yam.

úkọ̀mì- *n pref* unmeasured chunk of, **úkọ́mèhúẹ́** chunk of yam.

ùkù *n* bequest, inheritance, **úkú élìyọ́** bequest of that kind; e **ùkù** *tr* to acquire an inheritance (CPA, CPR, *C, *H) **ọ̀ é ùkù**. He acquired an inheritance. lit. He consumed a bequest.; **e vbi**

ùkù *tr* to inherit at a bequest. **ójé é ọ́lí ímé vbì ùkù**. He inherited the farm at the bequest. lit. Oje consumed the farm at the bequest.; **gbe ùkù ọ vbì òtọ̀ì** *tr* to make a bequest, bequeath. **òjè gbé ùkù ọ́ vbì òtọ̀ì**. Oje made a bequest. lit. Oje positioned a bequest onto the ground.; *gbe ùkù ọ vbi òtọ̀ì li,* **ọ̀ gbé ùkù ọ́ vbì òtọ̀ì lí ívbíá ọ̀ì**. Oje made a bequest for his children.

úkúkọ́vbèkhàn *n* immature youth [belittling use] **úkúkọ́vbèkhàn ọ́ọ̀**. He's an immature youth. cf. **úkùkù** debris, **óvbèkhàn** youth.

úkùkù, íkùkù *n* debris. **íkùkù ọ́ọ̀**. It's debris.

úkúkúákògùè, íkúkúákògùè *n* small-sized water-yam. **úkúkúákògùè ọ́ọ̀**. It's small-sized water yam. cf. **úkùkù, íkùkù** debris, **ákògùè** water yam.

ùkúté'tà *n* important or significant words. **ùkúté'tà lí ójé tái**. They were important words that Oje spoke. cf. **ùkútú'-** whole, **étà** words.

ùkúté'mèlá *n* whole cow, **ùkúté'mèlá èvá** two entire cows. cf. **ùkútú'-** whole, **émèlá** cow.

ùkúté'wè *n* whole goat, **ùkúté'wè èvá** two entire goats. cf. **ùkútú'-** whole, **éwè** goat.

ùkútọ́'ìà *n* person of significance and impeccable standing in a village. **ùkútọ́'ìà ọ́ọ̀**. He's a person of some standing in the village. cf. ùkútú'- whole, ǫ̀ìà person.

ùkútú'- *n pref* whole, entire unit of, ùkúté'wè entire goat, ùkúté'tà important words.

ùkhàìn *n* very smelly rat with long pointed mouth [for traditional sacrifice] ùkhàìn èvá two long-mouthed rats.

úkhèkhédù *n* plant with drooping leaves, úkhèkhédù èvá two drooping leaf plants.

úkhènkhénmì *n* sourness [of cornbread] úkhènkhénmì óò. It's sourness. cf. khenkhen to be sour.

ùkhǫ̀ìn *n* navel and placenta [placenta traditionally buried in house where one is born] úkhǫ́ín ísì ǫ̀lí ómǫ̀ navel of the child, úkpùkhǫ̀ìn belly button, tip of the navel.

ùkhùànkhùàn *n* scar. ǫ́lì ùkhùànkhùàn sé rì ǫ̀í vbì àwè. The scar is still on his leg.

úkhùèè *n* insult, abuse, úkhúéé élìyǫ́ insult of that kind, úkhùèè èvá two insults. cf. khuee to insult. cf. íkhùèè sound.

úkhùèbǫ́ *n* shrine charm, úkhùèbǫ́ ísì òjè Oje's shrine charm. cf. úkhùn bundle, èbǫ̀ shrine.

úkhùèdè *n* door, entrance to room or house, úkhúédé élìyó door of that kind, úkhùèdè èvá two doors, úkhúédé ísì égbóà door for the backyard; bi úkhùèdè gbe *tr* to shut a door (CPA, CPR, *C, *H) ǫ̀ bí úkhúédé ísì

ègbóà gbé. He shut the backyard door. lit. He moved the backyard door aside and positioned it.; khuye úkhùèdè *tr* to close a door (CPA, CPR, C, H) ǫ̀ khúyé úkhúédé ísì ègbóà. He closed the backyard door. cf. khu to chase, édè day.

úkhùèdè *n* extended family, quarter of a village, úkhúédé ísì òjè Oje's extended family. cf. khu to chase, édè day.

ùkhùn *n* initial shoot of a growing plant, initial tendril on a yam stick. ǫ̀ zé ùkhùn. It developed its first shoots.

úkhùn, íkhùn *n* bundle, úkhún óràn bundle of wood, úkhún óràn èvá two bundles of wood, úkhún ǫ́ì bundle of it, úkhùn ìèké bundle of sugarcane. cf. khuun to bundle.

úkhùòtǫ̀ì *n* ground surrounding a house, floor of a house. ǫ̀ rîì vbí úkhùòtǫ̀ì. It is on the floor. cf. òtǫ̀ì ground.

úkpà-, íkpà- *n pref* functions to individuate a single entity from a relatively homogeneous group [presumption that more expected or anticipated] úkpébè a leaf, úkpàmè drop of water. cf. úkpà seed.

úkpà-, íkpà- *n pref* functions to isolate single part from a heterogeneous entity, úkpópìà tip of a cutlass. cf. úkpà beak.

úkpà, íkpà *n* seed of a plant, íkpà èvá two seeds, úkpá ísì ùgbòfì orange seed.

úkpà *n* beak of a bird, **úkpá élìyọ́** beak of that kind, **úkpà èvá** two beaks, **úkpá ísì ọ̀kpà** beak of a rooster; **fi úkpà** *tr* whistle (CPA, CPR, *C, *H) **ọ́lí ọ́mòhè fí úkpà**. The man whistled. lit. The man projected his beak.; **so úkpà vbi** *tr* to peck (CPA, CPR, C, H) **ọ́lí ọ́ókhọ̀ só úkpá vbì ọ̀tọ̀ì**. The chicken pecked on the ground. lit. The chicken touched its beak on the ground.

úkpááhìẹ̀n, íkpááhìẹ̀n *n* star, **úkpááhíẹ́n élìyọ́** star of that kind, **íkpááhìẹ̀n èvá** two stars. cf. **áàhìẹ̀n** urine.

úkpàbà *n* clitoris [slang] **úkpàbà ọ́ọ̀**. It's a clitoris. cf. **ùdọ́n** clitoris.

úkpá'bóràn, íkpá'béràn *n* new, fresh branch of a tree, new tips of a branch, **úkpá'bórán élìyọ́** new branch of that kind, **íkpá'béràn èvá** two new branches. cf. **óràn, éràn** tree.

ùkpàbọ̀ *n* basin for washing hands, **úkpábọ́ élìyọ́** wash basin of that kind, **ùkpàbọ̀ èvá** two wash basins. cf. **kpe** to wash, **ábọ̀** hands.

úkpádìghí *n* sleepiness, dozing, state of nodding off to sleep. **úkpádìghí ọ́ọ̀**. It's sleepiness.; **so úkpádìghí** *tr* to doze off, nod off (*CPA, *CPR, C, *H) **ọ̀ ọ́ sò ùkpádìghí**. She is dozing off. lit. She is joining sleepiness.

úkpáfiánmòìsà *n* African pied wagtail bird, Motacilla aquimp, **úkpáfiánmòìsà èvá** two African pied wagtail, **úvbí-úkpáfiánmòìsà** small African pied wagtail. cf. **áfiánmì** bird, **òìsà** supreme being.

úkpáfiánmòèlè *n* yellow wagtail bird, **úkpáfiánmòèlè èvá** two yellow wagtails. cf. **áfiánmì** bird, **òèlè** pigeon pea.

úkpàgbàn *n* cleft of the chin, **úkpágbán ísì òjè** cleft of Oje's chin. cf. **úkpà-** part of, **àgbàn** chin.

úkpàgbèdé *n* sprouting tip, **úkpàgbèdé ísì ọ́kà** sprouting tip of maize seed. cf. **úkpà-** tip of, **àgbèdé** needle.

úkpàghá *n* tree of riverine areas with exploding seeds, **úkpàghá èvá** two exploding seed trees; ~ *n* flat seed that explodes, **úkpàghá èvá** two flat exploding seeds.

ùkpákò *n* wooden tray, cutting board, **ùkpákó élìyọ́** wooden tray of that kind, **ùkpákò èvá** two wooden cutting boards.

ùkpákò *n* masquerade, processional event of a group. **ùkpákò díànré**. A masquerade has come out.; **ku ùkpákò** *tr* to put on masquerade dress (CPA, CPR, *C, *H) **òhí kú ùkpákò**. Ohi masqueraded. Ohi dressed for the masquerade.

úkpàkọ̀n, íkpàkọ̀n *n* chew stick, **ùkpákọ́n élìyọ́** chew stick of that kind, **íkpàkọ̀n èvá** two chew sticks. cf. **kpe** to wash, **àkọ̀n** tooth.

úkpàkpà *n* scale of a fish, úkpàkpà èvá two fish scales. cf. íkpàkpà scales [for older generation] cf. íkpàkpégbè dead skin.

úkpàkpó *n* part in the hair [mark of fashion] úkpàkpó élìyó hair part of that kind, úkpàkpó èvá two hair parts. cf. àkpó maze.

úkpàkpóràn, íkpàkpóràn *n* tree bark for firewood [regenerative ability of tree] íkpàkpóràn èvá two pieces of tree bark. ò ré íkpàkpóràn kpén. He ignited the tree bark. cf. úkpàkpà scale, óràn tree.

úkpàlé *n* traditional bed, mud platform bed, úkpàlé élìyó mud platform bed of that kind, úkpàlé èvá two mud platform beds.

úkpá'mì- *n pref* strand of, thread of. úkpá'móù óò. It's a strand of cotton.

úkpá'móù *n* strand, thread of cotton, úkpá'móù èvá two cotton threads. cf. úkpá'mì- strand of, òú cotton.

úkpàn *n* ball of thread, úkpàn èvá two balls of thread.

úkpàsánmì, íkpàsánmì *n* switch, cane, stick for whipping or beating, úkpàsánmí élìyó whipping cane of that kind, íkpàsánmì èvá two whipping canes. ólí ómòhè fí ólí óvbékhán úkpàsánmì. The man flogged the youth with a cane.

úkpàsánmùghòìn *n* yellow reed cane, úkpàsánmúghóín élìyó yellow reed cane of that kind, úkpàsánmùghòìn èvá two reed canes. cf. úkpàsánmì cane, ùghòìn yellow reed shrub.

úkpásùmójè *n* Venus, bright star nearest moon, úkpásùmójè rîì vbí òkhùnmì. Venus is in the sky. cf. úkpà- part of.

úkpátùí *n* anus, úkpátùí ísì òjè Oje's anus. cf. úkpà- part of, átùí anus area.

úkpè *n* festival, úkpé ísì ìkórè church harvest festival, úkpé ísì àgángá'n agangan festival, úkpé lì òkhúá a big festival.

úkpè, íkpè *pstv adv* year. úkpé lì òdè upcoming year. úkpé lì òdè lí ó ló gbè óì. It is in the upcoming year that he will kill it. úkpé lí ó ráá rè past year. úkpé lí ó ráá rè lí ó gbé óì. It was in the past year that he killed it. élá úkpè last year. ólí ómóhé gbé ólí ófé élá úkpè. The man killed the rat last year. éghè lí ólí ómóhé ló rè gbé ólì èkpèn? When will the man kill the leopard? éghè ólí ómóhé ré gbé ófè? When did the man kill a rat?; ~ *n* year, úkpé élìyó year of that kind, íkpè èvá two years, úkpé lì ògbòn new year, úkpùúkpè every year, yearly.

úkpégàá *n* joint connecting water channel around a house to a container, úkpégàá élìyó water channel joint of that kind, úkpégàá èvá two water channel joints. cf. **úkpà-** tip of, **égàá** water channel.

úkpègbé *n* next year. **ó ló vàrè òhíná' úkpègbé.** He will come at this time next year. cf. **úkpè** year, **gbè** too much.

úkpéhìẹ̀n, íkpéhìẹ̀n *n* fingernail, toenail, **úkpéhìẹ̀n élìyọ́** toenail of that kind, **íkpéhìẹ̀n èvá** two fingernails. cf. **úkpà-** part of, **éhìẹ̀n** body nail.

úkpéhòṇ *n* earlobe. **èmàì nwú ọ́í vbí úkpéhòṇ.** He had a wound on his earlobe. lit. A wound took hold of his earlobe.; **rẹ si úkpéhòṇ** *tr* to use to warn (*CPA, CPR, *C, *H) **ò rẹ́ ònà sí ójé úkpéhòṇ.** He warned Oje with this. lit. He used this to pull Oje's earlobe. cf. **úkpà-** part of, **éhòṇ** ear.

úkpémì *n* penis [euphemistic] **úkpémí ísì òjè ú kéré.** The penis of Oje is small. **òjè ú úkpémí kéré.** Oje has a small penis.

úkpémì, íkpémì *n* bead, **úkpémí élìyọ́** bead of that kind, **íkpémì èvá** two beads. cf. **úkpà-** part of, **émì** thing.

úkpémíékùn, íkpémíékùn *n* waist beads worn during ritual ceremonies, **úkpémíékún élìyọ́** waist bead of that kind, **íkpémíékùn èvá** two waist beads. cf. **úkpémì** bead, **ékùn** waist.

úkpéòn, íkpéòn *n* bee, honeybee, **úkpéón élìyó** bee of that kind,

íkpéòṇ èvá two honeybees. cf. **úkpà-** part of, **éòṇ** honey.

úkpèsùsù, íkpèsùsù *n* type of insect, **íkpèsùsù èvá** two insects of this type.

úkpèbì *n* gall bladder, **úkpẹ́bí ísì òjè** Oje's gall bladder, **úkpèbì èvá** two gall bladders; ~ *n* bile of the bladder. **úkpèbì ọ̀ọ̀.** It's a drop of bile. cf. **úkpà-** drop of, **èbì** bile.

úkpẹ́dè, íkpẹ́dè *pstv adv* certain number of days [requires numeral] **ọ́lí ọ́mọ́hé hián órán íkpẹ́dè èéà.** The man cut wood for three days. **ó dádáí vbí ógó íkpẹ́dè èéà.** He wandered in the bush for three days. **íkpẹ́dé ékà ọ́ dádáí vbì ògò?** How many days did he wander in the bush?; ~ *n* day. **íkpẹ́dè èéà** three days. **íkpẹ́dé ékà ó rẹ́ hián óràn?** How many days did he use to cut wood? **ó rẹ́ íkpẹ́dè èéà hián óràn.** He took three days to cut wood. **ékẹ́ín íkpẹ́dè èéà** within three days. **íkpẹ́dé ékà ó hián óràn?** For how many days did he cut wood? **ó hián órán vbí ékẹ́ín íkpẹ́dè èéà.** He cut wood within three days. **úkpẹ́dé lí ọ́zèéà** on the third day. **í yì èdẹ́ lí ọ́ hián ọ́lí óràn?** Which indicates the day on which he cut the wood? **ọ́lí ọ́mọ́hé hián ọ́lí órán vbí úkpẹ́dẹ́ lí ọ́zèéà.** The man cut the wood on the third day.

úkpèénà *pstv adv* this season. **ú ló ù úkpèénà.** You will die this season. éghè ójé ló rè kó émà? When will Oje plant yam? cf. úkpè year, éènà today.

úkpègèlè *n* penis, úkpégélé ísì òlí óvbèkhàn the youth's penis, úhúnmí ísì úkpègèlè tip of the penis. cf. úkpà- part of, ègèlè penis area.

ùkpékèè *n* crushed, fresh maize to which condiments added before frying, ùkpékèè évá two fried maize cakes. cf. úkpà- part of, ékèè maize cake [for older generation].

úkpé'nmì, íkpé'nmì *n* ring, node on sugarcane stalk, úkpé'nmí ísì ièké section node of sugar cane.

úkpé'nmóbò, íkpé'nmábò *n* wrist, úkpé'nmóbó ísì òjè Oje's wrist, íkpé'nmábó èvévá both wrists. cf. úkpé'nmì node, óbò, ábò arm.

úkpé'nmòè, íkpé'nmàwè *n* ankle, úkpé'nmóé ísì òjè Oje's ankle, íkpé'nmáwé èvévá both ankles. cf. úkpé'nmì node, òè, àwè leg.

ùkpènùhùnmì *n* pillow, úkpénúhúnmí élìyó pillow of that kind, ùkpènùhùnmì évá two pillows. cf. kpen to be next to, úhùnmì head.

úkpèò, íkpèò *n* eyeball, íkpèò èvá two eyeballs. cf. úkpà- part of, èò eye.

úkpèshè *n* short stick for setting a snare trap, úkpéshé élìyó trap stick of that kind, úkpèshè èvá two trap sticks.

úkpètì *n* long string attached to a stick to initiate the spinning of a top, úkpétí élìyó top string of that kind, úkpètì èvá two top strings.

úkpé'túnù *n* lips, úkpé'túnú élìyó lips of that kind, úkpé'túnú èvévá both lips. cf. úkpà- part of, ètè ulcer, únù mouth.

úkpìhìákpá' *n* finger ring, úkpìhìákpá' élìyó ring of that kind, úkpìhìákpá' èvá two rings. cf. ákpá' baldness.

úkpí'vínmòè, íkpí'vínmàwè *n* ankle bone, ankle, úkpí'vínmóé èvévá both ankle bones. cf. úkpà- part of, ìvìn palm kernel, òè, àwè leg.

úkpóbèrà *n* middle finger, úkpóbérá ísì òjè Oje's middle finger. cf. úkpóbò finger, èrà father.

úkpóbìnyò *n* ring finger, úkpóbínyó ísì òjè Oje's ring finger. cf. úkpóbò finger, ìnyò mother.

úkpóbò *n* finger, úkpóbó lì kéré pinky finger, úkpóbó lì kéré ísì òjè Oje's pinky, úkpóbó lì òjè thumb, úkpóbó lí ójé ísì àlèkè Aleke's thumb. úkpóbò óò. It's a finger.

úkpóbúlàlòmí *n* index finger, fore finger, úkpóbúlàlòmí ísì òjè Oje's index finger. cf. óbúlàlòmí index finger. cf. úkpóbò finger, úlàlò licking, òmì soup.

úkpódàgbòn *n* destiny, life path, úkpódágbón ísì òjè Oje's

destiny. **úkpódágbón ísì òjè vúyé à**. The affairs of Oje's life opened up. cf. **úkpódè** road, **àgbòn** life.

úkpódè *n* stretch of road, path, **úkpódé élìyó** stretch of road of that kind, **úkpódè èvá** two stretches of road; **re úkpódè vbiee** to show a road (CPA, CPR, C, H) **àlèkè ò ó rè ùkpódé vbìèè òjè**. Aleke is showing Oje the road.; **re úkpódè vbiee** to guide (CPA, CPR, *C, *H) **àlèkè ré úkpódè vbíéé òjè**. Aleke guided Oje.; ~ *n* strategy, procedure for solving problems, **úkpódé élìyó** procedure of that kind, **úkpódè èvá** two procedures. cf. **ódè** network of paths.

úkpódé éìmì *n* path or way to the spirit world, **úkpódé éímí ísì òjè** Oje's path to the spirit world. cf. **úkpódè** path, **éìmì** spirit world.

úkpòè, íkpàwè *n* toe, **íkpàwè èvá** two toes, **úkpóé lì kéré** little toe, **úkpóé lì kéré ísì òjè** Oje's little toe, **úkpóé lì òjè, úkpáwé lì òjè** big toe. cf. **úkpà-** part of, **òè, àwè** foot.

úkpóè *n* whistling. **úkpóè óò**. It's whistling.; **fi úkpóè** *tr* to whistle with the mouth (*CPA, *CPR, C, H) **òhí ò ó fì ùkpóé**. Ohi is whistling. lit. Ohi is blowing by whistling.

úkpóènmì *n* tongue, **úkpóènmì èvá** two tongues. cf. **úkpà-** part of, **óènmì** tongue area.

úkpó'híóbò, íkpé'híábò *n* finger [construed as more proper than **úkpóbò**] **íkpé'híábò èvá** two fingers. cf. **úkpà-** part of, **óhìén, éhìén** body nail, **óbò, ábò** hand.

úkpó'híòè, íkpé'híàwè *n* toe, **íkpé'híàwè èvá** two toes. cf. **úkpà-** part of, **óhìén, éhìén** body nail, **òè, àwè** foot.

úkpòísí' *n* deep boil in the flesh, **úkpòísí' èvá** two deep boils; ~ *n* leaf for treating painful boil or gunshot wound, **úkpòísí' èvá** two boil treating leaves. cf. **úkpà-** part of, **òísí'** gun.

úkpòkpò *n* baton, club serving as a weapon, **úkpókpó élìyó** baton of that kind, **úkpòkpò èvá** two batons, **úkpókpóràn** wooden club; ~ *n* stick for turning a fire. **úkpòkpò óò**. It's a fire stick. cf. **ùlùké** club.

úkpókpóì *n* stir stick, **úkpókpóí élìyó** stir stick of that kind, **úkpókpóì èvá** two stir sticks. cf. **úkpòkpò** fire stick.

úkpólò, íkpólò *n* string of palm kernel shells [worn on waist by young females, quantity reflects parental affluence and social standing] **úkpóló élìyó** bead strand of that kind, **úkpólò èvá** two bead strands.

úkpòóbà, íkpòóbà *n* type of mushroom, **íkpòóbà èvá** two mushrooms of this type.

úkpóòmóvìè *n* pygmy kingfisher, Ispidina picta, **úkpóòmóvìè èvá** two pygmy kingfisher birds.

úkpórà *n* locally woven fabric, **úkpórá élìyó** local fabric of that kind, **úkpórà èvá** two local-fabric pieces, **ólí úkpórá áìn** that local fabric piece.

úkpóràn *n* stick, pole, stalk, sapling, **úkpórán élìyó** stick of that kind, **úkpóràn èvá** two poles, **úkpórán lì òkhúá** big stick, **úkpórán lì kéré** small stick. cf. **úkpà-** part of, **óràn** tree. cf. **íkpéràn** fruits.

úkpórífì *n* bent sapling of a spring trap, **úkpórífí élìyó** trap stick of that kind, **úkpórífì èvá** two trap sticks. cf. **úkpóràn** sapling, **ífì** trap.

úkpórìkùtè *n* staff for personal deity [part of deity shrine] **úkpórìkùtè óò**. It's a deity staff. cf. **úkpóràn** staff, **ìkùtè** deity.

úkpóròkén *n* poles on which yams tied, **úkpóròkén élìyó** yam-stack pole of that kind, **úkpóròkén èvá** two yam-stack poles. cf. **úkpóràn** pole.

úkpósémà *n* rack for storing harvested yam, **úkpósémà èvá** two yam racks. cf. **úkpòsé** bush path, **émà** yam.

úkpòsé *n* bush path, **úkpòsé élìyó** bush path of that kind, **úkpòsé èvá** two bush paths. cf. **úkpà-** part of, **òsé** path.

úkpósókà *n* sheaf of maize, **úkpósóká élìyó** maize sheaf of that kind, **úkpósókà èvá** two maize sheaves. cf. **ókà** maize.

úkpókòló *n* larynx, Adam's apple, **úkpókòló ísì òjè** Oje's larynx. cf. **úkpà-** part of, **ókòló** esophagus.

úkpòkpá *n* one of, only one of [only in partitive] **úkpòkpá vbí élí íkpósó** one of the women, **úkpòkpá vbì ò** only one of them. cf. **úòkpá** one of.

úkpòúmókhà *n* silk cotton tree, **ùkpóùmókhà èvá** two silk cotton trees. cf. **úkpòú** cotton strand, **ókhà** cotton tree.

úkpòwò *n* pole of raffia palm for building rafters, **úkpówó élìyó** raffia rafter pole of that kind, **úkpòwò èvá** two raffia rafter poles. cf. **úkpà-** part of, **òwò** raffia palm tree.

úkpùn, íkpùn *n* cloth, wrapper, **úkpún élìyó** cloth of that kind, **íkpùn èvá** two wrappers, **úkpún ísì àgá** cloth for the chair, **ésémí úkpùn** piece of cloth. **úkpún lí á à ré gàà égbè óò**. It is a large cloth for men.; **si úkpùn** *tr* to pleat cloth (*CPA, *CPR, C, *H) **ò ó sì òlí úkpùn**. He is pleating the cloth. lit. He is retracting the cloth. cf. **ésónkpùn** rag used in cleaning.

úkpùrìàì, íkpìrìàì *n* tail of an animal, **íkpìrìàì èvá** two tails, **úkpúríáí ísì éwè** tale of a goat, **úkpúríáí ísì ényè** tale of a snake. cf. **úkpà-** part of, **ùrìàì**, **ìrìàì** tail.

úkpùtúmì- *n pref* stump of, **úkpùtúmópìà** stump of a cutlass.

úkpùtúmóràn *n* stump of wood, piece of a felled tree, úkpùtú-mórán élìyó wood stump of that kind, úkpùtúmóràn èvá two stumps of wood. cf. úkpù-túmì- stump of, óràn wood.

úkpùtúmópìà *n* stump of a cutlass [retains blade] úkpùtúmópíá élìyó cutlass stump of that kind, úkpùtúmópìà èvá two cutlass stumps. cf. úkpùtúmì- stump of, ópìà cutlass.

úkpùúkpè *pstv adv* yearly. ó ò gbè èfé úkpùúkpè. He kills rats yearly. úkpùúkpè lí ó ò dè émà. It is yearly that he buys yam. éghè ó ò ré váré? When does he come? cf. úkpè year.

úlà *n* race, running, úlá élìyó race of that kind. úlà lí ójé lá sé vbì ìwè. It was by running that Oje reached the house.; ton úlà hua *tr* to take off (CPA, CPR, *C, *H) òjè tón úlà nwú. Oje took off running. lit. Oje took hold of running by lifting. cf. la to run.

ùlàchíén *n* shortcut, footpath behind a house, backyard path. ò rékháén ùlàchíén. He followed the shortcut. ò rîì vbí ùlàchíén vbì èvbò. It is on the backyard path in there. cf. la to flow, chien to move around inspecting.

ùlèkè- *n pref* unbred female, úlékéwè unbred female goat. cf. àlèkè pubescent human female.

úlékémèlá *n* heifer, úlékémèlá èvá two heifers. cf. ùlèkè unbred female, émèlá cow.

úlékéwè *n* mature, virgin female goat, úlékéwè èvá two virgin female goats. cf. ùlèkè unbred female, éwè goat.

ùlègbà *n* charm worn on belt or armlet, úlégbá élìyó belt charm of that kind, ùlègbà èvá two belt charms. òjè mòè ùlègbà. Oje has a belt charm. cf. ègbá armlet.

ùlègbò *n* collar, yoke, collar stick to keep a dog at bay, úlégbó élìyó collar of that kind, ùlègbò èvá two collars.

ùlèkpá *n* red soil, laterite level in soil profile, ùlèkpá élìyó red soil of that kind. è tónnó òò dé ùlèkpá. They dug a hole to the laterite level.

ùlókò *n* Chlorophora excelsa, iroko tree, ùlókò èvá two iroko trees.

ùlùgbùtú *n* Protopterus annectens, lunged mud fish, mud skipper, ùlùgbùtú èvá two lunged mud fish.

ùlùké *n* club, wooden mallet [used as a war weapon] ùlùké élìyó club of that kind, ùlùké èvá two clubs. cf. úkpòkpò batton.

ùlùò *n* very sweet yellow yam [preferred in roasted form] ùlùò èvá two yellow yams.

úlùúlèré *n* hernia. úlùúlèré óò. It's a hernia. cf. èrèè blood.

ùmà *n* marrow, broth, úmá ísì éànmì broth from meat stock, úmá ísì àkpókà bone marrow.

ùmà *n* foreign land. ò yé ùmà. He went to a foreign land.

úmàghògò *n* brain, **úmághógó ísì òlí éwè** brain of the goat. cf. **ùmà** marrow, **àghòghò** skull.

ùmàzà *n* canoe paddle, **úmázá élìyó** canoe paddle of that kind, **ùmàzà èvá** two canoe paddles.

úméé *n* cam wood, reddish-brown liquid [tapped for painting carved or molded wooden objects and for scrubbing walls] **ò ré úméé gbóó èò**. He rubbed his face with cam wood.

ume *v tr* to pound [only for yam] (CPA, CPR, C, H) **òjè úmé émà**. Oje pounded yam.; *kpaye ume*, **ò kpáyé òjè úmé émà**. He pounded yam in lieu of Oje.; *ume li*, **òjè úmé émà lí òhí**. Oje pounded yam for Ohi.

úmèè *n* salt, **úméé élìyó** salt of that kind; **úmèè gbe** *tr* to be too salty (CPA, CPR, *C, *H) **úmèè gbé ólì òmì**. The soup is too salty. lit. Salt overcame the soup.; **úmèè nwu vbi** *intr* to be salty enough (*CPA, CPR, *C, *H) **úmèè nwú vbí ólì òmì**. There is enough salt in the soup. lit. Salt took hold in the soup.

úmééìbó *n* sugar. **úmééìbó óò**. It's sugar. cf. **úmèè** salt, **óìbó, éìbó** white man. cf. **ìshúgà** sugar.

úmèkhén *n* Telfairia occidentalis, native pumpkin [large, oblong-shaped melon of greenish white color whose leaves and seeds are used for soup] **úmèkhén èvá** two native pumpkins.

úmòmì *n* lump of metal, black-smith's hammer, anvil, **úmómí élìyó** lump of metal of that kind, **úmòmì èvá** two anvils, **úvbíúmòmì** small lump of metal.

úmònóyà *n* lay-about, ne'er-do-well, shiftless person. **úmònóyà óò**. He's a lay-about.

unghun *v tr* to grate tubers (CPA, CPR, C, H) **òjè únghún ìbòbòdí**. Oje grated cassava. **ùnghùn ói**. Grate it.; *kpaye unghun*, **ò kpáyé òjè únghún ìbòbòdí**. He helped Oje grate cassava.; *re unghun*, **ò ré íjìnì únghún ìbòbòdí**. He used a grinding machine to grate cassava.

ùnóyà *n* lawyer, legal practitioner. **ùnóyà óò**. She's a lawyer.

únù *n* mouth, **únú ísì àlèkè** mouth of Aleke, **únù èvá** double talk.

únùèmòì *n* gist, crux of the matter. **gùè únúémóí lí ó rì vbì ò**. Present the crux of what is in it. cf. **únù** mouth, **èmòì** matter.

únyààmí *n* fussiness [of children] **únyàmí óò**. She's fussy. cf. **nyaa** to pamper.

ùnyàkhè *n* cooking area, sheltered location removed from a house for cooking fires, **ùnyákhé élìyó** cooking area of that kind, **ùnyàkhè èvá** two cooking areas. cf. **nye** to prepare food, **ákhè** pot.

únyòmì *n* wooden cooking spoon, **únyómí élìyó** wooden cooking spoon of that kind, **únyòmì èvá** two wooden cooking spoons. cf. **nye** to cook, **òmì** soup.

ùnyọ̀ *n* grumbling, complaining, **únyọ́ élìyọ́** grumbling of that kind; **ze ùnyọ̀** *tr* to grumble (*CPA, *CPR, C, H) **ọ̀ ó zè ùnyọ̀**. He is grumbling. lit. He is uttering a grumble.; *ze ùnyọ̀ vbiee*, **ọ̀ zé ùnyọ̀ vbíéé òjè**. He grumbled to Oje. lit. He uttered a grumble to Oje.

ùnyọ́nyọ́ùnyọ̀ *n* type of weed, **ùnyọ́nyọ́ùnyọ̀ èvá** two weeds of this type.

úó' *n* chimpanzee, ape, **úó' èvá** two chimpanzees.

úòkò *n* pus [for older generation] cf. **úòmí** pus.

ùòkhò *n* back of the body, **úókhó ísì òjè** Oje's back; ~ *n* back of, behind, **úókhó ìwè** behind the house, **úókhó óbọ̀** back of the hand. **úókhó óbọ̀ óọ̀**. It's the back of the hand. **ọ̀ rî vbí ùòkhò**. He is behind. **ọ̀ yé ùòkhò**. He moved toward the back. cf. **ùkhòkhò** back [for older generation].

úòmí *n* pus. **úòmí rî vbí ólì èmàì**. Pus is in the wound. **úòmí rî òjé vbì èmàì**. Pus is in Oje's wound. Oje has pus in his wound. **úòmí rî vbí ẹ́máí ísì òjè**. Pus is in the wound of Oje. cf. **oo** to discharge pus.

úọ̀kpá *pstdet* alone, only [emphatic quantifying function, only in focus position] **úkpébè úọ̀kpá**

only one book, the book alone, one book only, **wèwè úọ̀kpá** you alone. **ólí ómọ́hé nà úọ̀kpá lí ọ́ gbé ólí óvbèkhàn**. It was this man alone who beat the youth. cf. **òkpá** one.

úré' *n* type of snail, **úré' èvá** two snails of this type.

ùrìàì, ìrìàì *n* tail, **úríáí élìyọ́** tail of that kind, **ìrìàì èvá** two tails.

ùrò *n* chopping bowl, **úró élìyọ́** chopping bowl of that kind, **ùrò èvá** two chopping bowls.

ùròò *n* quarrel, argument, fierce exchange of between parties, **úróó élìyọ́** quarrel of that kind. **ùròò lí yán rî**. It is quarreling that they are doing. lit. It is a quarrel that they are in.; **si ùròò o vbi òtọ̀ì** *tr* to provoke a quarrel (*CPA, CPR, *C, *H) **òjè sí ùròò ọ́ vbì òtọ̀ì**. Oje provoked a quarrel beforehand. lit. Oje shifted a quarrel onto the ground.; *si ùròò o vbi òtọ̀ì li*, **òjè sí ùròò ọ́ vbì òtọ̀ì ní íyàìn**. Oje provoked a quarrel among them. cf. **roo** to quarrel.

ùròò *n* language, dialect, speech variety, **úróó élìyọ́** language of that kind, **ùròò èvá** two languages, **úróó émàí** Emai language, **úróó órà** Ora language. **úróó óìbó óọ̀**. It's English.

ùròòbé *n* type of large grassland tree, **úròòbé èvá** two large grassland trees of this type.

úróọ̀bè *n* taboo utterances of a married woman, **úróọ́bé élìyọ́**

taboo expression of that kind. cf. **ùròò** language, ** òbè** bad.

ùrùkpà *n* lantern, light, lamp, electricity, **úrúkpá élìyó** lantern of that kind, **ùrúkpà èvá** two lanterns, **úrúkpá ísì évbìì** oil lamp; **rẹ ùrùkpà** run to get a lamp lit (CPA, CPR, *C, *H) **ólì òkpòsò rẹ́ ùrùkpà rún**. The woman lit the lamp. **ólì òkpòsò rẹ́ ùrùkpà rún vbí ẹ́kọ́à**. The woman lit the lamp in the room.

úrúkpìkábàdì *n* lantern of carbide and water mixture on caps worn by hunters, **úrúkpìkábádí élìyó** carbide lantern of that kind, **úrúkpìkábàdì èvá** two carbide lanterns. cf. **ùrùkpà** lantern, **ìkábàdì** carbide.

úrúkpóhùà *n* hunter's lantern, **úrúkpóhúá élìyó** hunter's lantern of that kind, **úrúkpóhùà èvá** two hunter's lanterns. cf. **ùrùkpà** lantern, **óhùà** hunter.

ùrùn *n* throat, **úrún ísì òjè** Oje's throat; ~ *n* voice, **úrún élìyó** voice of that kind, **úrún ísì òjè** Oje's voice, **ùrùn héé** tiny voice, **úkpùrùn** distinct singing voice. cf. **ókòlọ́** esophagus.

úrúnákhè *n* ring or neck of a ceramic pot, **úrúnákhé élìyó** pot neck of that kind, **úrúnákhè èvá** two pot necks. **ò rẹ́ úrúnákhè kọ́ àmágò**. He used a pot neck to plant a mango tree. cf. **ùrùn** throat, **ákhè** pot.

ùsánùkpé *n* mistletoe flower, **ùsánùkpé èvá** two mistletoe flowers.

ùsánúkpè *n* firecracker, fireworks, **ùsánúkpé élìyó** fireworks of that kind, **ùsánúkpè èvá** two fireworks. cf. **ùsánọ́** match [for older generation] **úkpè** year.

úsèé *n* midst of a crowd or public gathering, **úsèé ísì ívbèkhàn** midst of the youths. **àlèkè rîi vbí úsèé ísì èlí ívbèkhàn**. Aleke is in the midst of the youths. **àlèkè rîi vbí úsèé**. Aleke is in the midst.

ùsẹ̀kùn *n* dagger, **úsẹ́kún élìyó** dagger of that kind, **ùsẹ̀kùn èvá** two daggers. cf. **sẹ** to move as far as, **èkùn** waist.

ùsì *n* privacy; **ùsì raalẹ** *intr* to be very well known (*CPA, CPR, *C, *H) **úsí mẹ̀ ráálẹ̀**. My notoriety has spread. lit. My privacy has left.; **bi vbi ùsì** *intr* to have a private discussion (CPA, CPR, *C, *H) **yàn bí vbì ùsì**. They got into a private discussion. lit. They moved aside into a private discussion.

ùsí *n* previous life, preincarnate life. **òjè ríááí vbì ùsí**. Oje's previous life had transgressions. lit. Oje got spoiled in his previous life. cf. **àrìàlúùsí** misdeeds of preincarnate life.

ùsìòkpá *n* green vegetable [substituted for similar looking íhìèò] **ùsìòkpá èvá** two green vegetables of this type. cf. **òkpá** one.

ùsìvìn *n* type of hard wood, **ùsìvìn èvá** two hard wood pieces of this type. cf. **sẹ** to reach, **ìvìn** palm kernel.

úsù-, ísù- *n pref* tuber of, ear of, **úsúémà** tuber of yam, **úsúókà** ear of maize.

ùsúmù *n* period of nine days, **ùsúmù èvá** two nine-day periods. **ùsúmù óó' sè.** It got to nine days.

ùsúmú éénà *pstv adv* nine days from today. **ólí ómóhé ló yè ìmé ùsúmú éénà.** The man will go to the farm nine days from today. **éghè ólí ómóhé ló rè yé ímè?** When will the man go to the farm?

úshánòtùà *n* hasty journey. **úshán òtùà óò.** It's a hasty journey. cf. **shan** to proceed, **òtùà** hasty. cf. **óshàn** journey.

úshé'n *n* black powder for traditional medicine. **úshé'n óò.** It's traditional black powder.

ùshòshò *n* multi-colored bird with a long beak [smaller than hornbill but eaten] **ùshòshò èvá** two long-beaked birds.

úshòmì, íshòmì *n* half, **úshòmì èvá** two halves, **úshómí émà** half a yam tuber.

ùtè *n* state of being old [inanimates] **úkpún lì ùtè** old cloth; **de ùtè** *tr* to be old (*CPA, CPR, *C, *H) **ólí úkpùn dé ùtè.** The cloth is old. lit. The cloth reached old age.

ùtè *n* season between exhaustion of harvest foodstuffs and next growing season [period of food scarcity] **ùtè èvá** two seasons of food scarcity.

ùtí *n* wooden fetter, restraint for the feet [to constrain a mad person] **ùtí élìyó** wooden fetter of that kind, **ùtí èvá** two wooden fetters.

útòtómì *n* strength. **ò mòè útòtómì.** He has strength. cf. **toto** to be strong.

ùtùhí *n* swollen root of mushroom type that grows on outer layer of dead tree trunks, **ùtùhí èvá** two mushroom swollen roots. cf. **émáùtùhí** boil with swollen hard core. cf. **útùú** mushroom.

úù *n* death, **úú élìyó** death of that kind, **úú lì òbè** terrible death; **fi úù** *tr* to be near death (*CPA, *CPR, C, *H) **ólì òkpòsò ò ó fi úù.** The woman is at the throes of death. lit. The woman is projecting death. cf. **u** to die.

ùúè *pstdet* twenty, **élí ímòhè ùúè** twenty men; **~** *pro* twenty, **ùúè vbí élí ímóhé** twenty of the men.

ùúè bí ìíhìèn *pstdet* twenty five, **ìkpòsò ùúè bí ìíhìèn** twenty five women; **~** *pro* twenty-five, **ùúè bí ìíhìèn vbí élí íkpósó** twenty five of the women. cf. **ùúè** twenty, **bí** COM, **ìíhìèn** five.

úùmìòkpárèóhùò *n* Mmormyrus macrophthalmus fish, **úùmìòkpárèóhùò èvá** two Mmormyrus macrophthalmus fish.

úùzòmótèì *n* glandular tuberculosis. **úùzòmótèì óò.** It's tuberculosis.

úvìẹ́nmì *n* line, row, **úvìẹ́nmí élìyọ́** line of that kind, **úvìẹ́nmì èvá** two lines; **nwu úvìẹ́nmì** *tr* to take a row (CPA, CPR, *C, *H) **é nwú úvìẹ́nmì èvá**. They took two rows (to harvest). **è rẹ́ nwú úvìẹ́nmì**. They then got in a line. A row was formed. They formed a line. lit. They then took hold of a row.; **rẹ ọ vbi úvìẹ́nmì** *intr* to form a line. **è rẹ́ ọ́ vbí úvìẹ́nmì**. They got into a line. lit. They made (themselves) into a line.

úvòò *n* cover, pot cover, **úvóó élìyọ́** pot cover of that kind, **úvòò èvá** two pot covers, **úvóó ísì ákhè** water-pot cover, **úvóó ísì àkhé élìyọ́** water-pot cover of that kind, **úvóó ísì ákhè èvá** two water-pot covers, **úvóó ísì àkhé ísì òjè** Oje's water-pot cover, **úvóó ísì ègéé'** cover for a wrought iron pot, **úvóó ísì ìtásà** cover for a plate, **úvóó ísì ùwàwà** cover for a cooking pot. cf. **voo** to cover.

úvbì-, ívbì- *n pref* diminutive size or status, **úvbìùwàwà** small cooking pot, **úvbíẹ́wè, ívbíẹ́wè** small-sized goat, **úvbìàgógó', ívbìàgógó'** small shrine bell, **ívbìàgógó' élìyọ́** small shrine bells of that kind, **ívbìàgógó' èvá** two small shrine bells, **úvbíáwá élìyọ́** small dog of that kind, **úvbíáwà èvá** two small dogs.

úvbìàdò *n* small garden, **úvbíádó élìyọ́** small garden of that kind,

úvbìàdò èvá two small gardens, **úvbíádó ísì òjè** Oje's garden. cf. **úvbì-** DIM, **àdò** millet.

úvbíághàè *n* knife, metal blade, **úvbíágháé élìyọ́** knife of that kind, **úvbíághàè èvá** two knives. cf. **úvbì-** DIM, **ághàè** knife.

úvbíákhòè, ívbíákhàwè *n* calf of the leg, **ívbíákháwé ísì òjè** Oje's calves. cf. **úvbíákhè** small pot, **òè, àwè** leg.

úvbíákhúgbé' *n* pot for preparing antidotes against evil charms, **úvbíákhúgbé' élìyọ́** antidote pot of that kind, **úvbíákhúgbé' èvá** two antidote pots. cf. **úvbíákhè** small pot, **úgbé'** dam.

úvbìàmí *n* pregnancy; **fi úvbìàmí** *tr* to be in labor (*CPA, *CPR, C, *H) **ò ó fi úvbìàmí**. She is in labor. lit. She is dropping the pregnancy. cf. **vbia** to be pregnant.

úvbíérùn *n* cap, hat, helmet, **úvbíérún élìyọ́** cap of that kind, **úvbíérùn èvá** two caps. cf. **úvbì-** DIM, **érùn** straw hat.

úvbíẹ́dà *n* rivulet, stream that dries up or becomes shallow in dry season, **úvbíẹ́dà èvá** two rivulets. cf. **úvbì-** DIM, **ẹ́dà** river.

úvbìègbéé' *n* cretin, dwarf, **úvbìègbéé' èvá** two cretins. cf. **úvbì-** DIM.

úvbìẹ̀ùn *n* shirt, **úvbíẹ́ún élìyọ́** shirt of that kind, **úvbìẹ̀ùn èvá** two shirts. cf. **úvbì-** DIM, **ẹ̀ùn** shirt.

úvbíẹ́wòkhùnmì *n* flying fox, fruit bat, **úvbíẹ́wòkhùnmì èvá** two flying foxes. cf. **úvbíẹ́wè** small goat, **òkhùnmì** sky.

úvbíókò̱ *n* pestle, **úvbíókó̱ élìyó̱** pestle of that kind, **úvbíókò̱ èvá** two pestles. cf. **úvbì-** DIM, **ókò̱** mortar.

úvbíúkò̱ *n* he-goat, **úvbíúkó̱ élìyó̱** billy-goat of that kind, **úvbíúkò̱ èvá** two billy-goats. cf. **úvbì-** DIM, **úkò̱** spokesperson for an age group.

úvbùú *n* owl, **úvbùú élìyó̱** owl of that kind, **úvbùú èvá** two owls.

ùwàwà, ìwàwà *n* clay pot [used in cooking] **úwáwá élìyó̱** clay cooking pot of that kind, **ìwàwà èvá** two clay cooking pots.

ùwàwàmò̱èèmílò̱fìò̱ *n* very lean, frail person [insult] cf. **ùwàwà** earthen pot, **mo̱e** to possess, **émì** thing, **li** R, **fíóó** upright.

úwáwògùè *n* serving pot with flat handles for carrying about, **úwáwógúé̱ élìyó̱** flat-handled serving pot of that kind, **úwáwògùè èvá** two flat-handled serving pots. cf. **ùwàwà** earthen pot.

úwáwò̱mì *n* soup pot, **úwáwómí élìyó̱** soup pot of that kind, **úwáwò̱mì èvá** two soup pots. cf. **ùwàwà** earthen pot, **òmì** soup.

úwò *n* nagging. **úwò lí áléké rì lí édèédé.** It is nagging that Aleke has been doing all day long. **úwò lí ójé rì lí édèédé.** It is nagging that Oje has been doing all day long. cf. **wo** to nag.

úwò *n* bark of dog or leopard, **úwó élìyó̱** dog bark of that kind. cf. **wo** to nag.

úyàámì *n* odor. **úyàámí ò̱bè lí ó̱ ò̱ yàá.** It is a bad odor that smells. cf. **yaa** to smell.

ùyè *n* way. **ólí ómó̱hé ó̱ ò̱ mìè ùyè.** The man sees the way. **ólí ómó̱hé ó̱ ò̱ záwò ùyé áso̱n.** The man sees his way at night.

úyèyè *n* tree with variegated leaves, **úyèyè èvá** two variegated leaf trees. cf. **yeye** to move constantly.

ùyó *n* type of weed, **ùyó èvá** two weeds of this type.

úzà *n* tsetse fly, **úzá élìyó̱** tsetse fly of that kind, **úzà èvá** two tsetse flies.

ùzà *n* abomination, violation of cultural taboo [exemplified by killing chickens with a sling] **úzá élìyó̱** abomination of that kind, **ùzà èvá** two abominations, **úzá lì ò̱bè** terrible abomination. **òjè míé̱ ùzà.** Oje experienced havoc.; **ze̱ ùzà** *tr* to wreak social havoc (CPA, CPR, *C, *H) **òjè zé úzà.** Oje wreaked havoc. lit. Oje released havoc. **ò̱ zé úzá vbí égbé ísì òhí.** He wreaked havoc on Ohi. **é è kè zé̱ ùzà.** Don't wreak havoc anymore.; **ze̱ ùzà** *compl tr* to wreak havoc on. **ò̱ zé̱ òhí ùzà.** He wreaked havoc on Ohi. **ò̱ zé̱ òhí úzá vbí égbè.** He wreaked havoc on Ohi.; ~ *n* unusual, **ómọ́ọ́ ùzà** unusual friendship. **élí ívbékhán ọ́ ọ̀ nwù ọ̀mọ́ọ́ ùzà.** The youths fashion an unusually strong friendship.

ùzákọ̀n *n* forked stick, **ùzákọ́n élìyọ́** forked stick of that kind, **ùzákọ̀n èvá** two forked sticks. cf. **zẹ** to project, **àkọ̀n** tooth.

úzé' *n* ax [for older generation **áfúzé'** from **àfẹ̀n** family, **úzé'** ax] **àlèkè rîì vbí áfúzé'.** Aleke is in Afuze.

úzèzèmúzè *n* wretched person. **ọ̀ ọ́ èchè ọ́í úzèzèmúzè.** He is calling her a wretch.

úzìmégbè *n* shrub with large fruit eaten by elephants, **úzìmégbè èvá** two large fruit shrubs.

úzínì *n* giant tsetse fly with painful bite, **úzínì èvá** two giant tsetse flies. cf. **úzà** tsetse fly, **ínì** elephant.

úzó', ízó' *n* antelope, **ízó' èvá** two antelopes.

úzòàkọ̀n *n* toothpick, **úzóákọ́n élìyọ́** toothpick of that kind, **úzòàkọ̀n èvá** two toothpicks. cf. **zoo** to pick out, **àkọ̀n** tooth.

V

va *v intr* to bolt suddenly, take off, quickly quit a place (CPA, CPR, *C, *H) **élí éfé áìn vái.** Those rats bolted.; *va fi a,* **élí éfé áìn vá fì á.** Those rats bolted away.; *va fi ọ,* **élí éfé áìn vá fì ọ́ vbí úkpódè.** Those rats bolted onto the road.

va *v intr* to split (CPA, CPR, *C, *H) *va a,* **ọ́lí úkhùèdè vá à.** The door split open. **ọ́lì ìkpèshè vá á.** The beans split open.; *va tr* to split, move apart (CPA, CPR, C, H) **òjè ọ̀ ọ́ và évbèè.** Oje is splitting kola nut. **và ọ́ì** split it.; *kpayẹ va,* **ọ̀ kpáyẹ́ òjè vá évbèè.** He helped Oje split kola nut.; *rẹ va,* **ọ̀ rẹ́ úvbíághàè vá évbèè.** He used a knife to split a kola nut.; *va ọ,* **ọ̀ vá évbèè ọ́ vbì èvá.** He split a kola nut in two.; *va a* (CPA, CPR, *C, *H) **ọ̀ vá ọ́lí úkhùèdè á.** He split the door open. **và ọ́ì á.** Split it open.; *kpayẹ va a,* **ọ̀ kpáyẹ́ òjè vá ọ́lí úkhùèdè á.** He helped Oje split the door open.; *rẹ va a,* **ọ̀ rẹ́ úvbíághàè vá ọ́lí úkhùèdè á.** He used a knife to split the door open.; **fi va** *tr* to clasp, split by inserting (CPA, CPR, *C, H) **òjè fí ọ́pìà vá.** Oje clasped a cutlass. **òjè fí ọ́pìà vá vbí íghìíghé'.** Oje clasped a cutlass under his armpit. lit. Oje positioned his cutlass and split his armpit. **ọ́ fí ọ́lì ègbá vá vbí óbò.** He inserted an armlet on his arm. He clasped an armlet on his arm. **ọ̀ fí úkpùn vá vbì ègèìn.** He tied the cloth through his crotch. **fì ọ́ì vá vbí íghìíghé'.** Clasp it under your armpit.

va ẹ̀dìdé *tr* to be in a half moon shape (*CPA, CPR, *C, *H) **ùkìn vá ẹ̀dìdé.** There is a half-moon. lit. The moon split a wooden tray.

váà *pstv adv* strong whistling sound resulting from a light object rushing through the air. **ú hóní váà**. You heard a whistling sound.; ~ *adj* whistling sound of a light object rushing through the air. **úhái ú váà**. An arrow whistled by. cf. **fáà** weaker whistling sound.

vaan *v intr* to scream, bellow, shout loudly, howl, growl (*CPA, CPR, *C, *H) **òjè vááni**. Oje bellowed. **óli ódùmá vááni**. The lion growled.

vaan *v intr* to visit, stopover, call at by turning off a path (CPA, CPR, *C, *H) **òjè vááni**. Oje visited briefly. **òjè vááni vbí áfúzé'**. Oje called at Afuze. **vààn vbí ésì òhí**. Visit at Ohi's place.; *vaan kpeen* to lodge with, take residence in temporarily. **òjè váán kpéén òhí**. Oje lodged with Ohi. **vààn kpéén òhí**. Lodge with Ohi.; *vaan li* to visit, stay with for some duration. **òjè váán lí òhí**. Oje stayed with Ohi. **vààn lí òhí**. Lodge with Ohi.; *vaan ye* to visit, lodge with temporarily. **òjè váán yé òhí**. Oje visited with Ohi.

vaan óbò *tr* to turn off, branch off (*CPA, CPR, C, *H) **òjè váán óbò**. Oje turned off. **òjè váán óbó vbí áfúzé'**. Oje branched off at Afuze. **vààn óbò** Turn off.; *vaan óbò ye*, **òjè váán óbò yé áfúzé'**. Oje branched off to Afuze.; **vaan óbò** *compl tr* to split up from, branch off from (CPA, CPR, *C, *H) **élí ívbèkhàn váán égbé óbò**. The youths split up from one another. Each of the youths went his own way. **òjè váán áléké óbò**. Oje branched off from Aleke.

vade *v intr* to be coming (*CPA, *CPR, C, *H) **ò vádé**. He is coming. **óli òkpòsò vádé vbí ímè**. The woman is coming to the farm.; *fioo vade*, **éfìòò fìòò òlí ébé vádè vbí ébé' má rî**. Wind is blowing the paper to where we are.; *gbulu vade*, **óli ùgbòfi gbùlú vádè vbí ékóà**. The orange is coming into the room rolling.; *la vade*, **ò lá vádè vbí ìwè**. He is coming running to the house. He is coming home running. **ò zà vbí íwé lá vádé**. He is coming running from the house.; *re vade*, **émí óvbèé kí ó ré mé vádé**. There is nothing else that brings me here.; *sua vade*, **ò sùà ìmátó vádè vbí ìwè**. He is coming pushing the car to the house.; *za vbi vade vbi*, **óli òkpòsò zà vbí íwé vádè vbí édà**. The woman is coming from the house to the river.

vái, váíváí *pstv adv* snatching fashion. **ó róó óvbí óí vái**. He picked up his child with a snatch. He snatched his child. cf. **va** to bolt.

váíváí *pstv adv* skittering, brisk manner. **óli ómòhè ò ó shàn**

váíváí. The man is skittering along. The man is proceeding briskly. **ébé' ójé í shán?** How is Oje proceeding? cf. **va** to move suddenly.

valo *v intr* to split, crack (CPA, CPR, *C, *H); *valo a,* **ólí ókò váló á.** The mortar split open. **ólí úkhùèdè váló á.** The door split apart.; *valo ku a,* **ólí úkhùèdè váló kù á.** The door split into smithereens.; **ólí ókó váló kù á.** The mortar split into pieces.; **valo** *tr* to split, crack (*CPA, *CPR, C, H) **òjè ò ó vàlò ìkpémì.** Oje is splitting open melon seeds. **òjè ò ó vàlò ìkpèshè.** Oje is splitting beans. **ò ó vàlò ìhíángùè.** He is cracking groundnuts. **ò váló vbí ólí íkpémí.** He split from the melon seeds. **yà váló íkpémì.** Get on with splitting the melon seeds.; *kpaye valo,* **ò ó kpàyè òjé vàlò ìkpémì.** He is helping Oje split melon seeds.; *re valo,* **ò ó rè àkón vàlò ìkpémì.** He is using his teeth to split melon seeds.; *valo a,* **òjè váló ókò á.** Oje split a mortar apart. **ólí ómòhè váló úkhùèdè á.** The man split apart a door. **é è váló ólí úkhùèdè á.** Don't split apart the door.; *re valo a,* **ò ré ùghàmà váló ólí ókò á.** He used an ax to split up the mortar.; *valo ku a,* **ólí ómòhè váló úkhùèdè kú à.** The man split the door into smithereens.; *valo*

ku o, **ólí ómòhè váló úkhùèdè kú ó vbì òtòì.** The man split the door all over the ground.; *valo o,* **ólí ómòhè váló úkhùèdè ó vbì èvá.** The man split the door in two.; **úhùnmì valo** to have headache. **úhùnmì ò ó vàlò òjè.** Oje has a headache. lit Oje's head is splitting. **ólì èmàì ò ó rè ùhúnmí vàlò òjè.** The wound is causing Oje's headache. lit. The wound is making Oje's head split. cf. **va** to split, **-lo** DS.

valo *v tr* to butcher, slaughter, dissect (CPA, CPR, C, H) **òjè váló ólí éànmì.** Oje butchered the animal. **ò ó vàlò ólì èkpèn.** He is butchering the leopard. **vàlò óì.** Butcher it.; *kpaye valo,* **ò ó kpàyè òjé vàlò éànmì.** He is helping Oje butcher meat.; *re valo,* **ò ó rè ùvbíágháé mé vàlò éànmì.** He is using my knife to butcher meat.; *valo ku o,* **ò váló ólí éànmì kú ó vbì òtòì.** He butchered the meat all over the ground.; *valo li,* **ò váló ólí éànmì lí òhí.** He butchered the meat for Ohi. cf. **va** to split, **-lo** DS.

valo a *intr* to crack open a body part (*CPA, CPR, *C, H) **áwé ísì òjè váló à.** The skin on Oje's leg cracked open.; *valo ku a,* **áwé ísì mè váló kù á.** My legs cracked open throughout.; **valo a** *tr* to crack open. **òkhùàkhùà váló mé àwè á.** The harmattan cracked open my legs.; *valo ku* *a*, òkhùàkhùà váló̩ mé àwè̩ kú à. The harmattan cracked the skin open throughout my legs. cf. **va** to split, **-lo̩** DS.

váò *pstv adv* zinging sound resulting from a heavy object moving through the air. **ú hó̩ní váò.** You heard a zinging sound. **ó̩ fí úháí váò.** He shot an arrow with a zing. He zinged an arrow (through the air).; ~ *adj* zinging sound. **ó̩lí úháí ú váò.** The arrow zinged by. cf. **fáò** zinging sound of a light moving object.

vare *v intr* to come at a moment in the past or the future (CPA, CPR, *C, *H) **ó̩lì ò̩kpò̩sò̩ várè.** The woman came. **ó̩lì ò̩kpò̩sò̩ váré vbì ìwè.** The woman came to the house. **vàré vbí ímè.** Come to the farm.; *fioo vare vbi*, **éfìòò̩ fíóó íkpòú váré vbì ìwè.** Wind blew cotton balls to the house.; *la vare vbi*, **ò̩ lá váré vbì ìwè.** He came running to the house.; *la za vbi vare*, **ò̩ lá zá vbí ó̩lì ìwè várè.** He came running from the house.; *sua vare vbi*, **ò̩ súá ìmátò̩ váré vbì ìwè.** He came to the house pushing a car.; *za vbi vare*, **ó̩lí ó̩mò̩hè zá vbí ímè várè.** The man came from the farm. cf. **ó̩lí ó̩mò̩hè zá váré vbì ìwè.** As a result the man came home.

váùn *pstv adv* zooming sound resulting from a large projectile moving through the air. **ú hó̩ní váùn.** You heard a zooming

sound. **ò̩ fí ó̩ì yé évbó̩ váùn.** He threw it there with a zoom. He zoomed it there. **ó̩lì ìmátò̩ ráá ré váùn.** The car passed with a zoom. The car zoomed past.; ~ *adj* zooming sound of a large projectile in the air. **úkpórán ú váùn.** The stick zoomed by.

ve *v tr* to haggle, bargain for, request the price of (CPA, CPR, C, H) **ò̩jè vé è̩kpà.** Oje bargained for a bag. **vè ó̩ì.** Bargain for it.; *kpaye̩ ve*, **ò̩ ó̩ kpàyè̩ ò̩jé vè ó̩lì è̩kpà.** He is bargaining for a bag in place of Oje.; *ve li*, **ò̩jè ò̩ ó̩ vè è̩kpá lì òhí.** Oje is bargaining for a bag for Ohi.

veen *v intr* to flare up, glow [of a fire] (*CPA, CPR, C, *H) **ó̩lì è̩ràìn véénì.** The fire glowed. The fire is aglow.; **veen** *tr* to make glow by blowing (*CPA, *CPR, C, H) **ò̩jè ò̩ ó̩ vèèn è̩ràìn.** Oje is causing the fire to glow. **vèèn è̩ràìn** Make the fire glow.; *kpaye̩ veen*, **ò̩ ó̩ kpàyè̩ ò̩jé vèèn è̩ràìn.** He is helping Oje make the fire glow.; *re̩ veen*, **ò̩ ó̩ rè̩ àló̩fó̩ vèèn è̩ràìn.** He is using a fan to make the fire glow.

veen *v intr* to rush, scatter, disperse (*CPA, CPR, *C, *H) **élí ívbèkhàn véénì.** The youths got scattered.; *veen ku a*, **élí ívbèkhàn véén kù á.** The youths rushed away. The youth got scattered around.; *veen ku o̩*, élí ívbèkhàn véén kù ó vbì òéé'. The youths got scattered throughout the township.; *veen o*, élí ívbèkhàn véén ó vbì ìwè. The youths rushed into the house. The youths scattered into the house.; *veen raa re*, élí ívbèkhàn véén ráá ólì ìmátò ré. The youths rushed past the car.; *veen shan*, élí ívbèkhàn ò ó vèèn shàn vbí áfúzé'. The youths are rushing to Afuze. The youths are scattering and proceeding to Afuze.; **veen** *tr* to scatter, disperse (CPA, CPR, *C, *H) òjè véén élí ívbèkhàn. Oje scattered the youths. òjè véén élí éwà. Oje scattered the dogs. **vèèn íyàìn** Scatter them.; *veen ku a*, òjè véén élí ívbèkhàn kú à. Oje scattered the youths around.; *kpaye veen ku a*, ò kpáyé òjè véén íyàìn kú à. He helped Oje scatter them around.; *veen ku o*, òjè véén élí ívbékhàn kú ó vbì òéé'. Oje scattered the youths throughout the township.; *kpaye veen ku o*, ò kpáyé òjè véén íyàìn kú ó vbì òéé'. He helped Oje scatter them throughout the township.; *veen o*, òjè véén élí ívbèkhàn ó vbí ékéín ògò. Oje scattered the youths into the bush.; *de veen* to swoop down on (*CPA, CPR, *C, *H) élí ímòhè dé véén òjè. The men swooped down on Oje. lit. The men fell and rushed Oje. cf. **khu** to chase.

veen *v intr* to spread, disperse, get dispersed (*CPA, CPR, *C, *H) ìshàn véénì. The flies dispersed. ìnwàì véénì. The soldier ants dispersed. élí éfè véénì. The rats dispersed. ólì èmìàmì véénì. The illness has spread.; *veen ku a*, ìnwàì véén kù á. The soldier ants dispersed in many directions.; *veen ku o*, ìnwàì véén kù ó mé vbì àwè. Soldier ants dispersed all over my leg.; **veen** *tr* to disperse. ólí ómòhè véén ìshàn. The man dispersed flies. òjè véén ólì ìnwàì. Oje dispersed the soldier ants. **vèèn íyàìn**. Disperse them.

veen o vbi égbè *intr* to belch (*CPA, CPR, *C, *H) òjè véén ó vbí égbè. Oje belched. lit. Oje dispersed into his body. é è kè véén ó vbí égbé vbí úsèé. Don't belch in the midst of people anymore.

véùn *pstv adv* whistling sound resulting from small projectile moving through space. ú hóní véùn. You heard a whistling sound. ó fí ólì ùhàì fí á véùn. He shot the arrow whistling away. He whistled the arrow away. ólì ìmátò ráá ré véùn. The car whistled by.; ~ *adj* whistling sound. ólí úháí ú véùn. The arrow whistled by.

viaan *v tr* to scratch, claw (CPA, CPR, *C, *H) òhí víáán òjé égbè. Ohi scratched Oje. Ohi scratched Oje's body. é è víáán ọ́í égbè. Don't scratch his body.; *re viaan*, ọ̀ rẹ́ úkpọ́pìà víáán úkhùẹ̀dẹ̀. He used the cutlass tip to scratch the door.; ọ̀ rẹ́ éhìẹn víáán mẹ́ égbè. He clawed my body with his fingernail.; *re viaan a*, ọ̀ rẹ́ éhìẹn víáán égbè á. He used his fingernail to scratch up his body.

viaan égbè a *tr* to have good fortune (CPA, CPR, *C, *H) ọ̀jè víáán égbè á. Oje had good fortune. lit. Oje scratched up his body.

vie *v intr* to cry, weep (CPA, CPR, C, H) ọ́lí ọ́mọ̀ ọ̀ ọ́ víẹ́. The child is crying. ọ́lí ọ́mọ́hé víẹ́ì. The man cried. é è kè víẹ́. Don't cry anymore.; *re vie*, ọ̀ ọ́ rè ìká víẹ́. He is pretending to cry.; *vie o*, ọ̀ ọ́ vìẹ́ ọ̀ vbí éànmì. He is crying on account of meat (which he doesn't have).; *vie vade*, ọ́lí ọ́vbèkhàn vìẹ̀ vádé. The youth is coming crying.; *vie ku o vbi ékẹ́ìn*, ọ̀jè ọ̀ ọ́ víẹ́ kù ọ̀ vbí ékẹ́ìn. Oje is grieving. lit. Oje is crying throughout his belly.; **vie** *tr* to mourn (*CPA, *CPR, C, *H) ọ̀jè ọ̀ ọ́ vìẹ̀ èrá ọ̀ì. Oje is mourning for his father.

vie *v intr* to crow (*CPA, CPR, C, H) ọ́lì ọ̀kpà víẹ́ì. The cock crowed.

víín *pstv adv* extremely intense condition of tightness. ọ́lì ègbá tótó nwú ọ́í víín. The armlet was extremely tight on him.

The armlet gripped him tightly. ọ́ máá émà ọ́ vbí ẹ́kpá víín. He arranged the yam in the bag tightly. ọ́lì ègbá tótóí víín. The armlet is extremely tight.; ébé' ọ́ í tòtò sé? How tight is it?

víín *pstv adv* vigorous fashion of sneezing. ọ́ tíhó víín. He sneezed vigorously.

vin àsún *tr* to draw, inscribe a tribal tattoo (CPA, CPR, C, H) ọ̀jè vín ọ́lì àsún. Oje drew the tattoo.; *vin àsún li*, ọ̀jè vín àsún lí òhí. Oje drew a tattoo for Ohi. Oje gave a tattoo to Ohi.; *vin àsún o*, ọ́lì ọ̀kpòsò vín àsún ọ́ vbí égbè. The woman inscribed a tattoo onto her body.

vin ébè *tr* to inscribe, write (CPA, CPR, C, H) ọ̀jè vín ébè. Oje wrote a letter.; *kpaye vin ébè*, ọ̀ kpáyé ọ̀jè vín ébè. He helped Oje write a letter.; *vin ébè re*, ọ̀ vín ébè ré. He wrote up a letter. He wrote a letter and it arrived.; *vin ébè ye*, ọ̀ vín ébè yé òhí. He wrote a letter to Ohi. He wrote a letter and took it to Ohi.

vin èrèè *tr* to chalk, mark with chalk (CPA, CPR, C, H) ọ̀jè vín èrèè. Oje marked (his body) with chalk.; *vin èrèè o*, ọ̀ vín èrèè ọ́ vbì ùdékẹ̀n. He chalked the wall.

vo *v tr* to fetch a sizeable quantity [over a distance] (*CPA, *CPR, C, H) ọ̀jè ọ̀ ọ́ vò óràn. Oje is fetching wood. ọ̀jè ọ̀ ọ́ vò àmẹ̀. Oje is fetching water. **vò ọ́ì**

Fetch it.; *kpaye vo*, ọ̀ ọ́ kpàyè òjé vò óràn. He is helping Oje fetch wood. ọ̀ kpáyé òjè vó àmè. He helped Oje fetch water.; *re vo*, ọ̀ rẹ́ úbélé mè vó àmè. He used my gourd to fetch water.; *vo ku o*, ọ̀ vó éràn kú ọ́ vbì òtọ̀ì. Fetched wood, he dropped it all over the ground. ọ̀ vó àmè kú ọ́ vbì ògbèdí. He fetched water and poured it throughout the drum barrel.; *vo li*, ọ̀ vó óràn lí ọ́lí ókpósọ́díọ̀n. He fetched wood for the old woman. ọ̀ vó àmè lí òhí. He fetched water for Ohi.; *vo o*, ọ̀ vó óràn ọ́ vbì òtọ̀ì. He put wood on the ground. ọ̀ vó àmè ọ́ vbì ògbèdí. He fetched water into the drum barrel.; *vo re*, ọ́lí óvbèkhàn vó éràn ré. The youth fetched wood and brought it. ọ́lí ómọ̀hè vó àmè ré. The man brought water. The man fetched water and brought it.; *vo ye*, ọ̀ vó óràn yé ọ́lí ókpósọ́díọ̀n. He fetched wood for the old woman. ọ̀ vó àmè yé òhí. He took water to Ohi.

vóò *pstv adv* whooshing sound resulting from a fast moving object. ú họ́ní vóò. You heard a whooshing sound. ọ́lì ìmátó ráá ré vóò. The car passed with a whoosh. The car whooshed by.;~ *adj* whooshing sound. ọ́lí údín ú vóò. The palm tree whooshed by. cf. **véùn** whistling sound.

voo *v tr* to cover (CPA, CPR, C, H) ọ̀ vóó ọ́lì èmàì. He covered the wound. ọ̀ vóó ọ́lí ákhè. He covered the pot. vòò ọ́lí ákhè. Cover the pot.; *kpaye voo*, ọ̀ kpáyé òjè vóó ọ́lí ákhè. He helped Oje cover the pot.; *re voo*, ọ̀ rẹ́ àtẹ̀tè vóó ákhè. He used a raffia tray to cover the pot.; *de voo* to cover (CPA, CPR, *C, *H) ọ́lí úkpùn dé vóó ìtébù. The cloth covered the table. The cloth reached over the table. lit. The cloth reached and covered the table.; *ku voo* to cover with. ọ̀ kú èkèn vóó ọ́lí ópìà. He covered the cutlass with sand. He poured sand over the cutlass. He poured sand, covering the cutlass. kù èkèn vóó ọ́lí ópìà. Cover the cutlass with sand.; *nwu voo* to take to cover, put over. ọ̀ nwú ùgín vóó ọ́ókhọ̀. He put a basket over the chicken. He covered the chicken with a basket.; *ze voo* to scoop and cover, scoop over, cover by scooping. ọ̀ zé èkèn vóó ọ́lí ékpà. He scooped sand and covered the vomit. He covered the vomit with sand. zè èkèn vóó ọ́lí ékpà. Scoop sand over the vomit. Cover the vomit with sand.; *kpaye ze voo*, ọ̀ kpáyé òjè zé èkèn vóó ọ́lí ékpà. He helped Oje scoop sand over the vomit.; *re ze voo*, ọ̀ rẹ́ ìsọ́bìlì zé èkèn vóó ọ́lí ékpà. He used a shovel to cover the vomit with sand.

voo únù *tr* to keep quiet [by covering the mouth] (*CPA, CPR, *C, *H) **òjè vóó únù**. Oje was quiet. lit. Oje covered his mouth. **vòò únù**. Keep quiet.

voon *v intr* to be dense, thick (CPA, CPR, *C, *H) **ólí ógó vóónì**. The bush is dense.

voon *v intr* to swell, become swollen (*CPA, CPR, *C, *H) **ólí óìmì vóónì**. The corpse is swollen. The corpse swelled.; *voon o vbi o,* **ólí óìmì vóón ó vbì ò**. The corpse swelled more.

voon *v intr* to become full (CPA, CPR, *C, *H) **ákhé mè vóónì**. My pot is full.; *voon lee,* **ákhé mè vóón lèé ísì òjè**. My pot is fuller than Oje's.; *ze voon,* **ólí ómòhè zé ólí ákhé vòòn**. The man allowed the pot to get full.; **voon** *tr* to fill, put in a full state. **éànmì vóón ójé ùwàwà**. Meat filled Oje's pot. **éànmì vóón úwáwá ísì òjè**. Meat filled the pot of Oje. **àsí vóón ùbèlè**. Snuff filled a gourd. **voon òtòì voon òkhùnmì** *tr* to fill completely (CPA, CPR, *C, *H) **émáé vóón òtòì vóón òkhùnmì**. Food was found everywhere. lit. Food filled the earth and filled the sky. **émáé vóón òtòì bí òkhùnmì**. Food was all over. Food filled the earth and the sky.

vun *v intr* to uproot, pull; **vun shoo re** to arise in a rushed fashion (CPA, CPR, *C, *H) **ójé vún shòò ré**. Oje rushed and arose. Oje rushed up. lit. Oje got uprooted and arose.; **vun** *tr* to uproot by pulling [not by digging] **ò vún ìbòbòdí**. He uprooted cassava. **ò vún vbì ólì ìbòbòdí**. He uprooted from the cassava. **vùn ói**. Uproot it.; *kpaye vun,* **ò kpáyé òjè vún ìbòbòdí**. He helped Oje uproot cassava.; *re vun,* **ò ré ópìà vún ìbòbòdí**. He used a cutlass to uproot cassava.; *vun ku o,* **ò vún ìbòbòdí kú ó vbì òtòì**. He uprooted cassava all over the ground.; *vun li,* **ò vún ìbòbòdí lí òhí**. He uprooted cassava for Ohi. He gave cassava to Ohi.; *vun o,* **ò vún ìbòbòdí ó vbì òtòì**. He uprooted cassava onto the ground.; *vun re,* **ò vún ìbòbòdí ré**. He uprooted cassava and brought it.; *vun ye,* **ò vún ìbòbòdí yé òhí**. He uprooted cassava and took it to Ohi. He took cassava to Ohi. cf. **vboo** to uproot.

vuye *v intr* to close, get closed (*CPA, CPR, *C, *H) **ólì àkpótì vúyéì**. The box closed.; **vuye** *tr* to close (CPA, CPR, *C, *H) **ò vúyé ólì àkpótì**. He closed the box. **ò vúyé ólì ògó**. He closed the bottle. **vùyè óì**. Close it.; *kpaye vuye,* **ò kpáyé òjè vúyé ólì ògó**. He closed the bottle in place of Oje.

vuye a *intr* to open (CPA, CPR, *C, *H) **ólì ògó vúyé à**. The bottle opened. **ólì àkpótì vúyé á**. The box opened.; **vuye** *tr* to open. *vuye a*, **ọ̀ vúyé ólì ọ̀gó á**. He opened the bottle. **ọ̀ vúyé ólì àkpótì á**. He opened the box. **vùyè ọ́ì á**. Open it.; *kpaye vuye a*, **ọ̀ kpáyẹ́ òjè vúyé ólì ọ̀gó á**. He open the bottle in place of Oje.; *re vuye a*, **ọ̀ rẹ́ àkpòkà vúyé ólì ọ̀gó á**. He used a pliers to open the bottle.; *vuye o*, **ọ̀ vúyé ólì àkpótì ọ́ vbì òtọ̀ì**. He opened the box onto the ground.

VB

vba *pro* you [second person plural subject] **vbà dá ẹ́nyọ́ élìyọ́**. You drank that kind of wine.

vbà *pro* you [second person plural direct object] **òjè fí vbá émì**. Oje hit you with something.

vba *aux* really [epistemic dubitative modal function] **ólí ọ́mọ́hé vbá é ólí émàè?** Could the man really have eaten the food?

vbaa *v tr* to irritate (*CPA, *CPR, C, *H) **égbè ọ̀ ó vbàà òjè**. Oje is irritated. lit. Oje's body is irritating him. **úẹ́ẹ́n ísì òhí ọ̀ ó vbàà òjé vbí égbè**. Ohi's behavior is irritating Oje. **ísíẹ́ìn ọ̀ ó vbàà òjé vbí égbè**. Pepper is irritating Oje. **èò ọ̀ ó vbàà òjè**. Oje's eye is irritated. **ísíẹ́ìn ọ̀ ó vbàà òjé vbí èò**. Pepper is irritating Oje's eye. **ékẹ́ìn ọ̀ ó vbàà òjè**. Oje's stomach is irritated. **ísíẹ́ìn ọ̀ ó vbàà òjé vbí**

ékẹ́ìn. Pepper is irritating Oje's stomach.; **nwu èhèìn vbaa** (CPA, CPR, *C, H) to slander, tell lies about. **ólí òkpòsò nwú èhèìn vbáá mẹ̀**. The woman told lies about me. The woman irritated me with her lies.; **ze vbaa** to offend by telling lies [only positive focus constructions] **òjè lí ọ́ zé vbáá òhí**. It is Oje who offended Ohi. It is Oje who spoke and irritated Ohi.

vbae *v intr* to be fair skinned, be light in skin color (*CPA, *CPR, *C, H) **élí ímọ́hé ọ́ ọ̀ vbàé**. The men are fair-skinned.; *vbae ku a*, **ólí ọ́mọ̀hè ọ̀ ó vbàé kú à**. The man is getting light throughout.; *vbae lee*, **ólí ọ́mọ̀hè vbáé lẹ́é òjè**. The man is lighter-skinned than Oje.; *vbae o vbi o*, **ólí ọ́mọ̀hè ọ̀ ó vbàé ọ̀ vbì ọ̀**. The man is getting lighter-skinned.

vbae *v intr* to shine, give off light (*CPA, *CPR, C, H) **òvọ̀n ọ̀ ó vbàé**. The sun is shining. **ùkìn ọ̀ ó vbàé**. The moon is shining.

vbae *v intr* to be warm in color (*CPA, *CPR, *C, H) **ólí úkpún ọ́ ọ̀ vbàé**. The cloth is red. **ọ́ ọ̀ vbàè bí èkẹ̀n**. It is reddish-brown like mud.; *vbae lee*, **ólí úkpún áìn vbáé lẹ́é ísì èmé**. That cloth is redder than mine.

vbae *v intr* to glow (*CPA, *CPR, C, H) **èràìn ọ̀ ó vbàé**. A fire is glowing.; *vbae ku a*, **èràìn ọ̀ ó**

vbàé kú à. The fire is glowing uselessly.

vbae è̩ò a *tr* to become fierce (CPA, CPR, *C, *H) ò̩jè vbáé è̩ò á. Oje became fierce. lit. Oje glowed in his face.

vbághá *pstv adv* extremely wide, condition. ó̩lí íkpì táán únù á vbághá. The python opened its mouth very wide. The python spread its mouth wide open.; ~ *adj* broad, wide. únú lì vbághá a broad mouth. únú ísì ò̩jè ú vbághá. Oje's mouth is broad. ó̩jé ú únú vbáhá. Oje has a broad mouth. ébé' ó̩ ì rîì? How is it?

vbàkhá *adj* swoopingly. ó̩lí áfiánmì ú vbàkhá. The bird swooped down.

vbalo̩ *v tr* to scoop a liquid in an iterative fashion with a small container (CPA, CPR, C, H) ò̩jè vbáló̩ ámé̩ mè̩. Oje scooped my water. ò̩ vbáló̩ òmì. He scooped soup. é̩ è̩ kè̩ vbáló̩ òmì. Don't scoop soup anymore.; *vbalo̩ ku a*, ò̩ ó̩ vbàlò̩ ámé̩ kú à. He is scooping water all over.; *vbalo̩ ku o*, ò̩ ó vbàlò̩ ámé̩ kù ò̩ mé̩ vbí égbè. He is scooping water all over my body.; *vbalo̩ li*, ò̩ vbáló̩ àmè̩ lí òhí. He ladled water for Ohi.; *vbalo̩ o*, ò̩ vbáló̩ àmè̩ ó̩ vbì ò̩gbèdí. He scooped water into the barrel.; *re̩ vbalo̩ o*, ò̩ ó̩ rè̩ òkpán vbàlò̩ ámé̩ ò̩ vbí ò̩gbèdí. He is using a gourd to scoop water into the barrel.; *vbalo̩ ye*, ò̩

vbáló̩ àmè̩ yé òhí. He ladled water and took it to Ohi. cf. -lo̩ DS.

vbàvbà *pro* you [second person plural emphatic] vbàvbà lí vbá dá ó̩lí é̩nyò̩. It was you who drank the wine. cf. vba second person plural.

vbaye̩ *v intr* to chat (*CPA, *CPR, C, H) yàn á vbàyé̩. They are chatting. vbá yà vbáyé̩. Get on with your chatting.; *kpaye̩ vbaye̩*, yàn á kpàyé̩ òjé vbàyé̩. They are chatting with Oje.

vbee *v intr* to get entangled, entwined, interwoven (*CPA, CPR, *C, *H) *fi vbee* to get entangled by dropping, dangling élí íkpàtívbì fí vbéé. The vines got entangled. The vines dangled and intertwined; vbee *tr* to entangle; *fi vbee* to entangle by thrusting. ò̩jè fí élí íkpàtívbì vbéé. Oje thrust the vines into an entangled state. Oje got the vines entangled.

vbee *v tr* to trip by entangling (*CPA, CPR, *C, *H) élí íkpàtívbì vbéé òhí àwè̩. The vines entangled Ohi's feet. The vines tripped Ohi.; *re̩ vbee*, ò̩ ré úkpàwè̩ vbéé òhí àwè̩. He used his feet to entangle Ohi's feet. He tripped Ohi. He entangled Ohi's feet with his feet. rè̩ àwè̩ vbéé ó̩í àwè̩. Trip him.

vbee *v tr* to knot by intertwining, twisting (*CPA, CPR, C, *H) ò̩jè vbéé élí íkpùn. Oje knotted the clothes.; *vbee shan vbi,* ọ̀ vbéé ọ́lí úkpùn shán vbì ègèìn. He knotted the cloth through his crotch. He twisted the cloth through his crotch and knotted it.

vbee *v tr* to braid by twisting (*CPA, CPR, C, *H) ọ̀jè vbéé ọ́lí úì. Oje braided the rope. vbèè ọ̀ì. Braid it.; *kpaye vbee,* ọ̀ kpáyé ọ̀jè vbéé ọ́lí úì. He helped Oje braid the rope.; *vbee lagaa,* ọ̀jè vbéé ọ́lí úì lágáá égbè. Oje twisted the rope around his body. ọ̀ vbéé ọ́lí úì lágáá égbé ísì òhí. He twisted the rope around the body of Ohi.; *kpaye vbee lagaa,* ọ̀ kpáyé ọ̀jè vbéé ọ́lí úì lágáá égbé ísì òhí. He helped Oje twist the rope around Ohi's body.

vbẹ *v intr* to become wide (CPA, CPR, *C, *H) ọ́lí úkpódẹ́ vbéì. The road became wide.; *vbẹ lee,* úkpódẹ́ ísì àfúzé' vbé lẹ́é ísì òkè. The Afuze road is wider than the Oke road.; *vbẹ o vbi o,* ọ́lí úkpódè ọ̀ ọ́ vbé ọ̀ vbì ọ̀. The road is getting wider.; *ze vbẹ,* ọ́lí ọ́mọ̀hè zé ọ́lí úkpódé vbè. The man allowed the road to widen.; **vbẹ a** *tr* to widen. ọ̀jè vbẹ́ ọ́lí úkpódè á. Oje widened the road.

vbèé *pstv adv* gliding from side to side manner. ọ́lí ékùété' tíní vbèé. The dove flew in a gliding fashion. The dove rode the air currents.; ~ *adj* gliding from side to side. ọ́lí ékùété' ú vbèé. The dove glided.

vbee re *intr* to lower (CPA, CPR, C, *H) ọ́lì òkpòsò vbéé rè. The woman lowered herself. vbèè ré. Lower yourself.; *vbee re li,* ọ́lì òkpòsò vbéé rè lí óvbí ọ̀ì. The woman lowered (herself) for her child.

vbéghé *pstv adv* maximally extended fashion. ọ́lí édà vóón sé únù ré vbéghé. The river is full to the very top of its bank. ọ́lí ékùété' táán ìòòn á vbéghé. The dove spread its feathers way out. ébé' ọ́ í vòòn sé? How full is it?; ~ *adj* maximally extended, stretched. íọ́ọ́n ísì áfiánmì ú vbéghé. The feathers of the bird are maximally extended. ọ́lí áfiánmì ú íọ́ọ́n vbéghé. The bird has its feathers maximally extended. cf. **vbee** side to side gliding manner. cf. **vbẹ** to become wide.

vbéghé *pstv adv* attentively. ọ́ nwú éhọ́n vbéghé. He listened attentively. lit. He took hold of his ear attentively.

vbi *prep* at, in, on [locative function] ọ́lí ófè rî vbí ókhúnmí ìtébù. The rat is on top of the table. ọ́lí óvbèkhàn rî vbí ìsìkúù. The youth is at school. ọ́lí ọ́mọ̀hè gbé ọ́lí ófé vbì ìwè. The man has killed the rat in the house.

vbi *prep* of [partitive function, following noun phrase requires marked melody] èvá vbí élí íkpósó two of the women, èèlé

vbí íyáín four of them. **òjè é vbí ólí émá.** Oje ate from the pounded yam.

vbi *v tr* to perform, do [never with pre-verbal auxiliary] (CPA, CPR, C, H) **òjè vbí émíéìmì.** Oje performed an abomination. cf. **u** to do.

vbi *cop* to be [class membership function, requires negation except in rich discourse contexts] **ólí ómo̲hè í ì vbì ói.** The man is not a thief. **ólì èràìn í ì vbì ísì ìghéé̲'.** The fire was not a joke. lit. The fire was not for jesting. **òjè í ì vbì óbá'.** Oje is not the Oba.; *vbi khi,* **ó ì vbì àtá khì àlèkè dá ólí é̲nyò̲.** It is not true that Aleke drank the wine. cf. **u** to be, **ri** to be located.

vbi *v tr* to beg, request, ask for (*CPA, *CPR, C, H) **òhí ò̲ ó vbì éànmì.** Ohi is begging for meat. **ólí ómo̲hè vbí émàè vbí óbó̲ ísì ólì òkpòsò.** The man begged for food from the woman. **é è kè vbí émì.** Don't beg anymore.

vbi *v compl tr* to beg, request, ask from (CPA, CPR, *C, *H) **òhí vbí ójé éghó'.** Ohi begged Oje for money. Ohi begged for money from Oje. **òhí vbí ójé éànmì.** Ohi asked Oje for meat. **vbì òhí ósà.** Ask Ohi for the debt payment. Ask Ohi to pay up.

vbia *v intr* to bear, give birth, deliver (*CPA, CPR, C, *H) **àlèkè vbíáì.** Aleke gave birth. **ò̲ó**

vbìà vbí ásìbítò̲. Go to give birth in the hospital.; **vbia** *tr* to bear, give birth to (*CPA, CPR, *C, *H) **àlèkè vbíá ómò̲.** Aleke bore a child.; *vbia li,* **ò̲ vbíá ómò̲ lí òhí.** She bore a child for Ohi.; *mie̲ vbia* to find and bear [only negative constructions] **àlèkè í ì miè̲ ò̲mó̲ vbìà.** Aleke did not find a child to bear.

vbia fi a *intr* to miscarry, lose a baby (*CPA, CPR, *C, *H) **ò̲ vbíá fì á.** She lost the delivery. lit. She gave birth and lost it.

vbia *v tr* to spew (CPA, CPR, *C, *H) **ò̲ vbíá èsè̲ìn.** He spit saliva. **vbìà èsè̲ìn** Spit.; *vbia ku a,* **ò̲ vbíá égbé̲síéìn kú à.** He spit alligator pepper all over.; *vbia ku e̲,* **ò̲ vbíá èsè̲ìn kú é̲ òhí.** He spewed saliva onto Ohi.; *vbia ku o̲,* **ò̲ vbíá égbé̲síéìn kú ó̲ vbì èràìn.** He spewed alligator pepper all over the fire.

vbie̲ *v intr* to be cooked (CPA, CPR, *C, *H) **ó̲ká ísì è̲é ké vbíé.** Your maize was subsequently cooked. **ólí émàè vbíéì.** The food is cooked.; **vbie̲** *tr* to cook, prepare properly (*CPA, CPR, *C, *H) **ólì èràìn í khà vbìè émàè.** The fire will not cook the food.

vbie̲ *v intr* to be lonely (CPA, CPR, *C, *H) **é̲vbíé̲ vbíé vbì èàn.** Loneliness pervades this area. It is lonely around here.; *vbie̲ nwu* to be overtaken by loneliness (*CPA, CPR, *C, *H) **é̲vbìè̲**

vbíé nwú òjè. Oje is consumed by loneliness. lit. Loneliness took hold of Oje.

vbiee *v intr* to be visible, apparent (CPA, CPR, *C, *H) *re égbè vbiee*, òhí ré égbè vbíéé. Ohi appeared. lit. Ohi made his body visible. ólì òkpòsò ré égbè vbíéé. The woman appeared.; vbiee *tr* to be visible to, apparent to; *re égbè vbiee*, ólì òkpòsò ré égbè vbíéé ívbíá ói. The woman appeared to her children.

vbiee *v tr* to make apparent to [specifies recipient of a communicative event] *kpe vbiee*, òjè kpé ìtàn vbíéé ólí óvbèkhàn. Oje narrated the saying to the youth. Oje narrated the saying, making it apparent to the youth. Oje made the saying apparent to the youth by narrating it to him. kpè ìtàn vbíéé ólí óvbèkhàn. Narrate the saying to the youth.; *so vbiee*, òjè só íòò vbíéé òhí. Oje sang a song to Ohi.

vbiee *v tr* to show to (CPA, CPR, C, H) *re vbiee* to take to show. ò ré ólí ébè vbíéé òhí. He took the book and showed Ohi. He showed the book to Ohi. ó ré úháóbì vbíéé é. He showed you the poison arrow. ò ré úkpódè vbíéé òhí. He showed Ohi the way. rè ólí ébè vbíéé òhí. Take the book and show Ohi. Show the book to Ohi.

vbiee *v tr* to prove, establish, show, demonstrate that (CPA, CPR,

*C, *H) *re vbiee khi*, émí lí ójé úì ré vbíéé khí óíá lì òbè óò. The thing that Oje did proved that he's a bad person. úéén ísì òí ré vbíéé khí óì óò. His behavior showed that he is a thief. úéén ísì òjè ré vbíéé khí égbègbé óìà óò. Oje's behavior showed that he is a good person. Oje's behavior made it apparent that he was a good person.

vbiee *v tr* to teach, train; *re vbiee* to teach to (CPA, CPR, C, H) ò ó rè èmí vbìèè òhí. He is teaching Ohi. He is making things apparent to Ohi. rè ólì ìsóòmù vbíéé òhí. Teach the arithmetic to Ohi.; vbiee *v compl tr* to teach to (CPA, CPR, C, H) ò ó vbìèè òhí émì. He is teaching Ohi something. ólí ómòhè vbíéé ólí ókpósó ìsóòmù. The man taught the woman arithmetic. vbìèè òhí ólì ìsóòmù. Teach Ohi the arithmetic.; *re vbiee*, òhí ré ólì ìtàn vbíéé ójé èwàìn. Ohi used the saying to teach Oje wisdom.

vbìévbìé *adj* tepid, lukewarm. ámé lì vbìévbìé the tepid water. ólì àmè ú vbìévbìé. The water is tepid. ébé' ó í tòhìà sé? How hot is it?

vbìévbìévbìé *pstv adv* faintly. ò ó tòò vbìévbìévbìé. It is burning faintly.

vbíó, vbíóvbíóvbíó *pstv adv* extreme condition of fierceness. éó ísì òí ó ò vbáé vbíóó. His eyes were extremely fierce. ólì èràìn ò ó tòò vbíóvbíóvbíó. The fire is burning extremely fiercely. The fire is fully ablaze. ébé' ólí éráín í rîì? How is the flame?; ~ *adj* extremely fierce. éráín lì vbíóvbíóvbíó the extremely fierce fire. ólí éráín ú vbíóvbíóvbíó. The fire is extremely fierce. ébé' ólí éráín í rîì? How is the flame?

vbìòghó, vbìòghóvbìòghó *pstv adv* absolute, slippery-smooth condition. ó ráá ùdékèn á vbìòghó. He polished the wall slippery smooth. He polished the wall slippery smooth.; ~ *adj* slippery smooth. ùdékén lì vbìòghó the slippery smooth wall. údó lì vbìòghóvbìòghó the extremely slippery stone. ólì ùdékèn ú vbìòghó. The wall is slippery smooth. ólí údò ú vbìòghó-vbìòghó. The stone is slippery smooth. ébé' ólí údó í rîì? How is the stone?

vbìrìvbìrìvbìrì *pstv adv* sloshing sound from an object moving through the air. ú hóní vbìrì-vbìrìvbìrì. You heard a sloshing sound. ú míéí vbìrìvbìrìvbìrì. You sensed a sloshing sound.

vbohie *v intr* to dream (*CPA, *CPR, C, H) ólí ómòhè ò ó vbòhíé. The man is dreaming.; *vbohie mie* to dream about (CPA, *CPR, *C, *H) ólí ómóhé vbóhíé míé ólì òkpòsò. The man dreamed about the woman. lit.

The man dreamed and found the woman. émé' ólí ómóhé vbóhíé mìè? What did the man dream about? ólí ómóhé vbóhíé míé ébé' ólí áwá rîì. The man dreamed where the dog was.; vbohie *tr* to dream; *vbohie khi* to dream that (CPA, CPR, *C, *H) ò vbóhíéí khí ólì òkpòsò gbé ólí ófè. He dreamed that the woman killed the rat.

vbovbo *v intr* to get on the back in order to be carried (CPA, CPR, *C, *H) óvbì àlèkè vbóvbóì. Aleke's child got on her back. Aleke's child got carried.; vbovbo *tr* to carry on the back (CPA, CPR, *C, H) àlèkè vbóvbó ólí ómò. Aleke carried the child on her back. vbòvbò óì. Carry it on your back.; *kpaye vbovbo*, ò kpáyé àlèkè vbóvbó ólí ómò. She carried the child on her back in lieu of Aleke.; *re vbovbo*, ólì òkpòsò ré úkpún lì ògbòn vbóvbó ólí ómò. The woman used a new cloth to carry the child on her back.; *nwu vbovbo* to get put on the back (CPA, CPR, *C, *H) ò nwú ómò vbóvbó. She got a child on her back.

vbọo *v intr* to get uprooted (CPA, CRP, *C, *H) *vbọo a*, íóón ísì òlí áfiánmì vbóó à. The bird feathers got uprooted. ólí ítùú vbóó à. The mushrooms got pulled out. ólì àkòn vbóó à. The tooth got uprooted. ólì ìshé

vbóó à. The nail pulled out.; *vboo fi a*, **ólì ìshé vbóó fì á**. The nail pulled away.; *vboo ze* to remain after being uprooted. **ìòòn vbóó zé ójé vbí óbò**. A feather remained in Oje's hand. A feather uprooted and remained in Oje's hand.; **vboo** *tr* to pull, uproot (CPA, CPR, C, H) **ò ó vbòò ítùú**. He is uprooting mushrooms. **ò ló yà vbóó ìùmì**. He is about to start uprooting weeds. **yà vbóó ítùú**. Start uprooting mushrooms.; *kpaye vboo*, **ò ó kpàyè òjé vbòò ítùú**. He is helping Oje uproot mushrooms.; *re vboo*, **ò ó rè ùvbíágháé vbòò ítùú**. He is using a knife to uproot mushrooms.; *vboo a*, **ò vbóó ólí ítùú á**. He rooted up the mushroom. **ólí ómòhè vbóó àkòn á**. The man pulled out the tooth.; *vboo fi a*, **ò vbóó ólì ìshé fí à**. He pulled the nail away.; *vboo fi o*, **ò vbóó ólì ìshé fí ó vbì òtòì**. He dropped the nail onto the ground. He dropped the nail aside after pulling it out.; *vboo li*, **ò vbóó ítùú lí àlèkè**. He uprooted mushrooms for Aleke.; *vboo re*, **ò vbóó ítùú ré**. He brought mushrooms.; *vboo ye*, **ò vbóó ítùú yé àlèkè**. He took mushrooms to Aleke.

vb<u>oo</u> a *tr* to beat up (*CPA, CPR, *C, *H) **òjè vbóó òhí á**. Oje beat up Ohi. lit. Oje uprooted Ohi. **vbòò ói á**. Beat him up.

vb<u>oo</u> *v intr* to jump (CPA, CPR, C, H) **ólì èkpèn vbóóì**. The leopard jumped. **vbòò**. Jump.; *vboo fi a*, **ólì òkpòsò vbóó fì á**. The woman jumped away.; *vboo fi o*, **ólí óvbèkhàn vbóó fì ó vbì èsí**. The youth jumped onto the horse. **ólì èkpèn vbóó fì ó vbì òtòì**. The leopard jumped onto the ground.; *vboo ku a*, **élí ívbèkhàn vbóó kù á**. The youths jumped away.; *vboo ku o*, **élí ívbèkhàn vbóó kù ó vbì èsí**. The youths jumped onto the horse.; *vboo o*, **ò vbóó ó vbí ékóà**. She jumped into the room.; *vboo raa re*, **òjè vbóó ráá ólì òò ré**. Oje jumped over the hole.; *vboo shan*, **ò ó vbóó shàn**. He is jumping about.; *vboo shan*, **ò vbóó shán ékéín ìwè**. She jumped through the house.; *vboo shoo vbi re*, **ò vbóó shóó vbí úkpódè ré**. She jumped off the road.; *vboo ye*, **ò vbóó yé òkhùnmì**. He jumped skyward.; *maa égbè vboo* to arrange the body and leap (CPA, CPR, *C, *H) **ójé máá égbè vbóó**. Oje lept. Oje arranged his body and jumped.

vbughu *v intr* to become scalded, softened by hot water or ashes (CPA, CPR, *C, *H) **óbó mè vbúghúì**. My arm got scalded. **óbó ísì òjè vbúghúì**. Oje's arm got scalded. **ólì òùmù vbúghúì**. The pear got scalded.; **vbughu** *tr* to scald, soften, burn skin.

òjè vbúghú óbò. Oje scalded his arm. **vbùghù ọ́ì**. Scald it.; *kpaye vbughu*, **ọ̀ kpáyẹ́ òjè vbúghú òúmù**. He helped Oje scald pears.; *re vbughu*, **ọ̀ rẹ́ èmòì vbúghú òúmù**. He used ashes to scald pears.; *vbughu li*, **òjè vbúghú òúmù lí òhí**. Oje scalded pears for Ohi.; *vbughu ye*, **òjè vbúghú òúmù yé òhí**. Oje scalded pears and took them to Ohi.

vbuu ùhì li *tr* to issue, impose a fine (CPA, CPR, *C, *H) **óbá' vbúú ùhì lí òhí**. The Oba issued a fine to Ohi. **à vbúú ùhì lí òjè**. Oje was issued a fine. **vbùù ùhì ní áìn**. Issue a fine to him.

vbúú *pstv adv* directly head-on rushing manner. **ónọ́í vádè vbúú**. Another one is coming, head on.

W

waa *v tr* to make, fashion (CPA, CPR, C, H) **ọ̀ ọ́ wàà ìbéèdì**. He is making the bed. **ọ̀ ọ́ wàà èwáà**. He is fashioning a mat.

waa *v tr* to refrain from, desist from (*CPA, *CPR, *C, H) **ójé ọ́ ọ̀ wàà íshàvbọ́**. Oje refrains from okra. **yà wáá íwé mẹ̀**. Start refraining from (coming to) my house.; *waa li*, **ọ́ ọ̀ wàà íshàvbọ́ lì òhá ọ̀ì**. He refrains from okra for his wife.

wàà *pstv adv* state of a sudden apparition. **ọ́ míẹ́í wàà**. He sensed an apparition.; ~ *adj*

state change of sudden apparition. **ọ́lí ótọ́í ú wàà**. The ground suddenly appeared in a new form.

waa *v tr* to spread, lay out (CPA, CPR, C, H) **ọ̀ ọ́ wàà èwáà**. He is spreading a mat. **wàà ọ̀lí éwáà**. Spread the mat.; *kpaye waa*, **ọ̀ kpáyẹ́ òjè wáá éwáà**. He helped Oje spread a mat.; *waa li*, **ọ̀ wáá éwáà lí òhí**. He spread a mat for Ohi.; *waa o*, **ọ́lí ọ́mọ̀hè wáá úkpùn ọ́ vbì ìbéèdì**. The man spread a blanket onto the bed. **òjè wáá úkpùn ọ́ vbì òvọ̀n**. Oje spread clothes in the sunshine.; *re waa* to take and spread, get spread (CPA, CPR, *C, *H) **òjè rẹ́ éwáà wáá vbí ẹ́kẹ́ín àzà**. Oje got his mat spread inside the storeroom.

waa *v tr* to display (CPA, CPR, *C, *H) **òjè wáá íkpùn**. Oje displayed cloths. **òjè wáá émì**. Oje displayed his goods. **òjè wáá émí vbí ékọ́ ísì ọ̀ì**. Oje displayed his goods in his market spot. cf. **wee** to display.

waa re *intr* to break through [of sunshine] (*CPA, CPR, C, *H) **òvọ̀n wáá rè**. Sunshine burst through. cf. **waa** to display.

wághá *adj* wiggling condition of multiple items. **éfé lì wághá** the wiggling rats. **élí éfé ú wághá**. The rats wiggled. **ébé' yán í rìì?** How are they?

wáíwáí *pstv adv* chomping manner. **ọ̀ ọ́ lù ùnú wáíwáí**. He is chomping on his food. e is chewing with a mouth full of food. **ébé' ó ò í lù únù?** How does he chew?

wàyàwáyá *adj* clump of loose fitting matter. **émáé lì wàyàwáyá** the messy clump of food. **ólí émàì ú wàyàwáyá.** The food is in a messy clump. **ébé' ó ì rîì?** How is it?

wee *v tr* to wear (CPA, CPR, C, H) **ò wéé úkpùn.** He wore clothes. **ò wéé ólí úkpùn.** He wore the cloth. **ólí ómóhé wéé èùn.** The man wore a shirt. **wèè òlí úkpùn.** Wear the cloth.; *wee li*, **ò wéé úkpùn lí òhí.** He gave a cloth to Ohi to wear. He dressed Ohi.; *wee ye*, **ò wéé ólí úkpùn yé òkè.** He wore the cloth to Oke. He went to Oke wearing the cloth. cf. **ku o** to put on clothing.

wee *v tr* to apply, utilize, medicine or charms (CPA, CPR, C, H) **ò wéé ólì ìkhùnmì.** He applied the charms. **òjè wéé ólí ébè.** Oje applied the medicinal leaf. **wèè ólì ìkhùnmì.** Take the medicine.; *wee li*, **ò wéé ólì ìkhùnmì lí òhí.** He applied the medicine to Ohi.

wee *v tr* to exhibit, display in market (CPA, CPR, *C, *H) **áléké wéé ìsìgá vbì èkìn.** Aleke displayed cigarettes in the market. cf. **waa** to display. cf. **wewe** to hawk items.

wee *v tr* to exhibit, display behavior [only positive focus constructions with **ùèèn**] **úéén lì òbè lí ójé wééì.** It is bad behavior that Oje displayed.; *wee ye*, **ò wéé úéén lì òbè yé òhí.** He displayed bad behavior toward Ohi. **é è kè wéé úéén lì òbè yé òhí.** Don't exhibit bad behavior toward Ohi anymore.

wee éghó' *tr* to spend money (CPA, CPR, *C, *H) **òjè wéé ólí éghó'.** Oje spent the money. lit. Oje exhibited the money. **òjè wéé vbí ólí éghó'.** Oje spent from the money. **wèè òì.** Spend it.; *wee ku a*, **òjè wéé ólí éghó' kú à.** Oje wasted the money. Oje spent the money around.

wewe *v intr* to engage in talk while moving from person to person (*CPA, *CPR, C, H) **ójé ó ò wèwé.** Oje preaches. Oje spreads rumors. **yà wéwé.** Start preaching.; *re wewe*, **ò ó rè ìmátó wèwé.** He is using his car to preach.; *wewe vbiee*, **òjè ò ó wèwé vbìèè òhí.** Oje is preaching to Ohi.; **wewe** *tr* to malign, spread false reports or rumors about (*CPA, *CPR, C, *H) **òjè ò ó wèwé mè.** Oje is spreading reports about me. **é è kè wéwé mè.** Don't malign me anymore.; *wewe shan*, **òjè ò ó wèwè mé shán.** Oje is spreading rumours about me. **òjè ò ó wèwè mé shàn vbì òéé'.** Oje is maligning me about the township.

wewe *v tr* to hawk items in trade (*CPA, *CPR, C, H) ólì òkpòsò ò ó wèwè èhèèn. The woman is hawking fish. yà wéwé óì. Get on with hawking it.; *kpaye wewe*, ò ó kpàyè òjé wèwè àkàsán. He is helping Oje hawk pap.; *wewe ye*, òjè wéwé àkàsán yé ókhúnmí òéé'. Oje hawked solid pap in the upper part of the township. Oje took solid pap to the upper township and hawked it. cf. **wee** to display.

wee *v intr* to spread (*CPA, CPR, C, H) ólì ìùmì wééì. The weeds spread.; *wee o*, ólì ìùmì wéé ó vbí éhé èrèmé. The weeds spread all over the place. émèdó wéé ó vbí ótóí vbí ímè. Sweet potatoes spread in the soil on the farm.; **wee** *tr* to spread (CPA, CPR, C, H) *wee o*, ò wéé íkhùèkhúé ó vbì òtòì. He spread his divining seeds onto the ground. ò wéé àwè ó vbì òtòì bí íkpéèkpéyè. He spread his feet onto the ground like a duck. ò wéé áméghó' ó vbì òtòì. He spread cowries onto the ground. wèè íkhùèkhúé ó vbì òtòì. Spread your divining seeds onto the ground.; *hua wee o* to take and spread (CPA, CPR, *C, *H) ò húá íkhùèkhúé wéé ó vbì òtòì. He took his divining seeds and spread them on the ground. He spread his divining seeds on the ground. cf. **waa** to spread.

wèé, wèéwèé *pstv adv* relatively brief temporal frame. ólí édè ò ó ké kùán wèéwèé. The day there after was clearing a bit. ébé' ó í tèè sé? How long was it? ó tééí wèé. It was a bit long. It was a short time. ébé' ólí ómóhé í mùzàn téé sè? How long did the man wait? ólí ómóhé múzání wèé. The man waited for a short time. éghè ó ló rè várè? When will it come? ó ló ù wèé. It will happen in a bit.; **u wèé** *tr* to be affected a bit psychologically, to be a bit mad (*CPA, *CPR, *C, H) ó ò ù òjé wèé. It affects Oje a bit. Oje is a bit mad.

welo *v intr* to sweep (*CPA, *CPR, C, H) òjè ò ó wèló. Oje is sweeping. yà wéló. Get on with sweeping.; *kpaye welo*, ò ó kpàyè òjé wèló. He is helping Oje sweep.; *re welo*, ò ó rè ówèé mé wèló. He is using my broom to sweep.; **welo** *tr* to sweep a place (CPA, CPR, C, H) ò ó wèló òtòì. He is sweeping the ground. wèló ègbóà. Sweep the backyard.; *kpaye welo*, ò kpáyé òjè wéló égbóà. He helped Oje sweep the backyard.; *re welo*, ò ré ówèé mè wéló égbóà. He used my broom to sweep the backyard.; *welo a*, ò wéló égbóà á. He swept up the backyard. He swept the backyard clean.; *welo ku a*, ò wéló íkùkù kú à. He swept the dirt away.; *re welo ku a*, ò ré ówèé mé wéló ólí íkùkù kú à. He used my broom to sweep the dirt aside.; *welo ku o*, ò wélọ́ íkùkù kú ọ́ vbí égbóà. He swept dirt all over the backyard.; *re welo ku o*, ò ré ówèé mè wélọ́ ólí íkùkù kú ọ́ vbí égbòà. He used my broom to sweep the dirt all over the back-yard.; *welo shoo vbi re*, ò wélọ́ íkùkù shóó vbí úkpódè ré. He swept dirt way off the road.; *welo vbi re*, ò wélọ́ íkúkú vbí úkpódè ré. He swept dirt from the road.

wèwè *pro* you [second person singular emphatic] wèwè lí ú dá ólí ényò. It was you who drank the wine. cf. u second person singular.

wewe *v intr* to drizzle, shower lightly (*CPA, *CPR, C, *H) àmè ọ̀ ọ́ wèwé. It is drizzling. lit. Rain is drizzling.

wewe *v tr* to lull, quiet (*CPA, *CPR, C, H) ólì òkpòsò ọ̀ ọ́ wèwè ómò. The woman is lulling her infant. yà wéwé ói. Start quieting it.

wìàìnì *pstv adv* smashing sound resulting from a hitting activity. ú họ́ní wìàìnì. You heard a violent, smashing sound. ò fí égbé vbí ótói wìàìnì. He hit his body on the ground with a smash. He smashed his body on the ground. ọ́ fí ọ́í úkpàsánmí wìàìnì. She smashed him with a cane.

wo *v intr* to nag, shout [only of females] (*CPA, *CPR, C, H) ólì òkpòsò ọ̀ ọ́ wó. The woman is shouting. é è kè wó. Don't nag anymore.; wo *tr* to nag. àlèkè ọ̀ ọ́ wò òjè. Aleke is nagging Oje. ólì òkpòsò ọ̀ ọ́ wò mè. The woman is shouting at me.

wo *v intr* to bark (*CPA, *CPR, C, H) ólí áwà ọ̀ ọ́ wó. The dog is barking.; wo *tr* to bark at. ólí áwà ọ̀ ọ́ wò òjè. The dog is barking at Oje.

wóíwóí *pstv adv* steaming quality of a hot condition. ólí émàè ọ̀ ọ́ tòhìà wóíwóí. The food is steaming hot. The food is steaming. ólí ókà ọ̀ ọ́ zè ètín wóíwóí. The maize is emitting lots of steam. The maize is steaming hot.

woo *v tr* to look at (*CPA, *CPR, C, *H) òjè ọ̀ ọ́ wòò àlèkè. Oje is looking at Aleke. cf. ghoo to look at; woo òtòì woo òkhùnmì *tr* to look all around (CPA, *CPR, *C, *H) ólí ómòhè wóó òtòì wóó òkhùnmì. The man looked up and down. lit. The man looked at the earth and looked at the sky. cf. ghoo to look at.

woo égbè *tr* to be impotent (*CPA, *CPR, *C, H) ólí ómóhé ọ́ ọ̀ wòò égbè. The man is impotent. lit. The man looks at his body. cf. ghoo to look at.

wóò *pstv adv* intense smacking fashion of a hitting activity. **ú míéí wóò.** You sensed a smack. **ó hián úkpàsánmì kú ó vbí ótói wóò.** He struck a cane all over the ground with a smack. He smacked a cane all over the ground. **ó fí úkpàsánmì vbí ùdékén wóò.** He hit a cane on the wall with a smack.

woo *prev adv* instead [evaluative function] **ólí ómòhè wóò é ólí émàè léé lí ó húnmé lèè.** It was better for the man instead to finish eating the food. It would be better instead for the man to finish eating the food. lit. It was the man's eating the food instead that was better.

wòghówòghó *adj* obese, over-weight condition. **égbé lì wòghówòghó** the obese body. **égbé ísì òjé ú wòghówòghó.** Oje's body is obese. **ójé ú égbé wòghówòghó.** Oje has an obese body. **ébé' égbé ísì òí í rîì?** What is the condition of his body?

wòyòwóyó *adj* loose fitting, spaghetti-shaped clump of matter. **ólí ékhói ú wòyòwóyó.** The worms are a messy clump. **ékhói lì wòyòwóyó** the clump of worms. **ébé' ó í rîì?** How is it?

wózíwózí *adj* flabby. **égbé lì wózíwózí** the flabby body. **égbé ísì òjé ú wózíwózí.** Oje's body is flabby. **ójé ú égbé wózíwózí.** Oje has a flabby body. **ébé' égbé ísì òí í rîì?** In what condition is his body?

Y

yà *prev adv* almost [ingressive function, requires unmarked melody grammatical subject] **ólí ómòhè yà é ólí émàè.** The man almost ate the food. **ólí ómòhè ló yà é ólí émàè.** The man is about to start eating the food. **yà é ólí émàè.** Start eating the food. cf. **ya** to be due.

yà *prev adv* used to, formerly [past absolute with marked melody grammatical subject] **ólí ómóhé yà móé éghó' ìghééghé.** The man formerly had money. cf. **ya** to be due.

yà *prev adv* never [past absolute negative function, requires high tone subject particle í and unmarked tonal melody on lexical subject or high tone pronoun] **ólí ómòhè í yà shèn úkpùn.** The man never sells cloth. **ó yà shèn úkpùn.** He never sells cloth. cf. **ya** to be due.

ya *v intr* to commence, be due, be time to start (*CPA, CPR, *C, *H) **óà yáì.** It is time to go home. **óshàn yáì.** The journey is set to commence. The journey is due to start. **óshàn gbóò yá.** It is time to start on the journey too. cf. **ya** almost.

yáà *inter* used for driving away pests [when fowl enter a cooking area]. cf. **sháà**.

yaa *v intr* to smell, sniff, stink (*CPA, *CPR, C, H) **ólí éànmì ọ̀ ọ́ yàá**. The meat smells.; **yaa** *tr* to smell. **òjè ọ̀ ọ́ yàà ọ̀lí éànmì**. Oje is smelling the meat. Oje is smelling of meat. **yàà ọ́ì**. Smell it.; *yaa eghẹn vbi íhùè* to smell in a pleasant way. **ólí éánmí ọ́ ọ̀ yàá èghẹ̀n vbí íhùè**. The meat smells pleasant. The meat smells and is pleasant to the nose.; *nwu yaa* to get to smell of (CPA, CPR, *C, *H) **ọ̀ nwú ọ́lí éànmì yáá vbí íhùè**. He got the smell of meat up his nose. He smelled the meat.

yaa *v intr* to keep (CPA, CPR, *C, *H) *hua yaa* to take hold of a mass or plurality and keep. **ọ̀ húá élì ẹ̀kpà yáá**. He kept the bags. He took hold of the bags and kept them. **ọ̀ húá vbí ọ́lí éánmí yáà**. He kept some of the meat. He took from the meat and kept it. **hùà íyàìn yáá**. Keep them.; *kpayẹ hua yaa*, **ọ̀ kpáyẹ́ òjè húá élì ẹ̀kpà yáá**. He kept the bags in lieu of Oje.; *lie yaa* to keep, gather and keep. **òjè líé ítùú yáà**. Oje gathered mushrooms and kept them. **òjè líé vbí ítùú yáà**. Oje kept mushrooms. Oje gathered from the mushrooms and kept them. **lìè ítùú yáà**. Keep mushrooms.; *kpayẹ lie ítùú yaa*, **ọ̀ kpáyẹ́ òjè líé ítùú yáà**. He kept the mushrooms in lieu of Oje.; *nwu yaa* to take hold of a single heavy object and keep. **ọ̀ nwú ẹ̀kpà yáà**. He kept a bag. He took a bag and kept it. **òjè nwú vbí ọ́lí éánmí yáà**. Oje kept some of the meat. Oje took from the meat and kept it. **nwù ọ́ì yáà**. Keep it.; *kpayẹ nwu yaa*, **ọ̀ kpáyẹ́ òjè nwú ẹ̀kpà yáà**. He kept a bag in lieu of Oje.; *nwu yaa li*, **ọ́ lọ́ nwù ọ́lì ẹ̀kpà yáà lí ọ́lì òkpòsò**. He will keep the bag for the woman.; *roo yaa* to pick up and keep. **òjè róó éghó' yáà**. Oje kept the money after picking it up. Oje picked up the money and kept it. **òjè róó éghó' yáà vbì ìbáànkì**. Oje saved money in the bank. **òjè róó vbí ọ́lí éghó' yáà**. Oje saved some of the money. **ròò ọ̀lí éghó' yáà**. Save the money.; *kpayẹ roo éghó' yaa*, **ọ̀ kpáyẹ́ òjè róó éghó' yáà**. He helped Oje save money.; *valọ yaa* to maintain a splitting headache [only negative construc-tions] **úhùnmì í ì vàlọ̀ ọ̀lí ọ́mọ́hé yáà**. The man did not keep his headache. The man's headache did not last. lit. The man's head didn't stay with him after it split.

yáá *pstv adv* quickly. **ú míẹ́í yáá**. You experienced a quick move-ment. **íkpọ́kà kú kù ọ́ vbí ótọ́í yáá**. Maize kernels quickly scattered all over the ground. **àwè̱ ò̱ ó là yáá**. The water is flowing quickly. The water is fast flowing. **ébé' ó ò̱ í lá?** How does it flow?

yáá, yáyáyá *pstv adv* intermittently. **ólí ósún ó ò̱ khùìkhùì èráín yáá**. The fetish disperses fire intermittently. The fetish sparks intermittently.

yáá *pstv adv* simmering condition of boiling. **ólì àmè̱ ò̱ ó tìn yáá**. The water is boiling in a simmering fashion. The water is simmering. cf. **kútúkútú** seething condition.

yalo̱ *v tr* to scoop a blob iteratively (CPA, CPR, C, H) **ò̱ yáló̱ òí ísì òhí**. He scooped the pomade of Ohi. **ò̱ yáló̱ vbì òí mé̱**. He scooped from my pomade. **é è kè̱ yáló̱ óì**. Don't scoop it anymore.; *yalo̱ a*, **ò̱ yáló̱ òtò̱ì á**. He scooped aside the soil.; *yalo̱ li*, **ò̱ yáló̱ òí mè̱ lí òhí**. He scooped my pomade for Ohi.; *yalo̱ o*, **ò̱ yáló̱ òí ó vbí égbè**. He scooped pomade onto his body.; *yalo̱ re*, **ò̱ yáló̱ òí ré**. He brought pomade.; *yalo̱ ye*, **ò̱ yàlò̱ òí mè̱ yé òhí**. He scooped my pomade and took it to Ohi. cf. **yaya** to scavenge, **-lo̱** DS.

yan *pro* they [third person plural subject] **yàn gbé élí éwè**. They killed the goats. **òjè ééní khì yàn gbé élí éwè**. Oje knew that they (others) killed the goats.

yan *pro* they [third person plural subject, logophoric function] **élí ímò̱hè ééní khì yàn gbé élí éwè**. The men knew that they (them-selves) killed the goats.

yaya *v tr* to scavenge, scratch, pick apart (*CPA, *CPR, C, H) **ólí óókhò̱ ò̱ ó yàyà òtò̱ì**. The chicken is scratching the ground. **ólí óókhò̱ ò̱ ó yàyà íkùkù**. The chicken is scratching the dirt.; *yaya ku a*, **ólí óókhò̱ yáyá íkùkù kú à**. The chicken scratched the dirt away.; *yaya ku o*, **ólí óókhò̱ yáyá òtò̱ì kú ó vbí ísíéìn**. The chicken scratched soil all over the peppers.

ye *v tr* to move toward (CPA, CPR, *C, H) **ólí ómò̱hè yé èkìn**. The man moved toward the market. The man went to the market. **ò̱ yé ókpótóí ókòó**. He has moved to the bottom of the hill. **yè èkìn**. Move to the market. Go to the market.; *kpaye ye*, **ò̱ kpáyé òjè yé èkìn**. He helped Oje move toward the market.; *re ye*, **ò̱ ré àwè̱ yé ìwè**. He used his feet to move toward his house. He went home on foot.; *ye li*, **ò̱ yé èkìn ní é̱mè̱**. He went to the market for me.; *de ye*, **ò̱gó mè̱ dé yé ókpótóí ókòó**. My bottle fell toward the bottom of the hill.; *gbulu ye*, **ólì ùgbò̱fì gbúlú yé ébé' ìtébù rîì**. The orange rolled to where the table is.; *la ye*, **ólí ómò̱hè lá yé**

èkó. The man ran toward Lagos. ò̩ là yé ókpótói ókòò. He is running to the bottom of the hill.; *sua ye*, ólí ómọ̀hè súá ólì ìmátò yé ẹ́dà. The man pushed the car toward the river.; *ye vare*, ò̩ yé ìwè várè. He went to the house and came back.

ye òtọ̀ì *tr* to decline (CPA, CPR, *C, *H) ékín ísì òjè yé òtọ̀ì. Oje's business declined. lit. Oje's market moved downward.

ye òtọ̀ì ye òkhùnmì *tr* to ponder extensively (CPA, CPR, *C, *H) ójé óó úhùnmì yé òkhùnmì yé òtọ̀ì. Oje pondered the matter up and down. lit. Oje pondered a matter to the sky and to the ground.

ye *v tr* to send (CPA, CPR, *C, *H) *ye ree*, ólí ómọ̀hè yé óvbèkhàn réé ólì òkpòsò. The man sent a youth after the woman.; *ye ye*, òjè yé ólí óvbèkhàn yé áfúzé'. Oje sent the youth to Afuze. òjè yé ólí óvbèkhàn yé ésì àlèkè. Oje sent the youth to Aleke's place. òhí yé àlèkè yé òjè. Ohi sent Aleke to Oje.

ye úhùnmì *tr* to send a message (CPA, CPR, *C, *H) *ye úhùnmì ree*, òjè yé úhùnmì réé ólì òkpòsò. Oje sent a message after the woman.; *ye úhùnmì ye*, òjè yé úhùnmì yé ólì òkpòsò. Oje sent a message to the woman. yè úhùnmì yé òhí.

Send a message to Ohi. Take a message to Ohi. òjè yé úhùnmì yé ésì ọ́lì òkpòsò. Oje sent a message to the woman's place. yè úhùnmì yé áfúzé'. Send a message to Afuze.; *kpaye ye úhùnmì ye*, ò̩ kpáyẹ́ òjè yé úhùnmì yé òhí. He helped Oje send a message to Ohi. ò̩ kpáyẹ́ òhì yé úhùnmì yé áfúzé'. He helped Ohi send a message to Afuze. cf. úhùnmì head.

yè úhùnmì *compl tr* to send on an errand (CPA, CPR, *C, H) ò̩ yé òhí úhùnmì. He sent Ohi on an errand. òjè yé wẹ́ úhùnmì. Oje sent you on an errand. yè òhí úhùnmì. Send Ohi on an errand.; *ye úhùnmì ye*, àlèkè yé òhí úhùnmì yé òjè. Aleke sent Ohi on an errand to Oje. àlèkè yé ójé úhùnmì yé áfúzé'. Aleke sent Oje on an errand to Afuze. yè òhí úhùnmì yé òjè. Send Ohi on an errand to Oje. cf. úhùnmì head.

yee *v intr* to charge, rush (CPA, CPR, *C, *H) ójé yééì. Oje charged. ólí íkòíkò yééì. The gorilla charged.; *yee o*, ò̩ yéé ó vbì ìwè. He charged and entered the house. He charged into the house.; *yee rekhaen*, ò̩ yéé rèkháẹn òhí. He charged after Ohi.; *yee shan*, ò̩ yéé shán ẹ́kẹ́ín ìwè. He charged through the house.; *yee shoo vbi re*, òjè yéé shóó vbí úkpódè̩ ré. Oje charged off the road.

yee sh<u>oo</u> re *intr* to rush up from a horizonal position (*CPA, CPR, *C, *H) <u>ó</u>lí <u>ó</u>m<u>ò</u>hè yéé sh<u>òò</u> ré. The man rushed up. The man rushed to arise. The man arose with a rush. lit. The man charged and woke up.

yee o vbi <u>è</u>m<u>ò</u>ì *tr* to pressure into trouble (*CPA, CPR, *C, *H) òjè yéé òhí ó vbì <u>è</u>m<u>ò</u>ì. Oje rushed Ohi into the matter. Oje pressured Ohi into trouble. lit. Oje rushed Ohi and entered the matter.

y<u>ee</u> a *tr* to belittle, demean (CPA, CPR, *C, *H) òhí y<u>éé</u> òjè á. Ohi belittled Oje. é è r<u>é</u> <u>è</u>ò y<u>éé</u> òjè á. Don't belittle Oje.; r<u>e</u> <u>è</u>ò y<u>ee</u> a, á ì kè r<u>é</u> <u>è</u>ò y<u>éé</u> égbè á. We are prohibited from demeaning each other. lit. One does not use one's eye to belittle another.; r<u>e</u> únù y<u>ee</u> a, òhí r<u>é</u> únù y<u>éé</u> òjè á. Ohi demeaned Oje verbally. lit. Ohi used his mouth to belittle Oje. cf. y<u>e</u>y<u>e</u> to tease.

y<u>ee</u> a *tr* to undervalue, diminish in value (CPA, CPR, *C, *H) òhí y<u>éé</u> <u>ó</u>lí úkpùn á. Ohi undervalued the cloth. é è r<u>é</u> <u>è</u>ò y<u>éé</u> <u>ó</u>lí úkpùn á. Don't undervalue the cloth.; r<u>e</u> <u>è</u>ò y<u>ee</u> a, <u>ó</u>lì òkpòsò r<u>é</u> <u>è</u>ò y<u>éé</u> <u>ó</u>lí úkpùn á. The woman cast a doubtful eye on the cloth. lit. The woman used her eye to diminish the value of the cloth. cf. y<u>e</u>y<u>e</u> to tease.

y<u>éé</u> *pstv adv* tingling sensation. <u>ó</u>lì ìkhùnmì <u>ò</u> ó fòò mé y<u>éé</u>. The charm is irritating me in a tingling fashion. The charm is tingling me. ébé' <u>ó</u>lí íkhúnmí <u>ó</u> <u>ò</u> í ù vbí égbè? What does the charm do to the body? How does the charm act on the body?

y<u>e</u>l<u>o</u> *v intr* to disintegrate (CPA, CPR, C, *H) y<u>e</u>l<u>o</u> a, <u>ó</u>lí úkpùn y<u>é</u>l<u>ó</u> à. The cloth disintegrated. <u>ó</u>lí ítùú y<u>é</u>l<u>ó</u> à. The mushrooms disintegrated.; y<u>e</u>l<u>o</u> ku a, <u>ó</u>lí úkpùn y<u>é</u>l<u>ó</u> kù á. The cloth disintegrated into bits. <u>ó</u>lí ítùú y<u>é</u>l<u>ó</u> kù á. The mushrooms fell apart into bits.; y<u>e</u>l<u>o</u> ku <u>o</u>, <u>ó</u>lí ítùú y<u>é</u>l<u>ó</u> kù <u>ó</u> vbì òtòì. The mushrooms disintegrated all over the ground. cf. y<u>e</u>y<u>e</u> to move constantly, -l<u>o</u> DS.

y<u>e</u>y<u>e</u> *v tr* to tease (*CPA, *CPR, C, H) òjè <u>ò</u> ó y<u>è</u>y<u>è</u> <u>ò</u>lí óvbèkhàn. Oje is teasing the youth. é è kè y<u>é</u>y<u>é</u> <u>ó</u>lí óvbèkhàn. Don't tease the youth anymore. cf. y<u>ee</u> a to belittle.

y<u>e</u>y<u>e</u> vbi únù *intr* to joke, jest, make fun of, babble (*CPA, *CPR, C, H) òjè <u>ò</u> ó y<u>è</u>y<u>è</u> vbí únù. Oje is joking. <u>ó</u>lí óm<u>ò</u> <u>ò</u> ó y<u>è</u>y<u>è</u> vbí únù. The child is babbling. é è kè y<u>é</u>y<u>é</u> vbí únù. Don't babble anymore.; kpaye y<u>e</u>y<u>e</u> vbi únù, <u>ó</u>lì òkpòsò <u>ò</u> ó kpàyè <u>ò</u>lí óm<u>ó</u> y<u>è</u>y<u>è</u> vbí únù. The woman is babbling with the child.

yeye *v intr* to loiter, be constantly on the move; *yeye shan* to loiter about (*CPA, *CPR, C, H) **òjè ò ó yèyé shán.** Oje is loitering about. **é è kè yéyé shàn.** Don't loiter about anymore.; *nwu yeye shan* to wander, loiter about. **yàn ò ó nwù òlí ómó yéyé shàn.** They are loitering about with the child. **ólí ómòhè ò ó nwù òjé yèyé shán.** The man is making Oje loiter about.

yéyéyé *pstv adv* quivering manner. **ólí áfiánmí ó ò gùò yéyéyé.** The bird shakes in a quivering manner. The bird quivers. **ébé' ó ò í gúó?** How does it shake? cf. **kpákpákpá** trembling way. cf. **yeye** to be on the move constantly.

yi *v intr* pull, push, project, protrude (CPA, CPR, *C, *H) *yi a,* **ólì ìshé yí á.** The nail pulled out. The nail got pulled out.; *yi fi a,* **ólì ìshé yí fì á.** The nail pulled away.; *yi dianre,* **óbó ísì òjè yí díànré.** Oje's hand stuck out. Oje's hand pushed out.; *yi re,* **óbó ísì òjè yí ré.** Oje's arm protruded. **àkpóká ísì òjè yí ré.** Oje's bone protruded.; *yilo ku a,* **élì ìshé yíló kù á.** The nails pulled away.; **yi** *tr* to pull, push, project, protrude; *yi a,* **ò yí ólì ìshé á.** He pulled the nail out. **yì òì á.** Pull it out.; *kpaye yi a,* **ò kpáyé òjè yí ólì ìshé á.** He helped Oje pull the nail out.; *re*

yi a, **ò ré àkpókà yí ólì ìshé á.** He used a pliers to pull the nail out.; *yi dianre,* **òhí yí óbó ísì òjè díànré.** Ohi pushed out Oje's hand. **òjè yí ìshé díànré.** Oje pulled out a nail. **yì óbò díànré.** Push out your hand.; *za vbi yi dianre,* **òjè zá vbí ékéín ìmátò yí úhùnmì díànré.** Oje stuck his head out of the car. Oje pushed his head out of the car.; *yi fi a,* **ò yí ólì ìshé fí à.** He pulled the nail away. He dropped the nail aside. He tossed the nail away after pulling it.; *yi fi o,* **ò yí ólì ìshé fí ó vbì òtòì.** He pulled the nail and tossed it onto the ground. He dropped the nail onto the ground.; *yi shoo vbi re,* **ò yí ólì ìshé shóó vbí óràn ré.** He pulled the nail way off the wood. He removed the nail away from the wood after pulling it out.; *yi vbi re,* **ò yí ólì ìshé vbí óràn ré.** He pulled the nail from the wood.

yi vbi o re *tr* to subtract (*CPA, CPR, *C, *H) **à yí ólí úkpùn vbì ò ré.** The cloth was subtracted from it. lit. One removed the cloth from it.

yi ákáéhòn *tr* to be stubborn (CPA, *CPR, *C, *H) **ójé yí ákáéhòn.** Oje is stubborn. lit. Oje pushed out his eardrums.

yi éhòn *tr* to be deaf (CPA, CPR, *C, *H) **òjè yí éhòn.** Oje is deaf. lit. Oje pulled his ear.

yi íyì *tr* to promulgate, declare a decree, edict or law (CPA, CPR, *C, *H) **óbá' yí íyì**. The Oba declared a decree.

yilo *v tr* pull (CPA, CPR, *C, *H) *yilo ku a,* **òjè yíló élì ìshé kú à**. Oje pulled out the nails all over.; *yilo ku o,* **ò yíló élì ìshé kú ó vbì òtòì**. He pulled out the nails all over the ground. He dropped the nails all over the ground after pulling them out.

yóghóó *pstv adv* extremely noisy, rowdy fashion. **éhé èrèmé ó ò ròò yóghóó.** Everywhere sounds noisy. **àúgó' ísì òí ké róó vbì ìwîndó yóghóó**. His clock made a noisy sound at the window thereafter. His clock subsequently sounded noisily at the window. **ágbón ó ò rùè òí yóghóó.** People greet him noisily. cf. **yóó** extremely noisy fashion.

yóó *pstv adv* extremely noisy, rowdy. **ágbón ó ò rùè òí yóó.** People greet him noisily. **àmè ò ó là yóó**. Water is rushing at a blinding speed. Water is flowing noisily. cf. **yóghóó** extremely noisy fashion.

yóò *pstv adv* extremely high rate of speed. **ú míéí yóò**. You sensed a blinding speed. **ólì ìmátò ráá ré yóò**. The car passed at a high rate of speed. The car sped by. **é ó vbí ékéín édá yóò**. They entered the river at blinding speed.; ~ *adj* extremely high speed. **ólì ìmátò ú yóò**. The car sped by.

yoo *v tr* to shear, strip by tearing side branches or leaves (*CPA, *CPR, C, H) **òjè ò ó yòò íkpèhìànmì**. Oje is stripping palm fronds. **yà yóó òì**. Start stripping it.; *kpaye yoo,* **ò ó kpàyè òjé yòò íkpèhàìnmì**. He is helping Oje strip palm-fronds.; *yoo ku a,* **ò ó yòò ówèé kú à**. He is stripping broom strands all over.; *yoo ku o,* **ò ó yòò ówèé kú ò vbì òtòì**. He is stripping broom strands all over the ground.

yóyòyó *pstv adv* sincere, fervent manner. **khàkón yóyòyó**. Thank you sincerely.

yòn *pro* he, she, it [third person singular logophoric subject] **áléké ré é khì ìyòìn lí yón fí ójé úkpóràn**. Aleke said that it was she (herself) who hit Oje with a stick.

yóó *pstv adv* heavy plopping sound. **ú hóní yóó**. You heard a plopping sound. **ú míéí yóó**. You sensed a plopping.; ~ *adj* heavy plopping sound. **ólí óká ghé ú yóó vbì òtòì**. The maize just plopped on the ground. **ólí óká ghé ú vbí ótóí yóó**. The maize just plopped on the ground.

yóó *pstv adv* slow, continuous manner of a liquid. **ú míéí yóó**.

You sensed a slow oozing. **ámévíé̩ kú ọ́í vbì è̩ò á yọ́ọ́.** Tears dropped down her cheeks continuously. **ámé̩ ọ́ ọ̀ là yọ́ọ́.** Water flows in an oozing fashion. Water oozes forth.; ~ *adj* slow, continuous ooze. **àmè̩ ú vbí ótọ́í yọ́ọ́.** Water oozed onto the ground. cf. **yọ́rọ́yọ́rọ́** chugging fashion. cf. **yúú** rapid, continuous fashion.

yọ́rọ́yọ́rọ́ *pstv adv* intermittent, chugging fashion. **àmè̩ ọ̀ ọ́ là yọ́rọ́yọ́rọ́.** Water is flowing in a slow intermittent fashion. Water is chugging along. **ọ̀ ọ́ kù éghó' yọ́rọ́yọ́rọ́.** He is intermittently dropping money. cf. **yọ́ọ́** slow, continuous fashion.

yúé̩yúé̩ *adj* sparse, scanty, dispersed. **étó lì yúé̩yúé̩** the sparse hair. **ọ́lí étó ísì òjè ú yúé̩yúé̩.** The hair of Oje is sparse. **ójé ú étó yúé̩yúé̩.** Oje has sparse hair. **ágbán mè̩ ú yúé̩yúé̩.** My chin is scantily covered. **ébé' étó ísì ọ̀í í rîî?** What is the state of his hair?

yúú, yúyúyú *pstv adv* rapid, continuous flowing fashion. **àmè̩ ọ̀ ọ́ là yúyúyú.** Water is flowing in a gushing manner. The water is gushing. **é kpóló égbè váré yúú.** They gathered each other and came rushing. They rushed gathering each other as they came. **ébé' ọ́ ọ̀ í lá?** How does it flow? cf. **yọ́ọ́** slow, continuous fashion.

yúú *pstv adv* dense, thick state. **étó ísì ọ̀í vóóní yúú.** His hair is dense. His hair is full. **ébé' étó ísì ọ̀í í vòòn sé?** To what extent is his hair full?; ~ *adj* dense, thick growth. **étó lì yúú** the thick hair. **étó ísì ọ̀í ú yúú.** His hair is thick. **ọ́ ú étó yúú.** He has thick hair. **ébé' ọ́ í rîî?** How is it?

Z

za *v intr* to be located at, in, on (CPA, CPR, *C, *H) **áyò̩bè lí ọ́lí údó zá fí ọ́í.** It was on a delicate spot that the stone hit him. **ímé mè̩ lí élí ívbékhán zá hián ọ́lí óràn.** It was on my farm that the youths cut the wood. **ọ́lí é̩kọ́à nà lí élí ívbékhán zá gbé ófè.** It was in this room that the youths killed rats. cf. **élí ívbèkhàn gbé ófé vbí é̩kọ́à.** The youths killed rats in the room.

za *v intr* to move from (CPA, CPR, *C, *H) *sua za vbi dianre,* **ọ́lì ò̩kpòsò súá ọ́lì è̩kpètè zá vbì ìwè díànré.** The woman pushed the stool out of the house.; *za vbi de re,* **ọ́lí úkpédìn zá vbì ùgín dé rè.** The palm nut fell from the basket.; *za vbi dianre,* **ọ́lì ò̩kpòsò zá vbì ìwè díànré.** The woman came out of the house.; *za vbi sua dianre,* **ọ́lì ò̩kpòsò zá vbì ìwè súá ọ́lì ìmátò díànré.** The woman pushed the car out of the house; *za vbi vade,* **ọ̀ zà vbí íwé vádé.**

He is coming from home.; *za vbi sḛ vbi* to move from one place to another. **òjè zá vbí áfúzé' lá sḛ́ vbì òkè.** Oje ran from Afuze to Oke. **òjè zá vbí áfúzé' súá ólì ìmátò sḛ́ vbì òkè.** Oje pushed the car from Afuze to Oke; *za vbi sḛ vbi* to extend in space from one position to another. **ótói mḛ̀ zá vbí áfúzé' sḛ́ vbì òkè.** My land extended from Afuze to Oke. My land stretched from Afuze to Oke.; *za vbi sḛ vbi* to occur in time from one point to another. **àlèkè zá vbí égbíà gbé sḛ́ vbí énwáà.** Aleke danced from morning to evening. **rè zá vbì òdḛ̀ rè rè lí í rḛ́ rì vbí àan.** It was since yesterday that I have been here. It was from yesterday until now that I have been here. **zà vbí ḛ́ḛnà ráálḛ̀, é è kè váré vbí íwé mḛ̀.** From today onward, don't come to my house anymore.; **zá éghḛ́ áìn ré** since then.; *za vbi ye* to move from one place toward another. **òjè zá vbí òkè yé èkó.** Oje went from Oke toward Lagos. **òjè zá vbí áfúzé' yé òkè.** Oje went from Afuze toward Oke. **òjè zá vbí áfúzé' lá yé òkè.** Oje ran from Afuze toward Oke.

za *aux* must [epistemic deductive function with unmarked melody subject] **ólí ómòhè záà é ólí émàè.** The man must have eaten the food.

za *aux* as a result [epistemic resultative function with marked melody subject] **ólí ómóhé zá é ólí émàè.** As a result the man ate the food.

zagha *v tr* to scatter, disorganize (CPA, CPR, C, *H) *zagha a,* **òjè zághá ólí ísḛ̀ á.** Oje scattered the seeds. **òjè zághá íkpùn á.** Oje scattered clothes. **é è kè zághá íyàìn á.** Don't scatter them anymore.; *zagha ku a,* **ólì òkpòsò zághá íkpùn kú à.** The woman scattered her clothes around.; *zagha ku o,* **ólì òkpòsò zághá íkpùn kú ó vbì òtòì.** The woman scattered clothes all over the ground. cf. **gha** to be apportioned.

zaghoo *v intr* to see, perceive (*CPA, *CPR, *C, H) **ójé ó ò zághòó.** Oje sees.; **zaghoo** *tr* to see, glance at (CPA, CPR, C, *H) **òjè zághòò àlèkè.** Oje saw Aleke. cf. **zawo** to see. cf. **zaza** to be sharp. cf. **ghoo** to look at.

zawo *v intr* to see, perceive (*CPA, *CPR, *C, H) **ólí ómóhé ó ò záwó.** The man sees.; **zawo** *tr* to see, perceive, glance at (CPA, CPR, C, H) **ólí ómóhé záwó ólì òkpòsò.** The man has seen the woman. **ólí áwà záwó ólí úkpùn.** The dog saw the cloth. **ólí ómóhé ó ò záwò ùyé áson.** The man sees the way at night.; *zawo khi* to see that (*CPA, *CPR, C, H) **ì á zàwò khí ólí óvbèkhàn ò ó víé.** I am seeing that the child is crying.; *zawo IQ* (CPA, CPR, *C, *H) **ólí ómóhé záwó ébé' ólí ókpósó í gbé ólí ófè**. The man saw how the woman killed the rat. cf. **zaghoo** to see.

zaza *v intr* to possess sharp reflexes, be agile (*CPA, *CPR, *C, H) **ójé ó ò zàzá**. Oje is agile.; *zaza lee*, **òhí ó ò zàzá lèè òjè**. Ohi is more agile than Oje.

ze *v tr* to offer a sacrifice [at intersecting foot paths to appease witches, only with with ìzòbò] (CPA, CPR, C, H) **ò zé ìzòbò**. He offered a sacrifice. He put out an appeasement. **zè ólì ìzòbò**. Offer the sacrifice.; *kpaye ze*, **ò kpáyé òjè zé ólì ìzòbò**. He helped Oje offer the sacrifice.; *re ze*, **ò ré óókhò zé ìzòbò**. He used a chicken to offer a sacrifice.; *ze o*, **ò zé ìzòbò ó vbí úkpódè**. He put a sacrifice onto the road. He offered a sacrifice on the road.

ze *v intr* to be together (CPA, CPR, *C, *H) *ga ze* to encounter, meet. **òjè gá íkàkéànmì zé**. Oje encountered a carcass. **òjè gá òhí zé**. Oje encountered Ohi. cf. **gaa** to collect.; *hian ze* to exclude. **yàn ré óbò hián òjè zé**. They excluded Oje. cf. **hian** to cut.; *khaan ze vbi* to nail, stick, pound into or against. **ò kháán óí óbò zé vbí úkhùèdè**. He nailed her hand to the door. **ò**

khááan ìshé zé vbí úkhùèdè. He stuck a nail to the door. **ólí ómòhè khááan úkpìhíákpà zé vbì òtòì**. The man stuck the ring into the ground. cf. **khaan** to pound.; *khuye ze* to detain, lock in. **à khúyé òjè zé**. They detained Oje. Oje was detained. **òhí khúyé òjè zé vbì ìwè**. Ohi locked Oje in the house. cf. **khuye** to close.

zéà *pstv adv* previously [only with negative particle] **ógúí ítùù lí ó ì màmà zéà**. It was mushroom hunting that he did not plan previously.

zee *v tr* to praise, extoll the value of (*CPA, *CPR, C, *H) **ólí ómòhè ò ó zèè ólì òkpòsò**. The man is praising the woman. **òjè ò ó zèè òhí**. Oje is praising Ohi. **yà zéé òhí**. Get on with praising Ohi.; *zee égbè* to praise. **òjè ò ó zèè òlí ómó égbè**. Oje is praising the child. lit. Oje is praising the child's body. cf. **ree** to praise.

zégézégé *adj* high-heeled. **íbátá lì zégézégé** high-heeled shoes. **ólí íbàtà ú zégézégé**. The shoe was high-heeled. **àlèkè ú íbátá zégé-zégé**. Aleke has high-heeled shoes. **íbátá ísì àlèkè ú zégé-zégé**. Aleke's shoes are high-heeled. **ébé' ó í rîi?** How is it?

zemi *prev adv* very, a lot [absolute intensifier function] **ólì òkpòsò zémì dá**. The woman is very tall. **ólì òkpòsò zémì é vbí ólí émáé**. The woman ate a lot of the food. cf. **zḛ** to select, **émì** thing. cf. **zḛzḛ** not quite.

zeze *v intr* to become solid, congeal, thicken (CPA, CPR, *C, *H) **ólì àkàsán zézéì**. The maize pap congealed.; *zeze lee*, **àkàsán mḛ̀ zézé lἔ ísì òjè**. My pap is thicker than Oje's.; *zḛ zeze*, **ólì òkpòsò zḛ́ ólì àkàsán zèzè**. The woman allowed the pap to thicken.

zeze *v intr* to be arduous, really difficult (CPA, CPR, *C, *H) **ólì òbìà zézéì**. The work is arduous. **ólí émóí áin zézéì**. That matter is really difficult.

zeze *v intr* to lose flexibility, be stiff (*CPA, CPR, *C, *H) **ábó̩ ísì òjè zézéì**. The hand of Oje is stiff.; *zeze a*, **ábó̩ ísì òjè zézé á**. The hand of Oje stiffened.

zèzé *pstv adv* stiff condition. **ólí óvbékhán múzání zèzé**. The youth stood stiff. cf. **zeze** to be stiff.

zḛ *v tr* to allow, let, cause (CPA, CPR, *C, *H) **ólí ómòhè zḛ́ ólí ókpósó è ò̩lí émàè**. The man allowed the woman to eat the food. The man permitted the woman to eat the food. **óé' ólí ómóhé zḛ́ óí è ò̩lí émàè?** Whom did the man allow to eat the food? **zè̩ òlí ókpósó è ò̩lí émàè**. Allow the woman to eat the food.

zḛ *v tr* to cause that, be the reason that [only positive focus constructions] *zḛ khi*, **ólí ómòhè lí ó̩ zḛ́í khí ólì òkpòsò gbé ólí ófè**. It is the man who caused the woman to kill the rat.; *zḛ li*, **ólí ómòhè lí ó̩ zḛ́í lí ólí ókpósó rè gbé ólí ófè**. It is the man who urged the woman to kill the rat.

zḛ nwu o vbi áyè ò̩kpá *tr* to be restless [only in negative constructions] **égbè í yà zḛ̀ òjé nwù ò̩ vbí áyè ò̩kpá**. Oje was energetic. Oje is restless. lit. Oje's body never allowed him to stay in one place.

zḛ èò a *tr* to be completely satisfied; *bia zḛ èò a* to work satisfactorily (CPA, CPR, *C, *H) **ò̩ bíá ólì òbìà zḛ́ èò á**. He did the work satisfactorily. lit. He performed the work and cleared off his face.; *u zḛ èò a* to perform satisfactorily, really do (*CPA, CPR, *C, *H) **òjè ú ó̩ì zḛ́ èò á**. Oje really did it. Oje performed it to a satisfactory level. lit. Oje did it and cleared off his face. **ó̩ ú ó̩ì zḛ́ èò á**. He did it impressively.

zḛ́ èrèè *compl tr* to cause blood to flow (CPA, CPR, *C, *H) **òhí zḛ́ ójé è̩rèè**. Ohi caused Oje's blood to flow. lit. Ohi released Oje's blood.

zḛ íhùè *tr* to blow the nose (CPA, CPR, C, H) **òjè zḛ́ íhùè**. Oje blew his nose. lit. Oje released his nose. **zè̩ íhùè**. Blow your nose.; *ze ku a*, **ǫ̀ zé íhùè kú à.** He blew his nose aside.; *ze ku o*, **ǫ̀ zé íhùè kú ǫ́ vbí áwé mè.** He blew his nose all over my leg.

ze óbǫ̀ *compl tr* to set free, release (CPA, CPR, *C, *H) **ǫ́lí ǫ́mǫ̀hè zé ójé óbǫ̀.** The man allowed Oje to be free. The man released Oje. The man released his hand from Oje. **à zé ójé óbǫ̀.** Oje has been set free. Oje has been released.

ze òè *tr* to take a step (*CPA, CPR, *C, *H) **òjè zé òè.** Oje took a step. lit. Oje released his foot. **òjè zé òè ǫ̀kpá.** Oje has taken one step. **zè òè.** Take a step.

ze *v intr* to spring, bounce; *ze nwu* to leap and catch, to pounce on (*CPA, CPR, *C, *H) **òjè zé nwú òhí.** Oje pounced on Ohi. **ǫ́lí óvbèè zé nwú óràn.** The monkey lept and caught the tree.

ze gban *intr* to stand aloof, apart (CPA, CPR, *C, *H) **òjè zé gbán.** Oje stood aloof. **ǫ́lí áwà zé gbán.** The dog stood aloof. **òjè zé gbán vbí égbóà.** Oje stood aloof in the backyard. cf. ze to spring, gbaan to melt.

ze *v intr* to speak; *ze rekhaen* to speak as second in rank [only in positive focus constructions] **ǫ́lí ǫ́mǫ́hé áìn lí ǫ́ ò zé rékhàèn òhí.** It is that man who speaks after Ohi.

ze éín *tr* to divulge, disclose, communicate a secret (CPA, CPR, C, H) **ǫ́lì òkpòsò zé éín.** The woman disclosed a secret. **òjè zé òhí éín.** Oje divulged Ohi's secret. Oje told on Ohi. **é è kè zé éín.** Don't divulge secrets anymore.; *ze èin vbiee*, **ǫ́lì òkpòsò zé éín vbíéé òjè.** The woman disclosed secrets to Oje.

ze ìòò *tr* to converse, communicate thoughts (*CPA, *CPR, C, H) **yàn á zè ìòò.** They are conversing. They are disclosing thoughts. **vbá yà zé ìòò.** Get on with conversing.; *kpaye ze ìòò*, **ò ó kpàyè òjé zè ìòò.** He is conversing with Oje.

ze ùnyǫ̀ *tr* to grumble, complain (*CPA, *CPR, C, H) **òjè ò ó zè ùnyǫ̀.** Oje is grumbling. **òjè ò ó zè ùnyǫ́ ísì éghó'.** Oje is complaining about his lack of money. **é è kè zé ùnyǫ̀.** Don't grumble anymore.; *ze ùnyǫ̀ vbiee*, **òjè ò ó zè ùnyǫ́ vbìèè òhí.** Oje is grumbling to Ohi.

ze ùròò *tr* to communicate with language, speak a language (CPA, CPR, *C, *H) **ǫ́lí ǫ́mǫ́hé zé úróó ísì èmáì.** The man spoke the language of the Emai. The man spoke Emai. **á yà zè ùróó óìbó éghé lì ìghéèghé.** One never spoke English at a time in the past. **zè ùróó émáì.** Speak Emai.; *ze ùròò vbiee*, **ò zé úróó émáì vbíéé òhí.** He spoke Emai to Ohi.

ze *v intr* to shine, glow (*CPA, *CPR, C, H) **òvòn ò ó zé.** The sunshine is glowing. The sun is shining.

ze *v intr* to grow, germinate, sprout, develop, project (CPA, CPR, C, H) **ólí ókà zéì.** The maize grew. **ólí údúkpù zèì.** The coconut sprouted. **étó ísì òjè zéì.** Oje's hair has grown. **étó zéí vbí égéín ísì òjè.** Hair grew on Oje's crotch.; *ze re,* **ólí údúkpù zé ré.** The coconut sprouted out. **ólí ókà zé ré.** The maize sprouted out.; ze *tr* to grow, develop. **òjè zé étó vbì ègèìn.** Oje grew hair on his crotch.

ze **ékéìn li òbè** *tr* to be wicked, brutal, mean (CPA, *CPR, *C, *H) **ójé zé ékéín lì òbè.** Oje is wicked. lit. Oje developed a bad belly.

ze **èò** *tr* to become fierce (*CPA, CPR, *C, *H) **ólí áwà zé èò.** The dog became fierce. lit. The dog projected its eyes. **òjè zé èò.** Oje grew fierce.; *ze èò nwu* to grow fierce toward, terrorize. **òjè zé èò nwú òhí.** Oje terrorized Ohi. lit. Oje projected his eyes and took hold of Ohi. **é è kè zé èò nwú óì.** Don't terrorize him anymore.

ze **ùdù** *tr* to be hard-hearted, incompassionate (CPA, *CPR, *C, *H) **ólí ómóhé zé ùdù.** The man has no compassion. lit. The man projected his heart.

ze *v tr* to build living quarters (CPA, CPR, C, H) **ò zé óà.** He built a house. **é è sè zé óà.** Don't yet build a house.; *kpaye ze,* **ò kpáyé òjè zé óà.** He helped Oje build a house.; *re ze,* **ò ré èkèn zé óà.** He used mud brick to build a house.; *zelo ku o,* **òjè zéló ìwè kú ó vbì èkó.** Oje built houses all over Lagos.; *ze li,* **ò zé óà lí òhí.** He built a house for Ohi.; *ze o,* **ólí ómòhè zé óà ó vbì èkó.** The man built a house in Lagos.

ze **o vbi égbè** *intr* to dress up (*CPA, CPR, *C, *H) **àlèkè zé ó vbí égbè.** Aleke dressed up. lit. Aleke selected for her body.

ze *v intr* to choose, select, nominate, elect (*CPA, CPR, C, *H) **òjè zéì.** Oje chose.; ze *tr* to choose, select, nominate, elect (*CPA, CPR, *C, *H) **òjè zé òhí.** Oje nominated Ohi. **ò zé úkpún lí óbí'n.** He selected the dark cloth. **ò zé vbí élí íkpún.** He selected from the cloths. **zè òlí óbí'n.** Choose the dark one.; *ze ye,* **òjè zé òhí yé òkè.** Oje took Ohi to Oke after selecting him. Oje selected Ohi and took him to Oke.

ze **égbè** *tr* to appear to, look like [only interrogative constructions] **ébé' áléké í zé égbè?** What does Aleke look like? How did Aleke dress? lit. What (things) did Aleke choose for her body?

zе **émì** *tr* to prepare, get ready (*CPA, *CPR, C, *H) **àlèkè ò ó zè émì.** Aleke is getting ready. lit. Aleke is selecting her things. **yà zе́ émì.** Get on with your preparations.; *ze émì li*, **àlèkè ò ó zè èmí lì òjè.** Aleke is getting Oje ready. Aleke is getting things ready for Oje.

zе *v tr* to harvest, pick, extract a crop (CPA, CPR, C, H) **ó zè òú.** He picked cotton. **ò zе́ éòn.** He extracted the honey. **ò ó zè óí'n.** He is picking dika-nut fruit. **yà zе́ óì.** Start picking it.; *kpaye ze*, **ò ó kpàyè òjé zè òú.** He is helping Oje pick cotton.; *ze o*, **ò ó zè òú ò vbí ùgín.** He is picking cotton into the basket.; *ze shoo vbi re*, **òjè zе́ ígbàn shóó vbì àwè ré.** Oje extracted a thorn away from his feet.; *ze vbi re*, **òjè zе́ ígbán vbì àwè ré.** Oje extracted a thorn from his feet.; **zе vbi re** to save from a predicament (*CPA, CPR, *C, *H) **ólí ómòhè zе́ érá óí vbì èsòn ré.** The man saved his father from poverty. lit. The man extracted his father from poverty.

zе *v tr* to scoop, extract a mass by scooping (CPA, CPR, C, H) **ò zе́ èkèn.** He scooped sand. **ò zе́ vbí ólí ékén.** He scooped from the sand. **zè èkèn.** Scoop sand.; *kpaye ze*, **ò kpáyé òjè zе́ èkèn.** He helped Oje scoop sand.; *re ze*, **ò ré àwè zе́ èkèn.** He used

his feet to scoop sand.; *ze ku a*, **ò zе́ èkèn kú à.** He scooped sand all over.; *ze ku o*, **ò zе́ èkèn kú ó vbì ìtébù.** He scooped sand all over the table.; *ze li*, **ò zе́ èkèn lí òhí.** He scooped sand for Ohi.; *ze o*, **ò zе́ èkèn ó vbì ìtásà.** He scooped sand into the plate. He put sand into the plate by scooping it.; *ze re*, **ò zе́ èkèn ré.** He brought sand.; *ze ye*, **ò zе́ èkèn yé òhí.** He scooped sand and took it to Ohi.; *ze hua* to scoop and to carry (CPA, CPR, *C, *H) **ò zе́ óìmì húà.** He scooped up the dead body and carried it. He pried up the dead body and carried it. **ò zе́ ákhé ísì éghó' húá.** He scooped up the pot of money and carried it on his head.; *re ze hua*, **ò ré úhùnmì zе́ óìmì húá.** He scooped up the dead body with his head and carried it.

zе **émàè** *tr* to serve food by scooping (CPA, CPR, C, H) **òjè zе́ émàè.** Oje served food. **òjè zе́ vbí ólí émáé.** Oje served from the food. **zè émàè.** Serve food.; *kpaye ze*, **ò kpáyé òjè zе́ émàè.** He helped Oje serve food.; *re ze*, **ò ré ìtásà zе́ émàè.** He used a plate to serve food.; *ze ku a*, **ò zе́ émàè kú à.** Oje dropped food all over.; *ze ku o*, **ò zе́ émàè kú ó vbí únù.** Oje dropped food into his mouth.; *ze li*, **ò zе́ émàè lí òhí.** He served food to Ohi.; *zẹ ọ*, **ọ̀ zẹ́ émàè ọ́ vbì ìtébù.** He served food onto the table.; *zẹ re*, **ọ́lì ọ̀kpòsò zẹ́ émàè ré.** The woman scooped out food and brought it. The woman brought food.; *zẹ ye*, **ọ́lí óvbèkhàn zẹ́ émàè yé òhí.** The youth took food to Ohi.

zẹ étò *tr* to scrape, shave hair (CPA, CPR, C, H) **ọ́lí ọ́mòhè zẹ́ étò.** The man shaved his hair. **ọ́lí ọ́mọ́hé zẹ́ étó vbì ègèìn.** The man shaved his pubic hair. **ọ̀ zẹ́ étó ísì òjè.** He shaved Oje's hair.; *re zẹ*, **ọ̀ ré àgbòí mè zẹ́ étò.** He used my jackknife to shave his hair.; *zẹ li*, **ọ̀ zẹ́ étò lí ínyọ́ ọ́ì.** He shaved in honor of his mother. He shaved his hair in observance of his mother's death. **zẹ̀ étò lí ínyọ́ ẹ́.** Shave your hair for your mother.

zẹ *v tr* to paint, apply a covering substance (CPA, CPR, *C, *H) **ọ̀ zẹ́ úmèé.** He applied camwood.; *zẹ ọ*, **òjè zẹ́ úmèé ọ́ mẹ́ vbì ùòkhò.** He applied camwood onto my back.

zẹ *v compl tr* to apply to, paint with, mark on with (CPA, CPR, *C, *H) **ọ́lí óvbèkhàn zẹ́ ójé úmèé.** The youth applied camwood to Oje. The youth painted Oje with camwood. **ọ̀ zẹ́ ójé ẹ́réé vbì èò.** He applied chalk on Oje's face. **zẹ̀ òjé úmèé vbì èò.** Apply camwood to Oje's face.

zẹ *v tr* to pay, contribute (CPA, CPR, *C, *H) **òjè zẹ́ éghó'.** Oje paid money. Oje has paid. **ọ̀ zẹ́ ùhì.** He paid a fine. **zẹ̀ éghó'.** Pay.; *kpaye zẹ*, **ọ̀ kpáyẹ́ òjè zẹ́ éghó'.** He helped Oje pay.; *zẹ li*, **ọ̀ zẹ́ ùhì lí òhí.** He paid a fine to Ohi.

zèkẹ́ *pstv adv* round about, reluctant fashion. **ọ́lí áwá shání zèkẹ́.** The dog proceeded in a round about fashion. **ọ́lí ọ́mọ́hé shání zèkẹ́.** The man walked reluctantly.

zẹlọ *v intr* to spring, leap repeatedly, bounce up and down (*CPA, *CPR, C, H) **ọ́lí ẹ́wè ọ̀ ọ́ zèlọ́.** The goat is springing up and down. The goat is springing about. **ọ́lí ẹ́wè ọ̀ ọ́ zèlò̀ vbí égbóà.** The goat is springing about in the backyard. **ọ́lí óvbèè ọ̀ ọ́ zèlọ́.** The monkey is leaping. **ọ́lí óvbéé ọ́ ọ̀ zèlò̀ vbí óràn.** The monkey leaps in the trees.; *zẹlọ nwu nwu* to swing from one to another and catch (*CPA, *CPR, C, *H) **ọ́lí óvbèè ọ̀ ọ́ zèlọ́ nwù òrán nwù îì.** The monkey is leaping among the trees and vines. cf. **zẹ** to spring, **-lọ** DS.

zẹzẹ *prev adv* not quite, a bit [non-absolute intensifier function] **ọ́lì ọ̀kpòsò zézè dá.** The woman is not quite tall. **ọ́lì ọ̀kpòsò zézè é vbí ọ́lí émáé.** The woman ate a bit of the food. cf. **zemi** very.

zézéghé *pstv adv* entirely, thoroughly removed condition. ó ánmé ólí óvbékhán étò á zézéghé. He scraped off the youth's hair entirely.

ziẹn *v tr* to endure, tolerate, show patience (CPA, *CPR, *C, *H) ó zíẹn émí èrèmé. He endured everything. zìèn èmí èrèmé. Endure it all.

ziẹn égbè *tr* to be patient, tolerant (CPA, CPR, *C, *H) òjè zíẹn égbè. Oje was patient. ò zíẹn égbè lí òhí rè várè. He was patient until Ohi came. He tolerated his body until Ohi came.; ziẹn égbè khee to endure and wait [only in imperative constructions] zìèn égbè khéé òhí. Be patient and wait for Ohi.

zígházíghá *pstv adv* spasmodic back and forth jerk condition. ò ó ù zígházíghá. She was acting spasmodically. àlèkè ò ó sìghà ègbé zígházíghá. Aleke is jerking back and forth in a spasm. ò ó sùmè ègbé zígházíghá. He is struggling in a jerky fashion. He is jerking back and forth.

zíghí, zíghízíghí *pstv adv* boisterous, vigorous swaying fashion. ólí évbóó áín ó ò règhè zíghí. That village is boisterous. That village brims with life. évbóó èrèmé ò ó ù zíghí. The whole village is

acting boisterously. ólí órán réghéí zíghí. The tree shook vigorously. ó réghé égbé zíghí-zíghí. He shook his body vigorously. ólí évbóó ó ò règhè zíghí. The village celebrates noisily. lit. The village is shaking noisily.

zíkí *pstv adv* rigid, firm condition. òjè múzání zíkí. Oje stopped in a rigid posture. Oje stopped dead. Oje halted firmly.

zógó *adj* long and curved. úkpá lì zógó the long and curved beak. ólí áfiánmì ú úkpá zógó. The bird has long and curved beak. ólí úkpá ísì òlí áfiánmí ú zógó. The beak of the bird is long and curved. ébé' ó í rîì? How is it?

zoo *v tr* to say, report, narrate in a detailed fashion (CPA, CPR, C, H) ò zóó ólì ìnyèmì. He disclosed the matter.; zoo li hon, ólì òkpòsò zóó ìnyèmì lí ólí ómóhé hòn. The woman revealed the matter to the man. zòò óì lí òhí hòn. Disclose it to Ohi.; zoo vbiee, ólí ókpósó zóó ólì ìnyèmì vbíéé ólí ómòhè. The woman disclosed the matter to the man. òhí zóó émí èrèmé vbíéé òjè. Ohi recounted everything for Oje. zòò óì vbíéé òhí. Disclose it to Ohi.; fi óbò vbi òtòì zoo to narrate without leaving anything out (CPA, *CPR, *C, *H) ò fí óbó vbí òtòì zóó ólì ìnyèmì. He narrated the entire matter leaving nothing out. lit. He hit his hand on the ground and narrated the matter.

zoo re *tr* to report, reveal (CPA, CPR, *C, *H) ó̱lì ò̱kpòsò zó̱ó̱ ó̱lì ìnyèmì ré. The woman reported the information.

zoo *v tr* to pick out, extract from, pick through (*CPA, *CPR, C, H) ò̱ ó̱ zò̱ò̱ àkò̱n. He is picking his teeth. ò̱jè ò̱ ó̱ zò̱ò̱ émà. Oje is picking out yam (from a stack). ò̱ ó̱ zò̱ò̱ éànmì. He is picking out meat (from a dish). ò̱jè zó̱ó̱ vbí éánmí. Oje picked from the meat. ò̱ ó̱ zò̱ò̱ èánmí vbì ò̱mì. He is picking out meat in the soup. yà zó̱ó̱ éànmì. Start picking out meat. é è kè zó̱ó̱ àkò̱n. Don't pick your teeth anymore.; *kpaye zoo,* ò̱ ó̱ kpàyè ò̱jé zò̱ò̱ émà. He is helping Oje pick out yam (from a stack).; *re zoo,* ò̱ ó̱ rè ùgbó̱sún zò̱ò̱ éànmì. He is using a skewer to pick out meat (from a fire).; *zoo ku o,* ò̱ zó̱ó̱ éànmì kú ó̱ vbì ìtásà. He dropped meat all over the plate.; *zoo li,* ò̱ zó̱ó̱ éànmì lí ò̱hí. He picked out meat for Ohi.; *zoo o,* ò̱ zó̱ó̱ éànmì ó̱ vbì ìtásà. He picked out meat onto his plate.; *zoo re,* ò̱ zó̱ó̱ éànmì ré. He brought meat. He picked out meat and brought it.; *zoo shoo vbi re,* ò̱ zó̱ó̱ éké̱ín ísì ìkpé̱è̱kpé̱yè̱ shó̱ó̱ vbì ùgín ré. He removed duck eggs away from the basket.; *zoo vbi re,* ò̱

zó̱ó̱ éké̱ín ísì ìkpé̱è̱kpé̱yé̱ vbì ùgín ré. He removed duck eggs from the basket.; *zoo ye,* ò̱ zó̱ó̱ éànmì yé ò̱hí. He picked out meat and took it to Ohi.; *zoo e* to pick out and eat (CPA, CPR, *C, *H) ò̱ zó̱ó̱ éànmì é. He picked out meat and ate it.

zoo ìò̱ò̱n *tr* to preen feathers (*CPA, *CPR, C, H) ó̱lí ó̱ó̱khò̱ ò̱ ó̱ zò̱ò̱ ìò̱ò̱n. The chicken is preening its feathers.

zoo ìrù *tr* to delice, pick out lice (*CPA, *CPR, C, H) ò̱ ó̱ zò̱ò̱ ìrù. He is picking out lice. ò̱ ó̱ zò̱ò̱ ìrú vbí étò̱. He is picking out lice in his hair. ò̱hí ò̱ ó̱ zò̱ò̱ ìrú vbí étó ísì ò̱jè. Ohi is picking out lice in Oje's hair. yà zó̱ó̱ írú vbí étó ísì ò̱jè. Start picking out lice in Oje's hair.; *kpaye zoo ìrù,* ò̱ ó̱ kpàyè ò̱hí zò̱ò̱ ìrú vbí étó ísì ò̱jè. He is helping Ohi pick out lice from Oje's hair.; *zoo ìrù ku a,* ò̱hí zó̱ó̱ ìrù kú à. Ohi dropped the lice all over.; *zoo ìrù ku o,* ò̱hí zó̱ó̱ ìrù kú ó̱ vbì ìtébù. Picking out lice, Ohi dropped it all over. Ohi dropped lice all over the table.; *zoo ìrù li,* ò̱hí ò̱ ó̱ zò̱ò̱ ìrú lì ò̱jè. Ohi is picking out lice for Oje.

zoo ìnyò̱ úkpà *compl tr* to feed at mother's beak (*CPA, *CPR, C, H) ó̱lí ó̱ó̱khò̱ ò̱ ó̱ zò̱ò̱ ìnyó ó̱í úkpà. The chick is feeding at its mother's beak. lit. The chick is picking its mother's beak.

z<u>oo</u> ìny<u>ò</u> úkpà *compl tr* to talk back to (*CPA, *CPR, C, H) <u>ó</u>lí <u>ó</u>m<u>ò</u> <u>ò</u> <u>ó</u> z<u>òò</u> ìnyó <u>ó</u>í úkpà. The child is talking back to his mother. lit. The child is picking his mother's beak. é è kè z<u>óó</u> íny<u>ó</u> <u>é</u> úkpà. Don't talk back to your mother anymore.

zúg<u>é</u>zúg<u>é</u> *adj* in a shrivelled, undersized state. <u>ó</u>ká lì zúg<u>é</u>-zúg<u>é</u> the shrivelled maize. úvbí<u>ó</u>kà ú zúg<u>é</u>zúg<u>é</u>. The cob of maize was shrivelled. ébé' <u>ó</u> ì rîì? What is its present state?

zùgú *pstv adv* extremely forceful shoving fashion. <u>ó</u> kp<u>é</u>n áb<u>ò</u> súá <u>ó</u>lí ókpósó áín zùgú. He squared up his hands and pushed that woman with a forceful shove. He straightened his arms and shoved that woman forcefully.

zughu *v intr* to be untidy, messy (*CPA, CPR, *C, *H) *zughu a*, <u>ó</u>lí <u>é</u>k<u>ó</u>à zúghú à. The room got messed up.; zughu *tr* to mess, make untidy (*CPA, *CPR, C, *H) <u>ó</u>lí <u>ó</u>vbèkhàn <u>ò</u> <u>ó</u> zúghù èk<u>ó</u>à. The youth is making the room untidy.; *zughu a* (*CPA, CPR, *C, *H) <u>ó</u>lí <u>ó</u>vbèkhàn zúghú <u>é</u>k<u>ó</u>à á. The youth messed up the room. The youth turned the room upside down. é è kè zúghú <u>é</u>k<u>ó</u>à á. Don't mess up the room anymore.; *zughu ku a*, <u>ò</u> zúghú <u>é</u>k<u>ó</u>à kú à. He messed up the entire room badly.

zùghùzúghú *adj* untidy. <u>ó</u>lí <u>é</u>k<u>ó</u>à ú zùghùzúghú. The room is untidy. <u>é</u>k<u>ó</u>á lì zùghùzúghú the untidy room. ébé' <u>ó</u> í rîì? How is it? cf. **zughu** to mess up.

ENGLISH-EMAI

A

abandon, to di̲e̲e̲: fi di̲e̲e̲, gbe di̲e̲e̲

abduct, to do: do nwu, do hua

ablaze, to be nwu èràin

ablaze, to set fi èràin o̲

able miti

abnormality of body ókàn

abode of animals úghèè

abomination émíéìmì, ùzà

abort, to riaa ékéi̲n a

about to [anticipative] ló̲

above òkhùnmì

abroad ódòrèrè

abscess èmàì

absent minded, to be ee égbè a

abstain from, to waa

abstinance àwè̲

abuse verbally, to khuee

abuse that is verbal úkhùèè

accept from, to mi̲e̲e̲

acceptable to, to be fun vbi égbè

accident ìdóòbò̲

accident, to have an de óbò̲

accidentally dob̲o̲

accommodate, to gua

accompany, to re̲khae̲n

accordingly ìyó̲

accounting àòkùgbé

accumulate wealth, to fe

accuse, to nwu èzó̲n so

accustomed to, to be maghan

aches and pains ò̲tòmé̲

acknowledge, to mi̲e̲e̲ anma

acquaintance ómò̲ò̲

acquainted with, to be e̲e̲n

acquit, to e ásé', re̲ ásé' li

acquittal ásé'

acrobatic dance àgbélòjé

across from ó̲gbàn

act, to u

act in vain, to u ba kun

act like, to u bi

action that is reckless íwèé lì ò̲bè

activate, to sia

add to, to baa: fi baa, ku baa

add together, to oo ku gbe

addition àòkùgbé

adequate, to be se̲

adhere to, to re̲ o̲

adhere to, to tu baa

adjourn, to si ke̲e̲ ísàò

adjudicate, to ghae

adjudicator óghàèmò̲i

adjust ear for, to re̲ éhò̲n o̲

administration, government ìjóbá

administrative governor ìgó̲vìnà

admiration èkpé̲n

admire, to nwu èkpé̲n li

admit as fact, to mi̲e̲e̲ anma khi

admit, to mi̲e̲e̲

adoration ìré

adorn, to ze̲ ósè̲n

adroitly khùìé̲khùìé̲, sùé̲sùé̲

adulate, to ree

adult ódío̲n

adulterate, to riaa a

adultery, to commit le̲

adversary óghìàn

adverse, to be miame

adversity òmìàmé

advice èwàìn

advice, to use re èwàìn vbiee

advise, to mama èwàìn

adviser ózèwàìn

affair úèèn

affairs èmòì, ìzèzé

afflicted with pain, to be to

affliction èmìàmì

affliction causing kin rash ìtàkpà

afix, to tu baa

afraid, to be la ófèn

after ke

after, to move ree

afterbirth émíómò

afternoon ódíánmì

Afuze village áfúzé'

again che

against nye, gbe

agape, to stand nya únù a

agbada ágbádáèùn

age-grade of males òtú

age group, pallbearers ígbògbèn

agemate ógbèn

aggravation òkpòkpò

aggresssive behavior ìghùkú

aggresssive, to be se ìghùkú

agile, to be jaja

agility òjàjà

agitate, to kpokpo

agitation òkpòkpò, òèè

agonize, to do

agony ívbàèò

agree, to anma, de òkpá

agreement àmàsí

ahead ísàò

ahead on horizon ìdàmìdámí

aid ìkhòbó

ail, to khonme

aim at, to koon

aimlessly ghèèghéé

airplane àròpíléè

Akure town àkùrè

albino ànyàì

Albizia (sassa wood) órò

alcohol ényò

alcoholic òdènyò

alert, to be re ìèè o vbi égbè

alertness ìèè

algae òhíó'

align physically, to gha: so gha

align politically, to ku égbè baa

all èrèmé

all over éhé èrèmé

alligator pepper égbésíèin, úìèn

allot, to ken

allow, to ze

almond tree ìfúrúùtù

alone òkpá

along with, to move de baa

along, to move nono

aloud, to speak ta dianre

already lee

also gbo

altar in traditional religion èbò

alter, to delo

alter ego óghìán

always sàá, éghèéghè

amazement reaction òrìrì

amble, to shan

ambush ìkú

ambush, to gbe ìkú

amen ìsé

ammunition émíókhòìn

among ésèsé

amount ékà

analyze and examine, to fee ghoo

analyze by looking, to kaoghoo

anatomical oddity ókàn

ancestor òrèléèdé

ancestral deity ìkùtè

ancestral lineage úàànmì

and bí

and then re

angel ángéèlì, óvbìòìsà

anger óhàn

angry at, to be bi óhán ísì

angry condition ìbìòhán

angry, to be bi óhàn

anguish, to be in daa vbi égbè

angular, to be gon

animal éànmì

animal carcass íkákéànmì

animal den írù

animal fat évbíéànmì

animal that is domesticated émírì

animal tick íkhùá

ankle úkpé'nmòè

ankle bone úkpí'vínmòè

anklet of bronze or lead òzé

anklet of cherry seeds ìsávbèé

annihilate, to khuee o

announce, to gbe óbè

announcement óbè

annoyance ìbìòhán

annoyed, to be bi óhàn

another óvbèé

another time ééóvbèé

answer èànyè

answer a call, to miemie

answer, to anye

ant, black house ant íìhì

ant, soldier ant ìnwàì

ant, stink ant ìsàmìsákóì

ant, tailor ant íìèmúghó'ì

ant, brown sugar ant ííhíéìbó

antagonize, to ze ébèè

antelope úzó'

anthill éhèé

anthill mound ùhùnméhèé

antidote óòò, ùgbòbì

antimony in powdered form íkìó

antlered deer íká'lábèrán

anus úkpátùí, átùí

anvil úmòmì

anxiety òèè

anxious, to be kpokpo, ee

any ósò

ape úó'

apex òkhùnmì

aphasia ìègbèá

appeal ìdùàbò, ànwùvbèó

appeal, to due àbò

appear to, to vbiee, re égbè vbiee

appear, to ze égbè

appease, to oo re, re hunme óhàn
appease fetish, to daye éò a
appease fetish for, to oo éò li
applause òbìbì
apply lavishly to the body, to gbe
apply medicine to, to wee
apportion blame, to ghae
apprentice ìbòí
apprentice, to become mama òbìà
approach, to buu: la buu
appropriate, to ru: gbe ru
appropriate, to be e o vbi o
appropriately kúéí, chéchéché
arbitrator óghàèmòì
arduous, to be miame
area ìràà
area around house ótòúghóì
area of ògùì
area of abundant stones úgbí'dò
area that is isolated ùdèvbìè
argue a case, to re èzón o vbi òtòì
argue, to khaa ìrù
argument íkhàìrù, ùròò
arise, to shoo re
arm óbò
arm, upper arm úké'lóbò
armlet ègbá
armpit íghìíghé'
aromatic, to be yaa èghèn vbi íhùe
arrange in piles, to maa
arrangement àmàmá
arrest, to nwu
arrive, to re
arrogance èhìò

arrogant, to be hio
arrogantly gàràkéé
arrow ùhàì
arrow-head úkpá ísì ùhàì
arrow that is poisonous úháóbì
artistic entertainer àzìzé, ósòná
as ébé' i, ébí' i
as a matter of fact ònyómì
ascend, to heen
ash èmòì
ashamed, to be èkhòì o
ashtray ìtásá ísì èmòì
aside, to move bi
ask, to miaa
assemble, to si koko
assembly úsèé
assess, to fee ghoo, oo
assist with, to kpaye
assistance, non-mutual ìkhòbó
assistance to, to give u ìkhòbó li
association èkhèèn, évbàà, ègbé
assuage, to oo re
assuage by dash, to hunme óhàn
assume, to egbe
asthma ìháàwòhó
astonish, to nya únù a
asylum ógbá ísì émèmè
at vbi
at all gbègbèì
at once àgálàgálà, ìsòkpá
athlete's foot ànyàì
athlete's foot infection ìsíkhùìhíé
athletic, to be jaja
Atlantic Ocean ólòkún

atone, to daye a

attach, to tu baa

attempt, to dame fee ghoo

attend to, to le

attendant òbòí

attention to, to pay re éhòn o

attentive, to be kaa èò a

attentively kpékpé

attract, to o vbi èò

attract a large crowd, to si

attraction ànwùvbèó

attractive, to be nwu vbi èò

augmentative function údù-

authority àsé

authority, to contest sume ábò

authority, to have moe àsé

authorization àsé

authorize, to re àsé li

automobile ìmátò

avaricious àrèòóvbémí

avenge, to chie òyà

avocado òúmù

avocado seed úgùòúmù

avoid, to bi égbè, la li

await, to khee

awake, to be shoo re

awaken, to shoo

award to, to nwu li

aware of, to be een

awareness ièè

away ku a, fi a

awesome condition òrìrì

awesome phenomenon ójémì

awkwardly gányángányán

awkwardness òhàn

ax ùghàmà, úzé'

ayo game áyò

ayo seed ísè

B

babble, to yeye, meno vbi únù

babe in arms ómògbòn

baboon àkhárò

baby ómò

baby sash ògbèlè

bachelor ósàì

back, shoulder area ídámégbè

back area of body ùòkhò

back of, in ùòkhò

backbone ógògómùòghò

backflip àkùyúókhó

backflip, to do ku àkùyúókhó

backwall égbókhèé

backyard égbóà

backyard path ùlàchíén

bad òbè

bad luck íkhòèhài

bad one ólòbè

bag èkpà

bag for money èkpá ísì éghó'

bag of leather èkpóhìàn

bag of money èkpéghó'

bagworm ólàlèkpà

bail ìmòòbò

bail with container, to vbalo

bail, to be on miee vbi ìmòòbò

bake in ashes, to ton

bald, to be de ákpá'

baldness ákpá'

ball ìbóòlù

ball for melon soup íkpèkpàn

ball of thread úkpàn

bamboo ìbàbó

bamboo tree órán ìbàbó

banana ògèdè

banana bunch úkhùn ògèdè

banana finger úsùògèdè

banana peel éhíámògèdè

banana wine ényògèdè

band of musicians èkhèèn

bang about, to gbogo

banging sound vbíóó

banging, sound gbàán

bangle of bronze àhànmì

bangle of lead èjò

bank, commercial entity ìbáànkì

bank of a river íkìí

bankrupt, to be o vbi ósà

baptize, to sa àmè

bar, to da nye

barb, to kalo

barber òzètò

bare òsàn

bargain for, to ve

bargaining ívé'

bark úhí'àmì

bark [of dog or leopard] úwò

bark of a palm tree íshàkòn

bark of a tree úhí'ámóràn

bark, to wo

barrel ògbèdí

barren woman àgàn

base of ítíhìàn, égéègén

basin ìtásà

basin for washing hands ùkpàbò

bask at fire, to ghaa èràin

bask in the sun, to ghaa òvòn

bask, to ghaa

basket ùgín

basket for catching fish ógùà

basket of plam frond veins ùgín

basket of raffia leaves ìbùhú

basket of woven date palm ùbètè

basket of woven raffia àdùdú

basket with a wooden base ágbà

bat ákògán

bat, flying fox úvbíéwòkhùnmì

bathe, to khoo a

bathing úkhòómì

bathroom ìbàfúrúùmù

baton úkpòkpò

battle ókhòin

be located from, to za

be located, to ri, e

be, to khi, u, vbi, o

beach íkìí

bead úkpémì

bead of coral ìvíé

bead of reddish glass èkán

bead worn on ankle ìsávbèé

bead worn on waist úkpémíékùn, ìèghè, úkpólò

beak úkpà

bean cake fried in oil àkàà

bean meal ball ékìkpèshè

bean meal with sauce édòdèlò

bean that coils, green òshíé'

bean that is hard íhìèhíé

bean wrap èkò

beans, black-eyed peas ìkpèshè

beans that are cooked ìmáímáí

bear a child, to vbia

bear false witness, to fi ósèì gbe

bear fruit, to mo

beard étùàgbàn

beat, to khuee

beat by hitting, to gbe

beat of a drum íkhùèè

beat to death, to gbe u

beautiful, to be hunme ósèn

beautify, to ze ósèn

beauty ósèn

because of òhíó

become, to chian

bed as mud platform úkpàlé

bed of modern type ìbéèdì

bedbugs ìdú

bee úkpéòn

beef ìnámà

beetle úgó'

beetle, dung beetle ákhùàìgógó'

beetle, palm beetle òkhókhòíkhò

beetle that stiffens èúfèghè

befall, to ruan ye

before kpe

beforehand kpe

beg, to due àbò

beg for alms, to vbi

begin, to gbaan, gbaan re

begrudge, to nwu ìnyèmì o vbi
    ùdù

behalf of, on èrímí'

behave, to een

behave aggresively, to si ìghùkú

behave stupidly, to een ghààgháá

behavior úèèn

behavior that is aggressive ìghùkú

behavior that is riotous ìkékèzí

behind ùòkhò

behind, to be kpen ùòkhò

belch, to veen o vbi égbè

belief àmìèhòn

believe, to mie hon

believer ìgbàgbó

belittle, to yee a

bell àgógó'

bell anklet or wristlet ìyòyò

bell girdle úvbìàgógó'

bell hung on a dog àkàbà

bell of a clock àúgó'

bellow, to vaan

bellows, furnace ákhàgbèdé

belly ékéìn

below ègèin

belt ùgbèkùn, ìbéléèti

belt charm ùlègbà

bench èkpètè

bend, to guen re

beneath égéègén

bend in road ìgùèngbé

Benin èdó

Benin City òéé' èdó

bent, to be gon

bequeath, to gbe ùkù o vbi òtòì li

bequest ùkù

beri-beri ásọ́únù

berries íkpẹ́kọ̀mì

berry, yellow berry íkpòghéghè

beside égbè

besides àmáà

bet on, to ta

betroth, to kuee li

better, to be hunmẹ lee

between ésèsẹ́

bicycle íkẹ̀kẹ́

big òkhúá

big [augmentative] údù-

big, to be gba

bigger gba lee

bile ẹ̀bì

billy goat úvbíúkọ̀

bind, to gba

Bini people ẹ̀dó

bird áfiánmì

bird, cattle egret ọ́khọ́khúhẹ̀

bird, drongo ibèàkhé

bird, helmet shrike ọ́gbẹ́'nọ́gbẹ́'n

bird, kingfisher úkpòòmọ́vìẹ̀

bird, long-tailed shrike ọ́kòèhẹ̀

bird, multicolored ùshòshò

bird, pied wagtail úkpáfiánmòìsà

bird, Senegal coucal ùdómòíhì

bird, Senegal puffback òdẹ̀rè

bird, small bird type íchèchèghè

bird, sunbird type ìtìẹ̀ntìẹ̀n

bird, whydah òkhíguàmẹ́gùá

bird, wagtail úkpáfiánmòẹ̀lẹ̀

bird feather ìòòn

bird nest ẹ́kòó

bird of prey àkàlà

bird of divine power áfiánmóhẹ̀n

birth order of genders àréhòò

birthday ìbádéè

bit size in quantity kéré

bite, to hian àkọ̀n

bits and pieces íkúkémì

bits of food àé

bitter, to be laa

bitter kola tree òdù

bitter leaf òlàà

bitterness úlàámì

black, to be bin

black ant colony ídùdù

black person ọ́íá lí óbín

black powder medicine úshẹ́'n

black powder gourd úkókúshẹ́'n

black rubber àràbà

black, intensely bright dúdúdú

blackberry fruit for syrup òìì

blackberry seeds íkpòìì

blackberry syrup ẹ́nyòìì

blackberry tree òìì

blacksmith àgbẹ̀dẹ́

blacksmith bellows íshẹ́'n

blacksmith hammer úmòmì

blacksmith shop ásàgbẹ̀dẹ́

bladder úbéláàhìẹ̀n

blade, straight edge ìbíléèdì

blade for shaving ábẹ̀ẹ̀

blade of metal úvbíághàè

blade of thatch úkpẹ̀vò

blame someone, to rẹ ìbòhí li

blazing hot gbígbígbí

bleed, to la èrèè

bleed at nose, to la èrèè vbi íhùè

bless, to lie èrònmò

blessings ìhìànbá

blind, to become run èò

blind person òrùènó

blink, to gbe èò

blinkingly púépúé

blissfully òhóó

bloat, to huma re

block ibúlóòkì

block, to gbagan

blood èrèè, èsájèn

blood clot ikòkò

blood clot, to undo nwu ìkòkò vbi

blood drop úkpèrèè

blood of humans èsájèn

blood relative ómìòò

blood sucking leech ìènhì

bloody èréèré

blouse èùn

blow, to fi

blow, to [of wind] fioo

blow nose, to ze íhùè

blow on fire, to veen

blow out, to funo a

blow whistle, to fi ífèè

blow with mouth, to oho

blue, to be bin

blue dye ibùlúù

blunt, to be gbe

blurred, to be dagha

boar òkíìsì

boar, wild boar male ázánìsì

boast, to ruo

boast to, to ruo vbiee

boastfulness àsòóvbégbè, ègbó

boat ókò

body égbè

body carcass ígógégbè

body internal organs ìsùsúghù

bodyguard ínwàdà, òdìbò

bogeyman àkòkòò

boil èmài

boil groundnuts, to huee

boil liquid, to tin

boil meat, to ruoo

boil of deep nature úkpòísí'

boil on groin èmímá', émáùtùhí

boil that persists étórè

bold, to be moe ùdù

bon voyage kòkóó

bone àkpókà

bone joint úgùà, úgùàkpókà

bone marrow ùmà

bone of a fish úgbàn

bone setter òsùgùà

book ébè

boot ìbúùtù

border áyùhì

bore, to ton

borrow, to momo

borrowed saying àmòmòtá

boss ògá

both èvèvá

both ... and khì ... khì

bother, to kpokpo

bottle ògó

bottle, square bottom ózèbèn

bottom òtòì

bottom extreme ékéèkéìn

bottomside òkpòtòì

boundary áyùhì, ùhì

bow ètèkùn

bowels ùghùghú

bowl ìtásà

bowl for chopping food ùrò

bowl for measuring ìgbángbáún

bowl for palm wine òkpàn

bowl for washing hands ùkpàbò

bowlegged ègò

bowlegged, to become gbe ègò

box àkpótì

box of metal for storage ibèmbé

box of tin ìkòbá

boy as teenager ògbàmá

boyfriend ìbóífùréèndì

bra ìkòséètì

brace, to gaga: re gaga

bracelet of bells ìyòyò

bracelet of lead òzé

brag, to ze ògàlé

braid hair by hand, to ba

brain úmàghòghò

branch úká'lábóràn, úkpá'bóràn, íká'lábò

branch in a fork shape ágàdàmì

branch of palm frond íkpèhìànmì

branch off from, to vaan óbò

branch tips úkpá'bóràn

brass òzé

brave, to be moe ùdù

bravely gbudu

bread ìbúréèdì

breadfruit ìhíángúéìbó

break a length, to guogho a

break by snapping, to khueye a

break round shape, to gbe a

break round shapes, to gboo a

break time àrègbèmíéfíó

breast ényè

breasts, developing íkókényè

breath étìn

breathe, to fi étìn

breathe heavily, to fi étìn dúú

breathing rapidly húékpéhúékpé

breeze éfìòò

bribe ùhán

bribe, to give a fi ùhán li

bribe, to receive a miee ùhán

brick ìbúlóòkì

brick, to fashion gbe èkèn

bricklayer ìbíkìlíà

bride that is youngest éghàyò

bridge ìbúríìjì, ìbíríìjì

briefly déké

bright, warm colors rírírí

brightness àghèghèíghè

brilliant color tòbóó

bring down a load, to sie re

bring, to hua re, nwu re

bring to ground, to se: nwu se òtòì

bring together, to si kókó

briskly váíváí, bobo

broad daylight èòmìèó

broad. to be vbe

broadcast, to khakha

bronze èùnmì

broom ówèé

broom from tough fiber àsísà

broom plant àsísà

broom rib úgbówèé

broth ùmà

brother ómìòò

brow of úgùgúmì-

bruise, to kpanno a, ughun a

brush off, to bume

brush with soft item, to kalo a

brutal to, to be u khoo, ze ékéín lì òbè

bucket ìbòkééti

bud of a mushroom ìkòkò

buddy ómòò

bug úgó'

build, to ehen

build house, to ze

build roof, to hu

building ìwè

building foundation ígbùlòtòi

building, multi-storied ìgédéègé

bulbul, yellow throated ákpòéghè

bulge out, to yi re

bulgingly kpókó

bull émèlá lì òké, òkémèlá

bull rat òkófè

bullet íkùkù

bundle, to khuun

bundle of úkhùn

burdensome fashion khúrú

burn faintly, to too vbìévbìévbìé

burn fiercely, to too vbíóvbíóvbíó

burn off, to too ku a

burn undergrowth, to too

burn up, to too a

burning stump ètòké

burp, to ku

burrow, to ton

burst, to gbe a

burst into tears, to gbe évìè a

bury in the ground, to nwu gbe

bury the dead, to ton

bus ìbóòsì

bush ògò

bush animal éámògò

bush baby íninìwài

bush baby, Bosman's Potto ékhìì

bush cat òlógbògò

bush cow émèlúgbó'

bush dog ikúàghàghà (tree hyrax)

bush fowl àwài (partridge)

bush path òsé

bush pig ísìògò

bush pig runt ásùkpékhài

bush rat ófògò

bush rat with stripes ófúènghén

bust out laughing, to fan ójè a, gbe ójè a, ton ójè hua

busy-body òùèmòi, óvbèmòi

but àmáà

butcher òláàkpátá

butcher, to valo

butterfly àvbìèvbìè

buttock ítíhìàn

buttock pair ítítíhìàn

button ìbótìnì
buttress root ìbòghò, íbóghóràn
buy, to de
buy on credit, to de raa re
by pass àkpòbó

C

cactus plant ìghíghìẹn
cake from maize ékóìbó
cake, from fried water yam ọ̀jọ̀jọ̀
calabash ùbèlè
calabash funnel àtìró
calabash, music rattle ìsà
calabash tray that is large èdìdé
calamity ékékhérẹ, ébèè, ùzà
calculate, to oo
calf óvbí émèlá
calf muscles íbélàwè
calf of the leg úvbíákhòè
call, to eche
call at a place, to vaan
call curse upon, to fi únù
call in loan, to vbi ósà
call someone, to eche
calm down, to oo, oo re
camp on farm àgó
camp that is temporary ígúé'
camwood úmèé
candle of palm nut waste ìkándù
cane, to fi úkpàsánmì
cane, yellow reed úkpàsánmìghòìn
cane úkpàsánmì
cane along streams ìyèkóvbìògúé'
cane rat ìvàn
cannon, traditional ọ̀wéwè

canoe ókọ̀
canoe paddle ùmàzà
canteen, for serving food ìbúkà
cap úvbíérùn
cape buffalo èọ̀
capture, to nwu
car ìmátò
carapace úgògò
carcass íkàkéàmì, ígógégbè
care for, to kuee, gbe èọ̀ kaogho
careful, to be re èwàìn o vbi o,
    moe èwàìn vbi
carefully dégbe
carefully fuen égbè re
caress, to loko
caress with hands, to re óbọ̀ loko
carpenter ìkápítà
carpet viper ómèlégbó'
carry, to hua
carry on back, to vbovbo
carry on side, to nwu se èfèn
carry one after the other, to laa
carry astraddle, to nwu se ìgègèdí
cart ágbúlúgbùlù
cartwheel àgèlèbósè
cartwheel, to do ku àgèlèbósè
carve, to khaa
case, to present a gue èzọ̀n
case being discussed èmòì
case in traditional court èzón
cashew ìkàjú
cassava boiled in thin slices óhọ̀
cassava crushed and boiled ìfùfú
cassava, powdered ìgáàí

cassava snack ìkpókpógàí
cassava plot úgbó' ìbọ̀bọ̀dí
cassava tuber ìbọ̀bọ̀dí
cassette player ìkàsẹ́ẹ̀tì
cast, to fi, ku
cast seeds, to ku íkhùẹ̀khúẹ́
cast shade, to fun
castor oil plant ìhíághálò
castrate, to aa
castrated animal èáọ̀
cat òlógbògò
cat that is domesticated òlógbò
cataclysm ọ̀lèlèbíẹ̀lè
catapult ààbà
catarrh óhà
catch, to nwu
catch fire, to hian èràìn, nwu èràìn
caterpillar ìsísíkhàìdí
cattle ẹ́mẹ̀lá
cattle egret ókhókhúhè̩
cattle of Fulani ìmàlú
cause, to ze̩
cause of èmìdí
cautious, to be re̩ ìèè o̩ vbi ègbè
cautiously kẹ́míkẹ́mí
cave in, to ha o
cease, to hee̩, he̩na
cease bothering, to roo óbọ̀
ceiling, mud and wood àbìí
ceiling of palm frond àrùrú
celebrate, to gho̩ngho̩n
cement ísìmẹ́ẹ̀ntì
cemetery úgbí'ìdì
center of ésèsẹ́

center stage ésẹ̀
centipede ọ́làlẹ́kpà
ceramic cup or dish úkòójè
certain ọ́sò
certain day ẹ́dọ̀kpá
certificate ébè
chaff of maize or wheat íùhù
chain for shackle íkààghà
chain metal net ìghàn
chair àgá
chairperson àláàgá
chalk è̩rèè
chameleon áòókhì
chance ìmìòbọ̀
change, to delo̩
change direction, to delo̩
change mind, to delo̩ ẹ́kẹ́in
character úèèn
character, despicable úẹ́ẹ́n lì ọ̀bè
charcoal íjẹ́'n
charcoal bag ẹ́kpíjẹ́'n
charge suddenly, to yee
charm, to prepare kpe ìkhùnmì
charm, medicine ìkhùnmì
charm against evil ọ́bèbíọ́bè
charm attracting customers ósìré
charm deflector èbààn
charm for achieving desires ósì
charm for belt ùlè̩gbà
charm for destructive act ábàbè
charm for making invisible óbìkó
charm for protection   èkpàtù
charm for shrine úkhùẹ̀bọ́
charm for tiredness ọ̀khíèèmè

charm to disappear íkhúmékìàn
charm to weaken ògòlòkhúáóbọ̀ífì
charm type èká
charm type èchìè
charm sash ógbélẹ́ ísì ìkhùnmì
charm weed ìkhùnmìzàîìgbíòó
charm worn on waist ìsàn
charter a vehicle, to nwu ìmátò
chase, to khu
chase away, to khu fi a
chat, to vbayẹ
chatterbox átàlọ̀
chatting òvbàyè
cheap ọ̀kpóì
cheap, to be kpọ
cheat one, to gbe e
check, to chiẹn
cheek ìrò, éhà
cheerful, to be ghọnghọn
cheers! [at weddings] áyéyéèyéè
cherry ótìẹ́n
cherry seed íkpótìẹ́n
cherry seed anklet ìsávbèẹ́
cherry seed bangle íkpótìẹ́n
cherry tree órán ótìẹ́n
chest ídámà
chest pains émíámùdù
chew, to lu
chewing stick úkpàkọ̀n
chick óvbí óókhọ̀
chicken óókhọ̀
chicken, dwarf chicken ìzà
chicken, featherless neck ọ̀kpùrún
chicken egg ékẹ́ín óókhọ̀

chicken hawk ódègbé
chicken lice írúrókhọ̀
chicken pox éráínéìmì
chief óẹ̀jè
chieftancy èjèè
chieftancy initiate shrub ùghọ̀in
child ọ́mọ̀
child of township òmọ̀lòéé'
child that is female ọ́mòkpòsò
child that is first born ọ́mọ́díòn
child that is last born ọ́móbọ̀
child that is male ọ́mọ́mọ̀hè
child that is new born ọ́mọ̀gbòn
child that is pampered ọ́mọ́nànyà
children ívbìà
children of alternate sex àréhòó
children of same father èràkpá
children of same mother ìnyọ̀kpá
chimpanzee úó'
chimpanzee, offspring óvbí úó'
chin àgbàn
choke, to haan
cholera òlúgbàméjì
choose somone, to bọ
choose something, to zẹ
choosy of food, to be hanọ émàè
chop, to bẹnnọ
chopping bowl ùrò
christen, to nwu éní li
Christian é lí yán à lẹ̀ òsè
Christmas ìkérésìméèsì
chunk ùkèlè
chunk of ùkọ̀mì-
church building òsè

church organ ídùù

cigar ìsìgá

cigarette ìsìgá

cinders ákèràìn

cinders, to have nwu àkọ̀n

circle, to lagaa

circumcision òrùèè̩

circumcision knife úchè

circumcize, to ruẹẹ

city òéé'

civet-cat, African èrà

civet cat, palm civet árá'ghòhí

civil servant ákọ̀w

civil servant, high ákọ̀wé lì òkhúá

civilization ìtànè̩òá

civilized, to be taan è̩ò a

claim, to rẹ́ ínyàmè̩ò miẹẹ

clan òhùkú

clan-deity at Uanhunmi óyàìbì

clan-deity of Iuleha ọ̀bàzù

clap for, to gbe ábọ̀

clashing sound gúákpá

clasp, to va

clasp at armpit, to va: fi va vbi

claw of cat or bird éhìẹ̀n

clawed snare trap ikpàkúté'

clay of pinkish yellow color ówẹ̀

clay of a greyish color ákò

clean, to be fuan

clean by rubbing, to kalọ

clean by scraping, to anmẹ

clear day, to be a kuan

clear growth from a plot, to hio

clear stream water, to be san

clearing úkàlọ́mì

clearing, expansive vista ùdàgbó

clearly nẹ́ún

cleft of chin úkpàgbàn

clench a fist, to koko èkpà

clench teeth, to ku àkọ̀n shan

clench, to haan

clever about, to be guẹ

cleverness ọ̀gùè̩

climate with cold wind ọ̀kpòòn

climate with dampness ọ̀fọ̀ré

climate with extreme heat ọ̀tòhíá

climate at harmattan òkhùàkhùà

climate, incessant drizzle ọ̀kòèdè̩

climb, to hẹẹn

climbing vines íkpàtívbì

cling to, to tutu

clitoris ùdọ́n

clock àúgó'

clog ìkàtàmí

close bowl by covering, to vuye

close door, to khuye

close eyes, to koko

close to, to be si kẹẹ, si kẹa

cloth úkpùn

cloth piece ésẹ́múkpùn

cloth rag ésọ́nkpùn

cloth that is locally woven úkpórà

cloth wrapper of women ìbùlúkù

clothes úkpùn

clothing íkpùn

cloud ìsíkhùú

cloudy, to be bin

clownish person ọ́íá ísì ìghéé'

clownishly ghèéghèé

clownishness ìghéé'

club ùlùké

club for fighting úkpòkpò

club of wood úkpókpóràn

clubfoot ògòé

cluck, to dano

clumsily súnésúné

clumsily, to move si khùù

cluster around, to si koko

coagulate fat or oil, to mehen

coal tar ìkòtá

coarsely tíkí

coat ìkóòtù

cob of údùdúmì-

cob of maize údùdúmókà

cobra, black óvbìvbìé

cobra, crested óvbìvbìé lì òkpà

cobweb àkpákpáì

Coca Cola ìkóòkì

cock òkpà, óókhòkpà

cock-a-doodle-do kèkèéékèéè, kùkùrúùkùúù

cockerel ásèséòkpà

cockroach áènhìènmì

cockscomb úgé'n

cocksidosis ìgbèòkhò

cocksidosis, to have ìgbèòkhò foo

cocoa ìkòkó

cocoa farm weed álàsóà

coconut údúkpù

coconut oil ùdénàgbán

coconut palm órán údúkpù

coconut shell úkókúdúkpù

cocoyam íkhùòkhúó

coerce, to nyanya

coffin àkpótì

cogitate, to ee

coil, to shie

coin áméghó'

cold, to be fo

cold, to get a úììn gbe

cold úììn

cold as illness ògbòèmì

cold to extreme síkó

coldly séén

collapse, to kpoon

collapse, to have soil ha o

collapse [of person], to ku o

collar ònyéhì

collar for dog ùlègbò

colleagues ékhéén ógùòbìà

collect, to lie

collect and store, to yaa: lie yaa

collect roof rain water, to gaa

college ìsìkúù

collide, to so égbè

collusion ògbà

colony of animals úghèè

color ìkólò

column úvìénmì

column support structure òrùkù

comb, to hiaa étó

comb, modern comb ìkóòmù

comb, traditional comb òyìyà

combine, to ku gbe

come, to vare

come down, to de òtòì re

come from, to za vbi vare

come here, to de ààn re

come on! óyá

come out, to dianre

come out from, to za dianre

come to an end, to re̱ so

come to top, to vare vbi òkhùmì

come true, to se̱

comfort òènhè̱nmé̱

comfort, to te̱e̱

comfortable òfùnvbègbé

comfortable to, to be fun vbi égbè

coming, to be vade

command íyì

command, to yi

commission íyì

commit, to ze̱

commit adultery, to le̱

commit murder, to gbe úbì

commit suicide, to re̱ úfì din

common cold o̱gbòènmì

common place ikhààkháá

common sense è̱wàìn

commons area of a village òéé'

communal watch ikhè̱òà

community è̱vbòò

compactly víín

companion ómòò̱

company of ékhè̱èn

comparable, to be kho̱o̱n égbè

compare with, to re̱ oo

compassion ìtùè̱kèìn

compassion, to have mo̱e̱ ìtùè̱kèìn

compassionate, to be to ékéìn li

compete for, to sume̱ ábò̱

complain, to ze̱ ùnyò̱

complain loudly, to wo

complaint ùnyò̱

complete a task, to u lee

completely gbègbéí, gídígídí, jáún, hìòé̱é̱, gbéí, báín, zé̱zéghé̱, péé̱í, gbé̱lézé̱, néún

complex, to be mianme̱

complexioned, to be light vbae

component of úkpò̱kpá

compound for a house ógbè, ógbà

compress, to khuankhuan

conceal, to hee: hua hee, nwu hee

conceal from, to hee: re̱ hee li

conceive, to hama

conception úhàmámì

concern, to kaan, nye̱e̱

concern someone, to de

concerns ìzèzé

conclude, to ku gbe

conclude with, to re̱ so

conclusion ìrè̱sò

concubine ójè̱

concur that, to mie̱e̱ anma khi

condensed, to be zeze

condiment émìòmì

condiment, fermented melon ògìì

conduct úè̱èn

conduct affairs, to e̱en

conduct, reckless íwèé lì o̱bè

confer, to ze̱ ìòò

conference ékùèè

confess, to me̱

confession úmèmí

conflagration ókpíje'n

confront, to de

confuse, to dagha

confusion òbìbì, òsùghù

congeal [of food], to zeze

congeal [of oil], to mehen

conjunctivitis ìbìghìtàn

conjunctivitis, to have ìbìghìtàn
    nwu

conquer by defeating, to gbe

conquer by routing, to khu

consent, to anma

conserve, to kuen

conserve breath, to kuen étìn

consider, to ghoo

consistently sàá

conspiracy ògbà

conspire, to hian ógbá ísì

constipated, to be khuankhuan

constrict, to khuan

construct, to enhen, ma, ze

consult, to miaa fee ghoo

consult diviner, to ye ésì òbò

consume one, to foo

consume something, to e

consume time, to foo èghè a

contact, to ta li hon

contact, to make re so

container ùkòkò

container that is large ògbèdí

container that is small ìkòbá

contemporaries ógbèn

contemporary órèè

content, to be khoon

contentious, to be moe èò

contentious person ómòèò

contentiousness ímòèò

continent òtòì

continuously kékéké

contribute money, to ze éghó'

convention ùhì

conversation ìnyèmì

conversation. informal òvbàyè

converse, to ze ìòò

convulsion ébívbómò

cook ìkúùkù

cook, to nye

cook with fire, to nye

cooked, to be vbie

cooking area ùnyàkhè

cooking oil évbìì

cooking pot ùwàwà

cooking spoon únyòmì

cool, to be fo

cool down, to foo a

cooperate, to ku óbò gbe

cooperation ókùgbè

copulate, to lele

copulation òlèlè

coral beads ìvíé

corn ókà

cornbread ékókà

corner ìgùèngbé

corner of area ùlàchén

corpse of animal ékù

corpse of human ékú óìmì, òdèdè

correspond with, to vin ébè ye

correspondence ébè
corrode, to nwu ótòòn
corrugated tin sheet ìkpáánù
corruption ìgúó
corset ìkòséètì
costliness òghàín
costly, to be ghaen
costly item ùgbóghàín
cotton òú
cotton strand úkpá'mòú
cotton tree ókhài
cottonseed úkpòú
cough ónwèé
council of elders èdìònlíiké
council of traditional court ègùài
councilor ìkósìmì
counselor ózèwàìn
count, to koo, oo
counter to expectation function ò
counterfeit money ìjèbú
country òtòì
courage, to have moe ùdù
court a woman, to ta èmòì
court attendant òdìbò
court of chiefs ègùài
courthouse ìkóòtù
courtyard ótòàfén
cousin ómìòò
cove for witches àdà
covenant àmàsí
cover, to re égbè voo
cover by sealing off, to aan
cover for pot úvòò
cover up, to hee: re hee

cover with lid, to voo
covet, to re èò o, o vbi èò
covetousness àrèòóvbémí
cow émèlá
cow, breeding cow òdémèlá
cow, whole cow úkúté'mèlá
cow of the bush émèlúgbó'
cow that has mothered ínyémèlá
cow that unbred úlékémèlá
coward èhò
cowardly, to be moe ùdù
co-wife òíé'n
cowpea ìbàghò
cowry shell áméghó'
crab ózí'
crab-like walk nyágán
crack ómàá
crack eggs, to ahe a
crack melon or bean, to valo
crack open shin, to valo a
crack palm kernel, to san
cradle a baby, to wewe
craftiness òvbéé'
cramp àkpà, àkpákpáí
crash into, to so ùdékèn
crashingly gúáhí
craw-craw infection íkpíròòn
crawl [of insect], to een
crawl on belly, to sio
crawl on all four, to khuokhuo
crayfish ìdé
crayfish that is white ìdèlóòfán
cream òí
create, to ma

credit, to buy on de̱ raa re, de̱ o vbi ósà

credit, to sell on she̱n raa re

creeper that is poisonous éméìmì

creeper that is thorny ígbánkpé̱'n

creeper that itches éwáì

creepers ívbìì

crest of a cock úgé̱'n

cretin úvbìè̱gbéé'

cricket that is edible òsè̱né̱

criminal ísìghàn

cripple é̱khìì

crippled, to be de é̱khìì

crisply fried jáún

crisply moved jé̱njé̱n

criticize, to re̱ únù gbe

crocodile ònè̱

crocodile tears évíé̱ ísì ìkà

crocodile, dwarfish ásháshá'ì

crook ó̱íá ísì ìgúó

crooked, to be physically go̱n

crookedly, to deal gbe ìgúó

crookedness ìgúó

cross [in Christian sense] íkíró̱òsí

cross road àvàànùkpódè̱

cross, to fan ze̱

crotch è̱gèìn

crouched position òkòkò̱

crouchingly súé̱í, núé̱núé̱

crow khuee

crow, to [of cock] vie̱

crowd óbòtú

crowd together, to si koko

crowded, to be khuankhuan

crown prince ò̱òbà

crucify, to gbe a

crumble, to khuikhui

crumbs of ékhàkhà

crumpled lùghùlúghú

crush, to aha

crush plants, to ughun

crush to bits, to nwe̱ghe̱n a

crux of a matter únùè̱mò̱ì

cry, to vie̱

cry of alarm ògògókhò

cry out, to khuee

crying évìè̱

cub of óvbì

cultural significance, of ókpè-

cunning òvbéé'

cunning, deceitful one ó̱íá ísì èó

cunning, to be u òvbéé'

cup úkó'

cure, to ghoo ni

curiosity, excessive íhùè̱ò, íhòè̱ò

curious, to be hoo è̱ò

curl around, to shie lagaa

curl up, to shie re

current of a river íkpòghé̱dà

curry leaf ébúànmóókhò̱, úamó̱khò̱

curse éò̱

curse, to ko̱ éò̱

curse, to appease oo éò̱

curse upon, to fi únù li

curved, to be go̱n

custard from maize àkàmù

custard from millet àkàmù

custard of Yoruba àkàsán

cut, to hian

cut down, to gbe

cut hair, to kal<u>o</u>

cut into pieces, to b<u>e</u>n

cut loose, to hian a

cutlass <u>ó</u>pìà

cutlass point úkp<u>ó</u>pìà

cutlass sheath ák<u>ó</u>pìà

cutlass stump úkpùtúm<u>ó</u>pìà

cutlass with pointed tip <u>ó</u>pìs<u>ó</u>

cutting board ùkpákò

cyst áràá

D

dagger ùs<u>è</u>kùn

daily <u>é</u>dèèdè

daily food émá<u>é</u>dìh<u>è</u>n

daily rainfall <u>ò</u>kòèdè

dam úgbé'

damage, to riaa a

damp, to become h<u>o</u>r<u>o</u>

dampness <u>ò</u>f<u>ò</u>ré

dance òsíé'

dance, to gbe

dance type àsólógùn, ìj<u>ò</u>gé

dancer of great skill <u>ó</u>s<u>ò</u>ná

dangle in a lump, to fi lábálábá

dangle, to fi l<u>é</u>gh<u>é</u>l<u>é</u>gh<u>é</u>

dangling, lumpy lábálábá

dangling, stretched l<u>é</u>gh<u>é</u>l<u>é</u>gh<u>é</u>

dare duda

dark, to arrive at re gbáín

dark, to be intensely bin dúdúdú

dark complexion, to have bin

dark in color, to be bin

dark like leaf, to be bin bí ébè

dark like tattoo, to be bin bí àsún

dark one óbí'n

darken, to bin a

darkest part of night údó'mùh<u>è</u>n

darkness ás<u>ò</u>n, údábìn

darting fashion ghéé

dash ùhán

dash, to r<u>e</u> hunm<u>e</u> óhàn, fi ùhán

dash from a merchant ifìòb<u>ò</u>

date fruit <u>ò</u>kp<u>ó</u>gh<u>ò</u>lúkpé'

daughter of óvbì

dawn, to kuan

day <u>é</u>dè

day, any day <u>é</u>dèíkh<u>è</u>dé

day, five day period úh<u>é</u>énà

day, nine day period ùsúmù

day, same day <u>é</u>dìh<u>è</u>èn

day after tomorrow òtíàkh<u>ó</u>

day after tomorrow [emphatic] èd<u>è</u>lòtíàkh<u>ó</u>

day before yesterday ékh<u>è</u>d<u>é</u>à

day for market <u>é</u>dèkìn

day free of work <u>é</u>dìgb<u>è</u>hó

day just before dawn ikhùn<u>è</u>d<u>è</u>dé

day long ago <u>é</u>d<u>ò</u>kpà

day of one's fate <u>é</u>dèhì

day of rest <u>é</u>dìfètìán

days, nine from today è<u>d</u>èlùsúmù

days gone by ìghééghé

daybreak égbíà

daylight è<u>ò</u>mìèó

dead body óìmì

dead skin íkpàkpégbè

deaf, to be yi éhòn

deaf mute òdìn

deaf person òyèhón

deal with harmfully, to daa

death úù

death, moment of death ágbìdìn

death, to be near fi úù

death, to desire óhánmí úù gbe

debris úkùkù

debt ósà

debt, to be in o vbi ósà

debt, to incur de o vbi ósà

debt, to pay a hae ósà

debt for oraclist services àzé

decay, to aa a

deceive, to tee, tee e, tee égbè

deceive by hiding, to hee: re hee

deception òvbéé'

decision émí lí á gbá tá

declaration íyì

declare an edict, to yi

decompose, to aa

decorate in antimony, to wee íkíò

decree íyì

decree, to yi íyì

deed òbìà

deed that is evil óbíá lì òbè, òkhòó

deep, to be ime

deep and flat gbùgúdú

deep sound dùí

deer érùè, èdè

deer with antlers íká'lábéràn

defame, to faa a

defeat in a game, to gbe

defeat in battle, to khu

defecate, to fena

defect ókàn

defer forward, to si ye ísàò

deference èkpén, ìdìèùhùnmìré, ílèò

deference to, to show nwu èkpén li

defiance ùdà

defiantly bìàkhárá

deformity ókàn

defyingly duda

dehydrated lùghùlúghú

deity, ancestral deity ikùtè, éìmì

deity, personal deity áréò

deity, trickster deity èsùn

deity at Uanhunmi óyàìbì

deity of Iuleha òbàzù

deity staff úkpórìkùtè

dejectedly súún, núénúé

delay òvbèlè

deliberately dabo

deliberately, to perform ghoo ghóghóghó

delicate jájághá

delicious, to be enghen

demand debt payment, to vbi ósà

demean, to faa a

demonstrate, to re vbiee

den for wild animals úghèè

dense [of food], to be zeze

dense [of forest], to be voon

dented, to be ha o

deny, to sin

depart, to le

depend on, to dee aan

depleted, to be foo a

depreciate, to ye ȯtọ̀ì

depress, to ha, ha o

depression in a river úhìó

depression in earth ùdègbú

depth condition of water ómìmí

deputized, to be ze rẹkhaẹn

deputy ákpọ́zèvà

deputyship ákpọ́zèvà

deride, to kaan

derisively to, to act fi ókàn li

descend, to kpoon

descent úaànmì

desert, to fi a

deserted, to become fi ẹ́vbìè

design, to ẹnhẹn

desire sleep, to ómẹ̀hẹ̀n so

desired, to be hoo

desist from, to hẹna

desperation ȯvén

despicable person ọ́íá lì ọ̀bè

destabilize mentally, to o vbi égbè

destined, to be hi

destiny ȯhì, ȯlóòlò, úkpódàgbọ̀n

destiny of personal nature ẹ̀hì

destitute, to be miẹ èsȯn

destitution ẹ̀sȯn, ȯsì

destroy, to khuee o

destroy wastefully, to foo a

destruction ìkhùèèó

destructive force ọ̀lẹ̀lẹ̀bíẹ̀lẹ̀

detach, to fayẹ a

detain, to khuye ze, khuye da nyẹ

detain, obstruct, to da nyẹ

deteriorate more, to khoo o vbi o

develop, to ze

devilish character èsùn

dew ìsẹ̀sẹ̀

diabolical ábàbè

diabolical, to become fi ábàbè

diagonal ógbòógbàn, ógbàn

dialect ùròò

diarrhea òtóó, ọ̀gòò

diarrhea, to have ẹ́kẹ́in kpeye

die, to u

difference iyȯdán

different ọ́dàn

different [emphatic] ọ́dòọ́dàn

different, to be ye ọ́dàn

different one ọ́dàn

difficult mentally, to be miamẹ

difficult work, to be zeze, ohia

difficulty ȯmìàmẹ̀

dig a hole, to tọn

dig heaps, to gua

dig out, to tọn a

dig up, to vun

digging tool àzígàn

dignity èkpẹ́n

dika nut áàkhúẹ́

dika nut anklet ìsávbẹ̀ẹ́

dika nut string íkhùẹ̀khúẹ́

dika nut fruit ọ́í'n

dika nut seed íkhùẹ̀khúẹ́

dika nut soup òlòghò, ómòlòghò

dika nut tree óí'n

dilemma ȯmìàmẹ̀

dilemma, severe òlèghéèlè

diligence, to have moe óbò

dilly dally ghèé

diluted, to become lagha a

diminish, to kere o vbi o

diminutive function úvbì

dip a morsel, to raa, re raa

diplomacy ògùè

dirt ínwà

dirty, to become gbe ínwà

disagreement íkhàìrù

disappear, to de àhòì a, kian

disappearance ékìàn

disaster ébèè

discard, to fi fi a

discharge of pus úòmí

discharge pus, to oo

disclose a secret, to ze èín

disclose, to zoo

disclose to, to zoo vbiee

discolored, to become koon a

discourse ìnyèmì

discover, to ga ze

discreteness ògùè

discreteness, to use re ògùè

discuss, to gue

discussion ìnyèmì

disease èmìàmì

disease, cocksidosis ìgbèòkhò

disease that kills goats ìgbèwè

disfavored wife àúkhòò

disgrace èfá

disgrace, to faa a

disgrace, to put in re èkhòì o

disgruntled, to get nwu èò hua

disgust, to kaan

dish ìtásà

dish, ceramic dish úkpòójè

disintegrate, to khuikhui

dismantle, to kueghe

dismantled, to become kuogho

disobey, to sin úhùnmì

disorganize, to zagha a

disorient, to dagha

disperse, to veen, tue

display, to re vbiee

display in market, to wee

displease, to riaa ékèìn a

disposition of hostility òkàn

disrobe, to banno

disrupt, to riaa a

dissect, to valo

dissipate, to hee a, okho, oo re

distant in space/time, to be rere

distant point ìdàmìdámí

distantly kpèé

distemper of goats ìgbèwè

distended, to be yi re

distressed, to be anme àkòn

distribute, to kenno

distribute money to, to zoo li

disturb, to kpokpo

disturb wound, to chien

disturbance ìkékèzí

ditch ùdègbú

divide, to ghaye

divide among, to ken

divination ábò, ébàbò

divine, to b<u>o</u>

diviner <u>ó</u>bò

divining seeds íkhùèkhú<u>é</u>

division òd<u>è</u>

divorce a man, to fi a

divorce a woman, to sin

divulge a secret, to z<u>e</u> èín

dizziness óhòó, ókìn

dizzy, to be hoo

do, to u, vbi

do early in morning, to nwu <u>é</u>d<u>è</u>

do evil, to u òkhòó

do properly, to u l<u>è</u>s<u>è</u>n

doctor, native doctor <u>ó</u>bò

doctor, western doctor ìd<u>ó</u>kítà

dog áwà

dog collar ùl<u>è</u>gbò

domain àgbègbè

domesticated animal émírì

don't [prohibitive] è

donate to, to z<u>oo</u> li

donkey íkhú<u>é</u>r<u>é</u>khù<u>è</u>r<u>è</u>

door, doorway úkhù<u>è</u>d<u>è</u>

door frame ùànhán

doorblind, door covering ik<u>ó</u>tìnì

doorbolt àsígbè

doorlock ìk<u>ó</u>k<u>ó</u>ó

dove ékùété'

dove, red-billed <u>ó</u>kòmòt<u>ò</u>ì

downward ókpòt<u>ó</u>ì

doze, to so úkpádìghí

dozing úkpádìghí

drag, to si

drag outstretched, to si khúú

dragon fly ánìj<u>é</u>n

drain, to oo

drain off, to si a

drama òsíé'

draw a figure, to vin

draw in, to si

draw water, to vo

dread, to la óf<u>è</u>n

dream évbòhì<u>è</u>

dream, to vbohi<u>e</u>

dream, discover, to vbohi<u>e</u> mi<u>e</u>

dregs <u>ò</u>gòò

dress èùn

dress in masquerade, to, ku ùkpákò

dress up, to z<u>e</u> <u>o</u>

dressed up, to get wee

dried, to be kaka

drink alchohol, to da

drink water, to <u>o</u>n

drinking glass ít<u>ó</u>nbùlà

drinking hole èràì

drip, to n<u>o</u>n<u>o</u>

drive a vehicle, to tu

drive animals, to khu

drive away, to khu fi a

drive out, to khu dianre

drivel of a child <u>ò</u>d<u>ò</u>ghò

driver ìdír<u>é</u>và

drizzle, to w<u>e</u>w<u>e</u>

drool of saliva <u>ò</u>d<u>ò</u>ghò

drool saliva, to ku <u>ò</u>d<u>ò</u>ghò

drop, to fi fi <u>o</u>, ku ku <u>o</u>

drought ókáì

drum ìbè, ìdúró̱ò̱mù

drum of native doctor ògèdè

drum that is small óvbìè̱kpéé'

drummer ò̱khùèmì

drumming íkhùèèmí

drumstick ùkéké'

drunk, to be da é̱nyò̱

drunkard ò̱dè̱nyò̱

dry jájághá

dry, to ka

dry hard, to kaka

dry and delicate jájághá

dry season ókáì

dry skin íkpàkpóhìàn

dry the body at a fire, to ghaa

dryer of wire mesh è̱káì

dubitative construction vba, bia

duck ìkpé̱è̱kpé̱yè̱

duckling óvbì ìkpé̱è̱kpé̱yè̱

due to go, to be ya

duiker with red flanks òhìvbó

dumbfoundedness ògbùnù

dunce áwó'bì

dung ìsò̱n

dung beetle ákhùàìgógó'

dusk ábénwáà

dust èdàbù

dust, to bume̱

dwarf è̱tú, úvbìè̱gbéé'

dwarf, to be a de è̱tú

dwarf crocodile ásháshá'ì

dwarf monitor lizard ò̱ò̱jò

dwell, to dia

dwelling ìwè

dye of indigo color àò

dysentery ìjè̱díjè̱dí

E

each ò̱dó̱ò̱dé

each one ò̱dó̱ò̱dé

eagle àkàlà

ear éhò̱n

ear of úsù-

ear wax íséhò̱n

eardrum ákáéhò̱n

earlier è̱dè̱dé̱

earlobe úkpéhò̱n

early bóbò̱

early morning égbéè̱gbíà

earn money, to gbe éghó'

earring ìyè̱í

earth òtò̱ì

earthen pot ùwàwà

earthworm í̱ò̱ngbò̱ndò̱n, íkòló

ease of mind òfùnvbègbé

ease up, to o̱kho̱

easily é̱é̱

Easter ísítà

easy, to be u hùé̱hùé̱

easily done, to be huo̱

eat, to e

Ebira people ìgbìà

echo ìgbàmádí

economical, to be kpo̱

economize, to te̱te̱

eczema ówè̱

eddy àzìzà

edge at its extreme éhéèhè̱n

edge of éhò̱n, égbéègbé

edict íyì

Edoland ótóèdó

Edo people èdó

Edo people in Akure èdòláàkúré

eel ényédà

eel, electric eel ùgbògbò

effective, to be [of charms] se

effective religiously , to be ohia

effigy èmàzé

effortlessly éé

egg ékèìn

eggcase of praying mantis òfènàhìènóvbóà

eggplant éèkhò

egret, cattle egret ókhókhúhè

eight èéén

eight hundred égbèén

eighteen ìgbèéén

eighth ózèéén

eighty ègbòèélè

either/or dà

elbow úgú'óbò

elder ódíòn, ómóhódíòn

elect, to ze

electric bulb ìgílóòbù

electric eel ùgbòbò

electricity ìnàtíríìkì, ùrùkpà

elephant ínì

elephant grass òhàà

elephant grass field úgbó'òhàà

elephant gun òkóòdò

elephant trunk óvbèè

elephant tusk ákínì

elephantiasis, to have dee èvìè

eleven ìgbóó

emaciated, to be ha

Emai people émáì

emancipate, to faan

embarrass, to re èkhòì o

embarrassed, to be èkhòì o

embarrassment èkhòì

embezzle, to e éghó', gbe éghó' ru

embezzlement ígbógbórù

embrace, to tutu nwu, gano

emerge, to me re

emerge from, to dianre

emit, to chan

emit gas, to oho étìn a

emit oil, to fi évbìì

emit pus, to oo

empathize with, to to égbè li

employees ékhénòbìà

employment place égénòbìà

emptiness àhòì

empty, to become fi àhòì

empty-handedness ifìàbò

encircle, to lagaa

encounter, to ga ze

end, to the so

end, terminal point ìkpùókhó

end of a farm ògàá

end of long object òtòì

end of one's existence ìrèsó

endurance òzìèn, ìhìàègbè

endurance, to have moe òzìèn

endure pain, to hiaa égbè

enduringly kàkégbè

enemy óghìàn

energetic, to be jaja
energetic quality òjàjà
energetically zíghí
engage in conversation, to gue
engine íjìnì
English úróó óìbó
enlightened, to be taan èò a
enlightenment ìtànèòá
enmity óghìàn
enmity, to hold nwu óghìàn
enough, to be se
entangled, to be din
entangled, to get vbee
enter, to o
entertain by performing, to sie
entertain people, to ghae
entertainer, untalented ùkòbò
entertainers òsíé'
entertainers in troop ékhéén òsíé'
entertainment òsíé'
entice, to ee
entirely hìòòéé, gbègbéí, gbéí
entourage évbàà
entrance úkhùèdè
envy òíé'n
epidemic ókúlúùbú
epilepsy ìghìkpà
epilepsy, to have ìghìkpà nwu
equal òèghè
equal, to be de òèghè
equality, to have se égbè vbi o
equals in rank órèè
era éghéóbá', áyè
era in past áyé lì ìghééghé

erect, to hu
erect, to become tin khuae
erect yam stakes, to dome
erosion that is severe ìgbùùgbúú
err against, to fi don vbi égbè
errand úhùnmì
error ìdóòbò
error, to make de óbò
error that is fatal àzèvbíìdì
Esan people ésàn
escape from burrow òvá
escape, to la le
escort, to oho
esophagus ókòló
especially òmóòmó
Eteye village étèyé
eunuch òwègbé
eupatorium weed ásùmúgó'
European óìbó
evade, to bi égbè
evaporate, to hee a
Evbiame village évbìàmè
even ákíé, áché
even though [concessive] rere
evening énwáà
event inspiring awe òrìrègbè
event that is natural òsàn
event that is novel àìmìènghè
eventually dégbe
ever rèlèrélé, láílái
every èrèmé
every one òdóòdé
every time éghèèghè
everyday édèèdè

everything émí èrèmé

everywhere éhé èrèmé, áí'khàán

evident, to be re vbiee

evil òbè

evil, to be moe ékéínòbè

evil deed òkhòó

evil heart údú lì òbè

exactly gón

examination ìdàmìghé

examine, to fee ghoo

example úgbàì

excessive amount bàtàbátá

excessive manner, to do in u ràá

excessive manner of caring kóó

excessiveness àùèmíráá

exchange, to take in nwu o

excited bághàghá

excited, to be u bághàghá, égbè nwu

exclude, to hian ze

excrement ísòn

excrete, to fena

excuse èhèìn

excuse after a sneeze u ni faan

executioner for oba ínwàdà

exhaust [of people], to ee

exhaust resources, to foo

exhibit behavior, to een úèèn, wee úèèn

exist, to ri

exit, to shoo re

exoskeleton éfáfégbè

expect, to egbe, khokho

expectation ìdàèhón

expectation, to have moe ìdàèhón

expel, to khu

expenses òsékà

expensive condition òyébóyè

expensive, to be ghaen

expensiveness òghàín

experience, to mie

experiment dame fee ghoo

explode [of a canon], to de

exploit, to gbe tee e

extend maximally àzàgháàzà

extended family úkhùèdè

exterminated, to be gbe

extinguish, to funo a

extoll, to zee égbè

extract, to zoo

extract a crop ze

extreme height léghéléghé

extremely tight víín

eye ball úkpèò, èò

eye glasses ùghègbè, ìgíláàsì

eye lense ìbàn

eye mucus ísènò

eyebrow úgùgúmèò

eyelash írúrèò

F

fable ókhà

fabric locally-woven úkpórà

fabricate a lie, to mano èhèìn

face èò

face powder ìpáódà

face toward, to kpen: delo èò kpen

facial outline ómèò

factory ìfátìrì

fact, as a matter of ònyómì
fade, to me a
fail an exam, to de
faint óhòó
faint, to de ókìn
faintness ókìn
fair skinned person óìbó
faith, to have dee ùdù aan
fall, to de
fall against, to gbe: de gbe
fall away, to de fi a
fall badly, to de ùghùn a
fall down, to de re
fall into, to de fi o
fall into place, to de o vbi o
fall off, to de fi a
fall atop, to teen nye: de teen nye
fall to knees, to de ígùà
fallow land ìwé
false mushroom òvítùù
false rubber tree òvíáàbà
false shade tree òvíóòbàdán
false yam òvíémà
fame íkhùèè
fame of, to hear hon íkhùèè
familiar with, to be een
family àfèn
family unit ébòò, úkhùèdè
family heritage émíórèè
famine òhànmì
fan ìfáànì
fan, to foo éhòn
fan fire, to veen
fan of raffia palm àlòfò

fantasy òdóó
fantasy state ùdòò
fantasize, to doo
far, to be rere
far ahead ìdàmìdámí
far side of farm ògàá
farewell greeting kòkóó
farm ímè
farm, to nwu ímè, le ímè
farm area distant from base ògàá
farm hut àsè
farm path ègègèlúkpá'
farm plot ógbímè
farm work èhìò
farmer ònwìmè, òlìmè
farmer of palm oil òsùèdìn
fart ìhòn
fart, to pass a ne ìhòn
farthing àníní
fashion, to be in tin
fast àwè
fast, to nwu àwè
fast, to move kia
fast for, to gba ékéín óhánmí ísì
fast movement tua
fasten, to din
fat évbìì
fat, to be gba
fat of animal évbíéànmì
fat of goat évbíéwè
fat of human body évbíégbè
fatality àzèvbíìdì
fate èhì, òlóòlò
father èrà

father [term of address] ìbàbá
father, priest ìfàdá
fathom, to hoo òtòì
fatigue òèmé
fault èmòì
favor ésè
favor, to do a u ésè
favor with no obligation éséòhén
favored wife éghàyòfear ófèn
fearful, to be la ófèn
fearfulness ìlòfén
fearful person òlòfén
feast ìsàá
feast, to make a se ìsàá
feather ìòòn
feather from tail úgúítíhìàn
feather of hen íóón ísì óókhò
feather, parrot íóón ísì úkhùèdídè
feces ìsòn
feces that are dry íkàkíìsòn
fed up, to be kaan
fee éghó'
feed, to re émàè li
feel sleepy, to ómèhèn so
feet àwè
feign, to re ìkà
feigned condition ìkà
fell, to gbe
fellow ómòò
female òkpòsò
female, young rascally òwéléké
female animal that unbred ùlèkè-
female chief ólùà
female child ómòkpòsò

female divorcee àdègbè
female housefly áánmíshàn
female insect áànmì
female, no social graces ádùbádùì
female affliction èdà
female, pubescent óvbékhàlèkè
female rival òíé'n
female, slim and fair áhèghèlè
female youth óvbékhàlèkè
female of stature ósòkpòsò
fence úgbà
fence in, to gba úgbà lagaa
ferment, to raan
fermented drink ényò
fermented melon condiment ògìì
fern, palm fern íbùbúmòìsà
ferret òlógbògò
fertile woman òvbìòmò
fervently yóyòyó
fester, to òsón o
festering wound òsón
festival úkpè
festival, agangan eve ìàbàdó
festival day édúkpè
festival object émíúkpè
festival of Emai in July àgágá'n
festival of new born òghàè
fetch a mass by scooping, to ze
fetch from display, to zoo
fetch over a distance, to vo
fetch with a cup, to sa
fetish object éò
fetish object from cassava óhò
fetish object in house ósùn

fetish, to appease oo éọ̀
fetish, to invoke kọ éọ̀
fetter of wood ùtí
fetus àkpà
fever úìin
fever with shivering ọ̀gbọ̀gbọ̀
few ésò
few in quantity kéré
few people íkpékè
field ìfììdì
field of elephant grass úgbọ́'ọ̀hàà
field wagon áyọ̀kèlè
fiercely bèú
fierceness ívbàẹ̀ò
fifteen ìgbìíhìẹ̀n
fifteenth ọ̀zìgbìíhìẹ̀n
fifth ọ́zìíhìẹ̀n
fifth position ákpọ́zìíhẹ̀n
fifty ègbọ̀èvá bí ìgbé
fight, to khọen
fighting ókhọ̀in
figurine of clay or wood èmàzẹ́
file òlímá', ìfáìlì
file, to rẹ nwu úvìẹ́nmì
file teeth, to sẹ àkọ̀n
fill, to vọon
fill by pouring, to ọon
filled up, to be khọon
filth ínwà
filthy, to become gbe ínwà
find, to hoo, miẹ
find out, to miẹ
find time, to hoo éghè
fine ùhì

fine amount ọ́ọ́khúróọ̀bè
fine an amount, to hian
fine to, to issue a vbuu ùhì li
fine for fighting an elder ìnáí
finger úkpó'híóbọ̀, úkpóbọ̀
finger, index óbúlàlòmí
finger, middle úkpóbèrà
finger, pinky úkpóbọ́ lì kéré
finger, ring úkpóbìnyọ̀
finger ring úkpìhìàkpá'
fingernail ẹ́hìẹ́n, úkpẹ́hìẹ̀n
finish, to foo
fire èràin
fire, to make kuẹ èràin
fire, to light koko èràin
fire, to prepare over nyẹ
fire area ásèràin
fire cracker ùsánúkpè
fire pot, to doo
firefly ìnyábìí
fireplace íù
firewood érékpèn, óràn
firewood of tree bark úkpàkpóràn
firewood stump ètòkẹ́
fireworks ùsánùkpé, ìbísíkò
firm and strong, to be toto
firmament òkhùnmì
first kpao
first [when counting] àó
first person emphatic mèmè
first position ọ́kpàò
first time ìkpàò
firstly ọ́kpàò
fish èhèèn

fish, Auchenoglanis occidentalis
ìgbùlúrù

fish, dogfish áwàẹ́dà

fish, dried stock fish ákpòlòkò

fish, Eutropius niloticus ìgóògóhì

fish, flying fish ávbíẹ́vbíẹ́dà

fish, Gymnarchus niloticus
ìbìbìẹ́dà

fish, Labeo senegalensis ìgbákòn

fish, lunged mudfish ùlùgbùtú

fish, Tretraodon fahaka ìgùlúrù

fish hook and line ánwèhèèn

fish scale úkpàkpà

fish trap of conical shape ógùà

fish type ùgbèùè, òrùnèó

fish with sting fins ọ́ságbè

fish, to catch gbe

fish bone úgbàn

fisherman ọ́zìgùè

fist èkpà

fist, to close koko èkpà

fist fight, to have a fi èkpà

fit in size, to gua

fit into place, to de ọ vbi ọ

fit someone, to ma

five ìíhìèn

five each ìíhìíhìẹ̀n

five in all ìhìíhìèn

fix, to ẹhẹn

fix a date, to ze ẹ́dẹ̀

fixed straight fíóó

fixedly màáá

flake, to khuikhui

flake off, to khuikhui ku a

flap wings, to gbe ábọ̀

flapping vigorously púpúpú

flare up, to veen

flash, to hian íhìán

flash of heat lightning íhìán

flashingly bìán

flat and thin, to be u pèréé

flat out gbáyá

flat surface of blade àbàbàmì

flatten ground, to due a

flatter insincerely, to hee

flawless manner of care àkùèèlè

flay, to kpan

flee, to la lẹ

fleeing ùlà

flesh of humans éhù

flick, to san

flicker íhìàn

flicking dance tíjèntíjèntíjèn

flight of a bird útìnmí

fling, to bumẹ

flingingly píí

flip backward àkùyúókhó

flipforward
àfiùnhùnmìshánvbẹ̀gèìn

flirt, to ghee

flirtatious condition òghèè

flog, to fi úkpàsánmì

flood òòghò

floor òtọ̀ì, úkhùòtọ̀ì

floor of building ògbàgbè

floormat éwáà

flour ìfúláwà

flourishly loud yóghóó

flow, to la
flower ódòdó
flowing in supple manner fóó
fluently rùérùé
flute of calabash àgbò
fluttering vigorously púpúpú
fly, to tin
fly, house fly íshàn
fly, red fly íshànmá'lòkín
fly about, to dan
fly swatter, fly whisk àgbùzà
flying fish ávbíévbíédà
flying fox úvbíéwòkhùnmì
foam at the mouth, to hu
foe óghìàn
fog óvbùù
fold together, to ku gbe
fold, to maa
folktale ókhà
follow through, to re o
follow, to rekhaen
foment, to riaa
fond of, to be to food émàè
food bits àé
food for the day émáédìhèn
food in a clump ésè
food money éghémàè
food that is stale émúghó'ì
food, to prepare ehen
fool òghòdàn, áwó'bì
foolish, to be ruru
foolishness òrùrù
foot òè
foot rot fungus ìsíkhùìhíé

football ibóòlù
footfall ìkhìmìzà
footpath ùlàchíén
footprint étáàwè
foraging òrìà
forbear, to re gboo vbi égbè
forbid, to absolutely waa
forbidden practice àwàà
force ìkpàmìká
force, to sua
force for contrary behavior ósùà
force, destructive òlèlèbíèlè
force, evil ìsé
force, negative óyèé
forcefully píí
forearm óróbò
forehead èhài
foreign land ùmà
foreigner óré'
foreleg óbò
forest, old virgin timber úgbó'rè
forest of raffia palm úgbó'òwò
forest of virgin timber úgbó'
forever and forever ghé
forge, to dume
forget, to ee a
forgetful, to be ee égbè a
forgetfulness ìègbèá
forgive, to re hunme
forgiveness ìrèhúnmé
forked stick ùzákòn
form, to ku
fornication ùhé
fortell, to mie èò

fortnight of nine days ùsúmù

fortunate, to be hunme̱ è̱hàì

fortune, good fortune íhùnme̱hàì

fortune, ill fortune íkhòè̱hàì

forty ègbòè̱vá

forward, to be ri vbi ísàò

foundation of building ígbùlòtòi

foundation of laterite ùlè̱kpá

four è̱élè

four-parted object áke̱élè

four times ìsè̱élè

fourteen ìgbèélè

fourth óze̱élè

fourth part áhìnè̱élè

fourth position ákpóze̱élè

fowl óókhò̱

fowl in bush àwàì

fracture, to guogho̱

frame for a roof èhá

free, to faan: mie̱e̱ faan

free, to get faan: ni faan

freeborn ómòtòi

freedom òmìnírá

freely ò̱hé̱n

frequent a place, to kpo̱

frequently sàá, éghèéghè

fresh [of fruit] ò̱bàn

fresh [of vegetables] ò̱gbò̱n

fret, to e̱e̱

friend ómòò

friendship ómòò

friendship, to develop nwu ómòò

frighten mentally, to gbe ùdù o̱ vbi é̱ké̱ìn, ku ófè̱n o̱ vbi é̱ké̱ìn

frighten physically, to niaa, nyanya

frog é̱kèé lì ùsán

from ísì

from, to be za

frond of palm tree íkpèhìànmì

front ísàò

front, to be in ri vbi ísàò

front of a cloth é̱ó ísì úkpùn

front of, in ísàò ísì

froth at the mouth ò̱dò̱ghò̱

frown, to suku è̱ò a, riaa è̱ò a, nwu è̱ò hua

frugal, to be te̱te̱

fruit, Indian almond ìfúrúùtù

fruit, papaya fruit ìnyóbá'

fruit of ichichogho shrub íkpòóbì

fruit of date palm ò̱kpóghò̱lúkpé'

fruit of garden egg ìkáè̱é̱n

fruit pit úgùà

fruit producing a syrup òìì

fruit with peppery taste ò̱khùò

fruit, to bear mo̱

fruits íkpéràn

fry in oil or sand, to anme̱

full moon, to have a ùkìn vo̱o̱n

full, to be vo̱o̱n

fumble food, to re̱ óbò̱ gbe

fun of, to make ye̱ye̱

funeral ìvìòìmì fungus ítùú

fungus from flooding ìsíkhùìhíé

fungus, to develop fi ítùú

funnel àtìró̱

fur óhìàn

furthest point kpèlèkpélé

furtive glance úbèè

fury ívbàèò

fuss, to make a nyaa

fussiness [of children] únyààmí

G

gable àkhòkhò

gain èè

gall bladder úkpèbì

gallon ìgááwá

gamble, to fi ólò, ta

gambling ólò

game of stepping ìmíìnyé

game for girls ìkpóòjè, ìràbònwú

game seeds íkpísédíòn

game, to hunt khu íhùà

game, wild animal éámògò

gang of workmen ékhénòbìà

gangrene ìhú

gap òò

gap-toothed, to be se àkòn

garbage íkùkù

garbage dump ákèté

garden that is small úvbìàdò

garden egg éèkhò

garden egg fruit ìkáèén

garden egg, bitter òtùkpághò

gari ìgáàí

garment úkpùn

gasoline ìpètúróò

gasp íkpìkó

gasping, spasm húkpéhúkpé

gather, to koko

gather around, to gaa: gbe gaa

gather strength, to kuen étìn

gather together, to si koko

gather by scooping, to kpolo

gathering úsèé

gaunt, to be u gúákpá

gecko òkhèòà

generation órèè

generations ago ìghééghé

generations past òrèléèdé

generosity úfùnmí

generous, to be fun

genet cat èrà, óbèè

genius àyàmà

gentle, to be fun

gentleness úfùnmí

gently dégbe

germinate, to ze

get even with, to hae ògà

get lost, to uwe

get onto a road, to din o

get out, to dianre

get ready, to ze émì

get rich, to fe

get stuck, to so

get up, to shoo re

get up to, to se

get wide, to vbe a

ghost ùdègbóìmì, ìdògbóìmì

giant ègbúàn

giant rat's tail òbàódí

giddiness óhòò

gift, to present with a re li

gin brewed traditionally ényúdìn

gingivitus ógùà

girl, pubescent àlèkè
girlfriend ìgéfúréèndì
girlhood, to reach se àlèkè
gist of a matter únùèmòì
give a name, to nwu énì li
give advice to, to re èwàìn li
give birth, to vbia
give by collecting, to lie li
give by picking up, to roo li
give by taking, to re li
give by taking hold of, to nwu li
give evidence for, to re ósèi li
give food as sacrifice, to ze ìzòbò
give room to, to re éhè li
give thanks, to khueme
glad, to be ghonghon
gladness èghònghòn
glance at, to daa èò
glass beads of blue color úfì
glass beads, rectangular èkán
glass for drinking ìtónbùlà
glass for window ìgíláàsì
gliding vbèé
glistening bright ghóíghóí
glitteringly tòbó
globe of lantern ìgílóòbù
glory ókhàè
glow [of a fire], to veen
glue from sap àhè
glue together, to so ku gbe
glutton óímémà
gluttonous, to be fi ékèìn
gluttony òègbé
gnat at water ìsànèdà, ìsànghèdà

go back, to chie
go to [conative] oo
go to, to lode
goal in a game ìgóòlù
goat éwè
goat, whole goat úkúté'wè
goatfat évbíéwè
goat, bred òdéèwè
goat, female ínyéwè
goat, male úvbíúkò
goat, unbred úlékéwè
God òìsèlébùá
goddess of sea òlóòkún
goiter, to have kpen ùrùn
gold ìgóòlù
goldsmith ìgòsímíìtì
gong àgógó'
gonolek áyònú
gonorrhea áhè
good day greeting óòkó
good for nothing úmònóyà
good for you! ébàà!
good fortune èhàì
good luck ìhùnmèhàì
good luck bowl ìgúdùlóòkì
good morning! [male] èdí
good that, to be hunme li
good, to be hunme
goodbye kòkóó
goodness òhùnmé, òsèn
goodness of a person ólèsèn
goose óghòhúnmì
gorilla íkòíkò
gossip èó, íkpìnyèmì

gossip about, to u èó

gossipy person óvbèmòì, óùèmòì

gouging sound kpòhíó

gourd ùbèlè

gourd bowl òkpàn

gourd for soap úgbégbósà

gourd for storage ùgbègbè

gourd for medicine úkókúshé'n

gourd tray èdìdé

government ìjóbá

governor ìgóvìnà

gown ìmàmí

gown of ankle length ósòtòì

grab, to khuun: de khuun

grab by catching, to khu nwu

grace éséòhén

grade, to evenly due a

gradually dégbe

grain of a seed úkpà

gramophone ìjàmàfó

grand, to be tin

grandchild óvbíóvbì

grandchildren ìvbìvbíá

grandfather, maternal érìnyò

grandfather, paternal érèrà

grandmother, maternal ínyìnyò

grandmother, paternal ínyèrà

granules of ékhàkhà

grass along marshy banks ígòdó

grasscutter ívàn

grasshopper àkàkà

grasshopper, green ákákébè

grasshopper, long antenna òrùhùnmìgóòrúán

grasshopper, sickled tail ákákópìà

grasshopper, smelly ákákìhìèvbé, ákákòtùò

grasshopper of rainy season ákákòròòn

grassland úkátó', átó'

grassland plant ósùnbíjòjò

grassland savanna úgbé'bè

grassmat éwáà

grassnake ényébè

grate tubers, to unghun

grater áhìàn

gratitude ésè

grave ìdì

gravel ótóídò

gravel piece íkpídò

graveyard ògbèn, úgbí'ìdì

grease òí

great extent gbèdègbédé

great height ìdàmìdámí

great saying ókpóghìtàn

green bin bi ébè

grean bean plant that coils òshíé'

greens for soup èfó

greet, to rue

greeting órùè

greeting, emphatic ènén

greeting response to greeting èè

greeting to elderly èdìònmá

greeting to someone éèsè

grey bin hùyáhùyá

grey hair édè

grey-headed, to become fi édè

grief òìnègbè, òkhèkhè

grieve, to vi̲e̲

grind, to l̲o̲

grind teeth, to anme̲ àkɔ̀n

grindstone údò

grip firmly, to khu nwu

grit-like, boiled maize íkpókìe̲ésì

groan írùàn

groan, to si írùàn

groin area é̲kpè̲rè̲

grope for, to baba: re̲ óbò̲ baba

ground òtò̲ì

ground maize or beans èkò

ground squirrel óìà

groundnut ìhíángùè̲

groundnut plot úgbí'ìhíángùè̲

ground around house ótó̲úghó'ì

group évbàà, òhùkú, ìkíláàsì

group by age grade òtú

group of èkhè̲èn

grow, to ze̲

grow in size, to hu

grumble, to ze̲ ùnyò̲

grumbling ùnyò̲

grunt írùàn

grunt with fatigue, to si írùàn

guard in oba's palace ínwàdà

guard, to khe̲e̲

guard, to be on re̲ ìèè o̲ vbi égbè

guava ìgóvà

guess, to b̲o̲

guest ó̲ré'

guest room é̲kó̲á ísi ó̲ré'

guide, to re̲ úkpódè̲ vbie̲e̲

gulley ìgbùùgbúú

guilt ìbòhí

guilt to, to assign re̲ ìbòhí li

guilty, to be ze̲ ìbòhí

guinea fowl óròòn

guinea fowl egg éké̲ín óròòn

guinea grass è̲vò

guinea pig ófóìbó

guinea worm ìsòbìà

guinea worm infection étòyìyà

guitar ìjìtá

guitar, local guitar ìsísíkhòòjò

gullet ó̲kò̲ló̲

gulp down, to mi dan

gum àhè

gum together, to so ku gbe

gum tree àhè

gums area of mouth ìyòò

gun òísí'

gun, double-barreled ìdò̲bùbá

gun for elephants ò̲kóòdò̲

gun pellet rod of fiber ùké

gun rod ó̲kpó̲'

gunpowder èkhàì

gutter for rainwater égàá

gyrate the hips, to fi ékùn

H

habitual construction à, ò̲

haggard, to be u túzé̲túzé̲

haggle, to ve

haggling ívé'

hail ámíkpídò

hair of animal ìòòn

hair on human body étò

hair part úkpàkpó

hair plaiting étóbọ̀, étòú

hair shaped into a ball òsùsù

hair that is gray édẹ̀

hairpin for plaiting úgbèbá

hairpin for scratching ùkótì

hairtuft úkpétò

half áhìnèvà

halfway ídámà

halt, to da nyẹ

hammer ìhámà

hammer of blacksmith úmòmì

hammer, to khaan

hand óbọ̀

hand, to cover mouth with rẹ óbọ̀
    voo únù

hand, back of hand úókhó óbọ̀

hand, left hand ògòbọ́

hand, right hand óbọ́díọ̀n

handcuff of wood ùtí

handcuffs of metal íkààghà

handle of a blade ézè

handle of a utensil óbọ̀

handled pot úwáwògùè

handleless blade ábèé

handsome, to be hunmẹ ósèn

hang, to khuan

hang self, to din: rẹ úfì din

happen, to ruan, u

happen to, to ruan ye

happiness èghònghòn

happy newborn! àmóòghò

happy, to be ghonghon

harass, to nyanya

hard hearted, to be zẹ ùdù

hard, to be kaka

hard to do, to be ohia

hardship èsòn, ọ̀mìámẹ́

hardwood type ùsìvìn

hare ẹ̀tín

harm, to daa

harmattan wind òkhùàkhùà

harp, native harp àfàn

harrass, to nyanya

harsh, to be fi óbọ̀

harvest by digging, to tọn

harvest by extracting, to zẹ

harvest by tapping, to so

harvester of palm oil ọ̀sùèdìn

hasp and staple lock àsígbè

haste òtùà

hastening fashion tua

hastily tua, èjéèjé

hat érùn

hatch, to sayẹ

hate, to bi óhàn ísi

hatred ìbìòhán, òbè

haughty, to be hio

haul by hand, to nwu

haul on the head, to hua

Hausa people ìgàbàí, àúsá

hautiness ìfáàí

have ulcer or sore, to mọẹ èmàì

have, to mọẹ

havoc ùzà

hawk ẹ́kpé'

hawk, chicken hawk ódègbé

hawk in the market, to wewe

he o, yọn, iyọin

head úhùnmì

head of a society ódíòn

head of group ògá

head of household ódàfèn

head tax éghúhùnmì

head wrap ùgbàlùhùnmì

head of yam úhúnmémà

headache, migraine óvèò

headache, severe òvàùhùnmì

headache, to have a úhùnmì valo

headpad èkìn

heal, to foo

healthy, to be daan

heap égùà

heap, to gua

heap area bounded by heaps ùhò

hear, to hon

hear sound of, to hon íkhùèè

heart ùdù

hearth íù

hearth on three legs àdògán

heat rash íkpóòfò

heat up, to tohia

heat wave òtòhíá

heaven for Christians ókhúnéìmì

heavy and thick condition dúú

heavy item òkhúá

heavy, to be khua

heavy, to be very khua kpónkpón

hedgehog áègbé

heel of the foot ízà, ézé, ézéòè

heifer úlékémèlá

height údàmí

height of great extent éghédé

height of great extent ìdàmìdámí

height of great extent kpèé

heir to the throne òòbà

heirloom émíórèè

hello éèsè

helmet úvbíérùn

help, to kpaye

helter-skelter ókhírígùògùò

hemorrhage íóghèrè

hemorrhoid ùbó

hemp, Indian hemp àtábéìmì

hen óókhò, ínyóókhò

her [accusative] íyòìn, óì, áìn

her [dative] áìn

her [possessive] òí, ìyóín

herbal potion for maladies àgbó

herb(s) ìkhùmì

here àòn, èàn

hermaphrodite òzùkòkòzékùè

hernia úlùúlèré

heron úkòòbòzò

hiccup íkpìkó, òkókóì

hiccups, to have so íkpìkó

hidden agenda èsè

hide from, to hee: la hee

hide from, to hee: nwu hee

high, to be da

highly ghégégé

highway robbers àràkhùà

hill ókòó

him íyòìn, òì, áìn

hindleg òè

hindrance òmìàmé, òvbèlè

hipbone ìkhì

hippopotamus ìnìnáàmè

his òí, ìyóín

hiss èsòn

hiss, to kpe èsòn

history ìtàn

hit by contacting, to gbe

hit by projecting, to fi

hit by striking, to hian

hobgoblin àkòkòò

hoe ègúé

hoe of Ebira people ègúígbàn

hoe that is large ègúó'

hoe with large blade àhò

hoe, to gua

hold meeting, to moe ékùèè

hold, to moe: nwu moe, hua moe

hole òò, òvá

holiday ìfètìán, édìfètìán

hollow hóghó

holster ákòísí'

Holy Communion émáénwáà

Holy Ghost étín lì òfùàn

holy, to be fuan

homage to, to pay ga

home óà

honey éòn

honeybee éòn

honeymoon íkò

honeymoon with, to koo

honor, to nwu èkpén li

hoof óhìà

hook for fishing ánwèhèèn

hook for fetching water ìdòjé

hookworm èkhòì

hop on one foot, to so ólìsó

hope ìdàèhón

hope, to oo

hopscotch game ólìsó

hopscotch, to play so ólìsó

horizontally distant ìdàmìdámí

horn íké'

hornbill bird àkpíànkpíàn

horse èsí

horsetail whisk àgbùzà

hospital ásìbítò

hostility òkàn, óbè

hot, to be tohia

hot climatic condition òtòhíá

hot compress, to apply a riaa

hot rub òí

hot to the extreme gbígbígbí

hot water ámé lì òtòhíá

hour ìwákàtí (Hausa)

house óà, ìwè

house fetish ósùn

house floor úkhùòtòì

house roof úhúnmóà

house top ókhúnmí óà

housefly íshàn

housefly that is female áánmíshàn

household àfèn

hover, to gbe gaa

how ébé' i

how are you greeting form ògbéé

how many ékà

how much ékà

how often ísékà

however àmáà

howl, to vaan

huge to the extreme gbèdègbédé

human being ói̱à

humble one óvbìògúé'

humble, to be dee úhùnmì re li

humbleness ògúé'

humility ìdèùhùnmìré

humility,to have moe ìdèùhùnmìré

hump úké'

hunchback o̱súké'

hunchbacked, to be so úké'

hundred ègbo̱ìíhìèn

hundred ten ègbo̱ìíhìèn bí ìgbé

hung, to get khuan: nwu khuan, hua khuan

hung, to be khuan: de khuan

hunger òhànmì

hungry, to become òhànmì gbe

hunt, to khu íhùà

hunter óhùà

hunter's dance ìókó'

hunting íhùà

hunting camp àgó̱

hurried condition òtùà

hurriedly tua

husband ódò̱n

husk, to boo

hut àsè̱

hyena àwàlúùhòbò

hyena that is brown àkpàkómìzè̱

hymn íòò

hyrax, tree hyrax ìkúàghàghà

I

I i

icy cold fo̱ síkó

idea èwàìn, àòó

identical àbò̱kpá

identify, to yi

idiot ólùgázù

idle, to be de e̱hò

idleness e̱hò

idol of personal nature áré̱ò̱

if kha

Igara people ìgbìà

Igbo people ìgbò

ignite, to hian

ignite, to have fire nwu àkò̱n

ignore, to bi èzù gbe

Ihievbe village ìhìèvbèè

Ihievbe quarter óvbíúèmághè

Ijebu people ìjè̱bú

ill treat, to u kho̱o̱

ill, to be kho̱me

illness èmìàmì, ò̱tòmé̱

ill-feeling disposition o̱kàn

ill fortune íkhò̱èhàì

illumination àghèghèíghè

image ódùdú

imaginary person àkòkòò

imagination state ùdòò

imbecile òghòdàn

imitate, to re̱ égbè oo

immediately àgágàgálá, àgàlà, ìsòkpísòkpá

immerse, to laa o̱

impediment èsè

implement émìòbìà

implement of religion àbà

implicate, to me

important ùkútú'

important man òkpèsá

impotent man òwègbé

impotent, to be woo égbè

impregnate, to nwu ékéìn lí

in/on/at vbi

in stealth, to do do u

incorrect òhàn

increase, to bun o vbi o

incubation state érùè

indeed érí'

independence, political òmìnírá

Indian hemp àtábéìmì

indicate, to yi

indifference èzù

indigene óí' vbì, òlàà

indiscrete person átàlò

individual person óìà

indolence èhò

indoors ékéìn ìwè

induce to laugh, to gbe ójè

indulge, to u ráá

indulgence ídìsè, ìsè

indulgence, excessive òsàráí

indulgent, to be de ìsè

inexpensive òkpóì

infant ómò

infant that is lastborn ómóbò

infection èkpèìn, èmàì

infection, yeast infection ítèé

infection from a scratch ìtépèé

infectious disease émíámúgbà

inferno of significance ókpíjé'n

infested with, to be gbe

inflamed, to be huma re

inflamed glands, to have èkpèìn sa

information ìnyèmì, ìnìnyé

ingrate òghòdàn

ingratitude àgbòìàóvbólèsèn

ingredient émíómì

inhale, to si

inherit, to e vbi ùkù

inheritance ùkù

iniquity ékékhérè

initially kpao

initiate, to gbaan re

injure a wound, to chien

injury èmàì

in-law òrúán

inner room of a house àzà

innumerable ògbèré

inquire whether, to miaa ghoo si

insane person ómèmè

insect, small insect òkàlètò

insect, stink bug íghòókàn

insect, winged insect type íòédó'

insect attracted to eyes ìkhúkhù

insect that creeps íé'n

insect type úkpèsùsù

insect type that creeps íé'n

insert, to fi o, ku o

insert yam-poles, to dome ìsèsè

inside ékéìn

inspect, to fee ghoo

instability ìfùnòfúnó

instance úgbàì

instantly ìsòkpísòkpá

instrument for music émìòsíé

insult úkhùèè

insult, to khuee

insult appearance, to re gbe ókàn

intelligent, to be gue ébè

intensely kpékpékpé, totóbo, yóòyó

intentionally dabo

intentionally, to look ghoo ghóghóghó

interact, to een

intercourse, to have sexual lele

interest on a loan òdón

interior ékéín

interpret ta re, miee ùròò

interpretation àzèó

interpreter ómìèùròò

interrogate, to miaa étà

interrupt, to so étà nye vbi ùnù

interval between markets újèkìn

interval of four days ùjè, òlíénà

interval of nine days ùsúmù

intestine éhùàn

intimidate, to nyami èò

intimidation ínyàmèò, ìkpàmìká

into/onto, to move o

intrigues, disharmony áènáèén

intrigues of social nature èó

intrigues, to engage in u èó

inveigle, to ee

investigate, to fee ghoo

invocation of evil force ìsé

invocation power àsé

invoke, to sia

invoke evil force, to fi ìsé

invoke fetish, to ko éò

involve, to de

iroko ùlókò

iron ótóòn

iron, to loo

iron for pressing clothes áyònì

iron rod úkpótóòn

iron sheet, corrugated íkpáànù

iron trap ikpàkúté'

ironwood àgágá'n

irrecoverable, to be ume

irregular òhàn

irritate a wound, to chien

irritate, to vbaa

irritation òvbàvbègbé

Ishan people ésàn

isolated area ùdèvbìè

issue ìnyèmì, èmòi

issue a fine, to vbuu ùhì

it o, iyoin

it [accusative] òì, íyòìn

it [genitive] òí, ìyóín

itch, to tolo

itchweed type éwáùdókò

item émì

item that is secondhand ìwèké

Itsekiri people ìshèkírì

Iuleha people íúlèèhà

Iwo people ìwò

J

jab, to sen

jackal éánméàhè

jackknife àgbòí

jail ìghàn

jail, to go to ye ìghàn

jam packed, to be voon pééí

jaundice émíámévbìì

jaw àgbàn

jawbone íbàlázà

jawbone front ívìàgbàn

jealous, to be moe èò, nwu òíé'n,
   ze óònmì

jealousy òíé'n, óònmì

jerkily gùàghó

jest, to yeye

jesting ìghéé'

Jesus ìjésù

jewelry èjò

jiggar àzìgán

jinx èsè

job ìjóòbù, òbìà

jog, to la

join to, to ku gbe: so ku gbe

join with, to baa: de baa

join, to baa: de baa

joint úgùà

joint of a bone úgùàkpókà

joint, to set so úgùà

joke ìghéé', ínyémógè

joke, to yeye

journey óshàn

journey that is hasty úshánòtùà

journey with no goal ògàlà

joy èghònghòn

judge àdájó

judge óghàèmòì, óhànèvbòò

juice àmè

juju ìkhùnmì

juju man óbò

jump, to vboo

junction àgàdà

junction at a road àvàànùkpódé

junction in fork shape àgàdàlèvá

jungle úgbó', úgbó'rè

junior [insult] úkúkóvbèkhàn

just ghe

just now èghéènà, ènyáà

just now [emphatic] ènyéènyáà

jute sack ékpìdòhó

K

keep, to yaa: hua yaa, nwu yaa

keep livestock, to kuee

keep quiet, to haa a

kernel nut of oil palm úkpìvìn

kernel of oil palm ivìn

kerosene ìkààsí

key ìkókóó, ágádágòdò, ìkí

key, to lock with fi ìkí

kick with the foot, to re òè gbe

kick with the heel, to so ízà

kidnapper ìgbómògbómó

kidney íká'n

kill, to gbe, gboo

killer ògbùbì

kin relation ómìòò

kin relations ébòò

kind, to be fun

kind élìyó, élìná

kind of one élìyó, élìná

kind different ódàn

kind, emphatic different ódòódàn

kindness, uncherished és̱éòghòdàn

kinds, these kinds élìná

kindle, to ve̱en

kindling ékhàye̱

kindness úfùnmí

king òjè, óbá'

kingdom òto̱ì, ég̱héóbá'

kitchen ìkésìnì

kitchen area outdoors ùnyàkhè

kite, African black kite álòógbà

knee úgú'ò̱è

kneel, to de ìgùà

knife ághàè

knife, kitchen knife úvbíághàè

knife for circumcision úchè

knife for ritual practices ábe̱è̱

knife sheath àkò

knife with single-edge àgbòí

knock against, to gbe: fi gbe

knock down, to gbe: fi gbe

knock, to so óbo̱ vbi úkhùè̱dè̱

knock on the head ìkhókhòóì

knock on head, to so ìkhókhòóí

knock, to so óbo̱ vbi

knot, to din

knot together, to din ku gbe

know a language, to gue̱

know a skill, to gue̱

know in one's mind, to e̱e̱n

know that, to e̱e̱n khi

knowledge ògùè̱

kola nut é̱vbèè̱

kola nut for guests évbéò̱hé̱n

kola nut, multiple lobes é̱vbéò̱hé̱n

kola with two-lobes ìgbàjá

L

labor, to fi ùdù

labor, to be in fí úvbìàmí

laborer ófiùdù

laborers ékhé̱nòbìà, ìlébìà

laboratory ìláàbù

ladder ígbàlàkà

ladle òè̱è̱, ìsíbí

lagoon òsà

Lagos èkó

lair úghèè

lake è̱ràì

lamb óvbíóghòóghò

lamentation évìè̱

lamp ùrùkpà

lamp stone for hunter ìkábáàdì

land òto̱ì

land that is fallow ìwé̱

land unit ógbímè

landlord ìlánlo̱dù, ódàfe̱n

language ùròò

lantern ùrùkpà

lantern for hunters úrúkpóhùà

lantern of carbide úrúkpìkábàdì

large [augmentative] údù-

large, to be gba

large to the extreme gbèdègbédé

larva èkho̱ì, àkhùèràn

larva in palm tree òkhòkhòíkhò

larva of butterfly ìsísíkhàìdí

larva of wood worm ókhó̱ítíkù

larynx ókò̱ló̱

last élà

last [emphatic] élèlà

last, to be kpe̱n ùòkhò

last born ómóbò̱

last time élá ée̱áìn

later e̱ghé̱ lí áàìn

laterite level of soil ùlè̱kpá

latex from rubber tree àmè̱

latex weed àzùgbàn

lather, to make hughu

latrine ìnàtíríî, ìlàtíríî

laud, to ree

laugh, to je̱

laugh, to make gbe ójè̱ a

laughing, to bust out to̱n ójè̱ hua

laughing dove ékùété'

laughter ójè̱

laughter that is forced íkàkójè̱

law ùhì

law officer ìpòlíìsì, ò̱lóò̱kpá

lawn ìfîìdì

lawsuit è̱zó̱n

lawyer ìló̱yà, ùnó̱yà

lay-about úmò̱nó̱yà

lay across, to te̱e̱n nye̱ vbi

lay egg, to ho̱

lay out, to we̱e̱

laziness èhò

lazy, to be de èhò

lazy person èhò

leader ò̱gá

leaf ébè

leaf for treating boil úkpòísí'

leaf for wounds úgbè̱khòkhò

leaf type ùbè̱zì

leaf with abrasive surface àmè̱mè̱

leafy vegetable íhìèò

leafy vegetable, large bud ímègù

leafy vegetable sauce òdèlò̱

leafy vegetables èfó̱

leak, to aa

leak pus, to oo

lean, to become ha

lean on, to re̱ égbè go̱n

leap, to vboo

leap onto, to maa égbè vboo

learn, to mama

learn a trade, to mama òbìà

leather óhìàn

leather bag e̱kpóhìàn

leather box àkpótí ísì óhìàn

leave, to shoo re, raale̱, le̱

leave alone, to roo óbò̱

leave behind, to fi a

leaves of curry plant úàmó̱khò̱

leech íe̱̱nhì

left ò̱gòbó̱

left over, to be koo re

leg òè̱

leg calf úvbíákhòè̱

leisure òvbàyè̱

lend, to mo̱mo

leopard èkpèn

leper ókhónmíté̱'n

leprosy íté̱'n

leprosy, to have nwu íté̱'n

lesson plan àmàmá

let, to ze̱

let blood, to la èrèè

letter ébè

level, to due a

levy a cost against, to hian éghó'

liar òléhèìn

liberate, to faan

lice ìrù

lice on chickens írúrókhò

lick, to lalo

lid úvòò

lie èhèìn

lie, to tell a moe èhèìn li

lie down to sleep, to mehen

lie down, to de mehen

lie in wait for, to kpen òtòì khee

life àgbòn

life force èhì

life in next existence àréóvbèé

life in prior existence ùsí

life on earth àréónà

life path úkpódàgbàn

life that is easy ágbón lí hùéhùé

lifeless, to be fi évbìè

lifeless state of existence séén

lift, to khuae

lifted up, to get nwu khuae

light fire, to koko èràin

light lamp, to re ùrùkpà run

light pipe, to re èràin o vbi íkìtìbè

light in color, to be fuan

light weight [animates] húsé

light weight [inanimates] húásá

light skinned, to be vbae

lightning íhìán

like bi, élàbí

like, to be re bi

lime ùgbòfì

limestone powder èrèè

limp, to sugu òè

line úvìénmì

line, to get in re o vbi úvìénmì

lineage úàànmì

lion átàlàkpà, òdùmá

lips úkpé'túnù

liquified, to become logho a

listen, to daa éhòn

litigate, to gue èzón

litigation èzón

litter íkùkù

little kéré

live long, to ton

live somewhere, to dia

liver íbèn

lizard émìémì

lizard, red neck òdèdèshíèkpè

lizard, alligator lizard ásháshá'ì

lizard, dwarf lizard óyèé

lizard, monitor lizard óyé'lò, òòjò

load íhùà

load, to khaan

load pad, to make ku èkìn

loaf of bread ìbúréèdì

loam soil òkpàkù

loan, to take nwu òsùsù

loan from a cooperative òsùsù

loan interest òdón

lobe on ear éhòn

lobster ènítàn

located, to be ri, e

location àyè
lock, to fi
lock mechanism ìkókóó
lock up, to khuye ze
lock with key, to fi ìkí
locust bean ùgbévbèè
locusts íghí'sò
lodge with, to vaan
lodger, temporary óré'
log úké'lórán
loiter, to yeye shan
loneliness évbìè
lonely, to be vbie: de évbìè
long ago ìghéèghé
long and flowing gbóó
long and straight khúíá
long time ago ìghéèghé
long time, to last a ton
long time, to take a tee
long, to be rere
longtailed nightjar ánámóbò
look alike, to khoon
look at, to kawo, kaoghoo
look for, to hoo
look like, to re bi
look over, to woo
loop trap òfòò
loose, to be gbogho
loosen from, to kanye
loosen, to tinye a
lorry ìmátó lì òkhúá
lose, to nwu fi a
lose face, to faa
lose weight, to ha

loss òsékà
lost, to be ue
louse ìrù
love ìhùnmèkèìn
lower end of long object òtòì
lowland valley ìgbòtóé
luck èhàì
luck that is bad íkhòèhàì
luck that is good íhùnmèhàì
ludo board game ilùdó
luggage íhùà
lukewarm vbìévbìé
lumber ìkpátákó
lump ùkèlè
lumpy and blockish lèùléú
lunatic ómèmè
lure, to ee
luxury èfè
lymph glands èkpèìn

M

machete ópìà
machete that is large ògídìgán
machete type ùdókò
machete with pointed tip ópìsó
machine for grinding íjìnì
machine for sewing ìmàshíinì
mad, to be meme
mad, to make ze émèmè o
madman òmèmè
madness émèmè
maggot èkhòì
maid ògùòmàdìà
maiden àlèkè
main road ìkpàtáísí

maize ókà

maize cake ùkpékèè, íkàè

maize cob fibers ílúlókà

maize ear úsúókà

maize ear fluff írúrókà

maize field úgbókà

maize ground and wrapped èkò

maize in pounded form úbùén

maize wrap with sauce ékòdèlò

maize kernel úkpókà

maize meal ékókà

maize seed for planting íkúkókà

maize sheaf úkpósókà

maize stalk órán ókà

maize tassel ìhìàghò, íhíághókà

maize tassel, to make gbe ìhìàghò

maize waste lumps úmánèkò

maize wine ényókà

maize wrap ékévbìì

make contact, to so: re óbò so

make quarrel, to si ùròò o vbi òtòì

make rain, to si àmè

make roost, to run: sa run

malaria íbà

malaria prophylactic àgbó

male ómòhè

male animal òhè

male animal of mature age òké

male child ómómòhè

male pubescent ágèlè, ògbàmá

male, teenaged óvbékhómòhè

male, young, intelligent ìságèlè

male of significance òkpèsá

malice ìgùìèn, óbè

malice toward, to hold nwu óbè

mallet of wood ùlùké

man ómòhè

mango àmágò

mango seed úgùàmágò

mangrove plant òròísí'

manhood initiation éséókhàè

manifested, to be se

manipulations òvbéé'

manner function i

many, to be bun

marbles ólò

margin of, at the éhòn

marijuana àtábéìmì

mark áèèn, ómàá

mark, to vin

market èkìn

market day édèkìn

market interval ìjèélè

market stall ékò

marketer ódùèkìn

marriage ósèn

marriage, mock ìgbàshán

marriage, to enter nwu ósèn

marrow ùmà

marry a man, to nwu ósèn

marry a woman, to roo

marshy plot úgbó'ògòdò

marvel ójémì

mascara íkìó

mason ìbíkìlíá

masquerade ùkpákò

masquerade, to ku ùkpákò

master ògá

mat for mattress éwáà

mat of animal skin óhìàn

mat of palm frond àyèèn

mat of traditional doctor ógùà

matches ìsánó

matchstick úkpìsánó

mate, to lele

mate, age mate ógbèn

mate [in friendship] ìwówó'

mate [in rank] órèè

maternal grandfather érìnyò

maternal grandmother ínyìnyò

maternal sibling ìnyòkpá

matters èmòì, ìzèzé

mature, to ohia

maturity, to achieve ohia

maximum horizontally vbéghé

maximum vertically gádá

maze of an animal àkpó

me mè, émè

meal of beans or maize èkò

meal émàè

mean, to be ze ùdù

meandering fashion gònyògónyó

meaning àzèó, ìtúmò

meanness ékéín lì òbè, òkhòò

meanness, to show ze ékéín lì òbè

measles òbèbè

measure, to maa

measurement unit of hand ìkàbò

measuring bowl ìgbángbáún

meat éànmì

mechanic ìmàkálìkì

meddlesome, to be u èmòì

mediator óghàèmòì, óhànèvbòò

medicine ìkhùnmì

meditation ìòò

meet, to ga ze

meeting ékùèè

meeting, to hold a moe ékùèè

melon condiment ògìì

melon soup ball íkpèkpàn

melon that is pod-like èchìè

melon, brown pod ísèghéègúé

melon with brown seeds íkpémì

melon with white seeds ìtóghò

melon-like fruit plant éshàì

melt, to daan a

membrane íùhù

memoriam àèré

mend a structure, to ehen

mend cloth, to ba

menstrual period ókhèè

menstruate, to nwu óbò moe

menstruation ìnwòbòmóé

mentholatum ìmátòlétònù

merchandise émì

merchant ódùèkìn

mermaid ílòjá

merriment, song and dance òsíé'

mess up, to sankan a

message úhùnmì

message, to send with ye úhùnmì

messenger for age group úkò

messy sànkànsánkán

messy, to be u sànkànsánkán

metal ótóòn

metal blade úvbíághàè**

metal lump úkpótóòn

metal strap òjáàgbá, òdíàgbá

meter for electricity ìmítà

midafternoon ábódíánmì

middle ídámà

middle of ésèsé

midnight údó'mùhèn

midst of úsèé

migration ògòlà

mile ìmáìlì

milk ìmílíìkì

mill around, to gaa: so gaa

millet àdò

millipede ìkpéèkpéhìmì

mimic verbally, to oo

mince, to gueghe

mine ísì èmé

mine, to ton minister ìpásítò

minuscule kísín

minute ìgbèó

mirror ùghègbè

misappropriation ígbóbórù

misbehaviour úéén lì ghààgháá

miscarry, to vbia fi a, laa ékéìn a

misery èsòn

misfit òghòdàn

misfortune òsékà

miss, to don: fi don

miss a period, to nwu ùkìn fi a

missionary father ifàdá

mist óvbùù

mistake ìdóòbò

mistake, to make don: fi don

mistakenly dobo

mistletoe flower ùsánùkpé

mistress ójè

mix, to ku gbe, uhie

mix sand, to gbe ékèn

mix with, to baa: ku baa

molar tooth ákìvìn

mold ítùú, ìkhùèkhùè

mold, to fi ítùú

mold into shape, to ma

mole on skin árírísò

moment àgàlà

moment that is immediate ènyáà

moments ago èdèdé

monetary misfortune òsékà

monetary unit, bill ìnáírà

monetary unit, least value ikóbò

money éghó'

money, to make gbe éghó'

money bag ékpéghó'

money for food éghémàè

money that is counterfeit ijèbú

mongoose ámàkòn

mongoose, longnosed ikhúèkhúéhì

monitor lizard óyé'lò

monitor lizard, dwarfish òòjò

monkey óvbèè, éánmòkhùnmì

monkey, spot nosed ímèkhòkhò

monkey, putty nosed óghè

monkey tail úríáí ísì óvbèè

month ùkìn

moon ùkìn

moon rise, to have heen

moon that is new úkín lì ògbòn

moonlight ùkìn

morning égbíà

morning, earliest part égbíá rìríí

morning, early part égbéègbíà

morning dove àlòèmì

morning greeting from men èdí

moron ólùgázù

morsel ùkèlè

mortar ínyókò

mortar of wood ókò

mortar for second burials òwéwè

Moslem ìmàlé

Moslem cleric àlùfá

mosquito èvbávbà

mosquito net íbòkpò

moss òhíó'

most recent élà

most recent [emphatic] élèlà

moth ávbíévbíéhòn

mother ìnyò

motionless kéé

motor ìmátò

motorcycle òkpíkpì

mount heen

mountain ókòó

mourn, to vie

mourning period ìvìòìmì, àìgùè

mouse èkhùe

mouse with stripes ófúènghén

mouth únù

mouth of únù

move constantly, to yeye shan

move about, to shan

move across, to fan ze

move around, to lagaa

move aside from, to bi égbè

move away from, to raale

move back and forth, to lagha

move down, to kpoon

move incoherently, to soso shan

move into/onto, to o

move off/out of, to shoo vbi re

move out of, to dianre

move out of way of, to bi égbè

move through, to shan

move to one side, to bi ye èfòkpá

move toward, to ye

move up, to heen

move up to, to se

movement that is direct òwàà

mucuna bean éwáì

mucus íhùe

mucus in eye ísènò

mud ògòdò

mud for house-building èkèn

muddy pìètèpíété

muddy, to be u pìètèpíété

mudfish éhéén ìvbàbò

multiplication ìtáìmìsì

multitude of people óbòtú

mumps íbàlázà

mumps, to have íbàlázà nwu

murder úbì

murder, to commit gbe úbì

murderer ògbùbì

muscle ache ídúégbè

muscle ache, to have khonme

muscle cramp àkpà

mushroom évbúyúkátó', ítù́ù

mushroom, false òvítùù
mushroom, poisonous ìghíghígì
mushroom bud ikòkò
mushroom in clumps ásíshásìshà
mushroom on anthill óyàyá
mushroom on dead tree ùtùhí
mushroom on trees àshóràn
mushroom on wood àmàmòrán
mushroom type úkpòóbà
mushy pìètèpíété
music íòò, ìkhùèèmì
musical calabash with net ìsà
musical instrument émìòsíé'
musician àzìzé, òkhùèmì
Muslim ìmàlé
mussel áhìèén
must have za
mute person òdìn
mutuality ògà
my èmé
mystery àìmìènghè
myth èhèìn

N

nag, to wo
nagging úwò
nail ìshé
nail, to so, khaan
nail against, to khaan ze
nail of human body éhìén
nail together, to so ku gbe
naked, to be ban a
name énì
name of significance ókpénì
name, to nwu énì li

namesake ókpò
nape of neck éàìn
narrate in detail, to zoo
nasal passage inflammation óhà
nasality, to speak with fi íhùè
native born person ómòtòì
native doctor óbò
native of óí' vbi
native pear òdúmù
natural condition òsímì
natural event òsàn
nauseated, to become ékpà hu
nauseous, to be hu
navel tip úkpùkhòìn
navel and placenta ùkhòìn
near physically, to be si kee
near psychologically, to be si kee
nearest égbéègbé
neat, to be fuan
neck ùrùn
neck tie ìtáì
needle àgbèdé
needle, to sew with a ba
ne'er-do-well úmònóyà
Negro ágbón lí óbín
neighborhood àgbègbè, òjáí
nervous, to be ee
nest of a bird ékòó
net, mosquito net íbòkpò
net for catching fish ógùà
net of ropes or metal ighàn
nethermost kpèé
new ògbòn
new born baby ómó lì ògbòn

new born, to be de ògbòn
news item íkhùèè
news ìnìnyé
next nói
next one ónói
next time ééóvbèé
next to, to be kpen
next year úkpé lì òdè
nice, to be hunme
nickers ìgàdáísí
Niger River òhìmìè
Nigeria ìnàìjírìà
night ásòn
nightly ásàásòn
nil àhòì
nine ìsín
nine day period ùsúmù
nineteen ìgbìsín
ninety ègbòèélè bí ìgbé
ninth ózìsín
nipple úkpá ísì ényè
no òghò
nobleman óíá ísì èkpén
nobody óósò
noise íkhùèè
noise, to make kpe òkèkè
noise of a crowd òkèkè
noisy stomping dúùdúùdúù
nominate, to ze
noose úfì
noose tied, to get din, re úfì din
normal condition òsímì
nose íhùè
nose tip úkpíhùè

nosebleed óráníhùè
nosey, to be hoo èò
nosiness íhòèò, íhùèò
nostril íhùè
not i, u
nothing í ì èmí ósò
nothing, to become de àhòì a
nothingness àhòì
notice óbè
novelty àìmìènghè
now ènyáà
now, right now ènyéènyáà
nudge, to ee
numbness of body part àríré'n
numerous, to be bun
numerous [of a crowd] ògbèré
Nupe people ìnúpé
nurse ìnóòsì

O

oath, to take an rame éò
oba óbá'
obedient, to be hon émì
oblique, to be gon
observant, to be dee èò re
observant, to be re èò o
obsession ìghà
obstinacy ákáéhòn
obstinate, to be yi ákáéhòn
obstruct a passage, to gbagan
obtain from, to miee
occasion, later éghé lí ó ráá àìn
occasionally éghésò
occiput àkhòì
occupy a place, to dia

occurrence that startles òrìrègbè

occurrence that is eerie òìnègbè

ocean ólòkún, òkún

odd, to be ye ódàn

odor úyààmì

of ísì, ésì

of course ènhén

offend, to don: fi don vbi égbè

offend by lying, to vbaa: ze vbaa

offended, to get nwu èò hua

offense in previous life àrìàlúùsí

offer a bribe, to fi ùhán

offer to, to re li

offering of appeasement ìsàá

offspring ívbìà

offspring of óvbì

offspring of the Oba óvbí óbá

often éghèéghè

Ogute village ógùté

oil, palm oil évbìì

oil from coconut ùdénàgbán

oil from palm kernels ùdén

oil-palm shoot òjòmúdìn

oil-palm tree édìn, údìn

oils of light color òróró

Oiso king òísò

Ojavun village ójàvùn

Oke village òkè

Okpa village òkpà

okra íshàvbó

Okpokhunmi village ókpòkhúnmí

old [inanimates], to be de ùtè

old age égbódíòn

old folk édíòn

old state of human ùtè

older in rank ódíòn

omit, to ee a

on account of òhíó ísì

on behalf of èrímí'

on the streets vbi ídámí òéé'

on/in/at vbi

once ìsòkpá

once, at ìsòkpísòkpá

once upon a time édòkpá

one òkpá, àó

one [pronoun] a

one another égbè

one by one òkpóòkpá

one day period édòkpá

one hundred ègbòiíhìèn

one hundred forty ègbòìíhíón

one hundred ten ègbòìíhìèn bí ìgbé

one hundred thirty ègbòèéhàn bí ìgbé

one hundred twenty ègbòèéhàn

one of úkpòkpá

one place áyè òkpá

one thousand égbèénègbòìgbé

one way áyè òkpá

onion àlùbásà

only [intensifier] òkpá

onto e, o

ooze forth, to oo

ooze out, to hee dianre

open body part or sore, to taan a

open covered item, to vuye a

open door, to khuye a

open wide, to vuye fi a, khuye fi a

opening únù

operate, to   bia li

opponent óghìàn

opportunity ìmìòbọ̀

opportunity, to have miẹ óbọ̀

or da

Ora people òrà

oracle of spirit world ọ̀bòléìmì

oraclist ọ́bò

oral tradition narrative ókhà

orange ùgbòfì

ordeal ọ̀mìàmẹ́

order íyì

ordinary ìkhààkháá

ordinary event ọ̀sàn

ordinary youth ìkhààkháá

organize events, to mama

organize objects, to maa

origin òtọ̀ì

origin, to seek hoo òtọ̀ì ọ́lí ẹ̀mọ̀ì

orphan óvbíóìmì, óvbíéìmì

Osse river ọ̀sẹ́

ostentatious ọ̀gàlé

ostrich ùgòmùgò

other nọ̀ì

others évbèé

ought to [hortative] í

our àmáí

ourselves màmàì

out of doors vbi òéé'

out of order, to be riaa a

outdoor area of township òéé'

outdoor child ọ̀mọ̀lòéé'

outer membrane íùhù

outlet òvá

outline ìlàgáá

outrank, to lee

outside ídámí òéé'

outside of a cloth èò

outstretched condition léghéléghé

ovation òbìbì

Ovbionwu village óvbìònwú

over there èvbọ̀

over òkhùnmì

over, to be foo

overcast, to be bin

overcome, to gbe

overconfidence òènhènmé

overeating òègbé

overflow, to la ku a

overgrown with bush, to be voon

overheated intensely gbígbígbí

overseas ódòrèrè

overtake, to raa re

overturn, to ku àkàláàkà

Owan river ónwá'

owe a debt, to moe ósà

owing to, because èmìdí

owl úvbùú, údùúkpú'

owl, white faced ìkpùkpúùghù

own, to moe

oyster áhìèén

P

pacify a child, to tee

packet èkò

pad for carrying loads èkìn

paddle for canoe ùmàzà

padlock ìgádágòdò

pagan ikèfè̩í (Hausa/Arabic)

pail ibó̩ké̩è̩tí

pain ò̩tòmé̩

pain, to feel to

paint ìpé̩è̩ntì

palace è̩gùàì

palaver ìnyè̩mì

palaver, to cause hoo ìnyè̩mì

pall bearer age group ígbògbè̩n

palm, of the hand étábò̩

palm branch íkpéhìànmì

palm fern íbùbúmòìsà

palm frond úgú'é

palm fruit from oil palm édìn

palm kernel ivìn

palm kernel, unripe ìbàn

palm kernel shell string úkpólò

palm nut ridge úhínédìn

palm nut ridge, empty ìsísíkhàìdí

palm nuts íkpédìn

palm nuts, unripe íkhùè̩khúé̩mì

palm oil évbìì

palm oil container ìgááwá

palm oil harvester ò̩sùèdìn

palm oil tree órán édìn

palm oil tree, small úvbìò̩wàmì

palm oil tree, short ò̩wàmì

palm print étábò̩

palm shoot òjòmé̩

palm swift ànàmì

palm tapper rope úfì

palm tree, coconut palm údúkpù

palm tree, sugar palm íkpìkó

palm tree, tall údíno̩wò̩

palm tree tapper ó̩kpò̩

palm tree type òjègbókhùn

palm wine é̩nyúdìn

palm wine beetle òkhòkhòíkhò

palm wine of raffia tree é̩nyíkpikó

palpitations óhòó

pamper, to nyaa

pandemonium òbìbì

pangolin, giant è̩khùn

panic òvé̩n

pant, to fì étìn húé̩kpé̩húé̩kpé̩

pantry àkànò̩

pap from maize àkàsán, àkùmù

pap from millet àkùmù

papaya ìnyó̩bá'

paper ébè

paper money éghó'

paprika ísíéìbó

parable èvbèè

paralyzed person é̩khìì

paralyzed, to become ku é̩khìì

paranoid, to be baba égbè

parasite èkhò̩ì

parcel èkò

parcel, to form a gbalo̩ èkò

parents èrà bí ìnyò̩

parlor ìpálò̩

parrot ò̩khùèdídè̩

part òdè̩

part, one part èfò̩kpá

part in hair úkpàkpó

part of úkpà-

particular, in particular gó̩n

partner ózèvà

partridge àwàì

party ìdísíkò

party for entertainment òsíé'

party with members èkhèèn

pass body waste, to fena

pass by/over, to raa re

pass through, to shan

pass time chatting, to vbaye

passenger èkhèèn

past, distant past ìghééghé

paste on wall, to tu baa vbi ùdékèn

pastor ìpásítò

patas monkey èghíghá'n

patas monkey, male òkóvbèè

patch, to ba

paternal grandfather érèrà

paternal grandmother ínyèrà

paternal sibling èràkpá

path òsé, ódè

path in bush, to make se òsé o

path of an animal àkpó

path on farm ègègèlúkpá'

pathetic òìnègbè

patience òzìèn, òzìènègbè

patient ókhònmì

patient, to be zien égbè

paw óhìà, éhìà

pawpaw ìnyóbá'

pay a debt, to hae ósà

pay a fine, to ze ùhì

pay attention to, to re éhòn o

pay fee, to ze

pay homage to, to ga

pay money, to hae

pay off, to hae

peace, to be at fun re

peace in the world òfùré

peace of mind òfùnvbègbé

peacefully òhóó

peanut ìhíángùè

pear, traditional pear òúmù

pebbles íkpídò

peck, to so úkpà vbi

pedantry áènáéén

peek úbèè

peel by pulling, to bolo

peel off a scab, to bolo a

peel off yam skin, to kpan a

peel with an instrument, to folo

peelings éhìànmì, íkùkù

peeping úbèè

peers ìwówó', órèè

peg ùkéké'

peg holes into ground, to baa

pellet shaped kpúdú

pellucid, to become san

pen ìbáírò

pen knife àgbòí

penalty ùhì

pencil ìpénsù

penetrate, to jee

penis úkpègèlè

penis area ègèlè

penis tip úhúnmí ísì úkpègèlè

penny ìkóbò

penny, half penny ékpìnì

penury òsì

people àgbọ̀n, étù

people in small group íkpékè

pepper égbésíẹ̀ìn, úìẹ̀n

pepper sauce ómísíẹ̀in

pepper that is long and hot ísíẹ̀in

pepper, red or green ísíéìbó

pepper, small and round àtáródó

perambulate, to shan ghẹ̀é

perceive smell, to họn íhùè

perceive sound, to họn

perch, to ma

percussion instrument ìsà

perform, to u

perform excessively, to u ráá

perform in lieu of, to kpaye

perform sacrifice, to ze

performance òsíé'

perimeter ìlàgáá

period before sunset ábénwáà

period of daily rainfall òkòèdẹ̀

period of five days úhéènà

period of nine days ùsúmú

period of time éghè

perish, to khuee o

permeate, to kinọ

permission àsẹ́

permit, to re àsẹ́ li

perseverance ìzìẹ̀nègbè, ihìàègbè

person ọ́ìà, ótù

person, affluent, male òkpèsá

person, artistic àzìzẹ́, ósòná

person chronically ill òkhọ̀nmì

person, dark-skinned ìbàlàkí

person, distended scrotum òdèvíé

person, gossip ọ̀ùèmọ̀ì, ọ́vbèmọ̀ì

person, humble óvbìògúé'

person, little artistic talent ùkòbò

person, maladjusted èkhúévbù

person, promiscuous ólòghèè

person, stutterer ọ́khènkhènmọ̀ì

person, wasteful òmọ̀lọ́fùúkù

persons of equal rank órèè

person of evil potions ọ́íá lì ọ̀bè

person of no finances óvbìògúé'

person of social standing ùkútọ́'ìà

person of stature ókpọ́ìà

person of strong memory ọ̀èèmìré

person of stunted growth òdètú

person who is bad ọ́íá lì ọ̀bè

person who is blind òrùènó

person who is bonded òvíé'n

person who is contentious ómòèò

person who is creative ózìgùè

person who is daft ògbòì

person who is deaf òyèhọ́n

person who is deceased óímì

person who is dull ìfọ̀fọ̀séén

person who is educated ákọ̀wé

person who is fearful òlòfén

person who is greyhaired òfìèdé

person who is idiotic ólùgázù

person who is impotent òwègbé

person who is mute òdìn

person who is native born ómòtọ̀ì

person who is shameless òlèkhòìò

person who is sick ókhọ̀nmì

person who is weak ìghèghèbúghè

person who is weak èghèèbúlè

person who is wretched ólòsì
person with clubfoot o̱dòe̱
person with dread locks ìdàdá
person with leprosy ókhọ́nmíte̱'n
person with umbilical hernia òjó
person with yaws ódófì
perspiration óòfò
perspire, to óòfò gbe
pervasive condition tíí
pester, to kpokpo
pestilence ókùlúùbú
pestle úvbíóko̱, óvbíóko̱
pet, to tee̱
petite kísín
petrol ìpe̱túróò
pettiness áe̱náèén
phenomenon of awe ò̱rìrègbè
phenomenon that is natural ò̱sàn
phlegm úkpónwèé
phone ìfóònù
phony ìwàyó
phony person ó̱íá ísì ìwàyó
photograph ìfò̱tó
physician ìdó̱kítà
physique that is irregular ókàn
pick ax àzíghàn
pick for hair plaiting úgbèbá
pick from like item array, to roo
pick from unlike array, to zo̱o̱
pick fruit from, to fan
pick leafy plants, to ko̱no̱
pick one by one, to suo̱suo̱
pick out, to hano̱
pick up single, item, to nwu

pick up many, items, to hua
pick teeth, to zo̱o̱ àkò̱n
picture ìfo̱tó
piece broken off ése̱mì
piece of a whole úshò̱mí
pieces of ìkè̱kè̱mì
pieces of refuse íkùkù
pierce, to se̱n
pig ìsì
pig herd úghéé ísì ìsì
pig of the bush ísíògò
pig that is domesticated ísíóà
pigeon ìdélékùkù
pigeon pea ò̱èlè̱
piglets ívbì ìsì
pile condition úbó̱
pile on top of, to tee̱n nye̱
pile up, to maa
pillar òrùkù
pillow ùkpè̱nùhùnmì
pimple írò̱khùò̱, órìkhùò
pin for scratching hair ùkótì
pincers àkpòkà
pinch, to be̱nno̱ éhìe̱n
pine for, to òhànmì gbe
pineapple édíéìbó
pinky finger úkpóbó̱ lì kéré
pipe, to light re̱ èràìn o̱ vbi ìkìtìbe̱
pipe, to smoke a si ìkìtìbe̱
pipe for tobacco ìkìtìbe̱
pipe for water áme̱ ísì ìpóòmpù
pistol òísí'
pit ùdègbú, òò
pit for garbage ákè̱te̱

pit from fruit úgùà

pity ìtùèkèìn

pity for, to feel to ékéìn li

place àyè, ékò

place, bright and open ùdàgbó

place, dark and secret údábì

place, sandy úgbé'dàbù

place, solitary and quiet ùdèvbìè

place in public òéé'

placenta ákhárómò

placenta and umbilicus ùkhòìn

plague ókúlúùbú

plait hair, to ba

plan àmàmá

plan, to mama

plane àròpíléè

plank ìkpátákó

plankton òhíó'

plant, broad leaves úhìà

plant, drooping leaves úkhèkhédù

plant, prominent thorns ègbígbá'n

plant, red henna ìlélé'

plant a sucker, to gboon

plant favored by animals ùkókóí

plant for shrines àzézé'

plant growth of new plot ògbòin

plant seed úkpà

plant seeds/seedling, to ko

plant that itches éwáùdókò

plant that misplaced ìdòzé

plantain ògèdè

plantain bundle úkhùn ògèdè

plantain dish ìsísìlákpò

plantain finger úsùògèdè

plantain seed íkúkògèdè

plantain beyond norm ógédàgbà

plantain wine ényògèdè

plaque ègòò

plaster, to raa

plate ìtásà

platform bed úkpàlé

play òsíé'

play, to sie

play, to be interesting tin

play in fantasy world, to doo

play instrument, to khuee

playmate ìwówó'

plea ìdùàbò

plead, to khakon

plead with, to due ábò li

pleasant, to be eghen

please fervently khakon yóyòyó

please, to eghen

pleased, to be eghen vbi ékéìn

plentiful ògbèré

plentiful, to be bun

pliers àkpòkà

plight òyà

plot against, to hian ògbà ísì

plot of ground òtòì

plot to harm ògbà

plot of 400 x 400 heaps ógbímè

pluck, to fan, gbe

plug, to aan

plum, African plum cherry ótìén

plump, to be gba

pneumonia ògbògbò

pocket èkpà

point of úkpà-

point the way, to re úkpódè vbiee

poison óbì

poison, to uaan

poison for stunning fish óbè

poisonous, to be moe óbì

poke holes into, to ha òò o

pole úkpóràn

pole, utility pole ìpóòlù

pole for plucking fruit àlàgbà

poles for yam stacking úkpóròkén

police officer òlóòkpá, ìpòlíìsì

polish, to raa

politeness èkpén

political astuteness íkèléègúé

political independence òmìnírá

politics ìsùmàbò

pomade òí

pompous húré

pond èràì

ponder, to oo

pools, gaming pools ìpúùlù

poor, to be mie èsòn

poor, to become èsòn gbe

populace óbòtú

porcupine ókhààn

portion èfòkpá

portion of work òbìà

pose a riddle, to fi ìtàn

position éhè, áyè

position, to daa: hua daa, nwu daa

position of crouching òkòkò

position that is first ókpàò

possess, to moe

possession of destitute ìkhùàhúbú'

possessions èfè

pot ìpóòtù

pot, to fire a doo ákhè

pot cover úvòò

pot for charms úvbíákhúgbé'

pot for soup úwáwòmì

pot for water ákhè, ákhàmè

pot neck úrúnákhè

pot of clay for soup ùwàwà

pot of giant size ùkòdò

pot of wrought iron ègéé'

pot with handles úwáwògùè

potash for soups ìkáún

potato, sweet potato émèdó

pottage, beans ìkpèshè

pottage, cooked yam àsègùè

pottage, plantain and yam òwó

pottage, to prepare gbe

pound food, to dume

pound dried items, to gue

pound sterling ìkpáùn

pound yam, to ume

pound with hammer, to khaan

pour, to ku

pour down [of rain], to roon

pour drop at a time, to nono

pour liquid into container, to oon

poverty èsòn, òsì

poverty, to be in ri vbi èsòn

poverty, to die in u o vbi èsòn

poverty, to experience mie èsòn

powder for face ìpáódà

powder for healing úgbàyèyè

powder for medicine úshé'n
powder, groundnut/maize àhùghè
power útòtómì
powerful, to be moe útòtómì
powerful in religion, to be toto
powerful with charms, to be toto
prairie úgbé'bè
praise ìré
praise, to ree
praise insincerely, to hee
prawns and shrimps ènítàn
pray, to lie èrònmò
prayer èrònmò, àdùà
praying mantis ògòlò
praying mantis egg case
    òfènàhìènóvbóà
praying mantis larvae étòyìyà
preach, to wewe
preaching òwèwè
precariously, to arrange gheghe
precious condition òyébóyè
precipitously close ghéghéghé
precisely gón
predict through oracle, to bo
preen, to zoo
pregnancy úhàmámì, úvbìámí
pregnant woman ókpósòhàmà
pregnant, to be hama
pregnant, to make nwu ékéìn li
preincarnate life ùsí
preoccupation ìmìòbò, ìghà
preoccupied, to be la ìzèzé
prepare, to enhen égbè
prepared, to get nwu égbè

present, to gue
president àláàgá
press clothes, to loo
press down upon, to teen nye
press, to ha
pretense ìkà
pretend, to ze ìkà
pretend to die, to re ìkà u
pretentious person óíá ísì ìkà
prevarication èhèìn
price, to request a ve
prick, to sen
prickly heat rash íkpóòfò
pride èhìò, ìfáàí, ìkhùàègbèré
priest in religious order ifàdá
priest of a deity óhèèn
priestess of a deity óhèèn
prince óvbí óbá
principal ìpísí'pà
prison yard ìghàn
prison compound ógbá ísì ísìghàn
prisoner ísìghàn
privacy ùhègbè, ùsì
problem condition òkpòkpò
procedure úkpódè
proceed to, to shan vbi
proclaim, to yi
proclamation óbè
proficiency ògùè
proficient, to be gue
profit èè
progress ìyàó
projection íké'
promiscuity ùhé

promiscuous, to be ghee

promiscuous, to become fi ùhé

promiscuous condition òghèè

prompt, to be kia

promptly bobo

promulgate, to yi

prop root plant òròísí'

prop up, to gaga

propel, to sua

property line ùhì, áyùhì

prophesize, to mie èò

prophet ómìèò

proportional òèghè

proportionate pieces déké

proportionate, to be gha

prosperity ùà

prosperous, to be fe

prostitute àdègbè

prostitute, to be a se àdègbè

prostitution àdègbè

protect with body, to re égbè voo

protrude, to yi re

proud, to be too hio

proud, to make nwu égbè

prove, to re vbiee khi

proverb ìtàn, èvbèè

providence òhì

provocation óhàn

provoked, to be bi óhàn

prudent, to be re èwàìn o vbi o

pubescent female àlèkè

pubescent female, to be se àlèkè

pubescent male ògbàmá

pubescent male, to be se ògbàmá

pubic hair étò ègèìn, írùèè

pubic infection ókhóùkìn

pubic region ègèlè

public óbòtú

public announcement óbè

public view èòmìèó

publicize, to gbe óbè

puff adder óvbé'

pull apart, to yi

pull by dragging, to si

pull in see-saw fashion sigha

pull out, to yi shoo re, yi dianre

pulsate, to gbe

pulse úgbèmí

pump ìpóòmpù

pumpkin, native úmèkhén

punch èkpà

punch, to fi èkpà

puncture, to san a

punish, to re òyà li e

punish severely, to naa òyà

punishment òyà

pupil of eye ómèò

puppy óvbí áwà

purchase àdé

pure, to be fuan

pure condition òfùán

purge, to kpeye

purification offering óhò

purification, to do kpeye égbè a

purified, to be khoo a

purify, to kpeye a

purity úhè

pursuant to èmìdí

pus úòmí, úòkó

push, to sua, kpe̱n ábò̱ nye̱nye̱

push away, to sua fi a

put cover on, to voo: ku voo

put on fire, to he̱en: re̱ he̱en

put on weight, to re̱ égbè re

puzzled, to be nya únù a

puzzled condition ògbùnù

pygmy èvbóòvbókhàn, èníkpèékè

python íkpì

Q

quadruplets íwèélè

quantity ékà

quarrel ùròò

quarrel with, to kpaye̱ roo

quarrel, to roo

quarrel, to cause to si ùròò

quarrel, to reconcile ku gbe

quarter in a village úkhùè̱dè̱

queen o̱ho̱bá'

queen mother ínyóbá'

quench, to funo̱ a

query, to miaa

question étà

quick, to be kia

quickly tua, è̱jéèjé

quiet baby, to we̱we̱

quiet down, to o̱o re

quiet movement híé̱é

quiet, to be haa a

quiet, to keep voo únù

quiver ákùhàì

R

race úlà

rack for drying meat è̱sáì

rack for storage ìkpé̱kpé'

rack for storing yam úkpósémà

radiant sìín

radiant, to be fioo

radio ìrédìó

raffia ò̱wò̱

raffia leaf basket ìbùhú

raffia palm, short áékhò̱ónmì

raffia palm forest úgbó'ò̱wò̱

raffia palm wine e̱nyíkpìkó

raffia pole úkpò̱wò̱

raffia sack for grain òkpòkún

rafters àrùrú

rag éso̱nkpùn

railway ìrélùwé

rain àmè̱

rain, to make si àmè̱

rain, to prevent nwu àmè̱

rain, to threaten òkhùnmì hoo

rain fall, to have ro̱on

rainbow àgàzí

rainfall in daily pattern ò̱kò̱è̱dè̱

rainforest úgbó'

rainwater that is collected ámégàá

rainy season òrò̱ò̱n

raise, to khuae

raised, to get khuae: nwu khuae

rake up, to ze̱

ram àgbò

rape, to ku èkpé̱n

rascal àghàbà

rascality ínyàmè̱ò

rash-covered, to be fi

rasp òlímá'

rat ófè

rat, bush rat ófògò

rat, cane rat ìvàn

rat, giant rat ófélòkhúá

rat, house rat ófóà

rat, shaggy rat ònìvàngúé

rat, striped bush rat ófúènghèn

rat that is long-mouthed ùkhàìn

rattle, to roo

rattle for a baby áyòghò

rattle of calabash and net ìsà

rattle gourd àkhìrìkpà

rattle of seeds on ankle ìsávbèé

raw, to be de ògbòn

raw [of fruit] òbàn

raw [of vegetables] ogbòn

raw in the extreme ogbónògbón

razor ábèé

reach, to de, de re

reach as far as, to se

reach consensus, to de òkpá

reach daybreak, to kuan

reach one's turn, to se égbè

reach senior age, to de ódíòn

read, to koo

read aloud, to koo dianre

ready, to get ze émì

realize, to ga ze

really sogolo, zemi

reap, to fan

reaper of palm nuts òsùèdìn

reason about, to kuee

reason that èmìdí, òhíó

reason why émí lí ó zéí

reasonable, to be èwàìn ríì vbi

recall, to khokho khi

recede, to si a

receive, to miee

recently ògbòn, èghéènà

recess àrègbèmíéfíó

reciprocate, to re ògà li

recite, to koo

reckless sexual behavior ùhé

reckon money, to oo

reconcile, to ta: re ta

reconcile after quarrel, to ku gbe

reconciliation ókùgbé

recount to, to zoo vbiee

recover from, to ni

red henna plant ìlélé'

red, to be vbae

red, to be bright vbae ríírí

redeem, to faan: miee faan

reed cane úkpàsánmùghòìn

reed shrub ùghòìn

reedbuck èchà

refer to, to eche

reflect, to hian o vbi èò

reflect on, to oo

refrain from absolutely, to waa

refrigerator ìfíríìjì

refuge with, to take lavbaa

refugee ìlávbááì

refuse, to sin

refuse errand, to sin úhùnmì

refuse dump ékètè

refuse pile ítíkù

regardlessly èè
regular condition òsímì
regularly déídéí
regulation ùhì
reincarnated, to be che re àgbòn
reincarnation àréóvbèé
reject, to sin
rejoice, to ghonghon
relapse, to khoo o vbi o
relation ébòò
relax, to foo étìn a
relaxed state of mind òfùnvbègbé
release, to roo óbò
relent, to hena
reluctantly zèké
remain, to ze, koo re
remain a bit, to koo kéré
remember, to ee re
rememberer òèèmìré
remembrance àèré
remind, to ee re
removal in thorough way zèzèghè
remove by extracting, to ze
remove by unclasping, to kanye
remove clothing, to ban
renowned, to be een
rent from, to nwu óà vbi óbò ísì
rent out to, to nwu óà li
repair, to ehen
repair person ìrìpíárà
repay, to hae
repeatedly che
reply èànyè
reply, to anye

reply to, to re èànyè li
report, to ta re
report to, to zoo vbiee
reprisal ògà
reptile in river caves èghúghú'
repulsive, to be sene
rescue, to faan: miee faan
rescued, to be faan
resemble, to khoon, re bi
resemble physically, to khoon
reserve, to re khee
residence ìwè
residue ògòò
resign, to nwu òbìà fi a
resolution íyì
resolve, to foo
resound, to roo
resourceful, to be moe óbò
respect èkpén
respect to, to give re èkpén li
respond, to miemie, anye
response èànyè
rest ìfètìán
rest, to foo étìn a
rest on, to re égbè gon
restless, to be do gbúdú
restraint to absolute degree kaka
result construction za
resuscitate, to nwu kuen re
retail trade àtè
retaliate, to hae ògà
retaliation ògà
retire, to re òbìà o vbi òtòì
retract, to si kuen

retract into, to si o

retribution èsè

retrieve, to mi<u>ee</u>

return, to che re

reveal, to gue li h<u>on</u>

reveal a secret, to z<u>e</u> éín

revenge ògà

revenge, to hae ògà

reverberate, to roo

reverberation ìgbàmádí

revise, to del<u>o</u> étà

revive, to nwu ku<u>e</u>n re

revoke a curse, to <u>oo</u> é<u>ò</u> li

reward èè

rheumatism órà

rib íguèf<u>è</u>n, úgbàn

rice ì<u>éè</u>sì

rich, to be fe

riches èfè

riddle ìtàn

ride, to h<u>ee</u>n

ridge of yams <u>è</u>hèì

ridicule, to faa a

right hand ób<u>ó</u>dí<u>ò</u>n

right of, to be at ri vbi ób<u>ó</u>dí<u>ò</u>n

rind úhí'ànmì

ring for finger úkpìhìàkpá'

ringworm álàl<u>ò</u>

rinse, to sughu

rinse off, to lay<u>e</u> a

riot òrùghùlábè

riot, to kh<u>oe</u>n

rip apart, to fan a

rip off, to nya a

rip open, to nyaghan a

ripe, to become nw<u>e</u>

ripen, to ohia

rise, to rev

rival in polygamous house ò<u>í</u>é'n

rivalrous ím<u>ò</u>è<u>ò</u>

river <u>é</u>dà

river bank íkìí

river current íkp<u>ò</u>g<u>é</u>dà

river depression úhìó

river of significance ókp<u>é</u>dà

river sand èkhàì

river side égbé <u>é</u>dà

rivulet úvbí<u>é</u>dà

road úkpódè

road junction àvàànùkpódé

road of life úkpód<u>é</u> àgb<u>ò</u>n

road that is paved ìkpàtáísí

roam about, to shan shan

roar, to vaan

roar of sea or sky ísò

roast over open fire, to t<u>o</u>n

roasted yam éríét<u>ò</u>n

rob, to raa

robber óì

robber by profession àràakhùà

robe for men ágbádá<u>è</u>ùn

rock údò

rock, to reghe

rocky area úgbí'dò

rod for gun loading ókp<u>ó</u>'

rod for yam digging úkpótó<u>ò</u>n

rodent obstruction <u>è</u>khù

roll, to gbulu

roll in grief, to r̲e égbè gbulu
roof, to hu
roof frame of wood úhùnmì
roof strap on beam òdíàgbá
roof mat of cane àr̲èkpàghé
roof mat of thatch úgbà
roof mat that is woven ógbá'
roof of house úhúnmóà
roofing sheets of tin ìkpáànù
room ék̲ó̲à
room for secret storage àzà
roost, to cover to run: sa run
rooster òkpà
rooster fine ó̲ókhúró̲òbè
root îìn
root, butress root íbóghóràn
rope úì
rope from oil palm vine ónyà
rope of palm fronds ò̲ò̲úì
rope with noose for climbing úfì
rot, to aa a
rough, to be u sháshághá
round shape èkhéé
roundishly khèé
row of úvìé̲nmì
row, to tu
row, to get in r̲e nwu úvìé̲nmì
row, to put in sie̲n
rub clean, to kal̲o a
rub smooth, to raa
rub, to gboo
rubber àbà
rubber boot ìbúùtù
rubber tree, edible shoots ókpó̲'n

rubber tree, false rubber ò̲víáàbà
rubbery, to be ohia, sisha
ruin completely, to khuee o
ruins íkùkùíké̲'n
rule ùhì
ruler of the land òjè
ruler who is titled ó̲èjè
rumble, to so
rumbling sound ísò
rummage through, to bilo ítíkù
rump ítíhìàn
rumple, to lughu
run, to la
run [of color], to khuo
run after, to la r̲ekha̲en
run away, to la l̲e
run from, to la li
running úlà
runt in bush pig litter ásùkpékhàì
rupture, to san a
rupture, to have body gbe ìgèdè a
rupture on dead body ìgèdè
rush, to yee
rush head on vbúú
rushing condition khúú
rushing sound dùé
rust ótò̲ò̲n
rusty, to be nwu ótò̲ò̲n
ruthlessly rúú

S

sack è̲kpà
sack of oken fiber óvbìò̲kén
sacrifice, oracle ordered ìzòbò
sacrifice, to make ze ìzòbò

sag, to ku o

sage ózèwàìn

sake of, for òhíǫ́ ísì

saliva èsèìn, òdòghò

saliva bead àsùnù

salt úmèè

salt particles ékhákhúmèè

salty, to be úmèè nwu vbi

salty, to be too úmèè gbe

same òkpá

sameness àbòkpá

sand èkèn

sand fly ìtútùén

sand fly type ìtólózì

sand paper shrub àmèmè

sand pit ékètè

sand, fine sand èdàbù

sandal íbàtà

sandy èkéèkén

sandy place úgbé'dàbù

sandy soil òhùè

sanitary inspector ìwèléwèlé

sap àhè

sap gourd úgbégbàhè

sapling úkpóràn

sapling for spring trap úkpórífì

sash to carry child ògbèlè

sass wood órò

satisfied, to be eghen vbi ékéìn

satisfy, to khoon

sauce òmì

sauce of leafy vegetables òdèlò

savanna átó', úkátó'

save, to koko

save someone, to faan

savior ólǫ́símùàn

say, to e

saying ìtàn

saying, pithy ókpétà

saying, social ókpóghìtàn

saying, witty íkèmòì

scabies skin disease ìtàkpà

scaffold ígbàlàkà

scaffold for cocoa beans ìgbàgé

scald, to vbughu

scale of fish úkpàkpà

scamper, to een

scapula ámàlíké'

scar ùkhùànkhùàn, ómàá

scarf ùgbàlùhùnmì

scatter, to zagha a

scattered, to get ku khakha

scene úghè

scent, to give off a yaa

schedule, to hi

schizophrenic, to be baba égbè

school ìsìkúù

scissors àmúgá'

scold, to sahien

scoop aggregate, to kpolo

scoop mass, to ze

scoop water at a distance, to sa

scoop with container, to vbalo

scorpion ékpì

scorpion that is black éhìàghóì

scorpion that is pinkish ékpì

scrape, to shasha

scrape clean, to anme

scrape from surface, to kposho
scraper úànmémì
scratch for food, to yaya
scratch with object, to viaan
scratch with fingernails, to tolo
scream òrùn, òvààn
scream, to khuee òrùn
scribe ákòwé
scrotum èviè
scrub off, to shasha
sea òkún
sea goddess òlóòkún
seal, to aan
seal of a snail àkán
search for, to hoo
search through, to bilo
season after harvest ùtè
season, present úkpèénà
second ózèvà
second hand item ìwèké
second part áhìnèvà
secondly òzèvàlòrívbò
secret èín
secret, guarded émí ísì ùhègbè
secretary ákòwé
securely tight gbáíngbáín
sediment ògòò
see, to mie
see off, to oho
see with eyes, to zawo, zaghoo
seed for ayo game ísè
seed, maggi cube taste ùgbévbèè
seed from melon íkpémì
seed of a plant úkpà

seed yam ígbì, íkúkémà
seeds íkpéràn
seeds in a calabash net íkpótìén
seeds of black and red ìsàlébó'
seeds to play with ùhápòó
seek, to hoo
seek refuge with, to lavbaa
seer ómìèò
seize from, to miee
select from pieces, to hano
select, to ze
self égbè
selfish, to be hian èò
sell on credit, to shen raa re
sell, to shen
send, to ye
senior, to be de ódíòn
senior person ódíòn
senior titled man ódíèjè
senior to, to be dion
sensation íkhùèè
sensation, irritation òvbàvbègbé
senseless in behavior, to be ruru
sensible, to be moe èwàìn
separate, to ghaye a
serf òvíé'n
serious, to be toto
serious norm violation émíéìmì
sermon òwèwè
sermon, to give a wewe
servant òdìbò
servant boy ìbòí
serve food, to ze
serve obediently, to ga

set [of celestial body], to de o

set a bone, to so úgùà

set a trap, to khuan

set day for, to hian édè

set fire to, to fi èràin o

set fire, to kuee

settle a case, to ghae

settle at hand, to anye vbi óbò

settle down, to okho

settle issue, to gue ólì ìnyèmì

settlement ígúé

seven ìhíón

seventeen ìgbìhíón

seventh ózìhíón

seventy ègbòèéà bí ìgbé

sever completely báín

sever, to hian

sew cloth, to so

sewing machine ìmàshíìnì

sex òlèlè

sex mania àlòmèhèn

sexual intercourse, to have lele

shackle of metal íkààghà

shackle of wood ùtí

shady, to be fun

shadow ódùdú

shake, to kpeghe

shake hands, to so óbò vbi

shake off, to bume

shale àkó

shallow [of plates] pèréé

shame èkhòì

shame, to re èkhòì o

share, to ken

sharp, distinctive smell húú

sharp, to be nwu

sharpen, to riee

sharpness èmù

shave hair completely, to ze

shaving blade àgbòí

shavings ékhàkhà

she o, iyoin, yon

she goat òdéèwè

shea butter oil òíòyó

sheaf of maize úkpósókà

sheath àkò

shed àsè, érùéè

sheep óghòóghò

shelf for kitchen utensils ikpékpé'

shell úgògò, úhí'àmì

shell maize, to khueen

shift position, to si

shilling ìsílè

shin ìbègùn, óróè

shin front ìbòghò

shine [of moon], to vbae

shine [of sun], to ze

shine chromatically, to jin

shirt èùn

shivering condition kpékpékpé

shocked, to be kpagha a

shocked condition ògbùnù

shoe íbàtà

shoe, traditional shoe ìkàtàmí

shoot, to sa

shoot gun, to fi

shoot of a plant íké'

shoot of growing plant úkhùn

shoot with lemon taste òíkhàán

shop àsè̩, ìshó̩ó̩bù

shortcut àkpòbó̩, ùlàchíé̩n

should [hortative] í

shoulder úgú'díóbo̩

shoulder high ìgègèdí

shoulder, road ágbáàgbán úkpódè̩

shout òrùn, òvààn

shout, to vaan, fi ùrùn, khuee òrùn

shouting òvààn

shovel ìsó̩bìlì

show, to vbie̩e̩: re̩ vbie̩e̩

shower lightly, to we̩we̩

shred, to ke̩nno̩ a

shriek òvààn

shrike with scarlet breast áyo̩nú

shrimp ènítàn, áhàán

shrine, to protect with ígó' nwu

shrine charm úkhùèbó̩

shrine in traditional religion è̩bò

shrine plant àzézé'

shrine warding off curse ígó'

shrivel, to guo̩guo̩

shriveled condition zúgézúgé

shriveled, worn out lùghè̩lúghé̩

shrub, Cassia poducarpa íkpéshéìmì

shrub for treating cold é̩nyátó'

shrub with annual blooms ìdéé'

shrub with curry smell ìhíí'

shrub with edible seeds óínbò

shrub with hollow stem órùkòkò

shrub with large fruit úzìmégbè

shrub with pungent smell áwè̩é̩

shrub with white sap íchìíchòghó̩

shrub with yellow flowers ùghò̩in

shudder, to guo̩

shut, to bi gbe, ku gbe

shut in, to khuye ze

shut out, to khuye

shutter on a house ùànhán

shuttle for weaving úbàló̩kpó̩'

shy, to be la è̩khò̩ì

shyness ilè̩khó̩í

sibling ómìò̩ò̩

sibling, maternal ìnyò̩kpá

sibling, paternal èràkpá

sick, to be kho̩nme̩

sick person ó̩khò̩nmì

sickle for kola harvest ìdòjé

sickle for wine-tapper àghán

sickly, to be kpe̩kpe̩

sickness èmìàmì

side of èfè̩n, ákpèfè̩n

side of, at èfè̩n

side of a human ótèfè̩n, ákpèfè̩n

side of knife blade, flat àbàbàmì

side spin, to perform ku àgèlèbó̩sè̩

sieve ájò̩

sieve, to khakha

sieze from, to mie̩e̩

sift maize, to khaan

sigh, to fi ètìn se̩ òtò̩ì

sight that is horrible o̩khò̩vbè̩ó

sight that is unpleasant o̩khò̩vbè̩ó

sign áèèn

sign a document, to re̩ óbò̩ o̩ vbi

significance ìtúmò̩

signify, to ta

silent, to be haa a

silently híéé

silk ìsílíìkì

silk cotton tree úkpòúmókhà

silver ìsílívà

simmering condition yáá

simple, to be huo

simulate, to oo

simultaneity ákòèghè

simultaneously ìsòkpísòkpá

sin òkhòò

sincerely àtáàtà

sing, to so

single file úvìénmì

sink [of celestial body], to de o

sink [of ground], to ha o

sister ómíóó lì òkpòsò, ìsìsìtá

sit, to dia

sitting ùdìá

sitting room ìpálò

site of beauty úghè

site, spectacular ókpúghè

six èéhàn

six pence ìsísì

sixteen ìgbèéhàn

sixth ózèéhàn

sixth position ákpózèéhàn

sixty ègbòèéà

skewer for yam ùbòsùn

skill ògùè

skin, to kpan

skin condition ásòúnù

skin infection ìtépèé, èvbòò

skin of an animal óhìàn

skink òjòò

skirt ìbùlúkù, ìsìkéétì

skull àghòghò

sky òkhùnmì

sky that is very overcast óhùú

slander, to vbaa: nwu èhèin vbaa

slap ávbòhà

slap, to sa ávbòhà, gbe úbì o

slap of intense nature úbì

slaughter, to ho ùrùn

slave òvíén

slavery ìgbèhí

sleep ómèhèn

sleep, to mehen

sleep apnoea ùdényá'

sleepiness úkpádìghí

sleeping quarters ékóà

sleepy, to feel ómèhèn so

slender khúíéé

slice, to gueghe

slim khúíéé

sling shot àlbà

slip ìbùlúkù

slip, to kuno

slip from, to ni

slip off, to kuno fi a

slipper, traditional kind ìkàtàmí

slippers ìsílípà

slippery mìònghònmíónghón, vbìòghó

slippery, to be kuno

slither, to sio

slosh through, to sughu

sloshing dirt sound ghìrìghìrì
slough from snake íúhẹ́nyè
slough off, to ku
slow down, to fuẹn égbè re
sluggish movement mákpáá
sluggishly súnẹ́súnẹ́, húlọ́húlọ́
slump down, to ku o
slumpingly gúọ́
small bird type íchèchèghè
small gourd òkpàn
small group of people íkpékè
small in quantity kéré
small size kéré
small voice ùrùn héé
smallpox ìsàkpànà
smash, to aha
smell úyàmí
smell, to yaa
smell pleasantly, to yaa enghẹn
smell pungently, to yaa húú
smile at, to jẹ ghòò
smile broadly, to jẹ kúákúá
smile mildly, to jẹ múẹ́múẹ́
smoke fìghòn, íghìghòn
smoke, to si
smoke, to produce gbe fìghòn
smooth, to be u lèkẹ́
smooth, to make lọko
smooth of flat objects lèkẹ́lèkẹ́
smooth of round objects lòkọ́lòkọ́
smoothen, to raa
smugness òènhènmẹ́
snack of cassava ìkpókpógàì
snail, round water snail ìkèké

snail on land èbèsún
snail seal àkán
snail shell that empty úgógèbèsún
snail that is small íkpèdín
snail that lays eggs and dies fòọ́n
snail type úré'
snake ẹ́nyè
snake, black cobra óvbìvbìẹ̀
snake, carpet viper ómèlẹ́gbó'
snake, cobra óvbìvbìẹ̀ lì òkpà
snake, emerald snake ẹ́nyébè
snake, file snake èkhígùàkpà
snake, puff adder ọ́vbé'
snake, thrusting cobra óhàìdọ́n
snake, viper ọ́vbé' lì ùkpèshè
snake skin slough íúhẹ́nyè
snap, to kueye a
snap off, to fan a
snapping sound kpáí
snare trap ìkpàkúté', èkpàá
snare trap of metal ìkpàkúté'
snare trap of wire úfì
snare trap stick úkpèshè
snatchingly láó
sneeze, to tiho
sniff, to yaa
snipe at, to kaan
snore, to hiọn
snuff àsí
snuff tin úkókàsí
snuff gourd úbélàsí
so ìyọ́
so that construction li rẹ
soak, to ranran

soap ósà

soap gourd úgbégbósà

soap, soda soap ósòkòtò

soap, traditional black ósùdén

sob, to vie

sobbing nyéúnyéú

social confusion òsùghù

social intrigues áènáèén

society ègbé

society club òtú

sock ìsóòsì

soft spot illness úgbèrèrè

soft spot on head èrèrè

soft spot, enlarged úgbèrèrè

soft, to be huo

soft, to be very huohuo

soft, to become ranran

soften with heat, to vbughu

softly [of speech] nènéé

soggy sókhóró

soil òtòì

soil at laterite level ùlèkpá

soil of black loam òkpàkù

soil that is sandy òhùè

soil that is swampy ògòdò

soldier ìsójà

soldier ant ìnwàì

sole of the foot étáàwè

solid, to become zeze

solidify, to zeze a

solitude évbìè

some ósò

some time éghé ósò

some time ago ééàìn

some where ébé ósò

somebody óíá ósò

someone ósò, óósò

someone else óvbèé

someplace áyé ósò

somersault àkàláàkà

somersault, to do ku àkàláàkà

something émí ósò

son ómómòhè

son of the soil ómòtòì

song íòò

soot íbìn

soothe, to oo

soothsayer ómìèò

sorcerer àzén

sore èmàì, ètè

sore that persists étórè

sorrow òyà

sorrowful condition òìnègbè

sort through, to hano

soul étìn

sound íkhùèè

sound, to make a khuee

sound of footstep ìkhìmìzà

sound off, to roo

soup òmì

soup from cotton tree ómókhà

soup from dika nut ómòlòghò

soup from melon ómíkpémì

soup from vegetables ómèfó

soup pot úwáwòmí

soup without meat ómí òsàn

sour, to be khenkhen

source òtòì

source of sorrow òkhèkhègbè

sourness úkhʁ̀nkhʁ́nmì

sow, to ko̱

space àyè, éhè

space that is expansive ùdàgbó

spade ìsó̱bìlì

spark ákèràìn

spark, to hian èràìn

sparkler ìbísíkò

sparrow, grey headed ìtútúgbùù

spasm, in a zígházíghá

speak, to ta

speak a language, to ze̱

speak with nasal twang, to fi íhùè

speak to, to ta li ho̱n

speaker òtètà

spear ògán

spear grass òbʁ̀n

spectacle úghè

spectacle of import kpúghè

spectacled fly catcher áédó'

spectacles ùghègbè

speech étà

spend wastefully, to foo a

spend, to wee

spherical bíó̱zó̱

spick 'n' span sʁ́sʁ́sʁ́

spider àkpákpáì

spike ìshé

spill, to gbe ku

spin cotton, to si̱e̱n òú

spinach ìjò̱dó̱jò̱dó̱

spinal column ógògómùòkhò

spinning fashion ghéé

spinning top ìkòsó

spirit étìn

spirit of a whirlwind àzìzà

spirit of one's person ʁ̀hì

spirit world éìmì

spirit world path úkpódʁ́ éìmì

spirit, evil spirit étín lì ò̱bè

spirit, Holy Spirit étín lì ò̱fùàn

spirits ìdògbóìmì

spit èsʁ̀ìn

spit, to tu

spit, to throw fi èsʁ̀ìn

splash, to ku ku

splash by flicking, to sanno̱ ku

splatter, to sanno̱ ku

spleen óvbàá

split apart, to va

split in directions, to se̱

split open, to ghaye̱ a

spoiled, to become riaa a

spokesperson for age group úkò̱

spokesperson for village ògbòbè

sponge of vine fiber íhìò̱n , étàìkpé

spoon ìsíbí

spoon, native spoon ázébéè

spoon for cooking únyòmì

spoon for straining áò̱ó

spot àyè, éhè

spot on body, delicate áyò̱bʁ̀

spotted nwʁ̀nʁ́nwʁ̀nʁ́

spread, to fi, gbe o̱

spread, to [of an illness] ve̱e̱n

spread in fork shape, to ge̱e̱n

spread open, to taan

spread out, to we͟e

spread over an area, to khakha

spread rumours, to wewe

spring up, to so͟no͟

sprinkle water, to sanno͟

sprite, to be jaja

sprouts íké'

sprout new leaves, to so͟no͟

sprouting tip of a seed úkpàgbèdé

spurt, with a sé͟ré͟sé͟ré͟

spy on, to ba

squander, to foo a

square-bottomed bottle ó͟zèbèn

squash type ìré͟rèè͟

squat, to de dije͟n

squeeze, to mino͟

squirm about, to do

squirming extensively gbúdú

squirrel of brown color óìà

squirrel ò͟tàn

squirrel, giant squirrel ámá'lòkí

squirrel nest ékhábì

stab, to se͟n

stabbing sound gó͟

stack, to sie͟n

staff for personal deity úkpórìkùtè

staff of office úkpóràn

staff of people ékhé͟én ógùòbìà

stagger, to bibi

stain ínwà

stain permanently, to ko͟on a

stake for yam, to insert do͟me͟

stake for yams ìsèsè

stale, to be gbe úghó'ì

stale food émúghó'ì

staleness úghó'ì

stalk, to ba

stalk of úkpóràn, óràn

stall for trading ìsìtó͟ò͟

stammer, to khe͟nkhe͟n èmò͟ì

stammerer ó͟khè͟nkhè͟nmò͟ì

stand aloof, to ze͟gban

stand guard, to khe͟e

stand up, to da muzan

stand upright, to muzan kpásíá

stand with, to muzan kpe͟en

star áhìè͟nhìè͟n, úkpáàhìè͟n

starch ìsìtáàchì

stare, to ghoo màáá

start, to be͟e, gbaan

starve, to òhànmì gbe

state case, to gue è͟zó͟n, re͟ è͟zó͟n o

statement étà

statue èmàzé͟

stay, to dia

stay long, to dia té͟é

stay quietly, to dia ké͟é

stay with, to dia kpe͟en

steadily ké͟é, degbe

steal, to do: do hua, do nwu

stealth, to undertake in do

steam with herbs, to fioo

steer, to tu

step ìsìté͟èpù

step, to take a ze͟ ò͟è

step aside, to bi égbè

step on, to re͟ àwè͟ o

stew ósìí

stew with palm oil òwó
stick úkpóràn, óràn
stick, to tu baa
stick for anchoring trap úkpèshè
stick for plucking fruit àlàgbà
stick for turning fire úkpòkpò
stick in ground, to baa o
stick of fork shape ùzákòn
stick out, to yi re
sticky, to be sun
sticky, to be very sun mákpáá
stiff, to be zeze
stiff condition séén
still [construction] se
sting, to sa
stinginess íhìènò, àkhàin
stinginess of parents òèghè
stingy, to be hian èò, to vbi èò
stink, to yaa
stink ant ìsàmìsákói
stink bug íghòókàn
stir food, to delo
stir stick úkpókpói, ùdèlòbò
stir together, to uhie
stir up, to rughu a
stockfish that is dried ákpòlòkò
stocky gbíkí
stoke, to kpen
stomach ékéìn
stomp on, to so ízà vbi
stomp at dancing, to solo ìkhìmìzà
stone údò
stone, effervescent ikábáàdì
stone for grinding ínyúdò

stone hearth for cooking pot íù
stone to grind pepper óvbíúdò
stoney place úgbí'dò
stool, traditional stool èkpètè
stool for sitting ìjòkó
stool sample, dried íkàkíisòn
stool sample, watery òtòó
stoop, to dee re
stop, to ku, muzan
stop dead, to muzan zíkí
stopover, to vaan
storage room àzà
store ìshóbù, ìsìtóò
storeroom àzà
storied building ìgédéègé
stork with long legs áfiánmèràè
storm éfiòò
story ókhà
story of a building ògbàgbè
stout gbíkí
straight fíóó, khúíá
straight, to be dia
straight up fíóó
strain in relieving, to nyee égbè
strain, to khaan
strainer áòó
strand of úkpá'mì-
strand of cotton úkpá'mòù
stranger óré'
strangle, to shien ùrùn
strap for roof òdíàgbá, òjáàgbá
strategy àmàmá, úkpódè
straw hat érùn
stream after, to lagha

stream that dries up úvbíédà

stream of smoke úkpíìghòn

street ìsíríìtì

strength útòtómì

stretch of road ògbógó'

stretch out, to nia a

strike, to hian

strike [of clock], to lu

strike fear into, to ku ófèn o vbi

strike knuckles on, to so ìkhókhòó

string úì

string, to sien

string for spinning top úkpètì

string up, to sion

strip bark, to manye

strip leaves, to yoo

strip someone, to banno a

stripe indicating military rank úì

striped kingfisher ákpá'ghàhá

strive, to filo, fi èlébé'

striving condition èlébé'

stroll, to ko òwàà

stroll to, to agha

strolling by indirect route òwàà

strong constitution, to have ohia

strong medicine, to have toto

structure on a farm àgó

struggle for, to sume

strutting pace tétété

stubborn, to be yi ákáéhòn, se íkàdànyà

stubbornness ákáéhòn, íkàdànyà

stuck in mud, to get so ògòdò

study, to mama

stump of úkpùtúmì-

stump of burning wood ètòké

stump of wood úkpùtúmóràn

stumpy kpútú, dúgbú

stumpy, to be u kpútú

stunned, to be gbe únù

stunted, to be de ètú

stuntedness ètú

stupid, to be ruru

stupidity òrùrù

stutter, to khenkhen èmòì

subject agreement function o, i

submerged, to be de ómìmí

substitute, to nwu o vbi éhè

subtract, to yi vbi o re

subtraction àyìvbòré

successful, to be u lèsèn

suck, to nye

suckle, to nye

suddenly ùdùká

suffer, to e òyà

suffer from cough, to moe ónwèé

suffering èsòn, òyà

sufficient, to be se

sugar úmééìbó, ìshúgà

sugar lump úkpìshúgà

sugar palm tree íkpìkó

sugarcane ìyèké

sugarcane, stream ìyèkóvbìògúé'

sugarcane, swamp ìyèkúùzón

sugarcane node úkpé'nmì, ìkpùghùlúùlù

suicide, to commit din: re din úfì

suit, legal èzón

suit of clothes ìsúùtù

suitable, to be e o vbi o li

sum up, to oo

summon, to eche

summon to, to eche vbi ègùàì

summons ébè

summons to, to issue nwu ébè li, nwu ébè ye

sun òèèn

sun in evening òtèèàlèkèyógúéràn

sunbird àrè

sunbird, bright áré lì ìgbégbè

Sunday édòsè

sunglasses ùghègbè

sunset ábénwáà

sunshine òvòn

support, to kpeen

support physically, to gaga

support politically, to kpeen

support to, to give re égbè nwu

suppose, to egbe

supreme being òìsà, òìsèlébùá

supreme ruler óbá'

surface of òkhùnmì

surgery on, to perform bia li

surpass, to lee

surplus ògbèré

surprise ònyùnùá

surprise, to nya ùnù a

surround, to lagaa

survive, to ni

suspended state ìdèdéghé'

swaggering manner gádá

swallow ànàmì

swallow, to nwu oo

swamp ògòdò, úgbó'ògòdò

sway, to reghe

swear, to gbe ílè

swear before a shrine, to rame èò

sweat óòfò

sweat, to óòfò gbe

sweep, to welo

sweeping éwèlò

sweet, to be nene

sweet potato émèdó

swell, to huma re

swell [of corpse], to voon

swift, African swift ánámí lì òsímì

swift, palm swift ívbíhàì

swiftly tóítóí

swim, to tu

swimmer ózìgùè

swindle, to gbe éghó' ru

swine ìsì

swing òlívbèé

swing, to fi òlívbèé

switch for wipping úkpàsánmì

swollen, to be huma re

swoopingly vbàkhá

sword of Bini tradition èbèn

sword with round handle àgádà

symbol áèèn

sympathy ìtùèkèìn

syrup of sweet blackberry ényòìì

systematicity ògùóògúé

T

table ìtébù

tablets íkpìkhùnmì

taboo àwàà, émíéìmì

taboo, to commit a u àwàà

taboo, to violate a waa

taboo speech of woman úróòbè

tact ògùè, íkèléègúé

tadpole ìkpèghèlúèlúè

tail ùrìàì, ògòlò

tail feather úgúítíhìàn

tailor ìtélò

tailor ant íìèmúghó'ì

take, to re

take from, to miee

take heed of, to re ìèè o

take hold of heavy object, to nwu

take hold of heavy objects, to hua

take off clothing, to ku, banno

take turns, to laa

tale that is incredible òbèrè

talented singer or dancer àzìzé

talisman éò

talisman ring for fighting òòká

talk, to ta

talk, trash talk ìtàlòtáló

talk that is bad étòbè

talkative person átàlò

tall, to be da

tall and hollow [of trees] hóghó

tall and lean [human] lógólógó

tall and well-built [human] góghó

tamarind úgé'n

tangle, to gano: fi gano, ku gano

tangled, to become vbee

tapper of palm trees ókpò

tarred-road ìkpàtáísí, ìtáróòdù

tart, to be khenkhen

tartar ègòò

task òbìà

tassel on maize ìhìàghò

taste bitter/sour, to laa

taste pleasing, to eghen

taste something, to fee ghoo

tasty, to be eghen

tattoo àsún

tatoo lines ígbíòó

tattoo powder àsún

tattoo the body, to vin àsún

tattoo tool íòó

taut, to be toto

tax éghúhùnmì

teach, to re vbiee

teacher ìtísà

tear, to soo a

tear off, to nya a

tear to pieces, to taza a

tears ámévìè, évìè

tears, crocodile tears évíé ísì ìkà

tears, to burst into gbe évìè a

tease, to yeye

teenager, female àlèkè

teenager, male ògbàmà

teeth àkòn

teeth, molar ákìvìn

telephone ìfóònù

television ìtèlèvíshòn

tell lies, to moe èhèìn

tell to, to e, ta li hon

temporal era áyè

temporary farm site ígúé'

ten ìgbé

ten, all ten ìgbìgbé

ten each ìgbíìgbé

tend to, to le̠

tend to farm, to nwu

tendon ìbàn

tent àsè̠

tenth ózìgbé

tenth part áhìnìgbé

tepid vbìé̠vbìé̠

terminal point ìkpùókhó

terminate, to kuye a, da óbò̠ nye̠

terminus ìrȅsò

termite, flying termite édó'

termite, worker termite èkhàin

termite that is large ívùnòtò̠ì

termite that is small íèvbú

terrain that is rough úgbí'dò

terrible, to be khoo

terrifically èkpȅkpè

test ìdàmìghé

test, to dame̠ fe̠e ghoo

testicles íkpèvìè

testify, to re̠ ósè̠ì o

testify against, to fi ósè̠ì gbe

testify for, to re̠ ósè̠ì li

testimonial during festival ìkhàì

tetanus ògà

tilt, to eye

thank, to khue̠me̠

thank you! ù zé̠ ȍkàn

thanks! èkhúé̠mì, úé̠mì

that áìn

that kind élìyó, ólìyó

that one ó̠áìn

that time éghéáìn

that way ìyó̠

thatch èvò

the ólì

theft óì

their ìyáín

them íyàìn

themselves égbé íyàìn

then, and then [construction] re̠

there áàìn, éàìn

there yonder èvbò̠

these nà

these kinds énìnà

these kinds of ones éníná

these ones ènà

these very ones énáná

they iyain, e

they [emphatic] ìyàìn

thick kó̠tó̠

thick [of liquid], to be zeze

thick [of plant life], to be voon

thick by boiling, to become ruoo

thicket ègùn, ègùlè̠

thief óì

thievery óì

thigh ísàkóòè̠

thin khúíéé̠

thing émì

thing that is surprising ójémì

think about a person, to ee

think about a problem, to oo

third ózèéà

third part áhìnèáà

third position ákpózèéà

thirst óháànmè

thirsty, to be óháànmè gbe

thirteen ìgbèéà

thirty ógbàn

thirty-five ógbàn bí ìíhìèn

this na

this one ònà

this kind ónìná, ólìná

this period òhíná

this season úkpèènà

this very one [emphatic] ónánà

this very place ánánà

this way ìná

thorn úgbàn

thornbush ígbákpé'n

those ones éàìn

thought ìòò, àòó

thousand égbèénègbòìgbé

thrash about, to tubu

thread òú

thread in ball shape úkpòú

three èéà

three in a group, all three èèéà

three-parted object ákèéà

three pence ìtóó

threes, groups of threes èéèéa

thrice ìsèéà

throat ùrùn

throne èkpètè

throw, to fi, ku

throw around, to gano: óbò gano

throw away, to fi fi a, ku ku a

throw net, to ku ìghàn o

throw over, to ku úkpùn voo

thrust, to fi o, ku o

thumb úkpóbò lì òjè

thunder ávàn, òísòkhùnmì

thunderbolt isàkpàná

tick, animal tick íkhùá

tick from pigs àzìgán

tickle, to iin

tidal wave íkpògháàmè

tie against, to din nye vbi

tie cloth around, to ruan

tie cloth between legs, to fi va vbi

tie fence, to gba úgbà lagaa

tie knot, to din

tie together, to gba

tie up, to gbalo

tie yam vines, to haa

tight, to be toto

tightly bíí, dáin, gbáín, víín

till soil, to dolo re

tilt, to eye, menye

timber ìgèdú

time éghè

time, all the time éghèéghè

time, this very time òhíná'

tin box ìkòbá

tin container ìgááwá

tin roofing sheets ìkpáànù

tin toys ígbúlúgbùlù

tiny kísín

tip of úkpà-

tip over, to eye

tire ìtáyà

tire, to ee, olo

tire of a vehicle ìtáyà

title of tradtional ruler ólèèíèjè

titled man óèjè

titled man who is senior ódíèjè

to ye

toad ékèé

tobacco àtábà

tobacco, native tobacco àtábékèé

tobacco pipe ikìtìbé

today éènà

today [emphatic] èdèléènà

toe úkpòè , úkpó'hìòè

toenail éhìén, úkpéhìén

together gba

togetherness ókùgbé

tolerate, to zien

tom-tom óvbìèkpéé'

tomato ìtìmátì

tomorrow ákhò

tomorrow [emphatic] èdèlákhò

tomorrow, day after òtíàkhó

tongue óènmì

too gbo

tool émìòbìà

tooth àkòn

tooth, molar tooth ákìvìn

tooth plaque ègòò

tooth-billed barbet àrèmì

toothache òtòmé

toothpick úzòàkòn

top for spinning ikòsó

top of òkhùnmì

top side of a farm ògàá

top string úkpètì

torment, to mie èsòn

torso, back of ídámùòkhò

tortoise shell úgògò

tortoise, land tortoise éìn

toss, to fi, ku

total up, to oo ku gbe

totally relaxed condition gbèdéé

touch, to so

tough, to be ohia, sisha

town èvbòò

town crier ògbòbè

township òéé'

toys of tin ígbúlúgbùlù

track of an animal àkpó

track through the bush òsé

trade, to do èkìn

trader ódùèkìn

trading store ìsìtóò

traditional ruler of Emai ólèèíèjè

traditional saying ìtàn

tragedy èdèbòó, èkóká'n

trail after, to rekhaen

trailer ígbúlúgbùlù

train ìrélùwé

train, to vbiee: re vbiee

trample, to re ízà teen nye

transfer to a place, to ye

transform into, to chian

transgression òkhòó

translate, to miee ùròò

transplant, to gboon

trap for mice èkpàá

trap of twine ífì

trap of gum for birds àhè

trap stick úkpórífì

trap, iron claw ìkpàkúté'

trap, levered snare èkpàá

trap, loop and limb ọ̀fọ̀ọ̀

trap, to check chẹn

trap, weighted íjọ̀gìdì, ọ̀gbàgbé

tray of gourd ẹ̀dìdé

tray of raffia àtẹ̀tẹ̀

tray of wood ùkpákò

tray of woven palm ùgín

tread on, to gbe àwẹ̀ o

treat badly, to rẹ ẹ̀ò gbe ru

treat medicinally, to ghoo

treaty àmàsí

tree óràn

tree, bamboo ìbàbó

tree, bitter bark ọ̀kpẹ̀n

tree, bread fruit ìhíángúéìbó

tree, cotton ọ́khàì

tree, exploding seeds úkpàghá

tree, false rubber ọ̀víáàbà

tree, false shade ọ̀víọ́òbàdán

tree, grassland úròòbé

tree, grassland fig tree ókùá

tree, iroko ùlókò

tree, locust bean ùgbévbèè

tree, raffia palm ọ̀wọ̀

tree, rubber ọ́kpọ́'n

tree, shade variety ọ̀bàdán

tree, short oil palm ọ̀wàmì

tree, silk cotton úkpọ̀úmọ́khà

tree, tamarind tree úgé'n

tree, variegated leaf úyẹ̀yẹ̀

tree, walnut ọ́khọ̀híá

tree, yellow berry ọ̀ghéghè

tree bark úhí'ámóràn

tree branch úká'lábóràn

tree for cough treatment àsòfè

tree for herb treatment íkpùlùbù

tree for invisible charm óbìkó

tree for loom frame òkpẹ̀n

tree for melon stock ághààkpà

tree hyrax ikúàghàghà

tree noted for kindling òtá

tree stump úkpùtúmóràn

tree that is solitary àkóbìsì

tree, renews bark àkpàkpóghò

tree type óghọ̀hé, ùdégùọ̀ghọ̀

tree with broad leaves ùbòlò

tree with blackberry òìì

tree with sap àhè

tree with greyish bark èkúù

tree with oil bean pods ùgbẹ́n

tree with red leaves ùgùògùò

tree with abrasive leaves úànmẹ́

tree with sour shoots òíkhààn

trembling fashion kpákpákpá

trial run ìdàmìghé

tribulations òkpòkpò

trick òvbéé'

trickle, to nọnọ

trigger, to dọn a

trim, to kalọ

trip, to dọn a

trip, to use to rẹ àwẹ̀ roo

trip off a spring trap, to dọn a

triplet ákèéà

triplets íwèéà

tripod àdògán

trivialities ìyèyé

trouble, to be in o vbi èmòì

trouble, to make hoo ìnyèmì

trousers ìgàdáísí, ósòtòì, ìtúrózà

truck ágbúlúgbùlù, ìtúróòkì

truly àtáàtá

trunk ídámégbè

trunk of elephant óvbèè

trunk of the body úké'légbè

truth àtà

truthful person óíá ísì àtà

try, to fee ghoo

try in vain, to ba kun

tsetse fly úzà

tsetse fly that is giant-sized úzíní

tuber of úsù-

tuberculosis úùzòmótèì

tuft of hair úkpétò

tug at, to sigha

tumbler ìtónbùlà

tumor áràá

tunnel òò

turkey ìtòlótòló

turmoil òrùghùlábè

turn around, to fi égbè delo égbè

turn of reciprocity, reprisal ògà

turn over, to dolo

turn to, to kpen: delo èò kpen

turn upside down, to zughu

turntable ìchénjà

turtle èúvbò

tusk of elephant ákíní

tweezers àkpòkà

twelfth ózìgbéèvà

twelve ìgbéèvà

twelve-gallon container ìgááwá

twenty ùúè, ògbòò-

twenty-five ùúè bí ìíhìèn

twice ìsèvá

twig úkpóràn

twine úì

twins ìwèvà

twist in order to squeeze, to shien

two èvá

two hundred ègbòìgbé

two-parted object àkèvá

U

Uanhumi village úánhùmì

udder ényè

Ugbuule village site úgbú'úlè

ugly, to be sene

Ugo site ùgò

Uhe site úhè

ulcer ètè, èmài

ulcer that persists étòrè

umbilical-cord ùkhòìn

umbilical hernia òjó

umbrella àkhàrà

unbeliever ìkèfèí

unbetrothed female àlèkè

unconscious, to be de ókìn

unconsciousness ókìn

uncountable condition àìmìtíkòò

uncooked, to be de ògbòn

uncooked food ògbòn

under ègèìn

underneath égéègén

underrate, to re̖ e̖ò gbe ru

undersized condition zúgé̖zúgé̖

understand, to nwu e̖ò kuee re

underwear ìdúró̖ò̖sì, àkàno̖

undoubtedly rúú

undress, to banno̖

unfold, to taan

unintentionally dobo̖

union ègbé̖

unison, in ìsòkpá

unit of hand measurement ìkàbo̖

unity ókùgbé

university ìyùnìvásí'tì

unmarried youth óvbèkhàn

unpleasant sight o̖kho̖vbè̖ó

unrest òrùghùlábè̖

unripeness ò̖bàn

unsavory act ìgúó

unserious person ó̖íá ísì ìghé̖é̖

unsettle water, to rughu a

untie, to tinye̖ a

until [construction] se̖ vbi o̖ khi

unwind, to gbaan a

up stream ókhúnmí é̖dà

upper arm úké'lóbo̖

upper end of a farm ògàá

upright position ìdàlè

upright, to be ri vbi ìdàlè

upright, to sleep me̖he̖n o̖ vbi ìdàlè

uprightly kpásíá, fíóó

uproar òkèkè, òbìbì

uproot by digging, to vboo̖

uproot by pulling, to vun

upset, to riaa é̖ké̖ìn a

upset, to get nwu e̖ò hua

upward òkhùnmì

urge, to e̖ li

urgently kpákpá

Urhobo people ùhòbò

urinate, to fe̖na áàhìè̖n

urine áàhìè̖n

us mai

us [dative] ámàì

use, to re̖

used to ya

used to, to become maghan

uselessness ìyè̖yé̖

usually sàá

utensil, food preparation ùdèlòbo̖

utilise, to wee

utter a sound, to roo

utter words, to ta

utterance étà

V

vagina ùkòkò

vain, in ba kun

vain, to pursue in ba kun

valley ùdègbú

valley in lowland area ìgbòtó̖é

vanish, to de àhòì a

vanity ìfáàí

vantage point áyè

vegetable, Cocchorus otitorus íhìè̖ò

vegetable, green ùsìòkpá

vegetable, leafy è̖fó̖, íhìè̖ò

vegetable of the stricken ìsìsàn

vegetable soup ómè̖fó̖

vein íàán

velvet ìgbégbè

velveteen ìléléèjì

venereal disease áhè

venom óbì

Venus úkpásùmójè

vertically high position ìdèdéghé'

very much [intensification] gbe

very quickly èjéèjé

very well lèsèn

vibration íkhùèè

vicinity ìlàgáá, ògúáí, òjáí

victorious, to be e ásé'

victory in court ásé'

vie with, to sume

vigal for a village ikhèòà

vigorously gbíghí, víín, zíghí

village èvbòò

village of mythical stature úhè

village quarter úkhùèdè

vindication in court ásé'

vine creeper ùgbàìgìdì

vine creeper with leaves ésìrá

vine for ayo seeds ísè

vine for climbing úfì

vine for sponge étàìkpé

vine for rope ókhùènkhùèn

vine of yam plant ívbíémà

vine of yam thorns ígbénù

vine mass íkpàtívbì, ívbìì

vine that lathers ìríghírìghì

vine with hard bean íhìèhíé

vine with red flower ísíénòtòì

vine with thorns ígbánkpén

violently ìwìàìnì

viper ényè

viscosity, to lose lagha a

viscous mákpáá

viscous, to be sun

visible, to make re égbè vbiee

vision, to experience a mie èò

visit, to ree

visitor óré'

vocation ìghà

voice ùrùn

voice for singing úkpùrùn

vomit ékpà

vomit, to kpa

voracious, to be fi ékéin

vote, to dibo

vow ílè

vow, to make a gbe ílè

vow to, to ruo li

vulture ùghú

W

waddling nyàkhúánnyàkhúán

wail, to go

waist ékùn

waistline èbèlè

waist bead úkpólò, ìèghè

waist strap ùgbèkùn

wait for, to khee

wait, to muzan

wake up, to shoo re

walk, to shan

walk about, to shan shan

walk with limp, to fi òè

walking óshán

walking in haste óshán òtùà

walking stick úkpóràn

wall ùdékẹ̀n

wall at back of a house égbókhẹ̀ẹ́

walnut ọ́khọ̀híá

wander, to gbe ògòlà

wandering condition ògòlà

want, to hoo

wanting, to be mentally ruru

war ókhọ̀ìn

warm, to tohia, daan

warm by fireplace, to ghaa èràin

warm in color, to be vbae

warmth ọ̀tòhíá

war party òhùkú

wart árírísò

wart on chicken leg ófì

warthog ázánìsì

wash, to kpeye

wash basin ùkpàbọ̀

wash clothes, to hoo

wash dishes, to kpe

wash the body, to khoo

wash with charms, to khoo a

wasp that is brown ìsísíkhùàì

wasp with narrow waist ìsìkóì

waste, to foo a, fu a

waste time, to foo éghè a

wasting away òdòdòhúélé

watch àúgó'

watch, to kaoghoo, kaowo

watch area ókhẹ̀ẹ́

watchful, to be kaa ẹ̀ò a

water àmẹ̀

water buffalo èọ̀

water channel égàá

water channel joint úkpégàá

water droplets, to cover with égbè fì ìkékèẹ́n

water droplets on skin ìkékèẹ́n

water drops íkpàmè

water from a stream ámẹ́dà

water from the sea ámẹ́ ísì ólòkún

water from a well ámùhàì

water gnat ìsàghẹ̀dà, ìsànẹ̀dà

water hole ẹ̀ràì

water leaf, spinach ìjọ̀dọ́jọ̀dọ́

water pot ákhè

water potion for witch ámókọ̀

water snail ìkèké

water, pipe ámẹ́ ísì ìpọ́òmpù

water yam, small úkúkúákògùè

water yam cake íkàà

water yam seed íkúkákògùè

water yam stew ìbẹ̀ghè

water yam, condiments ìsíkọ̀lọ̀

water yam without sauce ọ̀jọ̀jọ̀

watery lòghòlóghó

watery, to become logho

wave of water íkpògháàmè

way ùyè

way on a path network ódẹ̀, òsé

waylay, to khee vbi úkpódẹ̀

we mai

we [emphatic] màmàì

weakling ìghẹ̀ghẹ̀búghè, ẹ̀ghẹ̀ẹ̀búlè

wealth èfè

wealthy, to be fe

wean, to fan úkpà vbi ényè̱

weapon émíókhọ̀ìn

wear clothes, to wee

weary from exertion, to be o̱lo̱

weave, to doo

weaverbird ávbé̱'ì

weaverbird, male ávbé̱'í lí óbí'n

weaving shuttle ùbàlò̱kpò̱

weed ìùmì

weed, to hio

weed, charm ìkhùnmìzàfìgbíòó

weed, clings to animals ìnwùzò

weed, cow weed íúmé̱mè̱lá

weed, dog weed ó̱é̱nmáwà

weed, goat weed úhúnmílófíédè̱

weed, headache relief íúmé̱khàyé̱

weed, navel healing ídèùkhọ̀ìn

weed, scissor weed ánùmágàzí

weed, sharp-edged leaf ígbáàmásà

weed, tuberous root íkpàmómóì̱

weed, wood dove íúmókòmòtòì

weed in fallow land ásùmúgó'

weed type àgbìsí, ìsé̱kè̱tú òkéòké, óvbìòò̱, ùnyónyóùnyò̱, ùyó, ísúsúwè̱úwè̱

weeding è̱hìò

week ò̱sè̱

week of four days ùjè

weep, to vie̱

weeping évìè̱

weight úkhùámì

weighted trap ò̱gbàgbé

welcome back! òbóshàn

weld, to gha: so gha

well ùhàì

well done! (interj) òbóbìà

well physically, to be daan

wet, to become ho̱ro̱

what émé', émí'

whatever émìíkhèmí

wheel ìwíìlì

when éghè̱

whenever édè̱íkhè̱dè̱, éghè̱íkhè̱ghé̱

where ébé', ébí'

whether si

which one í

whip úkpàsánmì

whirlwind àzìzà

whistle ífèè̱

whistle, to blow fi ífèè̱

whistle with mouth, to fi úkpóè̱

whistling úkpóè̱

white yam species ásókóó'

white, extreme ké̱ké̱ké̱

white, to be fuan

whiteman óìbò

whiteness ò̱fúán

whitlow étù

whitlow treatment òmè̱mì

who ó̱é', éé'

whole of ùkútú'

whooping cough ìháàwòhó

whooshing sound khùó

whore àdègbè

whoredom ùhé

why émé' ó̱ zé̱í khi

wicked, to be ze̱ é̱ké̱ín ò̱bè, kho̱o̱

wickedness é̱ké̱ínò̱bè

wide, to become vbe̱

widely and deeply gbùdú

widen, to vbe̱ a

widow òròòn

widower ósàì

wife óhà

wife, co-wife òíé'n

wife of the oba óhóbá'

wife who is disfavored àúkhò̱

wife who is favored éghàyò

wild animal éánmògò

wild boar ázánìsì

wild pear plant òúmúgbó'

will [predictive] ló̱

wind éfìòò

wind, extremely cold ò̱kpòòn

window ìnwîìdò, ìfèèsé

wine é̱nyò̱

wine from maize é̱nyó̱kà

wine from palm é̱nyúdìn

wine from plantain é̱nyò̱gèdè̱

wine gourd úbélé̱nyò̱

wine tapper ó̱kpò̱

winged insect species íòédó'

wings ígú'ábò̱, íhú'nábò̱

wipe, to kalo̱

wire mesh dryer è̱káì, è̱sáì

wiry physique né̱génné̱gén

wisdom èwàìn

wise person ó̱zèwàìn

wish evil on, to fi únù li

witch àzé̱n, ò̱bò̱lókpòsò, áfìánmì

witch's cove àdà

witchcraft òsó, àzé̱n

with someone kpe̱e̱n

witness óse̱ì

witness, to bear false fi óse̱ì gbe

witty saying íkè̱mò̱ì

wizard àzé̱n, òsó

woman ò̱kpòsò

woman, childless àgàn

woman, fertile ò̱vbìò̱mò̱

woman, old ó̱kpósódíò̱n

woman, pregnant ó̱kpósò̱hàmà

womb é̱kpó̱mò̱

wonder àìmìènghè

wonderingly tééí

wonderous thing ójémì

woo, to ta è̱mò̱ì

wood óràn

wood, pieces of wood íké̱ké̱móràn

wood of hard type ùsìvìn

wooden fetter ùtí

wooden tray ùkpákò

woodpecker àrè, àgbògbòràn

wooing útàmí

woolly fùlé̱fùlé̱

word étà

words, evil étòbè̱

words, significant úkúté'tà

work ò̱bìà, ìjó̱ò̱bù

work, to bia, gbe ìjó̱ò̱bù

work place ógúí ò̱bìà, égénòbìà

workers ékhé̱nòbìà

workshop àsè̱

world àgbò̱n

world of dead and unborn éìmì

worm ò̱khò̱ì

worm in pubic region ókhóùkìn
worm on new yam ívbìòìsà
wornout condition ésèsèmì
worried state òkpòkpò
worry, to kpokpo, ee
worship, to ga
would have construction kha
wound èmàì
wound cure leaf úgbèkhòkhò
wound that festers òsón
wound that persists étórè
wound, to have a moe èmàì
woven cloth type àkítìkpá
wrap around body, to ruan
wrap around head, to gba, gbalo
wrap of èkò
wrapper of cloth úkpùn
wreak social havoc, to ze ùzà
wrestle, to dan
wrestling ódàn
wretched one úzèzèmúzè, ólòsì
wretchedness òsì
wring out clothes, to mino
wrinkle, to lughu
wrist úkpé'nmóbò
wristwatch áúgó'
write, to vin
writer òvìnèbè
writhe, to do
writhingly màlóó, gbúdú
wrong way òhàn, òhóòhán
wrong way, to move ye òhàn

Y

yam émà

yam, to harvest ton
yam, to pound ume
yam, coco-yam íkhùòkhúó
yam, false yam òvíémà
yam, seed yam ígbì
yam, water yam ákògùè
yam flour èlùbó
yam for planting ígbì
yam head úhúnmémà
yam heap èhèì
yam heap, first of season éhéúkpè
yam heaps, plot perimeter ègbòé
yam of large size íkpòkémà
yam pole ìsèsè
yam pole for planting úkpóròkén
yam pottage àsègùè
yam rack úkpósémà
yam rot ìlòdò
yam seed ìkúkémà
yam skewer ùbòsùn
yam stack úkpòsémà
yam stake ìsèsè
yam stew íbèmí
yam, boiled èhúé
yam, boiled chunk úkómèhúé
yam, fried ìdùdú
yam, mashed èhá, íkhùìkhúí
yam, new émòròn
yam, pounded émà
yam, roasted éríétòn
yam, striped émúènghén, úènghén
yam, sweet àébù
yam, white ásókóó', òhòmò
yam, wild [not eaten] òvíémà

yam, yellow ósìókpó', ùlùò
yam type òvbìè
yam vine ívbíémà
yam vine, thorny ákpé'n, ígbénù
yam worm ívbìòìsà
yawn, to nya àsùnù
yaws ófì
yaws patient ódófì
yaws treatment óbìnyédè
year úkpè
year, last year élá úkpè
year, next úkpé lì òdè, úkpègbé
yearly úkpùúkpè
years ago ìghéèghé
yell at, to sahìen
yellow, to be vbae ègé
yellow wagtail ávbé'ì
yes hèè
yesterday òdè

yet se, kpe
yoke for dog ùlègbò
Yoruba ìyóòbá, àzànómò
you u, e
you plural vba, ávbà
you [emphatic] wèwè
young boy óvbékhómòhè
young girl óvbékhàlèkè
young of óvbì-
your é, èé
your [plural] àvbá
youth óvbèkhàn
youth, immature úkúkóvbèkhàn
youths, spirit world ívbíékhéìmì

Z

zero àhòì
zigzag fashion ghèéghèé
zinc roofing sheets ìkpáànù
zinging sound fáó, váó